中國國家圖書館編

國家圖書館藏敦煌遺書

第二十四册　北敦〇一六九九號——北敦〇一八〇〇號

北京圖書館出版社

圖書在版編目(CIP)數據

國家圖書館藏敦煌遺書·第二十四册/中國國家圖書館編;任繼愈主編. —北京:北京圖書館出版社,2006.3

ISBN 7-5013-2966-4

Ⅰ.國… Ⅱ.①中…②任… Ⅲ.敦煌學—文獻 Ⅳ.K870.6

中國版本圖書館 CIP 數據核字(2006)第 007298 號

ISBN 7-5013-2966-4

9 787501 329663 >

書　　名　國家圖書館藏敦煌遺書·第二十四册
著　　者　中國國家圖書館編　任繼愈主編
責任編輯　徐　蜀　孫　彦
封面設計　李　璀

出　　版　北京圖書館出版社　(100034 北京西城區文津街 7 號)
發　　行　010-66139745　66151313　66175620　66126153
　　　　　66174391(傳真)　66126156(門市部)
E-mail　cbs@nlc.gov.cn(投稿)　btsfxb@nlc.gov.cn(郵購)
Website　www.nlcpress.com
經　　銷　新華書店
印　　刷　北京文津閣印務有限責任公司

開　　本　八開
印　　張　48.75
版　　次　2006 年 3 月第 1 版第 1 次印刷
印　　數　1-150 册(套)

書　　號　ISBN 7-5013-2966-4/K·1249
定　　價　990.00 圓

目錄

南无善世界名堅自在如来彼如来授名寶
堅菩薩阿耨多羅三藐三菩提記
南无月世界名寶莎羅如来彼如来授名普
香菩薩阿耨多羅三藐三菩提記
南无娑婆世界名大勝如来彼如来授名大勝
天王菩薩阿耨多羅三藐三菩提記
南无一切蓋世界名寶輪如来彼如来授名
星宿勝菩薩阿耨多羅三藐三菩提記
南无過一切憂鄣导世界名不空記如来彼
如来授名不空説菩薩阿耨多羅三藐三
菩提記
南无遠離憂惱世界名功德成就如来彼如
来授名无邊勝威德菩薩阿耨多羅三藐
三菩提記
南无寂静世界名稱王如来彼如来授名勇
德菩薩阿耨多羅三藐三菩提記
南无不空見世界名不空奮迅如来彼如来
授名不空發行菩薩阿耨多羅三藐三菩

BD01699號　佛名經（十二卷本）卷二　（3–1）

南无遠離憂惱世界名功德成就如来彼如
来授名无邊勝威德菩薩阿耨多羅三藐
三菩提記
南无寂静世界名稱王如来彼如来授名勇
德菩薩阿耨多羅三藐三菩提記
南无不空見世界名不空奮迅如来彼如来
授名不空發行菩薩阿耨多羅三藐三菩
提記
南无香世界名香光明如来彼如来授名
寶藏菩薩阿耨多羅三藐三菩提記
南无无量吼聲世界名无鄣导聲如来彼
如来授名无分别發行菩薩阿耨多羅三
藐三菩提記
南无月輪光明世界名稱力王如来彼如来
授名智稱菩薩阿耨多羅三藐三菩提記
南无寶輪世界名寶上勝如来彼如来授
名大導師菩薩阿耨多羅三藐三菩提記
南无寶輪世界名善眼如来彼如来授名
衆行菩薩阿耨多羅三藐三菩提記 一千六百
南无法世界名波頭摩勝如来彼如来授名
大法菩薩阿耨多羅三藐三菩提記
南无名須弥頂上王如来彼如来授名智力
菩薩阿耨多羅三藐三菩提記

BD01699號　佛名經（十二卷本）卷二　（3–2）

藐三菩提記
南无月輪光明世界名稱力王如来彼如来
授名智稱菩薩阿耨多羅三藐三菩提記
南无寶輪世界名寶上勝如来彼如来授
名大導師菩薩阿耨多羅三藐三菩提記
南无寶輪世界名善眼如来彼如来授名
樂行菩薩阿耨多羅三藐三菩提記 一千六百
南无法世界名波頭摩勝如来彼如来授名
大法菩薩阿耨多羅三藐三菩提記
南无名須弥頂上王如来彼如来授名智力
菩薩阿耨多羅三藐三菩提記
南无名波頭摩勝如来彼如来授名勝德菩
薩阿耨多羅三藐三菩提記
南无陁羅尼輪世界名香光明如来彼如
来授名陁羅尼自在王菩薩阿耨多羅三
藐三菩提記
南无金光明世界名十方稱發如来彼如来
授名智稱發行菩薩阿耨多羅三藐三菩
提記

BD01699 號　佛名經（十二卷本）卷二　（3–3）

妙法蓮華經五百弟子受記品第八　四
尒時富樓那弥多羅尼子從佛聞是慧方便
隨宜說法又聞授諸大弟子阿耨多羅三藐
三菩提記復聞宿世因緣之事復聞諸佛
有大自在神通之力得未曾有心淨踊躍即
從座起到於佛前頭面礼足却住一面瞻仰
尊顏目不暫捨而作是念世尊甚奇特所為
希有隨順世間若干種性以方便知見而為
說法拔出衆生處處貪著我等於佛功德言
不能宣唯佛世尊能知我等深心本願尒時
佛告諸比丘汝等見是富樓那弥多羅尼子
不我常稱其於說法人中最為第一亦常歎
其種種功德精勤護持助宣我法能於四衆
示教利喜具足解釋佛之正法而大饒益同
梵行者自捨如来无能盡其言論之辯汝等
勿謂富樓那但能護持助宣我法亦於過去
九十億諸佛所護持助宣佛之正法於彼說法
人中亦最第一又於諸佛所說空法明了通
達得四无礙智常能審諦清淨說法无有
疑惑具足菩薩神通之力隨其壽命常脩梵

BD01700 號　妙法蓮華經卷四　（3–1）

梵行者自捨如來无能盡其言論之辯汝等
勿謂冨樓那但能護持助宣我法亦於過去
九十億諸佛所護持助宣佛之正法於彼說法
人中亦最弟一又於諸佛所說空法明了通
達得四无礙智常能審諦清淨說法无有
疑惑具足菩薩神通之力隨其壽命常脩梵
行彼佛世人咸皆謂之實是聲聞而冨樓那以
斯方便饒益无量百千衆生又化无量阿
僧祇人令立阿耨多羅三藐三菩提為淨佛土
故常作佛事教化衆生諸比丘冨樓那亦於
七佛說法人中而得弟一今於我所說法人
中亦為弟一於賢劫中當來諸佛說法人中
亦復弟一而皆護持助宣佛法亦於未來
護持助宣无量无邊諸佛之法教化饒益无
量衆生令立阿耨多羅三藐三菩提為淨佛
土故常勤精進教化衆生漸漸具足菩薩之
道過无量阿僧祇劫當於此土得阿耨多羅
三藐三菩提号曰法明如來應供正遍知明行
足善逝世間解无上士調御丈夫天人師佛
世尊其佛以恒河沙等三千大千世界為
一佛土七寶為地地平如掌无有山陵谿澗
溝壑七寶臺觀充滿其中諸天宮殿近處虛
空人天交接兩得相見无諸惡道亦无女人
一切衆生皆以化生无有婬欲得大神通身
出光明飛行自在志念堅固精進智慧普皆
金色三十二相而自莊嚴其國衆生常以二

BD01700號　妙法蓮華經卷四　（3–2）

世尊其佛以恒河沙等三千大千世界為
一佛土七寶為地地平如掌无有山陵谿澗
溝壑七寶臺觀充滿其中諸天宮殿近處虛
空人天交接兩得相見无諸惡道亦无女人
一切衆生皆以化生无有婬欲得大神通身
出光明飛行自在志念堅固精進智慧普皆
金色三十二相而自莊嚴其國衆生常以二
食一者法喜食二者禪悅食有无量阿僧祇
千万億那由他諸菩薩衆得大神通四无礙
智善能教化衆生之類其聲聞衆筭數校計
所不能知皆得具足六通三明及八解脫其
佛國土有如是等无量功德莊嚴成就劫名
寶明國名善淨其佛壽命无量阿僧祇劫法
住甚久佛滅度後七寶塔遍滿其國尒時世
尊欲重宣此義而說偈言
諸比丘諦聽　佛子所行道　善學方便故　不可得思議
知衆樂小法　而畏於大智　是故諸菩薩　作聲聞緣覺
以无數方便　化諸衆生類　自說是聲聞　去佛道甚遠
度脫无量衆　皆悉得成就　雖小欲懈怠　漸當令作佛
內祕菩薩行　外現是聲聞　少欲厭生死　實自淨佛土
示衆有三毒　又現邪見相　我弟子如是　方便度衆生
若我具足說　種種現化事　衆生聞是者　心則懷疑惑

BD01700號　妙法蓮華經卷四　（3–3）

又見菩薩　離諸戲笑　及癡眷屬　親近智者
一心除亂　攝念山林　億千万歲　以求佛道
或見菩薩　餚饍飲食　百種湯藥　施佛及僧
名衣上服　價直千万　或无價衣　施佛及僧
千万億種　栴檀寶舍　衆妙卧具　施佛及僧
清淨薗林　華菓茂盛　流泉浴池　施佛及僧
如是等施　種種微妙　歡喜无厭　求无上道
或有菩薩　說寂滅法　種種教詔　无數衆生
或見菩薩　觀諸法性　无有二相　猶如虛空
又見佛子　心无所着　以此妙慧　求无上道
文殊師利　又有菩薩　佛滅度後　供養舍利
又見佛子　造諸塔廟　无數恒沙　嚴飾國界
寶塔高妙　五千由旬　縱廣正等　二千由旬
一一塔廟　各千幢幡　珠交露幔　寶鈴和鳴
諸天龍神　人及非人　香華伎樂　常以供養
文殊師利　諸佛子等　為供舍利　嚴飾塔廟
國界自然　殊特妙好　如天樹王　其華開敷
佛放一光　我及衆會　見此國界　種種殊妙
諸佛神力　智慧希有　放一淨光　照无量國
我等見此　得未曾有　佛子文殊　願決衆疑
四衆欣仰　瞻仁及我　世尊何故　放斯光明

BD01701 號　妙法蓮華經卷一　（3–1）

文殊師利　諸佛子等　為供舍利　嚴飾塔廟
國界自然　殊特妙好　如天樹王　其華開敷
佛放一光　我及衆會　見此國界　種種殊妙
諸佛神力　智慧希有　放一淨光　照无量國
我等見此　得未曾有　佛子文殊　願決衆疑
四衆欣仰　瞻仁及我　世尊何故　放斯光明
佛子時荅　決疑令喜　何所饒益　演斯光明
佛坐道場　所得妙法　為欲說此　為當授記
示諸佛土　衆寶嚴淨　及見諸佛　此非小緣
文殊當知　四衆龍神　瞻察仁者　為說何等
尒時文殊師利語彌勒菩薩摩訶薩及諸大
士善男子等如我惟忖今佛世尊欲說大法
雨大法雨吹大法蠡擊大法鼓演大法義諸
善男子我於過去諸佛曾見此瑞放斯光已
即說大法是故當知今佛現光亦復如是欲
令衆生咸得聞知一切世間難信之法故現
斯瑞諸善男子如過去无量无邊不可思議
阿僧祇劫尒時有佛号日月燈明如來應供
正遍知明行足善逝世間解无上士調御丈
夫天人師佛世尊演說正法初善中善後善
其義深遠其語巧妙純一无雜具足清白梵
行之相為求聲聞者說應四諦法度生老病
死究竟涅槃為求辟支佛者說應十二因緣
法為諸菩薩說應六波羅蜜令得阿耨多羅
三藐三菩提成一切種智次復有佛亦名日
月燈明[illegible]

BD01701 號　妙法蓮華經卷一　（3–2）

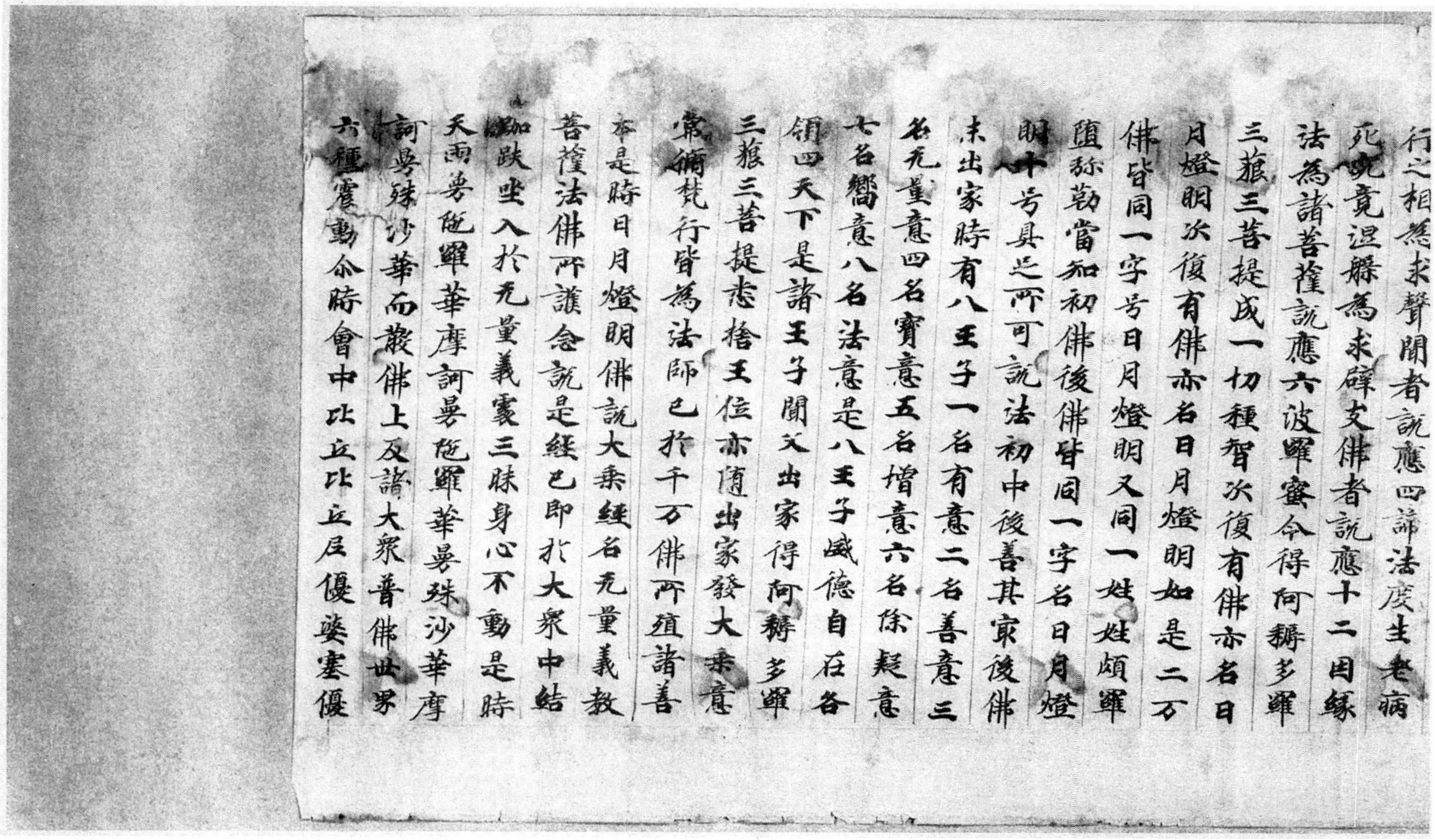

行之相應為求聲聞者說應四諦法度生老病
死究竟涅槃為求辟支佛者說應十二因緣
法為諸菩薩說應六波羅蜜令得阿耨多羅
三藐三菩提成一切種智次復有佛亦名日
月燈明次復有佛亦名日月燈明如是二万
佛皆同一字号日月燈明又同一姓姓頗羅
墮弥勒當知初佛後佛皆同一字名日月燈
明十号具足所可說法初中後善其最後佛
未出家時有八王子一名有意二名善意三
名无量意四名寶意五名增意六名除疑意
七名響意八名法意是八王子威德自在各
領四天下是諸王子聞父出家得阿耨多羅
三藐三菩提悉捨王位亦隨出家發大乘意
常脩梵行皆為法師已於千万佛所殖諸善
本是時日月燈明佛說大乘經名无量義教
菩薩法佛所護念說是經已即於大眾中結
加趺坐入於无量義處三昧身心不動是時
天雨曼陁羅華摩訶曼陁羅華曼殊沙華摩
訶曼殊沙華而散佛上及諸大眾普佛世界
六種震動尒時會中比丘比丘尼優婆塞優

BD01701 號　妙法蓮華經卷一　（3–3）

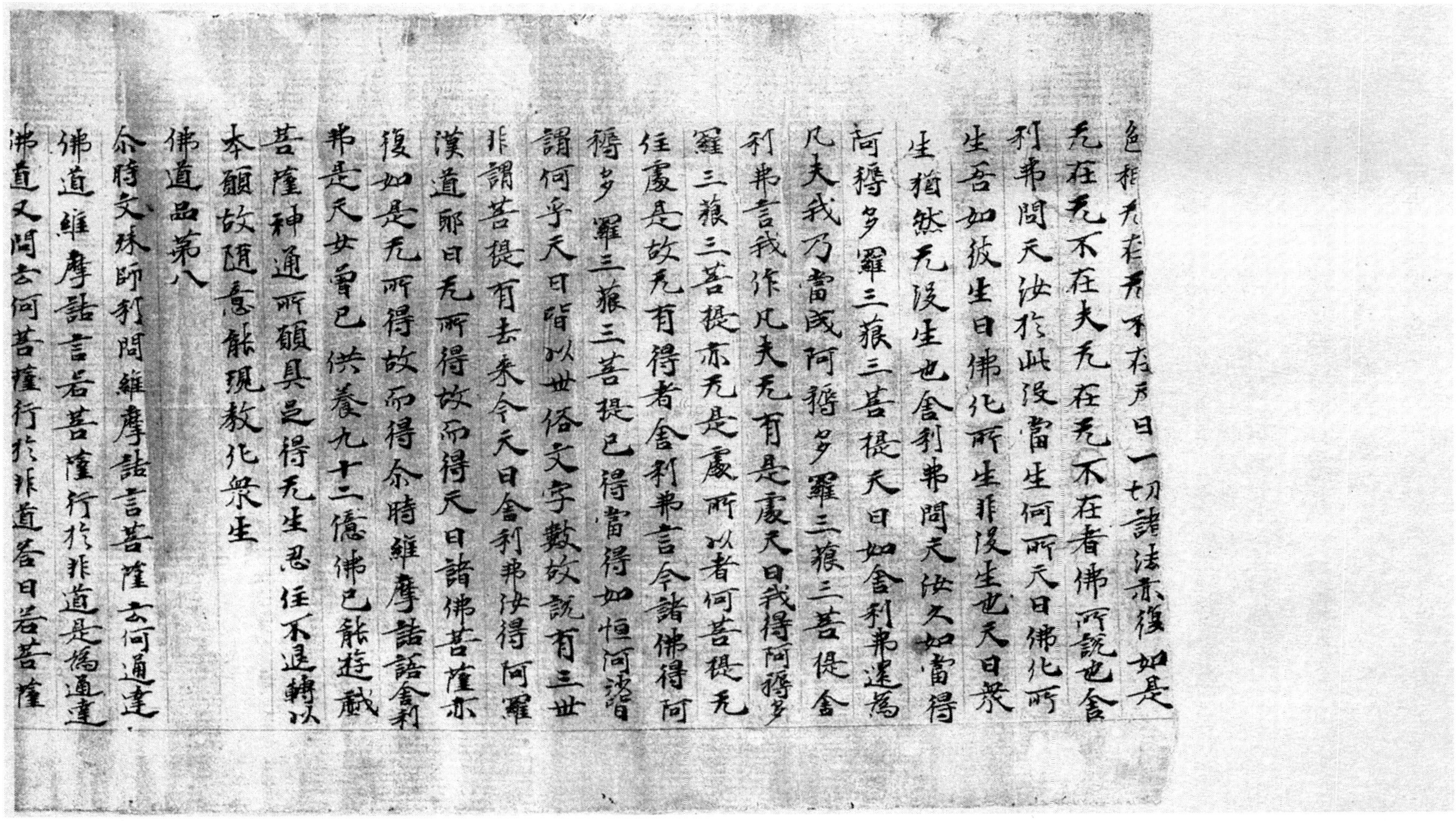

色相无在无不在天曰一切諸法亦復如是
无在无不在夫无在无不在者佛所說也舍
利弗問天汝於此沒當生何所天曰佛化所
生吾如彼生曰佛化所生非沒生也天曰眾
生猶然无沒生也舍利弗問天汝久如當得
阿耨多羅三藐三菩提天曰如舍利弗還為
凡夫我乃當成阿耨多羅三藐三菩提舍
利弗言我作凡夫无有是處天曰我得阿耨多
羅三藐三菩提亦无是處所以者何菩提无
住處是故无有得者舍利弗言今諸佛得阿
耨多羅三藐三菩提已得當得如恒河沙皆
謂何乎天曰皆以世俗文字數故說有三世
非謂菩提有去來今天曰舍利弗汝得阿羅
漢道耶曰无所得故而得天曰諸佛菩薩亦
復如是无所得故而得尒時維摩詰語舍利
弗是天女曾已供養九十二億佛已能遊戲
菩薩神通所願具足得无生忍住不退轉以
本願故隨意能現教化眾生
佛道品第八
尒時文殊師利問維摩詰言菩薩云何通達
佛道維摩詰言若菩薩行於非道是為通達
佛道又問云何菩薩行於非道荅曰若菩薩

BD01702 號　維摩詰所說經卷中　（2–1）

復如是无所得故而得尒時維摩詰謂舍利
弗是天女曾已供養九十二億佛已能遊戲
菩薩神通所願具足得无生忍住不退轉以
本願故隨意能現教化衆生
佛道品第八
尒時文殊師利問維摩詰言菩薩云何通達
佛道維摩詰言若菩薩行於非道是爲通達
佛道又問云何菩薩行於非道答曰若菩薩
行五无間而无惱恚至于地獄无諸罪垢至
于畜生无有无明憍慢等過至于餓鬼而具
足功德行色无色界道不以爲勝示行貪欲
離諸染著示行瞋恚於諸衆生无有恚閡示行
愚癡而以智慧調伏其心示行慳貪而捨內
外所有不惜身命示行毀禁而安住淨戒乃
至小罪猶懷大懼示行瞋恚而常慈忍示行
懈怠而勤脩功[illegible]念定示行

BD01702 號　維摩詰所說經卷中　（2–2）

德即非福德性
是故如來說福德多若復有人於此經中
受持乃至四句偈等爲他人說其福勝彼何以
故須菩提一切諸佛及諸佛阿耨多羅三藐三
菩提法皆從此經出須菩提所謂佛法者即
非佛法
須菩提於意云何須陁洹能作是念我得須
陁洹果不須菩提言不也世尊何以故須陁
洹名爲入流而无所入不入色聲香味觸法
是名須陁洹須菩提於意云何斯陁含能作
是念我得斯陁含果不須菩提言不也世尊
何以故斯陁含名一往來而實无往來是名
斯陁含須菩提於意云何阿那含能作是念
我得阿那含果不須菩提言不也世尊何以故
阿那含名爲不來而實无來是故名阿那含須
菩提於意云何阿羅漢能作是念我得阿
羅漢道不須菩提言不也世尊何以故實无有
法名阿羅漢世尊若阿羅漢作是念我得阿
羅漢道即爲著我人衆生壽者世尊佛說

BD01703 號　金剛般若波羅蜜經　（7–1）

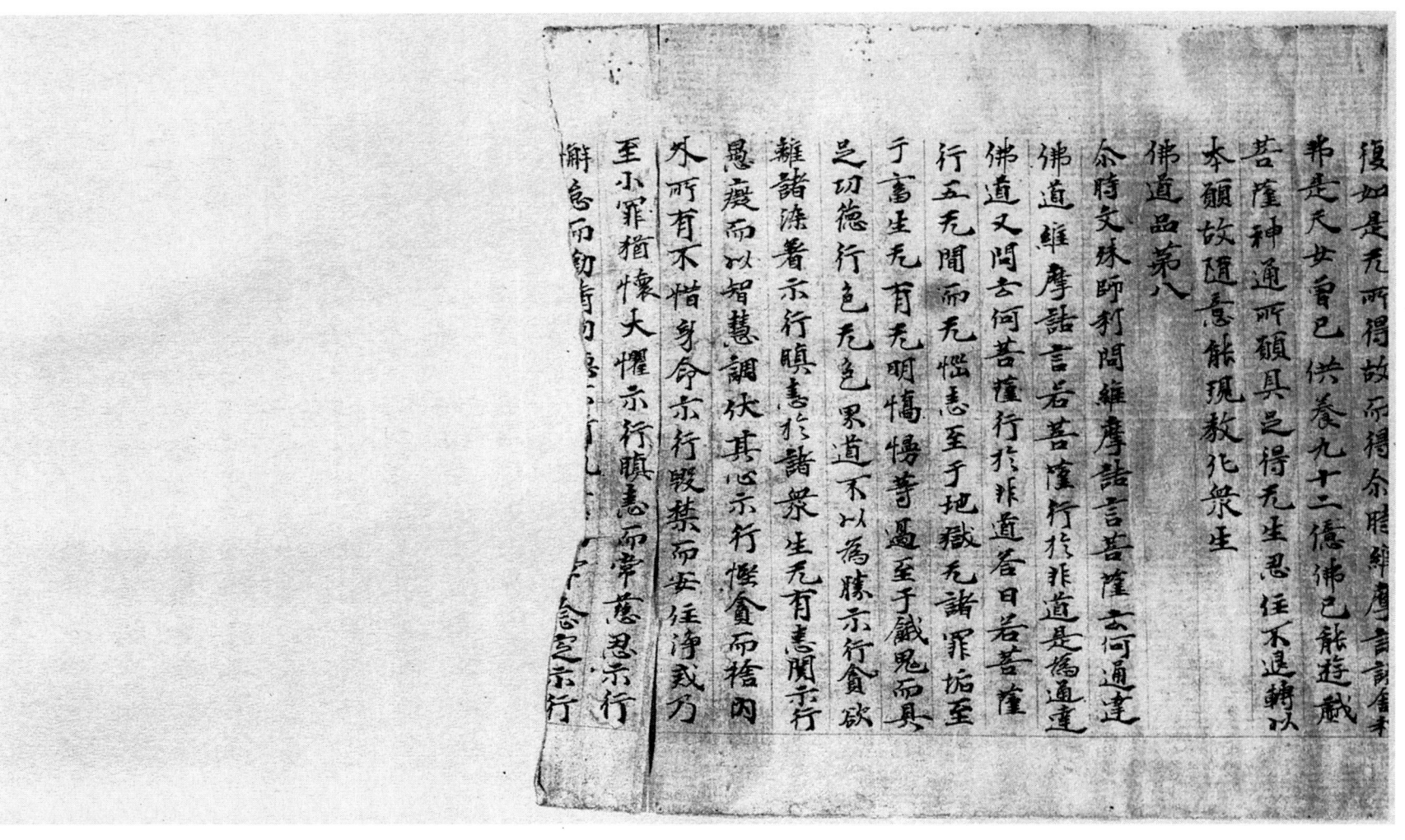

羅漢道不須菩提言不也世尊何以故實无有
法名阿羅漢世尊若阿羅漢作是念我得阿
羅漢道即為著我人衆生壽者世尊佛說
我得无諍三昧人中最為第一是第一離欲
阿羅漢我不作是念我是離欲阿羅漢世尊
我若作是念我得阿羅漢道世尊則不說須菩
提是樂阿蘭那行者以須菩提實无所行而
名須菩提是樂阿蘭那行
佛告須菩提於意云何如來昔在然燈佛所
於法有所得不世尊如來在然燈佛所於法實
无所得須菩提於意云何菩薩莊嚴佛土不
不也世尊何以故莊嚴佛土者則非莊嚴是
名莊嚴是故須菩提諸菩薩摩訶薩應如是
生清淨心不應住色生心不應住聲香味觸法生
心應无所住而生其心須菩提譬如有人身如
須彌山王於意云何是身為大不須菩提言
甚大世尊何以故佛說非身是名大身
須菩提如恒河中所有沙數如是沙等恒河於
意云何是諸恒河沙寧為多不須菩提言甚
多世尊但諸恒河尚多无數何況其沙須菩提
我今實言告汝若有善男子善女人以七寶
滿尓所恒河沙數三千大千世界以用布施
得福多不須菩提言甚多世尊
佛告須菩提若善男子善女人於此經中乃
至受持四句偈等為他人說而此福德勝前福
德復次須菩提隨說是經乃至四句偈等當
知此處一切世間天人阿脩羅皆應供養如

BD01703號　金剛般若波羅蜜經　（7–2）

佛告須菩提若善男子善女人於此經中乃
至受持四句偈等為他人說而此福德勝前福
德復次須菩提隨說是經乃至四句偈等當
知此處一切世間天人阿脩羅皆應供養如
佛塔廟何況有人盡能受持讀誦須菩提
當知是人成就最上第一希有之法若是
經典所在之處則為有佛若尊重弟子
尓時須菩提白佛言世尊當何名此經我等
云何奉持佛告須菩提是經名為金剛般若波
羅蜜以是名字汝當奉持所以者何須菩
提佛說般若波羅蜜則非般若波羅蜜須菩
提於意云何如來有所說法不須菩提白佛言
世尊如來无所說須菩提於意云何三千大千
世界所有微塵是為多不須菩提言甚多
世尊須菩提諸微塵如來說非微塵是名
微塵如來說世界非世界是名世界須菩提於
意云何可以卅二相見如來不不也世尊何以
故如來說卅二相即是非相是名三十二相
須菩提若有善男子善女人以恒河沙等
身命布施若復有人於此經中乃至受持四
句偈等為他人說其福甚多
尓時須菩提聞說是經深解義趣涕淚悲
泣而白佛言希有世尊佛說如是甚深經典
我從昔來所得慧眼未曾得聞如是之經世尊
若復有人得聞是經信心清淨則生實相當
知是人成就第一希有功德世尊是實相者
則是非相是故如來說名實相世尊我今得

BD01703號　金剛般若波羅蜜經　（7–3）

若復有人得聞是經信心清淨則生實相當
知是人成就第一希有功德世尊是實相者
則是非相是故如來說名實相世尊我今得
聞如是經典信解受持不足為難若當來世
後五百歲其有衆生得聞是經信解受持是
人則為第一希有何以故此人无我相人相衆
生相壽者相所以者何我相即是非相人相
衆生相壽者相即是非相何以故離一切諸
相則名諸佛
佛告須菩提如是如是若復有人得聞是經
不驚不怖不畏當知是人甚為希有何以故
須菩提如來說第一波羅蜜非第一波羅蜜
是名第一波羅蜜
須菩提忍辱波羅蜜如來說非忍辱波羅蜜
何以故須菩提如我昔為歌利王割截身體
我於尒時无我相无人相无衆生相无壽者相
何以故我於往昔節節支解時若有我相
人相衆生相壽者相應生瞋恨須菩提又念
過去於五百世作忍辱仙人於尒所世无我相
无人相无衆生相无壽者相是故須菩提菩
薩應離一切相發阿耨多羅三藐三菩提心
不應住色生心不應住聲香味觸法生心應
生无所住心若心有住則為非住是故佛說
菩薩心不應住色布施須菩提菩薩為利益
一切衆生應如是布施如來說一切諸相即是
非相又說一切衆生則非衆生
須菩提如來是真語者實語者如語者不誑

BD01703 號　金剛般若波羅蜜經　（7–4）

菩薩心不應住色布施須菩提菩薩為利益
一切衆生應如是布施如來說一切諸相即是
非相又說一切衆生則非衆生
須菩提如來是真語者實語者如語者不誑
語者不異語者須菩提如來所得法此法无
實无虛須菩提若菩薩心住於法而行布施
如人入闇則无所見若菩薩心不住法而行布
施如人有目日光明照見種種色須菩提當來
之世若有善男子善女人能於此經受持讀
誦則為如來以佛智慧悉知是人悉見是人
皆得成就无量无邊功德
須菩提若有善男子善女人初日分以恒河
沙等身布施中日分復以恒河沙等身布施後
日分亦以恒河沙等身布施如是无量百千万
億劫以身布施若復有人聞此經典信心
不逆其福勝彼何況書寫受持讀誦為人解說
須菩提以要言之是經有不可思議不可稱
量无邊功德如來為發大乘者說為發最上
乘者說若有人能受持讀誦廣為人說如來
悉知是人悉見是人皆得成就不可量不可稱
无有邊不可思議功德如是人等則為荷擔
如來阿耨多羅三藐三菩提何以故須菩提若
樂小法者著我見人見衆生見壽者見則
於此經不能聽受讀誦為人解說須菩提在
在處處若有此經一切世間天人阿脩羅所
應供養當知此處則為是塔皆應恭敬作禮
圍遶以諸華香而散其處
復次須菩提善男子善女人受持讀誦此經

BD01703 號　金剛般若波羅蜜經　（7–5）

在處處若有此經一切世間天人阿脩羅所
應供養當知此處則為是塔皆應恭敬作礼
圍遶以諸華香而散其處
復次須菩提善男子善女人受持讀誦此經
若為人輕賤是人先世罪業應墮惡道以今
世人輕賤故先世罪業則為消滅當得阿耨
多羅三藐三菩提須菩提我念過去无量阿
僧祇劫於然燈佛前得值八百四千万億那
由他諸佛悉皆供養承事无空過者若復
有人於後末世能受持讀誦此經所得功德於
我所供養諸佛功德百分不及一千万億分
乃至筭數譬喻所不能及須菩提若善男子
善女人於後末世有受持讀誦此經所得功
德我若具說者或有人聞心則狂亂狐疑不信
須菩提當知是經義不可思議果報亦不可思議
尒時須菩提白佛言世尊善男子善女人發
阿耨多羅三藐三菩提心云何應住云何降
伏其心佛告須菩提善男子善女人發阿耨
多羅三藐三菩提者當生如是心我應滅度一
切衆生滅度一切衆生已而无有一衆生實
滅度者何以故若菩薩有我相人相衆生
相壽者相則非菩薩所以者何須菩提實无
有法發阿耨多羅三藐三菩提者須菩提於
意云何如來於然燈佛所有法得阿耨多羅
三藐三菩提不不也世尊如我解佛所說義佛
於然燈佛所无有法得阿耨多羅三藐三菩提
佛言如是如是須菩提實无有法如來得阿

BD01703號　金剛般若波羅蜜經　（7-6）

意云何如來於然燈佛所有法得阿耨多羅
三藐三菩提不不也世尊如我解佛所說義佛
於然燈佛所无有法得阿耨多羅三藐三菩提
佛言如是如是須菩提實无有法如來得阿
耨多羅三藐三菩提須菩提若有法如來得阿
耨多羅三藐三菩提然燈佛則不與我受記
汝於來世當得作佛号釋迦牟尼以實无有法
得阿耨多羅三藐三菩提是故然燈佛與我
受記作是言汝於來世當得作佛号釋迦
牟尼何以故如來者即諸法如義若有人言
如來得阿耨多羅三藐三菩提
須菩提實无有法佛得阿耨多羅三藐三
菩提須菩提如來所得阿耨多羅三藐三菩
提於是中无實无虛是故如來說一切法皆是
佛法須菩提所言一切法者即非一切法是
故名一切法
須菩提譬如人身長大須菩提言世尊如來
說人身長大則為非大身是名大身須菩提
菩薩亦如是若作是言我當滅度无量衆生
則不名菩薩何以故須菩提无有法名為菩薩
是故佛說一切法无我无人无衆生无壽者須
菩提若菩薩作是言我當莊嚴佛土是不
名

BD01703號　金剛般若波羅蜜經　（7-7）

身是名大身
須菩提如恒河中所有沙數如是沙等恒河
於意云何是諸恒河沙寧為多不須菩提言
甚多世尊但諸恒河尚多无數何況其沙須
菩提我今實言告汝若有善男子善女人以
七寶滿尒所恒河沙數三千大千世界以用
布施得福多不須菩提言甚多世尊佛告須
菩提若有善男子善女人於此經中乃至受
持四句偈等為他人說而此福德勝前福德
復次須菩提隨說是經乃至四句偈等當知
此處一切世間天人阿脩羅皆應供養如佛
塔廟何況有人盡能受持讀誦須菩提當知
是人成就最上第一希有之法若是經典所
在之處則為有佛若尊重弟子
尒時須菩提白佛言世尊當何名此經我等
云何奉持佛告須菩提是經名為金剛般若
波羅蜜以是名字汝當奉持所以者何須菩
提佛說般若波羅蜜則非般若波羅蜜須菩
提於意云何如來有所說法不須菩提白佛

BD01704 號　金剛般若波羅蜜經　（3–1）

云何奉持佛告須菩提是經名為金剛般若
波羅蜜以是名字汝當奉持所以者何須菩
提佛說般若波羅蜜則非般若波羅蜜須菩
提於意云何如來有所說法不須菩提白佛
言世尊如來无所說須菩提於意云何三千
大千世界所有微塵是為多不須菩提言甚
多世尊須菩提諸微塵如來說非微塵是名
微塵如來說世界非世界是名世界須菩提
於意云何可以三十二相見如來不不也世
尊何以故如來說三十二相即是非相是名
三十二相須菩提若有善男子善女人以恒
河沙等身命布施若復有人於此經中乃至
受持四句偈等為他人說其福甚多
尒時須菩提聞說是經深解義趣涕淚悲
泣而白佛言希有世尊佛說如是甚深經典
我從昔來所得慧眼未曾得聞如是之經世尊
若復有人得聞是經信心清淨則生實相當
知是人成就第一希有功德世尊是實相者
則是非相是故如來說名實相世尊我今得
聞如是經典信解受持不足為難若當來世
後五百歲其有衆生得聞是經信解受持
是人則為第一希有何以故此人无我相人相
衆生相壽者相所以者何我相即是非相人
相衆生相壽者相即是非相何以故離一切

BD01704 號　金剛般若波羅蜜經　（3–2）

則是非相是故如來說名實相世尊我今得
聞如是經典信解受持不足為難若當來世
後五百歲其有衆生得聞是經信解受持
是人則為第一希有何以故此人无我相人相
衆生相壽者相所以者何我相即是非相人相
相衆生相壽者相即是非相何以故離一切
諸相則名諸佛
佛告須菩提如是如是若復有人得聞是經
不驚不怖不畏當知是人甚為希有何以故
須菩提如來說第一波羅蜜非第一波羅蜜
是名第一波羅蜜
須菩提忍辱波羅蜜如來說非忍辱波羅蜜
何以故須菩提如我昔為歌利王割截身體
我於尒時无我相无人相无衆生相无壽者
相何以故我於往昔節節支解時若有我相
人相衆生相壽者相應生瞋恨須菩提又念
過去於五百世作忍辱仙人於尒所世无我相
无人相无衆生相无壽者相是故須菩提菩
薩應離一切相發阿耨多羅三藐三菩提
心不應住色生心不應住聲香味觸法生心

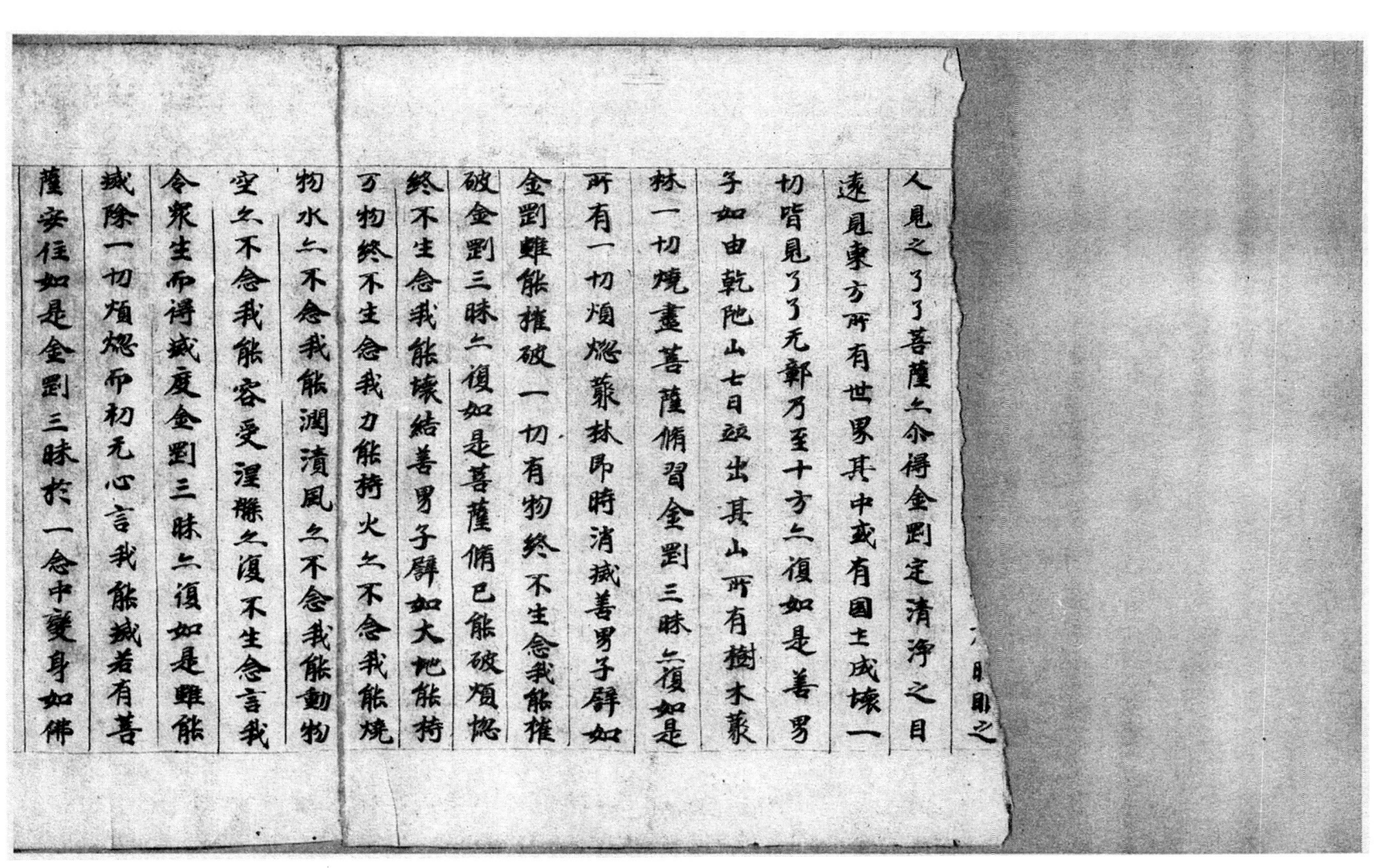

BD01704號　金剛般若波羅蜜經　（3–3）

明之
人見之了了菩薩亦尒得金剛定清淨之目
遠見東方所有世界其中或有國土成壞一
切皆見了了无鄣乃至十方亦復如是善男
子如由乾陁山七日竝出其山所有樹木叢
林一切燒盡菩薩脩習金剛三昧亦復如是
所有一切煩惱叢林即時消滅善男子譬如
金剛雖能摧破一切有物終不生念我能摧
破金剛三昧亦復如是菩薩脩已能破煩惱
終不生念我能壞結善男子譬如大地能持
万物終不生念我力能持火亦不念我能燒
物水亦不念我能潤漬風亦不念我能動物
空亦不念我能容受涅槃亦復不生念言我
令衆生而得滅度金剛三昧亦復如是雖能
滅除一切煩惱而初无心言我能滅若有菩
薩安住如是金剛三昧於一念中變身如佛

BD01705號　大般涅槃經（北本）卷二四　（2–1）

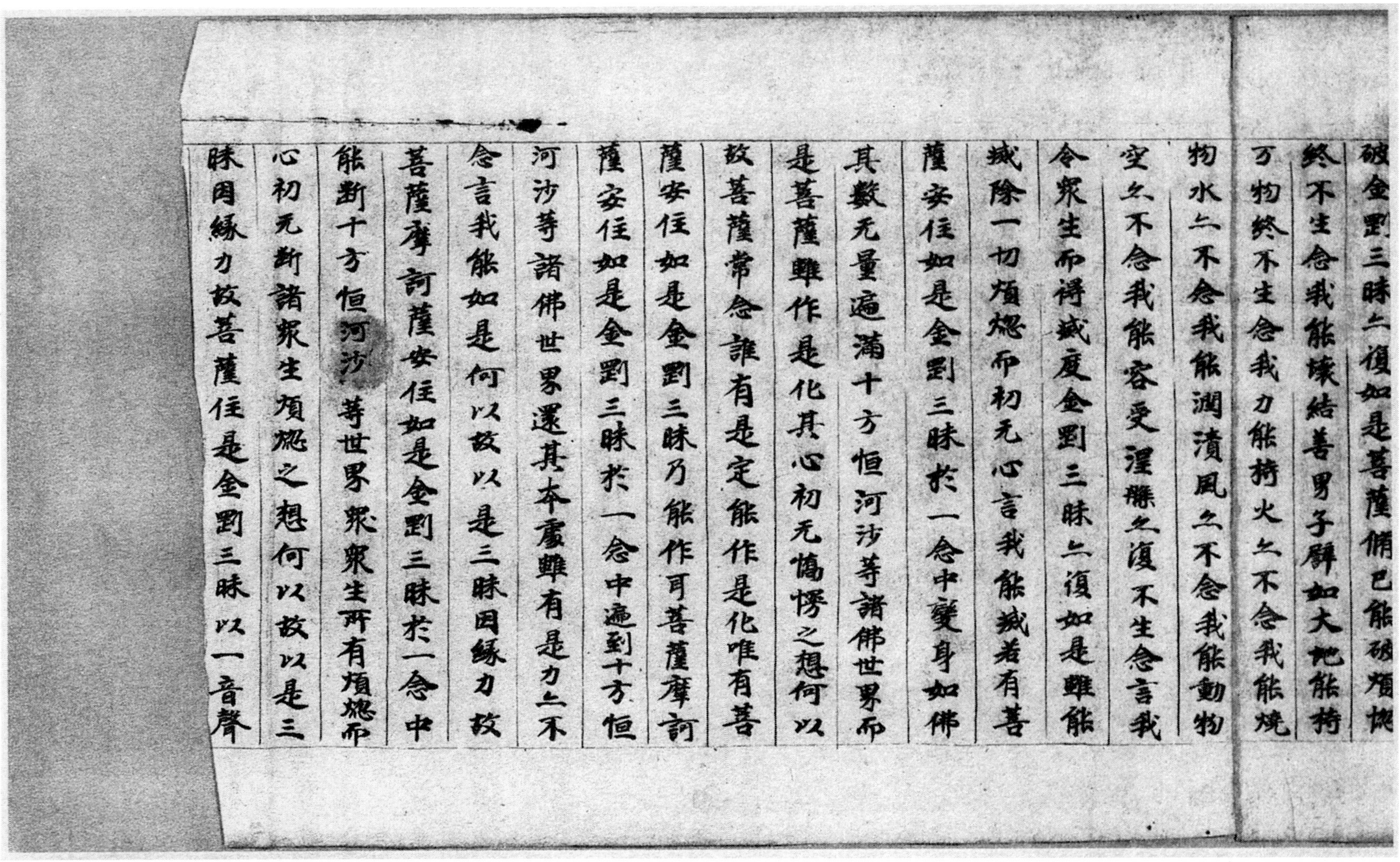
破金剛三昧亦復如是菩薩脩已能破煩惱
終不生念我能壞結善男子譬如大地能持
万物終不生念我力能持火亦不念我能燒
物水亦不念我能潤漬風亦不念我能動物
空亦不念我能容受涅槃亦復不生念言我
令衆生而得滅度金剛三昧亦復如是雖能
滅除一切煩惱而初无心言我能滅若有菩
薩安住如是金剛三昧於一念中變身如佛
其數无量遍滿十方恒河沙等諸佛世界而
是菩薩雖作是化其心初无憍慢之想何以
故菩薩常念誰有是定能作是化唯有菩
薩安住如是金剛三昧乃能作耳菩薩摩訶
薩安住如是金剛三昧於一念中遍到十方恒
河沙等諸佛世界還其本處雖有是力亦不
念言我能如是何以故以是三昧因緣力故
菩薩摩訶薩安住如是金剛三昧於一念中
能斷十方恒河沙等世界衆衆生所有煩惱而
心初无斷諸衆生煩惱之想何以故以是三
昧因緣力故菩薩住是金剛三昧以一音聲

BD01705號　大般涅槃經（北本）卷二四　（2–2）

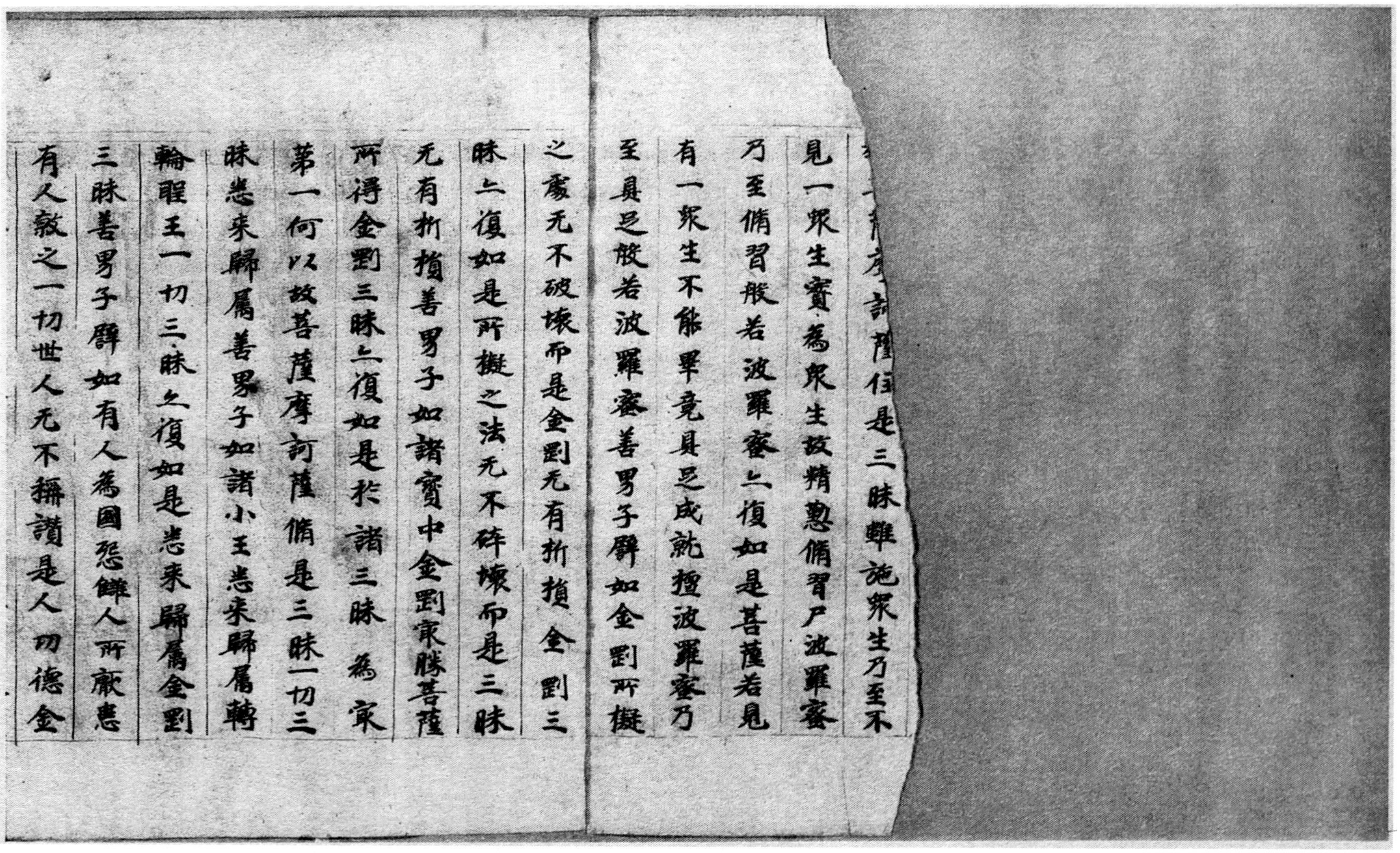
摩訶薩住是三昧雖施衆生乃至不
見一衆生實爲衆生故精懃脩習尸波羅蜜
乃至脩習般若波羅蜜亦復如是菩薩若見
有一衆生不能畢竟具足成就檀波羅蜜乃
至具足般若波羅蜜善男子譬如金剛所擬
之處无不破壞而是金剛无有折損金剛三
昧亦復如是所擬之法无不碎壞而是三昧
无有折損善男子如諸寶中金剛最勝菩薩
所得金剛三昧亦復如是於諸三昧爲最
第一何以故菩薩摩訶薩脩是三昧一切三
昧悉來歸屬善男子如諸小王悉來歸屬轉
輪聖王一切三昧亦復如是悉來歸屬金剛
三昧善男子譬如有人爲國怨讎人所慊患
有人殺之一切世人无不稱讚是人功德金

BD01706號　大般涅槃經（北本）卷二四　（3–1）

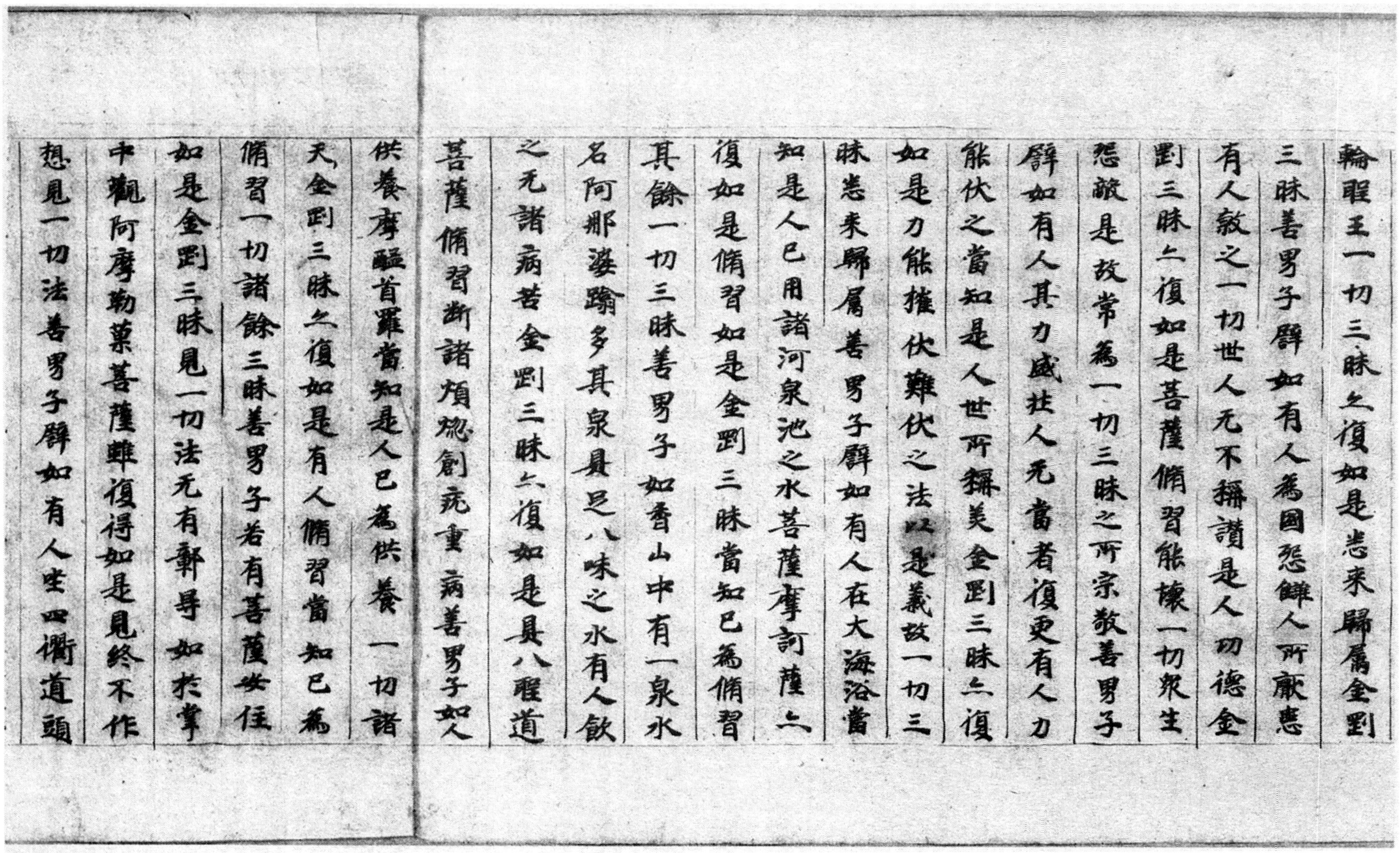
輪聖王一切三昧亦復如是悉來歸屬金剛
三昧善男子譬如有人為國怨讎人所厭患
有人殺之一切世人无不稱讚是人功德金
剛三昧亦復如是菩薩脩習能壞一切衆生
怨敵是故常為一切三昧之所宗敬善男子
譬如有人其力盛壯人无當者復更有人力
能伏之當知是人世所稱美金剛三昧亦復
如是力能摧伏難伏之法以是義故一切三
昧悉來歸屬善男子譬如有人在大海浴當
知是人已用諸河泉池之水菩薩摩訶薩亦
復如是脩習如是金剛三昧當知已為脩習
其餘一切三昧善男子如香山中有一泉水
名阿那婆蹹多其泉具足八味之水有人飲
之无諸病苦金剛三昧亦復如是具八聖道
菩薩脩習斷諸煩惱創疣重病善男子如人
供養摩醯首羅當知是人已為供養一切諸
天金剛三昧亦復如是有人脩習當知已為
脩習一切諸餘三昧善男子若有菩薩安住
如是金剛三昧見一切法无有鄣㝵如於掌
中觀阿摩勒菓菩薩雖復得如是見終不作
想見一切法善男子譬如有人坐四衢道頭

BD01706號　大般涅槃經（北本）卷二四　（3–2）

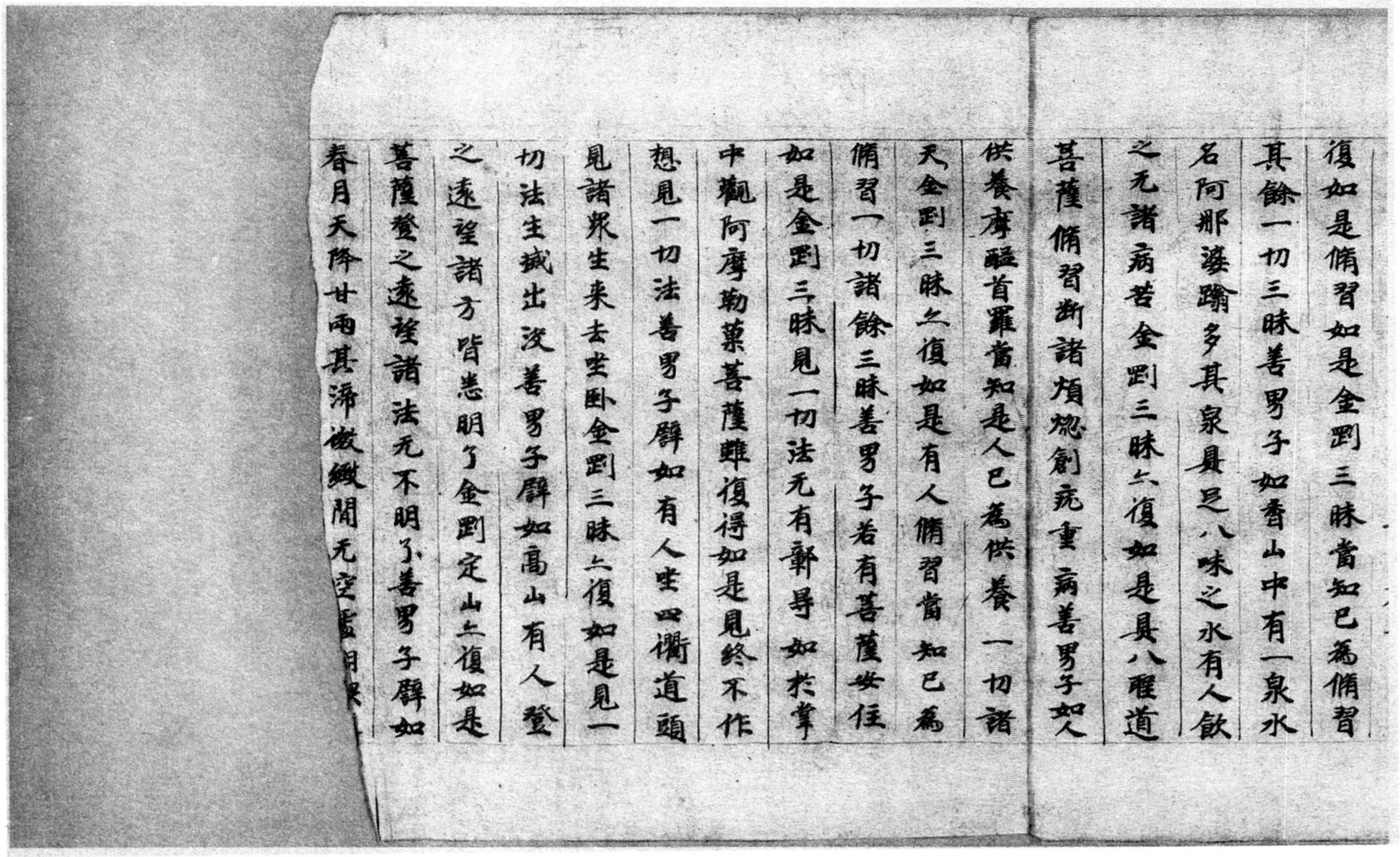
復如是脩習如是金剛三昧當知已為脩習
其餘一切三昧善男子如香山中有一泉水
名阿那婆蹹多其泉具足八味之水有人飲
之无諸病苦金剛三昧亦復如是具八聖道
菩薩脩習斷諸煩惱創疣重病善男子如人
供養摩醯首羅當知是人已為供養一切諸
天金剛三昧亦復如是有人脩習當知已為
脩習一切諸餘三昧善男子若有菩薩安住
如是金剛三昧見一切法无有鄣㝵如於掌
中觀阿摩勒菓菩薩雖復得如是見終不作
想見一切法善男子譬如有人坐四衢道頭
見諸衆生來去坐卧金剛三昧亦復如是見一
切法生滅出沒善男子譬如高山有人登
之遠望諸方皆悉明了金剛定山亦復如是
菩薩登之遠望諸法无不明了善男子譬如
春月天降甘雨其渧微細間无空處明眼

BD01706號　大般涅槃經（北本）卷二四　（3–3）

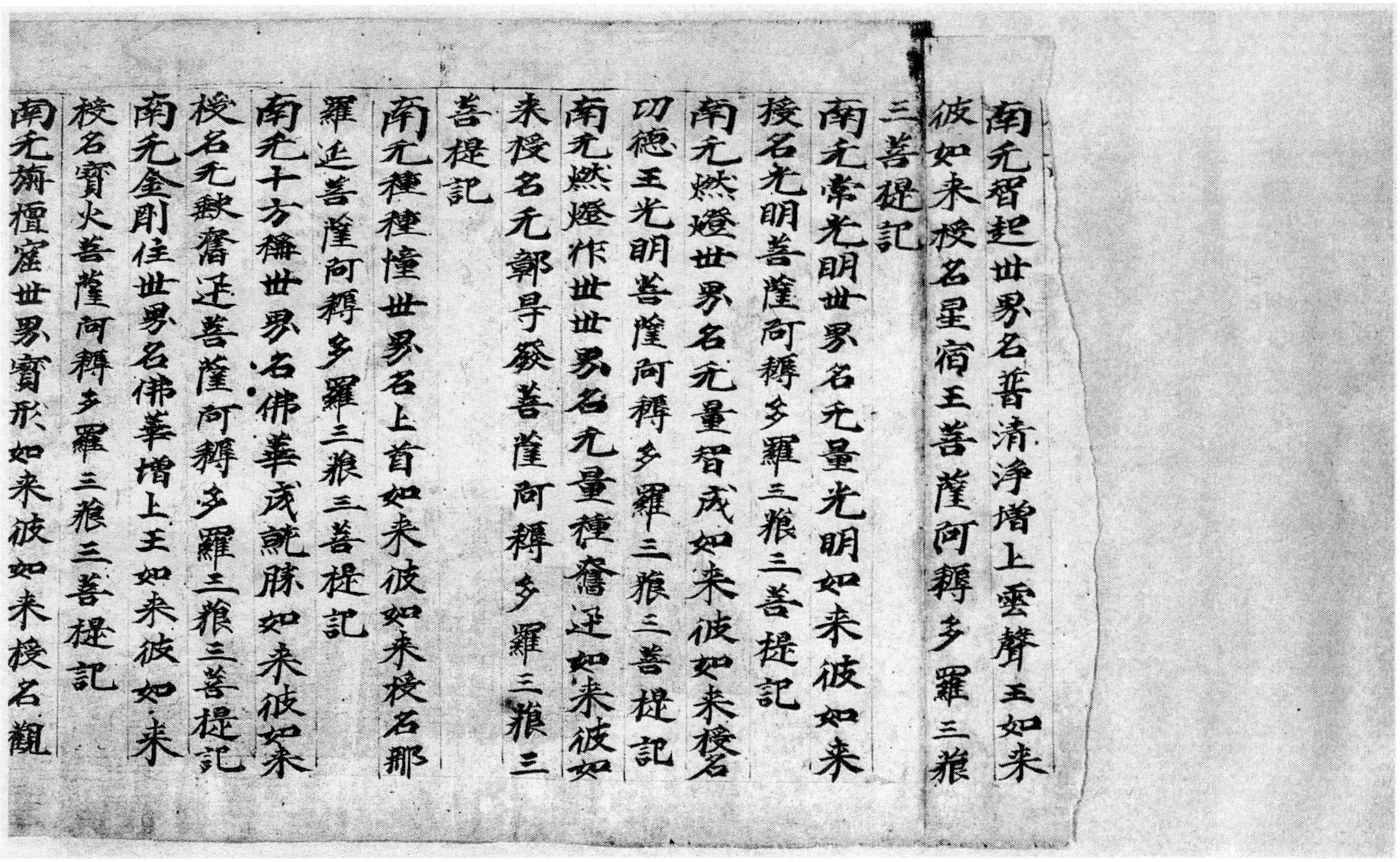

南无智起世界名普清淨增上雲聲王如来
彼如来授名星宿王菩薩阿耨多羅三藐
三菩提記
南无常光明世界名无量光明如来彼如来
授名光明菩薩阿耨多羅三藐三菩提記
南无燃燈世界名无量智成如来彼如来授名
功德王光明菩薩阿耨多羅三藐三菩提記
南无燃燈作世世界名无量種奮迅如来彼如
来授名无鄣㝵發菩薩阿耨多羅三藐三
菩提記
南无種種幢世界名上首如来彼如来授名那
羅延菩薩阿耨多羅三藐三菩提記
南无十方稱世界名佛華成就勝如来彼如来
授名无畏奮迅菩薩阿耨多羅三藐三菩提記
南无金剛住世界名佛華增上王如来彼如来
授名寶火菩薩阿耨多羅三藐三菩提記
南无旃檀窟世界寶形如来彼如来授名觀

BD01707號　佛名經（十二卷本）卷二　（3–1）

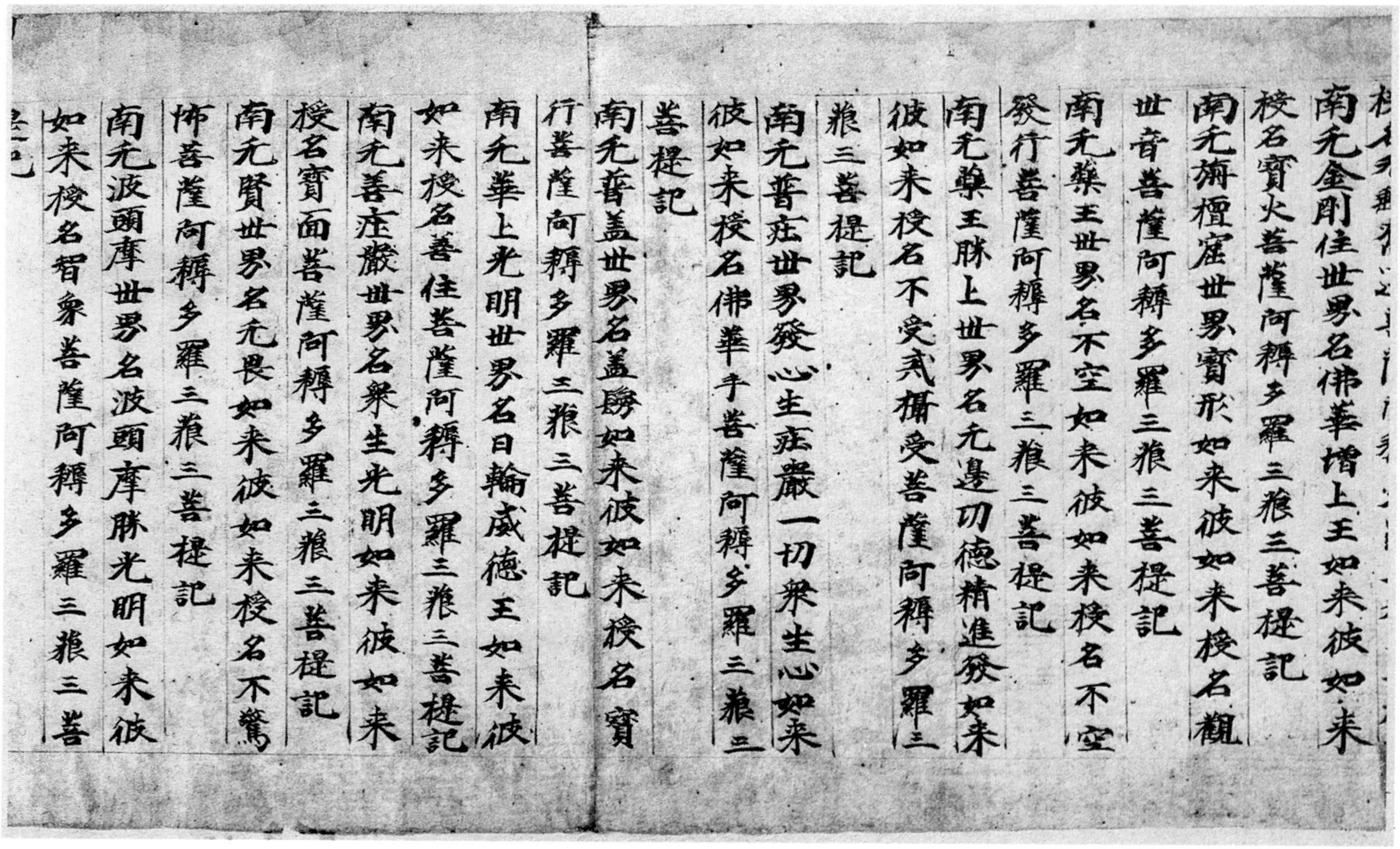

南无金剛住世界名佛華增上王如来彼如来
授名寶火菩薩阿耨多羅三藐三菩提記
南无旃檀窟世界寶形如来彼如来授名觀
世音菩薩阿耨多羅三藐三菩提記
南无尊王世界名不空如来彼如来授名不空
發行菩薩阿耨多羅三藐三菩提記
南无尊王勝上世界名无邊功德精進發如来
彼如来授名不受貳攝受菩薩阿耨多羅三
藐三菩提記
南无普莊世界發心生莊嚴一切衆生心如来
彼如来授名佛華手菩薩阿耨多羅三藐三
菩提記
南无普蓋世界名蓋勝如来彼如来授名寶
行菩薩阿耨多羅三藐三菩提記
南无華上光明世界名日輪威德王如来彼
如来授名善住菩薩阿耨多羅三藐三菩提記
南无善莊嚴世界名衆生光明如来彼如来
授名寶面菩薩阿耨多羅三藐三菩提記
南无賢世界名无畏如来彼如来授名不驚
怖菩薩阿耨多羅三藐三菩提記
南无波頭摩世界名波頭摩勝光明如来彼
如来授名智象菩薩阿耨多羅三藐三菩

BD01707號　佛名經（十二卷本）卷二　（3–2）

彼如来授名不受戒攝受菩薩阿耨多羅三
藐三菩提記
南无菩莊世界發心生莊嚴一切衆生心如来
彼如来授名佛華手菩薩阿耨多羅三藐三
菩提記
南无普蓋世界名蓋勝如来彼如来授名寶
行菩薩阿耨多羅三藐三菩提記
南无華上光明世界名日輪威德王如来彼
如来授名善住菩薩阿耨多羅三藐三菩提記
南无善莊嚴世界名衆生光明如来彼如来
授名寶面菩薩阿耨多羅三藐三菩提記
南无賢世界名无畏如来彼如来授名不驚
怖菩薩阿耨多羅三藐三菩提記
南无波頭摩世界名波頭摩勝光明如来彼
如来授名智象菩薩阿耨多羅三藐三菩
提記

BD01707號　佛名經（十二卷本）卷二　（3-3）

得度者即現長者身
而為說法應以居士身得度者即現居士
身而為說法應以宰官身得度者即現宰
官身而為說法應以婆羅門身得度者即現
婆羅門身而為說法應以比丘比丘尼優婆
塞優婆夷身得度者即現比丘比丘尼優婆
塞優婆夷身而為說法應以長者居士宰
官婆羅門婦女身得度者即現婦女身而為
說法應以童男童女身得度者即現童男童
女身而為說法應以天龍夜叉乾闥婆阿脩羅
迦樓羅緊那羅摩睺羅伽人非人等身得
度者即皆現之而為說法應以執金剛神
得度者即現執金剛神而為說法无盡意
是觀世音菩薩成就如是功德以種種形遊
諸國土度脫衆生是故汝等應當一心供養
觀世音菩薩是觀世音菩薩摩訶薩於怖畏
急難之中能施无畏是故此娑婆世界皆號
之為施无畏者无盡意菩薩白佛言世尊我
今當供養觀世音菩薩即解頸衆寶珠瓔
珞價直百千兩金而以與之作是言仁者受
此法施珎寶瓔珞時觀世音菩薩不肯受
之无盡意復白觀世音菩薩言仁者愍我等

BD01708號　觀世音經　（4-1）

急難之中能施无畏是故此娑婆世界皆
之為施无畏者无盡意菩薩白佛言世尊我
今當供養觀世音菩薩即解頸衆寶珠瓔
珞價直百千兩金而以與之作是言仁者受
此法施珎寶瓔珞時觀世音菩薩不肯受
之无盡意復白觀世音菩薩言仁愍我等
受此瓔珞
尒時佛告觀世音菩薩當愍此无盡意菩
薩及四衆天龍夜叉乾闥婆阿脩羅迦樓羅
緊那羅摩睺羅伽人非人等故受是瓔珞即
時觀世音菩薩愍諸四衆及於天龍人非人
等受其瓔珞分作二分一分奉釋迦牟尼
佛一分奉多寶佛塔无盡意觀世音菩薩
有如是等自在神力遊於娑婆世界尒時无
盡意菩薩以偈問曰
世尊妙相具 我今重問彼 佛子何因緣 名為觀世音
具足妙相尊 偈答无盡意 汝聽觀音行 善應諸方所
弘誓深如海 歷劫不思議 侍多千億佛 發大清淨願
我為汝略說 聞名及見身 心念不空過 能滅諸有苦
假使興害意 推落大火坑 念彼觀音力 火坑變成池
或漂流巨海 龍魚諸鬼難 念彼觀音力 波浪不能沒
或在須彌峯 為人所推墮 念彼觀音力 如日虛空住
或被惡人逐 墮落金剛山 念彼觀音力 不能損一毛
或值怨賊繞 各執刀加害 念彼觀音力 咸即起慈心
或遭王難苦 臨刑欲壽終 念彼觀音力 刀尋段段壞
或囚禁枷鎖 手足被杻械 念彼觀音力 釋然得解脫
呪詛諸毒藥 所欲害身者 念彼觀音力 還著於本人

BD01708號　觀世音經　(4-2)

或被惡人逐 墮落金剛山 念彼觀音力 不能損一毛
或值怨賊繞 各執刀加害 念彼觀音力 咸即起慈心
或遭王難苦 臨刑欲壽終 念彼觀音力 刀尋段段壞
或囚禁枷鎖 手足被杻械 念彼觀音力 釋然得解脫
呪詛諸毒藥 所欲害身者 念彼觀音力 還著於本人
或遇惡羅剎 毒龍諸鬼等 念彼觀音力 時悉不敢害
若惡獸圍繞 利牙爪可怖 念彼觀音力 疾走无邊方
蚖虵及蝮蝎 氣毒煙火然 念彼觀音力 尋聲自迴去
雲雷鼓掣電 降雹澍大雨 念彼觀音力 應時得消散
衆生被困厄 无量苦逼身 觀音妙智力 能救世間苦
具足神通力 廣脩智方便 十方諸國土 无剎不現身
種種諸惡趣 地獄鬼畜生 生老病死苦 以漸悉令滅
真觀清淨觀 廣大智慧觀 悲觀及慈觀 常願常瞻仰
无垢清淨光 慧日破諸闇 能伏災風火 普明照世間
悲體戒雷震 慈意妙大雲 澍甘露法雨 滅除煩惱焰
諍訟經官處 怖畏軍陣中 念彼觀音力 衆怨悉退散
妙音觀世音 梵音海潮音 勝彼世間音 是故須常念
念念勿生疑 觀世音淨聖 於苦惱死厄 能為作依怙
具一切功德 慈眼視衆生 福聚海无量 是故應頂禮
尒時持地菩薩即從座起前白佛言世尊若
有衆生聞是觀世音菩薩品自在之業普門
示現神通力者當知是人功德不少佛說
是普門品時衆中八万四千衆生皆發无
等等阿耨多羅三藐三菩提心
觀世音經一卷

BD01708號　觀世音經　(4-3)

真觀清淨觀　廣大智慧觀　悲觀及慈觀　常願常瞻仰
无垢清淨光　慧日破諸闇　能伏災風火　普明照世間
悲體戒雷震　慈意妙大雲　澍甘露法雨　滅除煩惱焰
諍訟經官處　怖畏軍陣中　念彼觀音力　衆怨悉退散
妙音觀世音　梵音海潮音　勝彼世間音　是故須常念
念念勿生疑　觀世音淨聖　於苦惱死厄　能為作依怙
具一切功德　慈眼視衆生　福聚海无量　是故應頂礼
尒時持地菩薩即從座起前白佛言世尊若
有衆生聞是觀世音菩薩品自在之業普門
示現神通力者當知是人功德不少佛說
是普門品時衆中八万四千衆生皆發无
等等阿耨多羅三藐三菩提心
觀世音經一卷

BD01708號　觀世音經　（4–4）

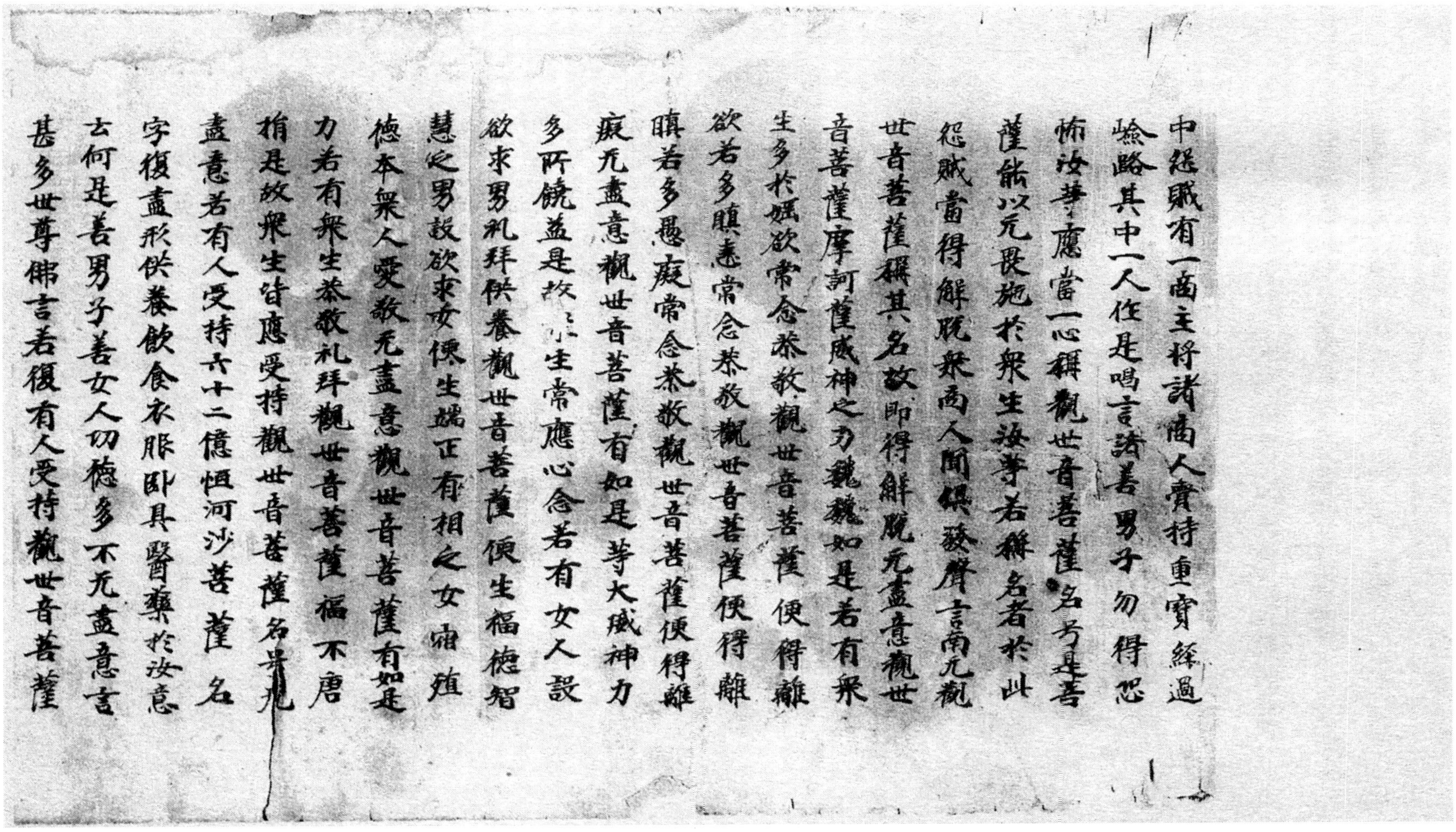
中怨賊有一商主將諸商人齎持重寶經過
嶮路其中一人作是唱言諸善男子勿得恐
怖汝等應當一心稱觀世音菩薩名號是菩
薩能以无畏施於衆生汝等若稱名者於此
怨賊當得解脫衆商人聞俱發聲言南无觀
世音菩薩稱其名故即得解脫无盡意觀世
音菩薩摩訶薩威神之力巍巍如是若有衆
生多於婬欲常念恭敬觀世音菩薩便得離
欲若多瞋恚常念恭敬觀世音菩薩便得離
瞋若多愚癡常念恭敬觀世音菩薩便得離
癡无盡意觀世音菩薩有如是等大威神力
多所饒益是故衆生常應心念若有女人設
欲求男礼拜供養觀世音菩薩便生福德智
慧之男設欲求女便生端正有相之女宿殖
德本衆人愛敬无盡意觀世音菩薩有如是
力若有衆生恭敬礼拜觀世音菩薩福不唐
捐是故衆生皆應受持觀世音菩薩名號无
盡意若有人受持六十二億恒河沙菩薩名
字復盡形供養飲食衣服臥具醫藥於汝意
云何是善男子善女人功德多不无盡意言
甚多世尊佛言若復有人受持觀世音菩薩

BD01709號　妙法蓮華經卷七　（13–1）

盡意若有人受持六十二億恒河沙菩薩名
字復盡形供養飲食衣服臥具醫藥於汝意
云何是善男子善女人功德多不无盡意言
甚多世尊佛言若復有人受持觀世音菩薩
名号乃至一時礼拜供養是二人福正等无
異於百千万億劫不可窮盡无盡意受持觀
世音菩薩名号得如是无量无邊福德之利
无盡意菩薩白佛言世尊觀世音菩薩云何
遊此娑婆世界云何而為衆生說法方便之
力其事云何佛告无盡意菩薩善男子若
有國土衆生應以佛身得度者觀世音菩薩
即現佛身而為說法應以辟支佛身得度者即
現辟支佛身而為說法應以聲聞身得度者
現聲聞身而為說法應以梵王身得度者
即現梵王身而為說法應以帝釋身得度者
即現帝釋身而為說法應以自在天身得度
者即現自在天身而為說法應以大自在天
身得度者即現大自在天身而為說法應以
天大將軍身得度者即現天大將軍身而為
說法應以毗沙門身得度者即現毗沙門身
而為說法應以小王身得度者即現小王身
而為說法應以長者身得度者即現長者
身而為說法應以居士身得度者即現居士身
而為說法應以宰官身得度者即現宰官身
而為說法應以婆羅門身得度者即現婆羅
門身而為說法應以比丘比丘尼優婆塞優

BD01709號　妙法蓮華經卷七　（13–2）

而為說法應以宰官身得度者即現宰官身
而為說法應以婆羅門身得度者即現婆羅
門身而為說法應以比丘比丘尼優婆塞優
婆夷身得度者即現比丘比丘尼優婆塞優婆
夷身而為說法應以長者居士宰官婆羅
門婦女身得度者即現婦女身而為說法應
以童男童女身得度者即現童男童女身
而為說法應以天龍夜叉乾闥婆阿脩羅迦
樓羅緊那羅摩睺羅伽人非人等身得度者
即皆現之而為說法應以執金剛神得度者即
現執金剛神而為說法无盡意是觀世音菩薩
成就如是功德以種種形遊諸國土度脫衆生
是故汝等應當一心供養觀世音菩薩是觀
世音菩薩摩訶薩於怖畏急難之中能施
无畏是故此娑婆世界皆号之為施无畏者
无盡意菩薩白佛言世尊我今當供養觀世
音菩薩即解頸衆寶珠瓔珞價直百千兩金
而以與之作是言仁者受此法施珍寶瓔珞
時觀世音菩薩不肯受之无盡意復白觀世
音菩薩言仁者愍我等故受此瓔珞尒時佛
告觀世音菩薩當愍此无盡意菩薩及四衆
天龍夜叉乾闥婆阿脩羅迦樓羅緊那羅摩
睺羅伽人非人等故受是瓔珞即時觀世音
菩薩愍諸四衆及於天龍人非人等受其瓔
珞分作二分一分奉釋迦牟尼佛一分奉多

BD01709號　妙法蓮華經卷七　（13–3）

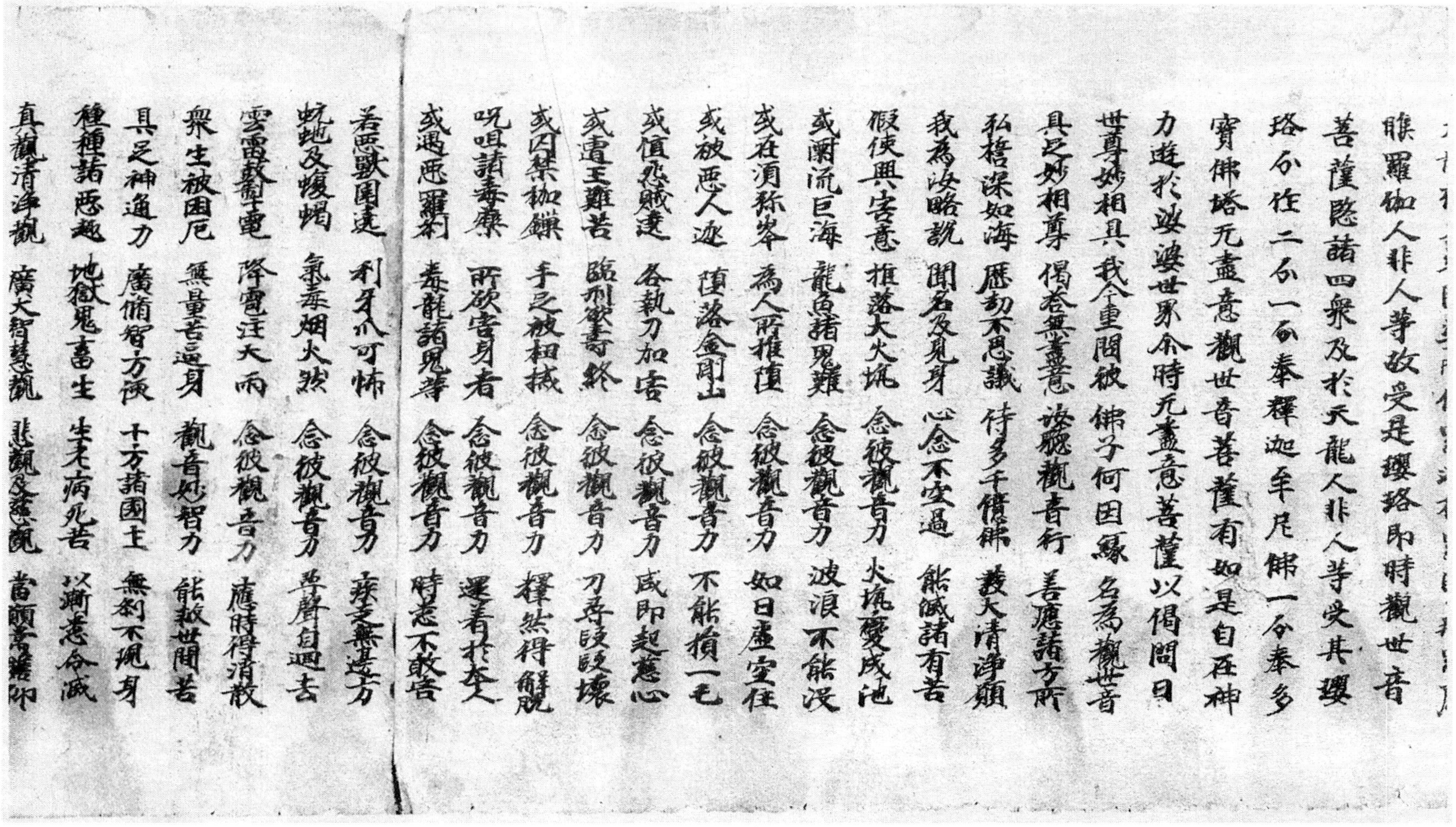
睺羅伽人非人等故受是瓔珞即時觀世音
菩薩愍諸四衆及於天龍人非人等受其瓔
珞分作二分一分奉釋迦牟尼佛一分奉多
寶佛塔无盡意觀世音菩薩有如是自在神
力遊於娑婆世界尒時无盡意菩薩以偈問曰
世尊妙相具　我今重問彼　佛子何因緣　名為觀世音
具足妙相尊　偈答無盡意　汝聽觀音行　善應諸方所
弘誓深如海　歷劫不思議　侍多千億佛　發大清淨願
我為汝略說　聞名及見身　心念不空過　能滅諸有苦
假使興害意　推落大火坑　念彼觀音力　火坑變成池
或漂流巨海　龍魚諸鬼難　念彼觀音力　波浪不能沒
或在須彌峯　為人所推墮　念彼觀音力　如日虛空住
或被惡人逐　墮落金剛山　念彼觀音力　不能損一毛
或值怨賊遶　各執刀加害　念彼觀音力　咸即起慈心
或遭王難苦　臨刑欲壽終　念彼觀音力　刀尋段段壞
或囚禁枷鎖　手足被杻械　念彼觀音力　釋然得解脫
呪詛諸毒藥　所欲害身者　念彼觀音力　還著於本人
或遇惡羅剎　毒龍諸鬼等　念彼觀音力　時悉不敢害
若惡獸圍遶　利牙爪可怖　念彼觀音力　疾走無邊方
蚖蛇及蝮蠍　氣毒煙火然　念彼觀音力　尋聲自迴去
雲雷鼓掣電　降雹澍大雨　念彼觀音力　應時得消散
衆生被困厄　無量苦逼身　觀音妙智力　能救世間苦
具足神通力　廣脩智方便　十方諸國土　無刹不現身
種種諸惡趣　地獄鬼畜生　生老病死苦　以漸悉令滅
真觀清淨觀　廣大智慧觀　悲觀及慈觀　當願常瞻仰

BD01709號　妙法蓮華經卷七　（13–4）

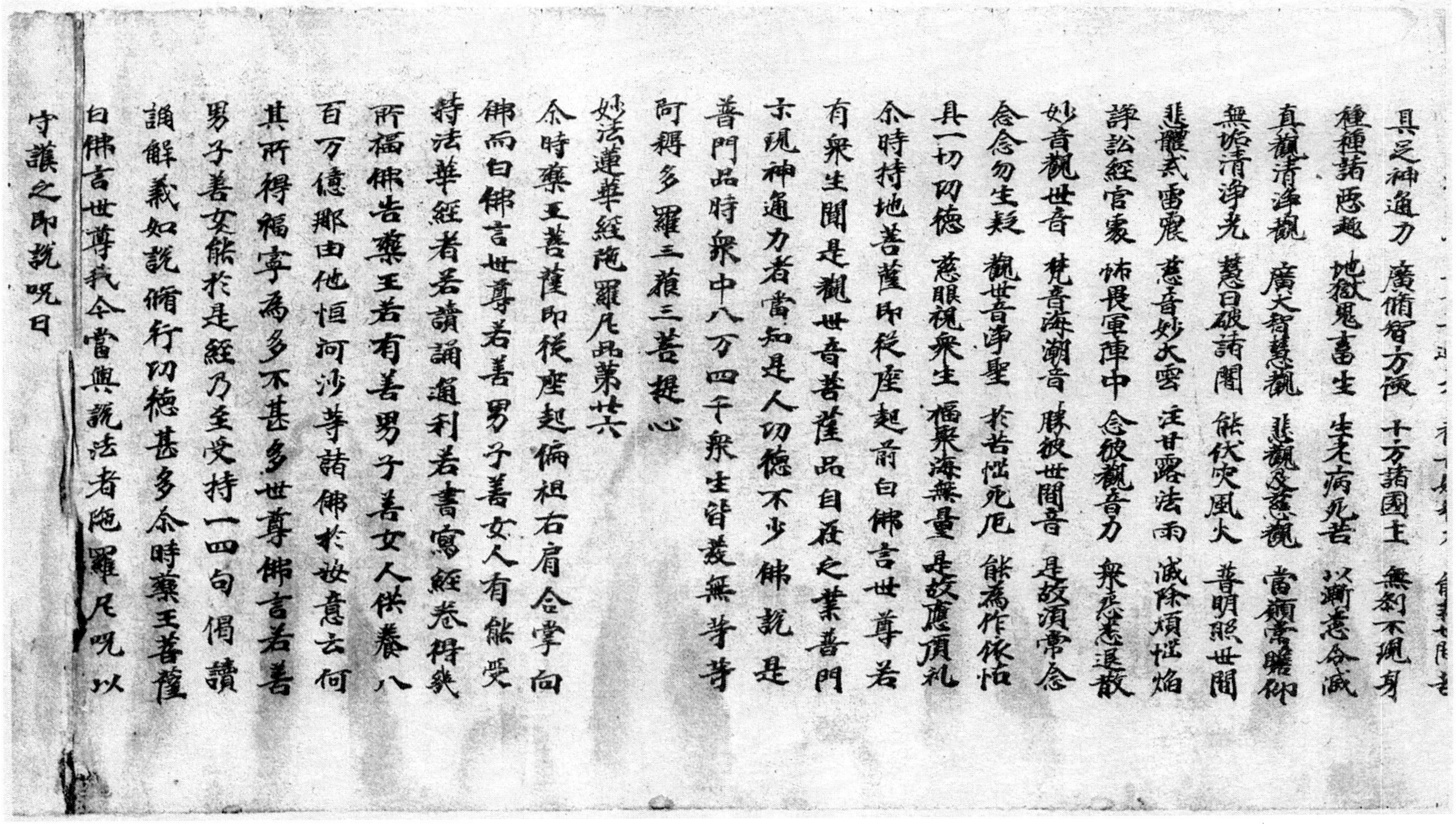
具足神通力　廣脩智方便　十方諸國土　無刹不現身
種種諸惡趣　地獄鬼畜生　生老病死苦　以漸悉令滅
真觀清淨觀　廣大智慧觀　悲觀及慈觀　當願常瞻仰
無垢清淨光　慧日破諸闇　能伏災風火　普明照世間
悲體戒雷震　慈意妙大雲　澍甘露法雨　滅除煩惱焰
諍訟經官處　怖畏軍陣中　念彼觀音力　衆怨悉退散
妙音觀世音　梵音海潮音　勝彼世間音　是故須常念
念念勿生疑　觀世音淨聖　於苦惱死厄　能為作依怙
具一切功德　慈眼視衆生　福聚海無量　是故應頂禮
尒時持地菩薩即從座起前白佛言世尊若
有衆生聞是觀世音菩薩品自在之業普門
示現神通力者當知是人功德不少佛說是
普門品時衆中八万四千衆生皆發無等等
阿耨多羅三藐三菩提心
妙法蓮華經陁羅尼品第廿六
尒時藥王菩薩即從座起偏袒右肩合掌向
佛而白佛言世尊若善男子善女人有能受
持法華經者若讀誦通利若書寫經卷得幾
所福佛告藥王若有善男子善女人供養八
百万億那由他恒河沙等諸佛於汝意云何
其所得福寧為多不甚多世尊佛言若善
男子善女能於是經乃至受持一四句偈讀
誦解義如說脩行功德甚多尒時藥王菩薩
白佛言世尊我今當與說法者陁羅尼呪以
守護之即說呪曰

BD01709號　妙法蓮華經卷七　（13–5）

男子善女能於是經乃至受持一四句偈讀
誦解義如說脩行功德甚多尒時藥王菩薩
白佛言世尊我今當與說法者陀羅尼呪以
守護之即說呪曰
安尒一　曼尒二　摩祢三　摩摩祢四　旨隸五　遮
梨第六　賒呼羊鳴音七　賒履丹雅反多瑋八　羶輸千反
帝九　目帝十　目多履十一　娑履十二　阿瑋娑履十三　桑履
十四　娑履十五　叉裔十六　阿叉裔十七　阿耆膩十八　羶帝十九
賒履二十　陀羅尼廿一　阿盧伽婆娑蘇奈反簸蔗毗
叉膩廿二　祢毗剃廿三　阿便哆都餓反邏祢履剃廿四　阿
亶哆波隸輸地途賣反廿五　漚究隸廿六　牟究隸廿七　阿
羅隸廿八　波羅隸廿九　首迦差初几反卅　阿三磨三履
卅一　佛馱毗吉利袠帝卅二　達磨波利差猜離反帝卅三
僧伽涅瞿沙祢卅四　婆舍婆舍輸地卅五　曼哆邏
卅六　曼哆邏叉夜多卅七　郵樓哆卅八　郵樓哆憍舍
略卅九　惡叉邏卌　惡叉冶多冶卌一　阿婆盧卌二　阿摩
若荏蔗反那多夜卌三
世尊是陀羅尼神呪六十二億恒河沙等諸
佛所說若有侵毀此法師者則為侵毀是諸
佛已時釋迦牟尼佛讚藥王菩薩言善哉善
哉藥王汝愍念擁護此法師故說是陀羅尼
於諸眾生多所饒益尒時勇施菩薩白佛言
世尊我亦為擁護讀誦受持法華經者說陀
羅尼若此法師得是陀羅尼若夜叉若羅剎
若富單那若吉蔗若鳩槃茶若餓鬼等伺

BD01709號　妙法蓮華經卷七　　（13–6）

世尊我亦為擁護讀誦受持法華經者說陀
羅尼若此法師得是陀羅尼若夜叉若羅剎
若富單那若吉蔗若鳩槃茶若餓鬼等伺
求其短無能得便即於佛前而說呪曰
座積碟反隸一　摩訶座隸二　郁枳三　目枳四　阿隸
五　阿羅婆第六　涅隸第七　涅隸多婆第八　伊
緻猪履反柅九　韋緻柅十　旨緻柅十一　涅隸墀柅十二
涅犁墀婆底十三
世尊是陀羅尼神呪恒河沙等諸佛所說亦
皆隨喜若有侵毀此法師者則為侵毀是諸
佛已尒時毗沙門天王護世者白佛言世尊
我亦為愍念眾生擁護此法師故說是陀羅
尼即說呪曰
阿梨一　那梨二　㝹那梨三　阿那盧四　那履五　拘
那履六
世尊以是神呪擁護法師我亦自當擁護持
是經者令百由旬內無諸衰患尒時持國天
王在此會中與千萬億那由他乾闥婆眾恭
敬圍繞前詣佛所合掌白佛言世尊我亦以
陀羅尼神呪擁護持法華經者即說呪曰
阿伽祢一　伽祢二　瞿利三　乾陀利四　旃陀利
五　摩蹬耆六　常求利七　浮樓莎柅八　頞底九
世尊是陀羅尼神呪四十二億諸佛所說若
有侵毀此法師者則為侵毀是諸佛已尒時
有十羅剎女等一名藍婆二名毗藍婆三名曲
[illegible]

BD01709號　妙法蓮華經卷七　　（13–7）

世尊是陁羅尼神呪四十二億諸佛所說若
有侵毀此法師者則為侵毀是諸佛已尒時
有十羅刹女等一名藍婆二名毗藍婆三名曲
齒四名華齒五名黑齒六名多髮七名无猒
足八名持瓔珞九名睪帝十名奪一切衆生
精氣是十羅刹女與鬼子母并其子及眷屬
俱詣佛所同聲白佛言世尊我等亦欲擁護
讀誦受持法華經者除其衰患若有伺求法
師短者令不得便即於佛前而說呪曰
伊提履一 伊提泯二 伊提履三 阿提履四 伊提
履五 泥履六 泥履七 泥履八 泥履九 泥履十
樓醯十一 樓醯十二 樓醯十三 樓醯十四 多醯十五
多醯十六 多醯十七 兜醯十八 嵬醯十九
寧上我頭上莫惱於法師若夜叉若羅刹若
餓鬼若富單那若吉蔗若毗陁羅若揵馱若
烏摩勒伽若阿跋摩羅若夜叉吉蔗若人吉
蔗若熱病若一日若二日若三日若四日若至
七日若常熱病若男形若女形若童男形
若童女形乃至夢中亦復莫惱即於佛前而
說偈言
若不順我呪　惱亂說法者　頭破作七分　如阿梨樹枝
如煞父母罪　亦如壓油殃　斗稱欺誑人　調達破僧罪
犯此法師者　當獲如是殃
諸羅刹女說此偈已白佛言世尊我等亦當
身自擁護受持讀誦脩行是經者令得安

BD01709號　妙法蓮華經卷七　（13–8）

犯此法師者　當獲如是殃
諸羅刹女說此偈已白佛言世尊我等亦當
身自擁護受持讀誦脩行是經者令得安
隱離諸衰患消衆毒藥佛告諸羅刹女善
哉善哉汝等但能擁護受持法華名者福不可量
何況擁護具足受持供養經卷華香瓔珞末
香塗香燒香幡蓋伎樂然種種燈蘇燈油燈
諸香油燈蘇摩那華油燈瞻蔔華油燈婆師
迦華油燈優鉢羅華油燈如是等百千種供
養者睪帝汝等及眷屬應當擁護如是法師
說是陁羅尼品時六万八千人得无生法忍
妙法蓮華經妙莊嚴王本事品第廿七
尒時佛告諸大衆乃往古世過无量无邊不
可思議阿僧祇劫有佛名雲雷音宿王華智
多陁阿伽度阿羅訶三藐三佛陁國名光明
莊嚴劫名憙見彼佛法中有王名妙莊嚴其
王夫人名曰淨德有二子一名淨藏二名淨
眼是二子有大神力福德智慧久脩菩薩所
行之道所謂檀波羅蜜尸羅波羅蜜羼提波
羅蜜毗梨耶波羅蜜禪波羅蜜般若波羅蜜
方便波羅蜜慈悲喜捨乃至三十七助道法
皆悉明了通達又得菩薩淨三昧日星宿三
昧淨光三昧淨色三昧淨照明三昧長莊嚴
三昧大威德藏三昧於此三昧亦悉通達
尒時彼佛欲引導妙莊嚴王及愍念衆生故

BD01709號　妙法蓮華經卷七　（13–9）

皆悉明了通達又得菩薩淨三昧日星宿三
昧淨光三昧淨色三昧淨照明三昧長莊嚴
三昧大威德藏三昧於此三昧亦悉通達
尒時彼佛欲引導妙莊嚴王及愍念衆生故
說是法華經時淨藏淨眼二子到其母所合
十指爪掌白言願母往詣雲雷音宿王華智
佛所我等亦當侍從親近供養禮拜所以者
何此佛於一切天人衆中說法華經宜應聽
受母告子言汝父信受外道深著婆羅門法
汝等應往白父與共俱去淨藏淨眼合十指
爪掌白母我等是法王子而生此邪見家母
告子言汝等當憂念汝父為現神變若得見
者心必清淨或聽我等往至佛所於是二子
念其父故踊在虛空高七多羅樹現種種神
變於虛空中行住坐臥身上出水身下出火
身下出水身上出火或現大身滿虛空中而
復現小小復現大於空中滅忽然在地入地
如水履水如地現如是等種種神變令其父
王心淨信解時父見子神力如是心大歡喜
得未曾有合掌向子言汝等師為是誰誰之
弟子二子白言大王彼雲雷音宿王華智佛
今在七寶菩提樹下法座上坐於一切世間
天人衆中廣說法華經是我等師我是弟
子父語子言我今亦欲見汝等師可共俱往於
是二子從空中下到其母所合掌白母父王

天人衆中廣說法華經是我等師我是弟
子父語子言我今亦欲見汝等師可共俱往於
是二子從空中下到其母所合掌白母父王
今已信解堪任發阿耨多羅三藐三菩提心
我等為父已作佛事願母見聽於彼佛所出
家修道尒時二子欲重宣其以偈白母
願母放我等　出家作沙門　諸佛甚難值　我等隨佛學
如優曇波羅　值佛復難是　脫諸難亦難　願聽我出家
母即告言聽汝出家所以者何佛難值故於
是二子白父母言善哉父母願時往詣雲雷
音宿王華智佛所親近供養所以者何佛難
得值如優曇波羅華又如一眼之龜值浮木
孔而我等宿福深厚生值佛法是故父母當
聽我等令得出家所以者何諸佛難值時亦
難遇彼時妙莊嚴王後宮八万四千人皆悉
堪任受持是法華經淨眼菩薩於法華三昧
久已通達淨藏菩薩已於无量百千万億劫
通達離諸惡趣三昧欲令一切衆生離諸惡
趣故其王夫人得諸佛習三昧能知諸佛秘
密之藏二子如是以方便力善化其父令心
信解好樂佛法於是妙莊嚴王與群臣眷屬
俱淨德夫人與後宮采女眷屬俱其王二子
與四万二千人俱一時共詣佛所到已頭面
禮足繞佛三帀卻住一面尒時彼佛為王說
法示教利喜王大歡悅尒時妙莊嚴王及其

與四万二千人俱一時共詣佛所到已頭面
礼足遶佛三匝却住一面尒時彼佛為王說
法示教利喜王大歡悅尒時妙莊嚴王及其
夫人解頸真珠瓔珞價直百千以散佛上於
虛空中化成四柱寶臺臺中有大寶牀敷百
千万天衣其上有佛結跏趺坐放大光明尒
時妙莊嚴王作是念佛身希有端嚴殊特成
就第一微妙之色時雲雷音宿王華智佛告
四衆言汝等見是妙莊嚴王於我前合掌立
不此王於我法中作比丘精勤脩習助佛道
法當得作佛号娑羅樹王國名大光劫名大
高王其娑羅樹王佛有无量菩薩衆及无量
聲聞其國平正功德如是其王即時以國付
弟王與夫人二子并諸眷屬於佛法中出家脩
道王出家已於八万四千歲常勤精進脩行
妙法華經過是已後得一切淨功德莊嚴三
昧即昇虛空高七多羅樹而白佛言世尊此
我二子已作佛事以神通變化轉我邪心令
得安住於佛法中得見世尊此二子者是我
善知識為欲發起宿世善根饒益我故來生
我家尒時雲雷音宿王華智佛告妙莊嚴王
言如是如是如汝所言若善男子善女人種
善根故世世得善知識其善知識能作佛事
示教利喜令入阿耨多羅三藐三菩提大王
當知善知識者是大因緣所謂化導令得見

BD01709號　妙法蓮華經卷七　（13–12）

善知識為欲發起宿世善根饒益我故來生
我家尒時雲雷音宿王華智佛告妙莊嚴王
言如是如是如汝所言若善男子善女人種
善根故世世得善知識其善知識能作佛事
示教利喜令入阿耨多羅三藐三菩提大王
當知善知識者是大因緣所謂化導令得見
佛發阿耨多羅三藐三菩提心大王汝見此
二子不此二子已曾供養六十五百千万億
那由他恒河沙諸佛親近恭敬於諸佛所受
持法華經愍念邪見衆生令住正見妙莊嚴
王即從虛空中下而白佛言世尊如來甚希
有以功德智慧故頂上肉髻光明顯照其眼
長廣而紺青色眉間毫相白如珂月齒白齊
密常有光明脣色赤好如頻婆菓尒時妙莊
嚴王讚嘆佛如是等无量百千万億功德已
於如來前一心合掌復白佛言世尊未曾有
也如來之法具足成就不可思議微妙功德
教戒所行安隱快善我從今日不復自隨心
行不生邪見憍慢瞋恚諸惡之心說是語已
礼佛而出佛告大衆於意云何妙莊嚴王豈
異人乎今華德菩薩是其淨德夫人今佛前

BD01709號　妙法蓮華經卷七　（13–13）

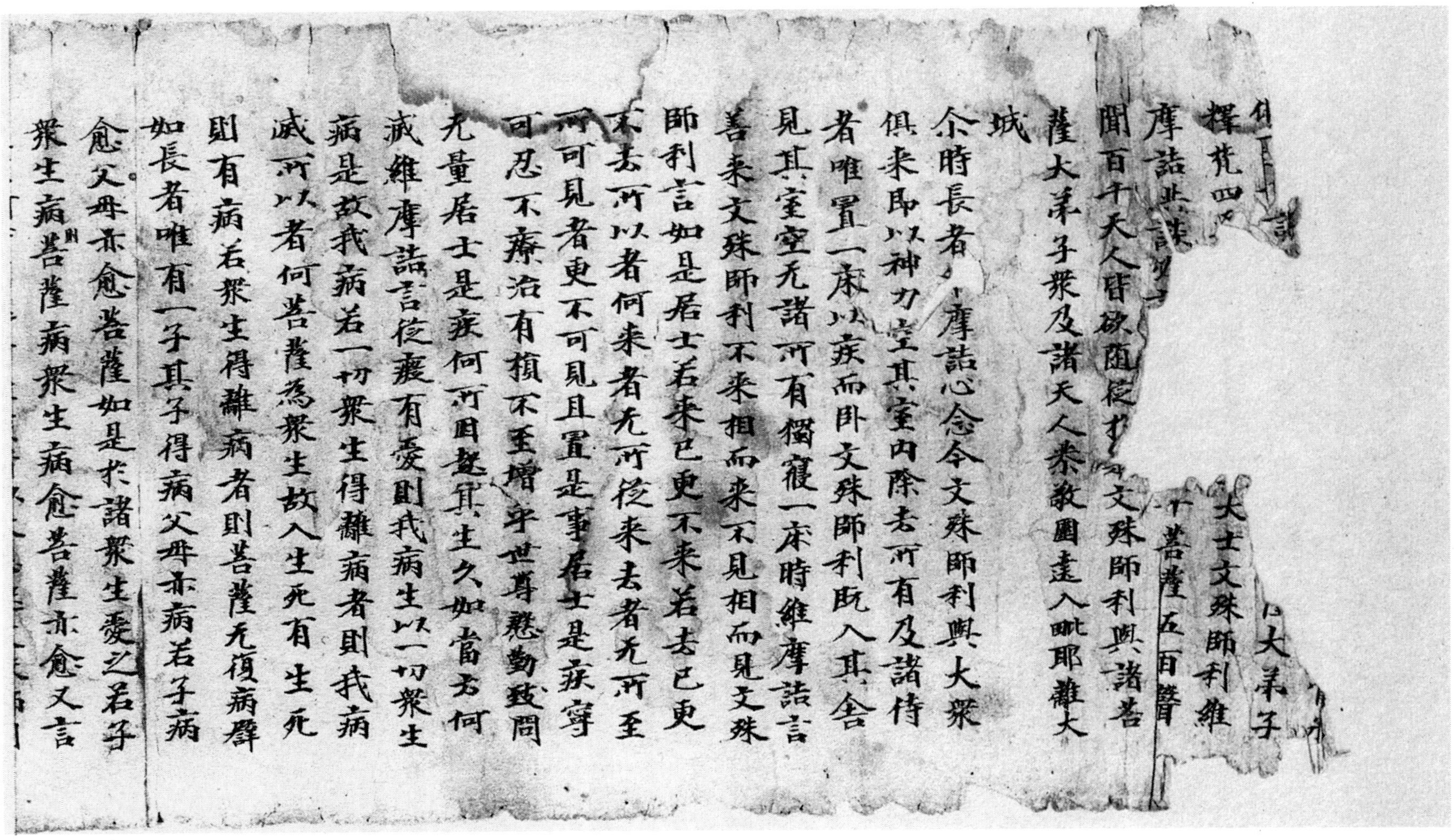

…大弟子
釋梵四…大士文殊師利維
摩詰共談…千菩薩五百聲
聞百千天人皆欲隨從於是文殊師利與諸菩
薩大弟子衆及諸天人恭敬圍遶入毗耶離大
城
尒時長者維摩詰心念今文殊師利與大衆
俱来即以神力空其室内除去所有及諸侍
者唯置一床以疾而卧文殊師利既入其舍
見其室空无諸所有獨寢一床時維摩詰言
善来文殊師利不来相而来不見相而見文殊
師利言如是居士若来已更不来若去已更
不去所以者何来者无所從来去者无所至
所可見者更不可見且置是事居士是疾寧
可忍不療治有損不至增乎世尊慇懃致問
无量居士是疾何所因起其生久如當云何
滅維摩詰言從癡有愛則我病生以一切衆生
病是故我病若一切衆生得離病者則我病
滅所以者何菩薩為衆生故入生死有生死
則有病若衆生得離病者則菩薩无復病譬
如長者唯有一子其子得病父母亦病若子病
愈父母亦愈菩薩如是於諸衆生愛之若子
衆生病則菩薩病衆生病愈菩薩亦愈又言

BD01710 號　維摩詰所說經卷中　（25–1）

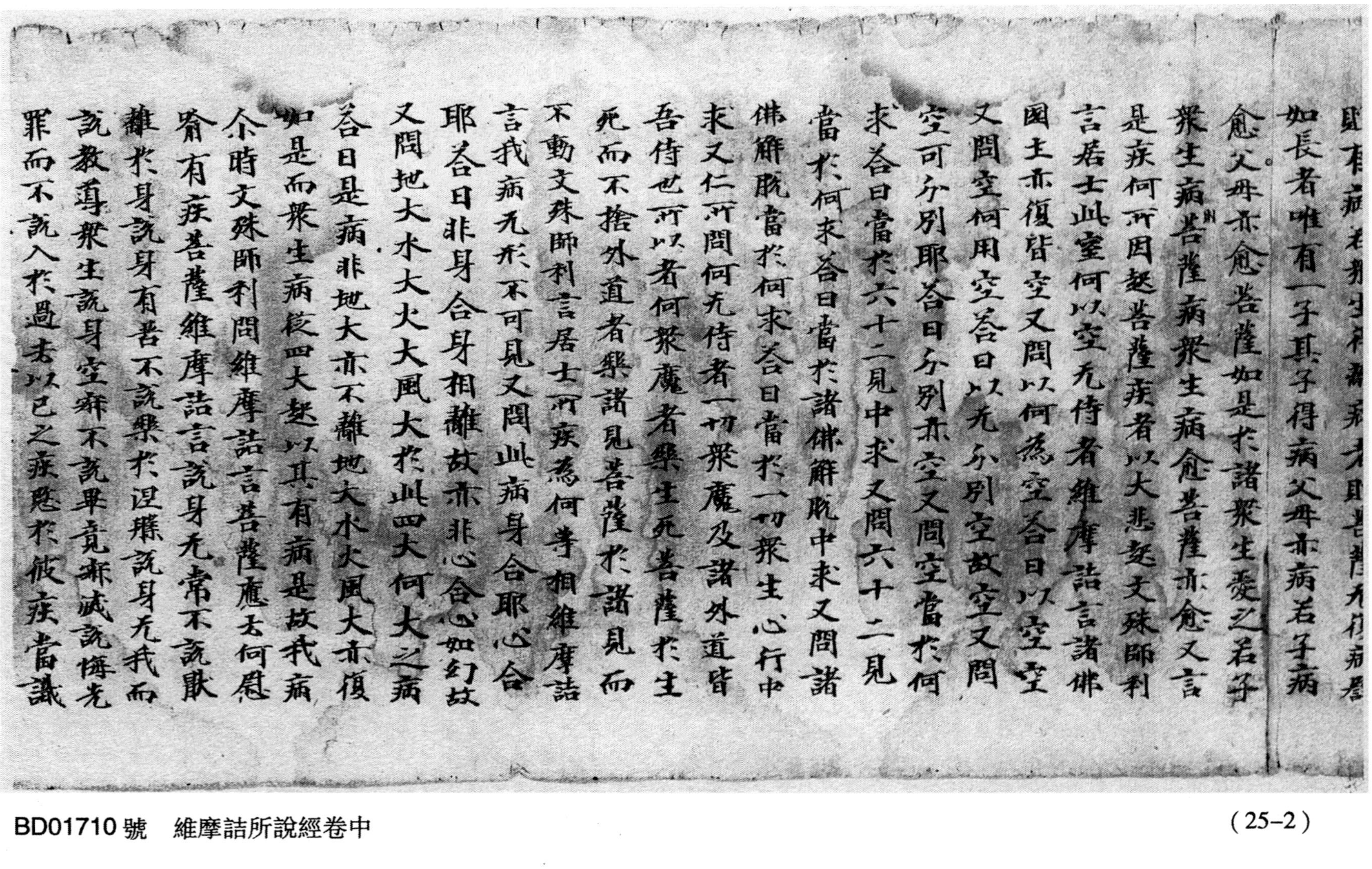

則有病若衆生得離病者則菩薩无復病譬
如長者唯有一子其子得病父母亦病若子病
愈父母亦愈菩薩如是於諸衆生愛之若子
衆生病則菩薩病衆生病愈菩薩亦愈又言
是疾何所因起菩薩疾者以大悲起文殊師利
言居士此室何以空无侍者維摩詰言諸佛
國土亦復皆空又問以何為空答曰以空空
又問空何用空答曰以无分別空故空又問
空可分別耶答曰分別亦空又問空當於何
求答曰當於六十二見中求又問六十二見
當於何求答曰當於諸佛解脫中求又問諸
佛解脫當於何求答曰當於一切衆生心行中
求又仁所問何无侍者一切衆魔及諸外道皆
吾侍也所以者何衆魔者樂生死菩薩於生
死而不捨外道者樂諸見菩薩於諸見而
不動文殊師利言居士所疾為何等相維摩詰
言我病无形不可見又問此病身合耶心合
耶答曰非身合身相離故亦非心合心如幻故
又問地大水大火大風大於此四大何大之病
答曰是病非地大亦不離地大水火風大亦復
如是而衆生病從四大起以其有病是故我病
尒時文殊師利問維摩詰言菩薩應云何慰
喻有疾菩薩維摩詰言說身无常不說猒
離於身說身有苦不說樂於涅槃說身无我而
說教導衆生說身空寂不說畢竟寂滅說悔先
罪而不說入於過去以己之疾愍於彼疾當識

BD01710 號　維摩詰所說經卷中　（25–2）

離於身說身有苦不說樂於涅槃說身无我而
說教導衆生說身空寂不說畢竟寂滅說悔先
罪而不說入於過去以己之疾愍於彼疾當識
宿世无數劫苦當念饒益一切衆生憶所脩
福念於淨命勿生憂惱常起精進當作醫王
療治衆病菩薩應如是慰喻有疾菩薩令
其歡喜
文殊師利言居士有疾菩薩云何調伏其心維
摩詰言有疾菩薩應作是念今我此病皆
從前世妄想顛倒諸煩惱生无有實法誰受
病者所以者何四大合故假名為身四大无
主身亦无我又此病起皆由著我是故於我
不應生著既知病本即除我想及衆生想當
起法想應作是念但以衆法合成此身起唯
法起滅唯法滅又此法者各不相知起時不言
我起滅時不言我滅彼有疾菩薩為滅法想
當作是念此法想者亦是顛倒顛倒者是即大
患我應離之云何為離離我我所云何離我
我所謂離二法云何離二法謂不念內外諸
法行於平等云何平等謂我等涅槃等所
以者何我及涅槃此二皆空以何為空但以名字
故空如此二法无決定性得是平等无有餘
病唯有空病空病亦空是有疾菩薩以无
所受而受諸受未具佛法亦不滅受而取證也
設身有苦念惡趣衆生起大悲心我既調伏

病唯有空病空病亦空是有疾菩薩以无
所受而受諸受未具佛法亦不滅受而取證也
設身有苦念惡趣衆生起大悲心我既調伏
亦當調伏一切衆生但除其病而不除法為斷
病本而教導之何謂病本謂有攀緣從有
攀緣則有病本何所攀緣謂之三界云何
斷攀緣以无所得若无所得則无攀緣何謂
无所得謂二見何謂二見謂內見外見是无所
得文殊師利是為有疾菩薩調伏其心為
斷老病死苦是菩薩菩提若不如是已所
脩治為无惠利譬如勝怨乃可為勇如是兼
除老病死者菩薩之謂也彼有疾菩薩令
復作是念如我此病非真非有衆生病亦非真
非有作是觀時於諸衆生若起愛見大悲即
應捨離所以者何菩薩斷除客塵煩惱而起
大悲愛見悲者則於生死有疲厭心若能離此
无有疲厭在在所生不為愛見之所覆也所
生无縛能為衆生說法解縛如佛所說若自有
縛能解彼縛无有是處若自无縛能解彼
縛斯有是處是故菩薩不應起縛何謂縛何
謂解貪著禪味是菩薩縛以方便生是菩薩
解又无方便慧縛有方便慧解无慧方便縛
有慧方便解何謂无方便慧縛謂菩薩以愛
見心莊嚴佛土成就衆生於空无相无作法
中而自調伏是名无方便慧縛何謂有方便
慧解謂不以愛見心莊嚴佛土成就衆生於

有慧方便解何謂无方便慧縛謂菩薩以愛
見心莊嚴佛土成就衆生於空无相无作法
中而自調伏是名无方便慧縛何謂有方便
慧解謂不以愛見心莊嚴佛土成就衆生於
空无相无作法中以自調伏而不疲厭是名
有方便慧解何謂无慧方便縛謂菩薩住
貪欲瞋恚耶見等諸煩惱而殖衆德本是名
无慧方便縛何謂有慧方便解謂離諸貪欲瞋
恚耶見等諸煩惱而殖德本迴向阿耨多羅
三藐三菩提是名有慧方便解
文殊師利彼有疾菩薩應如是觀諸法又復
觀身无常苦空非我是名為慧雖身有疾常
在生死饒益一切而不厭倦是名方便又復觀
身身不離病病不離〻是病是身非新非
故是名為慧設身有疾而不永滅是名方便
文殊師利有疾菩薩應如是調伏其心不住其
中亦復不住不調伏心所以者何若住不調伏
心是愚人法若住調伏心是聲聞法是故菩
薩不當住於調伏不調伏心離此二法
是菩薩行在於生死不為汙行住於涅槃不
永滅度是菩薩行非凡夫行非賢聖行是菩薩
行非垢行非淨行是菩薩行雖過魔行而現
降衆魔是菩薩行求一切智无非時求是菩
薩行雖觀諸法不生而不入正位是菩薩行
雖觀十二緣起而入諸耶見是菩薩行雖攝

BD01710號　維摩詰所説經卷中　　（25–5）

行非垢行非淨行是菩薩行雖過魔行而現
降衆魔是菩薩行求一切智无非時求是菩
薩行雖觀諸法不生而不入正位是菩薩行
雖觀十二緣起而入諸耶見是菩薩行雖攝
一切衆生而不愛著是菩薩行雖樂遠離而不
依身心盡是菩薩行雖行三界而不壞法性是
菩薩行雖行於空而殖衆德本是菩薩行雖
行无相而度衆生是菩薩行雖行无作而現
受身是菩薩行雖行无起而起一切善行是
菩薩行雖行六波羅蜜而遍知衆生心心數
法是菩薩行雖行六通而不盡漏是菩薩行
雖行四无量心而不貪著生於梵世是菩薩
行雖行禪定解脫三昧而不隨禪生是菩
薩行雖行四念處而不畢竟離身受心法是
菩薩行雖行四正勤而不捨身心精進是菩
薩行雖行四如意足而得自在神通是菩薩
行雖行五根而分別衆生諸根利鈍是菩薩
行雖行五力而樂求佛十力是菩薩行雖行
七覺分而分別佛之智慧是菩薩行雖行八
正道而樂行无量佛法是菩薩行雖行止觀
助道之法而不畢竟墮於寂滅是菩薩行雖行
諸法不生不滅而以相好莊嚴其身是菩薩
行雖現聲聞辟支佛威儀而不捨佛法是菩
薩行雖隨諸法究竟[illegible]而隨所應為現
其身是菩薩行雖觀諸佛國土永寂如空

BD01710號　維摩詰所説經卷中　　（25–6）

諸法不生不滅而以相好莊嚴其身是菩薩
行雖現聲聞辟支佛威儀而不捨佛法是菩
薩行雖隨諸法究竟[illegible]而隨所應為現
其身是菩薩行雖觀諸佛國土永寂如空
而現種種清淨佛土是菩薩行雖得佛道轉
于法輪入於涅槃而不捨於菩薩之道是菩薩
行說是語時文殊師利所將大衆其中八千
天子皆發阿耨多羅三藐三菩提心
不思議品第六
尒時舍利弗見此室中无有床座作是念斯
諸菩薩大弟子衆當於何坐長者維摩詰知
其意語舍利弗言云何仁者為法來耶求床
座耶舍利弗言我為法來非為床座維摩詰
言唯舍利弗夫求法者不貪軀命何況床坐
夫求法者非有色受想行識之求非有界入
之求非有欲色无色之求唯舍利弗夫求法
者不著佛求不著法求不著衆求夫求法者
无見苦求无斷集求无造盡證脩道之求所
以者何法无戲論若言我當見苦斷集證滅脩
道是則戲論非求法也唯舍利弗法名寂滅若
行生滅是求生滅非求法也法名无染若染
於法乃至涅槃是則染著非求法也法无行
處若行於法是則行處非求法也法无處
所若著處所是則著處非求法也法名无相
若隨相識是則求相非求法也法不可住若住
於法是則住法非求法也法不可見聞覺知

處若行於法是則行處非求法也法无處
所若著處所是則著處非求法也法名无相
若隨相識是則求相非求法也法不可住若住
於法是則住法非求法也法不可見聞覺知
若行見聞覺知是則見聞覺知非求法也法
名无為若行有為是求有為非求法也是故
舍利弗若求法者於一切法應无所求說是
語時五百天子於諸法中得法眼淨
尒時長者維摩詰問文殊師利仁者遊於无
量千万億阿僧祇國何等佛土有好上妙功
德成就師子之座文殊師利言居士東方度卅
六恒河沙國有世界名須弥相其佛号須弥
燈王今現在彼佛身長八万四千由旬其師子
座高八万四千由旬嚴飾第一於是長者維
摩詰現神通力即時彼佛遣三万二千師子
座高廣嚴好來入維摩詰室諸菩薩大弟
子釋梵四天王等昔所未見其室廣博悉皆
容受三万二千師子座无所妨礙於毗耶離
城及閻浮提四天下亦不迫迮悉見如故尒時
維摩詰語文殊師利就師子座與諸菩薩
上人俱坐當自立身如彼坐像其得神通
菩薩即自變身為四万二千由旬坐師子座
諸新發意菩薩及大弟子皆不能昇尒時
維摩詰語舍利弗就師子座舍利弗言居士
此座高廣吾不能昇維摩詰言唯舍利弗為

菩薩即自變形為四萬二千由旬坐師子座
諸新發意菩薩及大弟子皆不能昇尒時
維摩詰語舍利弗就師子座舍利弗言居士
此座高廣吾不能昇維摩詰言唯舍利弗為
須弥燈王如来作礼乃可得坐於是新發意
菩薩及大弟子即為須弥燈王如来作礼便
得坐師子座舍利弗言居士未曾有也如是
小室乃容受此高廣之座於毗耶離城无所妨
礙又於閻浮提聚落城邑及四天下諸天龍王
鬼神宮殿亦不迫迮維摩詰言唯舍利弗諸佛
菩薩有解脫名不可思議若菩薩住是解
脫者以須弥之高廣內芥子中无所增減須
弥山王本相如故而四天王忉利諸天不覺不
知已之所入唯應度者乃見須弥入芥子中
是名不可思議解脫法門又以四大海水入一
毛孔不嬈魚鱉黿鼉水性之屬而彼大海本
相如故諸龍鬼神阿脩羅等不覺不知已之所
入於此眾生亦无所嬈又舍利弗住不可思
議解脫菩薩斷取三千大千世界如陶家輪著
右掌中擲過恒河沙世界之外其中眾生不
覺不知已之所往又復還置本處都不使人
有往来想而此世界本相如故又舍利弗或
有眾生樂久住世而可度者菩薩即演七
日以為一劫令彼眾生謂之一劫或有眾生
不樂久住而可度者菩薩即促一劫以為七
日令彼眾生謂之七日又舍利弗住不可思

BD01710 號　維摩詰所說經卷中　（25-9）

有往来想而此世界本相如故又舍利弗或
有眾生樂久住世而可度者菩薩即演七
日以為一劫令彼眾生謂之一劫或有眾生
不樂久住而可度者菩薩即促一劫以為七
日令彼眾生謂之七日又舍利弗住不可思
議解脫菩薩以一切佛土嚴飾之事集在一
國示於眾生又菩薩以一佛土眾生置之右
掌飛到十方遍示一切而不動本處又舍利
弗十方眾生供養諸佛之具菩薩於一毛
孔皆令得見又十方國土所有日月星宿於
一毛孔普使見之又舍利弗十方世界所有諸
風菩薩悉能吸著口中而身无損外諸樹木
亦不摧折又十方世界劫盡燒時以一切火內
於腹中火事如故而不為害又於下方過恒
河沙等諸佛世界取一佛土舉著上方過恒河
沙无數世界如持針鋒舉一棗葉而无所嬈又
舍利弗住不可思議解脫菩薩能以神通現
作佛身或現辟支佛身或現聲聞身或現帝
釋身或現梵王身或現世主身或現轉輪王
身又十方世界所有眾聲上中下音皆能變
之令作佛聲演出无常苦空无我之音及十
方諸佛所說種種之法皆於其中普令得聞
舍利弗我今略說菩薩不可思議解脫之力
若廣說者窮劫不盡是時大迦葉聞說菩
薩不可思議解脫法門歎未曾有謂舍利
弗譬如有人於盲者前現眾色像非彼所

BD01710 號　維摩詰所說經卷中　（25-10）

薩不可思議解脫法門歎未曾有謂舍利
弗譬如有人於盲者前現衆色像非彼所
見一切聲聞聞是不可思議解脫法門不能
解了為若此也智者聞是其誰不發阿耨
多羅三藐三菩提心我等何為永絶其根
於此大乘已如敗種一切聲聞聞是不可思
議解脫法門皆應號泣聲震三千大千世界
一切菩薩應大喜慶頂受此法若有菩薩信
解不可思議解脫門者一切魔衆无如之何大
迦葉說是語時三万二千天子皆發阿耨多
羅三藐三菩提心
尒時維摩詰語大迦葉仁者十方无量阿僧
祇世界中作魔王者多是住不可思議解脫
菩薩以方便力教化衆生現作魔王又迦葉十
方无量菩薩或有人從乞手足耳鼻頭目
髓腦血肉皮骨聚落城邑妻子奴婢象馬車
乘金銀瑠璃車𤦲馬瑙珊瑚虎珀真珠珂貝
衣服飲食如此乞者多是住不可思議解脫
菩薩以方便力而往試之令其堅固所以者何
住不可思議解脫菩薩有威德力故行逼迫示
諸衆生如是難事凡夫下劣无有力勢不
能如是逼迫菩薩譬如龍象蹴踏非驢所堪
是名住不可思議解脫菩薩智慧方便之門
觀衆生品第七
尒時文殊師利問維摩詰言菩薩云何觀於
衆生維摩詰言譬如幻師見所幻人菩薩觀

BD01710號　維摩詰所說經卷中　（25–11）

觀衆生品第七
尒時文殊師利問維摩詰言菩薩云何觀於
衆生維摩詰言譬如幻師見所幻人菩薩觀
衆生為若此如智者見水中月如鏡中見其
面像如熱時焰如呼聲響如空中雲如水聚
沫如水上泡如芭蕉堅如電久住如第五大如
第六陰如第七情如十三入如十九界菩薩觀
衆生為若此如无色界色如燋穀牙如須陁洹
身見如阿那含入胎如阿羅漢三毒如得忍菩
薩貪恚毀禁如佛煩惱習如盲者見色如
入滅盡定出入息如空中鳥跡如石女兒
如化人煩惱如夢所見已悟如滅度者受身
如无烟之火菩薩觀衆生為若此
文殊師利言若菩薩作是觀者云何行慈維
摩詰言菩薩作是觀已自念我當為衆生說
如斯法是即真實慈也行寂滅慈无所生故
行不熱慈无煩惱故行等之慈等三世故行
无諍慈无所起故行不二慈内外不合故行不
壞慈畢竟盡故行堅固慈心无毀故行清淨
慈諸法性淨故行无邊慈如虛空故行阿羅
漢慈破結賊故行菩薩慈安衆生故行如来
慈得如相故行佛之慈覺衆生故行自然慈
无因得故行菩提慈等一味故行无等慈斷
諸愛故行大悲慈導以大乘故行无厭慈觀
空无我故行法施慈无遺惜故行持戒慈化

BD01710號　維摩詰所說經卷中　（25–12）

諸愛故行大悲慈導以大乘故行无猒慈觀
空无我故行法施慈无遺惜故行持戒慈化
毀禁故行忍辱慈護彼我故行精進慈荷負
衆生故行禪定慈不受味故行智慧慈无不
知時故行方便慈一切示現故行无隱慈直
心清淨故行深心慈无雜行故行无誑慈不
虛假故行安樂慈令得佛樂故菩薩之慈為
若此也
文殊師利又問何謂為悲荅曰菩薩所作功
德皆與一切衆生共之何謂為喜荅曰有所
饒益歡喜无悔何謂為捨荅曰所作福祐无
所希望文殊師利又問生死有畏菩薩當何
所依維摩詰言菩薩於生死畏中當依如來
功德之力文殊師利又問菩薩欲依如來功德之
力當於何住荅曰菩薩欲依如來功德力者
當住度脫一切衆生又問欲度衆生當何
所除荅曰欲度衆生除其煩惱又問欲除
煩惱當何所行荅曰當行正念又問云何行
於正念荅曰當行不生不滅又問何法不生何法
不滅荅曰不善不生善法不滅又問善不善孰
為本荅曰身為本又問身孰為本荅曰欲
貪為本又問欲貪孰為本荅曰虛妄分別
為本又問虛妄分別孰為本荅曰顛倒想
為本又問顛倒想孰為本荅曰无住為本又
問无住孰為本荅曰无住則无本文殊師利

BD01710號　維摩詰所說經卷中　（25–13）

為本又問顛倒想孰為本荅曰无住為本文
問无住孰為本荅曰无住則无本文殊師利
從无住本立一切法
時維摩詰室有一天女見諸大人聞所說法
便現其身即以天華散諸菩薩大弟子上華
至諸菩薩即皆墮落至大弟子便著不墮一
切弟子神力去華不能令去尒時天問舍利
弗何故去華荅曰此華不如法是以去之天曰勿
謂此華為不如法所以者何是華无所分別
仁者自生分別想耳若於佛法出家有所分
別為不如法若无所分別是則如法觀諸菩薩
華不著者以斷一切分別想故譬如人畏時非
人得其便如是弟子畏生死故色聲香味觸
得其便畏者一切五欲无五欲无已離畏者一
切五欲无能為也結習未盡華著身耳結習
盡者華不著也舍利弗言天止此室其已久
如荅曰我止此室如耆年解脫舍利弗言止
此久耶天曰耆年解脫亦何如久舍利弗默然
不荅天曰如何耆舊大智而默荅曰解脫者无
所言說故吾於是不知所云天曰言說文字皆
解脫相所以者何解脫者不內不外不在兩間文
字亦不內不外不在兩間是故舍利弗无離文
字說解脫也所以者何一切諸法皆解脫相舍利
弗言不復以離婬怒癡為解脫乎天曰佛為增
上慢人說離婬怒癡為解脫耳若无增上慢者

BD01710號　維摩詰所說經卷中　（25–14）

文亦不內不外不在兩間是故舍利弗无離文
字說解脫也所以者何一切諸法皆解脫相舍利
弗言不復以離婬怒癡為解脫乎天曰佛為增
上慢人說離婬怒癡為解脫耳若无增上慢者
佛說婬怒癡性即是解脫舍利弗言善哉善
哉天女汝何所得以何為證辯乃如是天曰我无
得无證故辯如是所以者何若有得有證者則
於佛法為增上慢
舍利弗問天汝於三乘為何志求天曰以聲聞
法化衆生故我為聲聞以因緣法化衆生故我
為辟支佛以大悲化衆生故我為大乘舍利
弗如人入瞻蔔林唯齅瞻蔔不齅餘香如是若
入此室但聞佛法功德之香不樂聲聞辟支
佛功德香也舍利弗其有釋梵四天王諸天
龍鬼神等入此室者聞斯上人講說正法皆
樂佛功德之香發心而出舍利弗吾止此室
十有二年初不聞說聲聞辟支佛法但聞菩
薩大慈大悲不可思議諸佛之法舍利弗此
室常現八未曾有難得之法何等為八此
室常以金色光照晝夜无異不以日月所照
為明是為一未曾有難得之法此室入者
不為諸垢之所惱也是為二未曾有難得之
法此室常有釋梵四天王他方菩薩來會
不絕是為三未曾有難得之法此室常說六
波羅蜜不退轉法是為四未曾有難得之法
此室常作天人弟一之樂弦出无量法化之聲

不絕是為三未曾有難得之法此室常說六
波羅蜜不退轉法是為四未曾有難得之法
此室常作天人弟一之樂弦出无量法化之聲
是為五未曾有難得之法此室有四大藏衆
寶積滿周窮濟乏求得无盡是為六未曾
有難得之法此室釋迦牟尼佛阿弥陁佛阿
閦佛寶德寶炎寶月寶嚴難勝師子響一切
利成如是等十方无量諸佛是上人念時即皆
為來廣說諸佛秘要法藏說已還去是為七
未曾有難得之法此室一切諸天嚴飾宮殿
諸佛淨土皆於中現是為八未曾有難得
之法舍利弗此室常現八未曾有難得之
法誰有見斯不思議事而復樂於聲聞法乎
舍利弗言汝何以不轉女身天曰我從十二年來
求人女相了不可得當何所轉譬如幻師化作幻
女若有人問言何以不轉女身是人為正問不舍
利弗言不也幻无定相當何所轉天曰一切諸法
亦復如是无有定相云何乃問不轉女身即時
天女以神通力變舍利弗身令如天女天自化
身如舍利弗而問言何以不轉女身舍利弗以
天女像而荅言我今不知何轉而變為女身
天曰舍利弗若能轉此女身則一切女人亦
復如是雖現女身而非女也是故佛說一切諸法
非男非女即時天女還攝神力令舍利弗
身還復如故天問舍利弗女身色相今何所
[illegible]

非男非女即時天女還攝神力令舍利弗
身還復如故天問舍利弗女身色相今何所
在舍利弗言女身色相无在无不在天曰
一切諸法亦復如是无在无不在夫无在无
不在者佛所說也舍利弗問天汝於此沒當
生何所天曰佛化所生吾如彼生曰佛化所生
非沒生也天曰衆生猶然无沒生也舍利弗
問天汝久如當得阿耨多羅三藐三菩提天曰
如舍利弗還為凡夫我乃當成阿耨多羅三藐
三菩提舍利弗言我作凡夫无有是處天曰我
得阿耨多羅三藐三菩提亦无是處所以者
何菩提无住處是故无有得者舍利弗言今諸
佛得阿耨多羅三藐三菩提已得當得今得
如恒河沙皆何謂乎天曰皆以世俗文字數故說
有三世非謂菩提有去來今天曰舍利弗汝得
阿羅漢道耶曰无所得故而得天曰諸佛菩薩
亦復如是无所得故而得尒時維摩詰語舍
利弗是天女曾已供養九十二億佛已能遊戲
菩薩神通所願具足得无生忍住不退轉以
本願故隨意能現教化衆生

佛道品第八

尒時文殊師利問維摩詰言菩薩云何通達
佛道維摩詰言若菩薩行於非道是為通
達佛道又問云何菩薩行於非道答曰若菩
薩行五无間而无惱恚至于地獄无諸罪垢至
于畜生无有无明憍慢等過至于餓鬼而具

BD01710號　維摩詰所說經卷中　(25–17)

達佛道又問云何菩薩行於非道答曰若菩
薩行五无間而无惱恚至于地獄无諸罪垢至
于畜生无有无明憍慢等過至于餓鬼而具
足功德行色无色界道不以為勝示行貪欲
離諸染着示行瞋恚於諸衆生无有恚礙示行
愚癡而以智慧調伏其心示行慳貪而捨内
外所有不惜身命示行毀禁而安住淨戒乃
至小罪猶懷大懼示行瞋恚而常慈忍示行
懈怠而懃脩功德示行亂意而常念定示
行愚癡而通達世間出世間慧示行諂偽
而善方便隨諸經義示行憍慢而於衆生猶如
橋梁示行諸煩惱而心常清淨示入於魔而
順佛智慧不隨他教示入聲聞而為衆生說
未聞法示入辟支佛而成就大悲教化衆生
示入貧窮而有寶手功德无盡示入形殘而
具諸相好以自莊嚴示入下賤而生佛種性中
具諸功德示入羸劣醜陋而現那羅延身一切
衆生之所樂見示入老病而永斷病根超越
死畏示有資生而恒觀无常无所貪著示有
妻妾婇女而常遠離五欲淤泥現於訥鈍而
成就辯才揔持无失示入耶濟而以正濟度
諸衆生現遍入諸道而斷其因緣現於涅槃
而不斷生死文殊師利菩薩能如是行於非
道是為通達佛道
於是維摩詰問文殊師利何等為如來種文
殊師利言有身為種无明有愛為種貪恚

BD01710號　維摩詰所說經卷中　(25–18)

而不斷生死文殊師利菩薩能如是行於非
道是為通達佛道
於是維摩詰問文殊師利何等為如來種文
殊師利言有身為種无明有愛為種貪恚癡
為種四顛倒為種五蓋為種六入為種七識
處為種八耶法為種九惱處為種十不善道
為種以要言之六十二見及一切煩惱皆是
佛種曰何謂也答曰若見无為入正位者不
能復發阿耨多羅三藐三菩提心譬如高原
陸地不生蓮華卑濕淤泥乃生此華如是見
无為法入正位者終不復能生於佛法煩惱泥
中乃有衆生起佛法耳又如殖種於空終不得
生糞壤之地乃能滋茂如是入无為正位者不
生佛法起於我見如須弥山猶能發于阿耨
多羅三藐三菩提心生佛法矣是故當知一
切煩惱為如來種譬如不入巨海不能得无
價寶珠如是不入煩惱大海則不能生一切智
寶之心
尒時大迦葉歎言善哉善哉文殊師利快說
此語誠如所言塵勞之疇為如來種我等今
者不復堪任發阿耨多羅三藐三菩提心乃
至五无間罪猶能發意生於佛法而今我等
永不能發譬如根敗之士其於五欲不能復利
如是聲聞諸結斷者於佛法中无所復益永
不志願是故文殊師利凡夫於佛法有反復

BD01710號　維摩詰所說經卷中　（25–19）

者不復堪任發阿耨多羅三藐三菩提心乃
至五无間罪猶能發意生於佛法而今我等
永不能發譬如根敗之士其於五欲不能復利
如是聲聞諸結斷者於佛法中无所復益永
不志願是故文殊師利凡夫於佛法有反復
而聲聞无也所以者何凡夫聞佛法能起无
上道心不斷三寶正使聲聞終身聞佛法力
无畏等永不能發无上道意尒時會中有菩
薩名普現色身問維摩詰言居士父母妻子
親戚眷屬吏民知識悉為是誰奴婢僮僕象
馬車乘皆何所在於是維摩詰以偈答曰
智度菩薩母　方便以為父　一切衆導師　无不由是生
法喜以為妻　慈悲心為女　善心誠實男　畢竟空寂舍
弟子衆塵勞　隨意之所轉　道品善知識　由是成正覺
諸度法等侶　四攝為伎女　歌詠誦法言　以此為音樂
揔持之園苑　无漏法林樹　覺意淨妙華　解脫智慧果
八解之浴池　定水湛然滿　布以七淨華　浴此无垢人
象馬五通馳　大乘以為車　調御以一心　遊於八正路
相具以嚴容　衆好飾其姿　慚愧之上服　深心為華鬘
富有七財寶　教授以滋息　如所說修行　迴向為大利
四禪為床座　從於淨命生　多聞增智慧　以為自覺音
甘露法之食　解脫味為漿　淨心以澡浴　戒品為塗香
摧滅煩惱賊　勇健无能踰　降伏四種魔　勝幡建道場
雖知无起滅　示彼故有生　悉現諸國土　如日无不現
[illegible]

BD01710號　維摩詰所說經卷中　（25–20）

甘露法之食　解脫味為漿　淨心以澡浴　戒品為塗香
摧滅煩惱賊　勇健无能踰　降伏四種魔　勝幡建道場
雖知无起滅　示彼故有生　悉現諸國土　如日无不現
供養於十方　无量億如來　諸佛及己身　无有分別想
雖知諸佛國　及與衆生空　而常修淨土　教化於群生
諸有衆生類　形聲及威儀　无畏力菩薩　一時能盡現
覺知衆魔事　而示隨其行　以善方便智　隨意皆能現
或示老病死　成就諸群生　了知如幻化　通達无有礙
或現劫盡燒　天地皆洞然　衆人有常想　照令知无常
无數億衆生　俱來請菩薩　一時到其舍　化令向佛道
經書禁咒術　工巧諸伎藝　盡現行此事　饒益諸群生
世間衆道法　悉於中出家　因以解人惑　而不墮邪見
或作日月天　梵王世界主　或時作地水　或復作風火
劫中有疾疫　現作諸藥草　若有服之者　除病消衆毒
劫中有飢饉　現身作飲食　先救彼飢渴　却以法語人
劫中有刀兵　為之起慈悲　化彼諸衆生　令住无諍地
若有大戰陣　立之以等力　菩薩現威勢　降伏使和安
一切國土中　諸有地獄處　輒往到于彼　勉濟諸苦惱
一切國土中　畜生相食噉　皆現生於彼　為之作利益
示受於五欲　亦復現行禪　令魔心憒亂　不能得其便
火中生蓮華　是可謂希有　在欲而行禪　希有亦如是
或現作婬女　引諸好色者　先以欲鉤牽　後令入佛智
或為邑中主　或作商人導　國師及大臣　以祐利衆生
諸有貧窮者　現作无盡藏　因以勸導之　令發菩提心
我心憍慢者　為現大力士　消伏諸貢高　令住佛上道

BD01710號　維摩詰所說經卷中　（25–21）

或為邑中主　或作商人導　國師及大臣　以祐利衆生
諸有貧窮者　現作无盡藏　因以勸導之　令發菩提心
我心憍慢者　為現大力士　消伏諸貢高　令住佛上道
其有恐懼者　居前而慰安　先施以无畏　後令發道心
或現離婬欲　為五通仙人　開導諸群生　令住戒忍慈
見須供事者　現為作僮僕　既悅可其意　乃發以道心
隨彼之所須　得入於佛道　以善方便力　皆能給足之
如是道无量　所行无有涯　智慧无邊際　度脫无數衆
假令一切佛　於无數億劫　讚歎其功德　猶尚不能盡
誰聞如是法　不發菩提心　除彼不肖人　癡冥无智者

入不二法門品第九

尒時維摩詰謂衆菩薩言　諸仁者云何菩薩
入不二法門　各隨所樂說之　會中有菩薩名
法自在　說言　諸仁者　生滅為二　法本不生　今
則无滅　得此无生法忍　是為入不二法門
我所為二　因有我故便有我
所　若无有我　則无我所　是為入不二法門
不眴菩薩曰　受不受為二　若法不受　則不可
得　以不可得故无取无捨　无作无行　是為入
不二法門
德頂菩薩曰　垢淨為二　見垢實性　則无淨相
順於滅相　是為入不二法門
善宿菩薩曰　是動是念為二　不動則无念　无
念則无分別　通達此者　是為入不二法門
善眼菩薩曰　一相无相為二　若知一相　即是

BD01710號　維摩詰所說經卷中　（25–22）

念則无分別通達此者是為入不二法門
善眼菩薩曰一相无相為二若知一相即是
无相亦不取无相入於平等是為入不二法門
妙臂菩薩曰菩薩心聲聞心為二觀心相空
如幻化者无菩薩心无聲聞心是為入不二
不善為二若不起善不善入
无相際而通達者是為入不二法門
師子菩薩曰罪福為二若達罪性則與福无異
以金剛慧決了此相无縛无解者是為入不
二法門
師子意菩薩曰有漏无漏為二若得諸法等
則不起漏不漏想不著於相亦不住无相是
為入不二法門
淨解菩薩曰有為无為為二若離一切數則
心如虛空以清淨慧无所礙者是為入不二
法門
那羅延菩薩曰世間出世間為二世間性空
其中不入不出不溢不散是
善意菩薩曰生死涅槃為二若見生死性則
无生死无縛无解不然不滅如是解者是為
入不二法門
現見菩薩曰盡不盡為二法若究竟盡若不
盡皆是无盡相无盡相即是空空則无有盡
不盡相如是入者是為入不二法門

BD01710號　維摩詰所說經卷中　（25–23）

現見菩薩曰盡不盡為二法若究竟盡若不
盡皆是无盡相无盡相即是空空則无有盡
不盡相如是入者是為入不二法門
普首菩薩曰我无我為二我尚不可得非我
何可得見我實性者不復起二是為入不二
法門
雷天菩薩曰明无明為二无明實性即是明
明亦不可取離一切數於其中平等无二者是
為入不二法門
空為二色即是空非色滅
想行識識空為二識即
非識滅空識性自空於其中而通達者
是為入不二法門
明相菩薩曰四種異空種異為二四種性即
是空種性如前際後際空故中際亦空若能
如是知諸種性者是為入不二法門
妙意菩薩曰眼色為二若知眼性於色不貪
不恚不癡是名寂滅如是耳聲鼻香舌味身觸
意法為二若知意性於法不貪不恚不癡是
名寂滅安住其中是為入不二法門
无盡意菩薩曰布施迴向一切智為二布施
性即是迴向一切智性如是持戒忍辱精進
迴向一切智為二智慧性即是迴向
者是為入不二法門
无相无作无為二空即
相无相即是无作若空无相无作則无心

BD01710號　維摩詰所說經卷中　（25–24）

如是知諸種性者是為入不二法門
妙意菩薩曰眼色為二若知明性於色不貪
不恚不癡是名寂滅如是耳聲鼻香舌味身觸
意法為二若知意性於法不貪不恚不癡是
名寂滅安住其中是為入不二法門
无盡意菩薩曰布施迴向一切智為二布施
性即是迴向一切智性如是持戒忍辱精進
…迴向一切智為二智慧性即是迴向
…者是為入不二法門
…是无相无作无為二空即
…相无相即是无作若空无相无作則无心
意識於一解脫門即是三解脫門者是為入不
二法門
寂根菩薩曰佛法眾為二佛即是法法即是
眾是三寶皆无為相與虛空等一切法亦尒
能隨此行者是為入不二法門
心无礙菩薩曰身身滅為二身即是身滅所
以者何見身實相者不起見身及見滅身身
與滅身无二无分別於其中不驚不懼者是
為入不二法門
上善菩薩曰身口意善為二是三業皆无作
…口无作相口无作相即意无作
…一切法无作相能如是隨

BD01710號　維摩詰所說經卷中　（25–25）

南无…月…如来　南…
南无月上勝如来　南无賢上勝如来
南无波頭摩上勝如来　南无无量上勝如来
南无波頭摩上勝如来　南无三昧手勝如来
南无大海深勝如来　南无善說名勝如来
南无阿僧祇精進住勝如来　一千一百　南无樂一切法莊嚴如来
南无寶輪威德上勝如来　南无无量慚愧金色上勝如来
南无功德海瑠璃金山金色光明如来　南无寶花普照勝如来
南无无起邊功德无垢勝如来　南无日輪上光明勝如来
南无起多羅王勝如来　南无樹王吼勝如来
南无法海潮勝如来　南无智清淨功德勝如来
南无樂劫大勝如来　南无不可思議光明勝如来
南无寶月光明勝如来　南无寶賢幢勝如来
南无寶成就勝如来　南无寶集勝如来
南无成就義勝如来　南无奮迅勝如来
南无不空勝如来　南无聞勝如来
南无海勝如来　南无住持勝如来
南无善行勝如来　南无龍勝如来
南无波頭摩勝如来　南无福德勝如来

BD01711號　佛名經（十二卷本）卷二　（2–1）

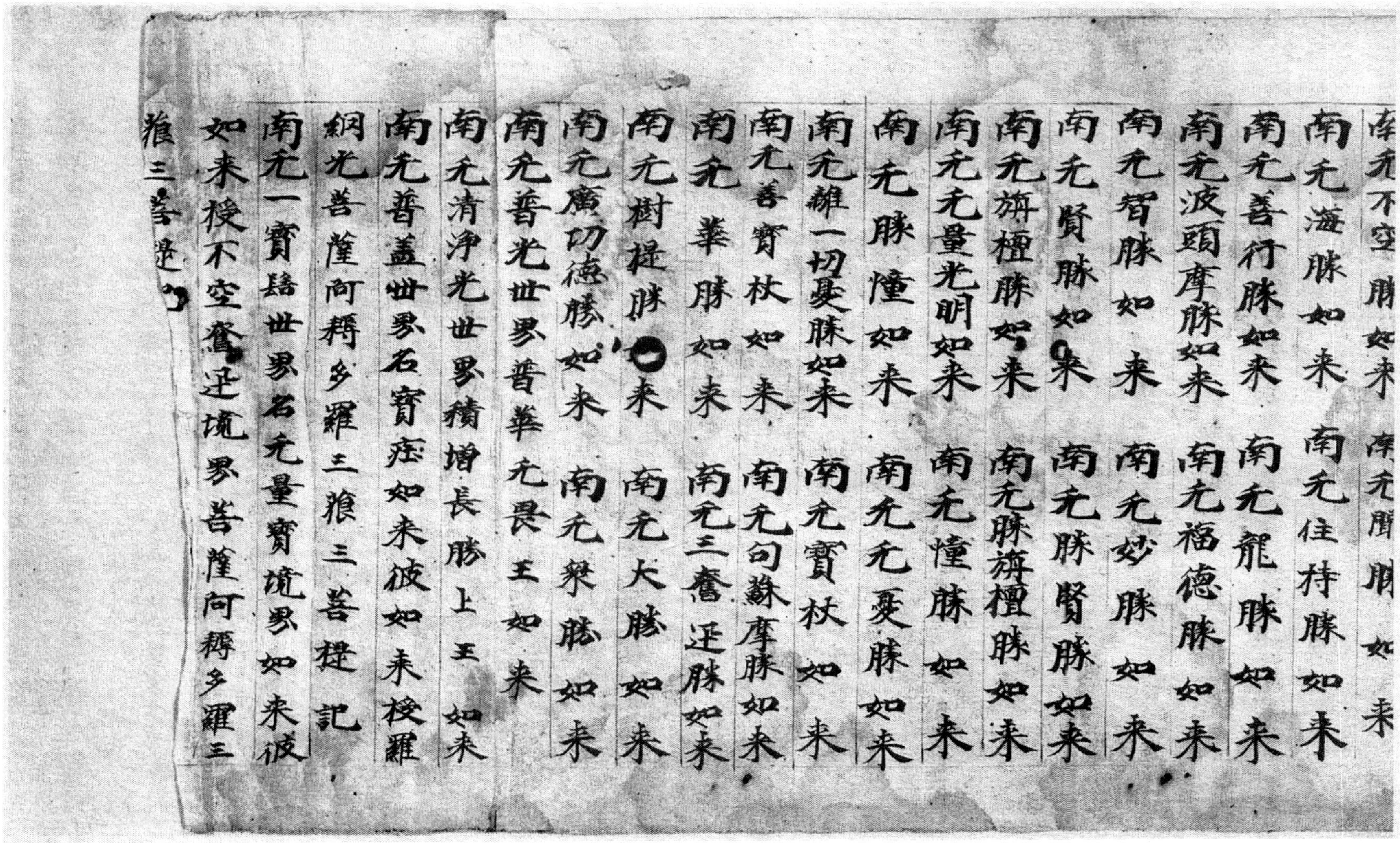
南无不空勝如来　南无勝勝如来
南无海勝如来　南无住持勝如来
南无善行勝如来　南无龍勝如来
南无波頭摩勝如来　南无福德勝如来
南无智勝如来　南无妙勝如来
南无賢勝如来　南无勝賢勝如来
南无旃檀勝如来　南无勝旃檀勝如来
南无无量光明如来　南无幢勝如来
南无勝幢如来　南无无憂勝如来
南无離一切憂勝如来　南无寶杖如来
南无善寶杖如来　南无句蘇摩勝如来
南无華勝如来　南无三奮迅勝如来
南无樹提勝如来　南无大勝如来
南无廣功德勝如来　南无衆勝如来
南无善光世界普華无畏王如来
南无清淨光世界積增長勝上王如来
南无普蓋世界名寶莊如来彼如来授羅
網光菩薩阿耨多羅三藐三菩提記
南无一寶蓋世界名无量寶境界如来彼
如来授不空奮迅境界菩薩阿耨多羅三
藐三菩提

BD01711號　佛名經（十二卷本）卷二　（2–2）

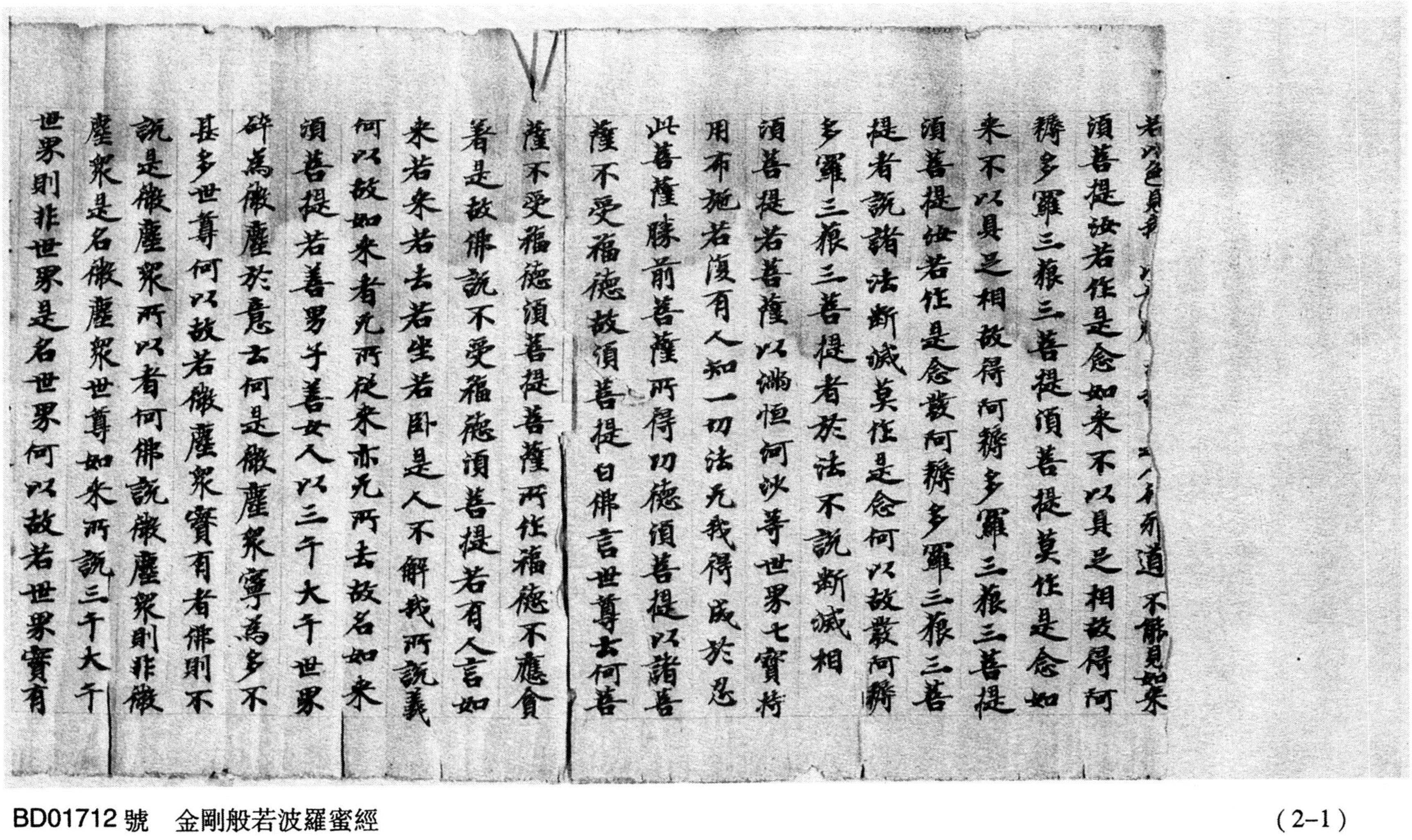
若以色見我……是人行邪道不能見如来
須菩提汝若作是念如来不以具足相故得阿
耨多羅三藐三菩提須菩提莫作是念如
来不以具足相故得阿耨多羅三藐三菩提
須菩提汝若作是念發阿耨多羅三藐三菩
提者說諸法斷滅莫作是念何以故發阿耨
多羅三藐三菩提者於法不說斷滅相
須菩提若菩薩以滿恒河沙等世界七寶持
用布施若復有人知一切法无我得成於忍
此菩薩勝前菩薩所得功德須菩提以諸菩
薩不受福德故須菩提白佛言世尊云何菩
薩不受福德須菩提菩薩所作福德不應貪
著是故佛說不受福德須菩提若有人言如
来若来若去若坐若卧是人不解我所說義
何以故如来者无所從来亦无所去故名如来
須菩提若善男子善女人以三千大千世界
碎為微塵於意云何是微塵衆寧為多不
甚多世尊何以故若微塵衆實有者佛則不
說是微塵衆所以者何佛說微塵衆則非微
塵衆是名微塵衆世尊如来所說三千大千
世界則非世界是名世界何以故若世界實有

BD01712號　金剛般若波羅蜜經　（2–1）

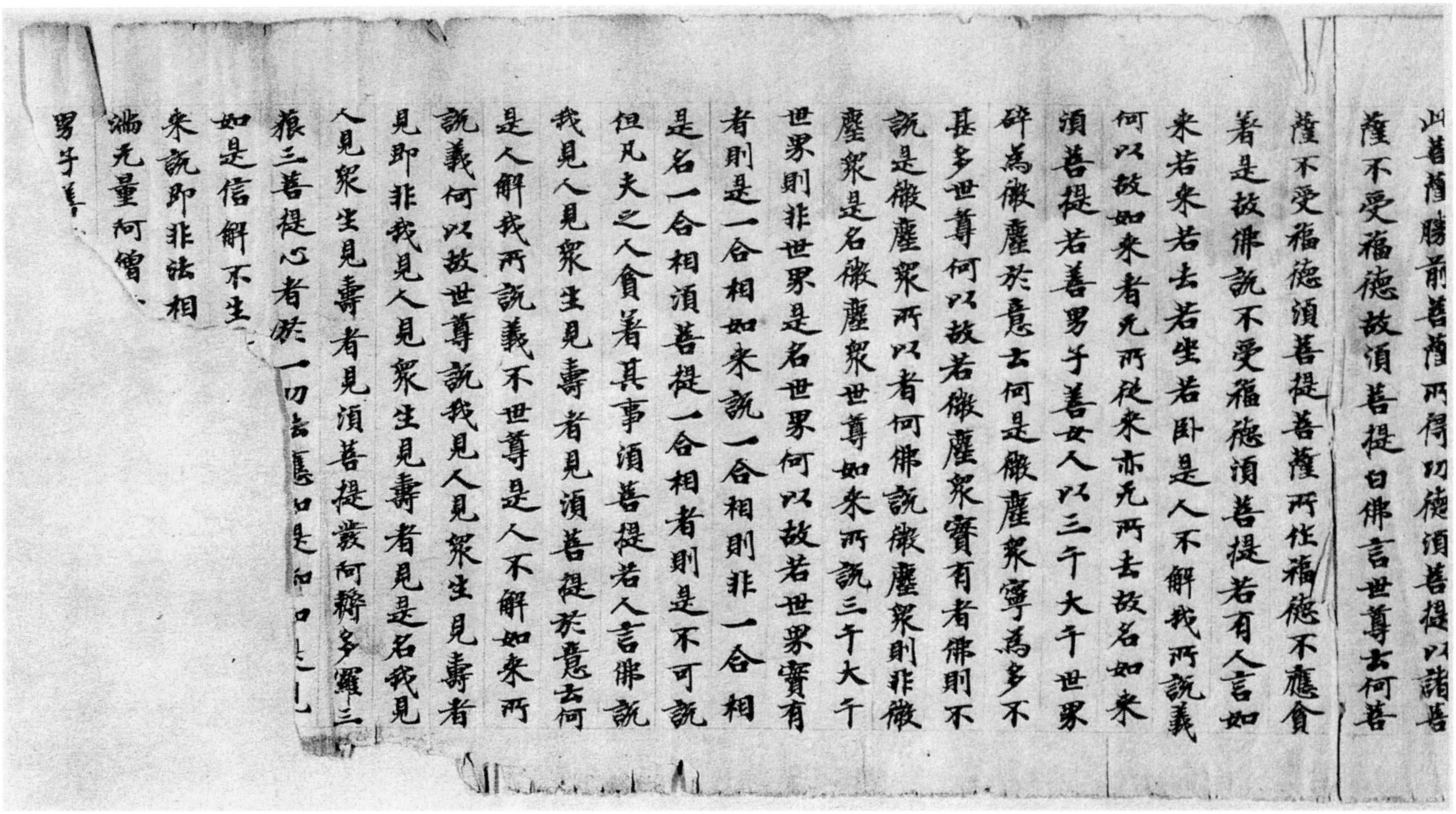

此菩薩勝前菩薩所得功德須菩提以諸菩
薩不受福德故須菩提白佛言世尊云何菩
薩不受福德須菩提菩薩所作福德不應貪
著是故佛說不受福德須菩提若有人言如
來若來若去若坐若卧是人不解我所說義
何以故如來者无所從來亦无所去故名如來
須菩提若善男子善女人以三千大千世界
碎為微塵於意云何是微塵衆寧為多不
甚多世尊何以故若微塵衆實有者佛則不
說是微塵衆所以者何佛說微塵衆則非微
塵衆是名微塵衆世尊如來所說三千大千
世界則非世界是名世界何以故若世界實有
者則是一合相如來說一合相則非一合相
是名一合相須菩提一合相者則是不可說
但凡夫之人貪著其事須菩提若人言佛說
我見人見衆生見壽者見須菩提於意云何
是人解我所說義不世尊是人不解如來所
說義何以故世尊說我見人見衆生見壽者
見即非我見人見衆生見壽者見是名我見
人見衆生見壽者見須菩提發阿耨多羅三
藐三菩提心者於一切法應如是知如是見
如是信解不生
來說即非法相
滿无量阿僧
男子善

BD01712號　金剛般若波羅蜜經　（2–2）

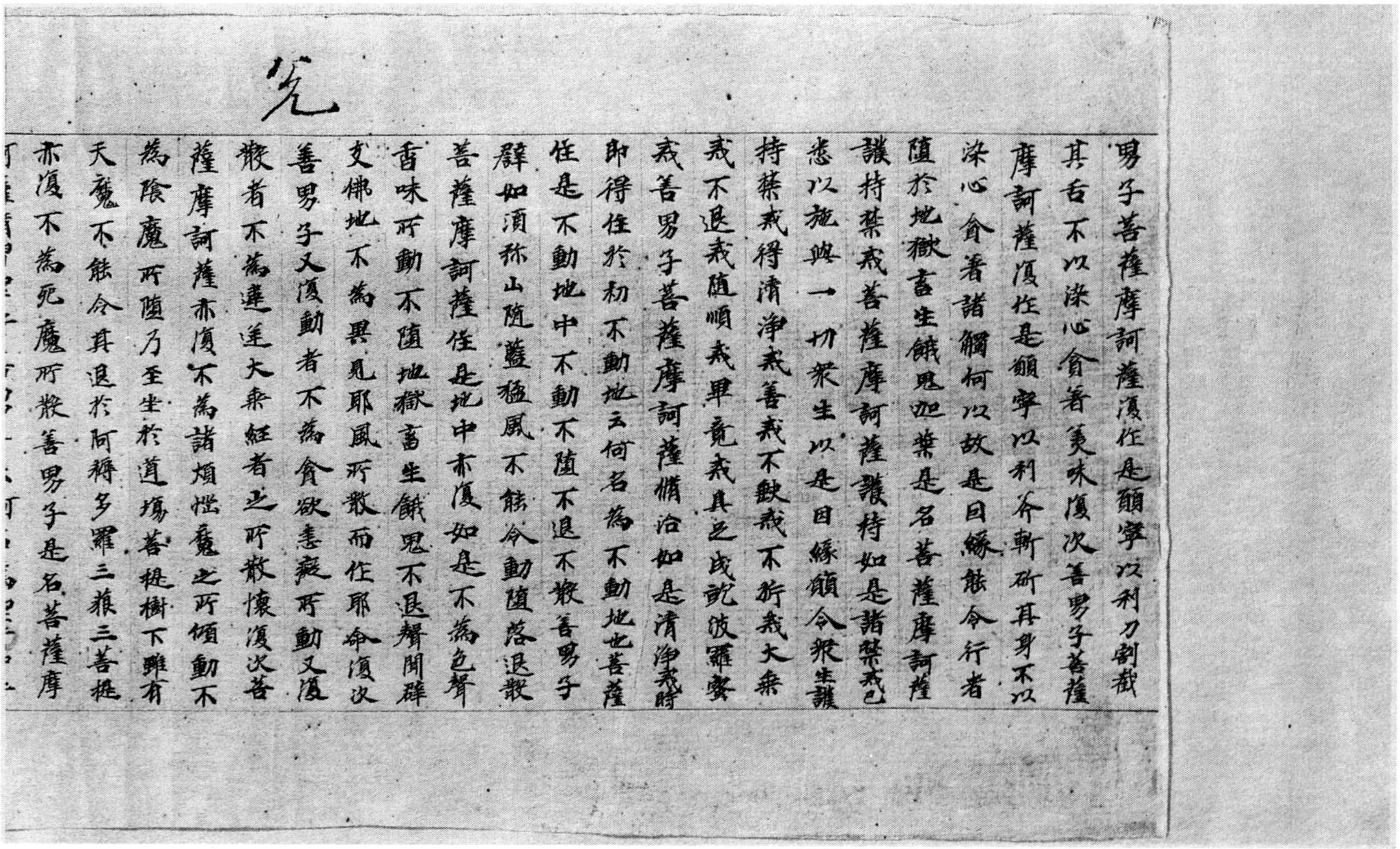

兌

男子菩薩摩訶薩復作是願寧以利刀割截
其舌不以染心貪著美味復次善男子菩薩
摩訶薩復作是願寧以利斧斬斫其身不以
染心貪著諸觸何以故是因緣能令行者
墮於地獄畜生餓鬼迦葉是名菩薩摩訶薩
護持禁戒菩薩摩訶薩護持如是諸禁戒已
悉以施與一切衆生以是因緣願令衆生護
持禁戒得清淨戒善戒不缺戒不折戒大乘
戒不退戒隨順戒畢竟戒具足成就波羅蜜
戒善男子菩薩摩訶薩脩治如是清淨戒時
即得住於初不動地云何名為不動地也菩薩
住是不動地中不動不墮不退不散善男子
譬如須弥山隨藍猛風不能令動墮落退散
菩薩摩訶薩住是地中亦復如是不為色聲
香味所動不墮地獄畜生餓鬼不退聲聞辟
支佛地不為異見耶風所散而作耶命復次
善男子又復動者不為貪欲恚癡所動又復
散者不為違逆大乘經者之所散壞復次菩
薩摩訶薩亦復不為諸煩惱魔之所傾動不
為陰魔所墮乃至坐於道場菩提樹下雖有
天魔不能令其退於阿耨多羅三藐三菩提
亦復不為死魔所散善男子是名菩薩摩

BD01713號　大般涅槃經（南本　兌廢稿）卷一一　（2–1）

兌

義不退義隨順義畢竟義具足成就波羅蜜
義善男子菩薩摩訶薩脩治如是清淨戒時
即得住於初不動地云何名為不動地也菩薩
住是不動地中不動不墮不退不散善男子
譬如須彌山隨藍猛風不能令動墮落退散
菩薩摩訶薩住是地中亦復如是不為色聲
香味所動不墮地獄畜生餓鬼不退聲聞辟
支佛地不為異見邪風所散而作邪命復次
善男子又復動者不為貪欲恚癡所動又復
散者不為違逆大乘經者之所散壞復次菩
薩摩訶薩亦復不為諸煩惱魔之所傾動不
為陰魔所墮乃至坐於道場菩提樹下雖有
天魔不能令其退於阿耨多羅三藐三菩提
亦復不為死魔所散善男子是名菩薩摩
訶薩脩習聖行善男子云何名為聖行聖行
者佛及菩薩之所行故故名聖行以何等故名
佛菩薩為聖人耶如是等人有聖法故常觀

重

BD01713 號　大般涅槃經（南本　兌廢稿）卷一一　（2–2）

復…
天宮殿意…
天曉已問諸大臣昨夜何緣忽現如是希…
瑞相放大光明大臣答言當知有諸天衆於
長者子流水家中雨四十千真珠瓔珞及天
曼陁羅華積至于膝王告臣曰詣長者家喚
取其子大臣受勑即至其家奉宣王命喚長
者子時長者子即至王所曰何緣昨夜示現
如是希有瑞相長者子言如我思忖定應是
彼池內衆魚如經所說命終之後得生三十
三天彼來報恩故現如是希奇之相王曰何
以得知流水答言王可遣使并我二子往彼
池所驗其虛實彼十千魚爲死爲活王聞是語
即便遣使及子向彼池邊見其池中多有曼
陁羅華積成大聚諸魚並死見已馳還爲王
廣說王聞是已心生歡喜歎未曾有尒時佛
告菩提樹神善女天汝今當知昔時長者子
流水者即是我身是持水者即妙幢是彼之
二子長者子水滿即銀幢是次子水藏即銀
光是彼天自在光王者即汝菩提樹神是十
千魚者十千天子是因我往昔以水濟魚與
食令飽爲說十二因緣起并此相應陁羅尼
呪又爲稱彼寶髻佛名因此善根得生天上

BD01714 號　金光明最勝王經卷九　（2–1）

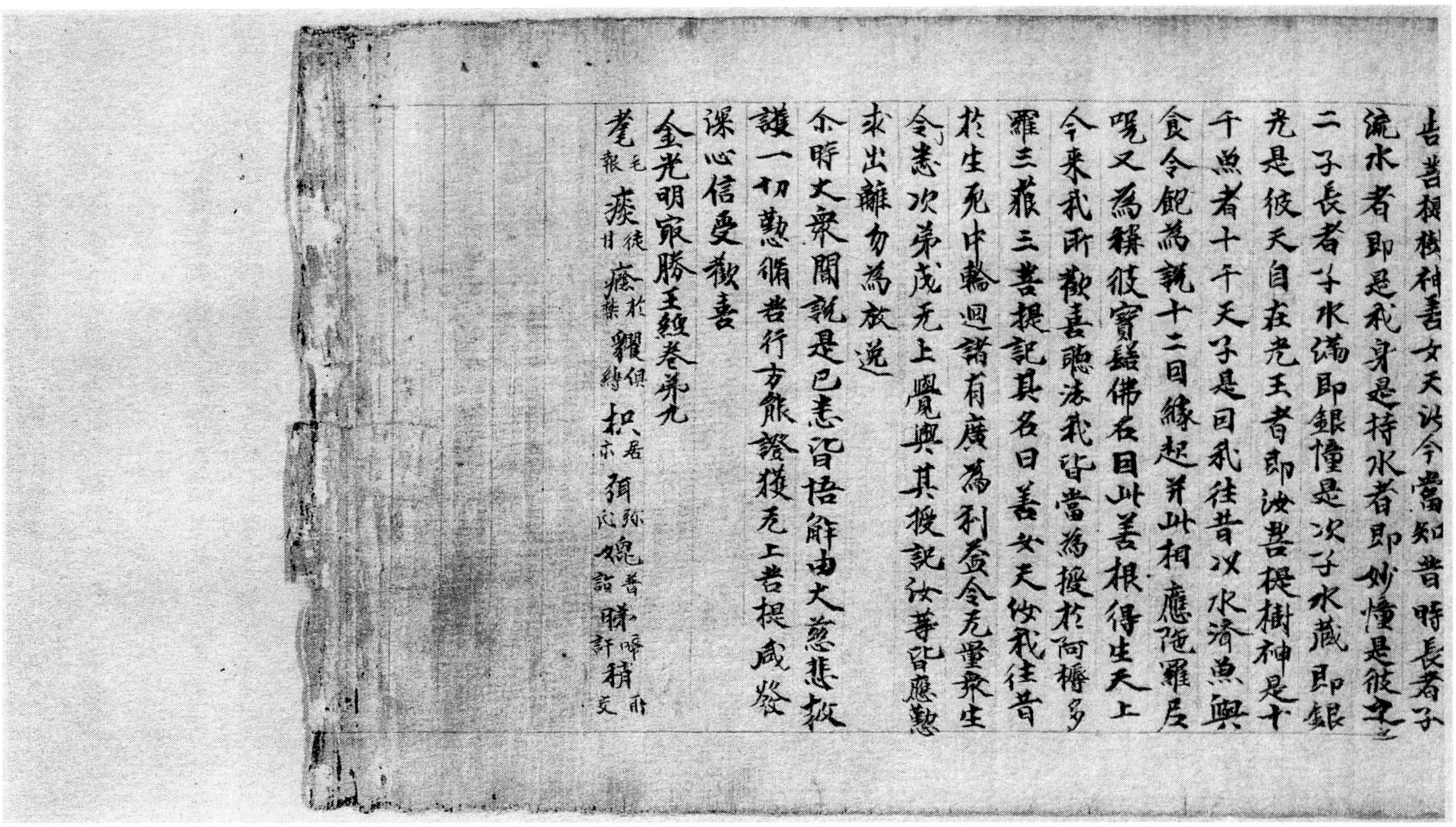
告菩提樹神善女天汝今當知昔時長者子
流水者即是我身是持水者即妙幢是彼之子
二子長者子水滿即銀幢是次子水藏即銀
光是彼天自在光王者即汝菩提樹神是十
千魚者十千天子是因我往昔以水濟魚與
食令飽為說十二因緣并此相應陀羅尼
咒又為稱彼寶髻佛名因此善根得生天上
今來我所歡喜聽法我皆當為授於阿耨多
羅三藐三菩提記具名日善女天如我往昔
於生死中輪迴諸有廣為利益令無量眾生
悉次第成無上覺與其授記汝等皆應懃
求出離勿為放逸
尒時大眾聞說是已悉皆悟解由大慈悲救
護一切懃脩苦行方能證獲無上菩提咸發
深心信受歡喜
金光明最勝王經卷第九
耄毛報 痰徒甘 癊於禁 矍俱縛 枳居尒 [illegible] [illegible] 睇[illegible]計 [illegible]

BD01714號　金光明最勝王經卷九　　（2–2）

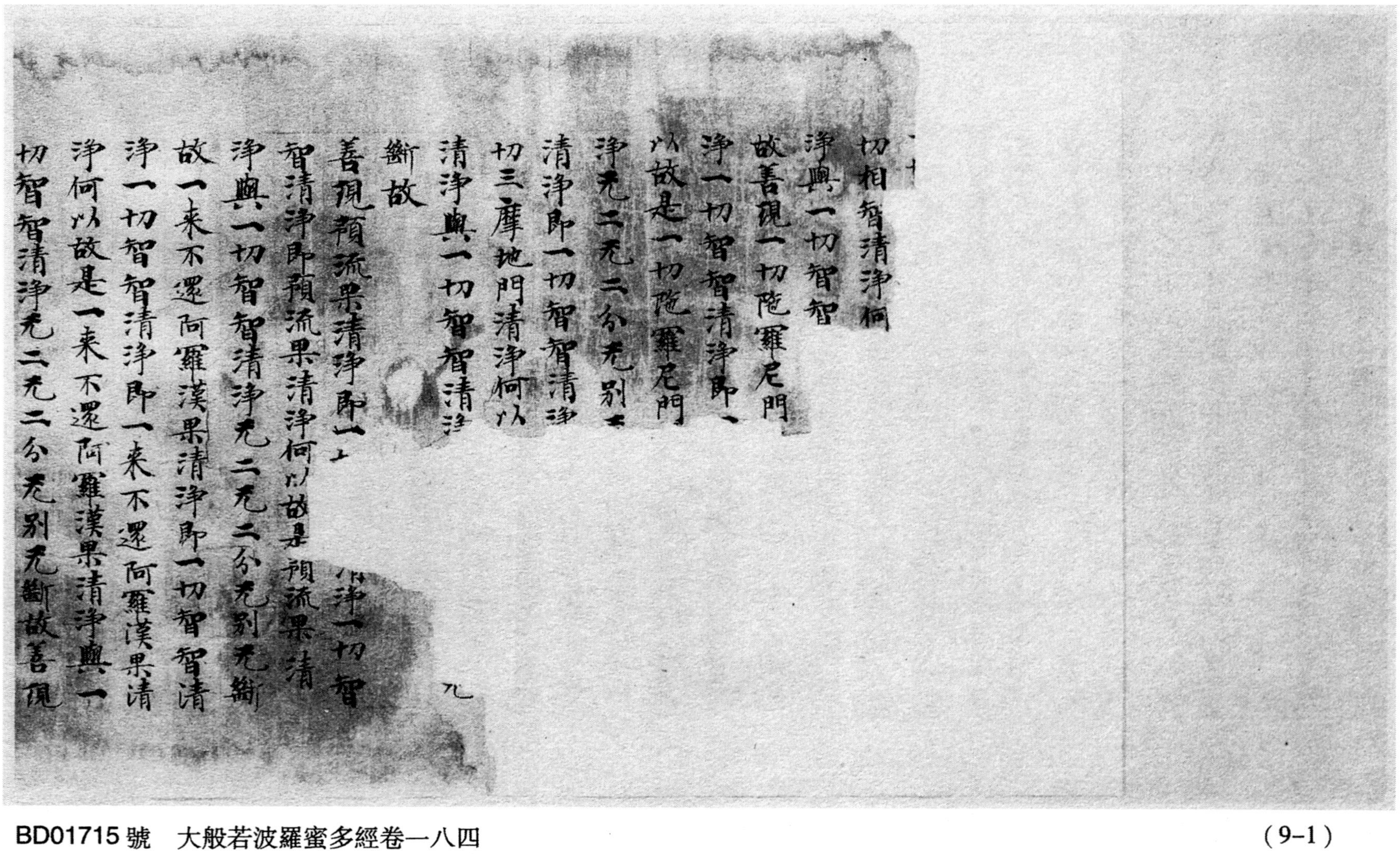
切相智清淨何
淨與一切智智
故善現一切陀羅尼門
淨一切智智清淨即一
以故是一切陀羅尼門
淨無二無二分無別無
清淨即一切智智清淨
切三摩地門清淨何以
清淨與一切智智清淨
斷故
善現預流果清淨即一……淨一切智
智清淨即預流果清淨何以故是預流果清
淨與一切智智清淨無二無二分無別無斷
故一來不還阿羅漢果清淨即一切智智清
淨一切智智清淨即一來不還阿羅漢果清
淨何以故是一來不還阿羅漢果清淨與一
切智智清淨無二無二分無別無斷故善現
九

BD01715號　大般若波羅蜜多經卷一八四　　（9–1）

智清淨即預流果清淨何以故是預流果清
淨與一切智智清淨无二无二分无別无斷
故一來不還阿羅漢果清淨即一切智智清
淨一切智智清淨即一來不還阿羅漢果清
淨何以故是一來不還阿羅漢果清淨與一
切智智清淨无二无二分无別无斷故善現
獨覺菩提清淨即一切智智清淨一切智智
清淨即獨覺菩提清淨何以故是獨覺菩提
清淨與一切智智清淨无二无二分无別无
斷故善現一切菩薩摩訶薩行清淨即一切
智智清淨一切智智清淨即一切菩薩摩訶
薩行清淨何以故是一切菩薩摩訶薩行清
淨與一切智智清淨无二无二分无別无斷
故善現諸佛无上正等菩提清淨即一切智
智清淨一切智智清淨即諸佛无上正等菩
提清淨何以故是諸佛无上正等菩提清淨
與一切智智清淨无二无二分无別无斷故
復次善現我清淨即色清淨色清淨即我清
淨何以故是我清淨與色清淨无二无二分
无別无斷故我清淨即受想行識清淨受想
行識清淨即我清淨何以故是我清淨與受
想行識清淨无二无二分无別无斷故有情
清淨即色清淨色清淨即有情清淨何以故
是有情清淨與色清淨无二无二分无別无
斷故有情清淨即受想行識清淨受想行識
清淨即有情清淨何以故是有情清淨與受

BD01715號　大般若波羅蜜多經卷一八四　（9–2）

清淨即色清淨色清淨即有情清淨何以故
是有情清淨與色清淨无二无二分无別无
斷故有情清淨即受想行識清淨受想行識
清淨即有情清淨何以故是有情清淨與受
想行識清淨无二无二分无別无斷故命者
清淨即色清淨色清淨即命者清淨何以故
是命者清淨與色清淨无二无二分无別无
斷故命者清淨即受想行識清淨受想行識
清淨即命者清淨何以故是命者清淨與受
想行識清淨无二无二分无別无斷故生者
清淨即色清淨色清淨即生者清淨何以故
是生者清淨與色清淨无二无二分无別无
斷故生者清淨即受想行識清淨受想行識
清淨即生者清淨何以故是生者清淨與受想
行識清淨无二无二分无別无斷故養育者清
淨即色清淨色清淨即養育者清淨何以故
是養育者清淨與色清淨无二无二分无別
无斷故養育者清淨即受想行識清淨受想
行識清淨 即養育者清淨何以故是養育者
清淨與受想行識清淨无二无二分无別无斷
故士夫清淨即色清淨色清淨即士夫清淨何
以故是士夫清淨與色清淨无二无二分
无別无斷故士夫清淨即受想行識清淨受
想行識清淨即士夫清淨何以故是士夫清
淨與受想行識清淨无二无二分无別无斷故
補特伽羅清淨即色清淨色清淨即補特伽

BD01715號　大般若波羅蜜多經卷一八四　（9–3）

想行識清淨即士夫清淨何以故是士夫清
淨與受想行識清淨无二无二分无別无斷故
補特伽羅清淨即色清淨色清淨即補特伽
羅清淨何以故是補特伽羅清淨與色清淨
无二无二分无別无斷故補特伽羅清淨即
受想行識清淨受想行識清淨即補特伽羅
清淨何以故是補特伽羅清淨與受想行識
清淨无二无二分无別无斷故意生清淨即
色清淨色清淨即意生清淨何以故是意生
清淨與色清淨无二无二分无別无斷故意
生清淨即受想行識清淨受想行識清淨即
意生清淨何以故是意生清淨與受想行識
清淨无二无二分无別无斷故儒童清淨即
色清淨色清淨即儒童清淨何以故是儒童
清淨與色清淨无二无二分无別无斷故儒
童清淨即受想行識清淨受想行識清淨即
儒童清淨何以故是儒童清淨與受想行識
清淨无二无二分无別无斷故作者清淨即
色清淨色清淨即作者清淨何以故是作者
清淨與色清淨无二无二分无別无斷故作
者清淨即受想行識清淨受想行識清淨即
作者清淨何以故是作者清淨與受想行識
清淨无二无二分无別无斷故受者清淨即
色清淨色清淨即受者清淨何以故是受者
清淨與色清淨无二无二分无別无斷故受

BD01715號　大般若波羅蜜多經卷一八四　（9–4）

作者清淨何以故是作者清淨與受想行識
清淨无二无二分无別无斷故受者清淨即
色清淨色清淨即受者清淨何以故是受者
清淨與色清淨无二无二分无別无斷故受
者清淨即受想行識清淨受想行識清淨即
受者清淨何以故是受者清淨與受想行識
清淨无二无二分无別无斷故知者清淨即
色清淨色清淨即知者清淨何以故是知者
清淨與色清淨无二无二分无別无斷故知
者清淨即受想行識清淨受想行識清淨即
知者清淨何以故是知者清淨與受想行識
清淨无二无二分无別无斷故見者清淨即
色清淨色清淨即見者清淨何以故是見者
清淨與色清淨无二无二分无別无斷故見
者清淨即受想行識清淨受想行識清淨即
見者清淨何以故是見者清淨與受想行識
清淨无二无二分无別无斷故
復次善現我清淨即眼處清淨眼處清淨即
我清淨何以故是我清淨與眼處清淨无二
无二分无別无斷故我清淨即耳鼻舌身意
處清淨耳鼻舌身意處清淨即我清淨何以
故是我清淨與耳鼻舌身意處清淨无二无
二分无別无斷故有情清淨即眼處清淨眼
處清淨即有情清淨何以故是有情清淨與
眼處清淨无二无二分无別无斷故有情清

BD01715號　大般若波羅蜜多經卷一八四　（9–5）

故是我清淨與耳鼻舌身意處清淨无二无
二分无別无斷故有情清淨即眼處清淨眼
處清淨即有情清淨何以故是有情清淨與
眼處清淨无二无二分无別无斷故有情清
淨即耳鼻舌身意處清淨耳鼻舌身意處清
淨即有情清淨何以故是有情清淨與耳鼻
舌身意處清淨无二无二分无別无斷故命
者清淨即眼處清淨眼處清淨即命者清淨
何以故是命者清淨與眼處清淨无二无二
分无別无斷故命者清淨即耳鼻舌身意處
清淨耳鼻舌身意處清淨即命者清淨何以
故是命者清淨與耳鼻舌身意處清淨无二
无二分无別无斷故生者清淨即眼處清淨
眼處清淨即生者清淨何以故是生者清淨
與眼處清淨无二无二分无別无斷故生者
清淨即耳鼻舌身意處清淨耳鼻舌身意處
清淨即生者清淨何以故是生者清淨與耳
鼻舌身意處清淨无二无二分无別无斷故
養育者清淨即眼處清淨眼處清淨即養育
者清淨何以故是養育者清淨與眼處清淨
无二无二分无別无斷故養育者清淨即耳
鼻舌身意處清淨耳鼻舌身意處清淨即
養育者清淨何以故是養育者清淨與耳鼻舌
身意處清淨无二无二分无別无斷故士夫
清淨即眼處清淨眼處清淨即士夫清淨何
以故是士夫清淨與眼處清淨无二无二分

BD01715號　大般若波羅蜜多經卷一八四　（9–6）

養育者清淨何以故是養育者清淨與耳鼻舌
身意處清淨无二无二分无別无斷故士夫
清淨即眼處清淨眼處清淨即士夫清淨何
以故是士夫清淨與眼處清淨无二无二分
无別无斷故士夫清淨即耳鼻舌身意處清
淨耳鼻舌身意處清淨即士夫清淨何以故
是士夫清淨與耳鼻舌身意處清淨无二无
二分无別无斷故補特伽羅清淨即眼處清
淨眼處清淨即補特伽羅清淨何以故是補
特伽羅清淨與眼處清淨无二无二分无別
无斷故補特伽羅清淨即耳鼻舌身意處清
淨耳鼻舌身意處清淨即補特伽羅清淨何
以故是補特伽羅清淨與耳鼻舌身意處清
淨无二无二分无別无斷故意生清淨即眼
處清淨眼處清淨即意生清淨何以故是意
生清淨與眼處清淨无二无二分无別无斷
故意生清淨即耳鼻舌身意處清淨耳鼻舌
身意處清淨即意生清淨何以故是意生清
淨與耳鼻舌身意處清淨无二无二分无別
无斷故儒童清淨即眼處清淨眼處清淨即
儒童清淨何以故是儒童清淨與眼處清淨
无二无二分无別无斷故儒童清淨即耳鼻
舌身意處清淨耳鼻舌身意處清淨即儒童
清淨何以故是儒童清淨與耳鼻舌身意處
清淨无二无二分无別无斷故作者清淨即
眼處清淨眼處清淨即作者清淨何以故是

BD01715號　大般若波羅蜜多經卷一八四　（9–7）

清淨何以故是儒童清淨與耳鼻舌身意處
清淨无二无二分无別无斷故作者清淨即
眼處清淨眼處清淨即作者清淨何以故是
作者清淨與眼處清淨无二无二分无別无
斷故作者清淨即耳鼻舌身意處清淨耳鼻
舌身意處清淨即作者清淨何以故是作者
清淨與耳鼻舌身意處清淨无二无二分无
別无斷故受者清淨即眼處清淨眼處清淨
即受者清淨何以故是受者清淨與眼處清
淨无二无二分无別无斷故受者清淨即耳
鼻舌身意處清淨耳鼻舌身意處清淨即受
者清淨何以故是受者清淨與耳鼻舌身意
處清淨无二无二分无別无斷故知者清淨
即眼處清淨眼處清淨即知者清淨何以故
是知者清淨與眼處清淨无二无二分无別
无斷故知者清淨即耳鼻舌身意處清淨耳
鼻舌身意處清淨即知者清淨何以故是知
者清淨與耳鼻舌身意處清淨无二无二分
无別无斷故見者清淨即眼處清淨眼處清
淨即見者清淨何以故是見者清淨與眼處
清淨无二无二分无別无斷故見者清淨即
耳鼻舌身意處清淨耳鼻舌身意處清淨即
見者清淨何以故是見者清淨與耳鼻舌身
意處清淨无二无二分无別无斷故

大般若波羅蜜多經卷第一百八十四

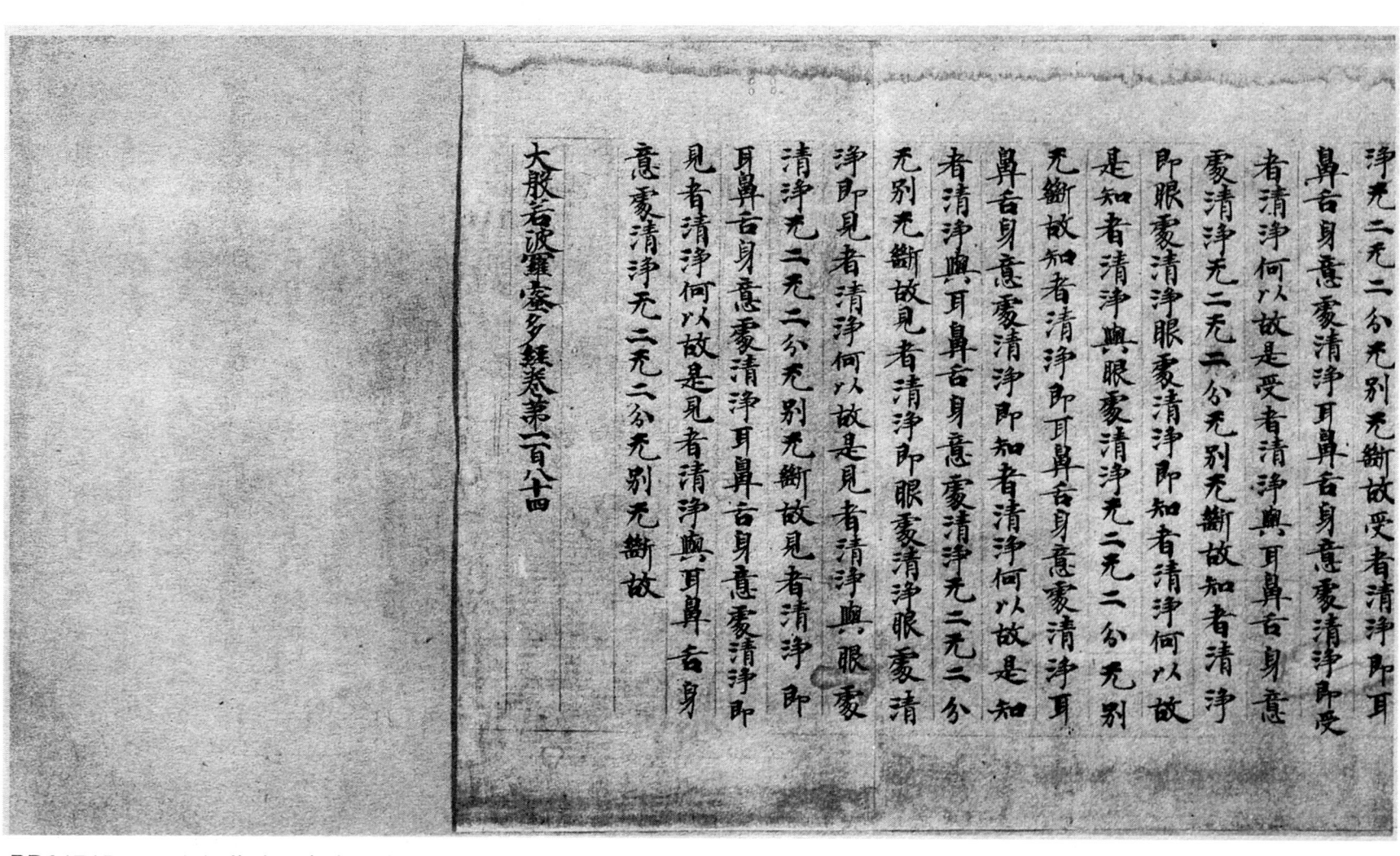

BD01715號　大般若波羅蜜多經卷一八四　（9–8）

淨无二无二分无別无斷故受者清淨即耳
鼻舌身意處清淨耳鼻舌身意處清淨即受
者清淨何以故是受者清淨與耳鼻舌身意
處清淨无二无二分无別无斷故知者清淨
即眼處清淨眼處清淨即知者清淨何以故
是知者清淨與眼處清淨无二无二分无別
无斷故知者清淨即耳鼻舌身意處清淨耳
鼻舌身意處清淨即知者清淨何以故是知
者清淨與耳鼻舌身意處清淨无二无二分
无別无斷故見者清淨即眼處清淨眼處清
淨即見者清淨何以故是見者清淨與眼處
清淨无二无二分无別无斷故見者清淨即
耳鼻舌身意處清淨耳鼻舌身意處清淨即
見者清淨何以故是見者清淨與耳鼻舌身
意處清淨无二无二分无別无斷故

大般若波羅蜜多經卷第一百八十四

BD01715號　大般若波羅蜜多經卷一八四　（9–9）

去神通道力成等正覺廣度衆生皆因提婆
達多善知識故告諸四衆提婆達多却後過
无量劫當得成佛号曰天王如来應供正遍
知明行足善逝世間解无上士調御丈夫天
人師佛世尊世界名天道時天王佛住世二
十中劫廣為衆生說於妙法恒河沙衆生得
阿羅漢果无量衆生發緣覺心恒河沙衆生
發无上道心得无生法忍至不退轉時天王
佛般涅槃後正法住世二十中劫全身舍利
起七寶塔高六十由旬縱廣四十由旬諸天人
民悉以雜華末香燒香塗香衣服瓔珞幢幡
寶蓋伎樂歌頌禮拜供養七寶妙塔无量衆
生得阿羅漢果无量衆生悟辟支佛不可思
議衆生發菩提心至不退轉佛告諸比丘未
来世中若有善男子善女人聞妙法華經提
婆達多品淨心信敬不生疑惑者不墮地獄
餓鬼畜生生十方佛前所生之處常聞此經
若生人天中受勝妙樂若在佛前蓮華化生於
時下方多寶世尊所從菩薩名曰智積白多
寶佛當還本土釋迦牟尼佛告智積曰善男

BD01716號　妙法蓮華經卷四　（3–1）

餓鬼畜生生十方佛前所生之處常聞此經
若生人天中受勝妙樂若在佛前蓮華化生於
時下方多寶世尊所從菩薩名曰智積白多
寶佛當還本土釋迦牟尼佛告智積曰善男
子且待須臾此有菩薩名文殊師利可與相
見論說妙法可還本土尒時文殊師利坐千
葉蓮華大如車輪俱来菩薩亦坐寶華蓮
從於大海娑竭羅龍宮自然踊出住虛空中
詣靈鷲山從蓮華下至於佛所頭面敬禮二世
尊足脩敬已畢往智積所共相慰問却坐一面
智積菩薩問文殊師利仁往龍宮所化衆生
其數幾何文殊師利言其數无量不可稱計
非口所宣非心所測且待須臾自當有證所言
未竟无數菩薩坐寶蓮華從海踊出詣靈
鷲山住在虛空此諸菩薩皆是文殊師利之
所化度具菩薩行皆共論說六波羅蜜本聲
聞人在虛空中說聲聞行今皆脩行大乘空
義文殊師利謂智積曰於海教化其事如是尒
時智積菩薩以偈讚曰
大智德勇健　化度无量衆　今此諸大會　及我皆已見
演暢實相義　開闡一乘法　廣導諸衆生　令速成菩提
文殊師利言我於海中唯常宣說妙法華經
智積問文殊師利言此經甚深微妙諸經中
寶世所希有頗有衆生勤加精進脩行此經
速得佛不文殊師利言有娑竭羅龍王女年

BD01716號　妙法蓮華經卷四　（3–2）

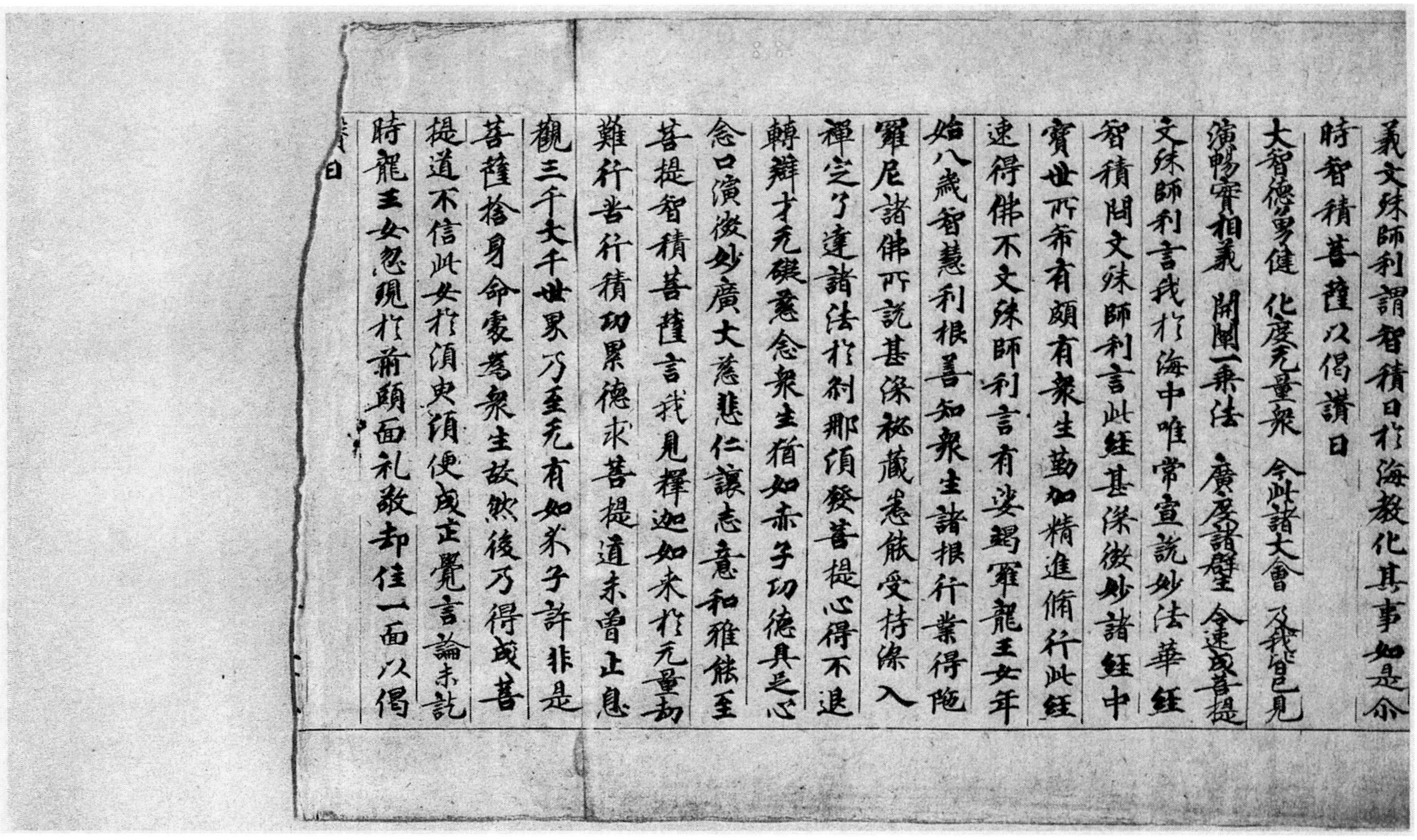

義文殊師利謂智積曰於海教化其事如是尒
時智積菩薩以偈讃曰
大智德勇健　化度无量衆　今此諸大會　及我皆已見
演暢實相義　開闡一乘法　廣導諸衆生　令速成菩提
文殊師利言我於海中唯常宣說妙法華經
智積問文殊師利言此經甚深微妙諸經中
寶世所希有頗有衆生勤加精進脩行此經
速得佛不文殊師利言有娑竭羅龍王女年
始八歲智慧利根善知衆生諸根行業得陁
羅尼諸佛所說甚深祕藏悉能受持深入
禪定了達諸法於刹那頃發菩提心得不退
轉辯才无礙慈念衆生猶如赤子功德具足心
念口演微妙廣大慈悲仁讓志意和雅能至
菩提智積菩薩言我見釋迦如來於无量劫
難行苦行積功累德求菩提道未曾止息
觀三千大千世界乃至无有如芥子許非是
菩薩捨身命處為衆生故然後乃得成菩
提道不信此女於須臾頃便成正覺言論未訖
時龍王女忽現於前頭面礼敬却住一面以偈
讃曰

BD01716號　妙法蓮華經卷四　（3–3）

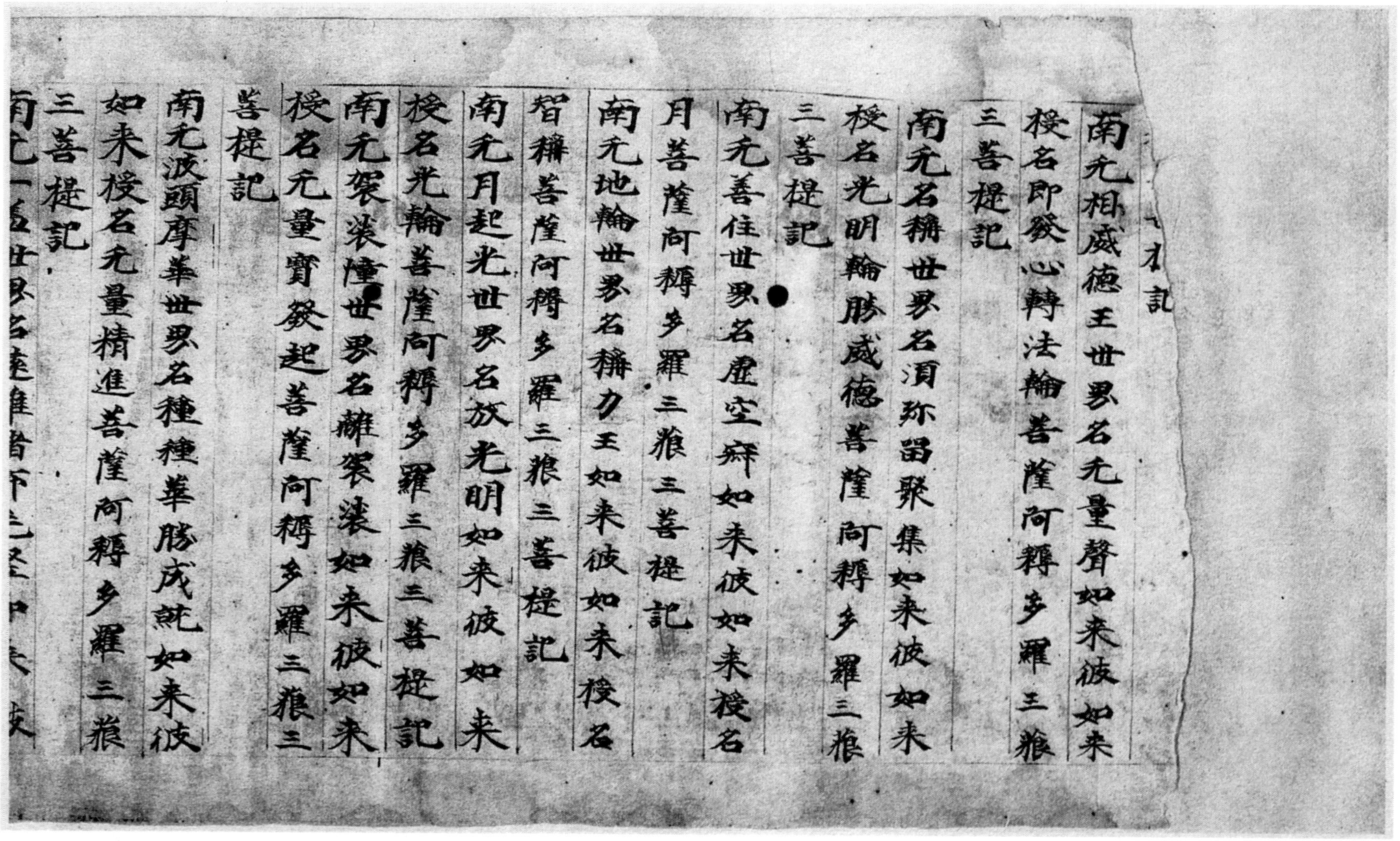

記
南无相威德王世界名无量聲如来彼如来
授名即發心轉法輪菩薩阿耨多羅三藐
三菩提記
南无名稱世界名須弥留聚集如来彼如来
授名光明輪勝威德菩薩阿耨多羅三藐
三菩提記
南无善住世界名虛空辯如来彼如来授名
月菩薩阿耨多羅三藐三菩提記
南无地輪世界名稱力王如来彼如来授名
智稱菩薩阿耨多羅三藐三菩提記
南无月起光世界名放光明如来彼如来
授名光輪菩薩阿耨多羅三藐三菩提記
南无袈裟幢世界名離袈裟如来彼如来
授名无量寶發起菩薩阿耨多羅三藐三
菩提記
南无波頭摩華世界名種種華勝成就如来彼
如来授名无量精進菩薩阿耨多羅三藐
三菩提記
南无一[illegible]世界名蓮華[illegible]

BD01717號　佛名經（十二卷本）卷二　（2–1）

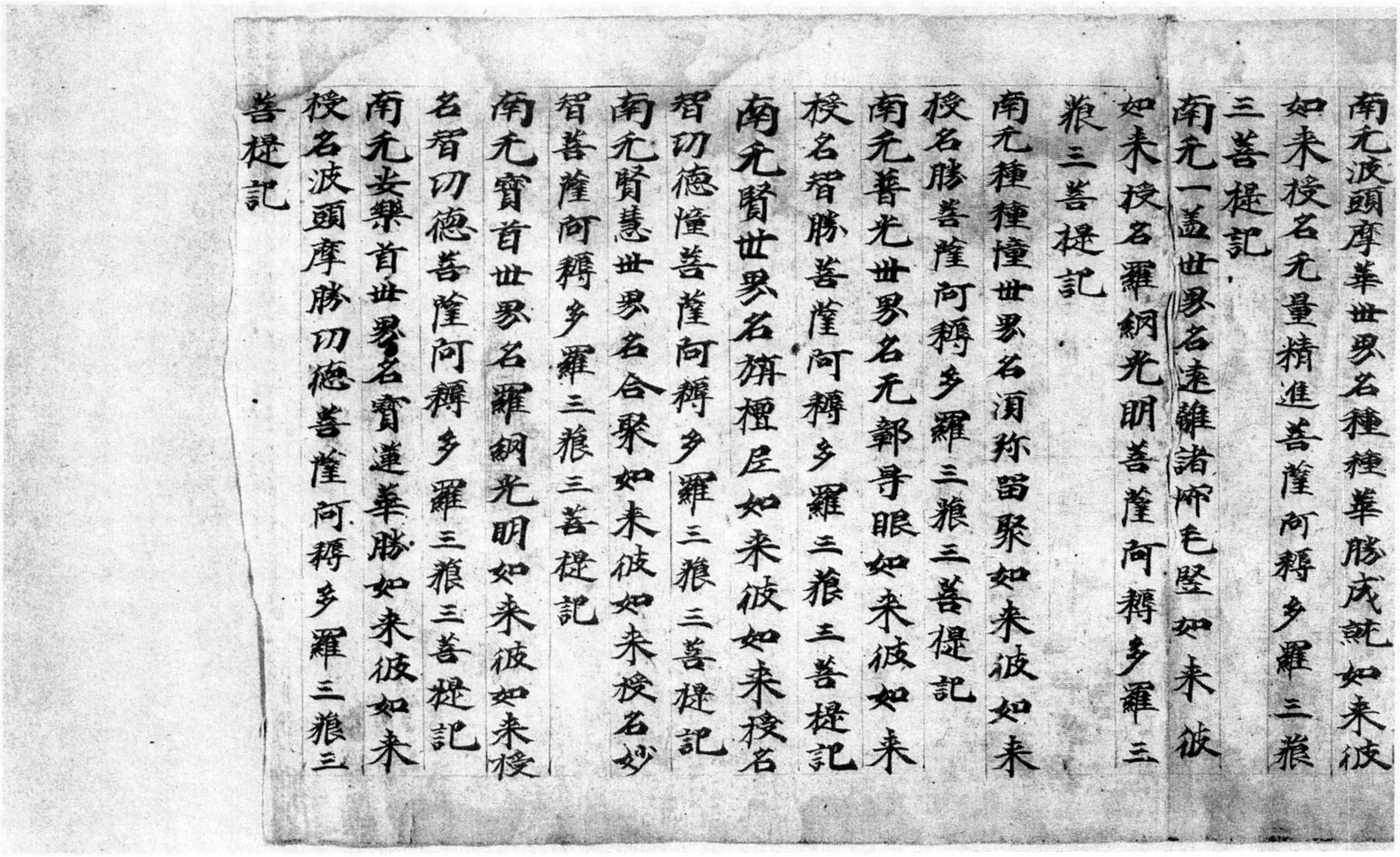
南无波頭摩華世界名種種華勝成就如来彼
如来授名无量精進菩薩阿耨多羅三藐
三菩提記
南无一蓋世界名遠離諸怖毛竪如来彼
如来授名羅網光明菩薩阿耨多羅三
藐三菩提記
南无種種幢世界名須弥留聚如来彼如来
授名勝菩薩阿耨多羅三藐三菩提記
南无善光世界名无鄣㝵眼如来彼如来
授名智勝菩薩阿耨多羅三藐三菩提記
南无賢世界名旃檀屋如来彼如来授名
智功德幢菩薩阿耨多羅三藐三菩提記
南无賢慧世界名合聚如来彼如来授名妙
智菩薩阿耨多羅三藐三菩提記
南无寶首世界名羅網光明如来彼如来授
名智功德菩薩阿耨多羅三藐三菩提記
南无安樂首世界名寶蓮華勝如来彼如来
授名波頭摩勝功德菩薩阿耨多羅三藐三
菩提記

BD01717 號　佛名經（十二卷本）卷二　（2–2）

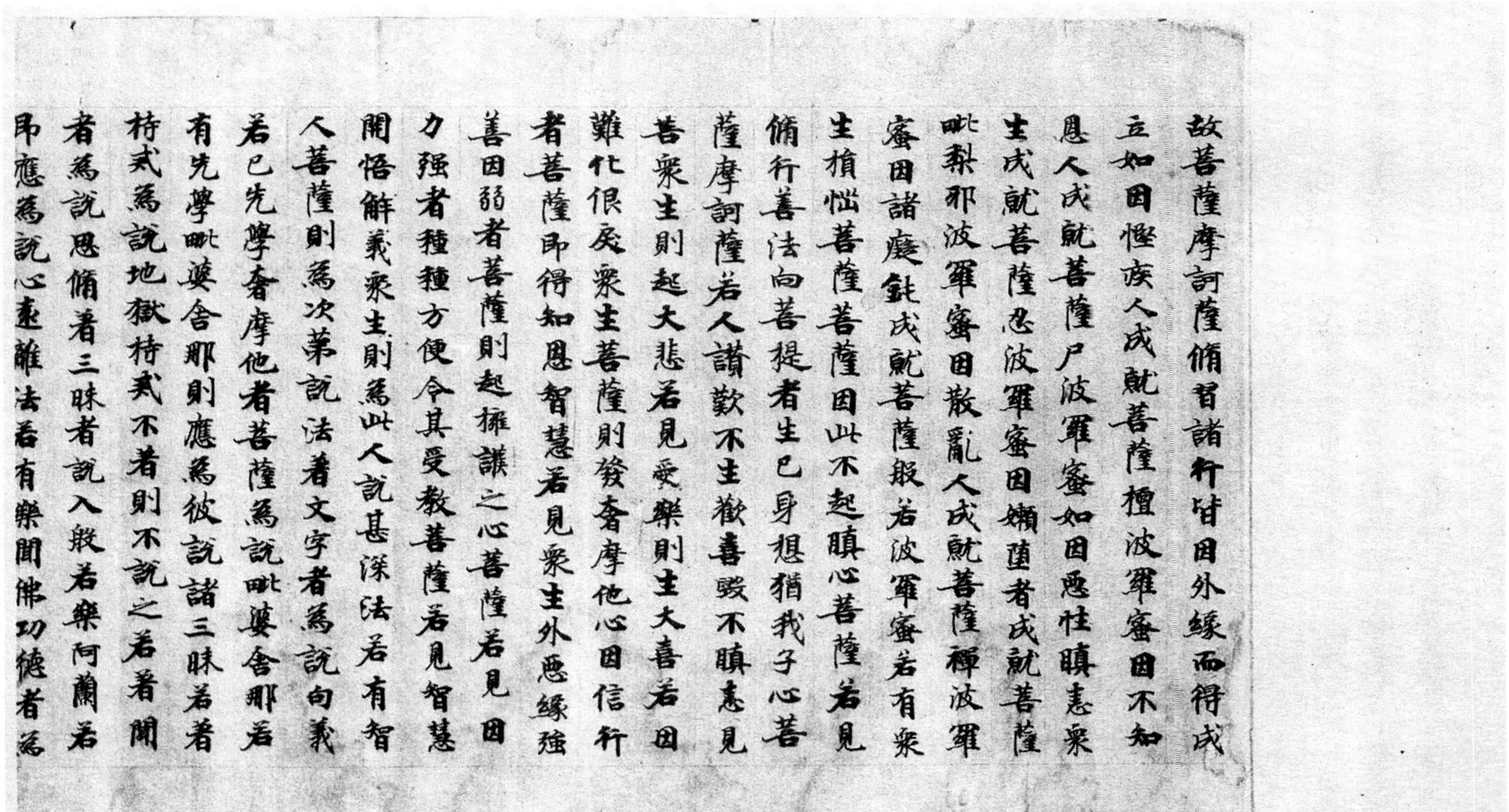
故菩薩摩訶薩修習諸行皆因外緣而得成
立如因慳疾人成就菩薩檀波羅蜜因不知
恩人成就菩薩尸波羅蜜因惡性瞋恚衆
生成就菩薩忍波羅蜜因嬾墮者成就菩薩
毗梨耶波羅蜜因散亂人成就菩薩禪波羅
蜜因諸癡鈍成就菩薩般若波羅蜜若有衆
生損惱菩薩菩薩因此不起瞋心菩薩若見
修行善法向菩提者生己身想猶我子心菩
薩摩訶薩若人讚歎不生歡喜毀不瞋恚見
苦衆生則起大悲若見受樂則生大喜若因
難化佷戾衆生菩薩則發奢摩他心因信行
者菩薩即得知恩智慧若見衆生外惡緣強
善因弱者菩薩則起擁護之心菩薩若見因
力強者種種方便令其受教菩薩若見智慧
聞悟解義衆生則為此人說甚深法若有智
人菩薩則為次第說法著文字者為說向義
若已先學奢摩他者菩薩為說毗婆舍那若
有先學毗婆舍那則應為彼說諸三昧若著
持戒為說地獄持戒不著則不說之若著聞
者為說思修著三昧者說入般若樂阿蘭若
即應為說心遠離法若有樂聞佛功德者為

BD01718 號　勝天王般若波羅蜜經卷四　（3–1）

若已先學奢摩他者菩薩為說毗婆舍那若
有先學毗婆舍那則應為彼說諸三昧若著
持戒為說地獄持戒不著則不說之若著聞
者為說思脩着三昧者說入般若樂阿蘭若
即應為說心遠離法若有樂聞佛功德者為
說聖智為貪欲者說不淨法為瞋恚人說慈
悲法為愚癡者說緣生法為等集者說種種
法或說不淨或說慈悲或說因緣調化眾生
為說淨戒禪定智慧應入佛乘而受化者為
次第說諸波羅蜜應以抑挫而受化者先折
其辭然後說法種種說言受而化者即應為
說因緣譬喻令其得解應以深法而受化者
即應為說般若波羅蜜及方便力无人无我
无諸法相着見眾生為說空法多覺觀者為
說无相樂着有為則說无願着陰眾生為說
如幻着界眾生說无所有着入眾生為說如
夢着欲界者為說熾然若著色界為說行苦
著无色界說行无常難化眾生為讚聖種易
化眾生說諸禪定及无量心若聞生天而受化
者則為說樂因聲聞法而受化者為說諸諦
辟支佛法而受化者為說因緣以菩薩法而
受化者為說淨心及大悲法脩行菩薩則應
為說功德智慧阿鞞跋致諸菩薩等則應為
說清淨佛國一生補處則應為說莊嚴道場

BD01718號　勝天王般若波羅蜜經卷四　（3–2）

者則為說樂因聲聞法而受化者為說諸諦
辟支佛法而受化者為說因緣以菩薩法而
受化者為說淨心及大悲法脩行菩薩則應
為說功德智慧阿鞞跋致諸菩薩等則應為
說清淨佛國一生補處則應為說莊嚴道場
應以佛說而受化者則為相續次第而說大
王菩薩摩訶薩行清淨般若波羅蜜以方便
力得諸自在說法利益无有空過說是菩薩
自在法門時眾中三万天人發阿耨多羅三
藐三菩提心五千菩薩得无生法忍
尒時世尊欣然微咲諸佛法尒若微咲時面
門即放諸大光明青黃赤白紫頗梨色遍照
无量无邊世界上至阿迦尼吒還歸佛所右
遶三帀從佛頂入尒時大智舍利弗即從坐
起偏袒右肩右膝著地合掌向佛頭面作礼
而白佛言世尊諸佛如來无大因緣則不現
此希有瑞相世尊今者放是光明遍照十方
无量世界為何因緣願世尊說尒時佛告舍
利弗言善男子此勝天王過去无量无邊阿
僧祇阿僧祇劫於諸佛所脩行眾波羅蜜為
諸菩薩讚持如是般若波羅蜜未來之世過

BD01718號　勝天王般若波羅蜜經卷四　（3–3）

南无法奮迅佛　南无法界華佛
南无護法眼佛　南无燃法庭燎佛
南无法自在佛　南无人自在佛
南无功德自在佛　南无聲自在佛
南无世自在佛　南无觀世自在佛
南无无量自在佛　南无意住持佛
南无地住持佛　南无足弥住持佛
南无器住持佛　南无功德性住持佛
南无勝色佛　南无轉發起佛
南无一切觀形示佛　南无發一切无猒足行佛
南无發成就佛　南无善護佛
南无善思惟佛　南无善喜佛
南无善衆佛　南无普禪佛
南无甘露功德佛　南无善眼佛
南无師子仙佛　南无佛眼佛
南无合聚佛　南无疾智勇佛

BD01719號　佛名經（十二卷本）卷二　（2–1）

南无无量自在佛　南无意住持佛
南无地住持佛　南无足弥住持佛
南无器住持佛　南无功德性住持佛
南无勝色佛　南无轉發起佛
南无一切觀形示佛　南无發一切无猒足行佛
南无發成就佛　南无善護佛
南无善思惟佛　南无善喜佛
南无善衆佛　南无普禪佛
南无甘露功德佛　南无善眼佛
南无師子仙佛　南无佛眼佛
南无合聚佛　南无疾智勇佛
南无善住佛　南无實行佛
南无師子手佛　南无海佛
南无善思惟佛　南无稱佛
南无住慈佛　南无善定摩佛

BD01719號　佛名經（十二卷本）卷二　（2–2）

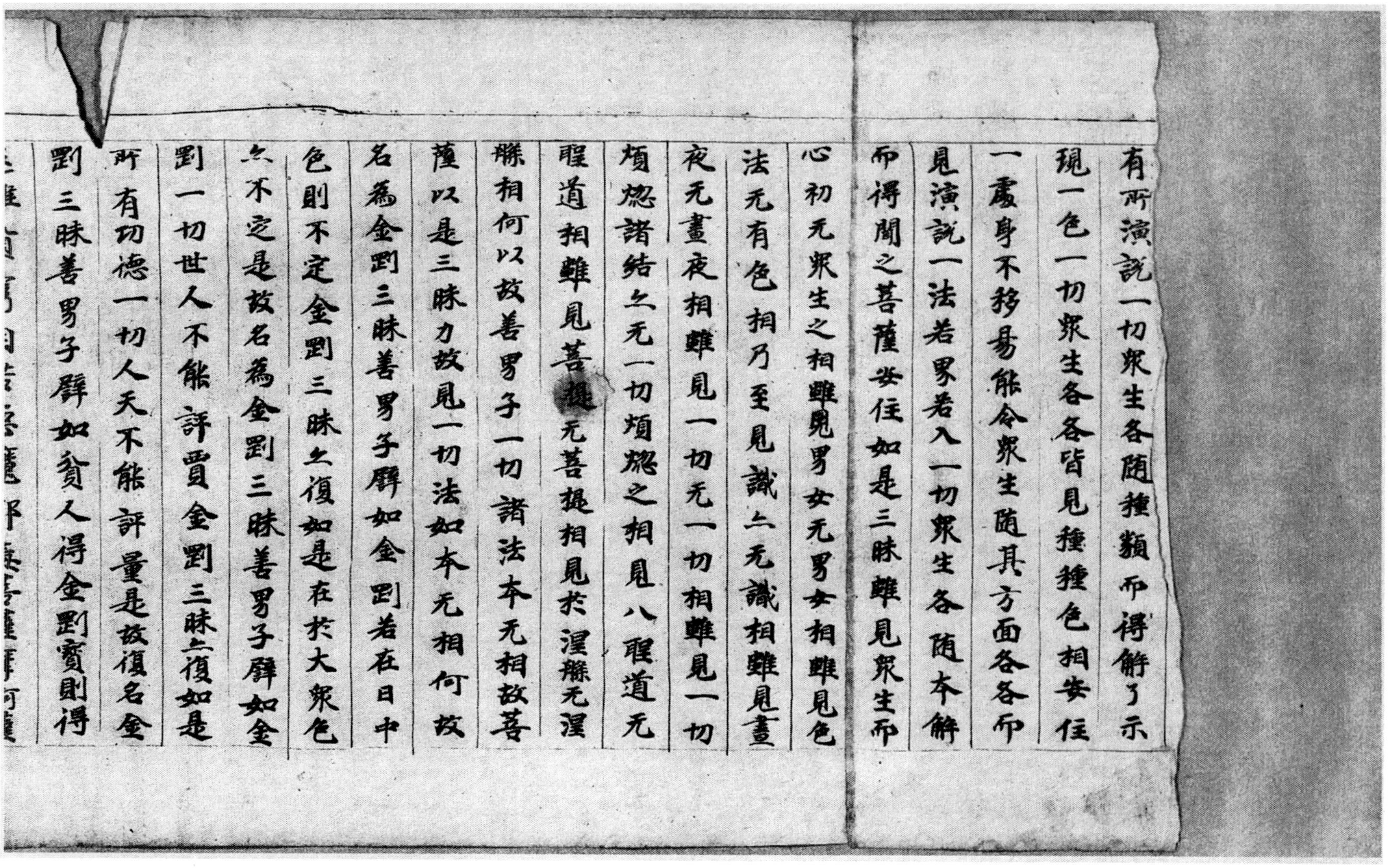

有所演說一切衆生各隨種類而得解了示
現一色一切衆生各各皆見種種色相安住
一處身不移易能令衆生隨其方面各各而
見演說一法若界若入一切衆生各隨本解
而得聞之菩薩安住如是三昧雖見衆生而
心初无衆生之相雖見男女无男女相雖見色
法无有色相乃至見識亦无識相雖見晝
夜无晝夜相雖見一切无一切相雖見一切
煩惱諸結亦无一切煩惱之相雖見八聖道无
聖道相雖見菩提无菩提相見於涅槃无涅
槃相何以故善男子一切諸法本无相故菩
薩以是三昧力故見一切法如本无相何故
名為金剛三昧善男子譬如金剛若在日中
色則不定金剛三昧亦復如是在於大衆色
亦不定是故名為金剛三昧善男子譬如金
剛一切世人不能評賈金剛三昧亦復如是
所有功德一切人天不能評量是故復名金
剛三昧善男子譬如貧人得金剛寶則得
遠離貧窮困苦惡魔耶毒菩薩摩訶薩

BD01720號　大般涅槃經（北本）卷二四　　（2–1）

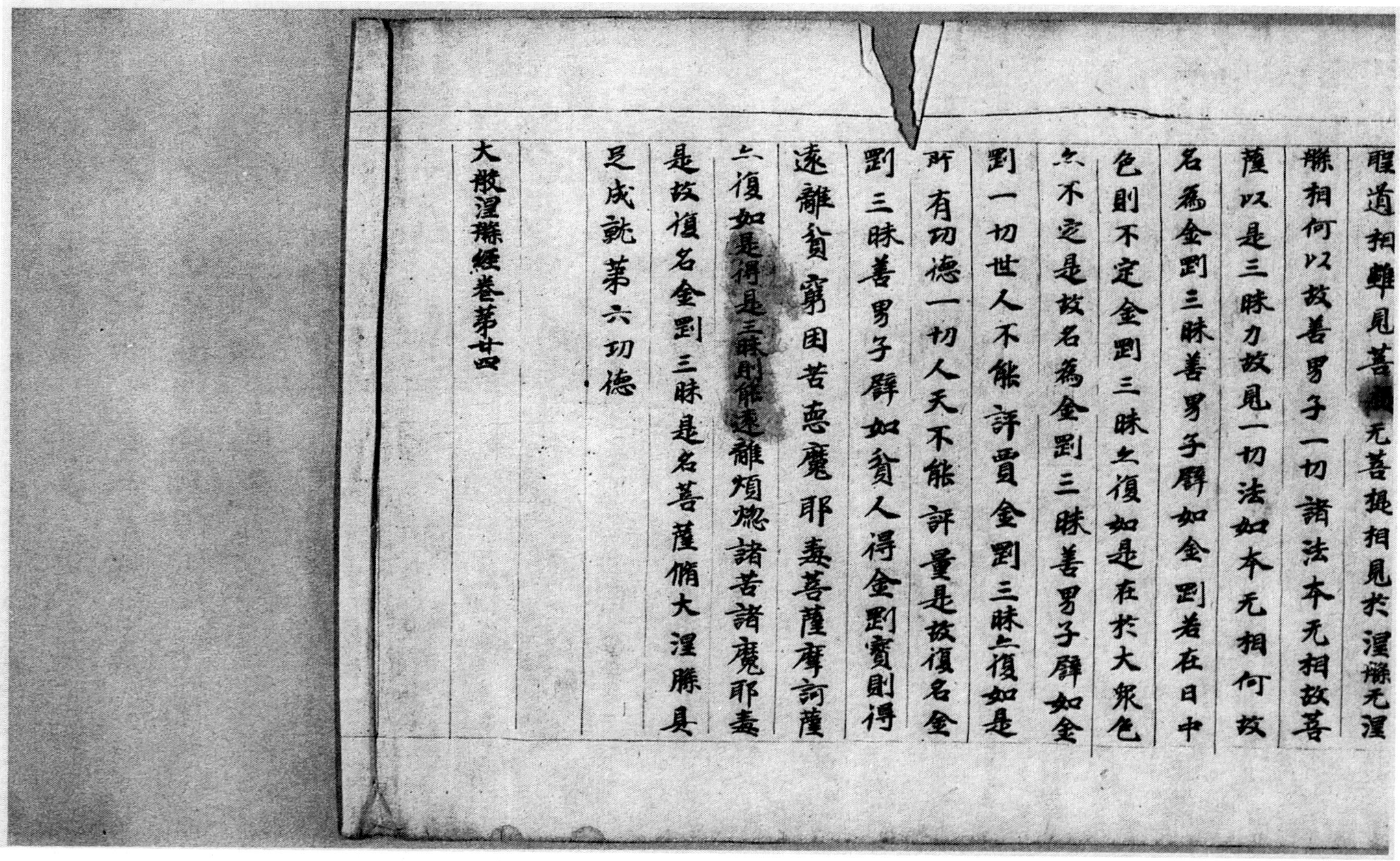

聖道相雖見菩提无菩提相見於涅槃无涅
槃相何以故善男子一切諸法本无相故菩
薩以是三昧力故見一切法如本无相何故
名為金剛三昧善男子譬如金剛若在日中
色則不定金剛三昧亦復如是在於大衆色
亦不定是故名為金剛三昧善男子譬如金
剛一切世人不能評賈金剛三昧亦復如是
所有功德一切人天不能評量是故復名金
剛三昧善男子譬如貧人得金剛寶則得
遠離貧窮困苦惡魔耶毒菩薩摩訶薩
亦復如是得是三昧則能遠離煩惱諸苦諸魔耶毒
是故復名金剛三昧是名菩薩脩大涅槃具
足成就第六功德

大般涅槃經卷第廿四

BD01720號　大般涅槃經（北本）卷二四　　（2–2）

四分戒本第二

諸大德是十三僧伽婆尸沙法半月[illegible]說

陳本戒後問清淨此句是其標也且就揔九門分

揔相者一起由三毒二配於身口三自作教人四解遮性[illegible]

二部同異八違制不同九下衆住運言起由三毒者初

次有二戒嗔心起戒次有二戒嗔癡起戒二配於身口者作

二謗四諫等八口為正犯身有助成次二房戒身為正犯

正犯三自作教人者位分為三一有五戒自作成重教人同

自作受殘教人或同不同若教人作五犯已有潤故同犯殘

蘭二次有戒自作教人一向同犯謂二謗戒自作教人

我同犯三有六戒自作犯殘教人但輕偏謂失摩[illegible]

下四諫戒自違正犯教人遠諫不得輕罪若僧未

命衆法可違過輕微故若僧諫時教言莫捨[illegible]

故四性遮者媒及二房是其遮惡餘之十戒解是[illegible]

者見論分為四位初有五戒戒是愛染初戒氣分媒[illegible]

類三汙家悪行是其種類四餘之四戒等妄語種類[illegible]

犯然後前房半非除過量故自餘十一正持作犯立可正持作犯

[illegible]

命衆法可違過輕微故若僧諫時數言莫稽且
故四性遮者媒及二房是其遮惡餘之十戒躰是
者見論分為四位初有五戒盛是愛染初戒氣分媒
類三污家惡行是然種類四餘之四戒等妄語種類
犯然後前房半非除過量故自餘十一正持作犯
少分弟二房全品制階降已如上升十二部同異者媒嫁二
諫戒得罪雖齊對境翻到謂各違當衆諫故媒謗
僧尼不同漏失僧重尼提少云女人煩惱深重難拘難制若牟
女人要在私屏多緣多力苦乃盈流故輕男子不尒隨事能出故又可深患内
外不同故有輕重比丘摩觸力能自故圖以限分制但得僧殘尼則煩惱亭重既受
摩身怨成陵逼深防中制故結戒罪有四不同故罪階降一死活二大小三染心
有分輕重尼懼陵逼故須活及大等僧據深患不簡死及小小等麁惡語僧重
尼輕以數故又尼有[illegible]得蘭罪僧无八事相資故得僧殘二房戒者
大僧犯殘尼作犯蘭若[illegible]僧得獨行宿喜獨造房故制僧殘尼須伴護
若共造房自无過義[illegible]言多人住屋不犯見日之造房不犯設令獨造希
故蘭罪若亦覆屋過三何故同犯 答比丘量分齊故二人不犯下犯下過三即吉
弁攉壞招譏不簡大小故同僧提 問尼戒有伴假獨義希即得蘭者若小尼
是有伴假獨義希屏露二坐不應同犯 答比就損業損微則輕又設獨
造希而不數故輕罪坐等致譏事雖希數齊招譏過僧尼同犯若論不
處分者尼无蘭若制居聚落僧僮无房故宜須造設不處分情過輕微
但結蘭罪比丘丈夫得在蘭若樹下露坐安身進業今在聚落營搆私房
故須重遮愆其後犯 八違制不同者前之九戒違仏制得罪後諫戒違僧
制招愆比僧制者即是仏制但僧若不秉即无違諫之殘々由違僧故此四戒
違僧制犯九任運有无七戒審有但運二麁兩房二謗媒嫁得有遣人為已作
義所數事成三性之中犯七僧殘餘无故人无任運就十三中初之戒九若持
護衆行法違則壞衆行法後之四戒若奉順僧命息過不為顯衆法成就
有旅時之益名護衆故法違則壞衆行法前中復三初五兩深以明壞衆行
法次二兩房事和以明壞衆行法次二兩謗情和以壞衆行法前五復三初一壞衆
壞行法不壞於時次三壞衆壞行壞時次一壞行義微壞衆壞持故故漏失戒第一
比戒人之善犯故在初也一制戒意欲是惡法正是生死之原鄣道之本理應禁斷
令梵行清淨多論云三義故仏制比戒一令正法久住故二敬正謗故三欲生天龍善

法次二兩房事和以明壞衆行法次二兩諍情和以壞衆行法前五後三初一壞衆
壞行法不壞於時次三壞衆壞行壞時次一壞行義嚴壞衆壞持故故漏失戒第一
比戒人之善犯故在初也一制戒意欲是惡法正是生死之原鄣道之本理應禁斷
令梵行清淨多論云三義故仏制此戒一令正法久住故二敬正諍故三欲生天龍善
神信敬心故四部律中仏並呵嘖言云何以此不淨手受人信施二釋名者方便動轉
標心究境名之爲故體分盈流名爲漏失故曰漏失戒也三具緣者通緣如上别緣有
三作究竟意二方便動轉三失即犯四闕緣闕初二无犯闕三或重輕蘭已下正明戒本
文有三段一所制二隨開三滿制言所制者最初日迦留陁夷比丘起過仏便所制此戒後日
餘比丘夢中失不淨仏因集僧本无心故開除夢中是名隨開言滿足戒本者　若比丘
故弄陰失不淨精除夢中僧伽婆尸沙此滿足戒本四句科簡初略標次廣釋言略
標者一犯人二三開四結罪言廣釋者若比丘八比丘中第八白四羯磨如法得處所比丘是
名若比丘義所言故弄陰失精者出其境界光列六名二次第解言六名者律
云實心故作出不淨意前竟有六若於内色外色若内外若風若空隨任方便若出則
犯言内色者謂衆生身分心心法領内若樂故名受色言外色者謂非衆生色以
无心心法領内名不受色所言水風空者比類可知水中逆水順水風中亦亦風中自
空動身乃至餘境所言除夢中者律云亂意睡眠有五過失一者惡夢二者諸
天不護三者心不入法四者不思惟明相五者於夢中失精善意睡眠有五功德即反
上句也若欲睡眠手捉而睡意今夢中漏失睡中若失即犯究竟非開犯若本无
心意不欲出夢中若出不在犯限故曰除夢中所言僧伽婆尸沙者此是罪名律云僧
伽婆者名衆婆尸沙者有餘已行法不絶爲名也若比丘如上於六種境作方便
出精意後遂本心皆得殘罪如目連罪報經云若比丘无慚愧心軽慢仏語犯僧
伽婆尸沙罪如化樂天受八千歲於人間數二百卅億卅千歲墮泥犁中所
言不犯者律云若夢中失覺以恐汙身衣故以幹物及手棒弃若欲想出若
見好色不觸而出若行時自觸兩脞而失若手捋摩而失如是一切不作出精
意而自出者无犯．　摩觸女人戒二　一制意多論云六義故制此戒一出家人
體厭无依正今制此戒与之作伴有所依故二爲息鬪諍此是淨贊根本故
三爲息凝瀆不但爲長而已謂作大惡故四爲斷大惡之原禁微防著故五爲
護正念著觸女人必失正念故六比丘出家理應超絶塵染標心累外爲世軌
則若觸女人則虧世人宗敬心故　二釋名身相摑摸爲摩二境文對曰觸故曰摩
摩觸戒　三具緣通緣如上别緣有五一女人簡非人与畜女異男等女中不簡
死活大小軽重等又通道俗親疏亦說可知二人女想三染心四相觸五受樂更已

謙正念若觸女人必失正念故六比丘出家理應超絕塵染標心異外爲世軌
則若觸女人則違世人宗敬心故　二釋名身相摩摸爲摩二境交對曰觸故曰摩
觸戒　三具緣通緣如上別緣有五一人女人簡非天与畜女異八男等女中不簡
死活大小輕重等又通道俗觀疏文說可知二人女想三染心四相觸五受樂便犯
四闕緣若闕初緣有二蘭人境異中有句初句欲捉人女所前境變爲人男漫前
心蘭或人男來替蹤處作人女想乞蘭第二或變爲二形或二形蹤三或變作男黃
阿或蹤處非畜各四類前可知故合十一闕二緣有卅二蘭想疑雙闕各執一闕第三无
罪第四二俱有衣五十四吉羅衣來有无九十偷蘭闕第五蘭已下正明戒本
若比丘婬意與女人身相觸若捉手若捉髮若觸一一身分者僧伽婆尸沙此論之戒
本五對簡初略并後廣釋略中一犯二兩有染心三所身境四身相觸五若觸一一下結犯
今廣釋言若比丘者義如上并言婬欲意者愛染汙心所言女人者如上婬欲戒中
說爲欲通投覺与不覺等四種境故不以有智未命终釋女直言如上所言身者
從髮至足見言若髮髮相身蘭以无覺故所言相身者若捉至身分已來九種
磨葉初句二釋言摩者若捉摩重摩或牽或推逆摩順摩或下或捉
或捺若餘身方便也所言若捉者摩摩身前後牽者牽前推者推却逆摩
者從下至上順摩者從上至下舉者捉舉下者若立捉令坐捉者前捉後捉乳捉
髀捺前捺後若捺乳捺髀是皆摩葉所言僧伽婆尸沙者是第五結罪犯句於
中有五種罪相初若相身身二俱无衣情染故著便僧殘女身比丘動身同犯若不動
身但吉第二若相身身手有衣情染著便偷蘭第三若相身身俱有衣情異輕微
著便犯俱有无衣中若心相應犯殘若心不當境疑故輕如於覺境有此階降
睡死少分壞三境類亦可知故律云比丘往身身无衣覺女睡眠雜死少分壞
者但使往身著不受樂不受樂皆犯殘罪若女來身比丘不必須婬心而比
丘要須比丘動身受樂者犯殘若不動身而受樂者吉若先有染心雖
不動身而受樂者有身意故犯蘭動則犯殘若与二形身相身偷蘭十誦
伽論云意在女人者殘在男者蘭善見云若以髮髮相身爪爪悉皆偷蘭以无
覺觸身故根互壞相身者皆蘭若觸畜生女者一切吉羅僧祇云意謂
男子黃門而是女人身者僧殘謂前有方便心後稱本境祇一時身多女人殘
一殘一一身多殘比丘知法多誅捉女共臥竟夜不移者一殘若以欲心身男子身
或衣鉢坐具皆吉問婬戒同犯此階不同者何答良以患興於內觸境恩轉正
道暢過就著清淨不蘭彼比摩觸非无內染情說在壞之殊人畜形別
男女青即果交故有皆非不已業去旨有可取与目身……

BD01721 號　四分戒本疏卷二

男子黄門而是女人身者僧殘謂前有方便心後稱本境衹一時身多女人二殘
一殘一一身多殘比丘知法多誅提女共卧竟夜不移者一殘若以欲心身男子身
或衣鉢坐具皆吉問婬戒同犯比階不同者何答良以患興於内觸境思辯亡
道暢適既着清淨不蘭彼此摩觸非无内染情説在壞〻殊人畜形別
男女情即讓淡故有階降不犯律云若有所取与相身或戲笑若相觧時
相身一切不犯非不犯餘罪僧祇若共女人捉勑呪顛捉器行食捉繩頭尾捉
杖竹木皆非威儀有欲心者犯吉羅欲心動物及以器繩或瓚水著女皆偷蘭
若母等近親久別相見抱捉比丘者當正念住不犯十誦若母女姉妹為病患
及水大刀兵深流惡獸難救者无犯但无染心若為水所没開比丘手捉莫生婬心
起但捉一處莫放到岸不應故身〻得殘若女人瀉水注比丘手水流不斷於女
生婬心偷蘭僧祇若城門道迮逢女人鬧者要待希已便過若女人有所須令
淨人与无者持著机上語言取之若檐重不畢倩比丘者傍无淨人比丘為著高
處令自擔之若乞食時有端正女人持食来比丘若起婬心者放鉢著地令餘人授
受之准比若軌女人取針綫瓶等物恐染觸者當語置地然後比丘自取餘
並例知十誦四之開處猶多若僧楊衹水溺難緣至死不開須知急緩之意過
積集增莫不由此 与女人麁惡語戒三自下二戒制意同前凡婬之事其勢鄙穢
故名麁惡今亂其妖表彰在口故曰麁惡語 通緣如上別緣七一人女二人女想三有
染心四麁惡語五麁惡語想六言章了了七前女知解 闕緣准身戒彼比中但關
比丘染心向女麁語若前女人向比丘麁語若染心領解多應犯殘類同前身文
略不弁五六具有比彼句麁惡語同犯 己十正明戒本此戒名因迦留陁夷聞
佛已制前二便於女說麁惡語比丘舉過佛因制戒若比丘婬欲意与女人麁惡
婬欲語者隨麁惡婬欲語僧伽婆尸沙 此滿足戒本文有五句初列後釋言五句
者一犯人二內有染心三人女出境界對說麁惡語五隨己下結犯次釋言若比丘者
義如上言女人者有知命根不斷言麁惡者非梵行也所言婬欲語者稱說二道
好惡也初列麁惡語有八若求若教他求若問若答若解說若教若罵言求
者与我二道作如是事若復作餘語言教他求者若天若梵天神摩醯首羅
祐助我共汝作如是事所言問者汝大小便道何似汝云何与夫主共事云何復与
身人共通言答者汝大小便道如是所言說者亦如是所言教者我教汝如是治
二道汝可令夫主身人敬愛所言罵者若言汝破壞腐爛燒雄墮落与驢作如是
若後作餘語罵言若復作餘語者除二道已外說餘處支節及得麁惡語之
言故曰若後作餘語如肩髓等類第五隨已下結犯者是僧殘罪於中輕重有四一究

外人共通言答者汝大小便道如是所言說者亦如是所言教者我教汝如是治
二道汝可令夫主外人敬愛所言罵者若言汝破壞腐爛燒雄墮落与驢作如是
若後作餘語罵言若復作餘語者除二道已外說餘處支節及得來麁惡語之
言皆吉若後作餘語如消穢等類弟五隨已下結犯者是僧殘罪於中經重有四說
本境麁惡語隨語多少一一僧殘罪二若前人不了者及麁語偷蘭隨語多少說了
了了皆蘭三除二道說餘處支節亦蘭四与非人女黃門二形麁語知者蘭不知
吉羅畜生及男子吉若与指印遣書作相令彼女知者如前不知亦尔不犯中律
云為女說不淨惡露觀大妹當知此身九瘡九孔漏九流九孔者二眼二耳二鼻
口大小便道當說此不淨時彼女人謂說麁惡語若說毗尼時言汝及比彼謂麁
惡語若從受經若二人同受若從門若同誦若戲笑語若獨語若疾疾語若
夢語欲說此錯說彼但无欲心一切无犯　向女嘆身索供養戒第四
言多巧為美已之善招誘其情說婬欲事以用自適故言嘆身索供養
戒別緣有七一人女二女想三染心四嘆身說麁惡語五麁惡語相六言辭了了七
女人知解此戒觸緣唯觸戒說已下正明戒本此戒因迦留陀夷聞佛已制前三
三戒遂向女人嘆身索供養比丘舉過佛乃制戒　若比丘婬欲意於女人前自
嘆身言大妹我脩梵行精進脩善法可持是婬欲法供養我如是供養第一
最僧伽婆尸沙　今弁之戒本闕有五句物列後釋言列者一犯人二染心三境界人
女四類索供養五結罪言釋者前三可知弟四自嘆索供養句中有二自嘆身
有句言可持已下索供養言自嘆　五句者一自嘆身二言脩梵行三持戒四釋精
進五脩善法此五句以為四段一釋嘆身有二色身豈美文二嘆種姓律云嘆身端
正好顏色我是剎帝利長者居士婆門大姓種二解梵行以精進解梵行故曰勤
脩離穢濁三解持戒治犯戒方便之心名不毀治根本犯戒之罪名不穿離後眷
屬曰不染汙一戒具三諸戒因尔故律云持戒精進者不毀不穿漏无染汙四釋
善法謂十二頭陀及諸善藥同故律云脩善法者樂閑靜處時到乞食著
糞掃衣不作食法一坐食冢間坐露地坐常坐隨坐持三衣唄匿多聞能
說法持毗尼坐禪是也言可持已下解索供養是弟一之義弟五結犯者是僧
伽婆尸沙此是結罪句輕重有三一若作如上自舉己供養我來即犯殘罪頭
嘆如上事不說婬欲者犯蘭若在人女前一自嘆身舉一僧伽婆尸沙隨自嘆身
了了者一一僧殘言不了偷蘭若手印若書信若遣使若現知相令彼知者殘不
知者蘭除二道索餘處供養蘭非人女蘭不了吉畜生吉境想如上不犯中

伽婆尸沙此是結罪句輕重有三一若作如上自歎已供養我來即犯殘罪殖
歎如上事不說婬欲者犯蘭若在人女前一一自歎身歎一一僧伽婆尸沙隨自歎身
了了者一一僧殘言不了偷蘭若手印若書信若遣使若現知相令彼知者殘不
知者蘭除二道穴餘處供養蘭非人女蘭不了吉畜生吉境想如上不犯中
律云若比丘語女言比處妙尊最上比比丘精進持戒修善法汝等應以身口
意業供養於彼為女意謂為我歎身若說比丘言汝反比彼謂歎身若錯
說者並不犯媒嫁戒五一制意者婚娶之礼和合生死正遠出離出家所為持
乖法戒又欲嫁娶循相招識醜不免世呵是以聖制 二釋名為彼男女往返說
媒如成婚礼故曰媒嫁戒 三具緣上別緣有六一人男女簡非畜而於人中貴賤
親疎並是犯限伽論云指腹媒嫁犯蘭二人男女想三為媒嫁相五顯事了了
知受語等還報四闕緣比說可知已下正明戒本此戒因迦羅比丘起過佛便制
戒若比丘往來彼此媒嫁持男意語女持女意語男若為成婦事若為私通
事乃至須臾頃僧伽婆尸沙此滿足戒本文有五句初列後釋言初列者一犯人
二往來者三彼此所媒嫁境界四正作媒事五結罪所言釋者初句可知言往來者
可得和合是言彼此謂所媒嫁境界男女互為彼此先舉列數列名女有七種
母護父護父母護兄護姊護兄姊護自護法護姓護宗親護自樂婢
与衣婢与財婢水所漂婢不輸稅婢放去婢容作婢他護婢邊方得婢是
也此釋名義護者母所保又護者父所保父母護兄護姊護兄姊護亦如是
自護者身得自在法護者脩梵行姓護者不与畢下姓宗親護者為宗親所
保自樂為婢者樂為他作婢与衣者与衣為價与財者乃至与一錢為價同業
者同共作業水所漂者水中救得不輸稅者若不取輸稅放去婢者若買得若
衆生容作者雇錢使他者護受他業隨為要邊方得者抄劫得後結是為七種
男亦如是第四句正作媒嫁事者文有二初媒業亦成婦等是所傳之意二乃至
須臾須者謂暫時交會亦得僧殘廿念為瞬須為廿瞬須一彈指須廿彈指須為一
羅預廿羅預為一須臾日數長十八須臾盡十二須臾言僧殘者是結犯句輕重有
三初使義具三犯殘二自受語往彼不報具二闕一犯蘭三受語不往彼具一闕二犯
吉故律云若初受語吉往說家報偷蘭若還報者僧殘若使書指印現相媒多
少亦了了隨其往反一一僧殘若不了了者偷蘭五分受男語吉語彼小許還報蘭
許還報殘不同四分但具三時殘一受語二往彼陳三還報除二道已媒餘身分者
蘭若諸比丘白四羯磨差人媒嫁一切僧殘令知事白僧媒娶淨人供給眾具同知
一切僧殘若用僧物俱犯重十誦伽論云若指腹為媒及自媒者偷偷蘭若不能男

少說亦了了隨其往反一一僧殘若不了了者偷蘭五分受男語去語彼不許還報蘭
許還報殘不同四分但具三時殘一受語二往彼陳三還報除二道已媒餘身分者
蘭若諸比丘白四羯磨差人媒嫁一切僧殘令知事白僧媒娶淨人供給資具同知
一切僧殘若用僧物俱犯重十誦伽論云若指腹為媒及自媒者偷蘭若不能男
女道合一道女石女等一切偷蘭若媒人男畜等並吉羅僧祇為他求好馬種和
合故偷蘭餘畜吉羅不犯者律云若善男子先已通後離別還和合者開
不犯又云不得為白衣作使不得持他書往亦不著若為禁閉生善滅惡及
仏法僧事一切者皆得持往不犯 无主自為過量僧不處分造房戒六一制
意初弁制意後明開意言制意者然上行之士親力資強堪耐惱緣不廢
正循是以大聖制表蒙蔭樹下者緣循道不畜房舍亦中行之輩資親力弱
不堪寒苦同上事交妨正循乃是彼人壞道緣故開畜小房比丘因開求作營搆紛
擾妨循長己貪結壞和之乏遠法造房請過不輕隨開還制二釋名專任自由不
蒙指示名僧不處分不依限稱為過量故曰僧不處分過量造房戒三具緣
通犯上別緣有六一无主二為己三自乞求四過量不處分五過量不處分想六
房成便犯四闕緣若初緣減成或三或二或一罪若作房全可无罪若第二為他
作非法房或二蘭二吉或三二一或可无罪若闕第三緣不自乞求即无過量容有
餘三乃至无罪若闕第四作不過量處分則全无罪容得四蘭謂實不過量作
過量想偷蘭疑亦偷蘭實處分作不處分想蘭疑亦偷蘭上若闕第五亦
得四蘭實過量作不過量想亦偷蘭不處分處分想蘭疑亦偷蘭若闕
第六緣未後二團泥未竟已還盡輕蘭一團泥在重蘭已下正明戒本此戒[illegible]
比丘作大房乃未煩多煩亂居士故制此戒 若比丘自求作屋无主自為己當
應量作是中量者長仏十二搩手內廣七搩手當將餘比丘指授處所彼比丘當
指授處所无難處无妨處若比丘有難處妨處自求作屋无主自為己不將
餘比丘指授處所若過量作者僧伽婆尸沙 此滿足戒本文有三句初列後釋言
列者一犯人二自求已下正教比丘房量大小指授方軌三若比丘下若違教作者結犯
言釋者初句義如上弁第二文句有七一自乞求有檀越主得過量罪若其自物則
无過量二作堂除作餘物无過量不處分五分房者於中可得行立坐臥行四威儀三无
主者此其有主无量過四自為己既為他作於己无潤不犯僧殘五弁房之大量仏搩手者
諸文不定搩手祇二尺四寸七搩手者一丈四尺此據屋內祇云從外量房內六肘當持
已下教房主比丘乞處分方法文如律中廣弁問作大小房須乞處分見論云長六搩
手廣四搩手作[illegible]房不須處分[illegible]亦不犯[illegible]過量

言稱者稱[illegible]
无過量二作量除作餘物无過量不處分五分房者於中可得行立坐卧行四威儀三无
主者此其有主无量過四自為己既為他作於己无潤不犯僧殘五弁房之尺量仏搩手者
諸文不定一搩手祇二尺四寸七搩手者一丈四尺比樓屋內祇多云縱廣量房內六當得
已下教房主比丘乞處分方法文如律中廣弁問作本小房須乞處分見論云長六搩
手廣四搩手作如是房不須處分律中成文小房容身屋不犯非謂開无過量
後房本无過量何以開中除小容身若過長搩手四搩手已上不問過量不過量咸須
處分七段比丘下教僧處分處分法律廣說第三結罪句中有四種罪二殘二吉有无又說
可知比下難明如上諸文四分律若作比房先知无難妨已然後來僧中脫革屣露偏右
胖礼上座足右膝著地合掌乞處分法令時僧觀中比比丘若可信者　聽使作若不可信
衆僧往看若僧不去應遣僧中可信看者看者若為防難不應處分難者諸虎狼師子
諸惡獸者下至蟻子言防者乃至不容車迴轉處見云是人田園或惡家賊處尼
林處王諸讓處四周不通十二梯橙間有穢一肘者十誦是舍四邊一尋地內有塔地官地居
士界道比丘尼地若大石流水大樹深淺等是妨處明了論樹或空山巖石隆等得行
住坐卧如作房舍所礙解云如上處等欲於中住必須隔斷若不依量用功則多若
有妨難自損他故律云若妨難之地輙造房舍得二吉罪過量二不乞得殘二罪
互過即犯不得俱他為他作房但得蘭罪律不犯者减量无妨難為仏僧講
堂為僧多人作房草菴小容身屋者有主僧不處分造房戒七以有主故不弁尺
量与前有異餘戒大同別緣有六一有主二為己作三長六搩手廣四搩手已上房
四不處分五不處分想六房成已下正明戒本比戒因闡陀比丘造屋斫路中神
樹俗人呵責嫌過仏便制戒　若比丘作大房有主為己作當將餘比丘往指授
處所彼應指授當与處所无難處无妨處若比丘有難有妨處作大房有
主為己作不將餘比丘往指授處所者僧伽婆尸沙　比滿足戒本句名有三一犯人二房
作軌則三違教結罪犯人者如上作房言法文有七一欲作大房者多用財作房者
屋者也言有主者反上无主是也為己作全指授已来僧中乞法義如上彼應指
授處所者僧應觀察若有可信有智慧即信彼亦与白二若不信者衆僧往看
若僧不去應可信者看若有妨難不應處分无者應与作法僧祇律云若僧中
无能觀察者一切僧就彼作處一人唱言一切僧為某比丘指授房三諸名得无難无妨
處者義如上說第三句結罪文如前戒可知唯少過量為異　无根謗戒第八
一制意然出家同往理應和密迭相將護許不相惱爭今乃壞真攢構重事
謗人自壞心行增長生死以滅正法又復塵垢良善飄在衆外惱他一生廢脩

无能障處者一切僧事和作處一人口言一切作處尊比丘指授房三諍之口无難之處
處者義如上說第三句結罪文如前戒可知唯少過量爲異　无根謗戒第八
一制意然出家同住理應和密迭相將護許不相惱尊今乃懷瞋横構重事
誣人自壞心行增長生死以滅正法又復塵坌良善亂在衆外惱他一生廢脩
正業斯因事深故須聖制二釋名由无三實曰无根重事加誣名之爲謗故曰
无根謗戒三具緣通緣如上別緣有八一是大比丘及尼除下二衆二大比丘及尼想三内
有瞋心四无三根五重事加誣六下至對一比丘七言辭了了八前人知解四闕緣若闕初
緣以餘五衆闕境雙即有十蘭闕第二疑想各五闕真心全无謗罪若有三根但非
法舉若輕事加他或有提吉闕餘緣等輕蘭重蘭　已下正明戒本此戒因慈地比丘
得惡房舍又得惡食便令妹尼重事加誣仏因制戒　若比丘瞋恚所覆故非波羅夷
比丘以无根波羅夷法謗欲壞彼清淨行若於異時若問若不問知此事无根說我
瞋恚故作是語若比丘作是語者僧伽婆尸沙　此蒲是戒本文有七句初列後釋言
列者一犯人二真心三所謗境界四无三根五以波羅夷下重事加誣六謗時七若比丘下結犯
言釋者初句若比丘義如上弁第二句真恚所覆故律云有十惡法因緣故瞋十事中
以二事而生瞋十惡法者祇三世九惱通非情處起瞋是名十惡法因緣廣說可知第
三句非波羅夷比丘律云清淨无犯名非波羅夷比丘第四句以无根夷法謗者欲辨无
根先解有根言根者生後之名根義不用若標三別謂見根聞根疑根觀赤青等
稱之爲見向響食聲名之爲聞見聞之後猶預不決心无定執号之爲疑此之三
種戒生等語故齊名根故四分律云見根者見犯梵行見偷五錢見斷人命若他見
從彼聞是謂見根聞犯梵行聞偷五錢聞斷人命聞自言得上人法若從彼聞
是謂聞根疑根二種從見生者見与婦女入林元衣裸形不淨汙身捉刀血汙惡人
爲伴是也從聞生者若在闇地聞動床聲聞轉側聲若共語聲若聞我犯非梵
行聲乃至若聞我得上人法聲除此三根已更以餘法謗者是无根也　第五句波
羅夷法謗者重事加誣言犯之法此法要說初篇即是應鑕言欲壞彼清淨行
此是頭已謗意律云謂言衆僧滅擯此人我得安樂往第六句若於異時至作
是說已來是自言非即謗時故曰異時虛彼清淨頭已謗情故曰我瞋恚故作
是說律云若問若不問者仏勅比丘問能謗者此事實不若以无根謗者獲大重
罪自陳謗意言皆安清淨人無如是事由前次得惡房惡食壞瞋恨故使彼身
第七句若比丘作如是語者僧伽婆尸沙此文爲結犯有三一謗比丘二謗尼三謗下衆
就比丘文中有三初句若以无根四重法謗比丘但使内无三根莫問有實不實自作
遣使了了皆戒謗罪若了得偷蘭第二以非比丘法十三難事内无根謗實比丘了了得

第七句若比丘作如是語者僧伽婆尸沙此文爲緒犯有三一謗比丘二謗尼三謗下衆
就比丘文中有三初句若以无根四重法謗比丘但使由无三根莫問有實不實自作
道使了皆成謗罪若了得偷蘭第二以非比丘法十三難事內无根謗實比丘了得
殘不了〻蘭若實十三難人難无三根眞伏視著作比丘相故但得蘭罪不同四重
謗人雖是行戒比丘故也若於十三中比丘犯五逆邊罪謗名僧殘故從重同合償故若
十律云出血破僧此二謗人得蘭餘者得吉羅以名輕故即是彼律理從故第三
若以餘篇謗殘提兩罪第一謗尼者名同比丘十律謗尼但得吉羅五分僧謗比丘尼殘
謗尼衆吉尼謗尼殘謗比丘提第三謗下衆者皆得吉羅不犯中律云見聞疑三
根說實〻有五種一眞〻實二相實三事實如煞王還道煞王四三根不乏實五四戒本
乏實若反此五謗他犯殘十誦四重五衆成謗四分名同假根謗戒第九
此戒要假異分事上有見根取彼事見以謗凭人見顯相當事不相當名爲假根
如是聞言等即是无根前戒中稱制意犯緣悉同前戒唯以假根爲異文
時聖制故日我等前聞以无根法謗欲明今是有根故作是語 若比丘以瞋恚故於
異分事中取片非波羅夷比丘以无根波羅夷法謗欲壞彼清淨行彼於異分時若問
若不問知是異分事中取片是比丘自言我瞋恚故作〻是〻語〻者僧伽婆尸沙
此滿足戒本文有七句一犯人二瞋心三假異分上根四所謗境界清淨五以无根重謗六
自言七結罪序解中初二兩句可知第三句言於異分中事者取片者所言異分者律
言五種異分一異〻趣異分如稍事爲人二異〻罪異分如不犯波羅夷言犯波羅夷以異
分无根法謗僧殘若比丘不犯夷謂犯殘以異分无根夷謗殘不犯夷彼見犯提乃至
吉以異分事无根夷法謗殘彼言犯夷〻以異分无根夷法謗僧殘若犯殘彼謂犯提乃至
吉以異分事无根夷法謗殘乃至吉第三異人異分不清淨人清淨人想似名同姓同想同
以他人事謗彼以異分无根夷法謗第四異時異分若見在家時犯四重便言我言比丘犯初
篇以異分无根四事法第五異聲異分若聞自稱犯四事便言我言比丘取自響聲
以異分无根四事第四句言非波羅夷比丘者見彼清淨第五句无根夷法謗者不
見聞疑彼犯四重若他犯重言欲壞彼清淨行者鄣其謗意謂言僧衆滅佉人
我得安樂第六句若於異時至作是語未義或同檢問或不回問自言由前異
房西食根眞壞眞根故便謗彼可第七句若比丘者下結犯〻相輕重如前戒
破僧違諫戒十 一制意者衆和法同義无乖諍理應許尊猶如水乳
今及倚傍聖說相似語惑亂群情壞僧斷法墜陷无爲惡愆甚是故聖制
二釋名邪法改眞分衆異抗稱爲破僧固執不捨名曰爲諫戒 三具緣通緣

破僧違諫戒十 一制意者衆和法同義无乖諍理應許尊猶如水乳
令及倚傍聖說相似讀惑亂群情壞僧斷法謟无為患惡甚是故聖制
二釋名邪法改真分衆異執稱為破僧固執不捨名曰為諫戒 三具緣通緣
如上別緣有五一立邪三寶謂是諫所為事故二行化於時若不行化即无故
諫違諫其罪故尓三如法設諫如法簡非法設諫不設諫故四固執已心不肯
從勸已若從諫不成重故五三羯磨竟若未竟但結輕罪故須言竟四
闕緣若闕初緣乃是闕於第二不行邪化即破僧心息便闕不四單有立邪三
寶方便小吉若闕第三若不設諫即无違諫吝違屏諫犯於小罪復得
前二緣破方便罪若僧諫不成者乃无違諫正有破僧方便究竟之罪若作
如法之心拒得蘭罪闕第四緣若未白前捨无違諫罪有違屏諫若白竟
捨一蘭乃至第三未竟捨四蘭闕第五緣類前可知已下正明戒本此戒曰提婆達
破僧故制此戒 若比丘欲壞和合僧法堅持不捨彼比丘應諫是比丘言大德莫壞和
和合僧莫方便受和合僧法莫受壞僧法堅持不捨大德應与僧〻和〻合歡喜不
爭同一師學如水乳合於仏法中有增益安樂住是比丘如是諫時堅持不捨彼
比丘應三諫捨此事故乃至三諫捨者善不捨者僧伽婆尸沙此滿足戒本文有五句
初略明違戾弁言略者一明諫所為事二彼比丘下諸善比丘屏受諫勸之令捨五不
捨者不結成違諫初句文二若比丘者出犯人即是所諫之者二欲壞已下正明破僧
諫所為事欲壞者味前始心方便已下味前立邪三寶者是五邪法堅持不
捨者味前行化謂以五法行化於時謗諸新學屏諫文二初舉上句諫中初三句
勸捨故曰彼比丘應諫乃至莫方便等二大德應与已下舉上句中二四勸同
水乳等然諸大德德願有別所稟師同學法无二理應和合而无異相猶如水
乳和合相得故曰同一師學如水乳合乃可水与水合乳与乳合故曰如水乳合第三句
是比丘者謂諸善比丘如是諫時者謂味前善比丘屏諫之時堅持不捨者謂洞達比丘
執心拒諫第四句三諫捨者善問則從順正不破僧一无違諫僧殘二无破僧蘭罪離斯
二過故曰捨者善問其實白四呼三應三諫乃至三諫捨者善答謂取白及二羯磨故
曰三除第四陳所以者一犯不犯分前三未犯殘說第三竟犯殘二輕重別前三犯蘭
第三得殘故言三諫捨者善以未犯殘故校其道理實是白四又反律文言犯三法應捨
者謂過三法不捨者入重位故第五句罪自下庶解戒本五句之文所言若比丘者義
如上釋言欲壞者以十八法欲壞和合僧所言和合者一羯磨同說戒所言僧者四比丘若
五若十乃至无數言方便欲壞和合僧法堅持不捨者謂住十八法而破僧也今弁十八

苐三得残故言三諫捨者善以未犯残故被其道理實是白四又反律文言犯三法應捨
者謂過三法不捨者入重位故苐五句罪自下広解戒本五句之文所言若比丘者義
如上釋言欲壊者以十八法欲壊和合僧所言和合者一羯磨同說戒所言僧者四比丘若
五若十乃至无數言方便欲壊和合僧法堅持不捨者謂住十八法而破僧也今弁十八
法一法非律非律犯不犯若輕若重有残无残麁悪非麁悪常所行非常所制非制
說非說法非者八正真能執生正解是涅洹之近目名法洞達說爲非法以爲法律非律
者互說之不犯不犯者大言厥凡仏制前剃而今調達謂厥凡有命若不剃剪說爲
不犯如心念作悪理顕有違凡夫未制名爲不犯洞達說犯輕者麈過謂達見壊樹菓
隨長壽龍中便言煞一切草木其罪最重初篇業重二亦永障以見須提初作不
得重罪即言一切盜婬悲皆是輕有残者犯下四篇非是永障是其残說爲无
无残ヽ者謂犯初篇永亡道牙字曰无残說爲有残毋云麁悪者初二篇方
便若口无慚愧心犯𫝆重偷蘭名爲麁悪說爲非麁悪提葉已下及餘蘭等皆
非麁悪說爲麁悪常所行者八正五法互說制者謂五篇禁戒金口吐宣名之爲
制說爲非ヽ制ヽ者即五法非仏金口名爲非制說以爲制說者四禁是重餘篇是輕
此是正教名之爲說以爲非說重輕到說此非仏故名爲非說而說以爲說苐二
屛諫初比丘屛諫勸不破僧次勸和合益故律云應語彼言可捨此事若用語
者善不用語復令餘比丘乃至王大臣用語者應來諫是名屛諫苐三句若不
用語者此非屛諫竟得何罪答此但吉羅以无衆法故又所諫人破事未成遠
諫未滿要待事成覧吉戒苐四句衆諫如前文苐五若不捨者下結罪於中
輕重有二自作遠諫輕重二教人輕重自遠諫中復二初未作諫前但有逆方便吉
羅弟二作諫時三羯磨竟犯若白二羯磨竟捨犯三偷蘭白一竟捨二蘭白竟捨一蘭
闍苐三竟時得残者爲攬因成果不答如五分者前方便業悪勢分相資令後
心之業次苐增著得僧残時猶有蘭吉別須懺悔以其業思輕重不同感果有異
故不相成四分律明但使作悪步ヽ有罪如生福文澄步ヽ有福又多論如欲
煞步ヽ偷蘭今所言二羯磨竟三偷蘭明因中有罪然得果之時攬因成果
故律云白有其吉羅作白竟直結偷蘭亦言別有罪以因成果弟二教人文三竝
教二及教三下衆教不犯中律云初語時捨通開三種謂不犯吉羅蘭残等三罪
文若有破悪友悪知識及二人三人欲作非法羯磨或爲僧塔和上闍梨知識親友
等作損減作无住處若是人者不犯助破僧違諫戒十一　制意者同衆作法諫調
達時四伴冀黨助成破僧ヽ尋設諫根而不受故曰破違諫戒別緣有六一調達作破
僧事二如法設諫三遮僧設諫助成破僧四僧衆如法諫此冀助五拒如不從六羯磨竟

文若有破惡友惡知識及二人三人欲作非法羯磨或為僧塔和上闍梨知識親友
等作損減作无住處若是人者不犯助破僧違諫戒十一 制意者同衆作法諫誨
違時四伴蒙嚮助成破僧了尋設諫根而不受故日破違諫戒別緣有六一謂違作破
僧事二如法設諫三違僧設諫助成破僧四僧衆如法諫此蒙助五拒如不從六羯磨竟
即犯闕緣此戒可知已下正明戒本此戒同提婆達多故軌五法衆僧諫時伴僧比丘
助破諫僧仏因制戒 若比丘有餘伴黨若一若二若三乃至无數彼比丘言大德莫諫此
比丘此比丘是法語比丘律語比丘此比丘所說我等喜樂此比丘所說我等忍可彼比
丘言大德莫作是說言此比丘是法語比丘律語比丘此比丘所說我等喜樂此比
丘所說我等忍可然此比丘非法語比丘非律語比丘大德莫壞和合僧汝等當樂
欲壞和合僧大德与僧和合歡喜不諍同一師學如水乳合於佛法中有增益安住是
比丘如是諫時堅持不捨彼比丘應三諫捨是事故乃至三諫捨者善不捨者僧伽婆尸沙
此滿足戒本五句成就一諫所為事二彼比丘下屏諫方法三是比丘下拒諫四僧衆諫
五不捨者結罪初諫所為事文三 一惣明其人助破僧者二伴黨之數三正明助破文兩一
歎僧莫諫 二此比丘下報歎僧意所以我今歎僧莫諫者以人如法是故初二句
人如此提婆發言有軌故稱法語復能成惡生善故日律語次二句法是故然今我等
慶遇所聞故日喜樂稱合道理妄心從有是故忍可二屏諫文四一領前諫辭彈其歎
助二然此已下人法俱非顯歎助非理三大德莫欲已下是非相對歎其捨樂正是諫辭
所謂捨諫助順歎崇水乳四大德和有益釋其歎意弟三句是比丘者謂諸善比丘
如是時諫者諫屏前諸善比丘屏諫之時堅持不捨者謂助比丘執心拒勸弟四句三諫
者捨善聞即從順正不助破僧一无違諫僧殘僧蘭離斷二過故日捨者善弟五
句結罪可知此釋初句三二人若比丘時破僧人二伴黨之數四人若過有二順從二表順
從无共興謀名為伴黨要四人已上治名那僧若有成羯侶名助伴黨比二伴黨皆須
設諫餘義如上所明比類可知謗僧違諫戒十二 一制意者衆僧自理諫彼是
非理分固執拒勸三諫不捨故結罪二釋名倚傍六人同作四人不治路涉愛增故名
日謗故執不捨名日為諫故日也三具緣通緣如上別緣有七一作作汙家惡行二心
无改悔三作法治儐四非理謗僧五如法諫設六拒而不從七三羯磨竟便犯
四闕緣若闕初緣全无輕重若闕弟二緣直有汙家等罪闕弟三緣闕四同於
闕二闕五謂作七非容得七位蘭然當位中闕緣或一二三蘭諸諫闕如法諫緣准
此闕六七同五已下正明戒本此戒因阿溼婆等於薦連聚落起過故仏制 若比丘依聚
落若城邑住汙他家行惡行汙他家亦見亦聞行惡行亦見亦聞諸比丘當語是比
丘言大德汙他家行惡行汙他家亦見亦聞行惡行亦見亦聞大德汝汙他家行惡行令可

四闕緣若闕初緣全无輕重若闕第二緣直有汙家等罪闕第三緣闕四同於
闕二闕五謂作七非客得七位蘭然當位中闕緣或一二三蘭諸諫闕如法諫緣進
此闕六七同五已下正明戒本先戒曰何涅槃等於儔連聚落起過故仏制 若比丘依聚
落若城邑住汙他宗行惡行汙他宗亦見亦聞行惡行亦見亦聞諸比丘當語是比
丘言大德汙他家行惡行汙他家亦見亦聞行惡行亦見亦聞大德汝汙他家行惡行今可
遠此聚落去不須住此是比丘語彼比丘作是語大德諸比丘有愛有恚有怖有癡有如是
同罪比丘有駈者有不駈者語比丘報言大德莫作是語有愛有恚有怖有癡有如是
同罪比丘有駈者有不駈者而語比丘不愛不恚不怖不癡大德汙他家亦見亦聞行惡
行亦見亦聞是比丘如是諫時堅持不捨彼比丘應再三諫捨此事故乃至三諫捨者善不
捨者僧伽婆尸沙 此滿足戒文有五句一非理謗僧諫所為事二從諸比丘下自理屏諫
三是比丘下在屏諫四彼比丘下僧諫五若不捨不結遠諫罪初文有四一犯人二依聚落下
正明起過自他俱壞三諸比丘下非理謗僧僧諱者為不治逞路者名有愛權於走
者名有怖謂僧嫌我二人名有嗔此三皆非觧心所為不違治罰之方名有癡如是同罪
下顯已謗意二屏諫文三諫莫謗僧故曰莫作是語等二而諸比丘下得僧雪已心故
曰而諸比丘不愛等路臧己无罪可治名不愛走不現復不得治名不怖汝等二又進不
臧悔退不逃走身過俱理合治罰名不恚若違治殯故名不癡三大德以下推過
屬彼故曰大德汙他家等三是比丘者為諸若比丘如是諫時者謂隣前諸若比丘屏
諫之時堅持不捨者謂能謗比丘執宿[illegible]勸四三諫捨者善開則從順正不謗僧離
斯重過故捨者善 五結罪 自下廣釋文義 言若比丘者義如上釋言聚
落者村有四種如上若城邑者屬王處也言汙他家者有男有女名之曰家汙家
有四一惣舉四數二列釋三惣結言惣舉者汙家有四一依家汙家一家得物又與一家
所得物處聞之不喜所與物處思當報恩即作是言有與我者我當報恩若不與
我我何故与二依利養汙家如法得利及鉢中餘或与一居士得者生念當報其恩若
不与我我何故与三者依親友汙家若比丘依王大臣或為一居士或不為一居士便生念
言其為我者我當供養不為我者我不供養四者依僧伽藍汙家若取僧華菓与
一居士不与一居士彼有得者思當供養若不与者我不供養以此四事故汙他家
言行惡行者彼比丘作如是等非法行也自種華樹自溉灌自摘華自作鬘以綖貫
華鬘自持与人若復教人作如上事村有婦女同床坐起同器飲食言語戲笑或
自歌舞倡伎或他作己唱和或作俳或彈鼓簧吹貝作衆鳥鳴或走或湯跛行
嘯或自作杚身或受雇戲笑是名行惡行言汙家行惡行亦見亦聞者

葦鑿自持与人若復教人作如上事村有婦女同床坐起同器飲食言語戲笑或
自歌舞倡伎或他作已唱和或作俳或彈鼓簧吹貝作衆鳥鳴或走或湯跛行
嘯或自作弄身或受雇戲笑是〻名行惡行言汙家行惡行亦見亦聞者
律云時有比丘彼村中宿着衣持鉢入村乞食法服齊整行歩庠序低目而
行蹤不顧視亦不言笑不相囙接善言問訊我等不應与其飲食不如阿濕
婆等与人因接善言問信我等不應与其飲食不如何濕婆等与人同接又上
所應与供養時彼乞食因乃得之往至仏所具白仏言仏令比丘往村駈出比前是
依聚落起過自他俱損已明其過駈儐文從諸比丘當語至不須住此已來是
駈儐文已下非理謗僧律從是比丘語彼有駈不駈者其謗僧意倚傍餘人同作祇
云三闕達多摩醯沙達多走至王道聚落迦留陀夷闡陀逆路懺悔此四不治
跡沸愛增故起謗謂不治逆路者名有愛懼於是者有怖謂僧嗔我二人含
有畏此三皆非解心所為不達治罰之方名有癡頭已謗意故曰有駈者自下
明屏諫文所言大德莫作是語者諫莫謗僧故曰莫作是語乃至有駈者已下
明僧自雪己心故曰諸比丘不愛不恚不怖不癡逆路懺已无罪可治名曰不愛走人
不現浸不得治名曰怖汝等二人進不懺悔退不逃走身過俱現理合治罰名不
恚善達治儐故名不癡已下推過屬彼故曰大德汙他家行乃至亦見亦聞是已
下明謗人拒諫不從故文云是比丘如是諫時堅持不捨不明僧諫文云彼比丘應三
諫捨此事故乃至三諫捨者善應初諫言欲作白僧法當捨唯得吉若不捨作
白已屏得偷蘭復應諫言大德作白已餘有三羯磨在可捨此事莫為僧所便
犯重罪乃至初羯磨第二第三已來應如是諫故文言捨者善隨捨罪輕故
日善已下明拒勸不捨而結殘罪故文云若不捨者僧伽婆尸沙已下明不犯律云
若得衣食与父母病人与小兒任人与牢獄繫人与寺客作人不名汙家若種樹
苑菓乃至教人貫花為三寶故不名惡行若度河灘渠坑跳躑者不犯若同伴
在後還顧不見而嘯喚者不犯若為父母若病人若為信心擅越乃至三寶事
持書往反皆不犯　惡性拒僧違諫戒十三　制意人非性一知義无獨善惡賴善支
互明相道道方能離過備善有出道之益而今闡陀迷心造非不自見過他如
法諫理宜從順方復倚傍勝人尊受其已望人師敬又欲住衆非分自受情
過深重是故聖制二辨名可知三別緣有六一自身不能離惡時欲作罪二諸善比
丘如法勸諫三不受勸道恃己陵物望人師敬四如法設諫五拒而不捨六三羯竟
四闕緣比類可知　此戒曰闡陀比丘惡性拒諫故起過仏便制戒　若比丘惡性不

丘如法勸諫三不受勸道恃己陵物望人師敬四如法設諫五拒而不捨六三獨覺
四關緣比類可知此戒曰闡陀比丘惡性拒諫故起過仏便制戒　若比丘惡性不
受人語於戒法中諸比丘如法諫已自身不受作諫語便言大德莫向我說若好若
惡我亦不向諸大德說若好若惡諸大德且止莫諫我彼比丘諸諫是比丘言
大德莫自身不受諫語大德自身當受諫語大德如法諫諸比丘比丘亦如法諫
大德如是仏弟子衆得增益展轉相諫展轉相教展轉懺悔是比丘如是諫
時堅持不捨彼比丘應三諫捨者善不捨者僧伽婆尸沙此滿足戒本文有五
句一初至莫諫我來明諫所為事二彼比丘下比丘屏諫勸相受語三是比丘下拒
諫四彼比丘下僧諫五不捨下結罪初諫所為事文三一出能拒人惡性不受語二於戒
律中下諸善比丘如法可諫三自身已下受諫尊望人師敬文四一不受勸導二言諸
大德下汝莫語我三我亦不語汝四諸大德下出不受道理謂恃己陵物又引契經
但自觀身行等故言且止也屏諫文二一先諫前人令相受語二如是已下顯諫利
益相受語故道相日進故
稱增得為前惡諫令不作故稱相諫未備善諸方便令生已興諸善備習增廣故
日相教已報惡業方便除遣故曰懺悔各彼比丘互為成稱展轉諫言大德前亦作二
持所以爾者良由善知識等互相近導如何大德不相受語問經中仏說但自觀身行
諦觀善不善云何此中展轉相教等多云仏隨制教言乖娛令不相違皆若見前人
心有愛憎差言有損故云但自觀身行若見前人內有慈心差言有益故言展
轉相教又見前人少聞無智出言無補故言但自觀身行若多聞有智言或有
益故云展轉相教下三句可知已下起釋文句言若比丘者義如上言惡性不受語
者不忍不受不教誨人所言於戒法中者以戒律如法授有七犯聚波羅夷乃至惡
說諸比丘如法諫者如法如律如仏所教言自身不受諫且止莫諫我已來是諫
所為事下四句唯前可知不犯中律云初諫便捨若非法諫非律非仏所教者
若為無智人所諫時語彼言汝和上阿闍梨所行亦尔汝可更學問誦經若其事
實尔若戲笑者一切不犯　諸大德我已說十三僧伽婆尸沙法九初犯四乃至三諫此
結前十三戒就中有二初九後四諫不諫別故云九初作犯四至三諫今釋諫不諫
意若語屏諫一切皆須設文展轉相諫不受諫中心虛結提心實第五乃至七中遠諫
之事多須設諫故文中言莫為僧所可更犯重罪故知諸諫通於一切言僧諫者具
四義者有不具者無言四義者一性惡二是顯處三錯惱僧四者倚傍上之三義可知

……第三
……佛言世尊是文殊師利
會而无所説佛即告文殊
師利汝於此所説法中可少説之文殊師利白佛
言世尊佛所得法寧可識不佛言不可識也
世尊是法可説可演可論不佛言是法不可説不
可演不可論也世尊若是法不可説不可演
不可論者則不可示尒時思益梵天謂文殊
師利汝不爲衆生演説法乎文殊師利言梵
天是法性中有二相耶梵天言无也文殊師利
言一切法不入法性耶梵天言然文師〻利
言若法性是不二相一切法入法性中云何
當爲衆生説法梵天言頗有説法亦无二耶
文殊師利言若決定得説者聽者可有説法
亦无有二文殊師利如來不説法耶文殊師
利言佛雖説法不以二相何以故如來性无
二故雖有所説而无二也梵天言若一切法无
二其誰爲二文殊師利言凡夫貪著我故分
別二耳不二法者終不爲二雖種種分別爲二
然其實際无有二相梵天言云何識无二法
文殊師利言若无二可識則非无二所以者
何无二相者不可識也梵天二即是識業不

BD01722號　思益梵天所問經（異卷）卷三

（25–1）

別二耳不二法者終不爲二雖種種分別爲二
然其實際无有二相梵天言云何識无二法
文殊師利言若无二可識則非无二所以者
何无二相者不可識也梵天二即是識業不
可識法佛所説也是法不二如所説何以故
是法无文字故文殊師利佛所説法終何所
至文殊師利言如來説法至无所至梵天言
佛所説法不至涅槃耶文殊師利言涅槃可
得至耶梵天言涅槃无來處无至處文殊
師利言如是佛所説法至无所至梵天言是
法誰聽答言如所説法梵天言云何如所説
答言如不識不聞梵天言誰能聽如來如是
法答言不漏六塵者梵天言誰能知是法答
言无識无分別无諍訟者梵天言云何比丘
名多諍訟答言是好是惡此名諍訟是理是
非理此名諍訟是垢是淨此名諍訟是善是
不善此名諍訟是戒是毀戒此名諍訟是應
作是不應作此名諍訟以是法得道以是法
得果此名諍訟梵天若於法中有高下心貪
着取受皆是諍訟佛所説法无有諍訟梵天
樂戲論者无不諍訟樂諍訟者无沙門法樂
沙門法者无有忘想貪著梵天言云何比丘
隨佛語隨佛教答言若比丘稱讚毀辱其心
不動是名隨佛教若比丘不隨文字語言是
名隨佛語又比丘滅一切諸相是名隨佛教

BD01722號　思益梵天所問經（異卷）卷三

（25–2）

樂戲論者无不諍訟樂諍訟者无沙門法樂
沙門法者无有忘想貪著梵天言云何比丘
隨佛語隨佛教荅言若比丘稱讚毀辱其心
不動是名隨佛教若比丘不隨文字語言是
名隨佛語又比丘滅一切諸相是名隨佛教
不違於義是名隨佛語若比丘守護於法是
名隨佛教不逆佛語是名隨佛語梵天言云
何比丘能守護法荅言若比丘不逆平等不
壞如法性是名能守護法梵天言云何比丘親
近於佛荅言若比丘於諸法中不見有法若
近若遠是名親近於佛梵天言云何比丘給
侍於佛荅言若比丘身口意无所作是名給
侍於佛梵天言誰能供養佛荅言不起福業
不起无動業者梵天言誰能見佛荅言 若
不著肉眼不著天眼不著慧眼是能見佛梵
天言誰能見法荅言不逆諸因緣法者梵天言
誰能順見諸因緣法荅言不起平等 不見
平等所生相者梵天言誰得真智荅言不生
不滅諸漏者梵天言誰能隨學如來荅言不起
不受不取不捨諸法者梵天言誰名正行荅
言不隨三界者
梵天言誰為善人荅言不受後身者梵天言
誰為樂人荅言无我无我所者梵天言誰為
得脫荅言不壞縛者梵天言誰為得度荅言
不住生死不住涅槃者梵天言漏盡比丘盡
何事耶荅言若有所盡不名漏盡知諸漏空

BD01722號　思益梵天所問經（異卷）卷三　（25–3）

梵天言誰為善人荅言不受後身者梵天言
誰為樂人荅言无我无我所者梵天言誰為
得脫荅言不壞縛者梵天言誰為得度荅言
不住生死不住涅槃者梵天言漏盡比丘盡
何事耶荅言若有所盡不名漏盡知諸漏空
相隨如是知名為漏盡梵天言誰為實語荅
言離諸言論者梵天言誰為入道荅言凡夫
有入道聖行者知一切有為法无所從來无
所從去則无入道梵天言誰能見聖諦荅言
无有見聖諦者所以者何隨所有見皆為虛
妄无所見者乃名見聖諦梵天言不見何法名
為見諦荅言不見一切諸見名為見諦梵天
言是諦當於何求荅言當於四顛倒中求梵
天言何故作是說荅言求四顛倒不得淨不
得常不得樂不得我若不得淨是即不淨若
不得常是即无常若不得樂是即為苦若不
得我是即无我梵天言一切法空无我是為聖
諦若能如是求諦是人不見苦不斷集不證
滅不脩道梵天言云何為脩道荅言若不分
別是法是非法離於二相名為脩道以是道
求一切法不得是名為道是道不令人離生
死至涅槃所以者何不離不至乃名 聖 道
尒時有摩訶羅梵天子名曰等行問文殊師
利何謂優婆塞歸依佛歸依法歸依僧荅言
優婆塞不起二見不起我見不起彼見不 起
我見不起佛見不起我見不起法見不起我

BD01722號　思益梵天所問經（異卷）卷三　（25–4）

尒時有摩訶羅梵天子名日等行問文殊師
利何謂優婆塞歸依佛歸依法歸依僧荅言
優婆塞不起二見不起我見不起彼見不起
我見不起佛見不起我見不起法見不起我
見不起僧見是名歸依佛歸依法歸依僧又
優婆塞不以色見佛不以受想行識見佛是
名歸依佛優婆塞於法无所分別亦不行非
法是名歸依法若優婆塞不離有為法見无為
法不離无為法見有為法是名歸依僧又優
婆塞不得佛不得法不得僧是名歸依佛
歸依法歸依僧
尒時等行菩薩問文殊師利言是菩薩發
菩提心者為趣何所荅言趣於虛空所以者
何阿耨多羅三藐三菩提同虛空故等行言
云何菩薩名發阿耨多羅三藐三菩提心荅
言若菩薩知一切發非發一切法非法一切衆
生非衆生是名菩薩發阿耨多羅三藐三
菩提心
尒時等行菩薩白佛言世尊所言菩薩菩薩者
為何謂也佛言善男子若菩薩於邪定衆
生發大悲心於正定衆生不見殊異故言菩薩
所以者何菩薩不為正定衆生不為不定衆
生故發心但為度邪定衆生故而起大悲發
阿耨多羅三藐三菩提心故言菩薩尒時菩
提菩薩白佛言世尊我亦樂說所以為菩薩者
佛言便說菩薩菩薩言辟如善男子善女

BD01722號　思益梵天所問經（異卷）卷三　（25-5）

所以者何菩薩不為正定衆生不為不定衆
生故發心但為度邪定衆生故而起大悲發
阿耨多羅三藐三菩提心故言菩薩尒時菩
提菩薩白佛言世尊我亦樂說所以為菩薩者
佛言便說菩薩菩薩言辟如善男子善女
人愛一日或无毀无缺若菩薩如是從初發
心乃至成佛於其中間常脩淨行是名菩薩
堅意菩薩言若菩薩成就深固慈心是名
菩薩度衆生菩薩言辟如橋船度人不惓
無有分別若心如是是名菩薩斷惡道菩薩
言若菩薩於諸佛國頭足之處即時一切惡道
皆滅是名菩薩觀世音菩薩言若菩薩衆生見
者即時畢定於阿耨多羅三藐三菩提又稱其名者
得免衆苦是名菩薩得大勢菩薩言若菩薩
所投足處振動三千大千世界及魔宮殿是
名菩薩无疲惓菩薩言若恒河沙等劫為一
日一夜以是卅日為一月十二月為歲以是歲數
若過百千万億劫得值一佛如是於恒沙河
等佛所行諸梵行脩集功德然後得受阿耨多
羅三藐三菩提記心不休息无有疲惓是名
菩薩導師菩薩言若菩薩於墮邪道衆生生
大悲心令入正道不求恩報是名菩薩須弥山
菩薩言若菩薩於一切法无所分別如須弥山
一於衆色是名菩薩那羅延菩薩言若菩
薩不為一切煩惱所壞是名菩薩心力菩
薩言若菩薩以心思惟一切諸法无有錯謬

BD01722號　思益梵天所問經（異卷）卷三　（25-6）

菩薩言若菩薩於一切法无所分别如須弥山
一於衆色是名菩薩那羅延菩薩言若菩
薩不爲一切煩惱所壞是名菩薩心力菩
薩言若菩薩以心思惟一切諸法无有錯謬
是名菩薩師子遊步自在王菩薩言若菩薩於
諸論中不怖不畏得深法忍能使一切外道怖
畏是名菩薩不可思議菩薩言若菩薩知心相
不可思議无所思惟分别是名菩薩善解天
子言若菩薩能於一切天宮中生而无所染
亦不得是无染之法是名菩薩寶語菩薩言
若菩薩有所發言常以真實乃至夢中亦无
妄語是名菩薩憙見菩薩言若菩薩能見一
切色皆是佛色是名菩薩常慘菩薩言若
菩薩見隨生死衆生其心不樂世間樂自度
已身亦度衆生是名菩薩心无閡菩薩言
若菩薩於一切煩惱衆魔而不瞋閡是名菩
薩常善根菩薩言若菩薩常以善根自滿其願
亦滿他願所作皆辦是名菩薩斷疑女菩薩
言若菩薩於一切法中不生疑悔是名菩薩
師子幢女菩薩言若菩薩无男法无女法而
現種種色身爲成就衆生故是名菩薩寶女
菩薩言若菩薩於諸寶中不生愛樂但樂三
寶是名菩薩毗舍佉達多優婆夷言若菩薩
有所得者則无菩提若不得一切法不生一
切法不滅一切法是名菩薩跋陀婆羅賢士
言若菩薩衆生聞其名者必定於阿耨多羅

BD01722號　思益梵天所問經（異卷）卷三　（25-7）

寶是名菩薩毗舍佉達多優婆夷言若菩薩
有所得者則无菩提若不得一切法不生一
切法不滅一切法是名菩薩跋陀婆羅賢士
言若菩薩衆生聞其名者必定於阿耨多羅
三藐三菩提是名菩薩寶月童子言若菩薩
常脩童子梵行乃至不以心念五欲何况身受
是名菩薩忉利天子輸陀羅華香菩薩言若
菩薩持戒薰心常流諸善法香不流餘香是
名菩薩作喜樂菩薩言若菩薩喜樂三法謂供
養佛演說於法教化衆生是名菩薩思益梵
天言若菩薩所見之法皆是佛法是名菩薩
弥勒菩薩言若菩薩衆生見者即得慈心三
昧是名菩薩文殊師利法王子言若菩薩雖
說諸法而不起法相不起非法相是名菩薩
網明菩薩言若菩薩光明能滅一切衆生煩
惱是名菩薩普華菩薩言若菩薩見諸如來
滿十方世界如林華敷是名菩薩如是諸菩
薩各各隨所樂說已尒時佛告等行菩薩若
菩薩能代一切衆生受諸苦惱亦復能捨一切
福事與諸衆生是名菩薩
尒時思益梵天問等行菩薩言善男子汝今
以何爲行答言我以隨一切有爲法衆生行
爲行又問隨一切有爲法衆生以何爲行答言
諸佛所行是隨一切有爲法衆生行也又問
諸佛以何爲行答言諸佛以第一義空爲行
行諸佛亦以是行凡聖有可差別等

BD01722號　思益梵天所問經（異卷）卷三　（25-8）

以何爲行荅言我以隨一切有爲法衆生行
爲行又問隨一切有爲法衆生以何爲行荅言
諸佛所行是隨一切有爲法衆生行也又問
諸佛以何爲行荅言諸佛以第一義空爲行
又問凡夫所行諸佛亦以是行凡聖有何差別荅
行言汝欲令空中有差別耶荅言不也荅行
言如來不說一切法空耶荅言然是故梵天
一切法无有差別是諸行相亦復如是所以
者何如來不說諸法有差別也
尒時思益梵天問文殊師利言所言行行爲
何謂也荅言於諸行中有四梵行是名行處
行若人離四梵行不名行處行能行四梵行
是名行處行梵天若人成就四梵行雖於空
閑曠野中行是名行處行若不成就四梵行
雖於樓殿堂閣金銀床褕妙好被褥於此中
行不名行處行亦復不能善知行相又問菩
薩以何行知見清淨荅言於諸行中能淨我見
又問若得我實性即得實知見耶荅言 然
若見我實性即是實知見譬如國王典金藏
人因已出用知餘在者如是因知我實性故
得實知見又問云何得我實性荅言若得无
我法所以者何我畢竟无根本无決定故若
能如是知者是名得我實性又問如我解文
殊師利所說義以見我故即是見佛所以者
何我性即是佛性文殊師利誰能見佛荅言
不壞我見者所以者何我見即是法見以法

BD01722號　思益梵天所問經（異卷）卷三　（25–9）

殊師利所說義以見我故即是見佛所以者
何我性即是佛性文殊師利誰能見佛荅言
不壞我見者所以者何我見即是法見以法
見能見佛又問頗有无所行名爲正行荅言
有若不行一切有爲法是名正行又問云何
行名爲正行荅言若不爲見故行不爲斷不
爲證不爲脩故行是名正行又問慧眼爲見
何法荅言若有所見不名慧眼慧眼不見有
爲法不見无爲法所以者何有爲法皆虛妄
分別无虛妄分別是名慧眼无爲法空无所
有過諸眼道是故慧眼亦不見无爲法又問
頗有因緣正行比丘不得道果荅言有正行
中无道无果无行无得无有得果差別梵天
无所得故乃名爲得若有所得當知是爲增
上慢人正行者无增上慢无增上慢則无行无得又
問文殊師利得何法故名爲得道荅言若法不
自生不彼生亦不衆緣生從本已來常无有
生得是法故說名得道又問若法不生爲何
所得荅言若知法不生即名爲得是故佛說
若見諸有爲法不生相即入正位又問云何
名正位荅言我及涅槃等不起二是名正位
又行平等故名爲正位以平等出諸苦惱故
名正位入了義中故名正位除一切憶念故
名正位尒時世尊讚文殊師利言善哉善
哉快說此言誠如所說說是法時七千比丘

BD01722號　思益梵天所問經（異卷）卷三　（25–10）

又行平等故名為正位以平等出諸苦惱故
名正位入了義中故名正位除一切憶念故
名正位尒時世尊讚文殊師利言善哉善
哉快說此言誠如所說說是法時七千比丘
不受諸法漏盡心得解脫三万二千諸天遠塵
離垢得法眼淨十千人雖欲得定二百人發阿
耨多羅三藐三菩提心五百菩薩得无生法
忍
尒時思益梵天白佛言世尊是文殊師利法
王子能作佛事大饒益衆生文殊師利雖
出於世不為益法故出不為損法故出梵天
言佛出不滅度无量衆生仁者亦不利益无量
衆生耶文殊師利言汝欲於无衆生中得衆
生耶答言不也梵天汝欲得衆生決定相耶
答言不也梵天汝欲得諸佛有出生相生於世
間耶答言不也梵天何等是衆生為佛所滅
度者梵天言如仁所說義无生死无涅槃文
殊師利言如是諸佛世尊不得生死不得涅
槃佛諸弟子得解脫者亦不得生死不得涅
槃所以者何是涅槃是生死但假名字有言說
耳實无生死往来滅盡涅槃又問誰能信是
法耶答言於諸法中无貪著者又問若貪著
者於何貪著答言貪著虛妄梵天若貪著
是實者終无增上慢以貪著虛妄故行者
知之而不貪著若不貪著則无有流若无有
流則无往来生死若无往来生死是則滅度

法耶答言於諸法中无貪著者又問若貪著
者於何貪著答言貪著虛妄梵天若貪著
是實者終无增上慢以貪著虛妄故行者
知之而不貪著若不貪著則无有流若无有
流則无往来生死若无往来生死是則滅度
問何故說言滅度答言滅度者名為衆緣不
和合若无明不和合諸行因緣則不起諸行
若不起諸行是名為滅不起相是畢竟滅得
是道故則无生處如是名為四聖諦
尒時等行菩薩謂文殊師利如汝所說皆為
真實答言一切言說皆為真實又問虛妄言
說亦真實耶答言如是所以者何是諸言說
皆為虛妄无處无方若法皆虛妄无處无方是
故一切言說皆是真實善男子提婆達語如
來語无異无別所以者何一切言說皆是
如来言說不出如故一切言說有所說事皆
以无所說故得有所說是以一切言說皆等
文字同故文字无念故文字空故等行言如
来不說凡夫語言賢聖語言耶文殊師利言
然以文字說凡夫語言亦以文字說賢聖語
言如是善男子諸文字有分別是凡夫語言
是賢聖語言耶等行言不也文殊師利言如諸
文字无分別一切賢聖亦无分別是故賢聖
无有言說所以者何賢聖不以文字相不以衆
生相不以法相有所說也譬如鍾鼓衆緣和合
而有音聲是諸鍾鼓亦无分別如是諸賢聖善

文字无分別一切賢聖亦无分別是故賢聖
无有言說所以者何賢聖不以文字相不以衆
生相不以法相有所說也辟如鐘皷衆緣和合
而有音聲是諸鐘皷亦无分別如是諸賢聖善
知衆因緣故於諸言說无貪无閡等行言如
佛所說汝等集會當行二事若說法若聖
嘿然何謂說法何謂聖嘿然荅言若說法不
違佛不違法不違僧是名說法若知法即是
佛離相即是法爲无即是僧是名聖嘿然又
善男子因四念處有所說名爲說法於一切
法无所憶念名聖嘿然因四正懃有所說名
謂說法以諸法等不作等不作不等名聖嘿
然因四如意是有所說名爲說法若不起身
心名聖嘿然因五根五力有所說名爲說法
若不隨他語有所信爲不取不捨故部分諸
法一心安住无念念中解一切法常定性斷
一切戲論慧名聖嘿然因七菩提分有所說
名爲說法若常行捨心无所分別无增无減
名聖嘿然因八聖道分有所說名爲說法若
知諸法相如栰喻不依法不依非法名聖嘿
然善男子於是卅七助道法若能開解演說
名爲說法若身證是法亦不離身見法亦不
離法見身於是觀中不見二相不見不二相
如是現前知見而亦不見名聖嘿然
又善男子若不妄想著我不妄想著彼不

BD01722 號　思益梵天所問經（異卷）卷三　（25–13）

離法見身於是觀中不見二相不見不二相
如是現前知見而亦不見名聖嘿然
又善男子若不妄想著我不妄想著彼不
妄想著法有所說名爲說法若至不可說相
能離一切言說聲得不動處入離相心名
聖嘿然又善男子若知一切衆生諸根利鈍
而教誨之名爲說法常入於定心不散乱名聖
嘿然等行言如我解文殊師利所說義一切聲
聞辟支佛无有說法亦无聖嘿然所以者何
不能了知一切衆生諸根利鈍亦復不能常
在於定文殊師利若有真實言問何等是世
間說法者何等是世間聖嘿然者則當爲說
諸佛是也所以者何諸佛善能分別一切衆生
諸根利鈍亦常在定佛告文殊師利如是如
是如等行所說唯諸佛如來有此二法
尒時須菩提白佛言世尊我親從佛聞汝等
集會當行二事若說法若聖嘿然世尊若聲
聞不能行者去何如來勑諸比丘行此二事
佛告須菩提於汝意去何若聲聞不從他聞
能說法能聖嘿然不須菩提言不也須菩
提是故當知一切聲聞辟支佛无有說法无
聖嘿然尒時文殊師利謂須菩提如來了知衆
生八万四千行汝於此中有智慧能隨其所
應爲說法不荅言不也今須菩提能入觀一
切衆生心三昧住是三昧通達一切衆生心

BD01722 號　思益梵天所問經（異卷）卷三　（25–14）

生八万四千行汝於此中有智慧能随其所
應爲説法不荅言不也今須菩提能入觀一
切衆生心三昧住是三昧通達一切衆生心
心所行自心他心无所閡不荅言不也文殊師利言
須菩提如来於衆生八万四千行随其所應爲
説法藥又常住定平等相中心不動揺而通
達一切衆生心心所行須菩提是故當知一切聲
聞辟支佛不能及此事須菩提或有衆生多
婬欲者以觀不淨得解脱不以不淨唯佛能
知或有衆生多瞋恚者以觀過得解脱不以慈
心唯佛能知或有衆生多愚癡者以不共語得
解脱不以説法唯佛能知或有衆生等分行者
不以觀淨不以不淨不以觀過不以慈心不
以不共語不以説法得解脱者随其根性以
諸法平等而爲説法使得解脱唯佛能知
是故如来於諸説法人中爲㝡第一禪定人中
亦㝡第一尒時須菩提問文殊師利若聲聞
辟支佛不能如是説法不能如是聖嘿然者
諸菩薩有成就如是功德能説法能聖嘿
然不荅言唯佛當知於是佛告須菩提有三昧
名入一切語言心不散亂若菩薩成就此三
昧皆得如是功德
尒時文殊師利謂等行菩薩善男子爲衆生
八万四千行故説八万四千法藏名爲説法
常在一切滅受想行定中名聖嘿然善男子我

昧皆得如是功德
尒時文殊師利謂等行菩薩善男子爲衆生
八万四千行故説八万四千法藏名爲説法
常在一切滅受想行定中名聖嘿然善男子我
若一劫若滅一劫能説是義是説法相是聖
嘿然相猶不能盡於是佛告等行菩薩善男
子乃往過去无量无邊不可思議阿僧祇劫
時世有佛号日普光劫日名聞國名憙見彼
國嚴淨豊樂安隱天人熾盛其地皆以衆寶
庄嚴柔㬇細滑生寶蓮華一切香樹充滿其
中常出妙香善男子喜見國土有四百億四
天下一一天下縱廣八万四千由旬其中諸
城縱廣一由旬皆以衆寶挍餝一一城者有
二万五千聚落村邑而圍繞之一一聚落村
邑无量百千萬人衆充滿其中所見色像心皆
喜悦无可增惡亦悉皆得念佛三昧是以國
土名曰喜見若他方世界諸来菩薩皆得快樂
餘國不尒善男子其普光佛以三乘法爲弟
子説亦多樂説如是法言汝等比丘當行二
事若説法若聖嘿然善男子尒時上方醫王
佛土有二菩薩一名无盡意二名益意来詣
普光佛所頭面礼佛足右繞三匝恭敬合掌却
住一面時普光佛爲二菩薩廣説淨明三昧
所以名曰淨明三昧者若菩薩入是三昧即得解
脱一切諸相及煩惱者亦於一切佛法得淨

佛土[illegible]二菩薩一名无盡意二名益意來詣
普光佛所頭面礼佛足右繞三匝恭敬合掌却
住一面時普光佛爲二菩薩廣說淨明三昧
所以名曰淨明三昧者若菩薩入是三昧即得解
脫一切諸相及煩惱者亦於一切佛法得淨
光明是故名爲淨明三昧又前際一切法淨後
際一切法淨現在一切法淨是三世畢竟淨
无能令不淨性常淨故是以說一切諸法性
常清淨何謂諸法性淨謂一切法性空相離有所
得故一切法无相相離憶念分別故一切法
无作相不取不捨无求无願畢竟離自性故
是名性常清淨以是常清淨相知生死性即是
涅槃性涅槃性即是一切法性是故說心性常
明淨善男子辟如虛空若受垢汙无有是處
心性亦如是若有垢汙无有是處又如虛空
雖爲烟塵雲霧覆翳不明不淨而實不能染
汙虛空之性設染汙者不可復淨以虛空實
不染汙故還見清淨凡夫心性亦如是雖邪憶念
起諸煩惱然其心性不可垢汙設垢汙者不可
復淨以心相實不垢汙性常明淨是故心得
解脫善男子是名入淨明三昧門彼二菩薩聞
是三昧於諸法中得不可思議法光明尒時
无盡意菩薩白普光如來言世尊我等已聞入淨
明三昧門當以何行行此法門佛告无盡意善
男子汝等當行二行若說法若聖嘿然時二菩
薩從佛受教頭面礼佛足右繞三匝而去趣一國

明三昧門當以何行行此法門佛告无盡意善
男子汝等當行二行若說法若聖嘿然時二菩
薩從佛受教頭面礼佛足右繞三匝而去趣一國
林自以神力化作寶樓於中脩行時有梵天
名曰妙光與七万二千梵俱來至其所頭面
礼佛足問二菩薩善男子普光如來說言汝等
比丘集會當行二事若說法若聖嘿然善男
子何謂說法何謂聖嘿然二菩薩言汝今善
聽我當少說唯有如來乃通達耳於是二菩
薩以二句義爲諸梵衆廣分別說時七万二
千梵皆得无生法忍妙光梵天得普明三昧
是二菩薩於七万六千歲以无閡辯力荅其所
問不懈不息分別二句手相問荅而不窮盡
於是普光如來在虛空中作如是言善男
子勿於文字言說而起諍訟凡諸言說皆空
如嚮如所問荅亦如是汝等二人皆得无閡
辯才及无盡陁羅尼若於一劫若百劫說此
二句辯不可盡善男子佛法是寂滅相第一之
義此中无有文字不可得說諸所言說皆无
義利是故汝等當隨此義勿隨文字是二
菩薩聞佛教已嘿然而止佛告等行以是當
知菩薩若以辯才說法於百千万劫若
過百千万劫不可窮盡又告等行於汝意云
何彼二菩薩豈異人乎勿造斯觀无盡意者
今文殊師利是益意菩薩者今汝身是妙光

知菩薩若以辯才說法於百千万劫若
過百千万劫不可窮盡又告等行於汝意云
何彼二菩薩豈異人乎勿造斯觀无盡意者
今文殊師利是益意菩薩者今汝身是妙光
梵天者今思益梵天是
尒時等行菩薩白佛言未曾有也世尊諸
佛菩提爲大饒益如所說行精進衆生世尊
其懈怠不能如說脩行者雖值百千万諸佛无能
爲也當知從勤精進得出菩提尒時文殊師
利謂等行菩薩善男子汝知菩薩云何行名
勤精進荅言若菩薩能得聖道名勤精進
又問云何行能得聖道荅言若於諸法无所分
別如是行者能得聖道又問云何名得聖道已
荅言若行者於平等中見諸法等是名得聖道
已又問平等可得見耶荅言不也所以者何若平等
可見則非平等思益梵天謂文殊師利若行
者於平等中不見諸法是名得聖道已文殊
師利言何故不見思益言離二相故不見不
見即是正見又問誰能正見世間荅言不壞
世間相者又問云何爲不壞世間相荅言色
如无別无異受想行識如无別无異若行者
見五陰平等如相是名正見世間又問何等
是世間相荅言滅盡是世間相又問滅盡相
可復盡耶荅言滅盡相者不可盡也又問何
故說言世間是盡相荅言世間畢竟盡相是
相不可盡所以者何已盡者不可復盡也又問

BD01722號　思益梵天所問經（異卷）卷三　（25–19）

故說言世間是盡相荅言世間畢竟盡相是
相不可盡所以者何已盡者不可復盡也又問
佛不說一切有爲法是盡相耶荅言世間是
盡相終不可盡是故佛說一切有爲法是盡
相又問何故數名有爲法荅言以盡相故名
有爲法又問有爲法者爲住何所荅言无爲
性中住又問有爲法无爲法有何差別荅言
有爲法无爲法文字言說有差別耳所以者
何以文字言說是有爲言是无爲若求有爲无
爲實相則无差別以實相无差別故又問
何等是諸法實相義荅言一切法平等无有
差別是諸法實相義又問何等爲義荅言以
文字說令人得解故名爲義所以者何實相
義者不如文字所說諸佛雖以文字有所言
說而於實法无所增減文殊師利一切言說皆
非言說是故佛說名不可說諸佛不可以言相
說故又問云何得說佛相荅言諸佛如來不可
以色身說相不可以卅二相說相不可以諸功
德法說相又問諸佛可離色身卅二相諸功德
法而說相耶荅言不也所以者何色身如卅二相如
諸功德法如諸佛不即是如亦不離是如如是可
說佛相不失如故又問諸佛世尊得何等故号
名爲佛荅言諸佛世尊通達諸法性相如故說名
爲佛正遍知者於是等行菩薩白佛言世尊何
謂菩薩發行大乘尒時世尊以偈荅言

BD01722號　思益梵天所問經（異卷）卷三　（25–20）

名爲佛荅言諸佛世尊通達諸法性相如故説名
爲佛正遍知者於是等行菩薩白佛言世尊何
謂菩薩發行大乘尒時世尊以偈荅言
菩薩不壞色　發行菩提心　知色即菩提　是名行菩提
如色菩提然　等入於如相　不壞諸法性　是名行菩提
不壞諸法性　則爲菩提義　是菩提義中　亦无有菩提
正行第一義　是名行菩提
愚於陰界入　而欲求菩提　陰界入即是　離是无菩提
若有諸菩薩　於上中下法　不取亦不捨　是名行菩提
若法及非法　不分別爲二　亦不得不二　是名行菩提
若二則有爲　非二則无爲　離是二邊者　是名行菩提
是人過凡夫　亦不入法位　未得果而聖　是世間福田
行於世間法　處中若蓮花　遵脩最上道　是名行菩提
世間所行處　愚於是中行　世間所貪著　於中得解脱
菩薩无所畏　不沒生死樹　无憂无疲惓　而行菩提道
斯人能善知　法性真實相　是故不分別　是法是非法
行於佛道時　无法可捨離　亦无法可受　是名行菩提
一切法无相　猶若如虛空　終不作是念　是相是何相
善知世所行　知遍方便力　能充滿一切　衆生之所願
常住於平等　護持佛正法　一切无所念　是則如來法
若有佛无佛　是法常住世　能通達此相　是名護持法
諸法之實相　了達知其義　安住於此中　而爲人演説
行於甚深法　魔所不能測　是人於諸法　无所貪著故
願求諸佛慧　亦不著願求　是慧於十方　求之不可得
諸佛慧无閡　不著法非法　若能不著此　究竟得佛道
其諸樂善人　布施轉高尊　捨一切所有　而心不傾動

若有佛无佛　是法常住世　能通達此相　是名護持法
諸法之實相　了達知其義　安住於此中　而爲人演説
行於甚深法　魔所不能測　是人於諸法　无所貪著故
願求諸佛慧　亦不著願求　是慧於十方　求之不可得
諸佛慧无閡　不著法非法　若能不著此　究竟得佛道
其諸樂善人　布施轉高尊　捨一切所有　而心不傾動
諸法不可捨　亦復不可取　一切世間法　根本不可得
能知一切法　非施非捨相　是名大施主　於法无所見
是等諸菩薩　不計我我所　是故行施時　不生貪惜心
諸所有布施　皆迴向佛道　布施及菩提　不住是二相
无作无起滅　常住於此中　亦不作念言　我住是持戒
智者知戒相　不生亦不住　是故戒清淨　猶若如虛空
觀身如鏡像　言説如響聲　心則如幻化　不以戒自高
其心常柔耎　安住寂滅性　悉滅一切惡　通達於善法
持戒及毀戒　不得此二相　如是見法性　則持无漏戒
已度忍辱岸　能忍一切惡　於諸衆生類　其心常平等
諸法念念滅　其性常不住　於中无罵辱　亦无有恭敬
若節節解身　其心終不動　知心不在內　亦復不在外
身怨及刀杖　皆從四大起　於地水火風　未曾有損
通達於此事　常行忍辱法　菩薩行如是　衆生不能動
勇猛勤精進　堅住於大乘　是人於身心　而无所依止
雖知生死本　其際不可得　爲諸衆生故　莊嚴大誓願
法无決定生　何許有滅相　本際不可得　爲顛倒故説
法性不可説　常住於世間　若能知如是　不生亦不滅
菩薩念衆生　不解是法相　爲定勤精進　令得離顛倒
諸佛常不得　衆生決定相　而被弘本願　常觀精進力

法性不可說 常住於世間 若能知如是 不生亦不滅
菩薩念衆生 不解是法相 為定勤精進 令得離顛倒
諸佛常不得 衆生及定相 而彼弘大願 常觀精進力
思惟一切法 皆如幻化 不得堅牢相 觀之如虛空
從虛妄分別 貪著生苦惱 為斯開法門 令得入涅槃
為彼行精進 而不壞於法 離法非法故 常行真精進
是菩行遠離 了達無諍訟 獨處無憒鬧 常畏於生死
樂住於閑居 猶如犀一角 遊戲衆禪定 明達諸神通
心常住平等 等空開聚落 威儀無變異 恒樂於禪定
信解常定法 及寂滅無漏 其心復解脫 故說常定者
自住平等法 以此道衆生 不違平等行 故說常定者
志念常堅固 不忘菩提心 亦能化衆生 故說常定者
常念於諸佛 真實法性身 遠離色身相 故說常定者
常修念於法 如諸法實相 亦無有憶念 故說常定者
常修念於僧 僧即是無為 離數及非數 常入如是定
悉見十方國 一切群生類 而於眼色中 終不生二相
諸佛所說法 一切能聽受 而於耳聲中 亦不生二相
能於一心中 知諸衆生心 自心及彼心 此二不分別
憶念過去世 如恒河沙劫 是先及是後 亦復不分別
能至無量土 現諸神通力 而於身心中 無有疲惓想
分別知諸法 樂說辯無盡 於無鞅數劫 開示法性相
智慧度彼岸 善解陰界入 常為衆生說 無取無戲論
善知因緣法 遠離二邊相 知是煩惱因 亦知是淨因
信解因緣法 則無諸邪見 法皆屬因緣 無有定根本
我見與佛見 空見生死見 涅槃之見等 皆無是諸見
無量智慧光 知諸法實相 無闇無鄣㝵 是行菩提道

BD01722號　思益梵天所問經（異卷）卷三　（25–23）

善知因緣法 遠離二邊相 知是煩惱因 亦知是淨因
信解因緣法 則無諸邪見 法皆屬因緣 無有定根本
我見與佛見 空見生死見 涅槃之見等 皆無是諸見
無量智慧光 知諸法實相 無闇無鄣㝵 是行菩提道
是乘名大乘 不可思議乘 悉容諸衆生 猶不盡其量
一切諸乘中 是乘為第一 如此大乘者 能出生餘乘
餘乘有限量 不能受一切 唯此無上乘 能悉受衆生
若行此無量 虛空之大乘 於一切衆生 無有慳悋心
虛空無有量 亦無有形色 大乘亦如是 無量無鄣㝵
若一切衆生 乘於此大乘 當觀是乘相 寬博多所容
無量無數劫 說大乘功德 及乘此乘者 不可得窮盡
若人聞是經 及至持一偈 永脫於諸難 得到安隱處
敬念此經者 捨是身已後 終不墮惡道 常生天人中
於後惡世時 若得聞是經 我皆與授記 究竟成佛道
若信此經者 佛法在是人 是人在佛法 亦能轉法輪
若能持是經 能轉無量劫 生死諸往來 得近於佛道
若能持是義 精進大智慧 是名極勇猛 能破魔軍衆
我於燃燈佛 任得忍授記 若有樂是經 我授記亦然
若人於佛後 能解說是經 佛雖不在世 為能作佛事
佛說是偈時 五千天人皆發阿耨多羅三藐三
菩提心 二千菩薩得無生法忍 七千比丘不受
諸法漏盡心得解脫 三万二千人遠塵離
垢 於諸法中得法眼淨

思益經卷第三

BD01722號　思益梵天所問經（異卷）卷三　（25–24）

若能持是經　能轉於聖法　生死諸行者　能近於佛道
若能持是義　精進大智慧　是名極勇猛　能破魔軍衆
我於燃燈佛　住得忍授記　若有樂是經　我授記亦然
若人於佛後　能解說是經　佛雖不在世　爲能作佛事
佛說是偈時五千天人皆發阿耨多羅三藐三
菩提心二千菩薩得无生法忍七千比丘不受
諸法漏盡心得解脫三万二千人遠塵離
垢於諸法中得法眼淨

思益經卷第三

BD01722 號　思益梵天所問經（異卷）卷三　（25–25）

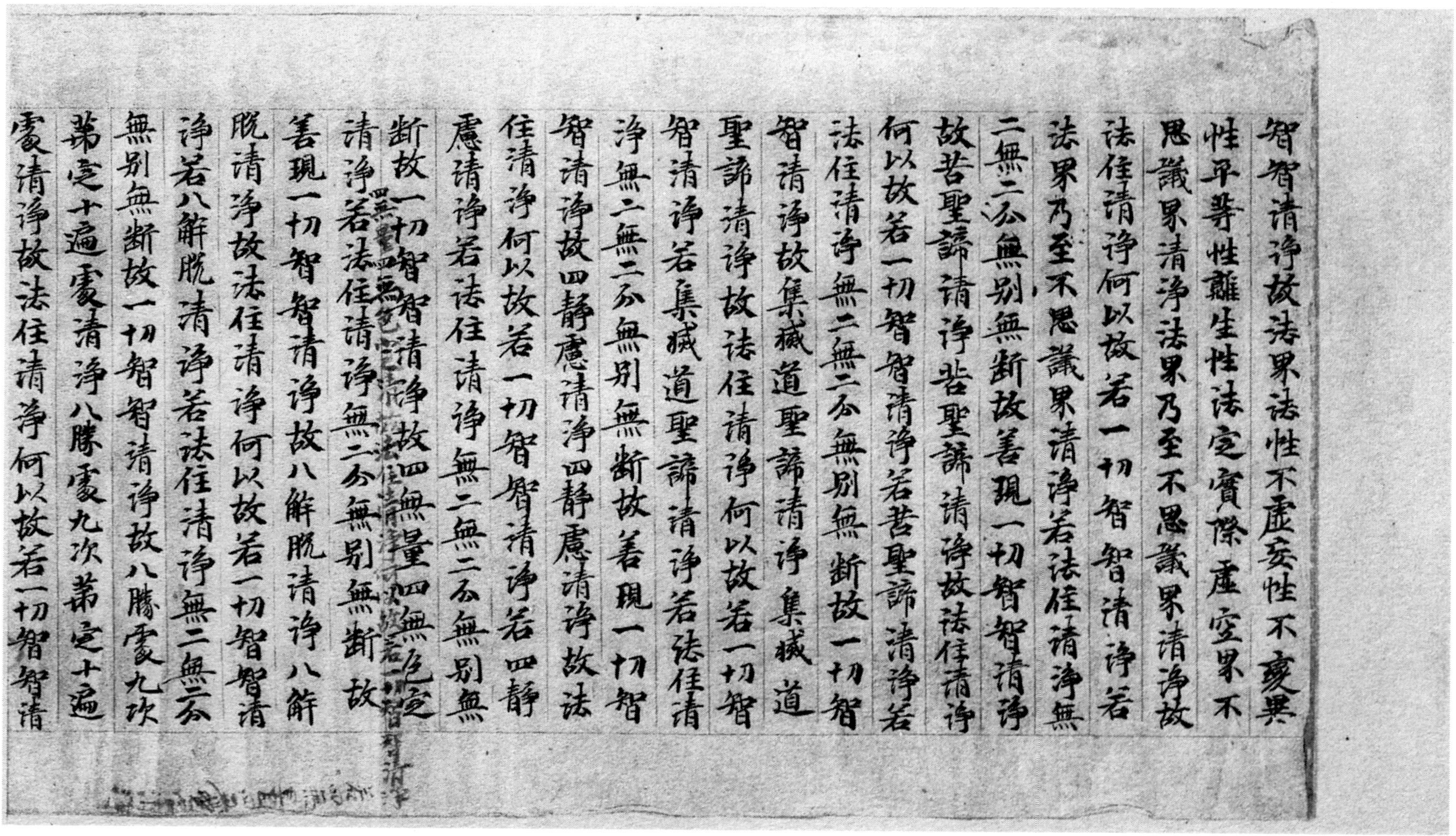

智智清淨故法界法性不虛妄性不變異
性平等性離生性法定實際虛空界不
思議界清淨法界乃至不思議界清淨故
法住清淨何以故若一切智智清淨若
法界乃至不思議界清淨若法住清淨無
二無二分無別無斷故善現一切智智清淨
故苦聖諦清淨苦聖諦清淨故法住清淨
何以故若一切智智清淨若苦聖諦清淨若
法住清淨無二無二分無別無斷故一切智
智清淨故集滅道聖諦清淨集滅道
聖諦清淨故法住清淨何以故若一切智
智清淨若集滅道聖諦清淨若法住清
淨無二無二分無別無斷故善現一切智
智清淨故四靜慮清淨四靜慮清淨故法
住清淨何以故若一切智智清淨若四靜
慮清淨若法住清淨無二無二分無別無
斷故一切智智清淨故四無量四無色定
清淨若法住清淨無二分無別無斷故
善現一切智智清淨故八解脫清淨八解
脫清淨故法住清淨何以故若一切智智清
淨若八解脫清淨若法住清淨無二無二分
無別無斷故一切智智清淨故八勝處九次
第定十遍處清淨八勝處九次第定十遍
處清淨故法住清淨何以故若一切智智清

BD01723 號　大般若波羅蜜多經卷二六一　（2–1）

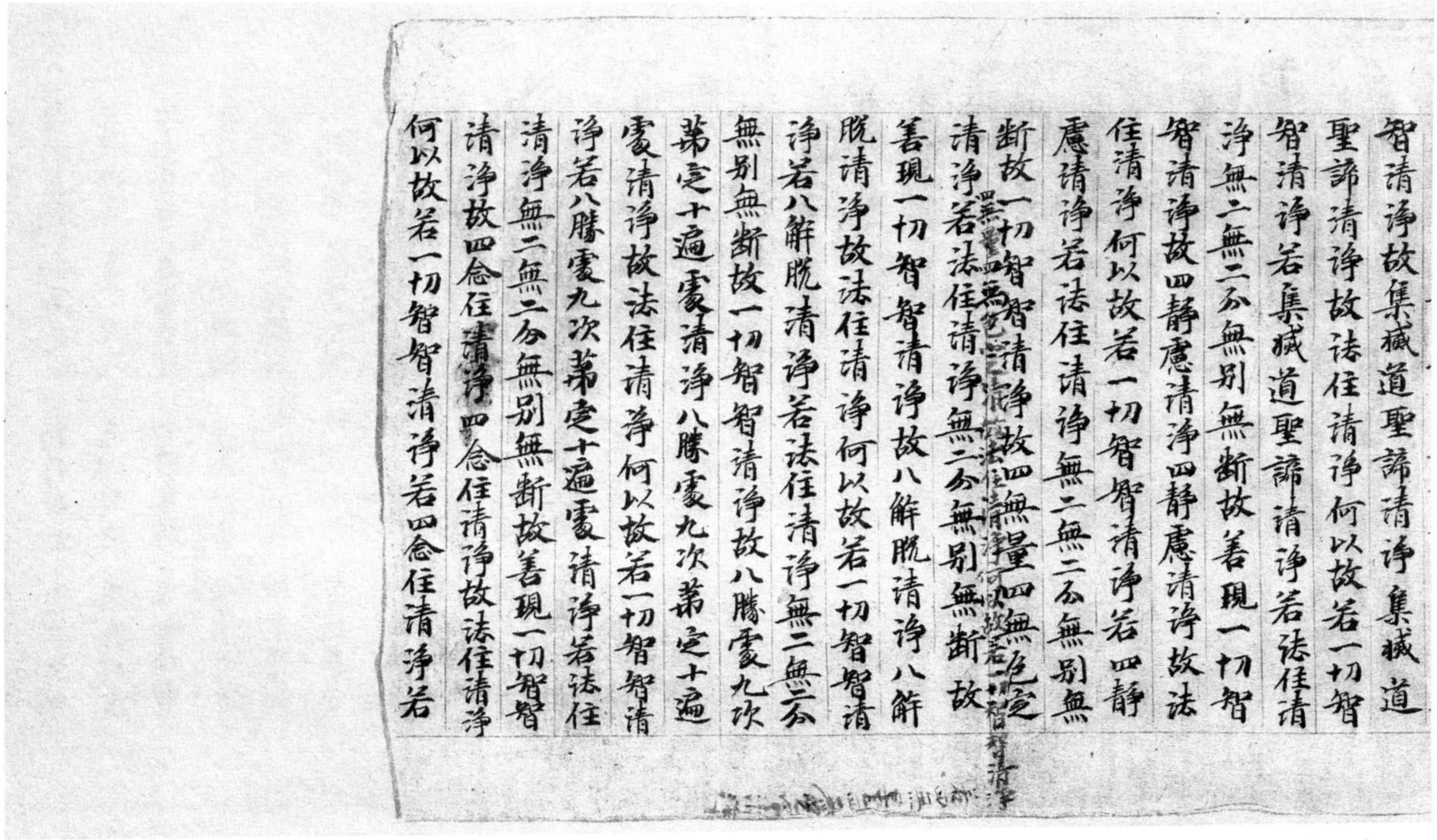

智清淨故集滅道聖諦清淨集滅道
聖諦清淨故法住清淨何以故若一切智
智清淨若集滅道聖諦清淨若法住清
淨無二無二分無別無斷故善現一切智
智清淨故四靜慮清淨四靜慮清淨故法
住清淨何以故若一切智智清淨若四靜
慮清淨若法住清淨無二無二分無別無
斷故一切智智清淨故四無量四無色定
清淨若法住清淨無二分無別無斷故
善現一切智智清淨故八解脫清淨八解
脫清淨故法住清淨何以故若一切智智清
淨若八解脫清淨若法住清淨無二無二分
無別無斷故一切智智清淨故八勝處九次
第定十遍處清淨八勝處九次第定十遍
處清淨故法住清淨何以故若一切智智清
淨若八勝處九次第定十遍處清淨若法住
清淨無二無二分無別無斷故善現一切智智
清淨故四念住清淨四念住清淨故法住清淨
何以故若一切智智清淨若四念住清淨若

BD01723 號　大般若波羅蜜多經卷二六一　　（2–2）

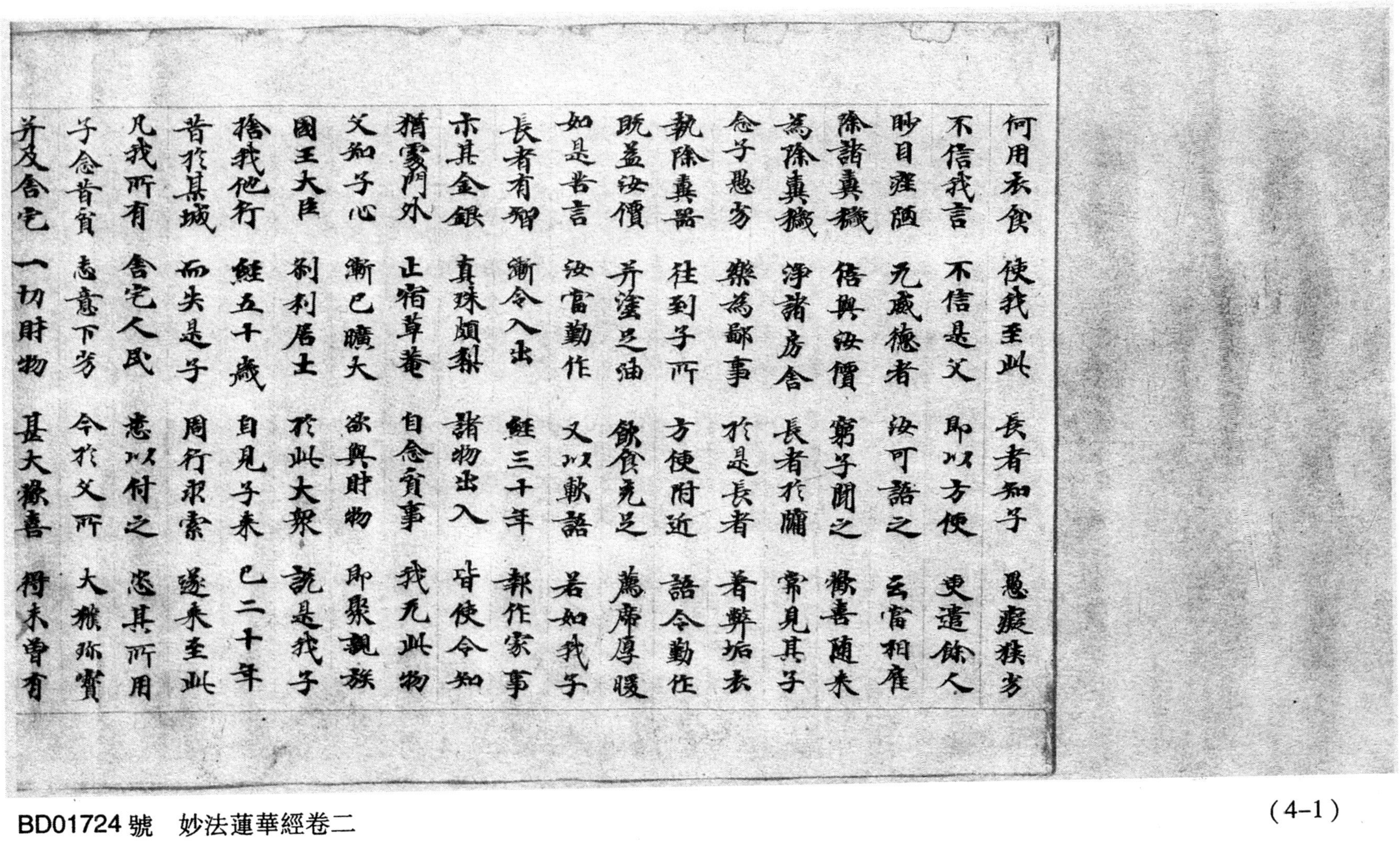

何用衣食　使我至此　長者知子　愚癡狹劣
不信我言　不信是父　即以方便　更遣餘人
眇目矬陋　无威德者　汝可語之　云當相雇
除諸糞穢　倍與汝價　窮子聞之　歡喜隨來
為除糞穢　淨諸房舍　長者於牖　常見其子
念子愚劣　樂為鄙事　於是長者　著弊垢衣
執除糞器　往到子所　方便附近　語令勤作
既益汝價　并塗足油　飲食充足　薦席厚煖
如是苦言　汝當勤作　又以軟語　若如我子
長者有智　漸令入出　經二十年　執作家事
示其金銀　真珠頗梨　諸物出入　皆使令知
猶處門外　止宿草庵　自念貧事　我无此物
父知子心　漸已曠大　欲與財物　即聚親族
國王大臣　剎利居士　於此大眾　說是我子
捨我他行　經五十歲　自見子來　已二十年
昔於某城　而失是子　周行求索　遂來至此
凡我所有　舍宅人民　悉以付之　恣其所用
子念昔貧　志意下劣　今於父所　大獲珍寶
并及舍宅　一切財物　甚大歡喜　得未曾有

BD01724 號　妙法蓮華經卷二　　（4–1）

昔於其城 而失是子 周行求索 遂來至此
凡我所有 舍宅人民 悉以付之 恣其所用
子念昔貧 志意下劣 今於父所 大獲珍寶
并及舍宅 一切財物 甚大歡喜 得未曾有
佛亦如是 知我樂小 未曾說言 汝等作佛
而說我等 得諸无漏 成就小乘 聲聞弟子
佛勅我等 說最上道 脩習此者 當得成佛
我承佛教 為大菩薩 以諸因緣 種種譬喻
若干言辭 說无上道 諸佛子等 從我聞法
日夜思惟 精勤脩習 是時諸佛 即授其記
汝於來世 當得作佛 一切諸佛 祕藏之法
但為菩薩 演其實事 而不為我 說斯真要
如彼窮子 得近其父 雖知諸物 心不悕取
我等雖說 佛法寶藏 自无志願 亦復如是
我等內滅 自謂為足 唯了此事 更无餘事
我等若聞 淨佛國土 教化眾生 都无欣樂
所以者何 一切諸法 皆悉空寂 无生无滅
无大无小 无漏无為 如是思惟 不生喜樂
我等長夜 於佛智慧 无貪无著 无復志願
而自於法 謂是究竟 我等長夜 脩習空法
得脫三界 苦惱之患 住最後身 有餘涅槃
佛所教化 得道不虛 則為已得 報佛之恩
我等雖為 諸佛子等 說菩薩法 以求佛道
而於是法 永无願樂 導師見捨 觀我心故
初不勸進 說有實利 如富長者 知子志劣

BD01724號　妙法蓮華經卷二　（4–2）

佛所教化 得道不虛 則為已得 報佛之恩
我等雖為 諸佛子等 說菩薩法 以求佛道
而於是法 永无願樂 導師見捨 觀我心故
初不勸進 說有實利 如富長者 知子志劣
以方便力 柔伏其心 然後乃付 一切財物
佛亦如是 現希有事 知樂小者 以方便力
調伏其心 乃教大智 我等今日 得未曾有
非先所望 而今自得 如彼窮子 得无量寶
世尊我今 得道得果 於无漏法 得清淨眼
我等長夜 持佛淨戒 始於今日 得其果報
法王法中 久脩梵行 今得无漏 无上大果
我等今者 真是聲聞 以佛道聲 令一切聞
我等今者 真阿羅漢 於諸世間 天人魔梵
普於其中 應受供養 世尊大恩 以希有事
憐愍教化 利益我等 无量億劫 誰能報者
手足供給 頭頂禮敬 一切供養 皆不能報
若以頂戴 兩肩荷負 於恒沙劫 盡心恭敬
又以美膳 无量寶衣 及諸卧具 種種湯藥
牛頭栴檀 及諸珍寶 以起塔廟 寶衣布地
如斯等事 以用供養 於恒沙劫 亦不能報
諸佛希有 无量无邊 不可思議 大神通力
无漏无為 諸法之王 能為下劣 忍于斯事
取相凡夫 隨宜為說 諸佛於法 得最自在
知諸眾生 種種欲樂 及其志力 隨所堪任

BD01724號　妙法蓮華經卷二　（4–3）

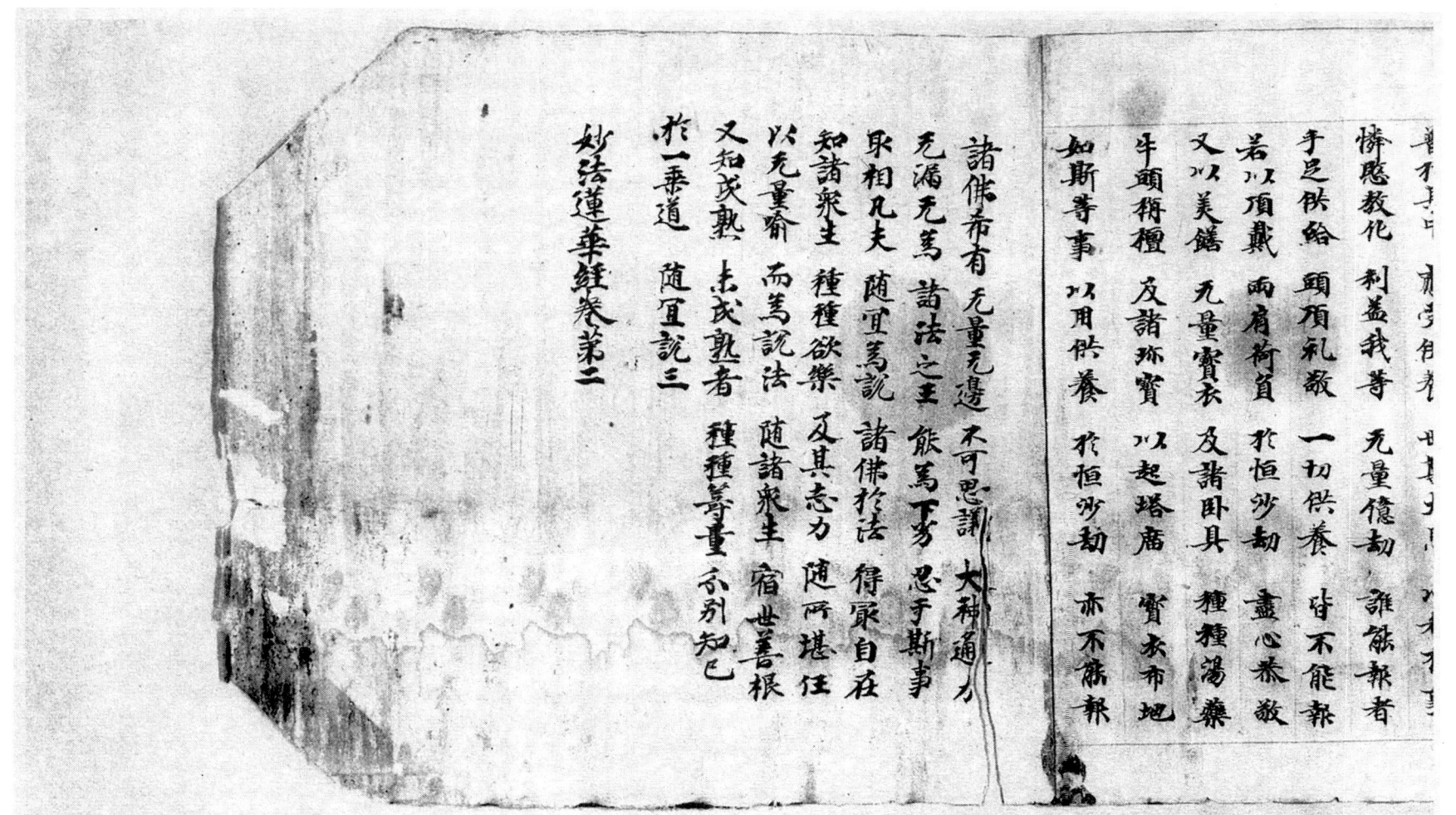

憐愍教化　利益我等　无量億劫　誰能報者
手足供給　頭頂禮敬　一切供養　皆不能報
若以頂戴　兩肩荷負　於恒沙劫　盡心恭敬
又以美饍　无量寶衣　及諸臥具　種種湯藥
牛頭栴檀　及諸珍寶　以起塔廟　寶衣布地
如斯等事　以用供養　於恒沙劫　亦不能報
諸佛希有　无量无邊　不可思議　大神通力
无漏无爲　諸法之王　能爲下劣　忍于斯事
取相凡夫　隨宜爲說　諸佛於法　得最自在
知諸衆生　種種欲樂　及其志力　隨所堪任
以无量喻　而爲說法　隨諸衆生　宿世善根
又知成熟　未成熟者　種種籌量　分別知已
於一乘道　隨宜說三
妙法蓮華經卷第二

BD01724號　妙法蓮華經卷二　（4–4）

德有執事人不須衣比丘應語言有若僧伽藍民若優婆塞是比丘執事
常為諸比丘執事時彼使往至執事人所与衣價已還至比丘所作如是言
大德所示執事人我已与衣價大德知時往彼當得衣須衣比丘當往執
事人所若二反三反為作憶念（憶念謂若執事人若在家若在市若在作處應至彼處二反三反語言我今須衣我為作如是）應語言
我須衣若二反三反為作憶念若得衣者善若不得衣應四反五反六
反在前默然立（彼執事人若在家在市作處到彼前默然立執事人問言汝何緣在此立比丘報言汝自知之若彼人言我不知若有餘人知者比丘當語言彼人知之）
（是名默然）若四反五反六反在前默然住得衣者善若作一反語彼二反默然乃（至作三反語彼五反默然）若不
得衣過是求得衣者尼薩耆波逸提（比丘尼同僧犯）若不得衣從所得衣價處
自往若遣使往語言汝先遣使持衣價与某甲比丘是比丘竟不得
衣汝還取莫使失此是時（不犯者若遣使告知若彼言我不須即相布施是比丘應以軟語方便索衣若為作波利迦羅故与以時索軟語索方便索得）
十一乞綿作卧具戒（佛在曠野國界六群比丘索成綿未成綿至養蠶家索作新雜野蠶綿卧具待看暴曬作聲諸居士見譏嫌言害衆生命无有慈心諸比丘）
舉過白佛因制戒 若比丘雜（若毳若劫貝若拘遮羅餘縷雜者）野蠶綿作新卧具者尼薩耆（若卧具若細）
塗壁也 波逸提（若自作教他作成者捨墮不成者突吉羅為他作一切突吉羅不犯者若得已成者斧斬和泥塗壁）十二黑毛卧具戒（佛在毗舍離）
諸梨車子多行邪婬作黑毛毳敷卧衣行使人不見六群比丘見便效作之梨車譏嫌諸比丘呵責舉過白佛因制戒 若比丘以新純黑（若生黑若染黑）羺
羊毛作新卧具者尼薩耆波逸提（自作教他犯如前戒比丘尼突吉羅不犯者若得已成者若割截壞若細薄疊作雨衣長以作褥若作方小）
坐具若作卧氈若作襯鉢氈若作剃刀囊若作襪若作攝熱巾若作裹革屣巾一切不犯 十三白毛卧具戒（佛在舍衛國六群比丘以純白毛作新卧具諸居士譏嫌如王大臣諸比丘呵）
責白佛因制戒 若比丘作新卧具應用二分純黑羊毛三分白（白者生白或染白）四分尨（尨者頭上毛若耳上毛若脚）
毛若餘尨色毛敷作卅鉢羅羊毛卧具者廿鉢羅黑十鉢羅白十鉢羅尨乃至卅鉢羅卧具准上可知 若比丘不用二分黑三分白四分尨
作新卧具者尼薩耆波逸提（若作教他為他作並同上比丘尼突吉羅不犯者若應量作若得已成者餘同前）十四減六年
卧具戒（佛在舍衛國時六群比丘嫌卧具或重或輕或薄或厚不捨故更作新者常營求乞覓藏積衆多諸比丘舉過白佛因制戒）若比丘作新卧具持
至滿六年若減六年不捨故而便作新者（若自作教他為他並同前戒）除僧羯磨（若比丘）
（得乾痟病有糞掃卧具重不堪持行故言除僧當白二羯磨）尼薩耆波逸提（尼犯吉羅不犯者僧聽及滿六年減六年捨更作新若得已成若无他）十五不

作新卧具者尼薩耆波逸提　十四減六年

卧具戒　若比丘作新卧具持

至滿六年若減六年不捨故而更作新者　除僧羯磨尼

薩耆波逸提　十五

坐具戒　若比丘作新坐具當取故者縱廣一磔手帖著新者上為壞色故　若作新坐具不取故者縱廣一磔

手帖著新者上用壞色故尼薩耆波逸提

十六持羊毛過限戒

若比丘道路行得羊毛若無人持得自持乃至三由旬

若無人持自持過三由旬者尼薩耆波逸提

十七使非親尼浣羊毛戒　若比丘使非親里比丘尼浣染擘羊毛者尼薩耆

波逸提　十八畜錢寶戒　若比丘自手捉錢若金銀

若教人捉若置地受者尼薩耆波逸提　十九貿錢

寶戒　波逸提　若比丘種種賣買寶物者尼薩耆波逸提

廿販賣戒　若比丘種種販賣者尼薩耆波逸提

二十一畜長鉢過限戒　若比丘畜長鉢

不淨施　得畜齊十日

BD01725號　四分律比丘含注戒本　（3–2）

販賣者 尼薩耆波逸提

二十一畜鉢過日戒

若比丘畜長鉢 不淨施 得畜十日 過者尼薩耆波逸提

廿二乞鉢戒

若比丘畜鉢減五綴不漏 更求新鉢為好故 尼薩耆波逸提 是比丘應往僧中捨 展轉取最下鉢與之 令持乃至破 應持 此是時

廿三乞縷使非親織

若比丘自乞縷 使非親里織師織作衣者 尼薩耆

廿四勸織師增縷戒

若比丘居士婦使織師為比丘織作衣 彼比丘先不受自恣請 便往織師所語言 此衣為我作 與我極好織 令廣大堅緻 我當少多與汝價 是比丘與衣價乃至一食直 若得衣者 尼薩耆波逸提

廿五奪衣戒

若比丘先與比丘衣 後瞋恚故 若自奪若教人奪 取還衣 彼衣來不與我 若比丘還衣彼取衣者 尼薩耆波逸提

廿六畜七日藥過限戒

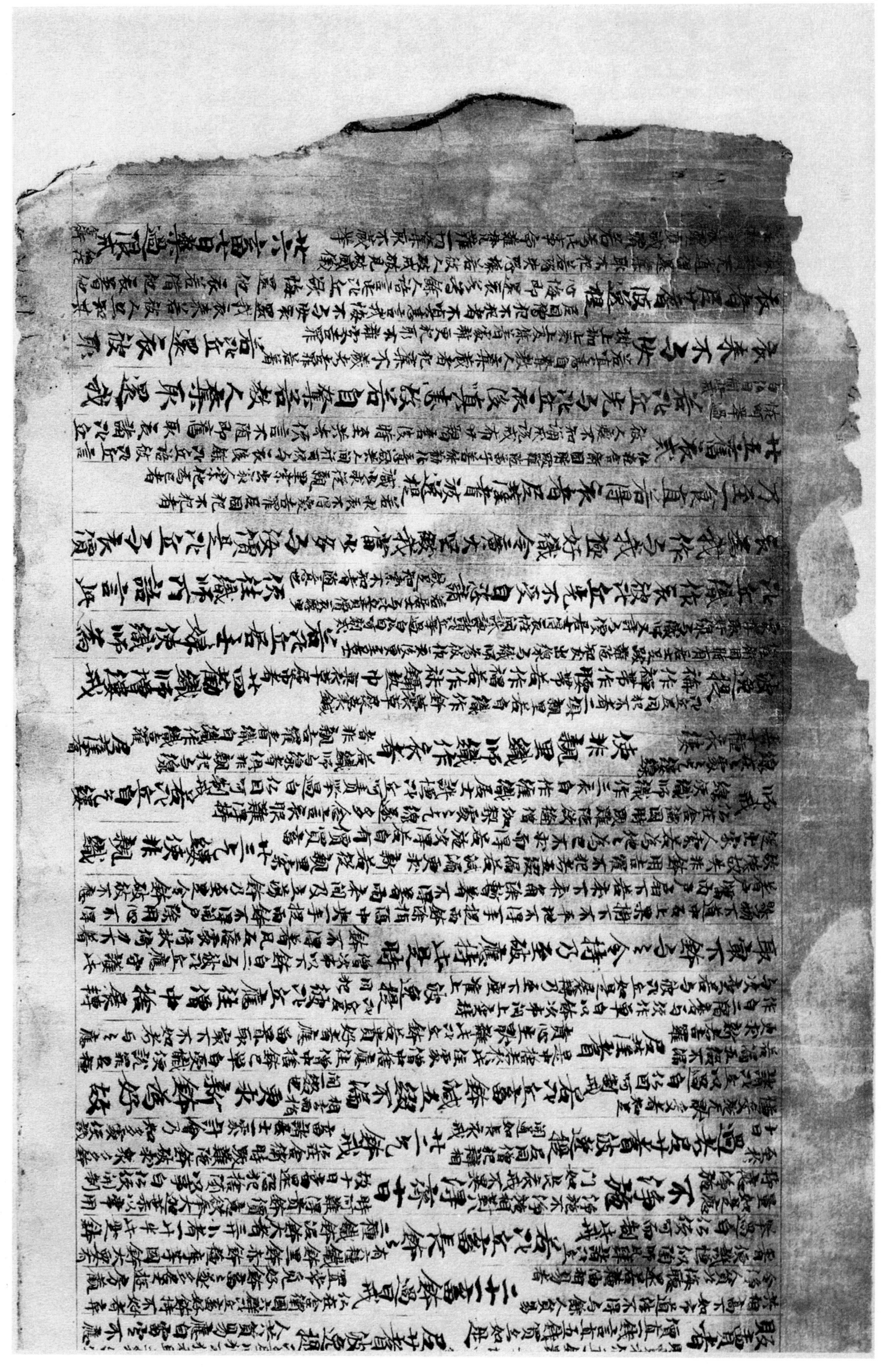

南无憂鉢羅世界名智憂鉢勝如来彼如来
授名无境界行菩薩阿耨多羅三藐三菩
提記
南无寶上世界名寶作如来彼如来授名
法作菩薩阿耨多羅三藐三菩提記
南无月世界名无量願如来彼如来授名散
華菩薩阿耨多羅三藐三菩提記
南无善住世界名寶聚如来彼如来授名
藥王菩薩阿耨多羅三藐三菩提記
南无香光明世界名莎羅自在王如来彼如
来授名勝惠菩薩阿耨多羅三藐三菩提記
南无華首世界名寶光明如来彼如来授名
日德菩薩阿耨多羅三藐三菩提記
南无普山世界名寶山如来彼如来授名火
德菩薩阿耨多羅三藐三菩提記
南无憂蓋入世界名上首如来彼如来授名
上莊嚴菩薩阿耨多羅三藐三菩提記
南无无憂世界名發无邊功德如来彼如来

BD01726號　佛名經（十二卷本）卷二　　（3–1）

日德菩薩阿耨多羅三藐三菩提記
南无普山世界名寶山如来彼如来授名火
德菩薩阿耨多羅三藐三菩提記
南无憂蓋入世界名上首如来彼如来授名
上莊嚴菩薩阿耨多羅三藐三菩提記
南无无憂世界名發无邊功德如来彼如来
授名不發觀菩薩阿耨多羅三藐三菩提記
南无一切功德住世界名善上首如来彼如来
授名普至菩薩阿耨多羅三藐三菩提記
南无寶光明世界名須弥光明如来彼如来
授名善住菩薩阿耨多羅三藐三菩提記
南无一切功德住世界名无量境界如来彼
如来授名藥王菩薩阿耨多羅三藐三菩
提記
南无莊嚴菩提世界名高妙去如来彼如来
授名思益勝慧菩薩阿耨多羅三藐三菩
提記
南无无垢世界名寶華成就功德如来彼如
来授名得勝慧菩薩阿耨多羅三藐三菩
提記
南无雲世界名奮迅如来彼如来授名自在
觀菩薩阿耨多羅三藐三菩提記
南无華網覆世界名一切發衆生信發

BD01726號　佛名經（十二卷本）卷二　　（3–2）

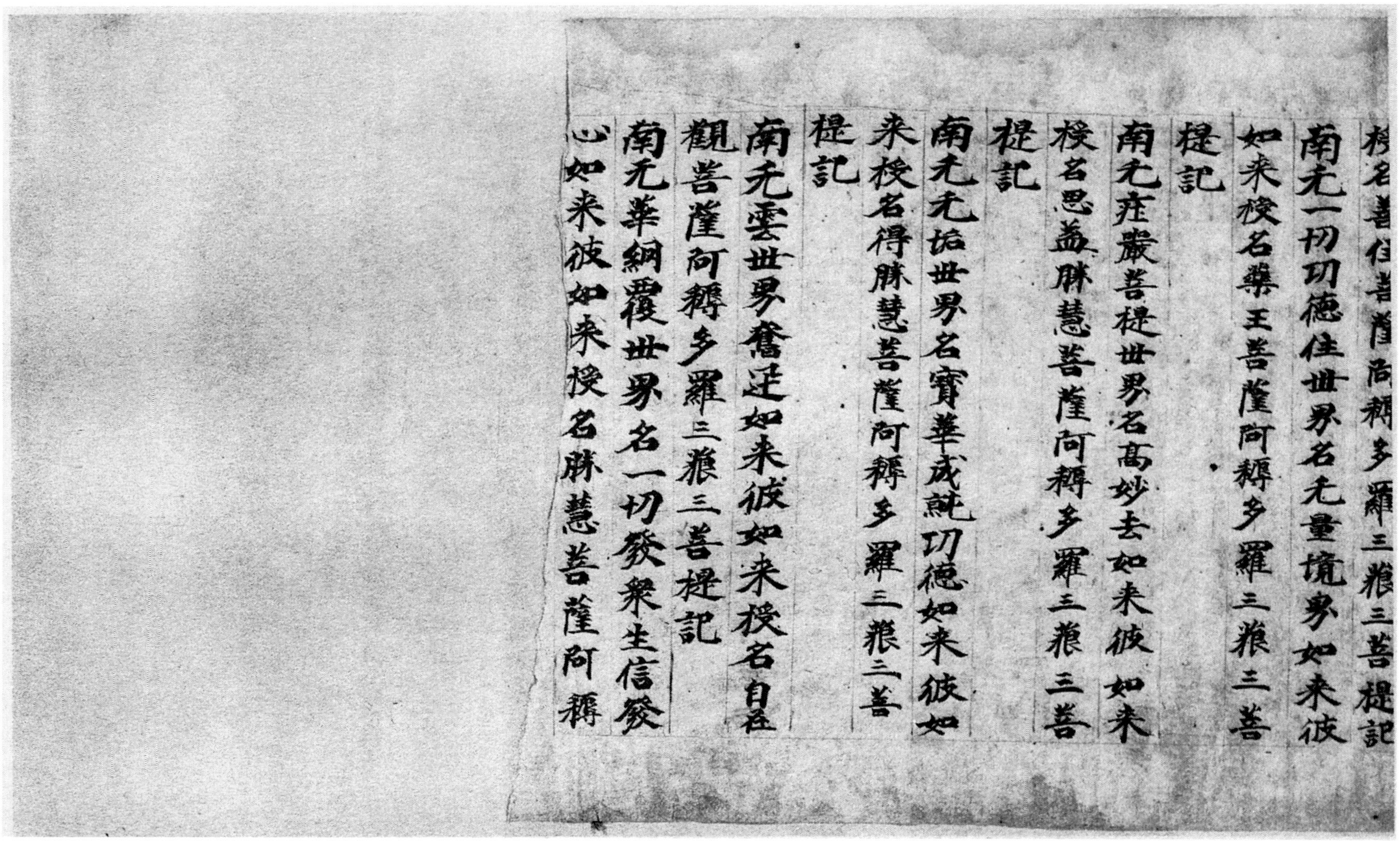

授名普住菩薩阿耨多羅三藐三菩提記
南无一切功德住世界名无量境界如来彼
如来授名藥王菩薩阿耨多羅三藐三菩
提記
南无莊嚴菩提世界名高妙去如来彼如来
授名思益勝慧菩薩阿耨多羅三藐三菩
提記
南无无垢世界名寶華成就功德如来彼如
来授名得勝慧菩薩阿耨多羅三藐三菩
提記
南无雲世界奮迅如来彼如来授名自在
觀菩薩阿耨多羅三藐三菩提記
南无華網霞世界名一切發衆生信發
心如来彼如来授名勝慧菩薩阿耨

BD01726號　佛名經（十二卷本）卷二　（3–3）

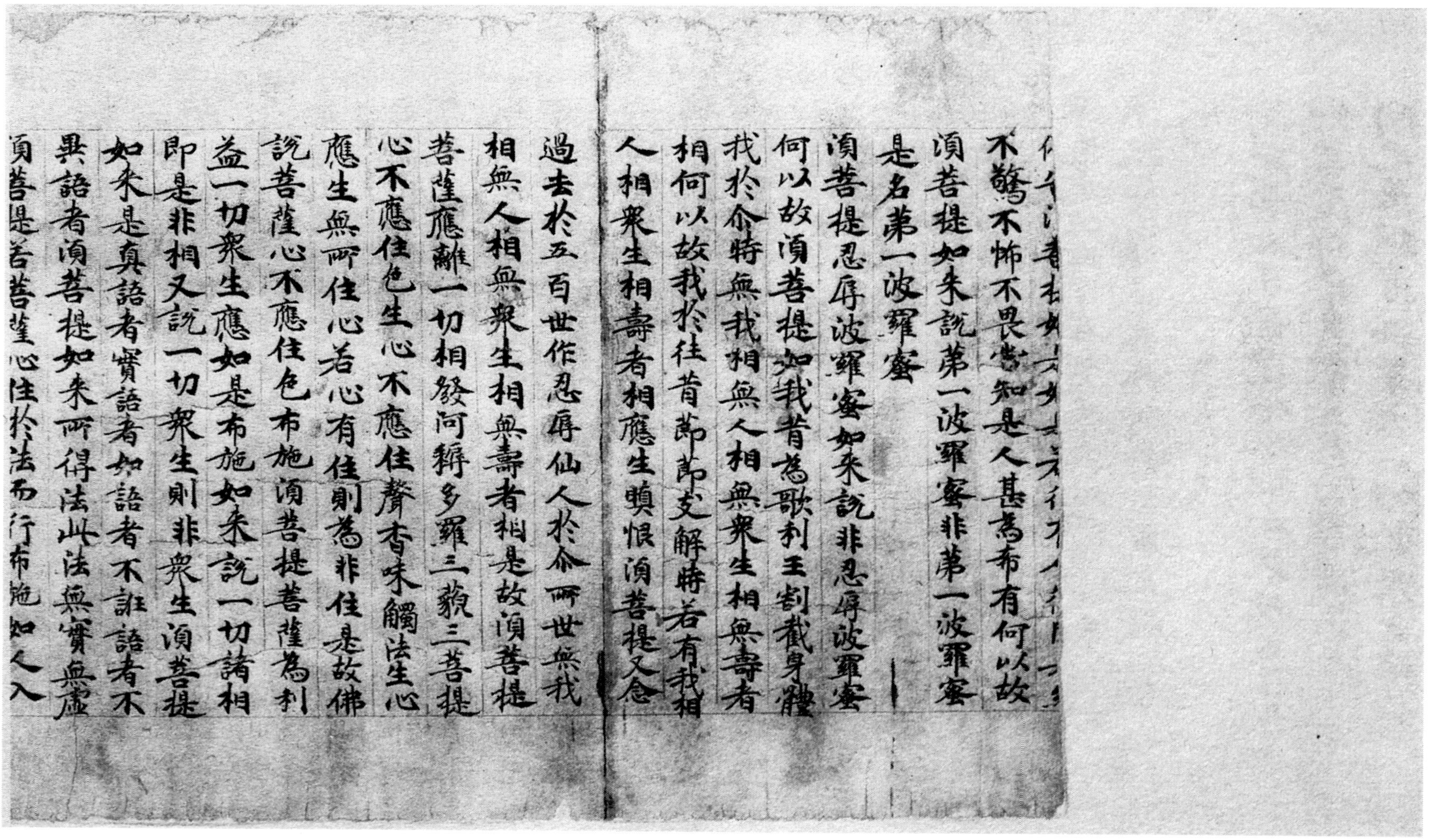

[illegible]
不驚不怖不畏當知是人甚為希有何以故
須菩提如来說第一波羅蜜非第一波羅蜜
是名第一波羅蜜
須菩提忍辱波羅蜜如来說非忍辱波羅蜜
何以故須菩提如我昔為歌利王割截身體
我於尒時無我相無人相無衆生相無壽者
相何以故我於往昔節節支解時若有我相
人相衆生相壽者相應生瞋恨須菩提又念
過去於五百世作忍辱仙人於尒所世無我
相無人相無衆生相無壽者相是故須菩提
菩薩應離一切相發阿耨多羅三藐三菩提
心不應住色生心不應住聲香味觸法生心
應生無所住心若心有住則為非住是故佛
說菩薩心不應住色布施須菩提菩薩為利
益一切衆生應如是布施如来說一切諸相
即是非相又說一切衆生則非衆生須菩提
如来是真語者實語者如語者不誑語者不
異語者須菩提如来所得法此法無實無虛
須菩提若菩薩心住於法而行布施如人入

BD01727號　金剛般若波羅蜜經　（2–1）

[illegible]
即是非相又說一切眾生則非眾生須菩提
如來是真語者實語者如語者不誑語者不
異語者須菩提如來所得法此法無實無虛
須菩提若菩薩心住於法而行布施如人入
闇則無所見若菩薩心不住法而行布施如
人有目日光明照見種種色須菩提當來之
世若有善男子善女人能於此經受持讀誦
則為如來以佛智慧悉知是人悉見是人皆
得成就無量無邊功德
須菩提若有善男子善女人初日分
沙等身布施中日分復以恒河沙等
後日分亦以恒河沙等身布施如是
千萬億劫以身布施若復有人聞此
心不逆其福勝彼何況書寫受持讀
解說須菩提以要言之是經有不可思
可稱量無邊功德如來為發大乘者說為
發最上乘者說若有人能受持讀誦廣為人說
如來悉知是人悉見是人皆成就不可量不
可稱無有邊不可思議功德如是人等則為
羅三藐三菩提何以故須
見人見眾生見壽者
誦為人解說

BD01727 號　金剛般若波羅蜜經　（2–2）

我乃至見者無所有故當知無明乃至老死
展轉亦無所有無明乃至老死無所有故當
知虛空亦無所有虛空無所有故當知大乘
亦無所有大乘無所有故當知無量無數無
邊展轉亦無所有無量無數無邊無所有故
當知一切法亦無所有由如是義故說大乘
譬如虛空普能容受無量無數無邊有情何
以故若我乃至見者若無明乃至老死若虛
空若大乘若無量無數無邊若一切法如是
一切皆無所有不可得故復次善現我乃至
見者無所有故當知布施波羅蜜多乃至般
若波羅蜜多展轉亦無所有布施波羅蜜多
乃至般若波羅蜜多無所有故當知虛空亦
無所有虛空無所有故當知大乘亦無所有
大乘無所有故當知無量無數無邊展轉亦
無所有無量無數無邊無所有故當知一切
法亦無所有由如是義故說大乘譬如虛空
普能容受無量無數無邊有情何以故若我
乃至見者若布施波羅蜜多乃至般若波羅
蜜多若虛空若大乘若無量無數無邊若一

BD01728 號　大般若波羅蜜多經卷四九四　（2–1）

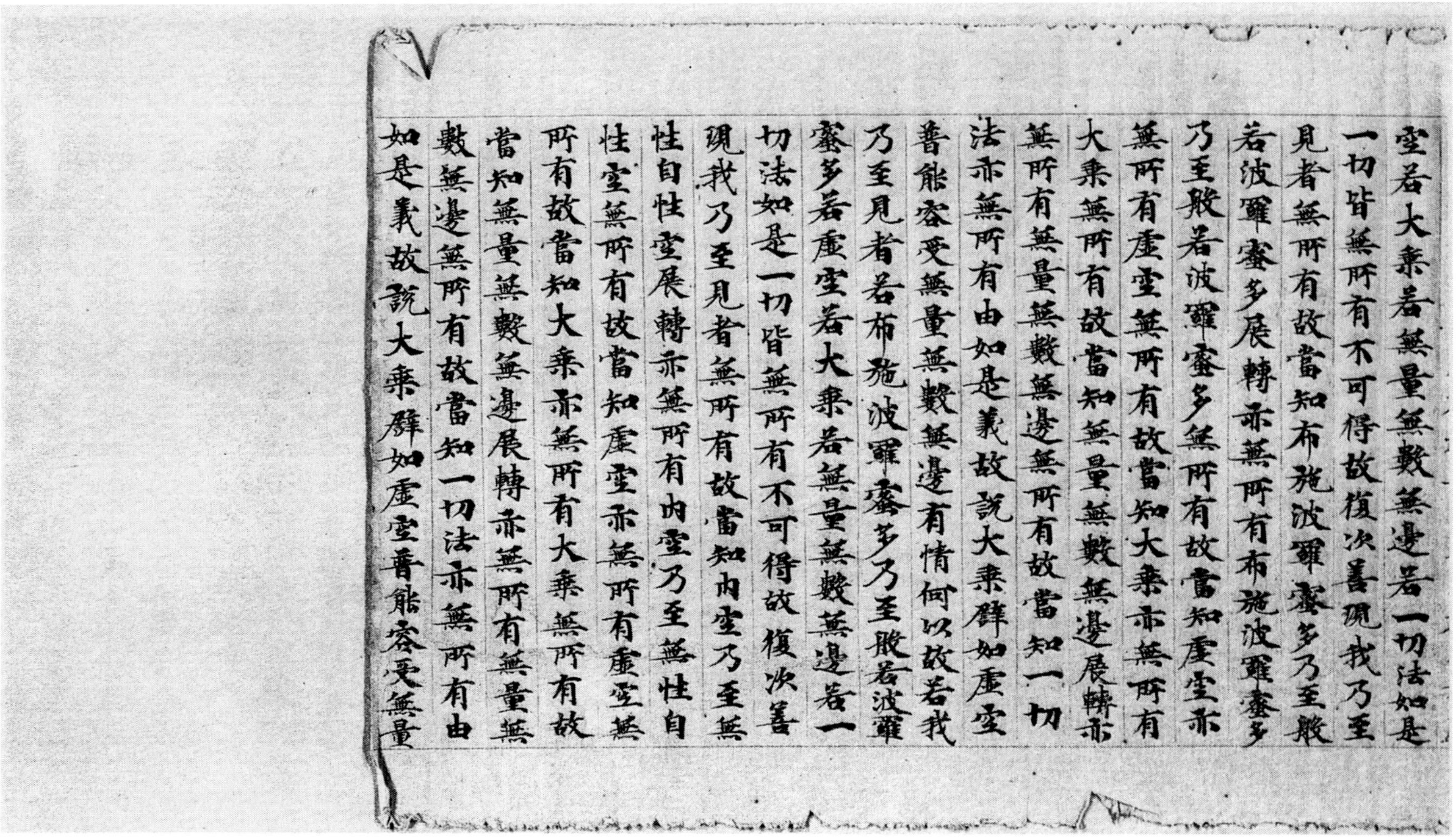

空若大乘若無量無數無邊若一切法如是
一切皆無所有不可得故復次善現我乃至
見者無所有故當知布施波羅蜜多乃至般
若波羅蜜多展轉亦無所有布施波羅蜜多
乃至般若波羅蜜多無所有故當知虛空亦
無所有虛空無所有故當知大乘亦無所有
大乘無所有故當知無量無數無邊展轉亦
無所有無量無數無邊無所有故當知一切
法亦無所有由如是義故說大乘譬如虛空
普能容受無量無數無邊有情何以故若我
乃至見者若布施波羅蜜多乃至般若波羅
蜜多若虛空若大乘若無量無數無邊若一
切法如是一切皆無所有不可得故復次善
現我乃至見者無所有故當知內空乃至無
性自性空展轉亦無所有內空乃至無性自
性空無所有故當知虛空亦無所有虛空無
所有故當知大乘亦無所有大乘無所有故
當知無量無數無邊展轉亦無所有無量無
數無邊無所有故當知一切法亦無所有由
如是義故說大乘譬如虛空普能容受無量

BD01728 號　大般若波羅蜜多經卷四九四　（2–2）

BD01728 號背　勘記　（1–1）

[illegible]
是菩薩行而[illegible]
永滅度是菩薩行非凡夫行非賢聖行是菩
薩行非垢行非淨行是菩薩行雖過魔行而
現降衆魔是菩薩行求一切智无非時求是
菩薩行雖觀諸法不生而不入正位是菩薩
行雖觀十二緣起而入諸耶見是菩薩行雖
攝一切衆生而不愛著是菩薩行雖樂遠離
而不依身心盡是菩薩行雖行三界而不壞
法性是菩薩行雖行於空而殖衆德本是菩
薩行雖行无相而度衆生是菩薩行雖行无
作而現受身是菩薩行雖行无起而起一切
善行是菩薩行雖行六波羅蜜而遍知衆生
心心數法是菩薩行雖行六通而不盡漏是
菩薩行雖行四无量心而不貪着生於梵世
是菩薩行雖行禪定解脫三昧而不隨禪生
是菩薩行雖行四念處而不永離身受心法
是菩薩行雖行四正勤而不捨身心精進是
菩薩行雖行四如意足而得自在神通是菩
薩行雖行五根而分別衆生諸根利鈍是菩
薩行雖行五力而樂求佛十力是菩薩行雖
行七覺分而分別佛之智慧是菩薩行雖行

BD01729 號　維摩詰所說經卷中　（4–1）

是菩薩行雖行四正勤而不捨身心精進是
菩薩行雖行四如意足而得自在神通是菩
薩行雖行五根而分別衆生諸根利鈍是菩
薩行雖行五力而樂求佛十力是菩薩行雖
行七覺分而分別佛之智慧是菩薩行雖行
八正道而樂行无量佛法是菩薩行雖行止
觀助道之法而不畢竟墮於寂滅是菩薩行
雖行諸法不生不滅而以相好莊嚴其身是
菩薩行雖現聲聞辟支佛威儀而不捨佛法
是菩薩行雖隨諸法究竟淨相而隨所應爲
現其身是菩薩行雖觀諸佛國土永寂如空
而現種種清淨佛土是菩薩行雖得佛道轉
于法輪入於涅槃而不捨於菩薩之道是菩
薩行說是語時文殊師利所將大衆其中八
千天子皆發阿耨多羅三藐三菩提心
不思議品第六
尒時舍利弗見此室中无有牀座作是念斯
諸菩薩大弟子衆當於何坐長者維摩詰知
其意語舍利弗言云何仁者爲法來耶求牀
座耶舍利弗言我爲法來非爲牀座維摩詰
言唯舍利弗夫求法者不貪軀命何況牀座
夫求法者非有色受想行識之求非有界入
之求非有欲色无色之求唯舍利弗夫求法
者不著佛求不著法求不著衆求夫求法者
无見苦求无斷集求无造盡證脩道之求所
以者何法无戲論若言我當見苦斷集證滅
脩道是則戲論非求法也唯舍利弗法名寂

BD01729 號　維摩詰所說經卷中　（4–2）

之求非有欲色无色之求唯舍利弗夫求法
者不著佛求不著法求不著衆求夫求法者
无見苦求无斷集求无造盡證脩道之求所
以者何法无戲論若言我當見苦斷集證滅
脩道是則戲論非求法也唯舍利弗法名寂
滅若行生滅是求生滅非求法也法名无染
若染於法乃至涅槃是則染著非求法也法
无行處若行於法是則行處非求法也法无
取捨若取捨法是則取捨非求法也法无處
所若著處所是則著處非求法也法名无相
若隨相識是則求相非求法也法不可住若
住於法是則住法非求法也法不可見聞覺
知若行見聞覺知是則見聞覺知非求法也
法名无為若行有為是求有為非求法也是
故舍利弗若求法者於一切法應无所求　說
是語時五百天子於諸法中得法眼淨
尒時長者維摩詰問文殊師利仁者遊於无
量千万億阿僧祇國何等佛土有好上妙功
德成就師子之座文殊師利言居士東方度
卅六恒河沙國有世界名須弥相其佛號須
弥燈王今現在彼佛身長八万四千由旬其
師子座高八万四千由旬嚴飾第一於是長
者維摩詰現神通力即時彼佛遣三万二千
師子座高廣嚴淨來入維摩詰室諸菩薩大
弟子釋梵四天王等昔所未見其室廣博悉
苞容三万二千師子座无所妨礙於毗耶離
城及閻浮提四天下亦不迫迮悉見如故尒

BD01729 號　維摩詰所說經卷中

（4–3）

師子座高八万四千由旬嚴飾第一於是長
者維摩詰現神通力即時彼佛遣三万二千
師子座高廣嚴淨來入維摩詰室諸菩薩大
弟子釋梵四天王等昔所未見其室廣博悉
苞容三万二千師子座无所妨礙於毗耶離
城及閻浮提四天下亦不迫迮悉見如故尒
時維摩詰語文殊師利就師子座與諸菩薩
上人俱坐當自立身如彼坐像其得神通菩
薩即自變身為四万二千由旬坐師子座諸
新發意菩薩及大弟子皆不能昇尒時維摩
詰語舍利弗就師子座舍利弗言居士此座
高廣吾不能昇維摩詰言唯舍利弗為須弥
燈王如來作礼乃可得坐於是新發意菩薩
及大弟子即為須弥燈王如來作礼便得坐
師子座舍利弗言居士未曾有也如是小室
乃容受此高廣之座於毗耶離城无所妨礙
又於閻浮提聚落城邑及四天下諸天龍王
鬼神宮殿亦不迫迮維摩詰言唯舍利弗諸
佛菩薩有解脫名不可思議若菩薩住是解
脫者以須弥之高廣内芥子中无所增減須
弥山王本相如故而四天王忉利諸天不覺
不知己之所入唯應度者乃見須弥入芥子
中是名不可思議解脫法門又以四大海水
入一毛孔不嬈魚鱉黿鼉水性之屬而彼大

BD01729 號　維摩詰所說經卷中

（4–4）

阿叉斋
賒履二十九 阿羅屋三十一 阿盧伽
三十二 毗剃三十三 阿便哆都餓反邏
隸輸地途賣反三十五 漚究隸
羅隸三十九 首迦差初几反四十 阿三磨三
吉利袠帝四十二 達磨波利差猜離反帝四十三 僧伽
涅瞿沙祢四十四 婆舍婆舍輸地四十五 曼哆邏四十六
曼哆邏叉夜多四十七 郵樓夂夂四十八 郵樓哆憍舍略
卌九 惡叉邏五十 惡叉冶五十一 阿盧婆五十二 阿摩
若荏蔗反 那多夜
世尊是陁羅　神呪六十二億恒河沙等諸
佛所說若有侵毀此法師者則為侵毀是諸
佛已時釋迦牟尼佛讚藥王菩薩言善哉
善哉藥王愍念擁護此法師故說是陁羅尼
於諸衆生多所饒益尒時勇施菩薩白佛言

BD01730號　妙法蓮華經卷七　（14–1）

佛所說若有侵毀此法師者則為侵毀是諸
佛已時釋迦牟尼佛讚藥王菩薩言善哉
善哉藥王愍念擁護此法師故說是陁羅尼
於諸衆生多所饒益尒時勇施菩薩白佛言
世尊我亦為擁護讀誦受持法華經者說陁
羅尼若此法師得是陁羅尼若夜叉若羅剎
若富單那若吉蔗若鳩槃荼餓鬼等伺求
其短无能得便即於佛前而說呪曰
痤諸螺反隸一 摩訶痤隸二 郁枳三 目枳四 阿隸五
阿羅婆第六 涅隸第七 涅隸多婆第八 伊
緻猪履反柅九 韋緻柅十 旨緻柅十一 涅隸墀柅十二
涅犁墀婆底十三
世尊是陁羅尼神呪恒河沙等諸佛所說亦
皆隨喜若有侵毀此法師者則為侵毀是諸
佛已尒時毗沙門天王護世者白佛言世尊
我亦為愍念衆生擁護此法師故說是陁羅
尼即說呪曰
阿梨一 那梨二 㝹那梨三 阿那盧四 那履五 拘那履六
世尊以是神呪擁護法師我亦自當擁護持
是經者令百由旬内无諸衰患尒時持國天
王在此會中與千万億那由他乹闥婆衆恭
敬圍繞前詣佛所合掌白佛言世尊我亦以
陁羅尼神呪擁護持法華經者即說呪曰
阿伽祢一 伽祢二 瞿利三 乹陁利四 旃陁利五 摩
蹬耆六 常求利七 浮樓莎八 頞底九
世尊是陁羅尼　二億諸佛所說若

BD01730號　妙法蓮華經卷七　（14–2）

敎圍繞前詣佛所合掌白佛言世尊我亦以
陁羅尼神呪擁護持法華經者即說呪曰
阿伽祢一 伽祢二 瞿利三 乾陁利四 栴陁利五 摩
蹬耆六 常求利七 浮樓莎 頞底九
世尊是陁羅 二億諸佛所說若
有侵毀 毀是諸佛已尒時
有羅剎 毗藍婆三名曲
齒四名華齒五名黑齒六名多髮七名无猒
足八名持瓔珞九名睪帝十名奪一切衆生
精氣是十羅剎女與鬼子母并其子及眷屬
俱詣佛所同聲白佛言世尊我等亦欲擁護
讀誦受持法華經者除其衰患若有伺求法
師短者令不得便即於佛前而說呪曰
伊提履一 伊提泯二 伊提履三 阿提履四 伊提
履五 泥履六 泥履七 泥履八 泥履九 泥履十
樓醯一十 樓醯二十 樓醯三十 樓醯四十 多醯五十 多醯
六十 多醯七十 兜醯八十 㝹醯九十
寧上我頭上莫惱於法師若夜叉若羅剎若
餓鬼若冨單那若吉蔗若毗陁羅若犍䭾若
烏摩勒伽若阿跋摩羅若夜叉吉蔗若人吉
蔗若熱病若一日若二日若三日若四日若至
七日若常熱病若男形若女形若童男形
若童女形乃至夢中亦復莫惱即於佛前
而說偈言
若不順我呪　惱亂說法者　頭破作七分　如阿梨樹枝

BD01730號　妙法蓮華經卷七　（14–3）

蔗若熱病若一日若二日若三日若四日若至
七日若常熱病若男形若女形若童男形
若童女形乃至夢中亦復莫惱即於佛前
而說偈言
若不順我呪　惱亂說法者　頭破作七分　如阿梨樹枝
如煞父母罪　亦如壓油殃　斗秤欺誑人　調達破僧罪
犯此法師者　當獲如是殃
諸羅剎女說此偈已白佛言世尊我等亦當身
自擁護受持讀誦脩行是經者令得安隱離
諸衰患消衆毒藥佛告諸羅剎女善哉善
哉汝等但能擁護受持法華名者福不可量
何況擁護具足受持供養經卷華香瓔珞末
香塗香燒香幡蓋伎樂然種種燈蘓燈油燈
諸香油燈蘓摩那華油燈瞻蔔華油燈婆師
迦華油燈優鉢羅華油燈如是等百千種供
養者睪帝汝等及眷屬應當擁護如是法
師說是陁羅尼品時六万八千人得无生法
忍

妙法蓮華經妙莊嚴王本事品第二十七

尒時佛告諸大衆乃往古世過无量无邊不
可思議阿僧祇劫有佛名雲雷音宿王華智
多陁阿伽度阿羅呵三藐三佛陁國名光明
莊嚴劫名憙見彼佛法中有王名妙莊嚴其
王夫人名曰淨德有二子一名淨藏二名淨眼
是二子有大神力福德智慧久脩菩薩所行
之道所謂檀波羅蜜尸羅波羅蜜羼提波

BD01730號　妙法蓮華經卷七　（14–4）

荘嚴刧名憙見彼佛法中有王名妙荘嚴其
王夫人名曰淨德有二子一名淨藏二名淨眼
是二子有大神力福德智慧久脩菩薩所行
之道所謂檀波羅蜜尸羅波羅蜜羼提波
羅蜜毗梨耶波羅蜜禪波羅蜜般若波羅蜜
方便波羅蜜慈悲喜捨乃至三十七助道法
皆悉明了通達又得菩薩淨三昧日星宿三
昧淨光三昧淨色三昧淨照明三昧長荘嚴
三昧大威德藏三昧於此三昧亦悉通達尒
時彼佛欲引道妙荘嚴王及愍念衆生故說
是法華經時淨藏淨眼二子到其母所合十
指爪掌白言願母往詣雲雷音宿王華智佛
所我等亦當侍從親近供養礼拜所以者何
此佛於一切天人衆中說法華經宜應聽受
母告子言汝父信受外道深著婆羅門法汝
等應往白父與共俱去淨藏淨眼合十爪指
掌白母我等是法王子而生此邪見家母告
子言汝等當憂念汝父為現神變若得見者
心必清淨或聽我等往至佛所於是二子念
其父故踊在虗空高七多羅樹現種種神變
於虗空中行住坐卧身上出水身下出火身
下出水身上出火或現大身滿虗空中而復
現小小復現大於空中滅忽然在地入地如
水履水如地現如是等種種神變令其父王
心淨信解時父見子神力如是心大歡喜得

於虗空中行住坐卧身上出水身下出火身
下出水身上出火或現大身滿虗空中而復
現小小復現大於空中滅忽然在地入地如
水履水如地現如是等種種神變令其父王
心淨信解時父見子神力如是心大歡喜得
未曾有合掌向子言汝等師為是誰誰之弟
子二子白言大王彼雲雷音宿王華智佛今
在七寶菩提樹下法座上坐於一切世間天
人衆中廣說法華經是我等師我是弟子
父語子言我今亦欲見汝等師可共俱往於是
二子從空中下到其母所合掌白母父王今
已信解堪任發阿耨多羅三藐三菩提心我
等為父已作佛事願母見聽於彼佛所出家
脩道尒時二子欲重宣其意以偈白母
願母放我等　出家作沙門　諸佛甚難值　我等隨佛學
如優曇波羅　值佛復難是　脫諸難亦難　願聽我出家
母即告言聽汝出家所以者何佛難值故於
是二子白父母言善哉父母願時往詣雲雷
音宿王華智佛所親近供養所以者何佛難
得值如優曇波羅華又如一眼之龜值浮木
孔而我等宿福深厚生值佛法是故父母當
聽我等令得出家所以者何諸佛難值時亦
難遇彼時妙荘嚴王後宮八万四千人皆悉
堪任受持是法華經淨眼菩薩於法華三昧
久已通達淨藏菩薩已於无量百千万億刧
通達離諸惡趣三昧欲令一切衆生離諸惡

聽我等令得出家所以者何諸佛難值時亦
難遇彼時妙莊嚴王後宮八万四千人皆悉
堪任受持是法華經淨眼菩薩於法華三昧
久已通達淨藏菩薩已於无量百千万億劫
通達離諸惡趣三昧欲令一切衆生離諸惡
趣故其王夫人得諸佛習三昧能知諸佛秘
密之藏二子如是以方便力善化其父令心
信解好樂佛法於是妙莊嚴王與羣臣眷屬
俱淨德夫人與後宮采女眷屬俱其王二子
與四万二千人俱一時共詣佛所到已頭面礼
足遶佛三帀却住一面尒時彼佛為王說法
示教利喜王大歡喜尒時妙莊嚴王及其
夫人解頸真珠瓔珞價直百千以散佛上於
虛空中化成四柱寶臺臺中有大寶床敷百
千万天衣其上有佛結跏趺坐放大光明尒
時妙莊嚴王作是念佛身希有端嚴殊特成
就第一微妙之色時雲雷音宿王華智佛告
四衆言汝等見是妙莊嚴王於我前合掌立
不此王於我法中作比丘精勤脩習助佛道
法當得作佛号娑羅樹王國名大光劫名大
高王其娑羅樹王佛有无量菩薩衆及无量
聲聞其國平正功德如是其王即時以國付
弟與夫人二子并諸眷屬於佛法中出家脩
道王出家已於八万四千歲常勤精進脩行
妙法華經過是已後得一切淨功德莊嚴三
昧即昇虛空高七多羅樹而白佛言世尊此

BD01730號　妙法蓮華經卷七　(14–7)

聲聞其國平正功德如是其王即時以國付
弟與夫人二子并諸眷屬於佛法中出家脩
道王出家已於八万四千歲常勤精進脩行
妙法華經過是已後得一切淨功德莊嚴三
昧即昇虛空高七多羅樹而白佛言世尊此
我二子已作佛事以神通變化轉我邪心令
得安住於佛法中得見世尊此二子者是我
善知識為欲發起宿世善根饒益我故來生
我家尒時雲雷音宿王華智佛告妙莊嚴王
言如是如是如汝所言若善男子善女人種善
根故世世得善知識其善知識能作佛事示
教利喜令入阿耨多羅三藐三菩提大王當
知善知識者是大因緣所謂化導令得見
佛發阿耨多羅三藐三菩提心大王汝見此二
子不此二子已曾供養六十五百千万億那
由他恒河沙諸佛親近恭敬於諸佛所受
持法華經愍念邪見衆生令住正見妙莊嚴
王即從虛空中下而白佛言世尊如來甚希
有以功德智慧故頂上肉髻光明顯照其眼
長廣而紺青色眉間豪相白如珂月齒白齊
密常有光明脣色赤好如頻婆果尒時妙莊
嚴王讚歎佛如是等无量百千万億功德已
於如來前一心合掌復白佛言世尊未曾有
也如來之法具足成就不可思議微妙功德
教戒所行安隱快善我從今日不復自隨心
行不生邪見憍慢瞋恚諸惡之心說是語已

BD01730號　妙法蓮華經卷七　(14–8)

嚴王讚歎佛如是等无量百千万億功德已
於如來前一心合掌復白佛言世尊未曾有
也如來之法具足成就不可思議微妙功德
教戒所行安隱快善我從今日不復自隨心
行不生邪見憍慢瞋恚諸惡之心說是語已
礼佛而出佛告大衆於意云何妙莊嚴王豈
異人乎今華德菩薩是其淨德夫人今佛前
光照莊嚴相菩薩是哀愍妙莊嚴王及諸眷
屬故於彼中生其二子者今藥王菩薩藥上
菩薩是是藥王藥上菩薩成就如此諸大功
德已於无量百千万億諸佛所殖衆德本成
就不可思議諸善功德若有人識是二菩薩
名字者一切世間諸天人民亦應礼拜佛說
是妙莊嚴王本事品時八万四千人遠塵離
垢於諸法中得法眼淨
妙法蓮華經普賢菩薩勸發品第二十八
尒時普賢菩薩以自在神通威德名聞與大
菩薩无量无邊不可稱數從東方來所經諸
國普皆震動雨寶蓮華作无量百千万億種
種伎樂又與无數諸天龍夜叉乹闥婆阿脩
羅迦樓羅緊那羅摩睺羅伽人非人等大衆
圍繞各現威德神通之力到娑婆世界耆闍
崛山中頭面礼釋迦牟尼佛右繞七帀白佛
言世尊我於寶威德上王佛國遥聞此娑婆
世界說法華經與无量无邊百千万億諸菩

BD01730號　妙法蓮華經卷七　（14–9）

羅迦樓羅緊那羅摩睺羅伽人非人等大衆
圍繞各現威德神通之力到娑婆世界耆闍
崛山中頭面礼釋迦牟尼佛右繞七帀白佛
言世尊我於寶威德上王佛國遥聞此娑婆
世界說法華經與无量无邊百千万億諸菩
薩衆共來聽受唯願世尊當為說之若善男
子善女人於如來滅後云何能得是法華經
佛告普賢菩薩若善男子善女人成就四法
於如來滅後當得是法華經一者為諸佛護
念二者殖衆德本三者入正定聚四者發救一
切衆生之心善男子善女人如是成就四法於
如來滅後必得是經尒時普賢菩薩白佛言
世尊於後五百歲濁惡世中其有受持是經
典者我當守護除其衰患令得安隱使无
伺求得其便者若魔若魔子若魔女若魔
民若為魔所著者若夜叉若羅剎若鳩槃荼
若毗舍闍若吉蔗若富單那若韋陀羅等諸
惱人者皆不得便是人若行若立讀誦此經
我尒時乘六牙白象王與大菩薩衆俱詣其
所而自現身供養守護安慰其心亦為供養
法華經故是人若坐思惟此經尒時我復乘
白象王現其人前其人若於法華經有所忘
失一句一偈我當教之與共讀誦還令通利
尒時受持讀誦法華經者得見我身甚大歡
喜轉復精進以見我故即得三昧及陁羅尼
名為旋陁羅尼百千万億旋陁羅尼法音方

BD01730號　妙法蓮華經卷七　（14–10）

失一句一偈我當教之與共讀誦還令通利
尒時受持讀誦法華經者得見我身甚大歡
喜轉復精進以見我故即得三昧及陁羅尼
名為旋陁羅尼百千万億施羅尼法音方
便陁羅尼得如是等陁羅尼世尊若後世後
五百歲濁惡世中比丘比丘尼優婆塞優婆
夷求索者受持者讀誦者書寫者欲脩習是
法華經於三七日中應一心精進滿三七日
已我當乘六牙白象與无量菩薩而自圍繞
以一切眾生所憙見身現其人前而為說法
示教利喜亦復與其陁羅尼呪得是陁羅尼
故无有非人能破壞者亦不為女人之所惑
亂我身亦自常護是人唯願世尊聽我說此
陁羅尼即於佛前而說呪曰
阿檀地 途賣反 一 檀陁婆地 二 檀陁婆帝 三 檀陁
鳩舍隸 四 檀陁脩陁隸 五 脩陁隸 六 脩陁羅
婆底 七 佛馱波羶祢 八 薩婆陁羅尼阿婆多
尼 九 薩婆婆沙阿婆多尼 十 脩阿婆多尼 十一
僧伽婆履叉尼 十二 僧伽涅伽陁尼 十三 阿僧祇
十四 僧伽波伽地 十五 帝隸阿惰僧伽兜略 盧遮反
波羅帝 十六 薩婆僧伽三摩地伽蘭地 十七 薩婆
達磨脩波利剎帝 十八 薩婆薩埵樓馱憍舍略
阿㝹伽地 十九 辛阿毗吉利地帝 二十
世尊若有菩薩得聞是陁羅尼者當知普
賢神通之力若法華經行閻浮提有受持者

BD01730 號　妙法蓮華經卷七

（14–11）

達磨脩波利剎帝 十八 薩婆薩埵樓馱憍舍略
阿㝹伽地 十九 辛阿毗吉利地帝 二十
世尊若有菩薩得聞是陁羅尼者當知普
賢神通之力若法華經行閻浮提有受持者
作此念皆是普賢威神之力若有受持讀誦
正憶念解其義趣如說脩行當知是人行普
賢行於无量无邊諸佛所深種善根為諸如
來手摩其頭若但書寫是人命終當生忉利
天上是時八万四千天女作眾伎樂而來迎
之其人即著七寶冠於采女中娛樂快樂何
況受持讀誦正憶念解其義趣如說脩行若
有人受持讀誦解其義趣是人命終為千佛
授手令不恐怖不墮惡趣即往兜率天上弥
勒菩薩所弥勒菩薩有三十二相大菩薩眾
所共圍繞有百千万億天女眷屬而於中生
有如是等功德利益是故智者應當一心自
書若使人書受持讀誦正憶念如說脩行世
尊我今以神通力守護是經於如來滅後閻
浮提內廣令流布使不斷絕尒時釋迦牟尼
佛讚言善哉善哉普賢汝能護助是經令多
所眾生安樂利益汝已成就不可思議功德
深大慈悲從久遠來發阿耨多羅三藐三菩
提意而能作是神通之願守護是經我當以
神通力守護能受持普賢菩薩名者普賢
若有受持讀誦正憶念脩習書寫是法華經
者當知是人則見釋迦牟尼佛如從佛口聞此

BD01730 號　妙法蓮華經卷七

（14–12）

提意而能作是神通之願守護是經我當以
神通力守護能受持普賢菩薩名者普賢
若有受持讀誦正憶念脩習書寫是法華經
者當知是人則見釋迦牟尼佛如從佛口聞此
經典當知是人供養釋迦牟尼佛當知是人
佛讚善哉當知是人為釋迦牟尼佛手摩其
頭當知是人為釋迦牟尼佛衣之所覆如是
之人不復貪著世樂不好外道經書手筆亦
復不憙親近其人及諸惡者若屠兒若畜猪
羊雞狗若獵師若衒賣女色是人心意質直
有正憶念有福德力是人不為三毒所惱亦
不為嫉妬我慢邪慢增上慢所惱是人少欲
知足能脩普賢之行普賢若如來滅後後五
百歲若有人見受持讀誦法華經者應作是
念此人不久當詣道場破諸魔衆得阿耨多
羅三藐三菩提轉法輪擊法鼓吹法螺雨法
雨當坐天人大衆中師子法座上普賢若於
後世受持讀誦是經典者是人不復貪著衣
服卧具飲食資生之物所願不虚亦於現世
得其福報若有人輕毀之言汝狂人耳空作
是行終无所獲如是罪報當世世无眼若有
供養讚歎之者當於今世得現果報若復見
受持是經者出其過惡若實若不實此人現
世得白癩病若輕咲之者當世世牙齒踈缺
醜脣平鼻手脚繚戾眼目角睞身體臭穢惡
瘡膿血水腹短氣諸惡重病是故普賢若見

BD01730號　妙法蓮華經卷七　（14–13）

後世受持讀誦是經典者是人不復貪著衣
服卧具飲食資生之物所願不虚亦於現世
得其福報若有人輕毀之言汝狂人耳空作
是行終无所獲如是罪報當世世无眼若有
供養讚歎之者當於今世得現果報若復見
受持是經者出其過惡若實若不實此人現
世得白癩病若輕咲之者當世世牙齒踈缺
醜脣平鼻手脚繚戾眼目角睞身體臭穢惡
瘡膿血水腹短氣諸惡重病是故普賢若見
受持是經典者當起遠迎當如敬佛說是普
賢勸發品時恒河沙等无量无邊菩薩得百
千億旋陁羅尼三千大千世界微塵等諸菩
薩具普賢道佛說是經時普賢等諸菩薩
舍利弗等諸聲聞及諸天龍人非人等一切大
會皆大歡喜受持佛語作礼而去

妙法蓮華經卷第七

BD01730號　妙法蓮華經卷七　（14–14）

BD01730 號背　勘記　　（1–1）

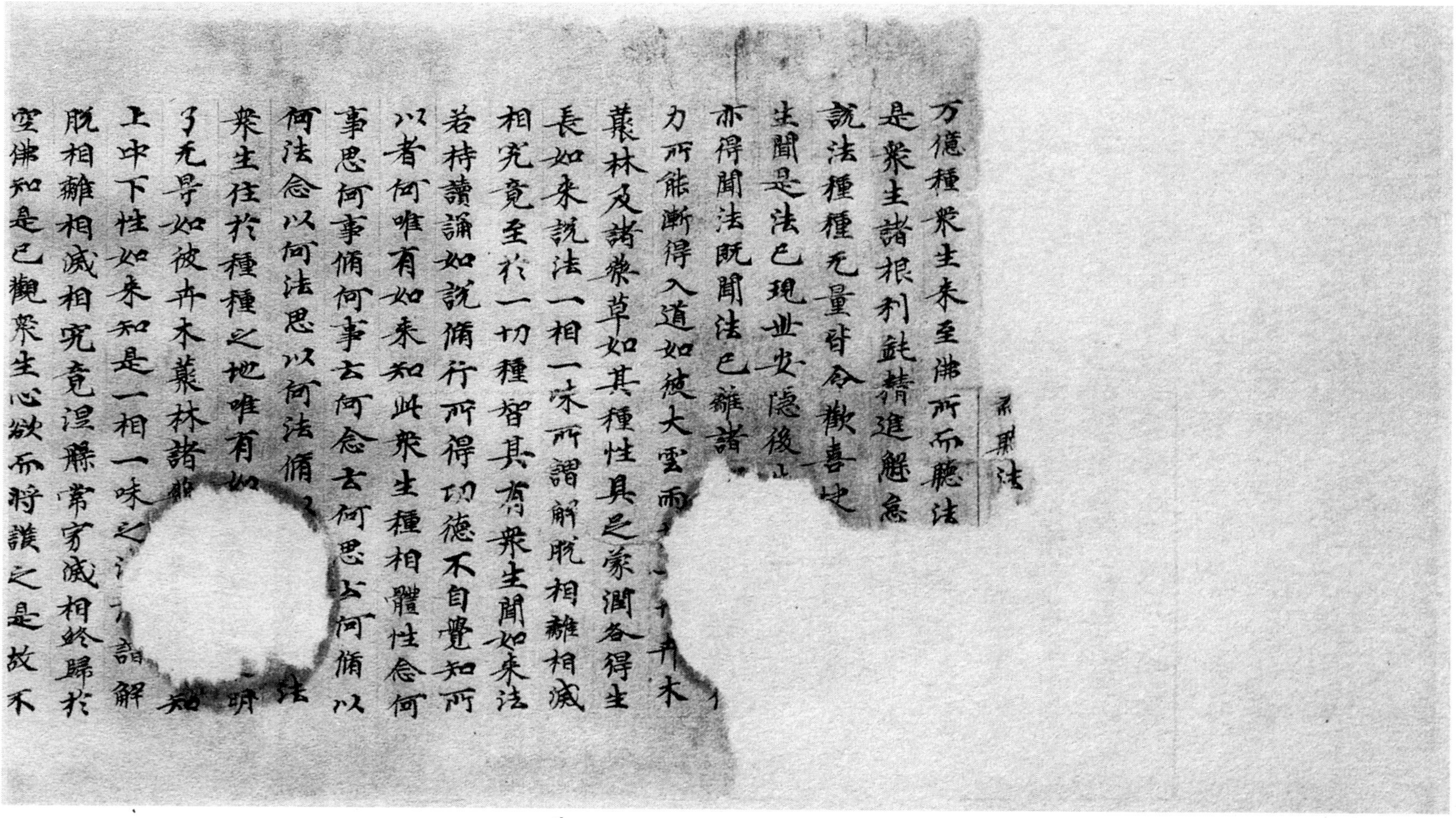

万億種衆生來至佛所而聽法
是衆生諸根利鈍精進懈怠
說法種種无量皆令歡喜快
生聞是法已現世安隱後
亦得聞法既聞法已離諸
力所能漸得入道如彼大雲雨[illegible]卉木
叢林及諸藥草如其種性具足蒙潤各得生
長如來說法一相一味所謂解脫相離相滅
相究竟至於一切種智其有衆生聞如來法
若持讀誦如說修行所得功德不自覺知所
以者何唯有如來知此衆生種相體性念何
事思何事修何事云何念云何思云何修以
何法念以何法思以何法修以[illegible]法
衆生住於種種之地唯有如[illegible]明
了无㝵如彼卉木叢林諸[illegible]知
上中下性如來知是一相一味之[illegible]謂解
脫相離相滅相究竟涅槃常寂滅相終歸於
空佛知是已觀衆生心欲而將護之是故不

BD01731 號　妙法蓮華經卷三　　（5–1）

了无导如彼卉木叢林諸藥草等而不自知
上中下性如來知是一相一味之法所謂解
脫相離相滅相究竟涅槃常寂滅相終歸於
空佛知是已觀衆生心欲而將護之是故不
即為說一切種智汝等迦葉甚為希有能知
如來隨宜說法能信能受所以者何諸佛世
尊隨宜說法難解難知尒時世尊欲重宣此
義而說偈言
破有法王 出現世間 隨衆生欲 種種說法
如來尊重 智慧深遠 久嘿斯要 不務速說
有智若聞 則能信解 无智疑悔 則為永失
是故迦葉 隨力為說 以種種緣 令得正見
迦葉當知 譬如大雲 起於世間 遍覆一切
慧雲含潤 電光晃耀 雷聲遠震 令衆悅豫
日光掩蔽 地上清涼 靉靆垂布 如可承攬
其雨普等 四方俱下 流澍无量 率土充洽
山川嶮谷 幽邃所生 卉木藥草 大小諸樹
百穀苗稼 甘蔗蒲桃 雨之所潤 无不豐足
乾地普洽 藥木並茂
其雲所出 一味之水 草木叢林 隨分受潤
一切諸樹 上中下等 稱其大小 各得生長
根莖枝葉 華菓光色 一雨所及 皆得鮮澤
如其體相 性分大小 所潤是一 而各滋茂
佛亦如是 出現於世 譬如大雲 普覆一切
既出于世 為諸衆生 分別演說 諸法之實

BD01731 號　妙法蓮華經卷三　　（5–2）

一切諸樹 上中下等 稱其大小 各得生長
根莖枝葉 華菓光色 一雨所及 皆得鮮澤
如其體相 性分大小 所潤是一 而各滋茂
佛亦如是 出現於世 譬如大雲 普覆一切
既出于世 為諸衆生 分別演說 諸法之實
大聖世尊 於諸天人 一切衆中 而宣是言
我為如來 兩足之尊 出于世間 猶如大雲
充潤一切 枯槁衆生 皆令離苦 得安隱樂
世間之樂 及涅槃樂
諸天人衆 一心善聽 皆應到此 覲无上尊
我為世尊 无能及者 安隱衆生 故現於世
為大衆說 甘露淨法 其法一味 解脫涅槃
以一妙音 演暢斯義 常為大乘 而作因緣
我觀一切 普皆平等 无有彼此 愛憎之心
我无貪著 亦无限导 恒為一切 平等說法
如為一人 衆多亦然
常演說法 曾无他事 去來坐立 終不疲厭
充足世間 如雨普潤 貴賤上下 持戒毀戒
威儀具足 及不具足 正見邪見 利根鈍根
等雨法雨 而无懈惓
一切衆生 聞我法者 隨力所受 住於諸地
或處人天 轉輪聖王 釋梵諸王 是小藥草
知无漏法 能得涅槃 起六神通 及得三明
獨處山林 常行禪定 得緣覺證 是中藥草
求世尊處 我當作佛 行精進定 是上藥草
又諸佛子 專心佛道 常行

BD01731 號　妙法蓮華經卷三　　（5–3）

知无漏法　能得涅槃　起六神通　及得三明
獨處山林　常行禪定　得緣覺證　[illegible]藥草
求世尊處　我當作佛　行精[illegible]
又諸佛子　專心佛道　常行[illegible]
決定无疑　是名小樹
安住神通　轉不退輪　度无量億　百千衆生
如是菩薩　名爲大樹
佛平等說　如一味雨　隨衆生性　所受不同
如彼草木　所稟各異
佛以此喻　方便開示　種種言辭　演說一法
於佛智慧　如海一渧
我雨法雨　充滿世間　一味[illegible]
如彼叢林　藥草諸樹　隨其[illegible]
諸佛之法　常以一味　令諸世[illegible]之
漸次修行　皆得道果
聲聞緣覺　處於山林　住最後身　聞法得果
是名藥草　各得增長
若諸菩薩　智慧堅固　了達三界　求最上乘
是名小乘　而得增長
復有住禪　得神通力　聞諸法[illegible]喜
放无數光　度諸衆生　是名[illegible]
如是迦葉　佛所說法　譬如[illegible]雨
潤於人華　各得成實
迦葉當知　以諸因緣　種種譬喻　開示佛道
是我方便　諸佛亦然
今爲汝等　說最實事　[illegible]皆非滅度

BD01731號　妙法蓮華經卷三　（5-4）

[illegible]
漸次修行　皆得道果
聲聞緣覺　處於山林　住最後身　聞法得果
是名藥草　各得增長
若諸菩薩　智慧堅固　了達三界　求最上乘
是名小乘　而得增長
復有住禪　得神通力　聞諸法[illegible]喜
放无數光　度諸衆生　是名[illegible]
如是迦葉　佛所說法　譬如[illegible]雨
潤於人華　各得成實
迦葉當知　以諸因緣　種種譬喻　開示佛道
是我方便　諸佛亦然
今爲汝等　說最實事　諸聲聞衆　皆非滅度
汝等所行　是菩薩道　漸漸修學　悉當成佛

妙法蓮華經授記品第六

爾時世尊說是偈已告諸大[illegible]我
此弟子摩訶迦葉於未來世[illegible]

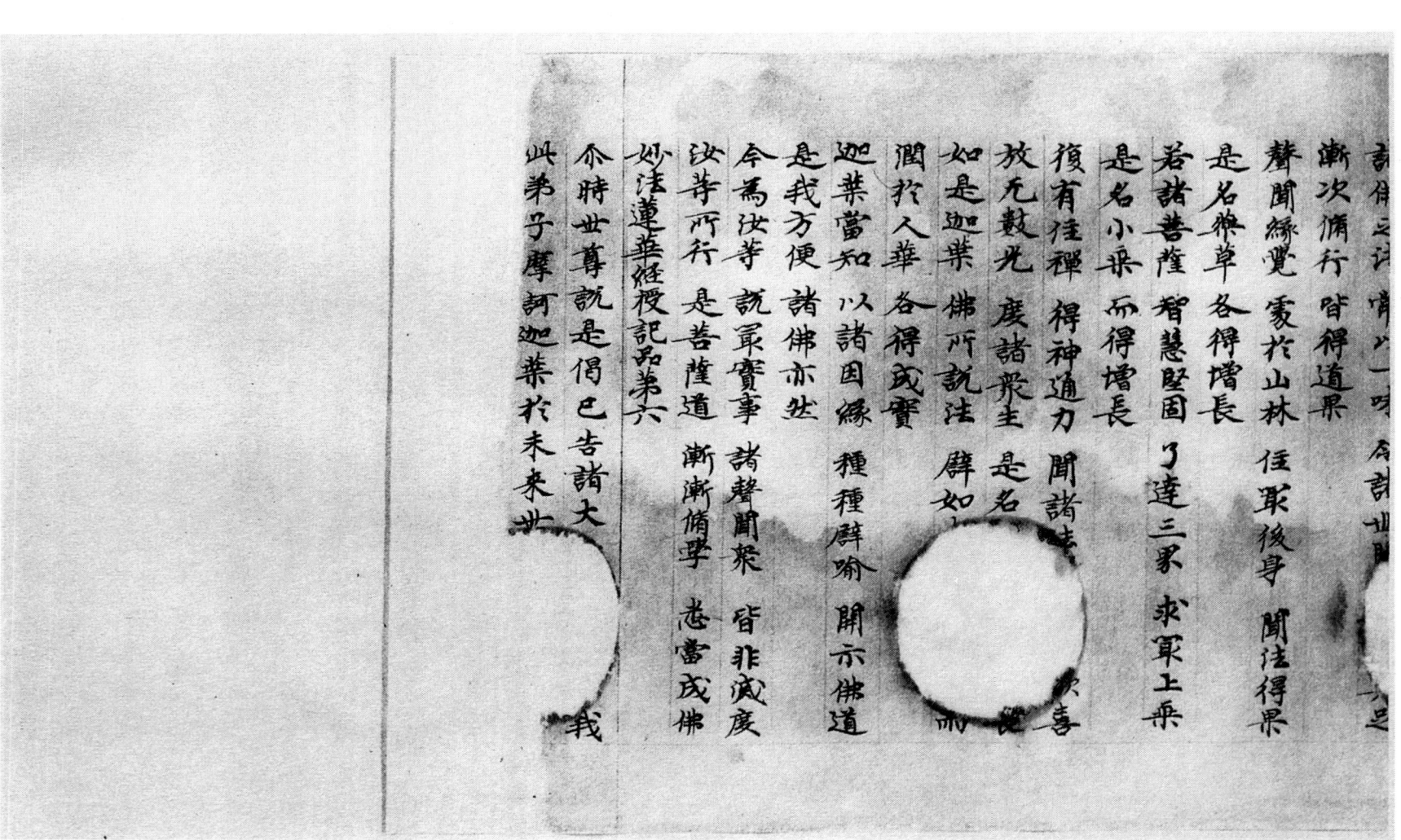

BD01731號　妙法蓮華經卷三　（5-5）

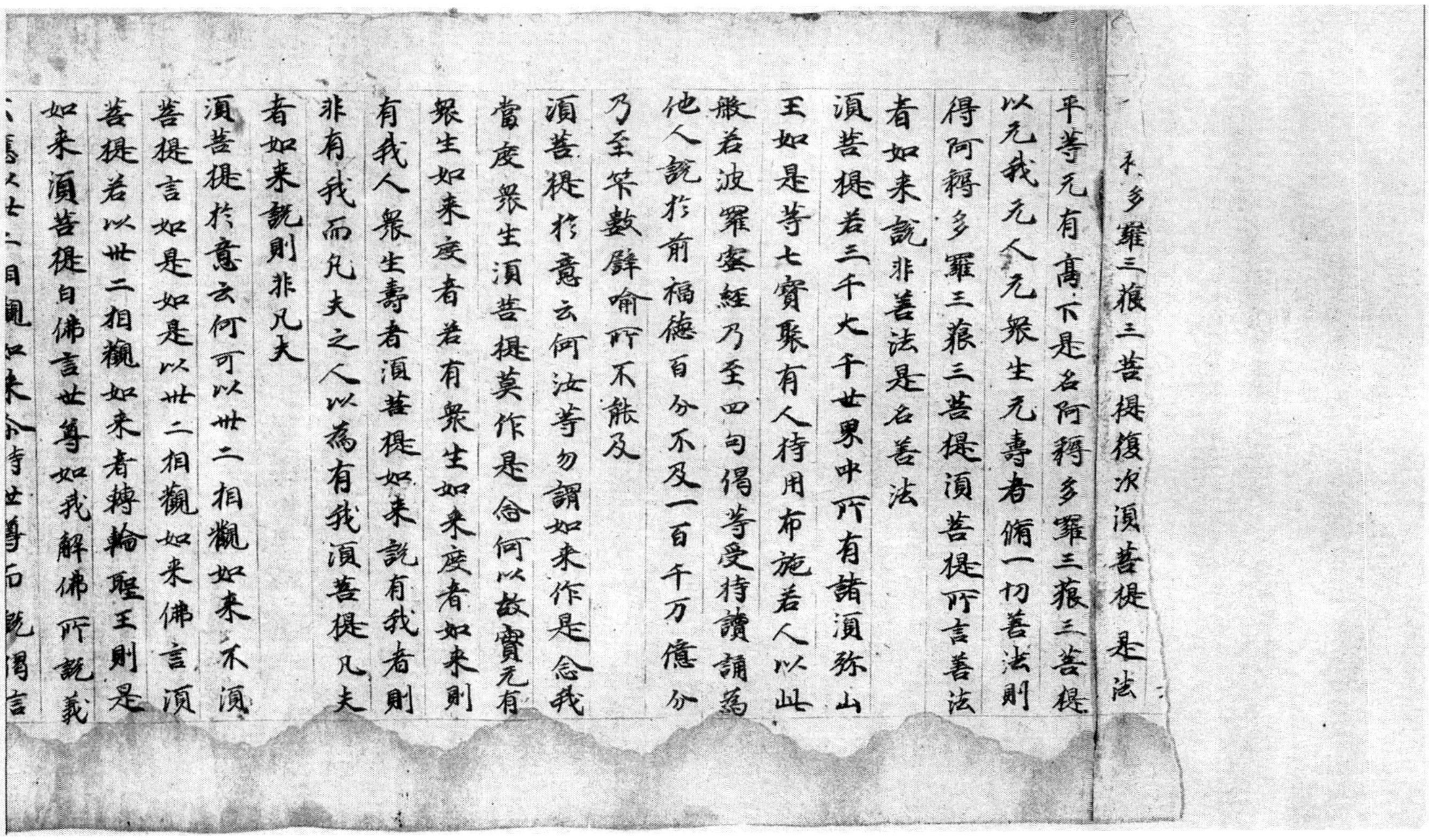
耨多羅三藐三菩提復次須菩提是法
平等无有高下是名阿耨多羅三藐三菩提
以无我无人无衆生无壽者脩一切善法則
得阿耨多羅三藐三菩提須菩提所言善法
者如来說非善法是名善法
須菩提若三千大千世界中所有諸須弥山
王如是等七寶聚有人持用布施若人以此
般若波羅蜜經乃至四句偈等受持讀誦爲
他人說於前福德百分不及一百千万億分
乃至筭數譬喻所不能及
須菩提於意云何汝等勿謂如来作是念我
當度衆生須菩提莫作是念何以故實无有
衆生如来度者若有衆生如来度者如来則
有我人衆生壽者須菩提如来說有我者則
非有我而凡夫之人以爲有我須菩提凡夫
者如来說則非凡夫
須菩提於意云何可以卅二相觀如来不須
菩提言如是如是以卅二相觀如来佛言須
菩提若以卅二相觀如来者轉輪聖王則是
如来須菩提白佛言世尊如我解佛所說義
不應以卅二相觀如来尒時世尊而說偈言

BD01732 號　金剛般若波羅蜜經　（2–1）

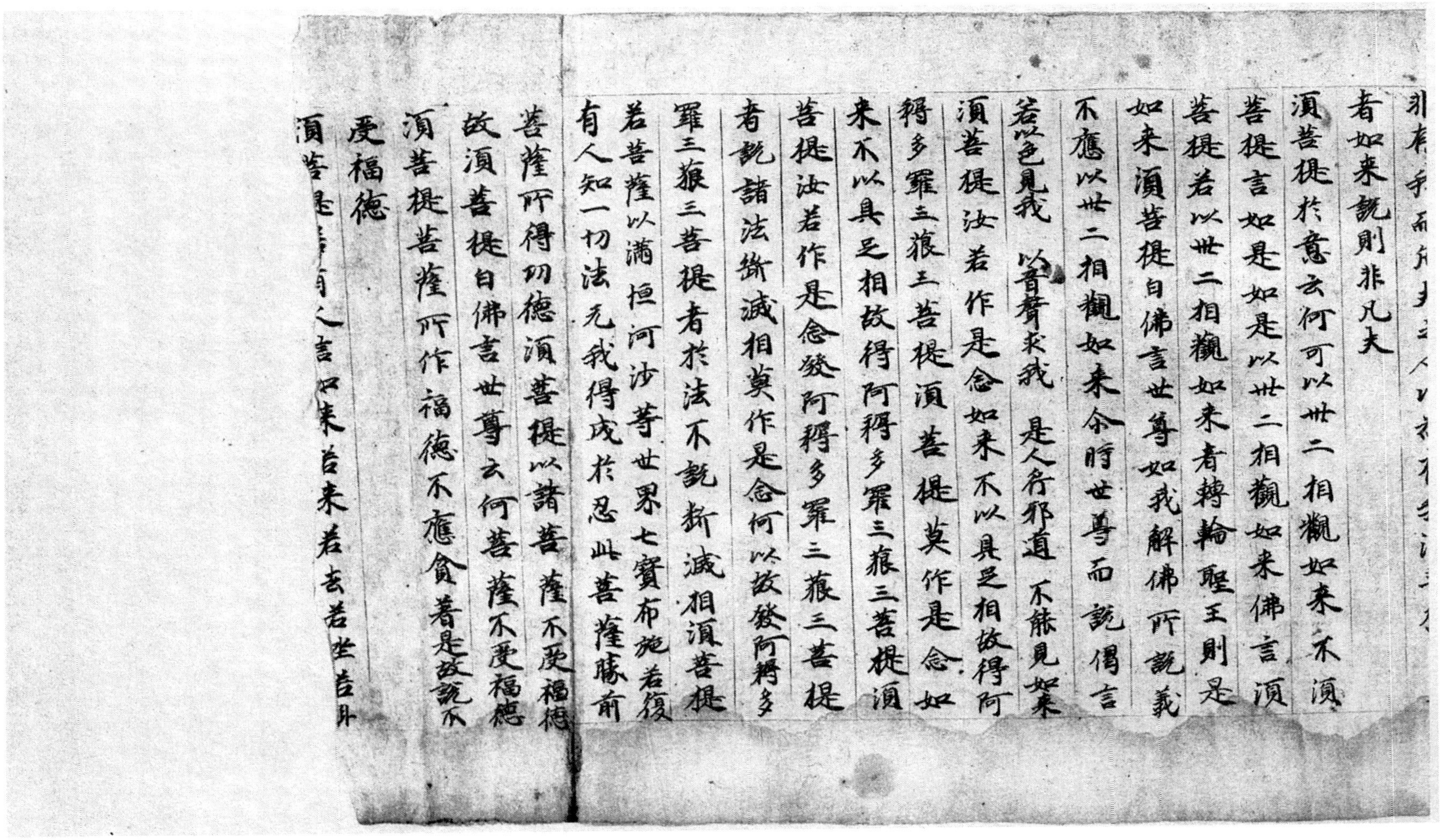
非有我而凡夫之人以爲有我須菩提凡夫
者如来說則非凡夫
須菩提於意云何可以卅二相觀如来不須
菩提言如是如是以卅二相觀如来佛言須
菩提若以卅二相觀如来者轉輪聖王則是
如来須菩提白佛言世尊如我解佛所說義
不應以卅二相觀如来尒時世尊而說偈言
若以色見我　以音聲求我　是人行邪道　不能見如来
須菩提汝若作是念如来不以具足相故得阿
耨多羅三藐三菩提須菩提莫作是念如
来不以具足相故得阿耨多羅三藐三菩提須
菩提汝若作是念發阿耨多羅三藐三菩提
者說諸法斷滅相莫作是念何以故發阿耨多
羅三藐三菩提者於法不說斷滅相須菩提
若菩薩以滿恒河沙等世界七寶布施若復
有人知一切法无我得成於忍此菩薩勝前
菩薩所得功德須菩提以諸菩薩不受福德
故須菩提白佛言世尊云何菩薩不受福德
須菩提菩薩所作福德不應貪著是故說不
受福德
須菩提若有人言如来若来若去若坐若卧

BD01732 號　金剛般若波羅蜜經　（2–2）

南无師子奮迅佛
南无法自在奮迅佛　南无脩堅固自
南无法山勝佛　南无寶山佛
南无自在隨羅集佛　南无樹提藏佛
南无量宿稱佛　南无功德力堅固乘
南无人聲自在增長佛
南无勝一切世間佛
南无三世法界佛　南无妙聲吼佛
南无寶地龍王佛　南无法疾吼聲佛
南无香波頭摩擇自在寶城佛
南无光輪佛　南无寶蓮佛
南无功德華佛　南无多供養佛
南无无邊德王佛　南无增長喜佛
南无師子龍奮迅佛
南无娑羅藏師子步王佛
南无觀諸法佛　南无法華智佛
南无時法清淨佛　南无堅固精進言語佛
南无精進佛　南无炎摩尼佛
南无山光明佛　南无清淨无垢藏佛
南无无垢月佛　南无清淨根佛
南

BD01733號　佛名經（十六卷本）卷一三　（31-1）

南无時法清淨佛　南无堅固精進言語佛
南无精進佛　南无炎摩尼佛
南无山光明佛　南无清淨无垢藏佛
南无无垢月佛　南无清淨根佛
南无多智佛　南无能作智佛
南无廣智佛　南无力意佛
南无勝意佛　南无法堅固歡喜佛
南无堅固行自在佛　南无善消彌面佛
南无觀成就佛　南无清淨藏佛
南无爲自在佛　南无現摩業淨業佛
南无智自在佛　南无精進奮迅佛
南无无量精進佛　南无世間自在佛
南无法行膚意佛　南无福德成就佛
南无不怯弱成就佛　南无勝成就佛
南无龍觀佛　南无須彌檀佛
南无作式王佛　南无聚集寶佛
南无龍王聲佛　南无大智精進佛
南无孤獨精進佛
從此以上九千七百佛十二部經一切賢聖
南无不減莊嚴佛　南无不動尼他佛
南无百切德莊嚴佛
南无自在諸相好稱佛

BD01733號　佛名經（十六卷本）卷一三　（31-2）

南无不滅莊嚴佛　南无不動尼他佛
南无百功德莊嚴佛
南无自在諸相好稱佛
南无自在因陁羅月佛　南无法華山佛
南无法界莊嚴佛　南无滿足願佛
南无大師莊嚴佛　南无師子華奮精進佛
南无脩行自在堅固佛　南无樂法脩行佛
南无勝慧佛　南无海步佛
南无大如脩行佛　南无高光明佛
南无静智佛　南无師子[illegible]
南无善鄰佛　南无善住佛
南无日光佛　南无甘露增上佛
南无道上首佛　南无勝自在觀佛
南无善見佛　南无无獨義佛
南无勝意佛　南无人月佛
南无威德光佛　南无普明佛
南无大莊嚴佛　南无師子奮迅善佛
南无摩樓多愛佛　南无齊心佛
南无大步佛　南无可聞聲佛
南无積功德佛　南无摩尼向佛
南无愛照佛　南无名稱佛
南无信功德佛　南无清淨智佛
南无寶功德佛　南无妙信香佛

BD01733號　佛名經（十六卷本）卷一三　（31–3）

南无愛照佛　南无名稱佛
南无信功德佛　南无清淨智佛
南无寶功德佛　南无妙信香佛
南无熱圍佛　南无勝仙佛
南无寶智佛　南无甘露威德佛
南无藏信佛　南无月上勝佛
南无龍步佛　南无信點慧佛
南无愛實語佛　南无憂波羅香佛
南无旃檀自在佛　南无獻勝佛
南无普行佛　南无功德勝佛
南无大威德佛　南无種種色日佛
南无過諸過佛　南无无量眼佛
南无慚愧智佛　南无功德供養佛
南无種種聲佛　南无功德可樂佛
南无住清淨佛　南无妙香佛
南无月光佛　南无戒分佛
南无華智佛　南无憂多摩意佛
南无不闇意佛　南无山自在積佛
南无齊王佛　南无解脫王佛
南无阿踐彌留王佛　南无如意力釋去佛
南无娑阿提遮佛　南无不讚歎世間勝佛
南无法深佛　南无寶星宿解脫王佛
南无白寶勝佛　南无去行自在佛

BD01733號　佛名經（十六卷本）卷一三　（31–4）

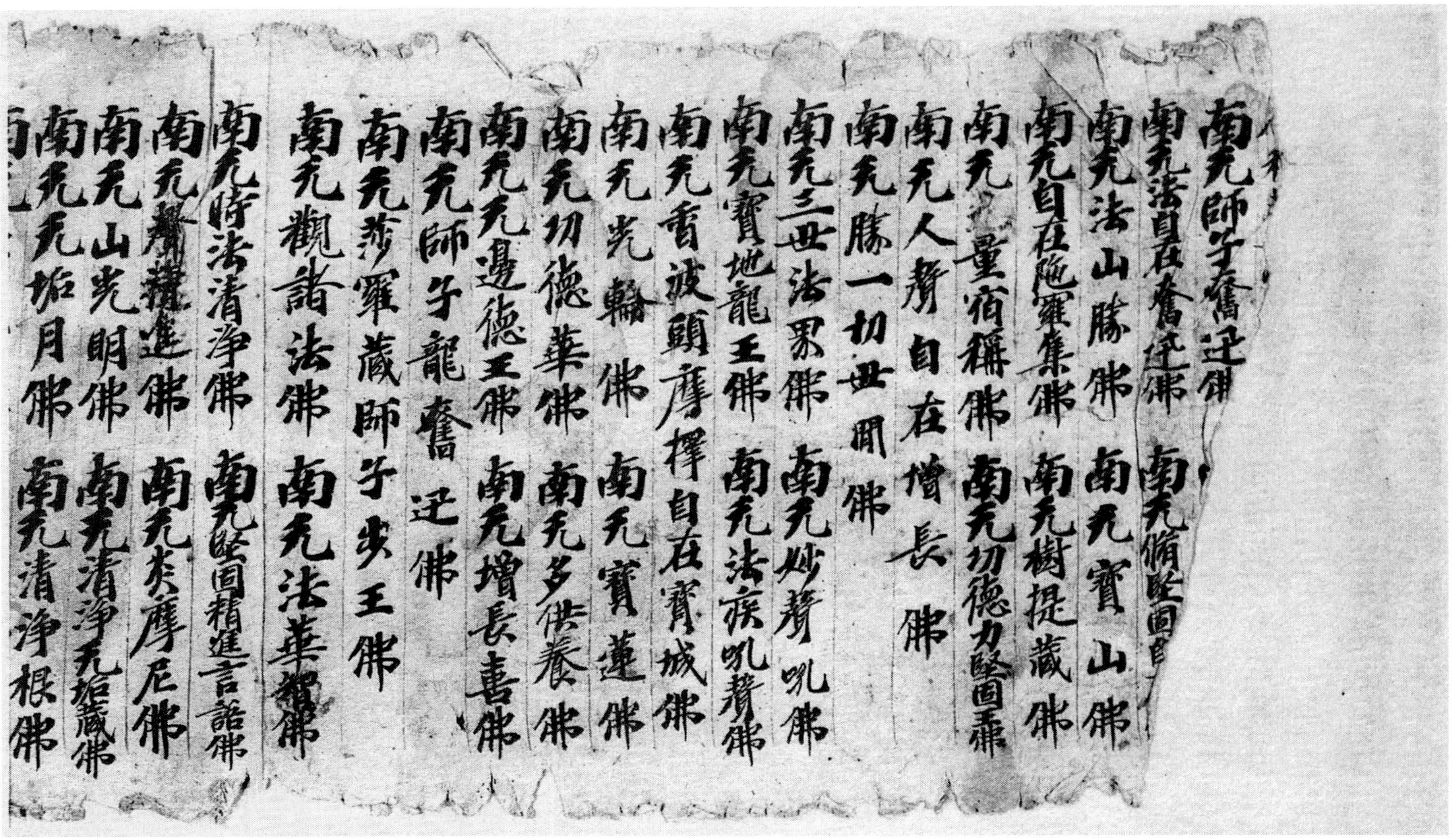

南无師子奮迅佛
南无法自在奮迅佛　南无脩堅固自
南无法山勝佛　南无寶山佛
南无自在陁羅集佛　南无樹提藏佛
南无无量宿稱佛　南无切德力堅固乘
南无人聲自在增長佛
南无勝一切世間佛
南无三世法界佛　南无妙聲吼佛
南无寶地龍王佛　南无法疾吼聲佛
南无香波頭摩擇自在寶城佛
南无光輪佛　南无寶蓮佛
南无切德華佛　南无多供養佛
南无无邊德王佛　南无增長善佛
南无師子龍奮迅佛
南无莎羅藏師子步王佛
南无觀諸法佛　南无法華聲佛
南无時法清淨佛　南无堅固精進言語佛
南无精進佛　南无夷摩尼佛
南无山光明佛　南无清淨无垢藏佛
南无无垢月佛　南无清淨根佛

BD01733號　佛名經（十六卷本）卷一三　（31–1）

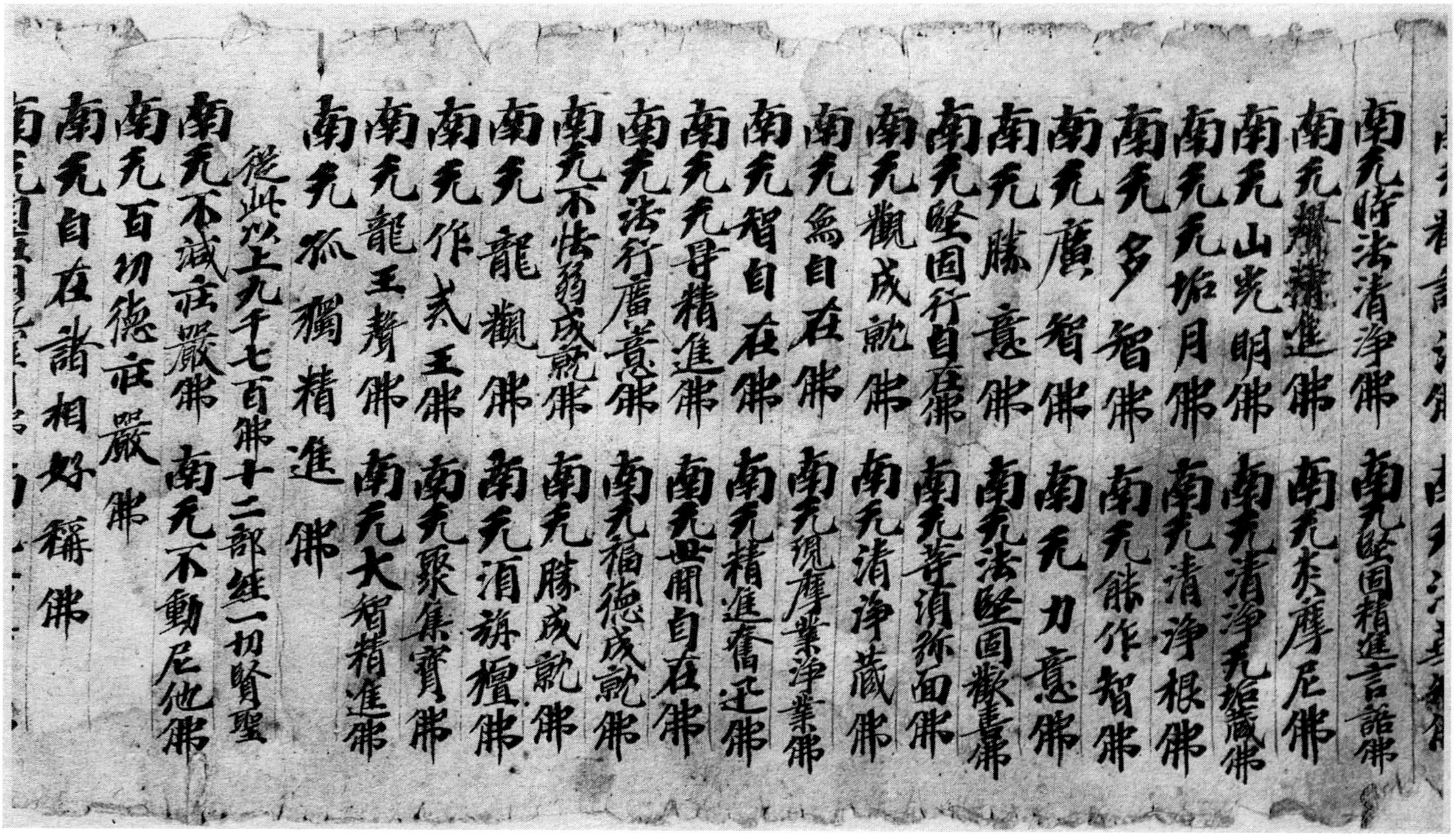

南无時法清淨佛　南无堅固精進言語佛
南无精進佛　南无夷摩尼佛
南无山光明佛　南无清淨无垢藏佛
南无无垢月佛　南无清淨根佛
南无多智佛　南无能作智佛
南无廣智佛　南无力意佛
南无勝意佛　南无法堅固歡喜佛
南无堅固行自在佛　南无善須彌面佛
南无觀成就佛　南无清淨藏佛
南无爲自在佛　南无現摩業淨業佛
南无智自在佛　南无精進奮迅佛
南无无畏精進佛　南无世間自在佛
南无法行靨意佛　南无福德成就佛
南无不怯弱成就佛　南无勝成就佛
南无龍觀佛　南无須彌檀佛
南无作式王佛　南无聚集寶佛
南无龍王聲佛　南无大智精進佛
南无孤獨精進佛
從此以上九千七百佛十二部經一切賢聖
南无不滅莊嚴佛　南无不動尼他佛
南无百切德莊嚴佛
南无自在諸相好稱佛

BD01733號　佛名經（十六卷本）卷一三　（31–2）

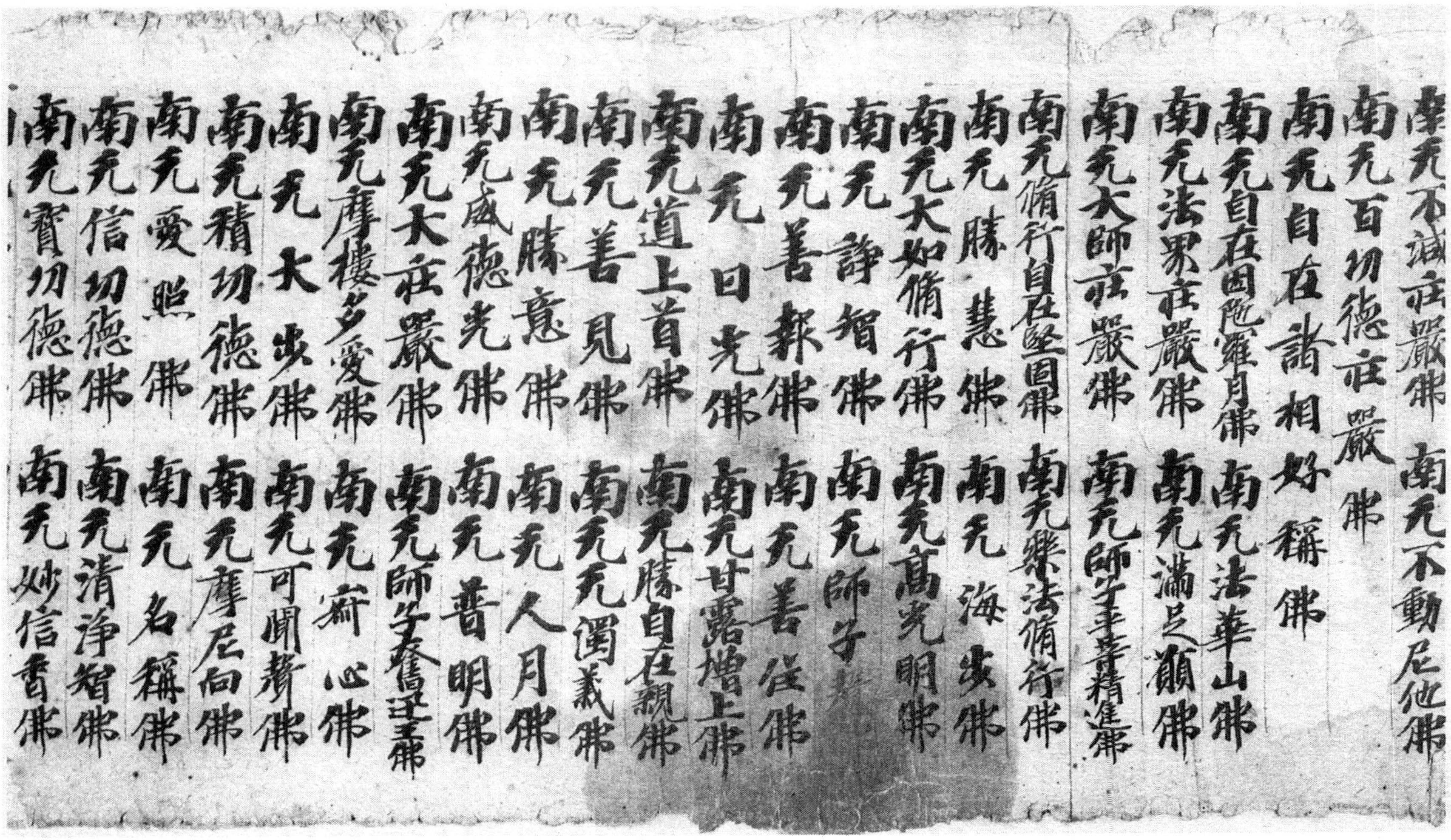
南无不減莊嚴佛　南无不動尼他佛
南无百切德莊嚴佛
南无自在諸相好稱佛
南无自在因陁羅月佛　南无法華山佛
南无法界莊嚴佛　南无滿足願佛
南无大師莊嚴佛　南无師子奮精進佛
南无脩行自在堅固佛　南无樂法脩行佛
南无勝慧佛　南无海步佛
南无大如脩行佛　南无高光明佛
南无諍智佛　南无師子步佛
南无善報佛　南无善住佛
南无日光佛　南无甘露增上佛
南无道上首佛　南无勝自在親佛
南无善見佛　南无无獨義佛
南无勝意佛　南无人月佛
南无威德光佛　南无普明佛
南无大莊嚴佛　南无師子奮迅佛
南无摩樓多愛佛　南无齋心佛
南无大步佛　南无可聞聲佛
南无積切德佛　南无摩尼向佛
南无愛照佛　南无名稱佛
南无信切德佛　南无清淨智佛
南无寶切德佛　南无妙信香佛

BD01733號　佛名經（十六卷本）卷一三　（31–3）

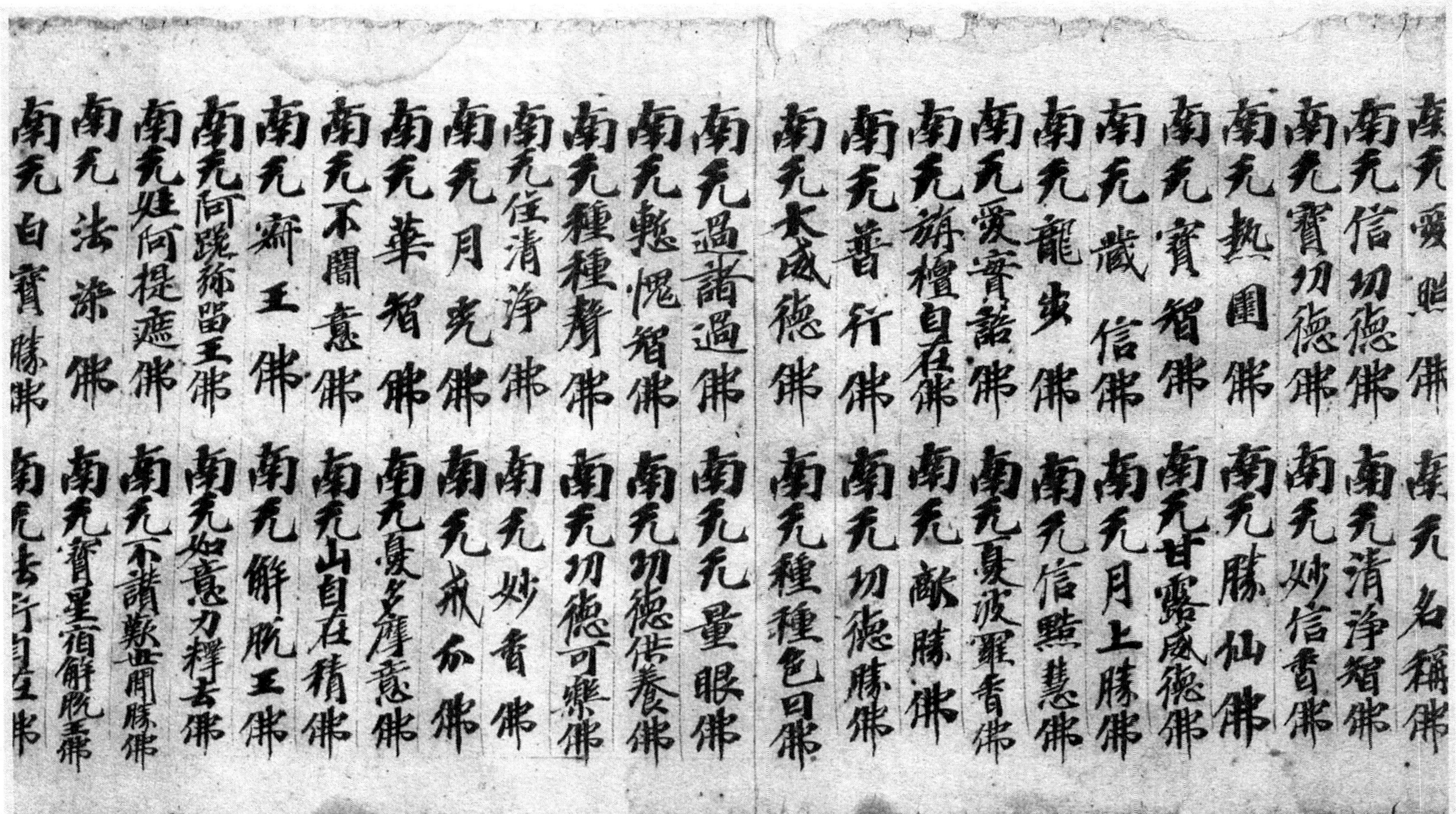
南无愛照佛　南无名稱佛
南无信切德佛　南无清淨智佛
南无寶切德佛　南无妙信香佛
南无熱圍佛　南无勝仙佛
南无寶智佛　南无甘露威德佛
南无藏信佛　南无月上勝佛
南无龍步佛　南无信點慧佛
南无愛寶語佛　南无憂波羅香佛
南无旃檀自在佛　南无敵勝佛
南无普行佛　南无切德勝佛
南无大威德佛　南无種種色日佛
南无過諸過佛　南无无量眼佛
南无慚愧智佛　南无切德供養佛
南无種種聲佛　南无切德可樂佛
南无住清淨佛　南无妙香佛
南无月光佛　南无戒分佛
南无華智佛　南无憂多摩意佛
南无不闇意佛　南无山自在精佛
南无齋王佛　南无解脫王佛
南无阿跋弥留王佛　南无如意力釋去佛
南无娑何提遮佛　南无不讃歎世間勝佛
南无法涂佛　南无寶星宿解脫王佛
南无白寶勝佛　南无去行自在佛

BD01733號　佛名經（十六卷本）卷一三　（31–4）

南无阿蹉弥留王佛　南无如意力釋去佛
南无娃何提遮佛　南无不請歎世間勝佛
南无法浓佛　南无寶星宿解脫王佛
南无白寶勝佛　南无法行自在佛
南无阤羅尼自在佛　南无阿難阤聲佛
從此以上九千八百佛十二部經一切賢聖
南无智炎王佛　南无弥留平等奮迅王佛
南无智奮迅佛　南无法華通樹提佛
南无多波尼體佛　南无阿尼伽路摩勝佛
南无身多羅勝淨佛　南无大智念身佛
南无闍伽提自在一切世間擔佛
南无見无畏佛　南无自畏作佛
南无自在量佛
舍利弗我見南方如是等无量諸佛種
種名種種姓種種佛國土汝等應當至心
歸命舍利弗應當歸命西方无量佛
南无阿婆羅炎婆羅華佛
南无摩尧沙口聲去佛
南无智勝增長稱佛　南无菴瀑多波尸佛
南无𠼝羅毗羅炎華光佛　南无法行燈佛
南无无等勝佛　南无智奮迅稱王佛
南无梵聲奮迅妙鼓聲佛
南无波頭摩尸利藏眼佛

BD01733號　佛名經（十六卷本）卷一三　（31-5）

南无𠼝羅毗羅炎華光佛　南无法行燈佛
南无无等勝佛　南无智奮迅稱王佛
南无梵聲奮迅妙鼓聲佛
南无波頭摩尸利藏眼佛
南无阿僧伽意炎佛　南无千月光明藏佛
南无衆法行佛　南无摩尼婆他光佛
南无師子廣眼佛　南无十力生勝佛
南无智作佛　南无无邊精進降佛
南无一切諸怨佛　南无大勝超法佛
南无阿无荷見佛　南无无邊命佛
南无不利他意佛　南无觀法智佛
南无无量精進日善思惟奮迅王佛
南无无見佛　南无智見法佛
南无一切善根種子佛
南无夏多智勝發行功德佛
南无智香勝佛　南无智上尸棄王佛
南无福德勝智香佛　南无不思議法華光王佛
南无法清淨勝佛
南无不可思議弥留勝佛
南无能開法門佛
南无毗盧遮那法海香王佛
南无力王善住法王佛
南无勝力散一切惡王佛

BD01733號　佛名經（十六卷本）卷一三　（31-6）

南无能開法門佛
南无毗盧遮那法海香王佛
南无力王善住法王佛
南无勝力散一切惡王佛
南无見无邊樂佛
南无善化功德炎華王佛
南无見彼岸佛　南无善化莊嚴佛
南无見樂處佛　南无尼拘律王勝佛
南无妙勝佛
南无大力智慧奮迅王佛
南无法樹提佛　南无堅固蓋成就佛
南无一切種智資生勝佛
南无入勝智自在山佛
南无一切世間得自在有橋梁勝佛
南无盡合勝佛　南无清淨一切功德王佛
南无波頭摩散湯楞知多莊嚴佛
南无一王佛　南无大多人安隱佛
南无二勝贊功德佛　南无圓堅佛
南无力士佛　南无寶来摩尼光佛
南无大海彌留佛　南无勝王佛
南无不住佛　南无不空功德佛
南无初速離不濁王佛　南无虛空行佛
南无无昬稱佛　南无壽山佛

BD01733號　佛名經（十六卷本）卷一三　（31–7）

南无大海彌留佛　南无勝王佛
南无不住佛　南无不空功德佛
南无初速離不濁王佛　南无虛空行佛
南无无昬稱佛　南无壽山佛
南无不可思議起三昧稱佛
南无諸天梵王雜皃佛
南无示无義王佛　南无離垢王佛
南无照功德佛　南无自在眼佛
南无智府成就住佛　南无无障智成就佛
南无就決定義佛　南无莊嚴法燈妙稱佛
南无二寶法燈佛　南无大炎藏佛
南无自師子上身莊嚴佛
南无智寶因緣莊嚴佛
南无眼諸根清淨眼佛
南无善香隨香波頭摩佛
南无法佛　南无廣佛
從此以上九千九百佛十二部經一切賢聖
南无戒功德佛　南无常鏡佛
南无隨順稱佛　南无法自在佛
南无如意莊嚴佛　南无藏佛
南无情貪佛　南无思妙義堅固願佛
南无一切德輪光佛
南无法吼智明佛　南无甘露光佛

BD01733號　佛名經（十六卷本）卷一三　（31–8）

南无如意莊嚴佛　南无藏佛
南无惜貪佛　南无思妙義堅固願佛
南无一切德輪光佛
南无法明智明佛　南无甘露光佛
南无无邊莊嚴佛　南无勝福田佛
南无善决定諸佛法莊嚴佛
舍利弗西方如是等无量无邊佛汝當
至歸命
次礼十二部尊經大藏法輪
南无治身經　南无菩首章經
南无衆祐經　南无泓方等經
南无獨居思惟自念經　南无長者須達經
南无獨思惟意中念生經　南无无本經
南无檀若經　南无月明童子經
南无无憂施經　南无无思議孩童經
南无墮藍經　南无法律三昧經
南无給孤獨四生家門受施經
南无禪行法相經
南无法受塵經　南无頞多和多經
南无羅云母經　南无嚴調經
南无七處三觀經　南无貧女經
次礼十方諸大菩薩
南无金剛色世界法首菩薩

BD01733號　佛名經（十六卷本）卷一三　（31–9）

南无羅云母經　南无嚴調經
南无七處三觀經　南无貧女經
次礼十方諸大菩薩
南无金剛色世界法首菩薩
南无頗梨色世界智首菩薩
南无如實色世界賢首菩薩
南无因陁羅世界法慧菩薩
南无蓮華世界一切慧菩薩
南无衆寶世界勝慧菩薩
南无憂鉢羅世界功德慧菩薩
南无妙行世界精進慧菩薩
南无善行世界善慧菩薩
南无歡喜世界智慧菩薩
南无星宿世界真實慧菩薩
南无歡憙世界无上慧菩薩
南无虛空世界堅固慧菩薩
南无衆寶金剛藏世界觀勝法妙清
淨王菩薩
南无无量慧世界功德菩薩
南无幢慧世界慧林菩薩
南无地世界勝林菩薩
南无勝慧世界无畏菩薩
南无燈慧世界慚愧林菩薩

BD01733號　佛名經（十六卷本）卷一三　（31–10）

南无地世界勝勝林菩薩
南无勝慧世界无界菩薩
南无燈慧世界慙愧林菩薩
南无金剛慧世界精進菩薩
南无安樂慧世界力成就林菩薩
南无日慧世界堅固林菩薩
南无清淨慧世界如来林菩薩
南无梵慧世界智菩薩
次礼聲聞緣覺一切賢聖
南无善吉辟支佛　南无不可心辟支佛
南无善住辟支佛　南无无比辟支佛
南无憍慢辟支佛　南无動多辟支佛
南无斷愛辟支佛　南无耳辟支佛
南无心得解脫辟支佛　南无優波耳辟支佛
南无吉辟支佛　南无差摩辟支佛
歸命如是等无量无邊辟支佛
礼三寶已次復懺悔
已懺地獄報竟今當復次懺悔三惡道
報經中佛說多欲之人多求利故苦惱亦
多知足之人雖卧地上猶以為樂不知足者
雖處天堂猶不稱意但世間人忽有急
難便能捨財不計多少而不知此身臨於
三塗深坑之上一息不還便應墮落忽有

BD01733 號　佛名經（十六卷本）卷一三　（31–11）

多知足之人雖卧地上猶以為樂不知足者
雖處天堂猶不稱意但世間人忽有急
難便能捨財不計多少而不知此身臨於
三塗深坑之上一息不還便應墮落忽有
知識營功福德今猶未來善法資粮
執此慳心无肯作理夫如此者極為愚癡
何以故余經中佛說生時不齎一文而来死
亦不持一文而去苦身積聚為之憂惱於
己無益徒為他有无善可恃无德可怙致
使命終墮於惡道是故弟子等今日稽顙
懇到歸依佛
南无東方大光明曜佛　南无南方虛空住佛
南无西方金剛光佛　南无北方无邊力佛
南无東南方无邊王佛
南无西南方壞諸怨賊佛
南无西北方離垢光佛
南无東北方金色光音佛
南无下方師子遊戲佛
南无上方月幢王佛
如是十方盡虛空界一切三寶至心歸命
常住三寶
弟子今日次復懺悔畜生道中无所識

BD01733 號　佛名經（十六卷本）卷一三　（31–12）

如是十方盡虚空界一切三寶至心歸命
常住三寶
弟子今日次復懺悔畜生道中无所識
知罪報懺悔畜生道中負重牽犁償
他宿債罪報懺悔畜生道中不得自在
爲他所刺屠割罪報懺悔畜生无足二
足四足多足罪報懺悔畜生道中身諸
毛羽鱗甲之內爲諸小虫之所唼食罪報
如是畜生道中有无量罪報今日至誠
皆悉懺悔至心歸命常住三寶
次復懺悔餓鬼道中長飢罪報懺悔餓
鬼百千万歲初不曾聞漿水之名罪報懺
悔餓鬼食噉膿血糞穢罪報懺悔餓鬼動
身之時一切枝節火然罪報懺悔餓鬼腹
大咽小罪報如是餓鬼道中无量苦報今日
稽顙皆悉懺悔至心頂礼常住三寶
次復懺悔一切鬼神脩羅道中諂詐稱
罪報懺悔鬼神道中擔沙負石填河塞
海罪報懺悔鬼神道中羅剎鳩槃荼諸惡
鬼神生噉肉血受此醜陋罪報如是鬼神
道中无量无邊一切罪報今日稽顙向十
方佛大地菩薩求哀懺悔悉令消滅至
心頂礼常住三寶

BD01733號　佛名經（十六卷本）卷一三　（31–13）

鬼神生噉肉血受此醜陋罪報如是鬼神
道中无量无邊一切罪報今日稽顙向十
方佛大地菩薩求哀懺悔悉令消滅至
心頂礼常住三寶
願弟子等承是懺悔畜生等報所生功德
生生世世滅愚癡垢自識業緣智慧明照
斷惡道身願以懺悔餓鬼等報所生功德
生生世世永離慳貪飢渴之苦常食甘露
解脫之味願以懺悔鬼神脩羅等報所生功
德生生世世質直无諂離邪命因除醜陋
果福利人天願弟子等從今以去乃至道
場決定不受四惡道報唯除大悲爲衆生
故以誓願力處之无猒至心頂礼常住三寶
舍利弗汝當至心歸命北方佛
南无勝藏佛　南无自在藏佛
南无无邊華龍一俱蘇摩生佛
南无降伏諸魔勇猛佛
南无空諸魔佛　南无法像佛
南无功德勝佛　南无山峰光佛
南无法王佛　南无普恭敬燈佛
從此以上一万佛十二部經一切賢聖
南无地勝佛　南无成就如來家佛
南无一切聲成就佛　南无[illegible]

BD01733號　佛名經（十六卷本）卷一三　（31–14）

南无法王佛　南无普恭敬燈佛
從此以上一万佛十二部經一切賢聖
南无地勝佛　南无成就如來家佛
南无一切寶成就佛　南无陁羅尼文句莊義佛
南无忍自在王佛　南无成就一切稱佛
南无三世智自在佛　南无勝歸依德善佛
南无種種摩尼光佛　南无勝功德佛
南无佛功德勝佛　南无无餘證佛
南无得佛眼佛　南无隨過去佛佛
南无大慈成就悲勝佛
南无住持師子智佛
南无无衆生住寶際王佛
南无自家法得成就佛
南无大智莊嚴身佛
南无智稱佛　南无佛法首佛
南无一切衆生德佛　南无過一切法聞佛
南无自在因陁羅佛　南无滿足意佛
南无大瑠璃佛　南无菩提光明佛
南无不可思議法智光明佛
南无真檀不空王佛　南无不染波頭摩幢佛
南无法財聲王佛　南无釋法善名稱佛
南无智髓劫佛　南

南无真檀不空王佛　南无不染波頭摩幢佛
南无法財聲王佛　南无釋法善名稱佛
南无智髓劫佛　南
南无佛眼清淨分陁利佛
南无智自在稱佛　南无斷无邊疑佛
南无衆生方便自在王佛
南无无邊覺奮迅无畏思惟佛
南无法行地善住佛　南无普衆生男盾佛
南无降伏諸魔力堅意佛
南无天王自在寶合王佛
南无如寶脩行藏佛
南无能生一切歡喜月見佛
南无大迅覺迅佛
南无種種摩尼聲吼王佛
南无无歡王佛　南无不退了勇猛佛
南无佛土莊嚴身佛　南无智根本華幢佛
南无化身无畏稱佛　南无一切龍摩尼藏佛
南无法聲自在佛　南无法甘露莎梨羅佛
南无无邊寶福德藏佛
南无清淨華行佛
南无大法王華勝佛
南无一切盡无盡藏佛

南无清淨華行佛
南无大法王華勝佛
南无一切盡无盡藏佛
南无花山藏佛　南无智虛空山佛
南无智力不可破壞佛
南无无㝵堅固隨順智佛
南无无邊大海藏佛
南无智王无盡稱佛
南无奮迅心意王佛
南无自清淨智佛
南无智自在法王佛　南无勝行佛
南无金剛見佛　南无法滿足隨意見佛
南无龍月佛　南无目陁羅国佛
南无无㝵王佛　南无寶目陁羅輪藏佛
南无能生一切衆生歡稱佛
南无火威德光明輪王佛
南无无障㝵波羅佛　南无无垢髻佛
南无放光明佛　南无山力月藏佛
南无心自在王佛　南无堅固无畏去首佛
南无堅固勇猛寶佛
南无堅固心善住王佛
南无能破闇曀王佛
南无勝丈夫分陁利佛

BD01733號　佛名經（十六卷本）卷一三　（31–17）

南无能破闇曀王佛
南无勝丈夫分陁利佛
南无百聖藏佛　南无妙蓮華藏佛
南无見平等法身佛　南无衆生月佛
南无師子去佛　南无大威德佛
南无妙聲佛　南无无邊光佛
南无見愛佛　南无大首佛
南无勝首佛　南无樂聲佛
南无見寶佛　南无清稱佛
南　從此以上一万一百佛十二部經一切賢聖
南无師子慧佛　南无德聲佛
南无脩樓毗香佛　南无電燈佛
南无波頭摩光佛　南无大光佛
南无梵聲佛　南无无起佛
南无无邊勢力佛　南无月面佛
南无无邊光佛　南无愛威德佛
南无散疑佛　南无功德燈佛
南无不藏威德佛　南无无邊藏佛
南无光明奮迅王佛　南无廣稱佛
南无遠離憧佛　南无增長聖佛
南无普見佛　南无不可勝佛
南无成德聚佛　南无堅固步佛

BD01733號　佛名經（十六卷本）卷一三　（31–18）

南无光明奮迅王佛　南无廣稱佛
南无遠離憧佛　南无增長聖佛
南无普見佛　南无不可勝佛
南无成德聚佛　南无堅固步佛
南无摩尼賒稱佛　南无无邊色佛
南无大光明佛　南无妙聲佛
南无不動步佛　南无无邊莊嚴佛
南无大清淨佛　南无威德聚光明佛
南无住智佛　南无堅佛
南无愛解脫佛　南无愛无畏佛
南无甘露藏佛　南无普觀察佛
南无大脩行佛　南无細威德佛
南无十方恭敬佛　南无光明勝佛
南无重說佛　南无光明莊嚴佛
南无師子奮迅佛　南无善見佛
南无甘露步佛　南无月光明佛
南无功德稱佛　南无善根佛
南无清淨聲佛　南无无㝵輪佛
南无甘露聲佛　南无衆生可敬佛
南无如意威德佛　南无无邊色佛
南无大力佛　南无決莊嚴佛
南无普照觀佛　南无奮迅德佛
南无妙色佛　南无稱……

BD01733 號　佛名經（十六卷本）卷一三　（31–19）

南无如意威德佛　南无无邊色佛
南无大力佛　南无決莊嚴佛
南无普照觀佛　南无奮迅德佛
南无妙色佛　南无稱意佛
南无寶莊嚴佛　南无高光明佛
南无解脫步佛　南无功德莊嚴佛
南无畢竟智佛　南无生離兜佛
南无不動智佛　南无行竟佛
南无妙色佛　南无寶色佛
南无火聲佛　南无善思惟佛
南无功德華佛　南无思惟世間佛
南无大高光佛　南无无譬喻奮迅佛
南无清淨覺佛　南无无月重佛
南无月燈佛　南无无邊光佛
南无種種日佛　南无天城佛
南无心清淨佛　南无波頭摩藏佛
南无常擇智佛　南无師子聲佛
南无无邊光佛　南无勝聲佛
南无可樂意智光佛　南无功德光佛
南无自在光佛　南无淨嚴身佛
南无无濁義佛　南无應威德佛
南无成就義智佛　南无得大聲佛

BD01733 號　佛名經（十六卷本）卷一三　（31–20）

南无[illegible]佛　南无[illegible]光佛
南无自在光佛　南无淨嚴身佛
南无无濁義佛　南无應威德佛
南无成就義智佛　南无得大聲佛
南无婆藪陁聲佛　南无聲胃哆光佛
從此以上一万二百佛十二部經一切賢聖
南无決定思惟佛　南无菴遮婆光佛
南无鳴闍光明佛　南无毗弗波威德佛
南无憂多羅魔吒佛　南无夜舍雞兜佛
南无功德清淨佛　南无法燈佛
南无勝功德佛　南无仙荷波提婆羅佛
南无心荷出香佛　南无思惟衆生佛
南无莎伽羅智佛　南无波頭摩藏佛
南无善仙佛　南无莎羅王佛
南无脩利耶光佛　南无菩提味佛
南无齊諸根佛　南无婆究光佛
南无蘇陁利光佛　南无弥留光佛
南无旃陁面佛　南无莎利荼香佛
南无諸方眼佛　南无法光明佛
南无尸羅波散那佛　南无阿難陁智佛
南无阿難陁色佛　南无地荼毗梨耶佛
南无提婆弥多佛　南无莎虜多智佛
南无[illegible]

BD01733號　佛名經（十六卷本）卷一三

（31–21）

南无[illegible]佛　南无[illegible]佛
南无阿難陁色佛　南无地荼毗梨耶佛
南无提婆弥多佛　南无莎虜多智佛
南无齊靜光佛　南无摩究舍威德佛
南无善尒若提陁佛　南无稱聖佛
南无稱幢佛　南无輪面佛
南无普清淨佛　南无摩訶提闍佛
南无阿羅訶應佛　南无優多那勝佛
南无悉達他思惟佛　南无愛供養佛
南无三溽多護佛　南无尼弥佛
南无信菩提佛　南无破意佛
南无出智佛　南无勝聲佛
南无脩多婆究佛　南无弥荷聲佛
南无大寶騫陁佛　南无勝拘吒佛
南无阿舒伽愛佛　南无天國土佛
南无師子難提拘沙佛　南无阿難陁波破佛
南无見愛佛　南无波提波王佛
南无勝雞兜佛　南无方聞聲佛
南无愛眼佛　南无旃陁雞兜佛
南无阿婆夜達多佛　南无那剎多王佛
南无藪摩提婆佛　南无日光明佛
南无大稱佛　南无真聲佛
南无[illegible]

BD01733號　佛名經（十六卷本）卷一三

（31–22）

南无愛眼佛　南无旃陁難兜佛
南无阿婆夜達多佛　南无那剎多王佛
南无藪摩提婆佛　南无日光明佛
南无大稱佛　南无真聲佛
南无訖愛佛　南无稱曇多羅佛
南无摩頭羅光明佛　南无脩伽聲佛
南无質多意佛　南无婆藪陁清淨佛
南无齋瞋佛　南无破意佛
南无宿王佛　南无毗伽陁畏佛
南无勝曇多摩佛　南无波薩那智佛
南无慈勝種光佛　南无普見佛
南无見月佛　南无降伏諸魔成德佛
南无摩訶羅他佛　南无心荷去佛
南无樂光佛　南无普讓佛
南无清淨意佛　南无成就義佛
南无香山佛　南无摩尼清淨佛
南无功德光佛　南无日光佛
南无成就光佛　南无見愛佛
南无善思惟佛　南无娑漫多見佛
從此以上一万三百佛十二部經一切賢聖
南无師子幢佛　南无普行佛
南无大去佛

從此以上一万三百佛十二部經一切賢聖
南无師子幢佛　南无普行佛
南无大去佛
南无阿羅頻波頭摩眼佛
南无日光佛　南无阿彌多清淨佛
南无阿難多穰波佛　南无蓋天佛
南无羅多那光佛　南无莎羅棵羅多佛
南无善見佛　南无甛味佛
南无婆耆羅莎佛　南无脩利耶那那佛
南无无障㝵眼佛　南无莎荷去佛
南无大然燈佛　南无盧荷那佛
南无清淨功德佛　南无功德藏佛
南无法佛　南无摩樓多愛佛
南无阿婆耶愛佛　南无慧幢佛
南无威德光佛　南无月德佛
南无求那婆藪佛　南无无邊光佛
南无安樂佛　南无稱雞兜佛
南无光明吼佛　南无普功德佛
南无勝雞兜佛　南无那羅延佛
南无寶清淨佛　南无普心佛
南无善意佛　南无佛
南无不量威德佛　南无師子辟佛

南无勝雞兜佛　南无那羅延佛
南无寶清淨佛　南无普心佛
南无善意佛　南无佛
南无不量威德佛　南无師子辟佛
南无光明意佛　南无那羅延天佛
南无薩遮雞兜佛　南无善住意佛
南无阿弥多天佛　南无大慧德佛
南无大幢佛　南无光明日佛
南无法佛　南无善法佛
南无旃陁婆覺佛　南无菴摩羅勝佛
南无羅賚佛　南无普心擇佛
南无成就光佛　南无甘露眼佛
南无稱愛佛　南无善護佛
南无天信佛　南无善量步佛
南无提婆多羅佛　南无深智佛
南无斯那步佛　南无旃陁跋陁佛
南无提闍積佛　南无大勝佛
南无大步佛　南无闍耶天佛
南无悉達他意佛　南无質多憂佛
南无師子賚佛　南无信提舍那佛
南无智光佛　南无拘賴摩提闍佛
南无提闍羅尸佛　南无如意光佛

BD01733號　佛名經（十六卷本）卷一三　（31-25）

南无悉達他意佛　南无質多憂佛
南无師子賚佛　南无信提舍那佛
南无智光佛　南无拘賴摩提闍佛
南无提闍羅尸佛　南无如意光佛
南无无邊威德佛　南无无邊光佛
南无勝藏佛　南无盧遮那稱佛
南无寶雞兜佛　南无耶伽提闍佛
南无日雞兜佛　南无摩訶孫留佛
南无摩訶顗荷佛　南无世間得名佛
南无耶伽德佛　南无憂多摩稱佛
南无成就義步佛　南无提婆摩醯多佛
次禮十二部尊經大藏法輪
南无決揔持經　南无七智經
南无所祇經　南无七車經
南无耆闍崛山解經　南无留多經
南无未生王經　南无三乘經
從此以上一万四百佛十二部經一切賢聖
南无便賢者旃經
南无颰陁悔過經　南无三轉月明經
南无聽施經　南无是時自提道經
南无三品脩行經
南无句義經　南无鷹王佛
南无須摩經　南无弘道三昧經

BD01733號　佛名經（十六卷本）卷一三　（31-26）

南无風陁悔過經　南无三轉月明經
南无聽施經　南无是時自梵自誓經
南无三品脩行經
南无句義經　南无鷹王佛
南无須摩經　南无弥道三昧經
南无義決律經　南无須耶越國貢人經
南无齋經　南无菩入法嚴經
次礼十方諸大菩薩
南无堅固寶世界金剛幢菩薩
南无堅固寶王世界勇猛幢菩薩
南无堅固樂世界堅固幢菩薩
南无堅固金世界夜光幢菩薩
南无堅固摩世界智幢菩薩
南无堅固金剛世界寶幢菩薩
南无堅固蓮華世界精進幢菩薩
南无堅固青蓮世界離垢幢菩薩
南无堅固栴檀世界宜寶幢菩薩
南无堅固香世界法幢菩薩
南无南方善思議菩薩
南无現在西方菩薩
南无善吉世界成一切利菩薩
南无善吉世界金光齋菩薩
南无寶樹世界精進首菩薩

南无善吉世界成一切利菩薩
南无善吉世界金光齋菩薩
南无寶樹世界精進首菩薩
南无寶楊世界明首菩薩
南无善照世界思於大哀菩薩
南无无優世界普曜菩薩
南无香勝離垢光明世界普智光明慧燈菩薩
南无金剛慧世界淨光菩薩
南无善行世界无勝意菩薩
南无善吉世界明星菩薩
南无寶樹世界无言菩薩
南无歡喜世界蓮華菩薩
南无歡喜世界山王華菩薩
次礼聲聞緣覺一切賢聖
南无十同名婆羅辟支佛
南无大身辟支佛
南无同菩提辟支佛　南无摩訶男辟支佛
南无心上辟支佛　南无默淨辟支佛
南无善快辟支佛　南无國陁辟支佛
南无吉沙辟支佛　南无優波吉沙辟支佛
南无斷有辟支佛　南无優波羅辟支佛
南无斷愛辟支佛　南无施婆羅辟支佛
礼三寶已次復懺悔

南无吉沙辟支佛　南无優波吉沙辟支佛
南无斷有辟支佛　南无優波羅辟支佛
南无斷愛辟支佛　南无施婆羅辟支佛
礼三寶已次復懺悔
已懺三塗等報今當復次稽顙懺悔
人天餘報相與稟此閻浮壽命雖曰百歲
滿者无幾於其中間盛年枉夭其數无量
但有衆苦煎迫形心愁憂怖懼未曾蹔
離如此皆是善根微弱惡業滋多致使現在
有所為皆不稱意當知悉是過去已來惡
業餘報是故弟子今日至誠歸依佛
南无東方蓮華上佛　南无南方調伏佛
南无西方无量明佛　南无北方勝諸根佛
南无東南方蓮華尊佛　南无西南方无量華佛
南无西北方自在智佛　南无東北方赤蓮華光佛
南无下方分別佛　南无上方伏惡智佛
如是十方盡虛空界一切三寶至心歸命
常住三寶弟子等无始以來至於今日所
有現在及以未來人天之中无量餘報流
狹宿對癃殘百病六根不具罪報懺悔人
間邊地邪見三惡八難罪報懺悔人間多
病消瘦促命夭枉罪報懺悔人間六親眷
屬不能得常相保守罪報懺悔人間親舊

BD01733號　佛名經（十六卷本）卷一三　（31-29）

間邊地邪見三惡八難罪報懺悔人間多
病消瘦促命夭枉罪報懺悔人間六親眷
屬不能得常相保守罪報懺悔人間親舊
師長愛別離苦罪報懺悔人間怨家聚會
愁憂怖畏罪報懺悔人間水火盜賊刀兵
危嶮驚恐怯弱罪報懺悔人間孤獨困
苦流離波迸亡失國土罪報懺悔人間牢
獄繫閉幽縶倒立鞭撻考楚罪報懺悔
人間公私口舌便相羅染更相誣謗罪報懺
悔人間惡病連年累月不差枕臥床席不
能起居罪報懺悔人間冬溫夏疫毒癘
傷寒罪報懺悔人間賊風腫滿否塞罪
報懺悔人間為諸惡神伺求其便欲作禍
祟罪報懺悔人間有鳥鳴百怪飛屍邪鬼
為作妖異罪報懺悔人間為虎豹豺狼水陸
一切諸惡禽獸所傷罪報懺悔人間自經自
刺自煞罪報懺悔人間投坑赴水自沉
自墜罪報懺悔人間无有威德名聞罪報
懺悔人間衣服資生不稱心罪報懺悔人
間行來出入有所云為值惡知識為作留難
罪報如是現在未來人天之中无量禍橫災
疫厄難衰惱罪報弟子今日向十方佛尊法聖
僧求哀懺悔至心頂礼常住三寶

BD01733號　佛名經（十六卷本）卷一三　（31-30）

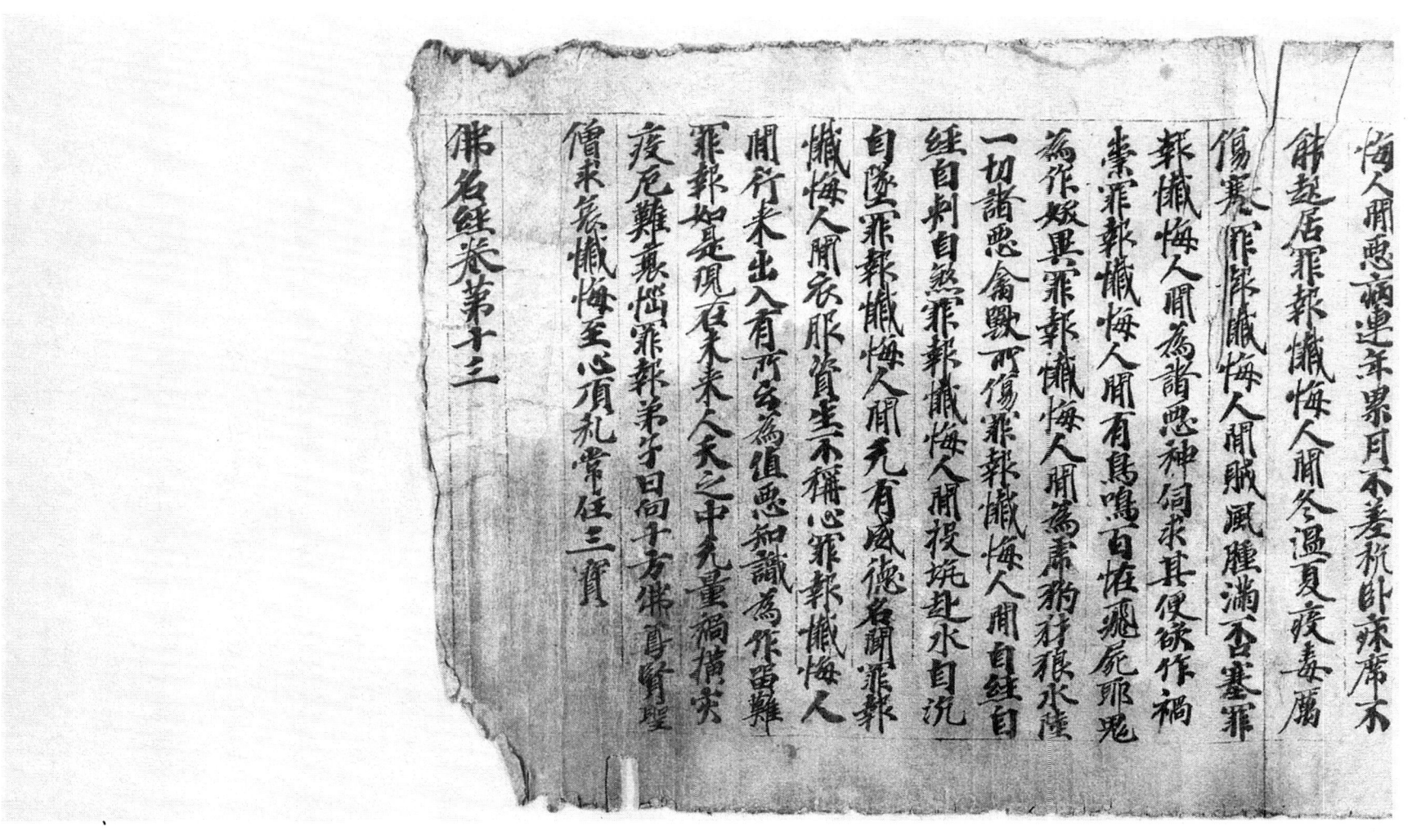

悔人聞惡病連年累月不差枕卧床席不
能起居罪報懺悔人聞冬溫夏疫毒厲
傷寒罪報懺悔人聞賊風腫滿否塞罪
報懺悔人聞爲諸惡神伺求其便欲作禍
祟罪報懺悔人聞有鳥鳴百怪飛屍邪鬼
爲作妖異罪報懺悔人聞爲虎豹豺狼水陸
一切諸惡禽獸所傷罪報懺悔人聞自經自
經自刺自煞罪報懺悔人聞投坑赴水自沉
自墜罪報懺悔人聞無有威德名聞罪報
懺悔人聞衣服資生不稱心罪報懺悔人
聞行來出入有所云爲值惡知識爲作留難
罪報如是現在未來人天之中無量禍橫灾
疫厄難衰惱罪報弟子日向十方佛尊賢聖
僧求哀懺悔至心頂禮常住三寶

佛名經卷第十三

BD01733號　佛名經（十六卷本）卷一三　（31–31）

十三

BD01733號背　勘記　（3–1）

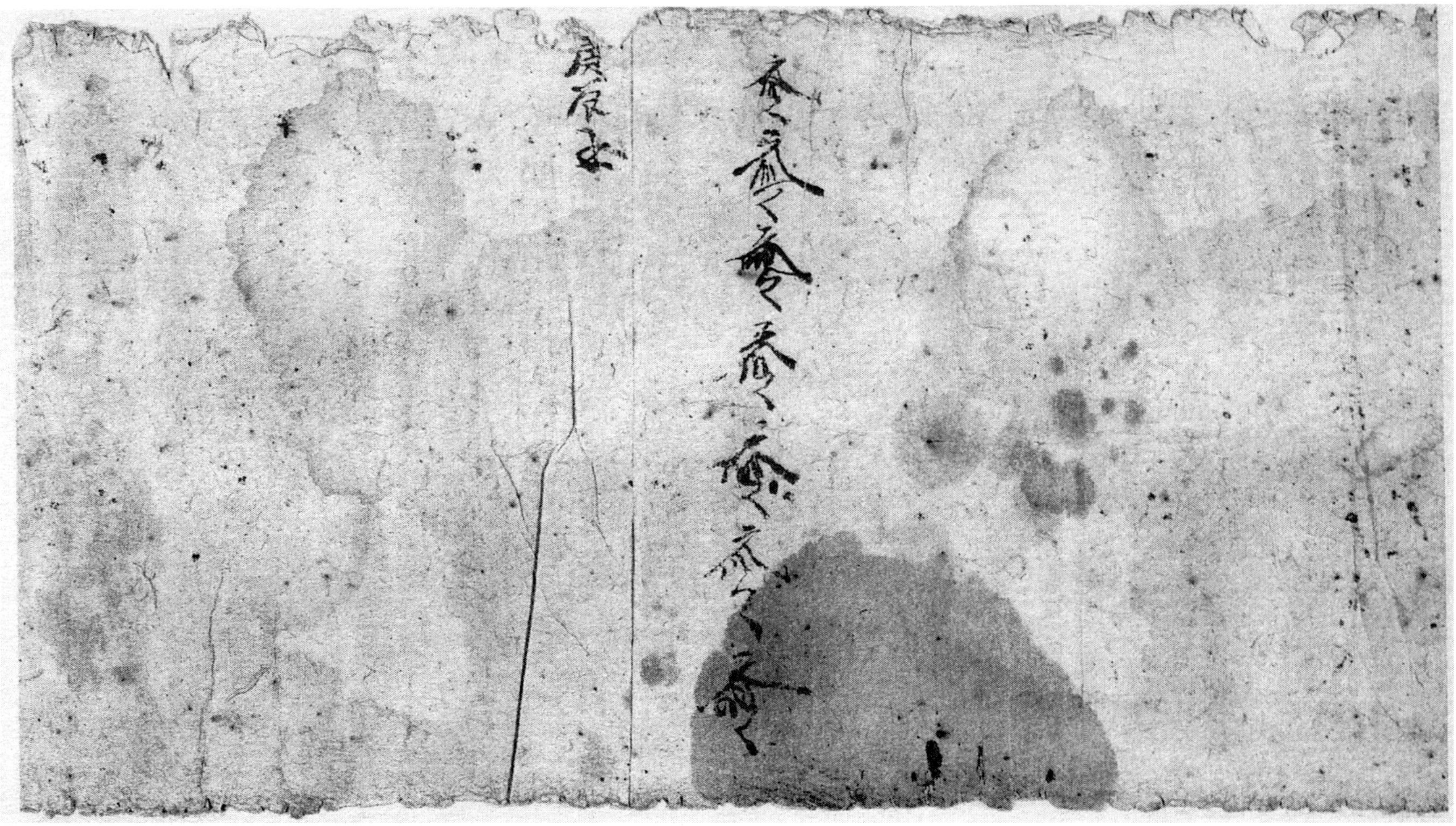

BD01733號背　勘記、雜寫　（3–2）

BD01733號背　雜寫　（3–3）

俱淨善男子如波羅捺耆
色何以故性白淨故菩薩摩訶薩亦復如是
以身淨故疾得阿耨多羅三藐三菩提以是
義故菩薩摩訶薩脩於淨身云何菩薩善知
諸緣菩薩摩訶薩不見色不見色相不見色緣不見
色體不見色出不見色滅不見一相不見異
相不見見者不見相貌不見受者何以故了
因緣故如色一切法亦如是是名菩薩了知
諸緣云何菩薩離諸怨敵一切煩惱是菩薩
怨菩薩摩訶薩常遠離故是菩薩壞諸怨
敵五住菩薩視諸煩惱不名為怨所以者何
因煩惱故菩薩有生以有生故故能展轉教
化眾生以是義故不名為怨何等為怨所謂
誹謗方等經者菩薩隨生不畏地獄畜生餓
鬼唯畏如是謗方等者一切菩薩有八種魔
名為怨家遠是八魔名離怨家是名菩薩離
諸怨家云何菩薩遠離二邊言二邊者謂廿
五有及愛煩惱菩薩常離二十五有及愛煩

BD01734 號　大般涅槃經（北本）卷二四　（2–1）

名為怨家遠是八魔名離怨家是名菩薩離
諸怨家云何菩薩遠離二邊言二邊者謂廿
五有及愛煩惱菩薩常離二十五有及愛煩
惱是名菩薩遠離二邊是名菩薩摩訶薩脩
大涅槃具足成就第四功德
爾時光明遍照高貴德王菩薩摩訶薩言如
佛所說若有菩薩脩大涅槃悉作如是十事
功德如來何故唯脩九事不脩淨土佛言善
男子我於往昔亦常具脩如是十事一切菩
薩及諸如來无有不脩是十事者若使世界
不淨充滿諸佛世尊於中出者无有是處善
男子汝今莫謂諸佛出於不淨世界當知是
心不善佞劣汝今當知我實不出閻浮提界
譬如有人說言此界獨有日月他方世界无
有日月如是之言无有義理若有菩薩發如
是言此佛世界穢惡不淨他方佛土清淨嚴
麗亦復如是善男子西方去此娑婆世界度
三十二恒河沙等諸佛國土彼有世界名曰
无勝彼土何故名曰无勝其土所有嚴麗之
事悉皆平等无有差別猶如西方安樂世界
亦如東方滿月世界我於彼土出現於世為

BD01734 號　大般涅槃經（北本）卷二四　（2–2）

大般若波羅蜜多經卷第一百卌八
初分校量功德品第卅之卌六　三藏法師玄奘奉　詔譯
復次憍尸迦若善男子善女人等為發無上
菩提心者宣說般若波羅蜜多作如是言汝
善男子應修般若波羅蜜多不應觀八解脫
若常若無常不應觀八勝處九次第定十遍
處若常若無常何以故八解脫八解脫自性
空八勝處九次第定十遍處八勝處九次第
定十遍處自性空是八解脫自性即非自性
是八勝處九次第定十遍處自性亦非自性
若非自性即是般若波羅蜜多於此般若波
羅蜜多八解脫不可得彼常無常亦不可得
八勝處九次第定十遍處皆不可得彼常無
常亦不可得所以者何此中尚無八解脫等
可得何況有彼常與無常汝若能修如是般
若是修般若波羅蜜多復作是言汝善男子
應修般若波羅蜜多不應觀八解脫若樂若
苦不應觀八勝處九次第定十遍處若樂若
苦何以故八解脫八解脫自性空八勝處九
次第定十遍處八勝處九次第定十遍處自
性空是八解脫自性即非自性是八勝處九

BD01735號　大般若波羅蜜多經卷一四八　（4–1）

苦不應觀八勝處九次第定十遍處若樂若
苦何以故八解脫八解脫自性空八勝處九
次第定十遍處八勝處九次第定十遍處自
性空是八解脫自性即非自性是八勝處九
次第定十遍處自性亦非自性若非自性即
是般若波羅蜜多於此般若波羅蜜多八解
脫不可得彼樂與苦亦不可得八勝處九次
第定十遍處皆不可得彼樂與苦亦不可得
所以者何此中尚無八解脫等可得何況有
彼樂之與苦汝若能修如是般若是修般若
波羅蜜多復作是言汝善男子應修般若波
羅蜜多不應觀八解脫若我若無我不應觀
八勝處九次第定十遍處若我若無我何以
故八解脫八解脫自性空八勝處九次第定
十遍處八勝處九次第定十遍處自性空是
八解脫自性即非自性是八勝處九次第定
十遍處自性亦非自性若非自性即是般若
波羅蜜多於此般若波羅蜜多八解脫不可
得彼我無我亦不可得八勝處九次第定十
遍處皆不可得彼我無我亦不可得所以者
何此中尚無八解脫等可得何況有彼我與
無我汝若能修如是般若是修般若波羅蜜
多復作是言汝善男子應修般若波羅蜜多
不應觀八解脫若淨若不淨不應觀八勝處
九次第定十遍處若淨若不淨何以故八解
脫八解脫自性空八勝處九次第定十遍處
八勝處九次第定十遍處自性空是八解脫

BD01735號　大般若波羅蜜多經卷一四八　（4–2）

九次第定十遍處若淨若不淨何以故八解
脫八解脫自性空八勝處九次第定十遍處
八勝處九次第定十遍處自性空是八解脫
自性即非自性是八勝處九次第定十遍處
自性亦非自性若非自性即是般若波羅蜜
多於此般若波羅蜜多八解脫不可得彼淨
不淨亦不可得八勝處九次第定十遍處皆
不可得彼淨不淨亦不可得所以者何此中
尚無八解脫等可得何況有彼淨與不淨汝
若能脩如是般若是脩般若波羅蜜多憍尸
迦是善男子善女人等作此等說是為宣說
真正般若波羅蜜多
復次憍尸迦若善男子善女人等為發無上
菩提心者宣說般若波羅蜜多作如是言汝
善男子應脩般若波羅蜜多不應觀四念住
若常若無常不應觀四正斷四神足五根五
力七等覺支八聖道支若常若無常何以故
四念住四念住自性空四正斷四神足五根
五力七等覺支八聖道支四正斷乃至八聖
道支自性空是四念住自性即非自性是四
正斷乃至八聖道支自性亦非自性若非自
性即是般若波羅蜜多於此般若波羅蜜多
四念住不可得彼常無常亦不可得四正斷
乃至八聖道支皆不可得彼常無常亦不可
得所以者何此中尚無四念住等可得何況
有彼常與無常汝若能脩如是般若是脩般
若波羅蜜多復作是言汝善男子應脩般若

性即是般若波羅蜜多於此般若波羅蜜多
四念住不可得彼常無常亦不可得四正斷
乃至八聖道支皆不可得彼常無常亦不可
得所以者何此中尚無四念住等可得何況
有彼常與無常汝若能脩如是般若是脩般
若波羅蜜多復作是言汝善男子應脩般若
波羅蜜多不應觀四念住若樂若苦不應觀
四正斷四神足五根五力七等覺支八聖道
支若樂若苦何以故四念住四念住自性空
四正斷四神足五根五力七等覺支八聖道
支四正斷乃至八聖道支自性空是四念住
自性即非自性是四正斷乃至八聖道支自
性亦非自性若非自性即是般若波羅蜜多
於此般若波羅蜜多四念住不可得彼樂與
苦亦不可得四正斷乃至八聖道支皆不可
彼樂與苦亦不可得所以者何此中尚無
四念住等可得何況有彼樂之與苦汝若能
脩如是般若是脩般若波羅蜜多復作是言
汝善男子應脩般若波羅蜜多不應觀四念
住若我若無我不應觀四正斷四神足五根

一百卅八

BD01735號背　勘記　　(1-1)

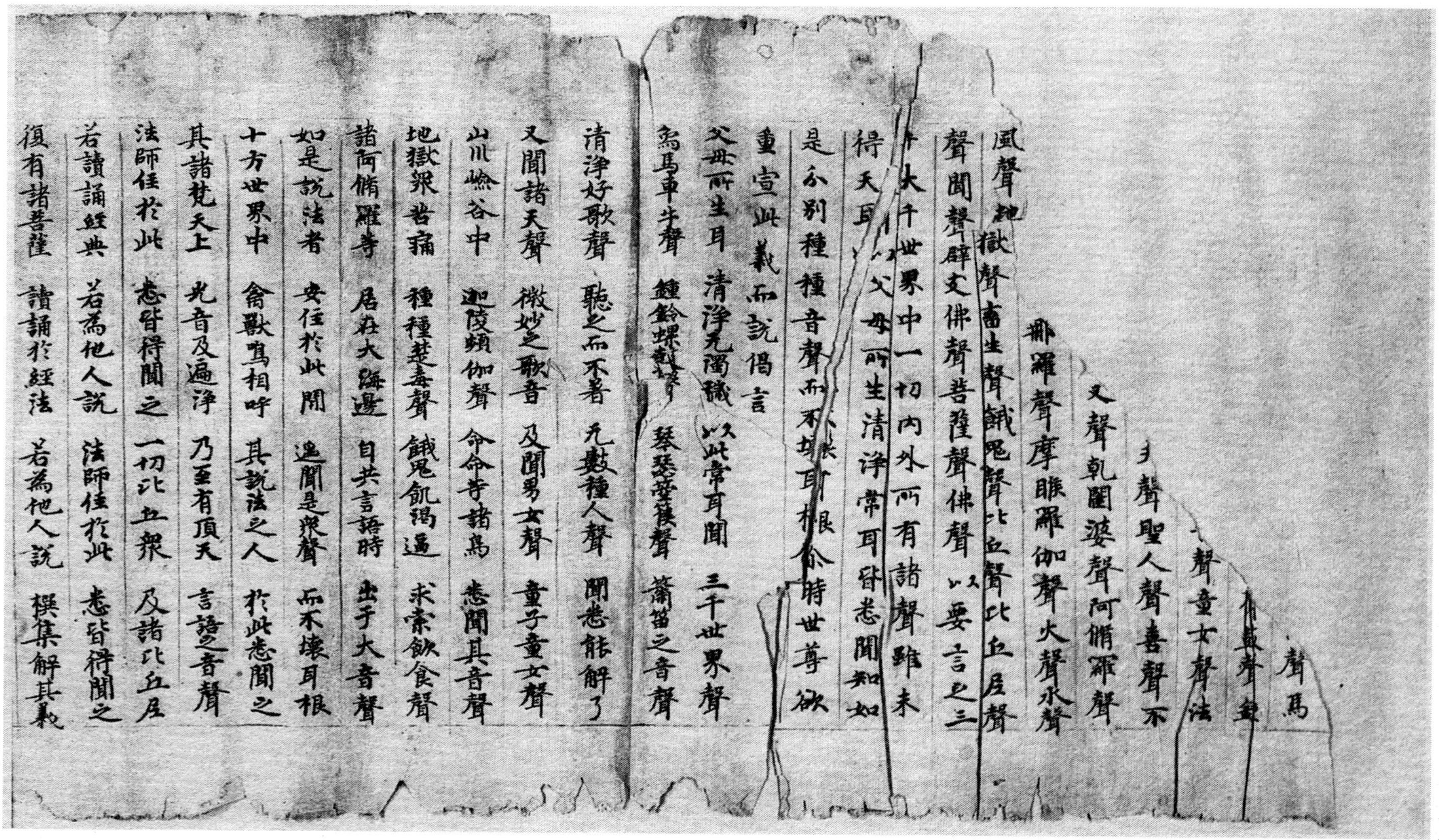
聲馬
鼓聲鈴
聲童女聲法
夫聲聖人聲喜聲不
叉聲乾闥婆聲阿脩羅聲
那羅聲摩睺羅伽聲火聲水聲
風聲地獄聲畜生聲餓鬼聲比丘聲比丘尼聲
聲聞聲辟支佛聲菩薩聲佛聲以要言之三
千大千世界中一切内外所有諸聲雖未
得天耳以父母所生清淨常耳皆悉聞知如
是分別種種音聲而不壞耳根爾時世尊欲
重宣此義而説偈言
父母所生耳　清淨无濁穢　以此常耳聞　三千世界聲
象馬車牛聲　鍾鈴螺鼓聲　琴瑟箜篌聲　簫笛之音聲
清淨好歌聲　聽之而不著　无數種人聲　聞悉能解了
又聞諸天聲　微妙之歌音　及聞男女聲　童子童女聲
山川嶮谷中　迦陵頻伽聲　命命等諸鳥　悉聞其音聲
地獄衆苦痛　種種楚毒聲　餓鬼飢渴逼　求索飲食聲
諸阿脩羅等　居在大海邊　自共言語時　出于大音聲
如是説法者　安住於此間　遥聞是衆聲　而不壞耳根
十方世界中　禽獸鳴相呼　其説法之人　於此悉聞之
其諸梵天上　光音及遍淨　乃至有頂天　言語之音聲
法師住於此　悉皆得聞之　一切比丘衆　及諸比丘尼
若讀誦經典　若為他人説　法師住於此　悉皆得聞之
復有諸菩薩　讀誦於經法　若為他人説　撰集解其義

BD01736號　妙法蓮華經卷六　　(22-1)

十方世界中　禽獸鳴相呼　其說法之人　於此悉聞之
其諸梵天上　光音及遍淨　乃至有頂天　言語之音聲
法師住於此　悉皆得聞之　一切比丘眾　及諸比丘尼
若讀誦經典　若為他人說　法師住於此　悉皆得聞之
復有諸菩薩　讀誦於經法　若為他人說　撰集解其義
如是諸音聲　悉皆得聞之　諸佛大聖尊　教化眾生者
於諸大會中　演說微妙法　持此法華者　悉皆得聞之
三千大千界　內外諸音聲　下至阿鼻獄　上至有頂天
皆聞其音聲　而不壞耳根　其耳聰利故　悉能分別知
持是法華者　雖未得天耳　但用所生耳　功德已如是
復次常精進若善男子善女人受持是經若
讀若誦若解說若書寫成就八百鼻功德以
是清淨鼻根聞於三千大千世界上下內外
種種諸香須曼那華香闍提華香末利華香
瞻蔔華香波羅羅華香赤蓮華香青蓮華香
白蓮華香華樹香菓樹香栴檀香沉水香多
摩羅跋香多伽羅香及千萬種和香若末若
丸若塗香持是經者於此間住悉能分別又
復別知眾生之香象香馬香牛羊等香男香
女香童子香童女香及草木叢林香若近若
遠所有諸香悉皆得聞分別不錯持是經者
雖住於此亦聞天上諸天之香波利質多羅
拘鞞陀羅樹香及曼陀羅華香摩訶曼陀羅
華香曼殊沙華香摩訶曼殊沙華香栴檀沉
水種種末香諸雜華香如是等天香和合所
出之香无不聞知又聞諸天身香釋提桓因
在勝殿上五欲娛樂嬉戲時香若在妙法堂

BD01736號　妙法蓮華經卷六　（22–2）

華香曼殊沙華香摩訶曼殊沙華香栴檀沉
水種種末香諸雜華香如是等天香和合所
出之香无不聞知又聞諸天身香釋提桓因
在勝殿上五欲娛樂嬉戲時香若在妙法堂
上為忉利諸天說法時香若於諸園遊戲時
香及餘天等男女身香皆悉遙聞如是展轉
乃至梵世上至有頂諸天身香亦皆聞之并
聞諸天所燒之香及聲聞香辟支佛香菩薩
香諸佛身香亦皆遙聞知其所在雖聞此香
然於鼻根不壞不錯若欲分別為他人說憶念
不謬　爾時世尊欲重宣此義而說偈言
是人鼻清淨　於此世界中　若香若臭物　種種悉聞知
須曼那闍提　多摩羅栴檀　沉水及桂香　種種華菓香
及知眾生香　男子女人香　說法者遠住　聞香知所在
大勢轉輪王　小轉輪及子　群臣諸宮人　聞香知所在
身所著珍寶　及地中寶藏　轉輪王寶女　聞香知所在
諸人嚴身具　衣服及瓔珞　種種所塗香　聞則知其身
諸天若行坐　遊戲及神變　持是法華者　聞香悉能知
諸樹華菓實　及酥油香氣　持經者住此　悉知其所在
諸山深嶮處　栴檀樹華敷　眾生在中者　聞香皆能知
鐵圍山大海　地中諸眾生　持經者聞香　悉知其所在
阿脩羅男女　及其諸眷屬　鬪諍遊戲時　聞香皆能知
曠野嶮隘處　師子象虎狼　野牛水牛等　聞香知所在
若有懷妊者　未辯其男女　無根及非人　聞香悉能知
以聞香力故　知其初懷妊　成就不成就　安樂產福子
以聞香力故　知男女所念　染欲癡恚心　亦知脩善者
地中眾伏藏　金銀諸珍寶　銅器之所盛　聞香悉能知
[illegible]

BD01736號　妙法蓮華經卷六　（22–3）

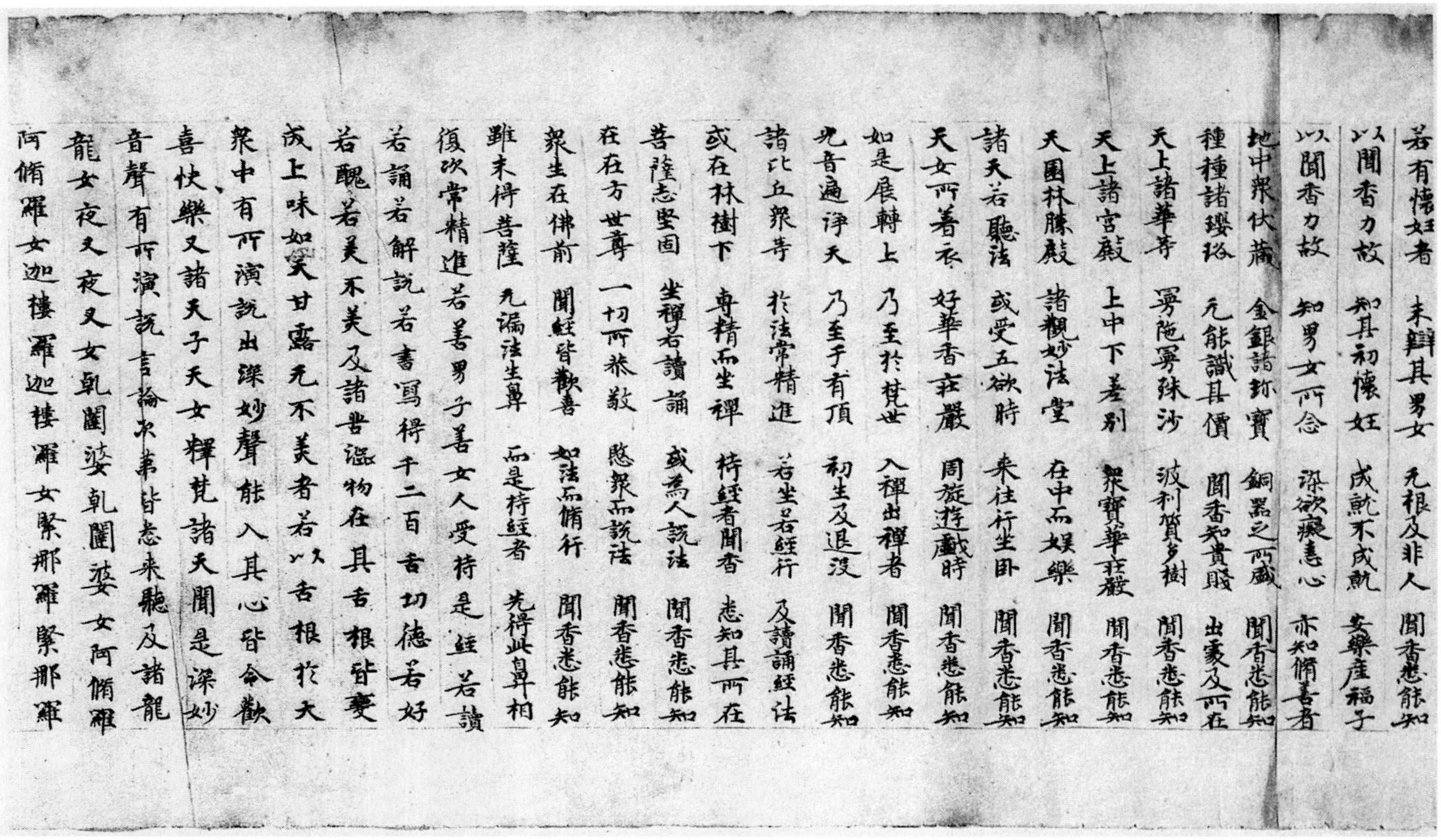

若有懷妊者 未辯其男女 无根及非人 聞香悉能知
以聞香力故 知其初懷妊 成就不成就 安樂產福子
以聞香力故 知男女所念 染欲癡恚心 亦知修善者
地中衆伏藏 金銀諸珍寶 銅器之所盛 聞香悉能知
種種諸瓔珞 无能識其價 聞香知貴賤 出處及所在
天上諸華等 曼陁曼殊沙 波利質多樹 聞香悉能知
天上諸宮殿 上中下差別 衆寶華莊嚴 聞香悉能知
天園林勝殿 諸觀妙法堂 在中而娛樂 聞香悉能知
諸天若聽法 或受五欲時 來往行坐臥 聞香悉能知
天女所著衣 好華香莊嚴 周旋遊戲時 聞香悉能知
如是展轉上 乃至於梵世 入禪出禪者 聞香悉能知
光音遍淨天 乃至于有頂 初生及退沒 聞香悉能知
諸比丘衆等 於法常精進 若坐若經行 及讀誦經法
或在林樹下 專精而坐禪 持經者聞香 悉知其所在
菩薩志堅固 坐禪若讀誦 或為人說法 聞香悉能知
在在方世尊 一切所恭敬 愍衆而說法 聞香悉能知
衆生在佛前 聞經皆歡喜 如法而修行 聞香悉能知
雖未得菩薩 无漏法生鼻 而是持經者 先得此鼻相
復次常精進若善男子善女人受持是經若讀
若誦若解說若書寫得千二百舌功德若好
若醜若美不美及諸苦澁物在其舌根皆變
成上味如天甘露无不美者若以舌根於大
衆中有所演說出深妙聲能入其心皆令歡
喜快樂又諸天子天女釋梵諸天聞是深妙
音聲有所演說言論次第皆悉來聽及諸龍
龍女夜叉夜叉女乾闥婆乾闥婆女阿脩羅
阿脩羅女迦樓羅迦樓羅女緊那羅緊那羅

BD01736號　妙法蓮華經卷六　（22–4）

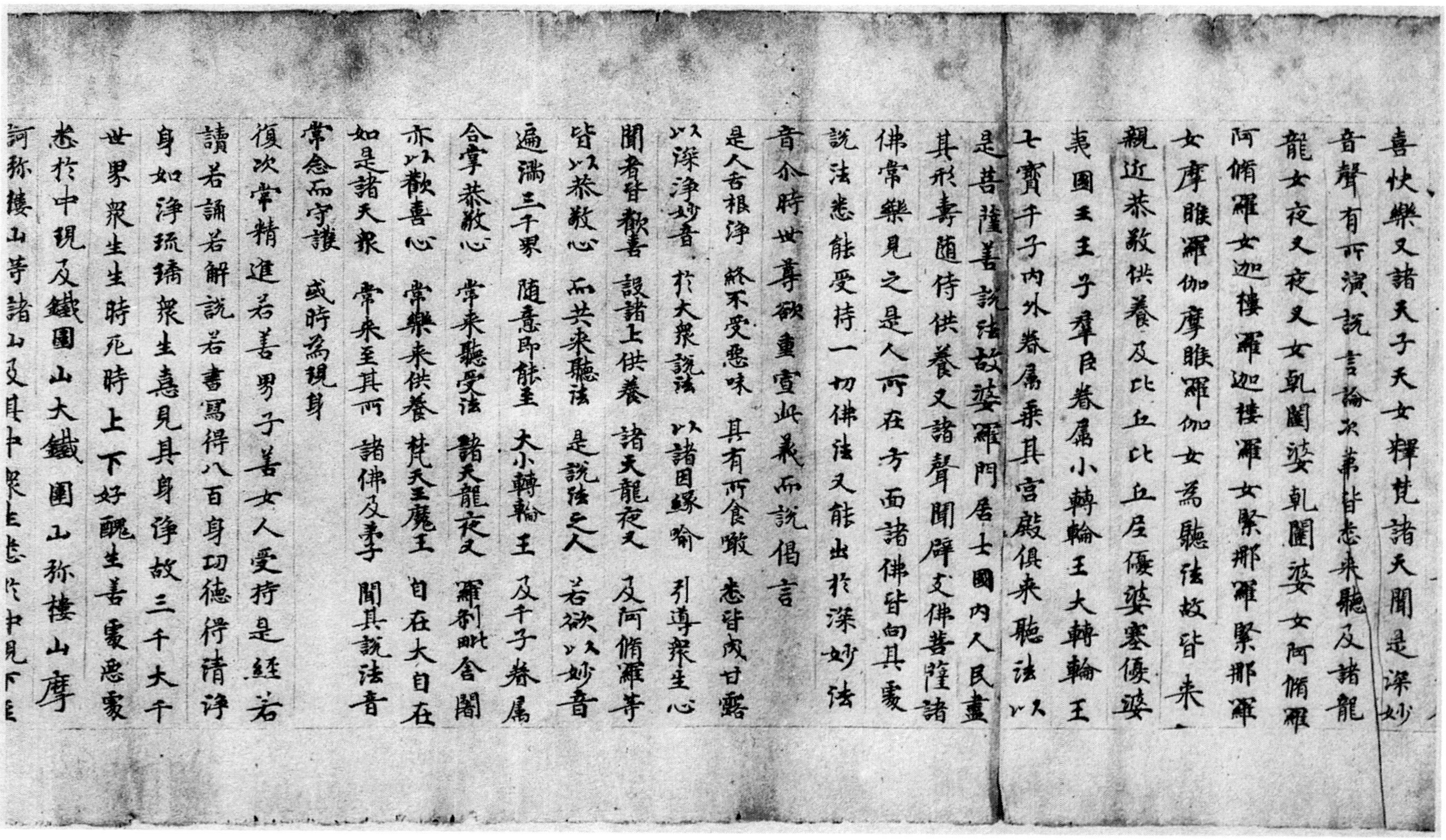

喜快樂又諸天子天女釋梵諸天聞是深妙
音聲有所演說言論次第皆悉來聽及諸龍
龍女夜叉夜叉女乾闥婆乾闥婆女阿脩羅
阿脩羅女迦樓羅迦樓羅女緊那羅緊那羅
女摩睺羅伽摩睺羅伽女為聽法故皆來
親近恭敬供養及比丘比丘尼優婆塞優婆
夷國王王子羣臣眷屬小轉輪王大轉輪王
七寶千子內外眷屬乘其宮殿俱來聽法以
是菩薩善說法故婆羅門居士國內人民盡
其形壽隨侍供養又諸聲聞辟支佛菩薩諸
佛常樂見之是人所在方面諸佛皆向其處
說法悉能受持一切佛法又能出於深妙法
音尒時世尊欲重宣此義而說偈言
是人舌根淨 終不受惡味 其有所食噉 悉皆成甘露
以深淨妙音 於大衆說法 以諸因緣喻 引導衆生心
聞者皆歡喜 設諸上供養 諸天龍夜叉 及阿脩羅等
皆以恭敬心 而共來聽法 是說法之人 若欲以妙音
遍滿三千界 隨意即能至 大小轉輪王 及千子眷屬
合掌恭敬心 常來聽受法 諸天龍夜叉 羅剎毗舍闍
亦以歡喜心 常樂來供養 梵天王魔王 自在大自在
如是諸天衆 常來至其所 諸佛及弟子 聞其說法音
常念而守護 或時為現身
復次常精進若善男子善女人受持是經若
讀若誦若解說若書寫得八百身功德得清淨
身如淨琉璃衆生憙見其身淨故三千大千
世界衆生生時死時上下好醜生善處惡處
悉於中現及鐵圍山大鐵圍山弥樓山摩
訶弥樓山等諸山及其中衆生悉於中現下至

BD01736號　妙法蓮華經卷六　（22–5）

讀若誦若解說若書寫得八百身功德得清淨
身如淨琉璃衆生憙見其身淨故三千大千
世界衆生生時死時上下好醜生善處惡處
悉於中現及鐵圍山大鐵圍山弥樓山摩
訶弥樓山等諸山及其中衆生悉於中現下至
阿鼻地獄上至有頂所有及衆生悉於中現
若聲聞辟支佛菩薩諸佛說法皆於身中現
其色像尒時世尊欲重宣此義而說偈言
若持法華者　其身甚清淨　如彼淨琉璃　衆生皆憙見
又如淨明鏡　悉見諸色像　菩薩於淨身　皆現世所有
唯獨自明了　餘人所不見　三千世界中　一切諸羣萌
天人阿脩羅　地獄鬼畜生　如是諸色像　皆於身中現
諸天等宮殿　乃至於有頂　鐵圍及弥樓　摩訶弥樓山
諸大海水等　皆於身中現　諸佛及聲聞　佛子菩薩等
若獨若在衆　說法悉皆現　雖未得无漏　法性之妙身
以清淨常體　一切於中現
復次常精進若善男子善女人如來滅後受
持是經若讀若誦若解說若書寫得千二百
意功德以是清淨意根乃至聞一偈一句通
達无量无邊之義解是義已能演說一句一
偈至於一月四月乃至一歲諸所說法隨其
義趣皆與實相不相違背若說俗閒經書治
世語言資生業等皆順正法三千大千世界
六趣衆生心之所行心所動作心所戲論皆
悉知之雖未得无漏智慧而其意根清淨如
此是人有所思惟籌量言說皆是佛法无不
真實亦是先佛經中所說尒時世尊欲重宣
此義而說偈言

BD01736號　妙法蓮華經卷六

（22–6）

悉知之雖未得无漏智慧而具意根清淨如
此是人有所思惟籌量言說皆是佛法无不
真實亦是先佛經中所說尒時世尊欲重宣
此義而說偈言
是人意清淨　明利无穢濁　以此妙意根　知上中下法
乃至聞一偈　通達无量義　次第如法說　月四月至歲
是世界內外　一切諸衆生　若天龍及人　夜叉鬼神等
其在六趣中　所念若干種　持法華之報　一時皆悉知
十方无數佛　百福莊嚴相　爲衆生說法　悉聞能受持
思惟无量義　說法亦无量　終始不忘錯　以持法華故
悉知諸法相　隨義識次第　達名字語言　如所知演說
此人有所說　皆是先佛法　以演此法故　於衆无所畏
持法華經者　意根淨若斯　雖未得无漏　先有如是相
是人持此經　安住希有地　爲一切衆生　歡喜而愛敬
能以千万種　善巧之語言　分別而說法　持法華經故
妙法蓮華經常不輕菩薩品第二十
尒時佛告得大勢菩薩摩訶薩汝今當知若
比丘比丘尼優婆塞優婆夷持法華經者若
有惡口罵詈誹謗獲大罪報如前所說其所
得功德如向所說眼耳鼻舌身意清淨得大
勢乃往古昔過无量无邊不可思議阿僧祇
劫有佛名威音王如來應供正遍知明行足
善逝世間解无上士調御丈夫天人師佛世
尊劫名離衰國名大成其威音王佛於彼世
中爲天人阿脩羅說法爲求聲聞者說應四
諦法度生老病死究竟涅槃爲求辟支佛者
說應十二因緣法爲諸菩薩因阿耨多羅三

BD01736號　妙法蓮華經卷六

（22–7）

尊劫名離衰國名大成其威音王佛於彼世
中為天人阿脩羅說法為求聲聞者說應四
諦法度生老病死究竟涅槃為求辟支佛者
說應十二因緣法為諸菩薩因阿耨多羅三
藐三菩提說應六波羅蜜法究竟佛慧得大
勢是威音王佛壽四十万億那由他恒河沙
劫正法住世劫數如一閻浮提微塵像法住
世劫數如四天下微塵其佛饒益衆生已然
後滅度正法像法滅盡之後於此國土復有
佛出亦号威音王如來應供正遍知明行足善
逝世間解无上士調御丈夫天人師佛世尊
如是次第有二万億佛皆同一号最初威音
王如來既已滅度正法滅後於像法中增上
慢比丘有大勢力尒時有一菩薩比丘名常
不輕得大勢以何因緣名常不輕是比丘凡
有所見若比丘比丘尼優婆塞優婆夷皆
悉礼拜讚歎而作是言我深敬汝等不敢輕
慢所以者何汝等皆行菩薩道當得作佛而
是比丘不專讀誦經典但行礼拜乃至遠見
四衆亦復故往礼拜讚歎而作是言我不敢
輕於汝等汝等皆當作佛故四衆之中有生
瞋恚心不淨者惡口罵詈言是无智比丘從
何所來自言我不輕汝而與我等授記當得
作佛我等不用如是虛妄授記如此經歷多
年常被罵詈不生瞋恚常作是言汝當作佛
說是語時衆人或以杖木瓦石而打擲之避走
遠住猶高聲唱言我不敢輕於汝等汝等皆

BD01736號　妙法蓮華經卷六　（22–8）

瞋恚心不淨者惡口罵詈言是无智比丘從
何所來自言我不輕汝而與我等授記當得
作佛我等不用如是虛妄授記如此經歷多
年常被罵詈不生瞋恚常作是言汝當作佛
說是語時衆人或以杖木瓦石而打擲之避走
遠住猶高聲唱言我不敢輕於汝等汝等皆
當作佛以其常作是語故增上慢比丘比丘尼
優婆塞優婆夷号之為常不輕是比丘臨欲終
時於虛空中具聞威音王佛先所說法華經
二十千万億偈悉能受持即得如上眼根清
淨耳鼻舌身意根清淨得是六根清淨已更
增壽命二百万億那由他歲廣為人說是法
華經於時增上慢四衆比丘比丘尼優婆塞
優婆夷輕賤是人為作不輕名者見其得大
神通力樂說辯力大善寂力聞其所說皆信伏隨
從是菩薩復化千万億衆令住阿耨多羅
三藐三菩提命終之後得值二千億佛皆号
日月燈明於其法中說是法華經以是因緣
復值二千億佛同号雲自在燈王於此諸佛
法中受持讀誦為諸四衆說此經典故得是
常眼清淨耳鼻舌身意諸根清淨於四衆
中說法心无所畏得大勢是常不輕菩薩摩
訶薩供養如是若干諸佛恭敬尊重讚歎種
諸善根於後復值千万億佛亦於諸佛法中
說是經典功德成就當得作佛得大勢於意云
何尒時常不輕菩薩豈異人乎則我身是若
我於宿世不受持讀誦此經為他人說者不
能疾得阿耨多羅三藐三菩提我於先佛所

BD01736號　妙法蓮華經卷六　（22–9）

訶薩供養如是若千諸佛恭敬尊重讚歎種
諸善根於後復值千万億佛亦於諸佛法中
說是經典功德成就當得作佛得大勢於意云
何尒時常不輕菩薩豈異人乎則我身是若
我於宿世不受持讀誦此經為他人說者不
能疾得阿耨多羅三藐三菩提我於先佛所
受持讀誦此經為人說故疾得阿耨多羅
三藐三菩提得大勢彼時四衆比丘比丘尼
優婆塞優婆夷以瞋恚意輕賤我故二百億
劫常不值佛不聞法不見僧千劫於阿鼻地
獄受大苦惱畢是罪已復遇常不輕菩薩教
化阿耨多羅三藐三菩提得大勢於汝意云
何尒時四衆常輕是菩薩者豈異人乎今此
會中䟦陁婆羅等五百菩薩師子月等五百
比丘尼思佛等五百優婆塞皆於阿耨多羅
三藐三菩提不退轉者是得大勢當知是法
華經大饒益諸菩薩摩訶薩能令至於阿耨
多羅三藐三菩提是故諸菩薩摩訶薩於如
來滅後常應受持讀誦解說書寫是經尒時
世尊欲重宣此義而說偈言
過去有佛　号威音王　神智无量　將導一切
天人龍神　所共供養　是佛滅後　法欲盡時
有一菩薩　名常不輕　時諸四衆　計著於法
不輕菩薩　往到其所　而語之言　我不輕汝
汝等行道　皆當作佛　諸人聞已　輕毀罵詈
不輕菩薩　能忍受之　其罪畢已　臨命終時
得聞此經　六根清淨　神通力故　增益壽命

BD01736號　妙法蓮華經卷六　（22–10）

有一菩薩　名常不輕　時諸四衆　計著於法
不輕菩薩　往到其所　而語之言　我不輕汝
汝等行道　皆當作佛　諸人聞已　輕毀罵詈
不輕菩薩　能忍受之　其罪畢已　臨命終時
得聞此經　六根清淨　神通力故　增益壽命
復為諸人　廣說是經　諸著法衆　皆蒙菩薩
教化成就　令住佛道　不輕命終　值无數佛
說是經故　得无量福　漸具功德　疾成佛道
彼時不輕　則我身是　時四部衆　著法之者
聞不輕言　汝當作佛　以是因緣　值无數佛
此會菩薩　五百之衆　并及四部　清信士女
今於我前　聽法者是　我於前世　勸是諸人
聽受斯經　第一之法　開示教人　令住涅槃
世世受持　如是經典　億億万劫　至不可議
時乃得聞　是法華經　億億万劫　至不可議
諸佛世尊　時說是經　是故行者　於佛滅後
聞如是經　勿生疑惑　應當一心　廣說此經
世世值佛　疾成佛道
妙法蓮華經如來神力品第二十一
尒時千世界微塵等菩薩摩訶薩從地踊出
者皆於佛前一心合掌瞻仰尊顏而白佛言
世尊我等於佛滅後世尊分身所在國土滅
度之處當廣說此經所以者何我等亦自欲
得是真淨大法受持讀誦解說書寫而供養
之尒時世尊於文殊師利等无量百千万億
舊住娑婆世界菩薩摩訶薩及諸比丘比丘
尼優婆塞優婆夷天龍夜叉乾闥婆阿脩羅
迦樓羅緊那羅摩睺羅伽人非人等一切衆

BD01736號　妙法蓮華經卷六　（22–11）

舊住娑婆世界菩薩摩訶薩及諸比丘比丘
尼優婆塞優婆夷天龍夜叉乾闥婆阿脩羅
迦樓羅緊那羅摩睺羅伽人非人等一切衆
前現大神力出廣長舌上至梵世一切毛孔放
於无量无數色光皆悉遍照十方世界衆寶
樹下師子座上諸佛亦復如是出廣長舌放
无量光釋迦牟尼佛及寶樹下諸佛現神
力時滿百千歲然後還攝舌相一時謦欬俱
共彈指是二音聲遍至十方諸佛世界地皆
六種震動其中衆生天龍夜叉乾闥婆阿脩羅
迦樓羅緊那羅摩睺羅伽人非人等以佛神
力故皆見此娑婆世界无量无邊百千万
億衆寶樹下師子座上諸佛及見釋迦牟尼
佛共多寶如來在寶塔中坐師子座又見无
量无邊百千万億菩薩摩訶薩及諸四衆恭
敬圍繞釋迦牟尼佛既見是已皆大歡喜得
未曾有即時諸天於虛空中高聲唱言過此
无量无邊百千万億阿僧祇世界有國名娑
婆是中有佛名釋迦牟尼今為諸菩薩摩訶
薩說大乘經名妙法蓮華教菩薩法佛所護
念汝等當深心隨喜亦當禮拜供養釋迦牟
尼佛彼諸衆生聞虛空中聲已合掌向娑婆
世界作如是言南无釋迦牟尼佛南无釋迦
牟尼佛以種種華香瓔珞幡蓋及諸嚴身之
具珎寶妙物皆共遙散娑婆世界所散諸物
從十方來譬如雲集變成寶帳遍覆此間諸
佛之上于時十方世界通達无礙如一佛土尒

BD01736號　妙法蓮華經卷六　(22–12)

具珎寶妙物皆共遙散娑婆世界所散諸物
從十方來譬如雲集變成寶帳遍覆此間諸
佛之上于時十方世界通達无礙如一佛土尒
時佛告上行等菩薩大衆諸佛神力如是无
量无邊不可思議若我以是神力於无量无
邊百千万億阿僧祇劫為囑累故說此經功
德猶不能盡以要言之如來一切所有之法
如來一切自在神力如來一切祕要之藏如
來一切甚深之事皆於此經宣示顯說是故
汝等於如來滅後應一心受持讀誦解說
書寫如說脩行所在國土若有受持讀誦解
說書寫如說脩行若經卷所住之處若於園
中若於林中若於樹下若於僧坊若白衣舍
若在殿堂若山谷曠野是中皆應起塔供養
所以者何當知是處即是道場諸佛於此得阿
耨多羅三藐三菩提諸佛於此轉于法輪諸
佛於此而般涅槃尒時世尊欲重宣此義而
說偈言
諸佛救世者　住於大神通　為悅衆生故　現无量神力
舌相至梵天　身放无數光　為求佛道者　現此希有事
諸佛謦欬聲　及彈指之聲　周聞十方國　地皆六種動
以佛滅度後　能持是經故　諸佛皆歡喜　現无量神力
囑累是經故　讚美受持者　於无量劫中　猶故不能盡
是人之功德　无邊无有窮　如十方虛空　不可得邊際
能持是經者　則為已見我　亦見多寶佛　及諸分身者
又見我今日　教化諸菩薩　能持是經者　令我及分身
滅度多寶佛　一切皆歡喜　十方現在佛　并過去未來

BD01736號　妙法蓮華經卷六　(22–13)

屬累是經故　讚美受持者　於无量劫中　猶故不能盡
是人之功德　无邊无有窮　如十方虛空　不可得邊際
能持是經者　則爲已見我　亦見多寶佛　及諸分身者
又見我今日　教化諸菩薩　能持是經者　令我及分身
滅度多寶佛　一切皆歡喜　十方現在佛　并過去未來
亦見亦供養　亦令得歡喜　諸佛坐道場　所得秘要法
能持是經者　不久亦當得　能持是經者　於諸法之義
名字及言辭　樂說无窮盡　如風於空中　一切无鄣礙
於如來滅後　知佛所說經　因緣及次第　隨義如實說
如日月光明　能除諸幽冥　斯人行世間　能滅衆生闇
教无量菩薩　畢竟住一乘　是故有智者　聞此功德利
於我滅度後　應受持斯經　是人於佛道　決定无有疑

妙法蓮華經屬累品第二十二

尒時釋迦牟尼佛從法座起現大神力以右手
摩无量菩薩摩訶薩頂而作是言我於无
量百千万億阿僧祇劫脩習是難得阿耨多
羅三藐三菩提法今以付屬汝等汝等應當
一心流布此法廣令增益如是三摩諸菩薩
摩訶薩頂而作是言我於无量百千万億阿
僧祇劫脩習是難得阿耨多羅三藐三菩提
法今以付屬汝等汝等當受持讀誦廣宣此
法令一切衆生普得聞知所以者何如來有
大慈悲无諸慳恡亦无所畏能與衆生佛之
智慧如來智慧自然智慧如來是一切衆生
之大施主汝等亦應隨學如來之法勿生慳
恡於未來世若有善男子善女人信如來智
慧者當爲演說此法華經使得聞知爲令其

BD01736號　妙法蓮華經卷六　(22–14)

[illegible]如來是一切衆生
之大施主汝等亦應隨學如來之法勿生慳
恡於未來世若有善男子善女人信如來智
慧者當爲演說此法華經使得聞知爲令其
人得佛慧故若有衆生不信受者當於如來
餘深法中示教利喜汝等若能如是則爲已
報諸佛之恩時諸菩薩摩訶薩聞佛作是說
已皆大歡喜遍滿其身益加恭敬曲躬低頭
合掌向佛俱發聲言如世尊勅當具奉行唯
然世尊願不有慮諸菩薩摩訶薩衆如是三
反俱發聲言如世尊勅當具奉行唯然世尊
願不有慮尒時釋迦牟尼佛令十方來諸分
身佛各還本土而作是言諸佛各隨所安多
寶佛塔還可如故說是語時十方无量分身
諸佛坐寶樹下師子座上者及多寶佛并上
行等无邊阿僧祇菩薩大衆舍利弗等聲聞
四衆及一切世間天人阿脩羅等聞佛所說
皆大歡喜

妙法蓮華經藥王菩薩本事品第二十三

尒時宿王華菩薩白佛言世尊藥王菩薩云
何遊於娑婆世界世尊是藥王菩薩有若干
百千万億那由他難行苦行善哉世尊願少
解說諸天龍神夜叉乾闥婆阿脩羅迦樓羅
緊那羅摩睺羅伽人非人等又他國土諸來
菩薩及此聲聞衆聞皆歡喜尒時佛告宿王
華菩薩乃往過去无量恒河沙劫有佛号日
月淨明德如來應供正遍知明行足善逝世
間解无上士調御丈夫天人師佛世尊其佛

BD01736號　妙法蓮華經卷六　(22–15)

菩薩及此聲聞衆聞皆歡喜。尒時佛告宿王
華菩薩乃往過去无量恒河沙劫有佛号日
月淨明德如來應供正遍知明行足善逝世
間解无上士調御丈夫天人師佛世尊其佛
有八十億大菩薩摩訶薩七十二恒河沙大
聲聞衆佛壽四万二千劫菩薩壽命亦等彼
國无有女人地獄餓鬼畜生阿脩羅等及以諸
難地平如掌琉璃所成寶樹莊嚴寶帳覆上
垂寶華幡寶瓶香爐周遍國界七寶爲臺
一樹一臺其樹去臺盡一箭道此諸寶樹皆
有菩薩聲聞而坐其下諸寶臺上各有百億
諸天作天伎樂歌歎於佛以爲供養尒時彼
佛爲一切衆生憙見菩薩及衆菩薩諸聲聞
衆説法華經是一切衆生憙見菩薩樂習苦
行於日月淨明德佛法中精進經行一心求
佛滿万二千歲已得現一切色身三昧得此
三昧已心大歡喜即作念言我得現一切色
身三昧皆是得聞法華經力我今當供養日
月淨明德佛及法華經即時入是三昧於虚
空中雨曼陁羅華摩訶曼陁羅華細末堅黑
栴檀滿虚空中如雲而下又雨海此岸栴檀
之香此香六銖價直娑婆世界以供養佛作
是供養已從三昧起而自念言我雖以神力
供養於佛不如以身供養即服諸香栴檀薰
陸兜樓婆畢力迦沉水膠香又飲瞻蔔諸華
香油滿千二百歲已香油塗身於日月淨明
德佛前以天寶衣而自纏身灌諸香油以神

BD01736號　妙法蓮華經卷六　（22–16）

供養於佛不如以身供養即服諸香栴檀薰
陸兜樓婆畢力迦沉水膠香又飲瞻蔔諸華
香油滿千二百歲已香油塗身於日月淨明
德佛前以天寶衣而自纏身灌諸香油以神
通力願而自然身光明遍照八十億恒河沙
世界其中諸佛同時讚言善哉善哉善男子
是真精進是名真法供養如來若以華香瓔
珞燒香末香塗香天繒幡蓋及海此岸栴檀
之香如是等種種諸物供養所不能及假使
國城妻子布施亦所不及善男子是名第一
之施於諸施中最尊最上以法供養諸如來
故作是語已而各默然其身火然千二百歲
過是已後其身乃盡一切衆生憙見菩薩作
如是法供養已命終之後復生日月淨明德
佛國中於淨德王家結加趺坐忽然化生即
爲其父而説偈言
大王今當知　我經行彼處　即時得一切　現諸身三昧
勤行大精進　捨所愛之身
説是偈已而白父言日月淨明德佛今故現
在我先供養佛已得解一切衆生語言陁羅
尼復聞是法華經八百千万億那由他甄迦
羅頻婆羅阿閦婆等偈大王我今當還供養
此佛白已即坐七寶之臺上昇虚空高七多
羅樹往到佛所頭面禮足合十指爪以偈讚佛
容顔甚奇妙　光明照十方　我適曾供養　今復還親覲
尒時一切衆生憙見菩薩説是偈已而白佛
言世尊世尊猶故在世尒時日月淨明德佛

BD01736號　妙法蓮華經卷六　（22–17）

以偈讚佛
容顔甚奇妙　光明照十方　我適曾供養　今復還親覲
尒時一切衆生憙見菩薩說是偈已而白佛
言世尊世尊猶故在世尒時日月淨明德佛
告一切衆生憙見菩薩善男子我涅槃時到
滅盡時至汝可安施牀座我於今夜當般涅
槃又勅一切衆生憙見菩薩善男子我以佛
法屬累於汝及諸菩薩大弟子并阿耨多羅
三藐三菩提法亦以三千大千七寶世界諸寶
樹寶臺及給侍諸天悉付於汝我滅度後
所有舍利亦付屬汝當令流布廣設供養應
起若干千塔如是日月淨明德佛勅一切衆
生憙見菩薩已於夜後分入於涅槃尒時一
切衆生憙見菩薩見佛滅度悲感懊惱戀慕
於佛即以海此岸栴檀為積供養佛身而以
燒之火滅已後收取舍利作八万四千寶瓶
以起八万四千塔高三世界表剎莊嚴垂諸
幡蓋懸衆寶鈴尒時一切衆生憙見菩薩復
自念言我雖作是供養心猶未足我今當更
供養舍利便語諸菩薩大弟子及天龍夜叉
等一切大衆汝等當一心念我今供養日月
淨明德佛舍利作是語已即於八万四千塔
前然百福莊嚴臂七万二千歲而以供養令
无數求聲聞衆无量阿僧祇人發阿耨多羅
三藐三菩提心皆使得住現一切色身三昧
尒時諸菩薩天人阿脩羅等見其无臂憂惱
悲哀而作是言此一切衆生憙見菩薩是我
等師教化我者而今燒臂身不具足于時一

三藐三菩提心皆使得住現一切色身三昧
尒時諸菩薩天人阿脩羅等見其无臂憂惱
悲哀而作是言此一切衆生憙見菩薩是我
等師教化我者而今燒臂身不具足于時一
切衆生憙見菩薩於大衆中立此誓言我
捨兩臂必當得佛金色之身若實不虛令我
兩臂還復如故作是誓已自然還復由斯菩
薩福德智慧淳厚所致當尒之時三千大千
世界六種震動天雨寶華一切人天得未曾有
佛告宿王華菩薩於汝意云何一切衆生憙
見菩薩豈異人乎今藥王菩薩是也其所捨
身布施如是无量百千万億那由他數宿王
華若有發心欲得阿耨多羅三藐三菩提者
能然手指乃至足一指供養佛塔勝以國城
妻子及三千大千國土山林河池諸珎寶物
而供養者若復有人以七寶滿三千大千世
界供養於佛及大菩薩辟支佛阿羅漢是人
所得功德不如受持此法華經乃至一四句
偈其福最多宿王華譬如一切川流江河諸
水之中海為第一此法華經亦復如是於諸
如來所說經中最為深大又如土山黑山小
鐵圍山大鐵圍山及十寶山衆山之中須彌
山為第一此法華經亦復如是於諸經中
最為其上又如衆星之中月天子最為第一
此法華經亦復如是於千万億種諸經法中
最為照明又如日天子能除諸闇此經亦復如
是能破一切不善之闇又如諸小王中轉輪
聖王最為第一此經亦復如是於衆經中最

此法華經亦復如是於千万億種諸經法中
最為照明又如日天子能除諸闇此經亦復如
是能破一切不善之闇又如諸小王中轉輪
聖王最為第一此經亦復如是於衆經中最
為其尊又如帝釋於三十三天中王此經亦
復如是諸經中王又如大梵天王一切衆生
之父此經亦復如是一切賢聖學无學及發
菩薩心者之父又如一切凡夫人中須陁洹
斯陁含阿那含阿羅漢辟支佛為第一此經
亦復如是一切如來所說若菩薩所說若聲
聞所說諸經法中最為第一有能受持是經
典者亦復如是於一切衆生中亦為第一一
切聲聞辟支佛中菩薩為第一此經亦復如
是於一切諸經法中最為第一如佛為諸法
王此經亦復如是諸經中王宿王華此經能
救一切衆生者此經能令一切衆生離諸苦
惱此經能大饒益一切衆生充滿其願如清
涼池能滿一切諸渴乏者如寒者得火如裸
者得衣如商人得主如子得母如渡得船如
病得醫如暗得燈如貧得寶如民得王如賈
客得海如炬除暗此法華經亦復如是能令
衆生離一切苦一切病痛能解一切生死之
縛若人得聞此法華經若自書若使人書所
得功德以佛智慧籌量多少不得其邊若書
是經卷華香瓔珞燒香末香塗香幡蓋衣
服種種之燈蘇燈油燈諸香油燈瞻蔔油燈須
曼那油燈波羅羅油燈婆利師迦油燈那婆
摩利油燈供養所得功德亦復无量宿王華

BD01736號　妙法蓮華經卷六　（22–20）

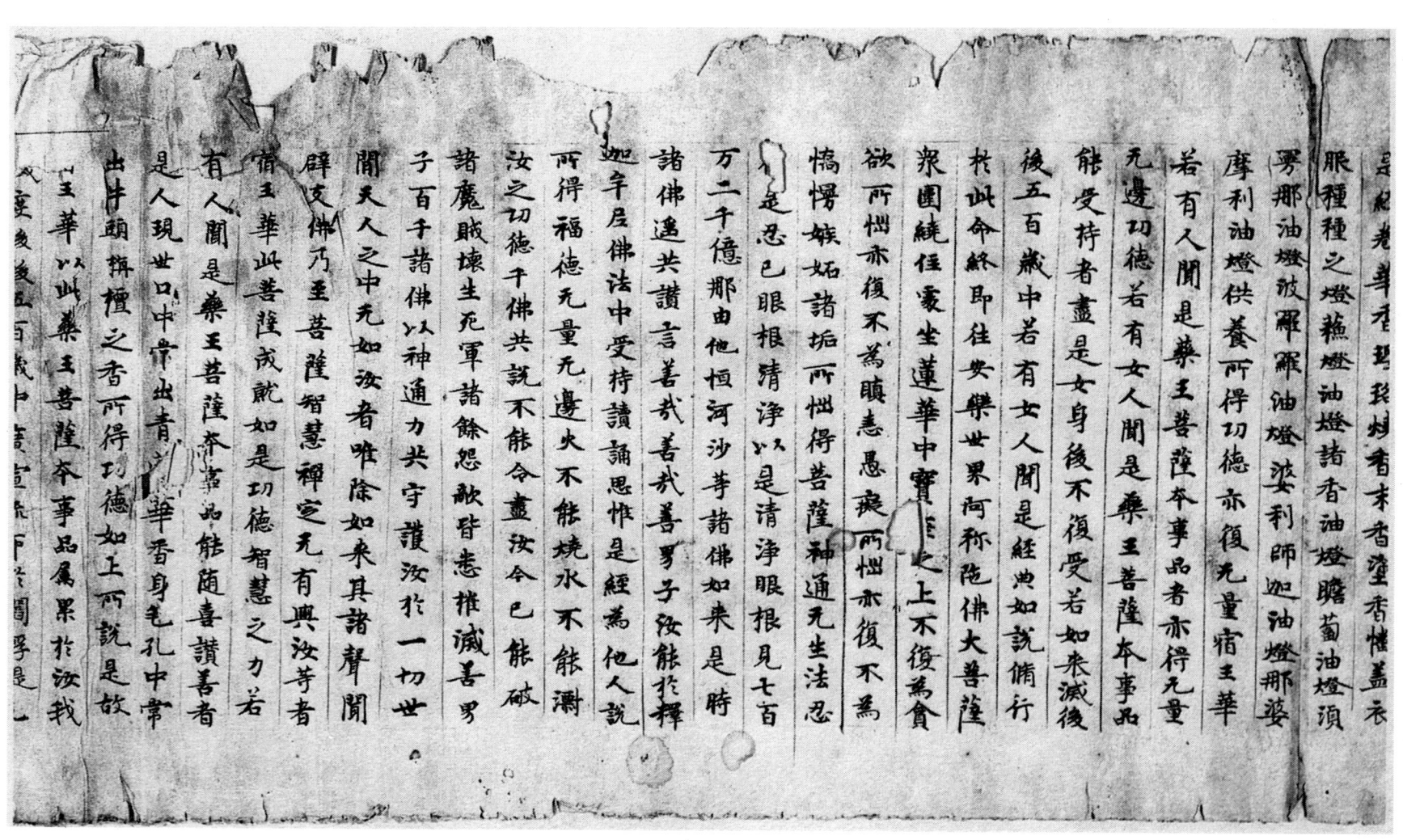

是經卷華香瓔珞燒香末香塗香幡蓋衣
服種種之燈蘇燈油燈諸香油燈瞻蔔油燈須
曼那油燈波羅羅油燈婆利師迦油燈那婆
摩利油燈供養所得功德亦復无量宿王華
若有人聞是藥王菩薩本事品者亦得无量
无邊功德若有女人聞是藥王菩薩本事品
能受持者盡是女身後不復受若如來滅後
後五百歲中若有女人聞是經典如說修行
於此命終即往安樂世界阿彌陁佛大菩薩
衆圍繞住處生蓮華中寶座之上不復為貪
欲所惱亦復不為瞋恚愚癡所惱亦復不為
憍慢嫉妬諸垢所惱得菩薩神通无生法忍
得是忍已眼根清淨以是清淨眼根見七百
万二千億那由他恒河沙等諸佛如來是時
諸佛遙共讚言善哉善哉善男子汝能於釋
迦牟尼佛法中受持讀誦思惟是經為他人說
所得福德无量无邊火不能燒水不能漂
汝之功德千佛共說不能令盡汝今已能破
諸魔賊壞生死軍諸餘怨敵皆悉摧滅善男
子百千諸佛以神通力共守護汝於一切世
間天人之中无如汝者唯除如來其諸聲聞
辟支佛乃至菩薩智慧禪定无有與汝等者
宿王華此菩薩成就如是功德智慧之力若
有人聞是藥王菩薩本事品能隨喜讚善者
是人現世口中常出青蓮華香身毛孔中常
出牛頭栴檀之香所得功德如上所說是故
宿王華以此藥王菩薩本事品屬累於汝我
滅度後後五百歲中廣宣流布於閻浮提

BD01736號　妙法蓮華經卷六　（22–21）

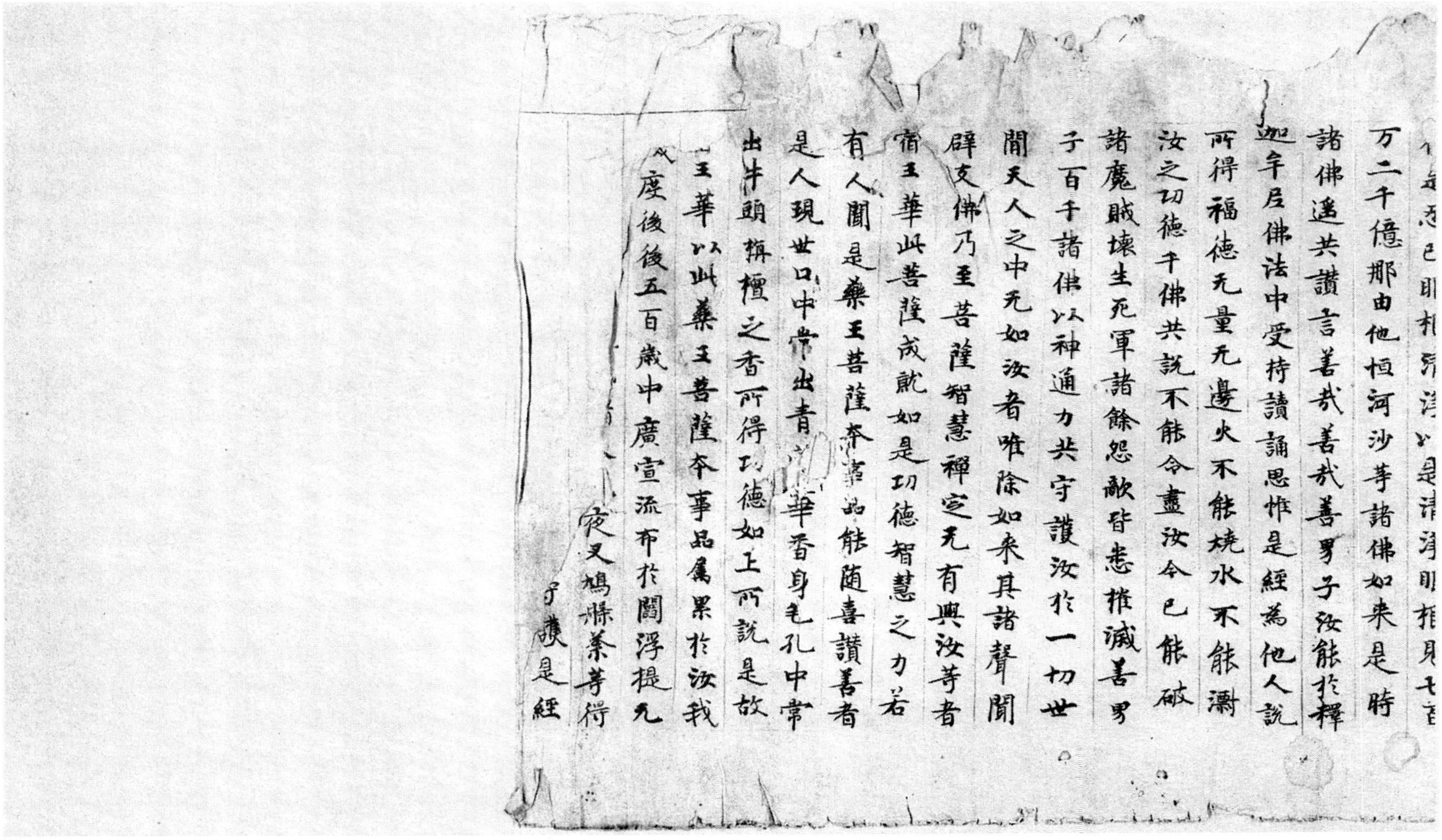
万二千億那由他恒河沙等諸佛如来是時
諸佛遥共讃言善哉善哉善男子汝能於釋
迦牟尼佛法中受持讀誦思惟是經為他人説
所得福德无量无邊火不能燒水不能漂
汝之功德千佛共説不能令盡汝今已能破
諸魔賊壊生死軍諸餘怨敵皆悉摧滅善男
子百千諸佛以神通力共守護汝於一切世
間天人之中无如汝者唯除如来其諸聲聞
辟支佛乃至菩薩智慧禪定无有與汝等者
宿王華此菩薩成就如是功德智慧之力若
有人聞是藥王菩薩本事品能隨喜讃善者
是人現世口中常出青蓮華香身毛孔中常
出牛頭栴檀之香所得功德如上所説是故
宿王華以此藥王菩薩本事品屬累於汝我
滅度後後五百歲中廣宣流布於閻浮提无
夜叉鳩槃荼等得
守護是經

BD01736號　妙法蓮華經卷六　（22–22）

BD01737號背　大般涅槃經（北本　宮本）卷二六護首　（1–1）

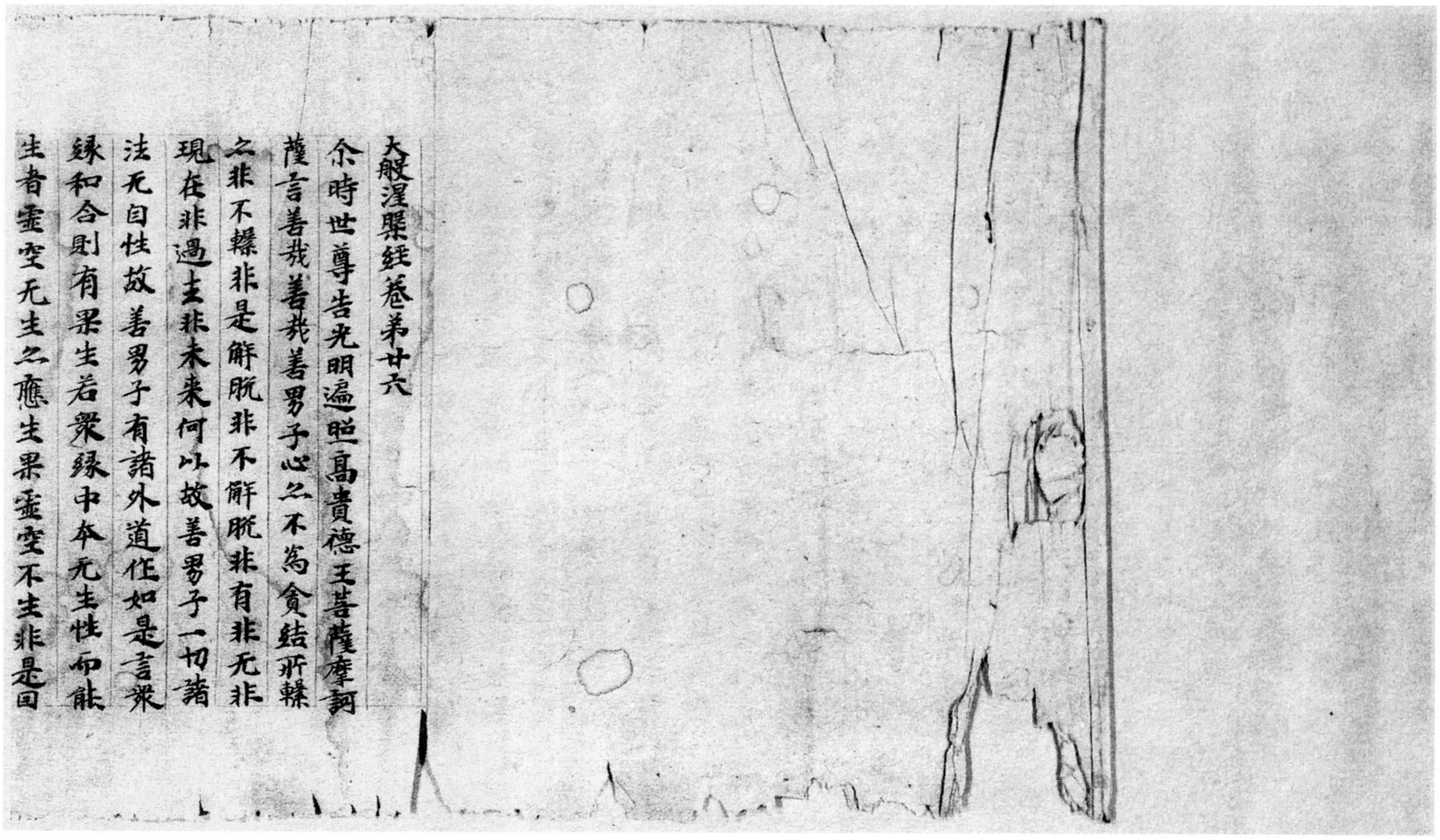

大般涅槃經卷第廿六
尒時世尊告光明遍照高貴德王菩薩摩訶
薩言善哉善哉善男子心亦不爲貪結所繫
亦非不繫非是解脫非不解脫非有非无非
現在非過去非未來何以故善男子一切諸
法无自性故善男子有諸外道作如是言衆
緣和合則有果生若衆緣中本无生性而能
生者虛空无生亦應生果虛空不生非是因

BD01737號　大般涅槃經（北本　宮本）卷二六　（25–1）

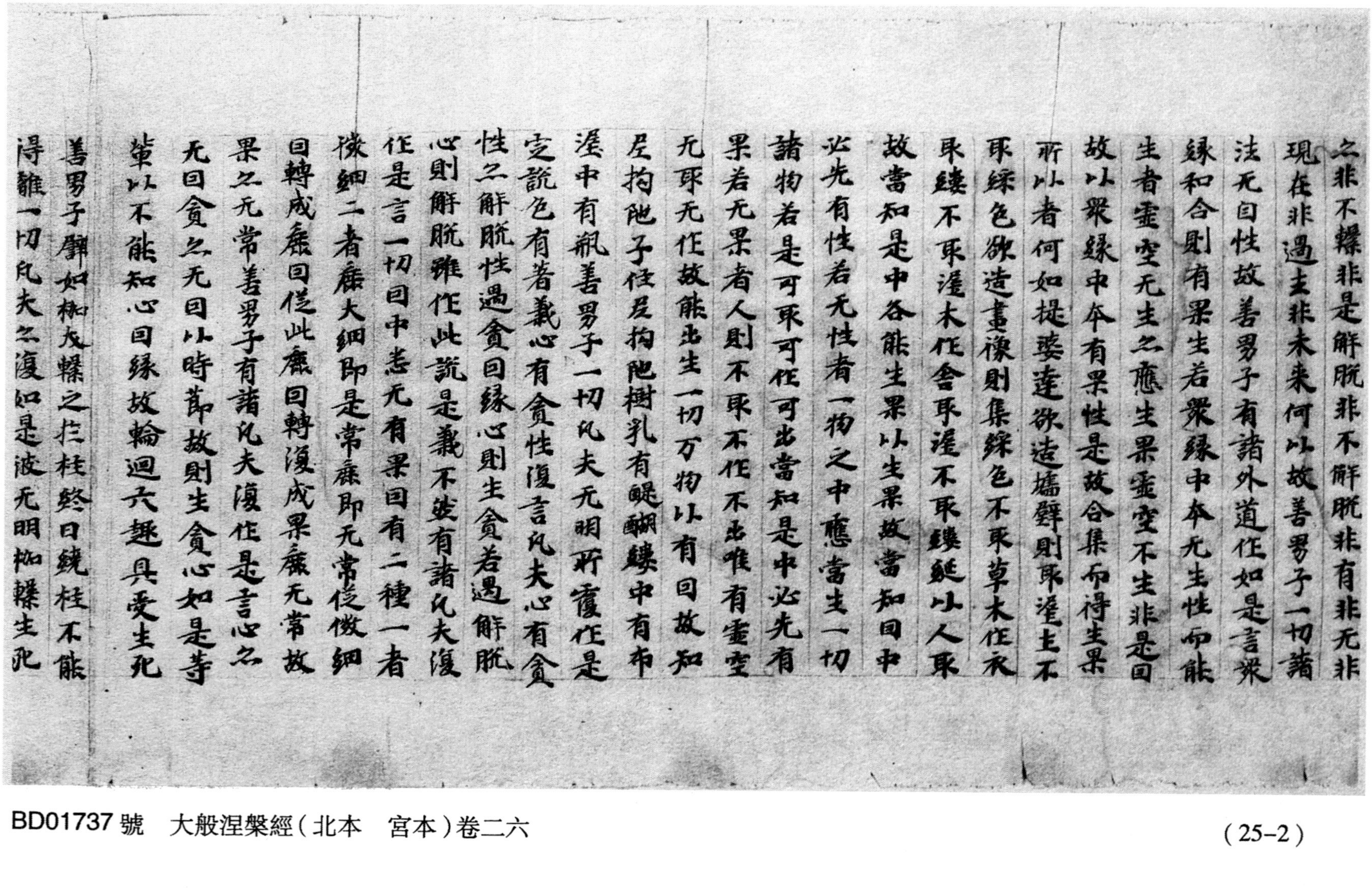

亦非不繫非是解脫非不解脫非有非无非
現在非過去非未來何以故善男子一切諸
法无自性故善男子有諸外道作如是言衆
緣和合則有果生若衆緣中本无生性而能
生者虛空无生亦應生果虛空不生非是因
故以衆緣中本有果性是故合集而得生果
所以者何如提婆達欲造屋舍則取泥土不
取縷色欲造畫像則集綵色不取草木作衣
取縷不取泥木作舍取泥不取縷綖以人取
故當知是中各能生果以生果故當知因中
必先有性若无性者一物之中應當生一切
諸物若是可取可作可出當知是中必先有
果若无果者人則不取不作不出唯有虛空
无取无作故能出生一切万物以有因故知
尼拘陁子性尼拘陁樹乳有醍醐縷中有布
泥中有瓶善男子一切凡夫无明所覆作是
定說色有著義心有貪性復言凡夫心有貪
性亦解脫性遇貪因緣心則生貪若遇解脫
心則解脫雖作此說是義不然有諸凡夫復
作是言一切因中悉无有果因有二種一者
微細二者麁大細即是常麁即无常從微細
因轉成麁因從此麁因轉復成果麁无常故
果亦无常善男子有諸凡夫復作是言心亦
无因貪亦无因以時節故則生貪心如是等
輩以不能知心因緣故輪迴六趣具受生死
善男子譬如枷犬繫之於柱終日遶柱不能
得離一切凡夫亦復如是被无明枷繫生死

BD01737號　大般涅槃經（北本　宮本）卷二六　（25–2）

无因貪名无因以時節故則生貪心如是等
輩以不能知心因緣故輪迴六趣具受生死
善男子譬如枷犬繫之於柱終日繞柱不能
得離一切凡夫亦復如是被无明枷繫生死
柱繞廿五有不能得離善男子譬如有人墮
於清廁既得出已而復還入如人病差還為
病因如人涉路值空曠處既得過已而復還
來又如淨洗還塗糞土一切凡夫亦復如是
已得解脫无所有處唯未得脫非非想處而
復還來至三惡趣何以故一切凡夫唯觀於
果不觀因緣如犬逐塊不逐於人凡夫之人
亦復如是唯觀於果不觀因緣以不觀故從
非想退還三惡趣善男子諸佛菩薩終不定
說因中有果因中无果及有无果非有非无
果若言因中先定有果及定无果定有无果
定非有非无果當知是等皆魔伴黨繫屬於
魔即是愛人如是愛人不能永斷生死繫縛
不知心想及以貪想善男子諸佛菩薩顯示
中道何以故雖說諸法非有非无而不決定
所以者何因眼因色因明因心因念是則得
生是識決定不在眼中色中明中心中念中
亦非中間非有非无從緣生故名之為有无
自性故名之為无是故如來說言諸法非有
非无善男子諸佛菩薩終不定說心有淨性
及不淨性淨不淨心无住處故從緣生貪故
說非无本无貪性故說非有善男子從緣因

自性故名之為无是故如來說言諸法非有
非无善男子諸佛菩薩終不定說心有淨性
及不淨性淨不淨心无住處故從緣生貪故
說非无本无貪性故說非有善男子從緣因
故心則生貪從因緣故心則解脫善男子因
緣有二一者隨於生死二者隨大涅槃善男
子有因緣故心共貪生共貪俱滅有共貪生
不共貪滅有不共貪生共貪俱滅有不共貪
生不共貪滅云何心共貪生共貪俱滅善男
子若有凡夫未斷貪心脩習貪心如是之人
心共貪生心共貪滅一切衆生不斷貪心心
共貪生心共貪滅如欲界衆生一切皆有初
地味禪若脩不脩常得成就遇因緣故即便
得之言因緣者謂大灾也一切凡夫亦復如
是若脩不脩心共貪生心共貪滅何以故不
斷貪故云何心共貪生不共貪滅聲聞弟子
有因緣故生於貪心畏貪心故脩白骨觀是
名心共貪生不共貪滅復有心共貪生不共
貪滅如聲聞人未證四果有因緣故生於貪
心證四果時貪心得滅是名心共貪生不共
貪滅菩薩摩訶薩得不動地時心共貪生不
共貪滅云何不共貪生共貪俱滅若菩薩摩
訶薩斷貪心已為衆生故示現有貪以示現
故能令无量无邊衆生諮受善法具足成就
是名不共貪生共貪俱滅云何不共貪生不
共貪滅謂阿羅漢緣覺諸佛除不動地其餘
菩薩是名不共貪生不共貪滅以是義故諸

是名不共貪生共貪俱𢦏云何不共貪生不
共貪𢦏謂阿羅漢緣覺諸佛住不動地其餘
菩薩是名不共貪生不共貪𢦏以是義故諸
佛菩薩不決定說心性本淨性本不淨善男
子是心不與貪結和合亦復不與瞋癡和合
善男子譬如日月雖為烟塵雲霧及羅睺羅
之所覆蔽以是因緣令諸衆生不能得見雖
不可見日月之性終不與彼五翳和合心之
如是以因緣故生於貪結衆生雖說心與貪
合而是心性實不與合若是貪心即是貪性
若是不貪即不貪性不貪之心不能為貪
貪結之心不能不貪善男子以是義故貪欲
之結不能汙心諸佛菩薩永破貪結是故說言
心得解脫一切衆生從因緣故生於貪結從
因緣故心得解脫善男子譬如雪山懸峻之
處人與獼猴俱不能行或復有處獼猴能行
人不能行或復有處人與獼猴二俱能行善
男子人與獼猴能行處者如諸獦師純以黐
膠置之案上用捕獼猴獼猴癡故往手觸之
觸已粘手欲脫手故以腳蹹之腳復隨著欲
脫腳故以口囓之口復粘著如是五處悉無
得脫於是獦師以杖貫之負還歸家雪山嶮
處喻佛菩薩所行正道獼猴者喻諸凡夫獦
師者喻魔波旬黐膠者喻貪欲結人與獼猴
俱不行者喻諸凡夫魔王波旬俱不能行獼
猴能行人不能者喻諸外道有智慧者諸惡

BD01737 號　大般涅槃經（北本　宮本）卷二六　（25–5）

得脫於是獦師以杖貫之負還歸家雪山嶮
處喻佛菩薩所行正道獼猴者喻諸凡夫獦
師者喻魔波旬黐膠者喻貪欲結人與獼猴
俱不行者喻諸凡夫魔王波旬俱不能行獼
猴能行人不能者喻諸外道有智慧者諸惡
魔等雖以五欲不能繫縛人與獼猴俱能行
者一切凡夫及魔波旬常處生死不能脩行
凡夫之人五欲所縛令魔波旬自在將去如
彼獦師黐捕獼猴擔負歸家善男子譬如
國王安住已界身心安樂若至他界則得衆苦
一切衆生亦復如是若能自住於已境界則
得安樂若至他界則遇惡魔受諸苦惱自境
界者謂四念處他境界者謂五欲也云何名
為繫屬於魔有諸衆生無常見常常見無常
苦見於樂樂見於苦不淨見淨淨見不淨無
我見我我見無我非實解脫橫見解脫真實
解脫見非解脫非乘見乘乘見非乘如是之
人名繫屬魔繫屬魔者心不清淨復次善男
子若見諸法真實是有想別定相當知是人
若見色時便作色相乃至見識亦作識相見
男男相見女女相見日日相見月月相見歲
歲相見陰陰相見入入相見界界相見如是
見者名繫屬魔繫屬魔者心不清淨復次善
男子若見我是色色中有我我中有色色屬
於我乃至見我是識識中有我我中有識識
屬於我如是見者繫屬於魔非我弟子善男

BD01737 號　大般涅槃經（北本　宮本）卷二六　（25–6）

見者名繫屬魔繫屬魔者心不清淨復次善
男子若見我是色色中有我我中有色色屬
於我乃至見我是識識中有我我中有識識
屬於我如是見者繫屬於魔非我弟子善男
子我聲聞弟子遠離如來十二部經脩集種
種外道典籍不脩出家寂滅之業純營世俗
在家之事何等名為在家事也受畜一切不
淨之物奴婢田宅象馬車乘驢騾雞犬獼猴
猪羊種種穀麥遠離師僧親附白衣違返聖
教向諸白衣作如是言佛聽比丘受畜種種不
淨之物是名脩集在家之事有諸弟子不為
涅槃但為利養親近聽受十二部經招提僧
物及僧鬘物衣著食噉如自己有慳惜他家
及以稱譽親近國王及諸王子卜筮吉凶推
步盈虛圍碁六博摴蒱投壺親比丘尼及諸
處女畜二沙彌常遊屠獵沽酒之家及旃陀
羅所住之處種種販賣手自作食受使隣國
通致信命如是之人當知即是魔之眷屬非
我弟子以是因緣心共貪生心共貪滅乃至
癡心共生共滅亦復如是善男子以是因緣
心性不淨亦非不淨是故我說心得解脫若
有不受不畜一切不淨之物為大涅槃受持
讀誦十二部經書寫解說當知是等真我弟
子不行惡魔波旬境界即是脩集三十七品
以脩集故不共貪生不共貪滅是名菩薩脩
大涅槃微妙經典具足成就第八功德復次

BD01737號　大般涅槃經（北本　宮本）卷二六　（25–7）

有不受不畜一切不淨之物為大涅槃受持
讀誦十二部經書寫解說當知是等真我弟
子不行惡魔波旬境界即是脩集三十七品
以脩集故不共貪生不共貪滅是名菩薩脩
大涅槃微妙經典具足成就第八功德復次
善男子云何菩薩摩訶薩脩大涅槃微妙經典
具足成就第九功德善男子菩薩摩訶薩
脩大涅槃微妙經典初發五事悉得成就何
等為五一者信二者直心三者戒四者親近
善友五者多聞云何為信菩薩摩訶薩信於
三寶施有果報信於二諦一乘之道更無異
趣為諸眾生速得解脫諸佛菩薩分別為三
信第一義諦信善方便是名為信如是信者
若諸沙門若婆羅門若天魔梵一切眾生所
不能壞因是信故得聖人性脩行布施若多
若少悉得近於大般涅槃不墮生死戒聞智
慧亦復如是是名為信雖有是信而亦不見
是為菩薩脩大涅槃成就初事云何直心菩
薩摩訶薩於諸眾生作質直心一切眾生若
遇因緣則生諂曲菩薩不尒何以故善解諸
法悉因緣故菩薩摩訶薩雖見眾生諸惡過
咎終不說之何以故恐生煩惱若生煩惱則
墮惡道如是菩薩若見眾生有少善事則讚
嘆之云何為善所謂佛性讚佛性故令諸眾
生發阿耨多羅三藐三菩提心
尒時光明遍照高貴德王菩薩摩訶薩白佛
言世尊如佛所說菩薩摩訶薩讚嘆佛性令

BD01737號　大般涅槃經（北本　宮本）卷二六　（25–8）

各終不訴之何以故怨生煩惱若生煩惱則
隨惡道如是菩薩若見衆生有少善事則讃
嘆之云何為善所謂佛性讃佛性故令諸衆
生發阿耨多羅三藐三菩提心
尒時光明遍照高貴德王菩薩摩訶薩白佛
言世尊如佛所説菩薩摩訶薩讃嘆佛性令
无量衆生發阿耨多羅三藐三菩提心是義
不然何以故如來初開涅槃經時説有三種
一者若有病人得良醫藥及瞻病者病則易
差如其不得則不可愈二者若得不得悉不
可差三者若得不得悉皆可差一切衆生亦
復如是若遇善友諸佛菩薩聞説妙法則得
發於阿耨多羅三藐三菩提心其不遇則不
能發所謂須陀洹斯陀含阿那含阿羅漢辟
支佛二者雖遇善友諸佛菩薩聞説妙法亦
不能發若其不遇亦不能發謂一闡提三者
若遇不遇一切悉能發阿耨多羅三藐三菩
提心所謂菩薩若言遇與不遇悉發阿耨多
羅三藐三菩提心者如來今者云何説言因
讃佛性令諸衆生發阿耨多羅三藐三菩提
心世尊若遇善友諸佛菩薩聞説妙法及以
不遇悉不能發阿耨多羅三藐三菩提心當
知是義亦復不然何以故如是之人當得阿
耨多羅三藐三菩提故一闡提輩以佛性故
若聞不聞悉亦當得阿耨多羅三藐三菩提
故世尊如佛所説何等名為一闡提也謂斷
善根如是之義亦復不然何以故不斷佛性

BD01737號　大般涅槃經（北本　宮本）卷二六　（25–9）

耨多羅三藐三菩提故一闡提輩以佛性故
若聞不聞悉亦當得阿耨多羅三藐三菩提
故世尊如佛所説何等名為一闡提也謂斷
善根如是之義亦復不然何以故不斷佛性
故如是佛性理不可斷云何佛説斷諸善根
如佛往昔説十二部經善有二種一者常二
者无常常者不斷无常者斷无常可斷故墮
地獄常不可斷何故不遮佛性不斷非一闡
提如來何故作如是説言一闡提世尊若因
佛性發阿耨多羅三藐三菩提何故如來廣
為衆生説十二部經世尊譬如四河從阿那
婆達多池出若有天人諸佛世尊説言是河
不入大海當還本源无有是處菩提之心亦
復如是有佛性者若聞不聞若戒非戒若施
非施若脩不脩若智非智悉皆應得阿耨多
羅三藐三菩提世尊如優陀延山日從中出
至于正南日若念言我不至西還東方者无
有是處佛性亦尒若不聞不戒不施不脩不
智不得阿耨多羅三藐三菩提者无有是處
世尊諸佛如來説因果性非有非无如是之
義是亦不然何以故如其乳中无酪性者則
无有酪尼拘陀子无五丈者則不能生五丈
之質若佛性中无阿耨多羅三藐三菩提樹
者云何能生阿耨多羅三藐三菩提樹以是
義故所説因果非有非无如是之義云何相
應尒時世尊讃言善哉善哉善男子世有二

BD01737號　大般涅槃經（北本　宮本）卷二六　（25–10）

之質若佛性中无阿耨多羅三藐三菩提樹
者云何能生阿耨多羅三藐三菩提樹以是
義故所說因果非有非无如是之義云何相
應尒時世尊讚言善哉善哉善男子世有二
人甚為希有如優曇鉢華一者不行惡法二
者有罪能悔如是之人甚為希有復有二人
一者作恩二者念恩復有二人一者諮受新
法二者溫故不忘復有二人一者造新二者
脩故復有二人一者樂聞法二者樂說法復
有二人一善問難二善能答善問難者汝身
是也善能答者謂如來也善男子因是善問
即得轉于无上法輪能枯十二因緣大樹能
度无邊生死大河能與魔王波旬共戰能摧
波旬所立勝幢善男子如我先說三種病人
值遇良醫瞻病好藥及以不遇病悉得差是
義云何若得不得謂定壽命所以者何是人
已於无量世中脩三種善謂上中下以脩如
是三種善故得定壽命如欝單曰人壽命千
年有遇病者若得良醫好藥瞻病及以不得
悉皆得差何以故得定命故善男子如我所
說若有病人得遇良醫好藥瞻病病得除差
若不遇者則不得差是義云何善男子如是
之人壽命不定命雖未盡有九因緣能夭其
壽何等為九一者知食非安而反食之二者
多食三者宿食未消而復更食四者大小便
利不隨時節五者病時不隨醫教六者不隨

壽何等為九一者知食非安而反食之二者
多食三者宿食未消而復更食四者大小便
利不隨時節五者病時不隨醫教六者不隨
瞻病教勑七者強耐不吐八者夜行以夜行
故惡鬼打之九者房室過差以是義故我說
病者若遇醫藥病則可差若不遇者則不可
愈善男子如我先說若遇不遇俱不差者是
義云何有人命盡若遇不遇悉不可差何以
故以命盡故以是義故我說病人若遇醫藥
及以不遇悉不得差眾生亦尒發菩提心者
若遇善友諸佛菩薩諮受深法若不遇之皆悉
當成何以故以其能發菩提心故如欝單曰
人得定壽命如我所說從須陁洹至辟支佛
若聞善友諸佛菩薩所說深法則發阿耨多
羅三藐三菩提心若不值遇諸佛菩薩聞說
深法則不能發阿耨多羅三藐三菩提如不
定命以九因緣命則中夭如彼病人值遇良
醫病則得差若不遇者病則不差是故我說
遇佛菩薩聞說深法則能發心若不值遇則
不能發如我先說若遇善友諸佛菩薩聞說
深法若不值遇俱不能發是義云何善男子
一闡提輩若遇善友諸佛菩薩聞說深法及
以不遇俱不得離一闡提心何以故斷諸善
故一闡提輩不得阿耨多羅三藐三菩提所
以者何若能發於菩提之心則不復名一闡
提也善男子以何因緣說一闡提得阿耨多

以不遇俱不得離一闡提心何以故斷諸法
故一闡提輩不得阿耨多羅三藐三菩提所
以者何若能發於菩提之心則不復名一闡
提也善男子以何因緣說一闡提得阿耨多
羅三藐三菩提一闡提輩實不得阿耨多羅
三藐三菩提如命盡者雖遇良醫好藥瞻病
不能得差何以故以命盡故善男子一闡名
信提名不具信不具故名一闡提佛性非信
衆生非具以不具故云何可斷一闡名善方
便提名不具脩善方便不具足故名一闡提
佛性非是脩善方便衆生非具以不具故云
何可斷一闡名進提名不具進不具故名一
闡提佛性非進衆生非具以不具故云何可
斷一闡名念提名不具念不具故名一闡提
佛性非念衆生非具以不具故云何可斷一
闡名定提名不具定不具故名一闡提佛性
非定衆生非具以不具故云何可斷一闡名
慧提名不具慧不具故名一闡提佛性非慧
衆生非具以不具故云何可斷一闡名无常
善提名不具以无常善不具足故名一闡提
佛性是常非善非不善何以故善法要從方
便而得而是佛性非方便得是故非善何故
復名非不善也能得善果故善果即是阿耨
多羅三藐三菩提又善法者生已得故而是
佛性非生已得是故非善以斷生得諸善法
故名一闡提善男子如汝所言若一闡提有
佛性者云何不遮地獄之罪善男子一闡提

BD01737號　大般涅槃經（北本　宮本）卷二六　（25-13）

復名非不善也能得善果故善果即是阿耨
多羅三藐三菩提又善法者生已得故而是
佛性非生已得是故非善以斷生得諸善法
故名一闡提善男子如汝所言若一闡提有
佛性者云何不遮地獄之罪善男子一闡提
中无有佛性善男子譬如有王聞箜篌音其
聲清妙心甚耽著喜樂愛念情无捨離即告
大臣如是妙音從何處出大臣答王如是妙
音從箜篌出王復語言持是聲來尒時大臣
即持箜篌置於王前而作是言大王當知此
即是聲王語箜篌出聲出聲而是箜篌聲亦
不出尒時大王即斷其絃聲亦不出取其皮
木悉皆析裂推求其聲了不能得尒時大王
即瞋大臣云何乃作如是妄語大臣白王夫
取聲者法不如是應以衆緣善巧方便聲乃
出耳衆生佛性亦復如是无有住處以善方
便故得可見以可見故得阿耨多羅三藐三
菩提一闡提輩不見佛性云何能遮三惡道
罪善男子若一闡提信有佛性當知是人不
至三惡道是亦不名一闡提也以不自信有
佛性故即墮三惡道墮三惡故名一闡提善
男子如汝所說若乳无酪性不應出酪尼拘
陁子无五丈性則不應有五丈之質愚癡之
人作如是說智者終不發如是言何以故以
无性故善男子如其乳中有酪性者不應復
假衆緣力也善男子如水乳雜臥至一月終
不成酪若以一渧頗求樹汁投之於中即便
[illegible]

BD01737號　大般涅槃經（北本　宮本）卷二六　（25-14）

人作如是言知者終不發如是言何以故以
无性故善男子如其乳中有酪性者不應復
假眾緣力也善男子如水乳雜臥至一月終
不成酪若以一渧頗求樹汁投之於中即便
成酪若本有酪何故待緣眾生佛性亦復如
是假眾緣故則便可見假眾緣故得成阿耨
多羅三藐三菩提若待眾緣然後成者即是
无性以无性故能得阿耨多羅三藐三菩提
善男子以是義故菩薩摩訶薩常讚人善不
訟彼缺名質直心復次善男子云何菩薩質
直心也菩薩摩訶薩常不犯惡設有過失即
時懺悔於師同學終不覆藏慚愧自責不敢
復作於輕罪中生極重想若人詰問答言實
犯復問是罪為好不好答言不好復問是罪為
善不善答言不善復問是罪是善果耶不善
果耶答言是罪實非善果又問是罪誰之所
造將非是佛法僧所作答言非佛法僧我所
作也乃是煩惱之所攝集以直心故信有佛
性信佛性故則不得名一闡提也以直心故
名佛弟子若受眾生衣服飲食臥具醫藥種
種各十万不足為多是名菩薩質直心也云
何菩薩脩持於戒菩薩摩訶薩受持禁戒不
為生天不為恐怖乃至不受狗戒雞戒牛戒
雉戒不作破戒不作缺戒不作瑕戒不作雜
戒不作聲聞戒受持菩薩摩訶薩戒尸波羅
蜜戒得具足戒不生憍慢是名菩薩脩大涅
槃具第三戒云何菩薩親近善友菩薩摩

為生天不為恐怖乃至不受狗戒雞戒牛戒
雉戒不作破戒不作缺戒不作瑕戒不作雜
戒不作聲聞戒受持菩薩摩訶薩戒尸波羅
蜜戒得具足戒不生憍慢是名菩薩脩大涅
槃具第三戒云何菩薩親近善友菩薩摩
訶薩常為眾生說於善道不說惡道說於惡
道非善果報善男子我身即是一切眾生真善
知識是故能斷富伽羅婆羅門所有邪見善
男子若有眾生親近我者雖有生於地獄因
緣即得生天如須那剎多等應墮地獄以見
我故即得斷墮地獄因緣生於色天雖有舍
利弗目揵連等不名眾生真善知識何以故
生一闡提心因緣故善男子我昔住於波羅
柰國時舍利弗教二弟子一觀白骨一令數
息逕歷多年皆不得定以是因緣即生邪見
言无涅槃无漏之法設其有者我應得之何
以故我能善持所受戒故我於尒時見是比
丘生是邪心喚舍利弗而呵責之汝不善教
云何乃為是二弟子顛倒說法汝二弟子其
性各異一主浣衣一是金師金師之子應教
數息浣衣之人應教骨觀以汝錯教令是二
人生於惡邪我於尒時為是二人如應說法
二人聞已得阿羅漢果是故我為一切眾生
真善知識非舍利弗目揵連等若使眾生有
極重結得遇我者我已方便即為斷之如我
弟難陀有極重欲我以種種善巧方便而為
除斷鴦掘魔羅有重瞋恚以見我故瞋恚即

真善知識非舍利弗目揵連等若使衆生有
極重結得遇我者我已方便即爲断之如我
弟難陁有極重欲我以種種善巧方便而爲
除断鴦崛魔羅有重瞋恚以見我故瞋恚即
息阿闍世王有重愚癡以見我故癡心即滅
如婆師伽長者於无量劫脩集成就極重煩
惚以見我故即使断滅設有弊悪斯下之人
親近於我作弟子者以是因縁一切人天恭
敬愛念尸利毱多邪見熾盛因見我故邪見
即滅因見我故断地獄因作生天縁如氣嘘
栴陁羅命盡終時因見我故還得壽命如憍
尸迦狂心錯乱因見我故還得本心如瘦瞿
曇弥也屠家之子常脩悪業以見我故即便
捨離如闡提比丘也因見我故寧捨身命不
毁禁戒如草繫比丘也以是義故阿難比丘
說半梵行名善知識我言不尒具足梵行乃
名善知識是故菩薩脩大涅槃具足弟四親
近善知識云何菩薩具足多聞菩薩摩訶薩
爲大涅槃十二部經書寫讀誦分别解説是
名菩薩具足多聞除十一部經唯毗佛略受
持讀誦書寫解説亦名菩薩具足多聞除十
二部經若能受持是大涅槃微妙經典書寫
讀誦分别解説是名菩薩具足多聞除是經
典具足全體若能受持一四句偈復除是偈
若能受持如来常住性无變易是名菩薩具
足多聞復除是事若知如来常不説法亦名
菩薩具足多聞何以故法无性故如来雖説
一切諸法常无所説是名菩薩脩大涅槃成

BD01737 號　大般涅槃經（北本　宮本）卷二六　（25–17）

若能受持如来常住性无變易是名菩薩具
足多聞復除是事若知如来常不説法亦名
菩薩具足多聞何以故法无性故如来雖説
一切諸法常无所説是名菩薩脩大涅槃成
就弟五具足多聞善男子若有善男子善女
人爲大涅槃具足成就如是五事難作能作
難忍能忍難施能施
云何菩薩難作能作若聞有人食一胡麻得
阿耨多羅三藐三菩提者信是語故乃至无
量阿僧祇劫常食一麻若聞入火得阿耨多
羅三藐三菩提者於无量劫在阿鼻地獄入
熾火聚是名菩薩難作能作云何菩薩難忍
能忍若聞受苦手杖刀石斫打因縁得大涅
槃即於无量阿僧祇劫身具受之不以爲苦
是名菩薩難忍能忍云何菩薩難施能施若
聞能以國城妻子頭目髓腦惠施於人得阿
耨多羅三藐三菩提者即於无量阿僧祇劫
以其所有國城妻子頭目髓腦惠施於人是
名菩薩難施能施菩薩雖復難作能作終不
念言是我所作難忍難施亦復如是善男子
譬如父母唯有一子愛之甚重以好衣裳上
妙甘饍隨時將養令无所乏其子若於是父
母所生軽慢心悪口罵辱父母愛故不生瞋
恨亦不念言我與是兒衣服飲食菩薩摩訶
薩亦復如是視諸衆生猶如一子若子遇病
父母亦病爲求醫藥懃而療之病既差已終
不生念我爲是兒療治病苦菩薩亦尒見諸
衆生遇煩惱病生愛念心而爲説法以聞法

BD01737 號　大般涅槃經（北本　宮本）卷二六　（25–18）

薩亦復如是視諸衆生猶如一子若子遇病
父母亦病為求醫藥勤加療之病既差已終
不生念我為是兒療治病苦菩薩亦尒見諸
衆生遇煩惱病生愛念心而為説法以聞法
故諸煩惱斷煩惱斷已終不念言我為衆生
斷諸煩惱若生此念終不得成阿耨多羅三
藐三菩提唯作是念无一衆生我為説法令
斷煩惱菩薩摩訶薩於諸衆生不瞋不喜何
以故善能脩集空三昧故菩薩若脩空三昧
者當於誰所生瞋生喜善男子譬如山林極
火所焚若人斫伐或為水漂而是林木當於
誰所生瞋生喜菩薩摩訶薩亦復如是於諸
衆生无瞋无喜何以故脩空三昧
尒時光明遍照高貴德王菩薩摩訶薩白佛
言世尊一切諸法性自空耶空故空若性
自空者不應脩空然後見空云何如來言已
脩空而見空也若性自不空雖復脩空不能
令空善男子一切諸法性本自空何以故一
切法性不可得故善男子色性不可得云何
色性色者非地水火風不離地水火風非青
黄赤白不離青黄赤白非有非无云何當言
色有自性以性不可得故説為空故一切諸法
亦復如是以相似相續故凡夫見已説言諸
法性不空寂菩薩摩訶薩具足五事是故
見法性本空寂善男子若有沙門及婆羅
門見一切法性不空者當知是人非是沙門
非婆羅門不得脩集般若波羅蜜不得入於

亦復如是以相似相續故凡夫見已説言諸
法性不空寂菩薩摩訶薩具足五事是故
見法性本空寂善男子若有沙門及婆羅
門見一切法性不空者當知是人非是沙門
非婆羅門不得脩集般若波羅蜜不得入於
大般涅槃不得現見諸佛菩薩是魔眷屬善
男子一切諸法性本自空亦因菩薩脩集空
故見諸法空善男子如一切法性无常故滅能
滅之若非无常滅不能滅有為之法有生相
故生能生之有滅相故滅能滅之一切諸法
有苦相故苦能令苦善男子如鹽鹹性能鹹
異物石蜜性甘能甘異物苦酒性酢能酢異
物薑本性辛能辛異物呵梨勒苦能苦異物
菴羅菓酢能酢異物毒性能害能害異物甘
露之性令人不死若合異物亦能不死菩薩
脩空亦復如是以脩空故見一切法性皆空
寂光明遍照高貴德王菩薩復作是言世尊
若鹽能令非鹹作鹹脩空三昧若如是者當
知是空非善非妙其性顛倒若空三昧唯見
空者空是无法為何所見善男子是空三昧
見不空法能令空寂然非顛倒如鹽非鹹作
鹹是空三昧亦復如是不空作空善男子貪
是有性是空性貪若是空衆生不應以是因
緣墮於地獄若墮地獄云何貪性當是空耶
善男子色性是有何等是性所謂顛倒以顛
倒故衆生生貪若是色性非顛倒者云何能
令衆生生貪以生貪故當知色性非不是有

是有性是空性貪若是空衆生不應以是因
緣墮於地獄若墮地獄云何貪性當是空耶
善男子色性是有何等是性所謂顛倒以顛
倒故衆生生貪若是色性非顛倒者云何能
令衆生生貪以生貪故當知色性非不是有
以是義故脩空三昧非顛倒也善男子一切
凡夫若見女人即生女想菩薩不尒雖見女
人不生女想以不生想貪則不生貪不生故
非顛倒也以世間人見有女想故菩薩隨說
言有女人若見男時說言是女是則顛倒是
故我爲闍提說言汝婆羅門若以晝爲夜是
則顛倒以夜爲晝是爲顛倒晝爲晝相夜爲
夜相云何顛倒善男子一切菩薩住九地者
見法有性以是見故不見佛性若見佛性則
不復見一切法性以脩如是空三昧故不見
法性以不見故則見佛性諸佛菩薩有二種
說一者有性二者无性爲衆生故說有法性
爲諸賢聖說无法性爲不空者見法空故脩
空三昧令得見空无法性者亦脩空故空以
是義故脩空見空善男子汝言見空空是无
法爲何見者善男子如是如是菩薩摩訶薩
實无所見无所見者即无所有无所有者即
一切法菩薩摩訶薩脩大涅槃於一切法悉
无所見若有見者不見佛性不能脩集般若
波羅蜜不得入於大般涅槃是故菩薩見一
切法性无所有善男子菩薩不但因見三昧
而見空也般若波羅蜜之空禪波羅蜜之空

无所見若有見者不見佛性不能脩集般若
波羅蜜不得入於大般涅槃是故菩薩見一
切法性无所有善男子菩薩不但因見三昧
而見空也般若波羅蜜之空禪波羅蜜之空
毗梨耶波羅蜜之空羼提波羅蜜之空尸波
羅蜜之空檀波羅蜜之空色之空眼之空識
之空如來之空大般涅槃之空是故菩薩見
一切法皆悉是空是故我在迦毗羅城告阿
難言汝莫愁惱悲泣涕哭阿難即言如來世
尊我今眷屬悉皆死盡云何當得不悲泣耶
如來與我俱生此城俱同釋種親戚眷屬云
何如來獨不愁惱光顏益顯善男子我復告
言阿難汝見迦毗羅真實而有我見空寂悉
无所見汝見釋種悉是親戚我脩空故悉无
所見以見因緣故生愁苦我身容顏益更光
顯諸佛菩薩脩集如是空三昧故不生愁惱
是名菩薩脩大涅槃微妙經典成就具足第
九功德善男子云何菩薩脩大涅槃微妙經
典具足第十功德善男子菩薩脩集卅
七品入大涅槃常樂我淨爲諸衆生分別解
說大涅槃經顯示佛性若須陁洹斯陁含阿
那含阿羅漢辟支佛菩薩信是語者悉得入
於大般涅槃若不信者輪迴生死尒時光明
遍照高貴德王菩薩白佛言世尊何等衆生
於是經中不生恭敬善男子我涅槃後有聲
聞弟子愚癡破戒喜生鬬諍捨十二部經讀
誦種種外道典籍文頌手筆受畜一切不淨
之物言是佛聽如是之人以好栴檀貿易凡

於是經中不生恭敬善男子我涅槃後有聲
聞弟子愚癡破戒喜生鬪諍捨十二部經讀
誦種種外道典籍文頌手筆受畜一切不淨
之物言是佛聽如是之人以好栴檀貿易凡
木以金易鍮銀易白鑞絹易縷褐以甘露味
易於惡毒云何栴檀貿易凡木如我弟子為
供養故向諸白衣演說經法白衣情逸不憙
聽聞白衣處高比丘處下兼以種種餚饍飲
食而供給之猶不肯聽是名栴檀貿易凡木
云何以金貿易鍮石鍮石喻色聲香味觸金
喻於戒我諸弟子以色因緣破所受戒是名
以金貿易鍮石云何以銀易於白鑞銀喻十
善鑞喻十惡我諸弟子放捨十善行十惡法
是名以銀貿易白鑞云何以絹貿易縷褐縷
褐喻於無慚無愧絹喻慚愧我諸弟子放捨
慚愧習無慚愧是名以絹貿易縷褐云何甘
露貿易毒藥毒藥喻於種種利養甘露喻於
諸無漏法我諸弟子為利養故向諸白衣若
自譽讚言得無漏是名甘露貿易毒藥以如
是等惡比丘故是大涅槃微妙經典廣行流
布於閻浮提當是之時有諸弟子受持讀誦
書寫是經演說流布當為如是諸惡比丘之
所殺害時惡比丘共相聚集立嚴峻制若有
受持大涅槃經書寫讀誦分別說者一切不
得共住共坐談論語言何以故涅槃經者非
佛所說邪見所造邪見之人即是六師六師
經典非佛經典所以者何一切諸佛悉說諸法

BD01737 號　大般涅槃經（北本　宮本）卷二六　（25-23）

所殺害時惡比丘共相聚集立嚴峻制若有
受持大涅槃經書寫讀誦分別說者一切不
得共住共坐談論語言何以故涅槃經者非
佛所說邪見所造邪見之人即是六師六師
經典非佛經典所以者何一切諸佛悉說諸法
無常無我無樂無淨若言諸法常樂我淨
云何當是佛所說經諸佛菩薩聽諸比丘畜
種種物六師所說不聽弟子畜一切物如是
之義云何當是佛之所說諸佛菩薩不制弟
子斷牛五味及以食肉六師不聽食五種牛
味及以脂肉若斷是者云何當是佛之正典
諸佛菩薩說於三乘而是經中純說一乘謂
大涅槃如此之言云何當是佛之正典諸佛
畢竟入於涅槃是經言佛常樂我淨不入涅
槃是經不在十二部數即是魔說非是佛說
善男子如是之人雖我弟子不能信順是涅
槃經善男子當尒之時若有衆生信此經典
乃至半句當知是人真我弟子因如是信即
見佛性入於涅槃尒時光明遍照高貴德王
菩薩白佛言世尊善哉善哉如來今日善能
開示大涅槃經世尊我因是事即得悟解大
涅槃經一句半句以解一句至半句故見少
佛性如佛所說我亦當得入大涅槃是名菩
薩脩大涅槃微妙經典具足成就第十功德

大般涅槃經卷第廿六

BD01737 號　大般涅槃經（北本　宮本）卷二六　（25-24）

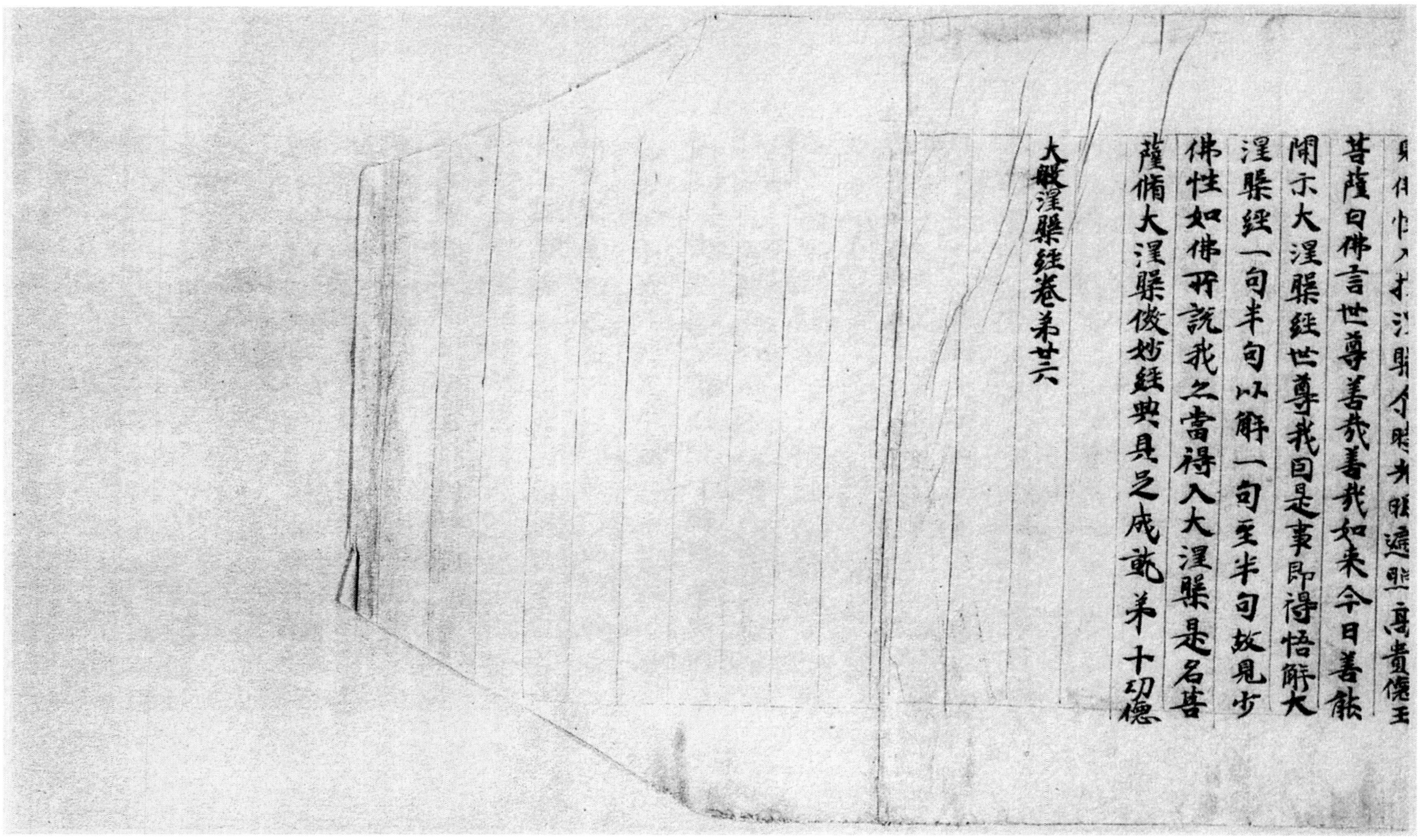
見佛性入於涅槃令眼光明遍照高貴德王
菩薩曰佛言世尊善哉善哉如來今日善能
開示大涅槃經世尊我曰是事即得悟解大
涅槃經一句半句以解一句至半句故見少
佛性如佛所說我之當得入大涅槃是名菩
薩修大涅槃微妙經典具足成就第十功德

大般涅槃經卷第廿六

BD01737 號　大般涅槃經（北本　宮本）卷二六　（25–25）

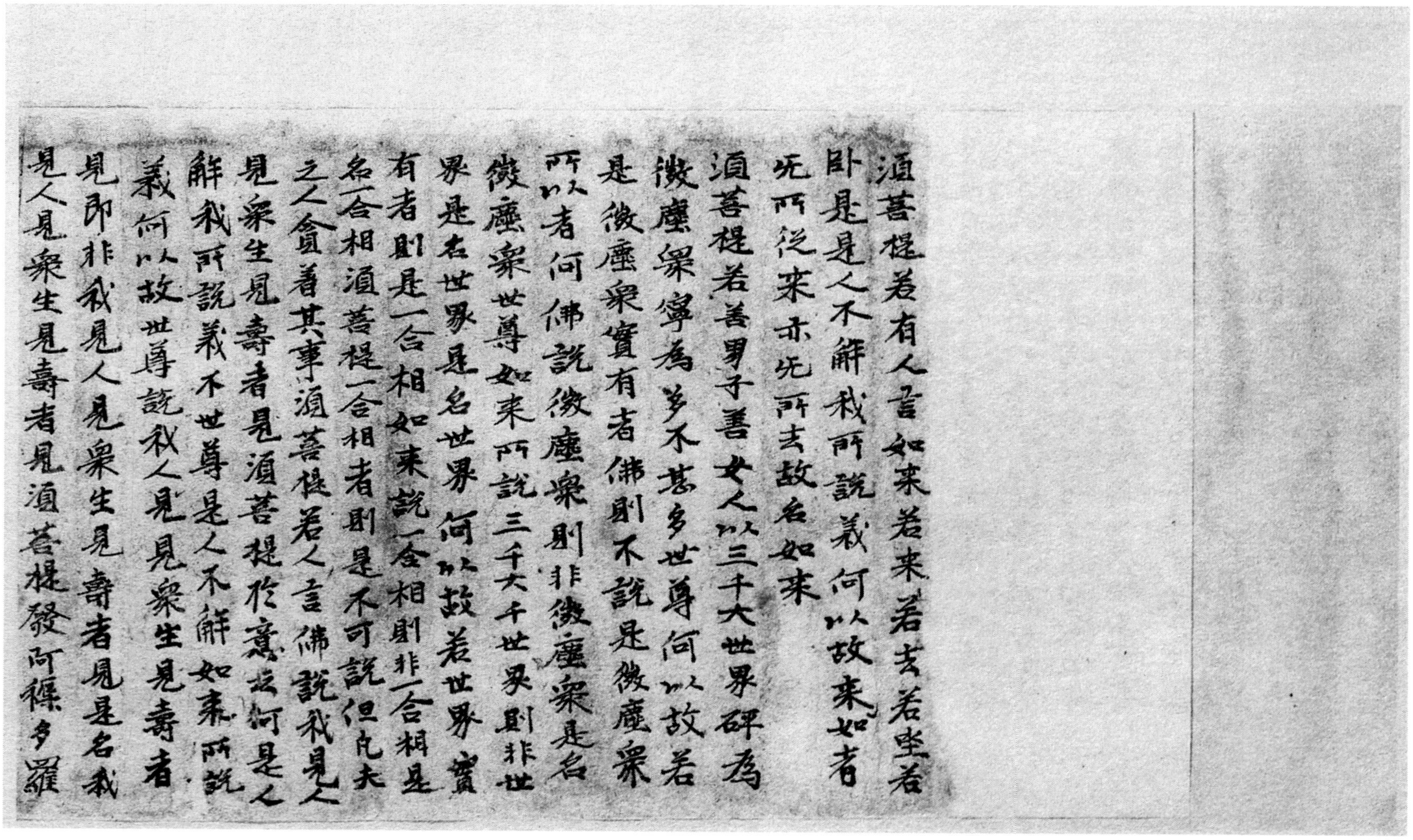
須菩提若有人言如來若來若去若坐若
臥是人不解我所說義何以故如來者
無所從來亦無所去故名如來
須菩提若善男子善女人以三千大世界碎為
微塵眾寧為多不甚多世尊何以故若
是微塵眾實有者佛則不說是微塵眾
所以者何佛說微塵眾則非微塵眾是名
微塵眾世尊如來所說三千大千世界則非世
界是名世界何以故若世界實
有者則是一合相如來說一合相則非一合相是
名一合相須菩提一合相者則是不可說但凡夫
之人貪著其事須菩提若人言佛說我見人
見眾生見壽者見須菩提於意云何是人
解我所說義不世尊是人不解如來所說
義何以故世尊說我見人見眾生見壽者
見即非我見人見眾生見壽者見是名我
見人見眾生見壽者見須菩提發阿耨多羅

BD01738 號　金剛般若波羅蜜經　（2–1）

見衆生見壽者見須菩[illegible]
解我所說義不世尊是人不解如來所說
義何以故世尊說我見人見衆生見壽者
見即非我見人見衆生見壽者見是名我
見人見衆生見壽者見須菩提發阿耨多羅
三藐三菩提心者於一切法應如是知如是見如是
信解不生法相須菩提所言法相者如來說非
法相是名法相須菩提若有人以滿無量阿僧
祇世界七寶持用布施若有善男子善女人
發菩薩心者持於此經乃至四句偈等受持
讀誦為人演說其福勝彼云何為人演說不
取於相如如不動何以故
一切有為法　如夢幻泡影　如露亦如電　應作如
是觀
佛說是經已長老須菩提及諸比丘比丘尼
優婆塞優婆夷一切世間天人阿脩羅聞佛
所說皆大歡喜信受奉行

金剛般若波羅蜜經一卷

BD01738 號　金剛般若波羅蜜經　（2–2）

[illegible]盡脫法門汝等當學尒時彼諸
菩薩聞說是法皆大歡喜以衆妙華若干種
色若干種香散遍三千大千世界供養於佛及
此經法并諸菩薩已稽首佛足歎未曾有言
釋迦牟尼佛乃能於此善行方便言已忽然
不現還到彼國

見阿閦佛品第十二

尒時世尊問維摩詰汝欲見如來為以何等
觀如來乎維摩詰言如自觀身實相觀佛亦
然我觀如來前際不來後際不去今則不住
不觀色不觀色如不觀色性不觀受想行識
不觀識如不觀識性非四大起同於虛空六
入无積眼耳鼻舌身心已過不在三界三垢
已離順三脫門三明與无明等不一相不異
相不自相不他相非无相非取相不此岸不
彼岸不中流而化衆生觀於寂滅亦不永滅不
此不彼不以此不以彼不可以智知不可以識
識无晦无明无名无相无強无弱非淨非
穢不在方不離方非有為非无為无示无
說不施不慳不戒不犯不忍不恚不進不怠
不定不亂不智不愚不誠不欺不來不去不

BD01739 號　維摩詰所說經卷下　（2–1）

相不自相不他相非无相非取相不此𣂾不
彼𣂾不中流而化衆生觀於寂滅亦不永滅不
此不彼不以此不以彼不可以智知不可以識
識无晦无明无名无相无強无弱非淨非
穢不在方不離方非有為非无為无示无
說不施不慳不戒不犯不忍不恚不進不怠
不定不亂不智不愚不誠不欺不來不去不
出不入一切言語道斷非福田非不福田非應
供養非不應供養非取非捨非相非无
相同真際等法性不可稱不可量過諸稱量
非大非小非見非聞非覺非知離衆結縛等
諸智同衆生於諸法无分別一切无失无濁无
惱无作无起无生无滅无畏无憂无喜无猒
无着无已有无當有无今有不可以一切言說
分別顯示世尊如來身為若此作如是觀以斯
觀者名為正觀若他觀者名為耶觀尒時舍
利弗問維摩詰汝於何沒而來生此維摩詰
言汝所得法有沒生乎舍利弗言无沒生也
若諸法无沒生相云何問言汝於何沒而來
生此於意云何譬如幻師幻作男女寧沒
生耶舍利弗言无沒生也汝豈不聞佛說諸

BD01739 號　維摩詰所說經卷下　（2–2）

女夢如炎如水中月如鏡中像以妄想生其
知此者是名奉律其知此者是名善解於是
二比丘言上智哉是優波離所不及持律之
上而不能說我答言自捨如來未有聲聞及
菩薩能制其樂說之辯其智慧明達為若此
也時二比丘疑悔即除發阿耨多羅三藐三菩
提心作是願言令一切衆生皆得是辯故我
不堪任詣彼問疾
佛告羅睺羅汝行詣維摩詰問疾羅睺羅白
佛言世尊我不堪任詣彼問疾所以者何憶
念昔時毗耶離諸長者子來詣我所稽首作
禮問我言唯羅睺羅汝佛之子捨轉輪王位
出家為道其出家者有何等利即如法為
說出家功德之利維摩詰來謂我言唯羅睺
羅不應說出家功德之利所以者何无利
无功德是為出家有為法者可說有利有功
德夫出家者為无為法无為法中无利无功
德羅睺羅夫出家者无彼无此亦无中間離
六十二見處於涅槃智者所受聖所行處降
伏衆魔度五道淨五眼得五力立五根不惱
於彼離衆雜惡摧諸外道超越假名出淤泥
无繫着无我所无所受无擾亂內懷喜護

BD01740 號　維摩詰所說經卷上　（2–1）

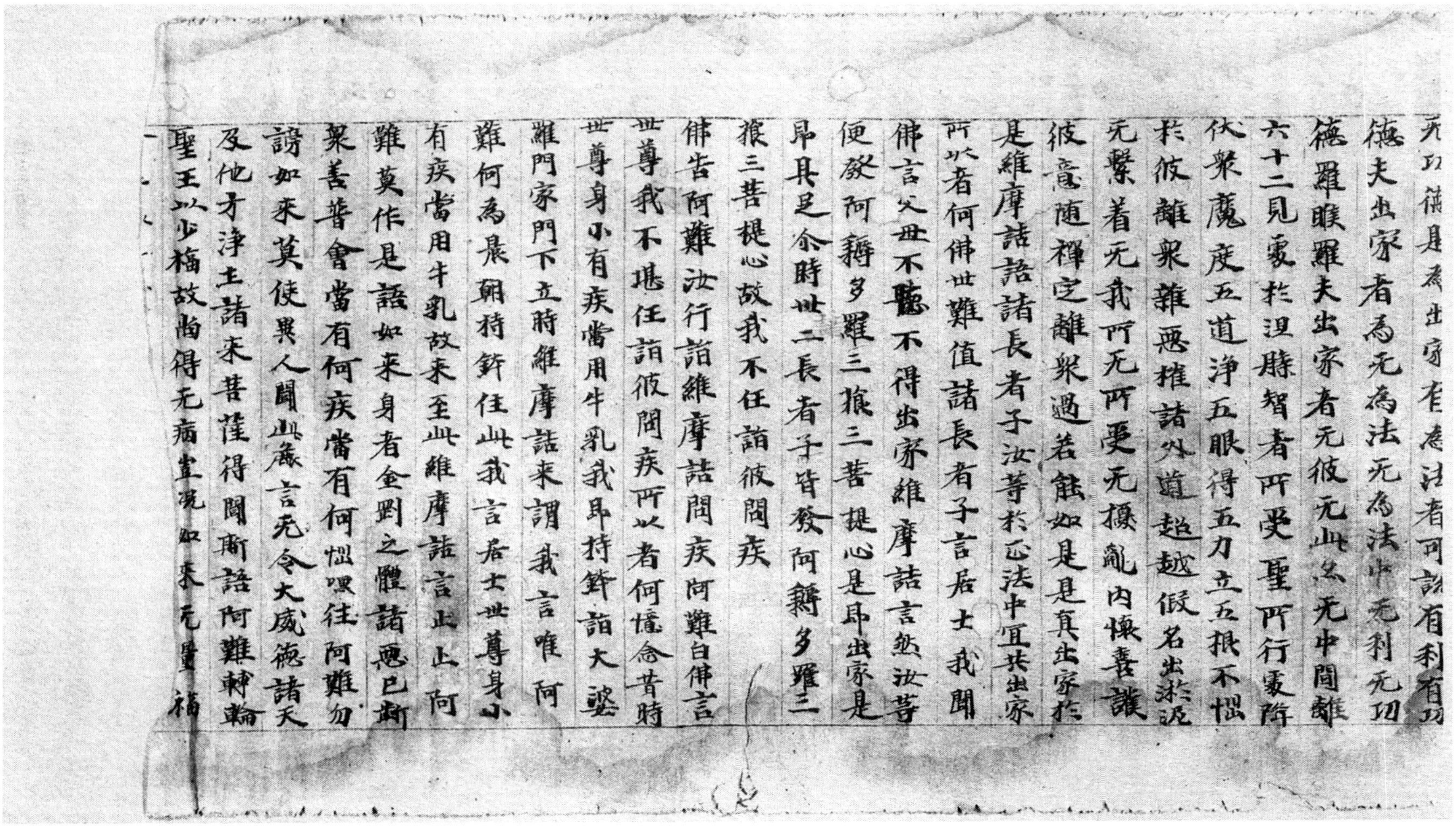
无功德是為出家有為法者可説有利有功
德夫出家者為无為法无為法中无利无功
德羅睺羅夫出家者无彼无此亦无中間離
六十二見處於涅槃智者所受聖所行處降
伏衆魔度五道淨五眼得五力立五根不惱
於彼離衆雜惡摧諸外道超越假名出淤泥
无繫着无我所无所受无擾亂内懷喜護
彼意隨禪定離衆過若能如是是真出家於
是維摩詰語諸長者子汝等於正法中宜共出家
所以者何佛世難值諸長者子言居士我聞
佛言父母不聽不得出家維摩詰言然汝等
便發阿耨多羅三藐三菩提心是即出家是
即具足尒時卅二長者子皆發阿耨多羅三
藐三菩提心故我不任詣彼問疾
佛告阿難汝行詣維摩詰問疾阿難白佛言
世尊我不堪任詣彼問疾所以者何憶念昔時
世尊身小有疾當用牛乳我即持鉢詣大婆
羅門家門下立時維摩詰来謂我言唯阿
難何為晨朝持鉢住此我言居士世尊身小
有疾當用牛乳故来至此維摩詰言止止阿
難莫作是語如来身者金剛之體諸惡已斷
衆善普會當有何疾當有何惱嘿往阿難勿
謗如来莫使異人聞此麁言无令大威德諸天
及他方淨土諸来菩薩得聞斯語阿難轉輪
聖王以少福故尚得无病豈况如来无量福

BD01740 號　維摩詰所說經卷上　（2–2）

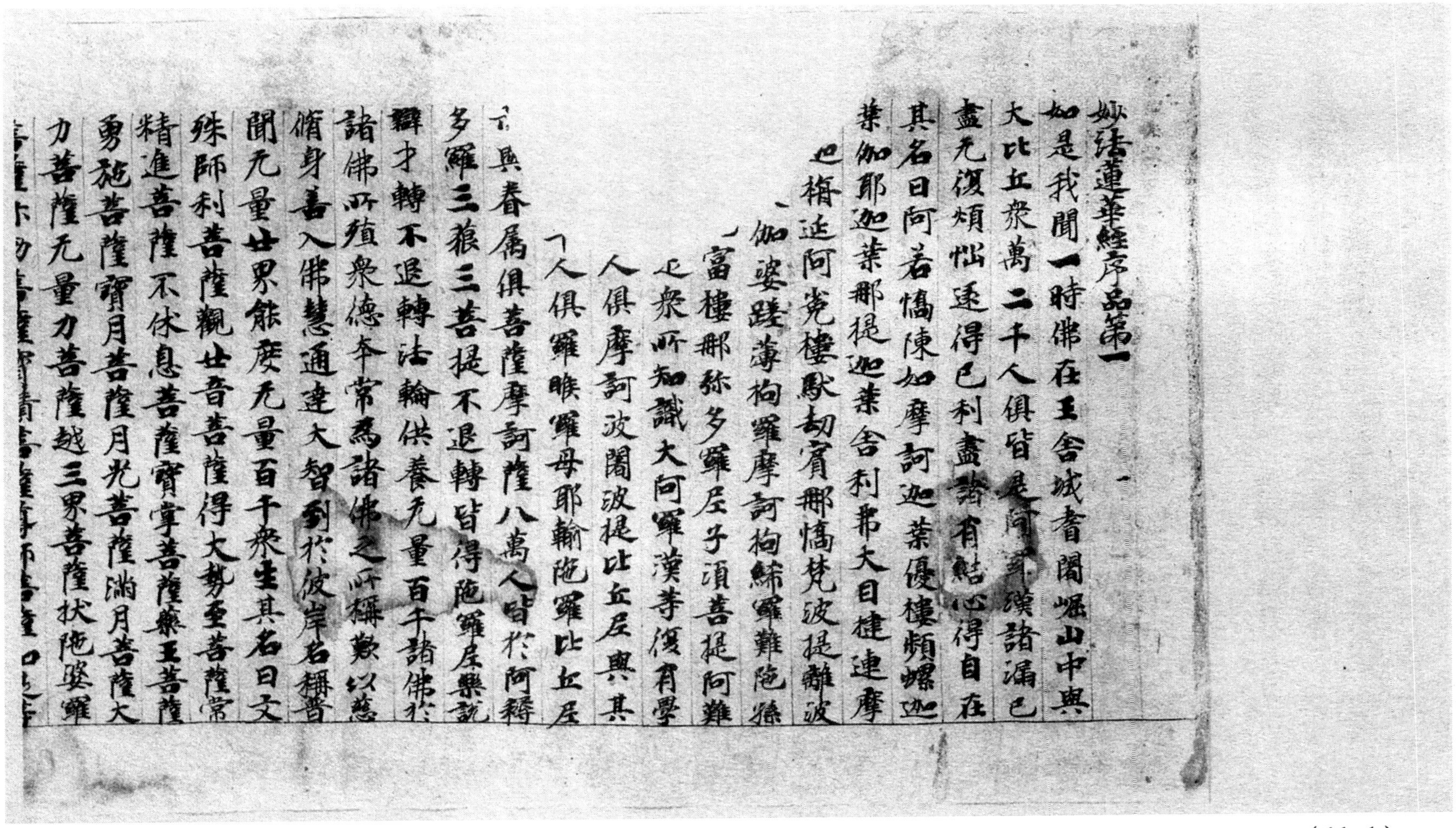
妙法蓮華經序品第一
如是我聞一時佛在王舍城耆闍崛山中與
大比丘衆萬二千人俱皆是阿羅漢諸漏已
盡无復煩惱逮得己利盡諸有結心得自在
其名曰阿若憍陳如摩訶迦葉優樓頻螺迦
葉伽耶迦葉那提迦葉舍利弗大目揵連摩
迦旃延阿㝹樓馱劫賓那憍梵波提離波
伽婆蹉薄拘羅摩訶拘絺羅難陀孫
富樓那彌多羅尼子須菩提阿難
衆所知識大阿羅漢等復有學
人俱摩訶波闍波提比丘尼與其
人俱羅睺羅母耶輸陀羅比丘尼
與眷屬俱菩薩摩訶薩八萬人皆於阿耨
多羅三藐三菩提不退轉皆得陀羅尼樂説
辯才轉不退轉法輪供養无量百千諸佛於
諸佛所殖衆德本常為諸佛之所稱歎以慈
脩身善入佛慧通達大智到於彼岸名稱普
聞无量世界能度无量百千衆生其名曰文
殊師利菩薩觀世音菩薩得大勢至菩薩常
精進菩薩不休息菩薩寶掌菩薩藥王菩薩
勇施菩薩寶月菩薩月光菩薩滿月菩薩大
力菩薩无量力菩薩越三界菩薩跋陀婆羅
菩薩彌勒菩薩寶積菩薩導師菩薩

BD01741 號　妙法蓮華經卷一　（11–1）

量无量世界能度无量百千衆生其名曰文
殊師利菩薩觀世音菩薩得大勢至菩薩常
精進菩薩不休息菩薩寶掌菩薩藥王菩薩
勇施菩薩寶月菩薩月光菩薩滿月菩薩大
力菩薩无量力菩薩越三界菩薩跋陁婆羅
菩薩弥勒菩薩寶積菩薩導師菩薩如是等
菩薩八萬人俱尒時釋提桓因與其眷屬二
萬天子俱復有名月天子普香天子寶光天
子四大天王與其眷屬萬天子俱自在天子
大自在天子與其眷屬三萬天子俱娑婆世
界主梵天王尸棄大梵光明大梵等與其眷
屬萬二千天子俱有八龍王難陁龍王跋難
陁龍王娑伽羅龍王和脩吉龍王德叉迦龍
王阿那婆達多龍王摩那斯龍王優鉢羅龍
王等各與若干百千眷屬俱有四緊那羅王
法緊那羅王妙法緊那羅王大法緊那羅王
持法緊那羅王各與若干百千眷屬俱有四
乾闥婆王樂乾闥婆王樂音乾闥婆王美乾
闥婆王美音乾闥婆王各與若干百千眷屬
俱有四阿脩羅王婆稚阿脩羅王佉羅騫大
阿脩羅王毗摩質多羅阿脩羅王羅睺阿
脩羅王各與若干百千眷屬俱有四迦樓羅
王大威德迦樓羅王大身迦樓羅王大滿迦
樓羅王如意迦樓羅王各與若干百千眷屬
俱韋提希子阿闍世王與若干百千眷屬俱
各禮佛足退坐一面尒時世尊四衆圍遶供
養恭敬尊重讚歎為諸菩薩說大乘經名无
量義教菩薩法佛所護念佛說此經已結加
趺坐入於无量義處三昧身心不動是時天

BD01741 號　妙法蓮華經卷一　（11–2）

俱韋提希子阿闍世王與若干百千眷屬俱
各禮佛足退坐一面尒時世尊四衆圍遶供
養恭敬尊重讚歎為諸菩薩說大乘經名无
量義教菩薩法佛所護念佛說此經已結加
趺坐入於无量義處三昧身心不動是時天
雨曼陁羅華摩訶曼陁羅華曼殊沙華摩訶
曼殊沙華而散佛上及諸大衆普佛世界六
種震動尒時會中比丘比丘尼優婆塞優婆
夷天龍夜叉乾闥婆阿脩羅迦樓羅緊那羅
摩睺羅伽人非人等及諸小王轉輪聖王等
是諸大衆得未曾有歡喜合掌一心觀佛尒
時佛放眉間白毫相光照于東方萬八千世
界靡不周遍下至阿鼻地獄上至阿迦尼吒
天於此世界盡見彼土六趣衆生又見彼土
現在諸佛及聞諸佛所說經法并見彼諸比
丘比丘尼優婆塞優婆夷諸脩行得道者復
見諸菩薩摩訶薩種種因緣種種信解種種
相貌行菩薩道復見諸佛般涅槃者復見諸
佛般涅槃後以佛舍利起七寶塔尒時弥勒
菩薩作是念今者世尊現神變相以何因緣
而有此瑞今佛世尊入于三昧是不可思議
現希有事當以問誰誰能荅者復作是念此
文殊師利法王之子已曾親覲供養過去无
量諸佛必應見此希有之相我今當問尒時
比丘比丘尼優婆塞優婆夷及諸天龍鬼神
等咸作此念是佛光明神通之相今當問誰
尒時弥勒菩薩欲自決疑又觀四衆比丘比
丘尼優婆塞優婆夷及諸天龍鬼神等衆會
之心而問文殊師利言以何因緣而有此瑞

BD01741 號　妙法蓮華經卷一　（11–3）

等咸作此念是佛光明神通之相今當問誰
尒時弥勒菩薩欲自決疑又觀四衆比丘比
丘尼優婆塞優婆夷及諸天龍鬼神等衆會
之心而問文殊師利言以何因緣而有此瑞
神通之相放大光明照于東方萬八千土悉
見彼佛國界莊嚴於是弥勒菩薩欲重宣此
義以偈問曰
文殊師利　導師何故　眉間白毫　大光普照
雨曼陁羅　曼殊沙華　栴檀香風　悅可衆心
以是因緣　地皆嚴淨　而此世界　六種震動
時四部衆　咸皆歡喜　身意快然　得未曾有
眉間光明　照于東方　萬八千土　皆如金色
從阿鼻獄　上至有頂　諸世界中　六道衆生
生死所趣　善惡業緣　受報好醜　於此悉見
又覩諸佛　聖主師子　演說經典　微妙第一
其聲清淨　出柔軟音　教諸菩薩　无數億萬
梵音深妙　令人樂聞　各於世界　講說正法
種種因緣　以无量喻　照明佛法　開悟衆生
若人遭苦　猒老病死　為說涅槃　盡諸苦際
若人有福　曾供養佛　志求勝法　為說緣覺
若有佛子　脩種種行　求无上慧　為說淨道
文殊師利　我住於此　見聞若斯　及千億事
如是衆多　今當略說　我見彼土　恒沙菩薩
種種因緣　而求佛道　或有行施　金銀珊瑚
真珠摩尼　車𤦲馬瑙　金剛諸珎　奴婢車乘
寶飾輦轝　歡喜布施　迴向佛道　願得是乘
三界第一　諸佛所歎　或有菩薩　駟馬寶車
欄楯華蓋　軒飾布施　復見菩薩　身肉手足

真珠摩尼　車𤦲馬瑙　金剛諸珎　奴婢車乘
寶飾輦轝　歡喜布施　迴向佛道　願得是乘
三界第一　諸佛所歎　或有菩薩　駟馬寶車
欄楯華蓋　軒飾布施　復見菩薩　身肉手足
及妻子施　求无上道　又見菩薩　頭目身體
欣樂施與　求佛智慧　文殊師利　我見諸王
往詣佛所　問无上道　便捨樂土　宮殿臣妾
剃除鬚髮　而被法服　或見菩薩　而作比丘
獨處閑靜　樂誦經典　又見菩薩　勇猛精進
入於深山　思惟佛道　又見離欲　常處空閑
深脩禪定　得五神通　又見菩薩　安禪合掌
以千萬偈　讚諸法王　復見菩薩　智深志固
能問諸佛　聞悉受持　又見佛子　定慧具足
以无量喻　為衆講法　欣樂說法　化諸菩薩
破魔兵衆　而擊法鼓　又見菩薩　寂然宴默
天龍恭敬　不以為喜　又見菩薩　處林放光
濟地獄苦　令入佛道　又見佛子　未曾睡眠
經行林中　勤求佛道　又見具戒　威儀无缺
淨如寶珠　以求佛道　又見佛子　住忍辱力
增上慢人　惡罵捶打　皆悉能忍　以求佛道
又見菩薩　離諸戲咲　及癡眷屬　親近智者
一心除亂　攝念山林　億千萬歲　以求佛道
或見菩薩　餚饍飲食　百種湯藥　施佛及僧
名衣上服　價直千萬　或无價衣　施佛及僧
千萬億種　栴檀寶舍　衆妙卧具　施佛及僧
清淨園林　華菓茂盛　流泉浴池　施佛及僧
如是等施　種種微妙　歡喜无猒　求无上道
或有菩薩　說寂滅法　種種教詔　无數衆生

名衣上服價直千萬或无價衣施佛及僧
千萬億種栴檀寶舍衆妙卧具施佛及僧
清淨園林華菓茂盛流泉浴池施佛及僧
如是等施種種微妙歡喜无猒求无上道
或有菩薩說寂滅法種種教詔无數衆生
或見菩薩觀諸法性无有二相猶如虛空
又見佛子心无所著以此妙慧求无上道
文殊師利又有菩薩佛滅度後供養舍利
又見佛子造諸塔廟无數恒沙嚴飾國界
寶塔高妙五千由旬縱廣正等二千由旬
一一塔廟各千幢幡珠交露幔寶鈴和鳴
諸天龍神人及非人香華伎樂常以供養
文殊師利諸佛子等為供舍利嚴飾塔廟
國界自然殊特妙好如天樹王其華開敷
佛放一光我及衆會見此國界種種殊妙
諸佛神力智慧希有放一淨光照无量國
我等見此得未曾有佛子文殊願決衆疑
四衆欣仰瞻仁及我世尊何故放斯光明
佛子時答決疑令喜何所饒益演斯光明
佛坐道場所得妙法為欲說此為當授記
示諸佛土衆寶嚴淨及見諸佛此非小緣
文殊當知四衆龍神瞻察仁者為說何等
尒時文殊師利語彌勒菩薩摩訶薩及諸大
士善男子等如我惟忖今佛世尊欲說大法
雨大法雨吹大法螺擊大法鼓演大法義諸
善男子我於過去諸佛曾見此瑞放斯光已
即說大法是故當知今佛現光亦復如是欲
令衆生咸得聞知一切世間難信之法故現
斯瑞諸善男子如過去无量无邊不可思議
阿僧祇劫尒時有佛號日月燈明如來應供

BD01741 號　妙法蓮華經卷一　（11–6）

善男子我於過去諸佛曾見此瑞放斯光已
即說大法是故當知今佛現光亦復如是欲
令衆生咸得聞知一切世間難信之法故現
斯瑞諸善男子如過去无量无邊不可思議
阿僧祇劫尒時有佛號日月燈明如來應供
正遍知明行足善逝世間解无上士調御丈
夫天人師佛世尊演說正法初善中善後善
其義深遠其語巧妙純一无雜具足清白梵
行之相為求聲聞者說應四諦法度生老病
死究竟涅槃為求辟支佛者說應十二因緣
法為諸菩薩說應六波羅蜜令得阿耨多羅
三藐三菩提成一切種智次復有佛亦名日
月燈明次復有佛亦名日月燈明如是二萬
佛皆同一字號日月燈明又同一姓姓頗羅
墮彌勒當知初佛後佛皆同一字名日月燈
明十號具足所可說法初中後善其最後佛
未出家時有八王子一名有意二名善意三
名无量意四名寶意五名增意六名除疑意
七名響意八名法意是八王子威德自在各
領四天下是諸王子聞父出家得阿耨多羅
三藐三菩提悉捨王位亦隨出家發大乘意
常脩梵行皆為法師已於千萬億佛所殖諸
善本是時日月燈明佛說大乘經名无量義
教菩薩法佛所護念說是經已即於大衆中
結跏趺坐入於无量義處三昧身心不動是
時天雨曼陀羅華摩訶曼陀羅華曼殊沙華
摩訶曼殊沙華而散佛上及諸大衆普佛世
界六種震動尒時會中比丘比丘尼優婆塞

BD01741 號　妙法蓮華經卷一　（11–7）

教菩薩法佛所護念說是經已即於大衆中
結跏趺坐入於无量義處三昧身心不動是
時天雨曼陁羅華摩訶曼陁羅華曼殊沙華
摩訶曼殊沙華而散佛上及諸大衆普佛世
界六種震動尒時會中比丘比丘尼優婆塞
優婆夷天龍夜叉乾闥婆阿脩羅迦樓羅緊
那羅摩睺羅伽人非人及諸小王轉輪聖王
等是諸大衆得未曾有歡喜合掌一心觀佛
尒時如來放眉間白毫相光照東方萬八千
佛土靡不周遍如今所見是諸佛土弥勒當
知尒時會中有二十億菩薩樂欲聽法是諸
菩薩見此光明普照佛土得未曾有欲知此
光所為因緣時有菩薩名曰妙光有八百弟
子是時日月燈明佛從三昧起因妙光菩薩
說大乘經名妙法蓮華教菩薩法佛所護念
六十小劫不起于座時會聽者亦坐一處六
十小劫身心不動聽佛所說謂如食頃是時
衆中无有一人若身若心而生懈惓日月燈
明佛於六十小劫說是經已即於梵魔沙門
婆羅門及天人阿脩羅衆中而宣此言如來
於今日中夜當入无餘涅槃時有菩薩名曰
德藏日月燈明佛即授其記告諸比丘是德
藏菩薩次當作佛號曰淨身多陁阿伽度阿
羅訶三藐三佛陁佛授記已便於中夜入无
餘涅槃佛滅度後妙光菩薩持妙法蓮華經
滿八十小劫為人演說日月燈明佛八子皆
師妙光妙光教化令其堅固阿耨多羅三藐
三菩提是諸王子供養无量百千萬億佛已
皆成佛道其最後成佛者名曰燃燈八百弟子

BD01741號　妙法蓮華經卷一　（11-8）

師妙光妙光教化令其堅固阿耨多羅三藐
三菩提是諸王子供養无量百千萬億佛已
皆成佛道其最後成佛者名曰燃燈八百弟子
中有一人號曰求名貪著利養雖復讀誦衆
經而不通利多所忘失故號求名是人亦以
種諸善根因緣故得值无量百千萬億諸佛
供養恭敬尊重讚歎弥勒當知尒時妙光菩
薩豈異人乎我身是也求名菩薩汝身是也
今見此瑞與本无異是故惟忖今日如來當
說大乘經名妙法蓮華教菩薩法佛所護念
尒時文殊師利於大衆中欲重宣此義而說
偈言
我念過去世　无量无數劫　有佛人中尊　號日月燈明
世尊演說法　度无量衆生　无數億菩薩　令入佛智慧
佛未出家時　所生八王子　見大聖出家　亦隨脩梵行
時佛說大乘　經名无量義　於諸大衆中　而為廣分別
佛說此經已　即於法座上　跏趺坐三昧　名无量義處
天雨曼陁華　天鼓自然鳴　諸天龍鬼神　供養人中尊
一切諸佛土　即時大震動　佛放眉間光　現諸希有事
此光照東方　萬八千佛土　示一切衆生　生死業報處
有見諸佛土　以衆寶莊嚴　瑠璃頗梨色　斯由佛光照
及見諸天人　龍神夜叉衆　乾闥緊那羅　各供養其佛
又見諸如來　自然成佛道　身色如金山　端嚴甚微妙
如淨瑠璃中　內現真金像　世尊在大衆　敷演深法義
一一諸佛土　聲聞衆无數　因佛光所照　悉見彼大衆
或有諸比丘　在於山林中　精進持淨戒　猶如護明珠
又見諸菩薩　行施忍辱等　其數如恒沙　斯由佛光照
又見諸菩薩　深入諸禪定　身心寂不動　以求无上道
又見諸菩薩　知法寂滅相　各於其國土　說法求佛道

BD01741號　妙法蓮華經卷一　（11-9）

一一諸佛土　聲聞衆无數　因佛光所照　悉見彼大衆
或有諸比丘　在於山林中　精進持淨戒　猶如護明珠
又見諸菩薩　行施忍辱等　其數如恒沙　斯由佛光照
又見諸菩薩　深入諸禪定　身心寂不動　以求无上道
又見諸菩薩　知法寂滅相　各於其國土　說法求佛道
尒時四部衆　見日月燈佛　現大神通力　其心皆歡喜
各各自相問　是事何因緣　天人所奉尊　適從三昧起
讚妙光菩薩　汝為世間眼　一切所歸信　能奉持法藏
如我所說法　唯汝能證知　世尊既讚歎　令妙光歡喜
說是法華經　滿六十小劫　不起於此座　所說上妙法
是妙光法師　悉皆能受持　佛說是法華　令衆歡喜已
尋即於是日　告於天人衆　諸法實相義　已為汝等說
我今於中夜　當入於涅槃　汝一心精進　當離於放逸
諸佛甚難值　億劫時一遇　世尊諸子等　聞佛入涅槃
各各懷悲惱　佛滅一何速　聖主法之王　安慰无量衆
我若滅度時　汝等勿憂怖　是德藏菩薩　於无漏實相
心已得通達　其次當作佛　號曰為淨身　亦度无量衆
佛此夜滅度　如薪盡火滅　分布諸舍利　而起无量塔
比丘比丘尼　其數如恒沙　倍復加精進　以求无上道
是妙光法師　奉持佛法藏　八十小劫中　廣宣法華經
是諸八王子　妙光所開化　堅固无上道　當見无數佛
供養諸佛已　隨順行大道　相繼得成佛　轉次而授記
最後天中天　號曰燃燈佛　諸仙之導師　度脫无量衆
是妙光法師　時有一弟子　心常懷懈怠　貪著於名利
求名利无厭　多遊族姓家　棄捨所習誦　廢忘不通利
以是因緣故　號之為求名　亦行衆善業　得見无數佛
供養於諸佛　隨順行大道　具六波羅蜜　今見釋師子
勒　廣度諸衆生　其數无有量
妙光法師者　今則我身是

BD01741號　妙法蓮華經卷一　　（11–10）

我若滅度時　汝等勿憂怖　是德藏菩薩　於无漏實相
心已得通達　其次當作佛　號曰為淨身　亦度无量衆
佛此夜滅度　如薪盡火滅　分布諸舍利　而起无量塔
比丘比丘尼　其數如恒沙　倍復加精進　以求无上道
是妙光法師　奉持佛法藏　八十小劫中　廣宣法華經
是諸八王子　妙光所開化　堅固无上道　當見无數佛
供養諸佛已　隨順行大道　相繼得成佛　轉次而授記
最後天中天　號曰燃燈佛　諸仙之導師　度脫无量衆
是妙光法師　時有一弟子　心常懷懈怠　貪著於名利
求名利无厭　多遊族姓家　棄捨所習誦　廢忘不通利
以是因緣故　號之為求名　亦行衆善業　得見无數佛
供養於諸佛　隨順行大道　具六波羅蜜　今見釋師子
勒　廣度諸衆生　其數无有量
妙光法師者　今則我身是
法華經

BD01741號　妙法蓮華經卷一　　（11–11）

清淨內空清淨故法界清淨何以故若一切
智智清淨若內空清淨若法界清淨无二无
二分无別无斷故一切智智清淨故外空內
外空空空大空勝義空有為空无為空畢竟
空无際空散空无變異空本性空自相空共
相空一切法空不可得空无性空自性空无
性自性空清淨外空乃至无性自性空清淨
故法界清淨何以故若一切智智清淨若外
空乃至无性自性空清淨若法界清淨无二
无二分无別无斷故善現一切智智清淨故
真如清淨真如清淨故法界清淨何以故若
一切智智清淨若真如清淨若法界清淨无
二无二分无別无斷故一切智智清淨故法
性不虛妄性不變異性平等性離生性法定
法住實際虛空界不思議界清淨法性乃至
不思議界清淨故法界清淨何以故若一切
智智清淨若法性乃至不思議界清淨若法
界清淨无二无二分无別无斷故善現一切
智智清淨故苦聖諦清淨苦聖諦清淨故法
界清淨何以故若一切智智清淨若苦聖諦
清淨若法界清淨无二无二分无別无斷故

BD01742 號　大般若波羅蜜多經卷二五八　（4–1）

法住實際虛空界不思議界清淨法性乃至
不思議界清淨故法界清淨何以故若一切
智智清淨若法性乃至不思議界清淨若法
界清淨无二无二分无別无斷故善現一切
智智清淨故苦聖諦清淨苦聖諦清淨故法
界清淨何以故若一切智智清淨若苦聖諦
清淨若法界清淨无二无二分无別无斷故
一切智智清淨故集滅道聖諦清淨集滅道
聖諦清淨故法界清淨何以故若一切智智
清淨若集滅道聖諦清淨若法界清淨无二
无二分无別无斷故
善現一切智智清淨故四靜慮清淨四靜慮
清淨故法界清淨何以故若一切智智清淨
若四靜慮清淨若法界清淨无二无二分无
別无斷故一切智智清淨故四无量四无色
定清淨四无量四无色定清淨故法界清淨
何以故若一切智智清淨若四无量四无色
定清淨若法界清淨无二无二分无別无斷
故善現一切智智清淨故八解脫清淨八解
脫清淨故法界清淨何以故若一切智智清
淨若八解脫清淨若法界清淨无二无二分
无別无斷故一切智智清淨故八勝處九次
第定十遍處清淨八勝處九次第定十遍處
清淨故法界清淨何以故若一切智智清淨
若八勝處九次第定十遍處清淨若法界清
淨无二无二分无別无斷故善現一切智智
清淨故四念住清淨四念住清淨故法界清

BD01742 號　大般若波羅蜜多經卷二五八　（4–2）

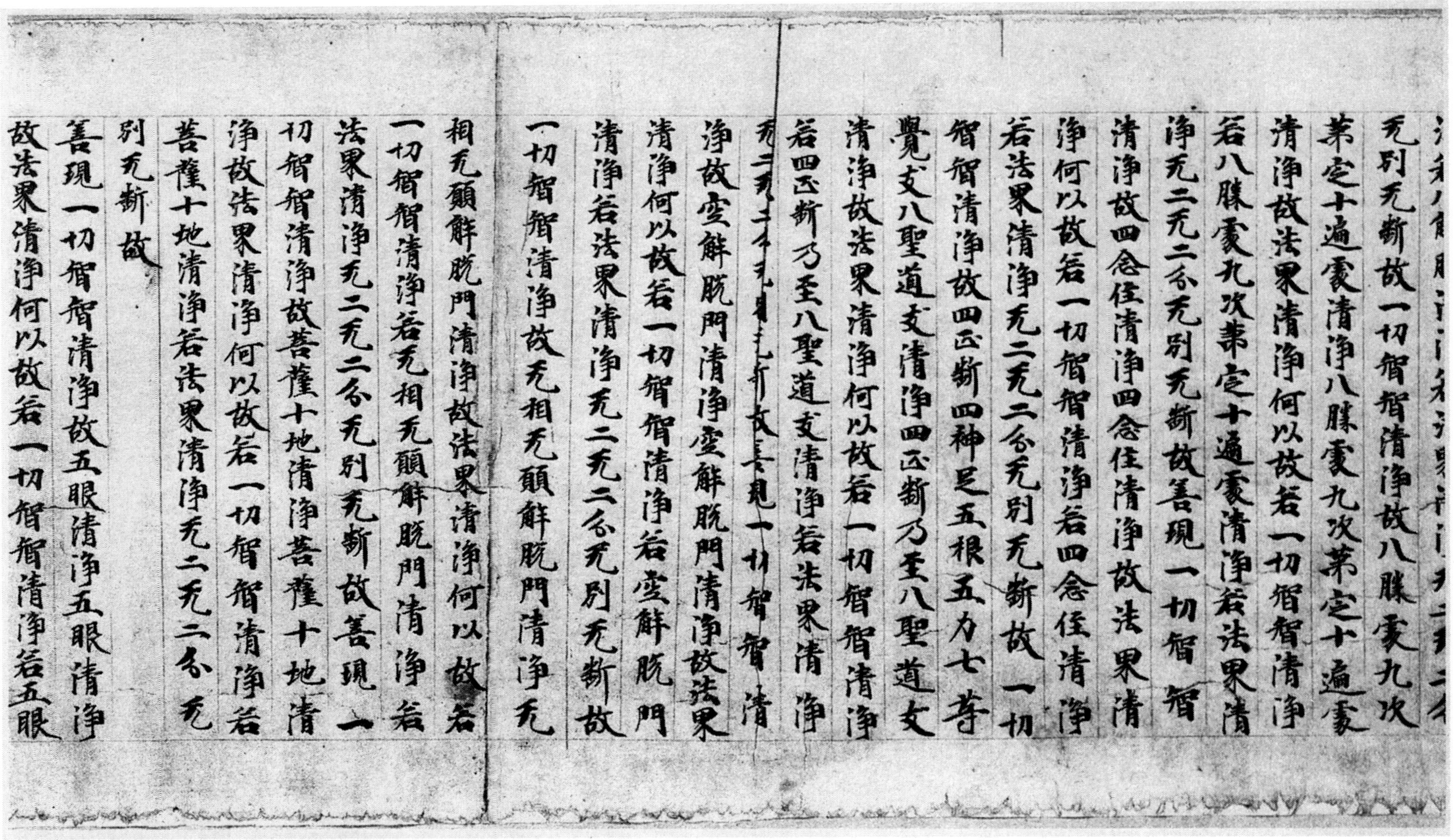
无別无斷故一切智智清淨故八勝處九次
第定十遍處清淨八勝處九次第定十遍處
清淨故法界清淨何以故若一切智智清淨
若八勝處九次第定十遍處清淨若法界清
淨无二无二分无別无斷故善現一切智智
清淨故四念住清淨四念住清淨故法界清
淨何以故若一切智智清淨若四念住清淨
若法界清淨无二无二分无別无斷故一切
智智清淨故四正斷四神足五根五力七等
覺支八聖道支清淨四正斷乃至八聖道支
清淨故法界清淨何以故若一切智智清淨
若四正斷乃至八聖道支清淨若法界清淨
无二无二分无別无斷故善現一切智智清
淨故空解脫門清淨空解脫門清淨故法界
清淨何以故若一切智智清淨若空解脫門
清淨若法界清淨无二无二分无別无斷故
一切智智清淨故无相无願解脫門清淨无
相无願解脫門清淨故法界清淨何以故若
一切智智清淨若无相无願解脫門清淨若
法界清淨无二无二分无別无斷故善現一
切智智清淨故菩薩十地清淨菩薩十地清
淨故法界清淨何以故若一切智智清淨若
菩薩十地清淨若法界清淨无二无二分无
別无斷故
善現一切智智清淨故五眼清淨五眼清淨
故法界清淨何以故若一切智智清淨若五眼

BD01742 號　大般若波羅蜜多經卷二五八　（4–3）

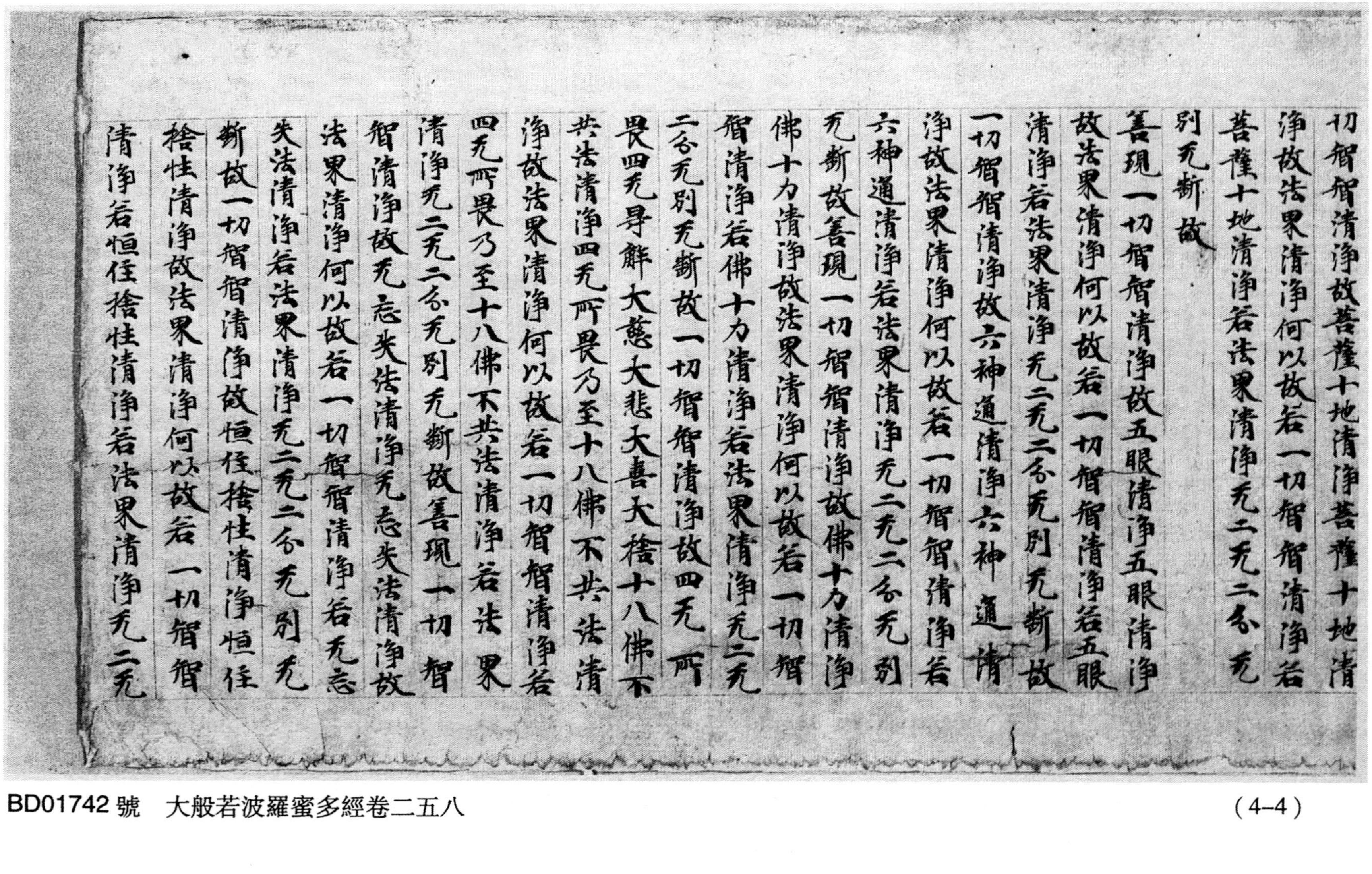
切智智清淨故菩薩十地清淨菩薩十地清
淨故法界清淨何以故若一切智智清淨若
菩薩十地清淨若法界清淨无二无二分无
別无斷故
善現一切智智清淨故五眼清淨五眼清淨
故法界清淨何以故若一切智智清淨若五眼
清淨若法界清淨无二无二分无別无斷故
一切智智清淨故六神通清淨六神通清
淨故法界清淨何以故若一切智智清淨若
六神通清淨若法界清淨无二无二分无別
无斷故善現一切智智清淨故佛十力清淨
佛十力清淨故法界清淨何以故若一切智
智清淨若佛十力清淨若法界清淨无二无
二分无別无斷故一切智智清淨故四无所
畏四无㝵解大慈大悲大喜大捨十八佛不
共法清淨四无所畏乃至十八佛不共法清
淨故法界清淨何以故若一切智智清淨若
四无所畏乃至十八佛不共法清淨若法界
清淨无二无二分无別无斷故善現一切智
智清淨故无忘失法清淨无忘失法清淨故
法界清淨何以故若一切智智清淨若无忘
失法清淨若法界清淨无二无二分无別无
斷故一切智智清淨故恒住捨性清淨恒住
捨性清淨故法界清淨何以故若一切智智
清淨若恒住捨性清淨若法界清淨无二无

BD01742 號　大般若波羅蜜多經卷二五八　（4–4）

多所衆生安樂利益汝已成就不可思議功
德深大慈悲從久遠來發阿耨多羅三藐三
菩提意而能作是神通之願守護是經我
當以神通力守護能受持普賢菩薩名者普
賢若有受持讀誦正憶念修習書寫是法華
經者當知是人則見釋迦牟尼佛如從佛口聞此
經典當知是人供養釋迦牟尼佛當知是
人佛讚善哉當知是人為釋迦牟尼佛手摩
其頭當知是人為釋迦牟尼佛衣之所覆如
是之人不復貪著世樂不好外道經書手筆
亦復不憙親近其人及諸惡者若屠兒若畜
豬羊雞狗若獵師若衒賣女色是人心意質
直有正憶念有福德力是人不為三毒所惱
亦不為嫉妬我慢邪慢增上慢所惱是人少
欲知足能修普賢之行普賢若如來滅後後
五百歲若有人見受持讀誦法華經者應作
是念此人不久當詣道場破諸魔衆得阿耨
多羅三藐三菩提轉法輪擊法鼓吹法螺雨

BD01743號　妙法蓮華經卷七　（2–1）

亦[illegible]妬我[illegible]增上慢所惱是人少
欲知足能修普賢之行普賢若如來滅後後
五百歲若有人見受持讀誦法華經者應作
是念此人不久當詣道場破諸魔衆得阿耨
多羅三藐三菩提轉法輪擊法鼓吹法螺雨
法雨當坐天人大衆中師子法座上普賢若
於後世受持讀誦是經典者是人不復貪著
衣服臥具飲食資生之物所願不虛亦於現
世得其福報若有人輕毀之言汝狂人耳空
作是行終无所獲如是罪報當世世无眼若有
供養讚歎之者當於今世得現果報若復
見受持是經者出其過惡若實若不實此人
現世得白癩病若輕笑之者當世世牙齒踈缺
醜脣平鼻手腳繚戾眼目角睞身體臭穢惡
瘡膿血水腹短氣諸惡重病是故普賢若
見受持是經典者當起遠迎當如敬佛說是
普賢勸發品時恒河沙等无量无邊菩薩得
百千万億旋陁羅尼三千大千世界微塵等
諸菩薩具普賢道佛說是經時普賢等諸菩
薩舍利弗等諸聲聞及諸天龍人非人等一
切大會皆大歡喜受持佛語作禮而去

妙法蓮華經卷第七

BD01743號　妙法蓮華經卷七　（2–2）

眾商人聞俱發聲言南无觀世
音菩薩稱其名故即得解脫无盡意觀世
音菩薩摩訶薩威神之力巍巍如是
若有眾生多於婬欲常念恭敬觀世音菩薩
便得離欲若多瞋恚常念恭敬觀世音菩薩
便得離瞋若多愚癡常念恭敬觀世音菩
薩便得離癡无盡意觀世音菩薩有如是
等大威神力多所饒益是故眾生常應心念
若有女人設欲求男礼拜供養觀世音菩
薩便生福德智慧之男設欲求女便生端正
有相之女宿殖德本眾人愛敬无盡意觀世
音菩薩有如是力若有眾生恭敬礼拜觀
世音菩薩福不唐捐是故眾生皆應受持
觀世音菩薩名号
无盡意若有人受持六十二億恒河沙菩薩
名字復盡形供養飲食衣服臥具醫藥於汝
意云何是善男子善女人功德多不无盡意

BD01744 號　妙法蓮華經卷七　（3–1）

世音菩薩福不唐捐是故眾生皆應受持
觀世音菩薩名号
无盡意若有人受持六十二億恒河沙菩薩
名字復盡形供養飲食衣服臥具醫藥於汝
意云何是善男子善女人功德多不无盡意
言甚多世尊佛言若復有人受持觀世音
菩薩名号乃至一時礼拜供養是二人福
正等无異於百千万億劫不可窮盡无盡意
受持觀世音菩薩名号得如是无量无邊
福德之利
无盡意菩薩白佛言世尊觀世音菩薩云
何遊此娑婆世界云何而為眾生說法方便
之力其事云何佛告无盡意菩薩善男子
若有國土眾生應以佛身得度者觀世音菩
薩即現佛身而為說法應以辟支佛身得度者即
現辟支佛身而為說法應以聲聞身得度者即
現聲聞身而為說法應以梵王身得度者即
現梵王身而為說法應以帝釋身得度者
即現帝釋身而為說法應以自在天身得度
者即現自在天身而為說法應以大自在天
身得度者即現大自在天身而為說法應以
天大將軍身得度者即現天大將軍身而為
說法應以毗沙門身得度者即現毗沙門身
而為說法應以小王身得度者即現小王身
而為說法應以長者身得度者即現長者
而為說法應以居士身得度者即現居士

BD01744 號　妙法蓮華經卷七　（3–2）

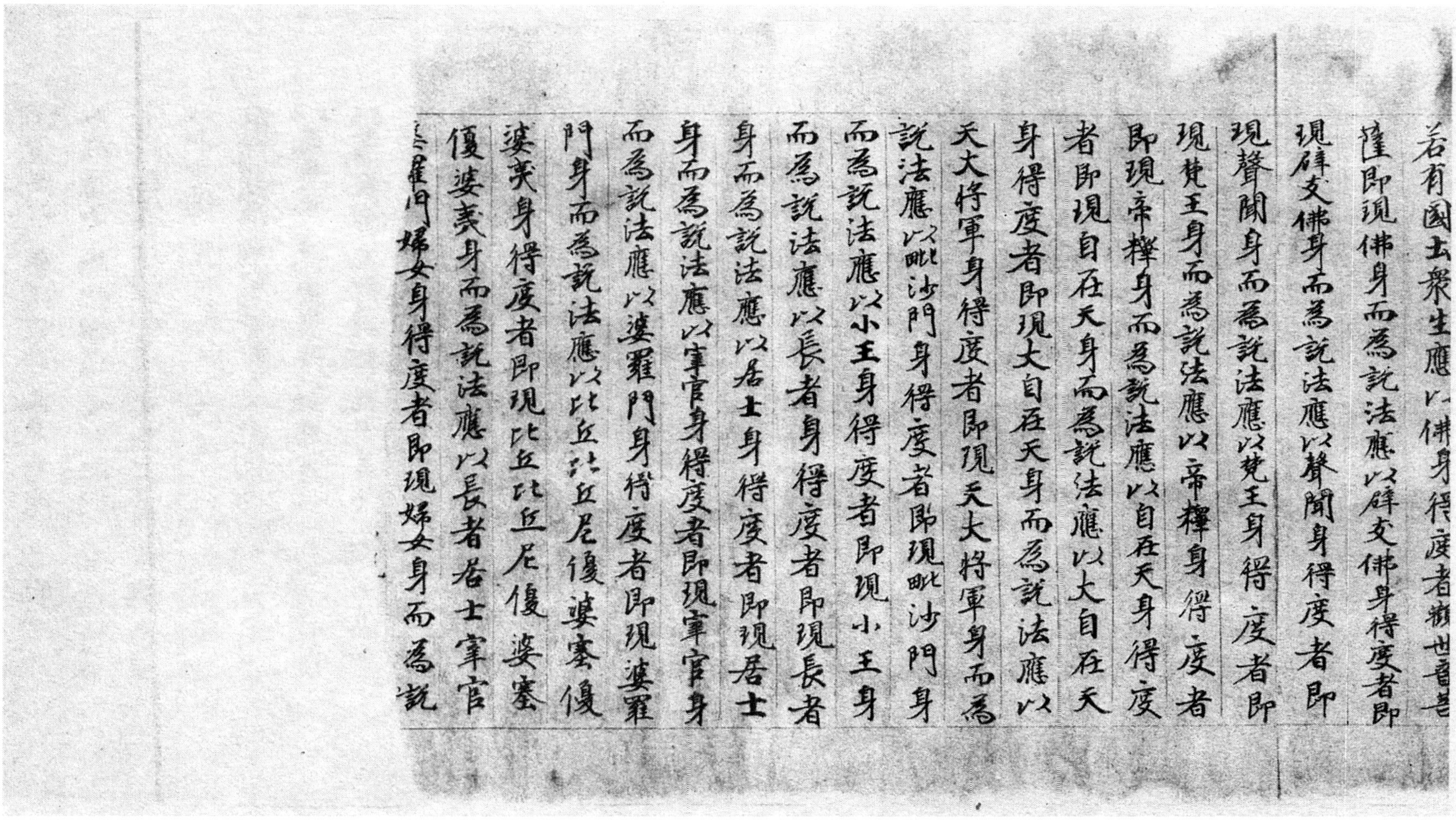
若有國土衆生應以佛身得度者觀世音菩
薩即現佛身而爲說法應以辟支佛身得度者即
現辟支佛身而爲說法應以聲聞身得度者即
現聲聞身而爲說法應以梵王身得度者即
現梵王身而爲說法應以帝釋身得度者
即現帝釋身而爲說法應以自在天身得度
者即現自在天身而爲說法應以大自在天
身得度者即現大自在天身而爲說法應以
天大将軍身得度者即現天大将軍身而爲
說法應以毗沙門身得度者即現毗沙門身
而爲說法應以小王身得度者即現小王身
而爲說法應以長者身得度者即現長者
身而爲說法應以居士身得度者即現居士
身而爲說法應以宰官身得度者即現宰官身
而爲說法應以婆羅門身得度者即現婆羅
門身而爲說法應以比丘比丘尼優婆塞優
婆夷身得度者即現比丘比丘尼優婆塞
優婆夷身而爲說法應以長者居士宰官
婆羅門婦女身得度者即現婦女身而爲說

BD01744號　妙法蓮華經卷七　（3–3）

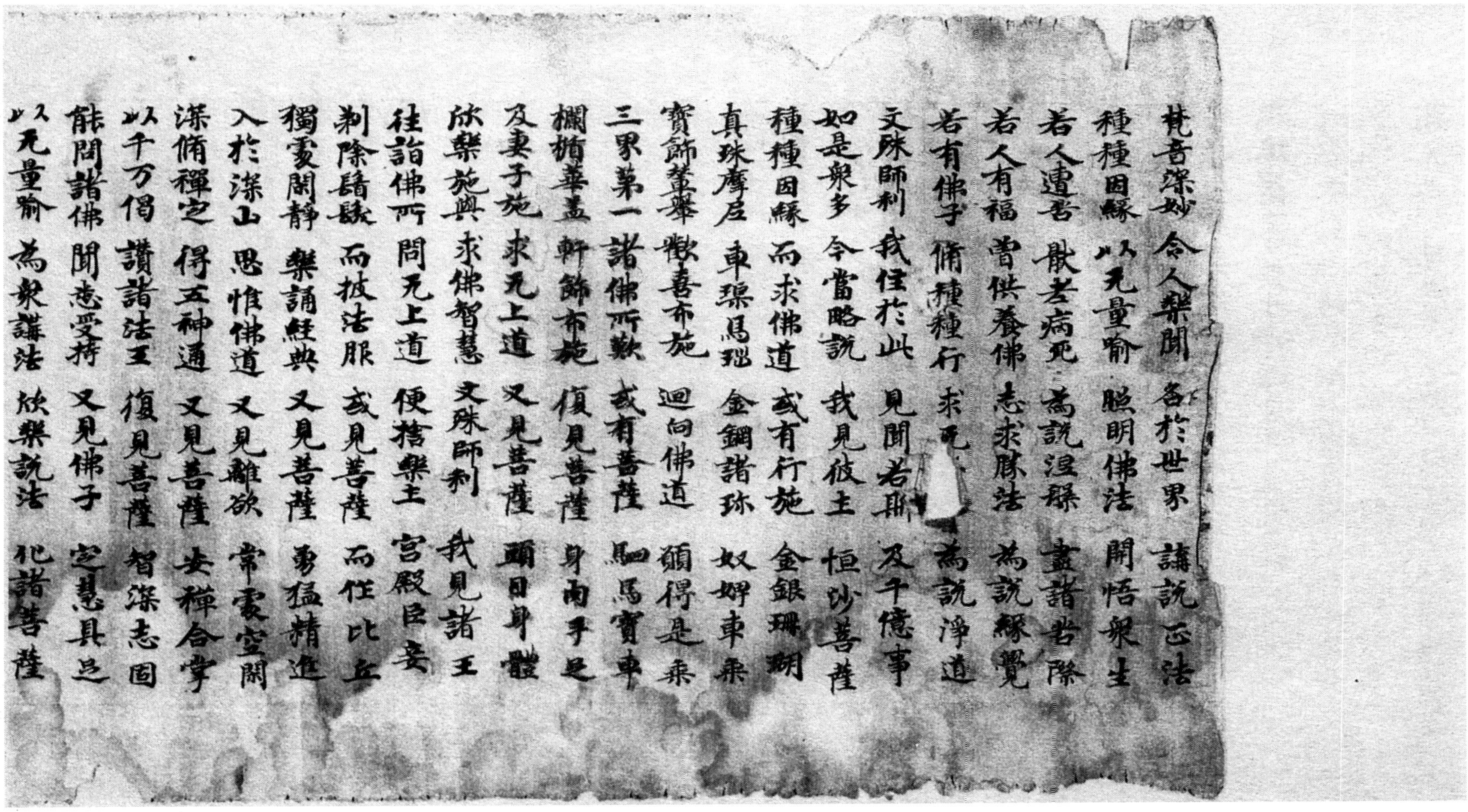
梵音深妙　令人樂聞　各於世界　講說正法
種種因緣　以无量喻　照明佛法　開悟衆生
若人遭苦　厭老病死　爲說涅槃　盡諸苦際
若人有福　曾供養佛　志求勝法　爲說緣覺
若有佛子　修種種行　求无上慧　爲說淨道
文殊師利　我住於此　見聞若斯　及千億事
如是衆多　今當略說　我見彼土　恒沙菩薩
種種因緣　而求佛道　或有行施　金銀珊瑚
真珠摩尼　車璩馬瑙　金剛諸珍　奴婢車乘
寶飾輦輿　歡喜布施　迴向佛道　願得是乘
三界第一　諸佛所歎　或有菩薩　駟馬寶車
欄楯華蓋　軒飾布施　復見菩薩　身肉手足
及妻子施　求无上道　又見菩薩　頭目身體
欣樂施與　求佛智慧　文殊師利　我見諸王
往詣佛所　問无上道　便捨樂土　宮殿臣妾
剃除鬚髮　而被法服　或見菩薩　而作比丘
獨處閑靜　樂誦經典　又見菩薩　勇猛精進
入於深山　思惟佛道　又見離欲　常處空閑
深修禪定　得五神通　又見菩薩　安禪合掌
以千萬偈　讚諸法王　復見菩薩　智深志固
能問諸佛　聞悉受持　又見佛子　定慧具足
以无量喻　爲衆講法　欣樂說法　化諸菩薩

BD01745號　妙法蓮華經卷一　（4–1）

獨處閑靜　樂誦經典　又見菩薩　勇猛精進
入於深山　思惟佛道　又見離欲　常處空閑
深脩禪定　得五神通　又見菩薩　安禪合掌
以千万偈　讚諸法王　復見菩薩　智深志固
能問諸佛　聞悉受持　又見佛子　定慧具足
以无量喻　為衆講法　欣樂說法　化諸菩薩
破魔兵衆　而擊法鼓　又見菩薩　寂然宴默
天龍恭敬　不以為喜　又見菩薩　處林放光
濟地獄苦　令入佛道　又見佛子　未曾睡眠
經行林中　勤求佛道　又見具戒　威儀无缺
淨如寶珠　以求佛道　又見佛子　住忍辱力
增上慢人　惡罵捶打　皆悉能忍　以求佛道
又見菩薩　離諸戲咲　及癡眷屬　親近智者
一心除亂　攝念山林　億千万歲　以求佛道
或見菩薩　餚饍飲食　百種湯藥　施佛及僧
名衣上服　價直千万　或无價衣　施佛及僧
千万億種　栴檀寶舍　衆妙卧具　施佛及僧
清淨園林　華菓茂盛　流泉浴池　施佛及僧
如是等施　種種微妙　歡喜无猒　求无上道
或有菩薩　說寂滅法　種種教詔　无數衆生
或見菩薩　觀諸法性　无有二相　猶如虛空
又見佛子　心无所著　以此妙慧　求无上道
文殊師利　又有菩薩　佛滅度後　供養舍利
又見佛子　造諸塔廟　无數恒沙　嚴飾國界
寶塔高妙　五千由旬　縱廣正等　二千由旬
[illegible]

BD01745號　妙法蓮華經卷一　（4–2）

又見佛子　心无所著　以此妙慧　求无上道
文殊師利　又有菩薩　佛滅度後　供養舍利
又見佛子　造諸塔廟　无數恒沙　嚴飾國界
寶塔高妙　五千由旬　縱廣正等　二千由旬
一一塔廟　各千幢幡　珠交露幔　寶鈴和鳴
諸天龍神　人及非人　香華伎樂　常以供養
文殊師利　諸佛子等　為供舍利　嚴飾塔廟
國界自然　殊特妙好　如天樹王　其華開敷
佛放一光　我及衆會　見此國界　種種殊妙
諸佛神力　智慧希有　放一淨光　照无量國
我等見此　得未曾有　佛子文殊　願決衆疑
四衆欣仰　瞻仁及我　世尊何故　放斯光明
佛子時荅　決疑令喜　何所饒益　演斯光明
佛坐道場　所得妙法　為欲說此　為當授記
示諸佛土　衆寶嚴淨　及見諸佛　此非小緣
文殊當知　四衆龍神　瞻察仁者　為說何等
尒時文殊師利語彌勒菩薩摩訶薩及諸大
士善男子等如我惟忖今佛世尊欲說大法
雨大法雨吹大法螺擊大法鼓演大法義諸
善男子我於過去諸佛曾見此瑞放斯光已
即說大法是故當知今佛現光亦復如是欲
令衆生咸得聞知一切世間難信之法故現
斯瑞諸善男子如過去无量无邊不可思議
阿僧祇劫尒時有佛号日月燈明如來應供
正遍知明行足善逝世間解无上士調御丈
夫天人師佛世尊演說正法初善中善後善

BD01745號　妙法蓮華經卷一　（4–3）

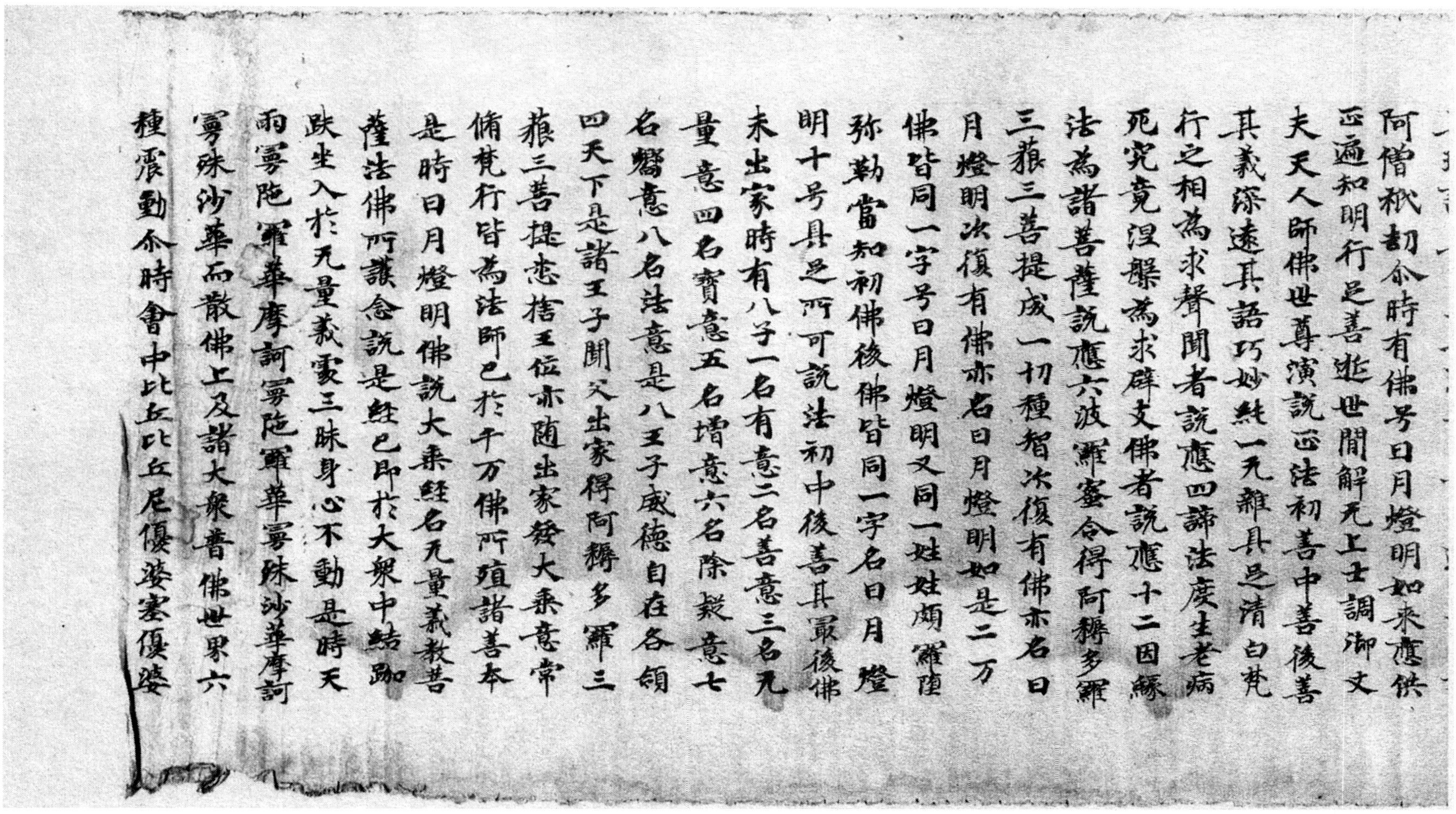

阿僧祇劫尒時有佛号日月燈明如來應供
正遍知明行足善逝世間解无上士調御丈
夫天人師佛世尊演說正法初善中善後善
其義深遠其語巧妙純一无雜具足清白梵
行之相為求聲聞者說應四諦法度生老病
死究竟涅槃為求辟支佛者說應十二因緣
法為諸菩薩說應六波羅蜜令得阿耨多羅
三藐三菩提成一切種智次復有佛亦名日
月燈明次復有佛亦名日月燈明如是二万
佛皆同一字号日月燈明又同一姓姓頗羅墮
弥勒當知初佛後佛皆同一字名日月燈
明十号具足所可說法初中後善其最後佛
未出家時有八子一名有意二名善意三名无
量意四名寶意五名增意六名除疑意七
名響意八名法意是八王子威德自在各領
四天下是諸王子聞父出家得阿耨多羅三
藐三菩提悉捨王位亦隨出家發大乘意常
脩梵行皆為法師已於千万佛所殖諸善本
是時日月燈明佛說大乘經名无量義教菩
薩法佛所護念說是經已即於大衆中結加
趺坐入於无量義處三昧身心不動是時天
雨曼陀羅華摩訶曼陀羅華曼殊沙華摩訶
曼殊沙華而散佛上及諸大衆普佛世界六
種震動尒時會中比丘比丘尼優婆塞優婆

BD01745 號　妙法蓮華經卷一　（4–4）

上大

BD01745 號背　雜寫　（1–1）

……言……
……根清淨如
……皆是佛法无不
真實……說 尒時世尊欲重宣
此義而……
是人意清淨……无穢濁 以此妙音根 知上中下法
乃至聞一偈 通達无量義 次第如說法 月四月至歲
是世界內外 一切諸衆生 若天龍及人 夜叉鬼神等
其在六趣中 所念若干種 持法華之報 一時皆悉知
十方无數佛 百福莊嚴相 為衆生說法 悉聞能受持
思惟无量義 說法亦无量 終始不忘錯 以持法華故
悉知諸法相 隨義識次第 達名字語言 如所知演說
此人有所說 皆是先佛法 以演此法故 於衆无所畏
持法華經者 意根淨若斯 雖未得无漏 先有如是相
是人持此經 安住希有地 為一切衆生 歡喜而愛敬
能以千万種 善巧之語言 分別而說法 持法華經故

妙法蓮華經常不輕菩薩品第廿

尒時佛告得大勢菩薩摩訶薩 汝今當知 若
比丘比丘尼優婆塞優婆夷受持法華經者
若有惡口罵詈誹謗 獲大罪報 如前所說 其
所得功德 如向所說 眼耳鼻舌身意清淨 得
大勢 往古昔過无量无邊不可思議阿僧祇
劫 有佛名威音王如來應供正遍知明行
足善逝世間解无上士調御丈夫天人師佛
世尊 劫名離衰 國名大成 其威音王佛於彼
世中為天人阿脩羅說法 為求聲聞者說應

BD01746號　妙法蓮華經卷六　（16–1）

大勢 往古昔過无量无邊不可思議阿僧祇
劫 有佛名威音王如來應供正遍知明行
足善逝世間解无上士調御丈夫天人師佛
世尊 劫名離衰 國名大成 其威音王佛於彼
世中為天人阿脩羅說法 為求聲聞者說應
四諦法 度生老病死 究竟涅槃 為求辟支佛
者說應十二因緣法 為諸菩薩因阿耨多羅
三藐三菩提 說應六波羅蜜法 究竟佛慧 得
大勢 是威音王佛壽卌万億那由他恒河沙
劫 正法住世劫數如一閻浮提塵 像法住
世劫數如四天下微塵 其佛饒益衆生已 然
後滅度 正法像法滅盡之後 於此國土 復有
佛出 亦号威音王如來應供正遍知明行足
善逝世間解无上士調御丈夫天人師佛世
尊 如是次第有二万億佛 皆同一号 最初威
音王如來既已滅度 正法滅後 於像法中 增
上慢比丘有大勢力 尒時有一菩薩比丘 名常
不輕 得大勢 以何因緣名常不輕 是比丘凡
有所見 若比丘比丘尼優婆塞優婆夷 皆悉
礼拜讚歎而作是言 我深敬汝等 不敢輕慢
所以者何 汝等皆行菩薩道 當得作佛 而是
比丘不專讀誦經典 但行礼拜 乃至遠見四
衆 亦復故往礼拜讚歎而作是言 我不敢輕
於汝等 汝等皆當作佛 四衆之中 有生瞋恚
心不淨者 惡口罵詈言 是无智比丘從何所
來 自言我不輕汝 而與我等受記 當得作佛
我等不用如是虛妄受記 如此經歷多年 常
被罵詈 不生瞋恚 常作是言 汝當作佛 說是
語時 衆人或以杖木瓦石而打擲之 避走遠

BD01746號　妙法蓮華經卷六　（16–2）

於汝等汝等皆當作佛四衆之中有生瞋恚
心不淨者悪口駡詈言是无智比丘從何所
来自言我不輕汝而與我等受記當得作佛
我等不用如是虗妄受記如此歷經多年常
被駡詈不生瞋恚常作是言汝當作佛說是
語時衆人或以杖木瓦石而打擲之避走遠
住猶高聲唱言我不敢輕汝汝等皆當作佛
以其常作是語故增上慢比丘比丘尼優婆
塞優婆夷号之爲常不輕是比丘臨欲終時
於虗空中具聞威音王佛先所說法華經廿
千万億偈悉能受持即得如上眼根清淨耳
鼻舌身意根清淨得是六根清淨已更增壽
命二百万億那由他歲廣爲人說妙法華經
於時增上慢四衆比丘比丘尼優婆塞優婆
夷輕賤是人爲作不輕名見其得大神通
力樂說辯力大善寂力聞其所說皆信伏隨
從是菩薩復化千万億衆生令住阿耨多羅三
藐三菩提命終之後得值二千億佛皆号日
月燈明於其法中說是法華經以是因緣復
值二千億佛皆同号雲自在燈王於此諸佛
法中受持讀誦爲諸四衆說此經典故得是
常眼清淨耳鼻舌身意諸根清淨於四衆中說
法心无所畏得大勢是常不輕菩薩摩訶薩
供養如是若干諸佛恭敬尊重讚嘆種諸善
根於後復值千万億佛亦於諸佛法中說是
經典功德成就當得作佛得大勢於意云何
尒時常不輕菩薩豈異人乎則我身是若我
於宿世不受持讀誦此經爲他人說者不能
疾得阿耨多羅三藐三菩提我於先世所受

BD01746 號　妙法蓮華經卷六

（16–3）

根於後復值千万億佛亦於諸佛法中說是
經典功德成就當得作佛得大勢於意云何
尒時常不輕菩薩豈異人乎則我身是若我
於宿世不受持讀誦此經爲他人說者不能
疾得阿耨多羅三藐三菩提我於先世所受
持讀誦此經爲人演說故疾得阿耨多羅三藐
三菩提得大勢彼時四衆比丘比丘尼優婆塞
優婆夷以瞋恚意輕賤我故二百億劫常不
值佛不聞法不見僧千劫於阿鼻地獄受大
苦惱畢是罪已復過常不輕菩薩教化阿耨
多羅三藐三菩提得大勢於汝意云何尒時
四衆常輕是菩薩者豈異人乎今此會中䟦
陁婆羅等五百菩薩師子月等五百比丘尼
思佛等五百優婆塞皆於阿耨多羅三藐三
菩提不退轉者是得大勢當知是法華經大
饒益諸菩薩摩訶薩能令至於阿耨多羅三
藐三菩提是故諸菩薩摩訶薩於如来滅後
常應受持讀誦解說書寫是經尒時世尊欲
重宣此義而說偈言
過去有佛 号威音王 神智无量 將導一切
天人龍神 所共供敬 是佛滅後 法欲盡時
有一菩薩 名常不輕 時諸四衆 計着於法
不輕菩薩 往到其所 而語之言 我不輕汝
汝等行道 皆當作佛 諸人聞已 輕毁駡詈
不輕菩薩 能忍受之 其罪畢已 臨命終時
得聞此經 六根清淨 神通力故 增益壽命
復爲諸人 廣說是經 諸著法衆 皆蒙菩薩
教化成就 令住佛道 不輕命終 值无數佛
說是經故 得无量福 漸具功德 疾成佛道
彼時不輕 則我身是 時四部衆 著法之者

BD01746 號　妙法蓮華經卷六

（16–4）

不軽菩薩能忍受之其罪畢已臨命終時
得聞此經六根清淨神通力故增益壽命
復為諸人廣說是經諸著法衆皆蒙菩薩
教化成就令住佛道不軽命終值无數佛
說是經故得无量福漸具功德疾成佛道
彼時不軽則我身是時四部衆着法之者
聞不軽言汝當作佛以是因緣值无數佛
此會菩薩五百之衆并及四部清信士女
今於我前聽法者是我於前世勸是諸人
聽受斯經第一之法開示教人令住涅槃
世世受持如是經典億億万劫至不可議
時乃得聞是法華經億億万數至不可議
諸佛世尊時說是經是故行者於佛滅後
聞如是經勿生疑惑應當一心廣說此經
世世值佛疾成佛道

妙法蓮華經如來神力品第廿一

尒時千世界微塵等菩薩摩訶薩從地踊出
者皆於佛前一心合掌瞻仰尊顏而白佛言
世尊我等於佛滅後世尊分身所在國土滅
度之處當廣說此經所以者何我等亦自欲
得是真淨大法受持讀誦解說書寫而供養
之尒時世尊於文殊師利等无量百千万億
舊住娑婆世界菩薩摩訶薩及諸比丘比丘
尼優婆塞優婆夷天龍夜叉乾闥婆阿脩羅
迦樓羅緊那羅摩睺羅伽人非人等一切衆
前現大神力出廣長舌上至梵世一切毛孔
放於无量无數色光皆悉遍照十方世界衆
寶樹下師子坐上諸佛亦復如是出廣長舌
放无量光釋迦牟尼佛及寶樹下諸佛現神
力時滿百千歲然後還攝舌相一時謦欬俱

BD01746 號　妙法蓮華經卷六　（16–5）

前現大神力出廣長舌上至梵世一切毛孔
放於无量无數色光皆悉遍照十方世界衆
寶樹下師子坐上諸佛亦復如是出廣長舌
放无量光釋迦牟尼佛及寶樹下諸佛現神
力時滿百千歲然後還攝舌相一時謦欬俱
共彈指是二音聲遍至十方諸佛世界地皆
六種震動其中衆生天龍夜叉乾闥婆阿脩
羅迦樓羅緊那羅摩睺羅伽人非人等以佛
神力故皆見此娑婆世界无量无邊百千万
億衆寶樹下師子座上諸佛及見釋迦牟尼
佛共多寶如來在寶塔中坐師子座又見无
量无邊百千万億菩薩摩訶薩及諸四衆恭
敬圍遶釋迦牟尼佛既見是已皆大歡喜得
未曾有即時諸天於虛空中高聲唱言過此
无量无邊百千万億阿僧祇世界有國名娑
婆是中有佛名釋迦牟尼今為諸菩薩摩訶
薩說大乘經名妙法蓮華教菩薩法佛所護
念汝等當深心隨喜亦當礼拜供養釋迦牟
尼佛彼諸衆生聞虛空中聲已合掌向娑婆
世界作如是言南无釋迦牟尼佛南无釋迦
牟尼佛以種種華香瓔珞幡蓋及諸嚴身之
具珎寶妙物皆共遙散娑婆世界所散諸物
從十方來譬如雲集變成寶帳遍覆此間諸
佛之上于時十方世界通達无㝵如一佛土
尒時佛告上行等菩薩大衆諸佛神力如是
无量无邊不可思議若我以是神力於无量
无邊百千万億阿僧祇劫為囑累故說此經
功德猶不能盡以要言之如來一切所有之
法如來一切自在神力如來一切秘要之藏

BD01746 號　妙法蓮華經卷六　（16–6）

尒時佛告上行等菩薩大衆諸佛神力如是
无量无邊不可思議若我以是神力於无量
无邊百千万億阿僧祇劫為囑累故說此經
功德猶不能盡以要言之如來一切所有之
法如來一切自在神力如來一切秘要之藏
如來一切甚深之事皆於此經宣示顯說是
故汝等於如來滅後應一心受持讀誦解說
書寫如說脩行所在國土若有受持讀誦解
說書寫如說脩行若經卷所住之處若於園
中若於林中若於樹下若於僧坊若白衣舍
若在殿堂若山谷曠野是中皆應起塔供養
所以者何當知是處即是道場諸佛於此得
阿耨多羅三藐三菩提諸佛於此轉于法輪
諸佛於此而般涅槃尒時世尊欲重宣此義
而說偈言
諸佛救世者　住於大神通　為悅衆生故　現无量神力
舌相至梵天　身放无數光　為求佛道者　現此希有事
諸佛謦欬聲　及彈指之聲　周聞十方國　地皆六種動
以佛滅度後　能持是經故　諸佛皆歡喜　現无量神力
囑累是經故　讚美受持者　於无量劫中　猶故不能盡
是人之功德　无邊无有窮　如十方虛空　不可得邊際
能持是經者　則為已見我　亦見多寶佛　及諸分身者
又見我今日　教化諸菩薩　能持是經者　令我及分身
滅度多寶佛　一切皆歡喜　十方現在佛　并過去未來
亦見亦供養　亦令得歡喜　諸佛坐道場　所得秘要法
能持是經者　不久亦當得　能持是經者　於諸法之義
名字及言辭　樂說无窮盡　如風於空中　一切无鄣㝵
於如來滅後　知佛所說經　因緣及次第　隨義如實說
如日月光明　能除諸幽冥　斯人行世間　能滅衆生闇
教无量菩薩　畢竟住一乘　是故有智者　聞此功德利

BD01746號　妙法蓮華經卷六　（16–7）

能持是經者　不久亦當得　能持是經者　於諸法之義
名字及言辭　樂說无窮盡　如風於空中　一切无鄣㝵
於如來滅後　知佛所說經　因緣及次第　隨義如實說
如日月光明　能除諸幽冥　斯人行世間　能滅衆生闇
教无量菩薩　畢竟住一乘　是故有智者　聞此功德利
於我滅度後　應受持斯經　是人於佛道　決定无有疑

妙法蓮華經囑累品第廿二

尒時釋迦牟尼佛從法座起現大神力以右
手摩无量菩薩摩訶薩頂而作是言我於无
量百千万億阿僧祇劫脩集是難得阿耨多
羅三藐三菩提法今以付囑汝等汝等應當
一心流布此法廣令增益如是三摩諸菩薩
摩訶薩頂而作是言我於无量百千万億阿
僧祇劫脩集是難得阿耨多羅三藐三菩提
法今以付囑汝等汝等當受持讀誦廣宣此
法令一切衆生普得聞知所以者何如來有
大慈心无諸慳悋亦无所畏能與衆生佛之
智慧如來智慧自然智慧如來是一切衆生
之大施主汝等亦應隨學如來之法勿生慳
悋於未來世若有善男子善女人信如來智
慧者當為演說此法華經使得聞知為令其
人得佛慧故若有衆生不信受者當於如來
餘深法中示教利喜汝等若能如是則為已
報諸佛之恩時諸菩薩摩訶薩聞佛作是說
已皆大歡喜遍滿其身益加恭敬曲躬低頭
合掌向佛俱發聲言如世尊勅當具奉行唯
然世尊願不有慮時諸菩薩摩訶薩衆如是
三反俱發聲言如世尊勅當具奉行唯然世
尊願不有慮尒時釋迦牟尼佛令十方來諸

BD01746號　妙法蓮華經卷六　（16–8）

合掌向佛俱發聲言如世尊勅當具奉行唯
然世尊願不有慮時諸菩薩摩訶薩衆如是
三反俱發聲言如世尊勅當具奉行唯然世
尊願不有慮尒時釋迦牟尼佛令十方来諸
分身佛各還本土而作是言諸佛各隨所安
多寶佛塔還可如故說是語時十方无量分
身諸佛坐寶樹下師子座上者及多寶佛并
上行等无邊阿僧祇菩薩大衆舍利弗等聲
聞四衆及一切世間天人阿脩羅等聞佛所
說皆大歡喜
妙法蓮華經藥王菩薩本事品第廿三
尒時宿王華菩薩白佛言世尊藥王菩薩云
何遊於娑婆世尊是藥王菩薩有若千百
千万億那由他難行苦行善哉世尊願少
解說諸天龍神夜叉乾闥婆阿脩羅迦樓羅
緊那羅摩睺羅伽人非人等又他國土諸来
菩薩及此聲聞衆聞皆歡喜尒時佛告宿王
華菩薩乃往過去无量恒河沙劫有佛号日
月淨明德如来應供正遍知明行足善逝世
間解无上士調御丈夫天人師佛世尊其佛
有八十億大菩薩摩訶薩七十二恒河沙大
聲聞衆佛壽四万二千劫菩薩壽命亦等彼
國无有女人地獄餓鬼畜生阿脩羅等及以
諸難地平如掌瑠璃所成寶樹莊嚴寶帳覆
上垂寶華幡寶瓶香爐周遍國界七寶為臺
一樹一臺其樹去臺盡一箭道此諸寶樹皆
有菩薩聲聞而坐其下諸寶臺上各有百億
諸天作天伎樂歌歎於佛以為供養尒時彼
佛為一切衆生憙見菩薩及衆菩 薩諸聲聞

BD01746 號　妙法蓮華經卷六　　（16–9）

諸難地平如掌瑠璃所成寶樹莊嚴寶帳覆
上垂寶華幡寶瓶香爐周遍國界七寶為臺
一樹一臺其樹去臺盡一箭道此諸寶樹皆
有菩薩聲聞而坐其下諸寶臺上各有百億
諸天作天伎樂歌歎於佛以為供養尒時彼
佛為一切衆生憙見菩薩及衆菩薩諸聲聞
衆說法華經是一切衆生憙見菩薩樂集苦
行於日月淨明德佛法中精進經行一心求
佛滿万二千歲已得現一切色身三昧得此
三昧已心大歡喜即作念言我得現一切色
身三昧皆是得聞法華經力我今當供養日
月淨明德佛及法華經即時入是三昧於虛
空中雨曼陀羅華摩訶曼陀羅華細末堅黑
栴檀滿虛空中如雲而下又雨海此岸栴檀
之香此香六銖價直娑婆世界以供養佛作
是供養已從三昧起而自念言我雖以神力
供養於佛不如以身供養即服諸香栴檀薰
陸兜樓婆畢力迦沉水膠香又飲瞻蔔諸華
香油滿千二百歲已香油塗身於日月淨明
德佛前以天寶衣而自纏身灌諸香油以神
通願力而自然身光明遍照八十億恒河沙
世界其中諸佛同時讚言善哉善哉善男子
是真精進是名真法供養如来若以華香瓔
珞燒香末香塗香天繒幡蓋及海此岸栴檀
之香如是等種種諸物供養所不能及假使
國城妻子布施亦所不及善男子是名第一
之施於諸施中最尊最上以法供養諸如来
故作是語已而各嘿然其身火然千二百歲
過是已後其身乃盡一切衆生憙見菩薩作
如是法供養已命終之後復生日月淨明德

BD01746 號　妙法蓮華經卷六　　（16–10）

之香如是等種種諸物供養所不能及假使
國城妻子布施亦所不及善男子是名第一
之施於諸施中最尊最上以法供養諸如來
故作是語已而各嘿然其身火然千二百歲
過是已後其身乃盡一切衆生憙見菩薩作
如是法供養已命終之後復生日月淨明德
佛國中於淨德王家結加趺坐忽然化生即
為其父而說偈言
大王今當知　我經行彼處　即時得一切現諸身三昧
懃行大精進　捨所愛之身
說是偈已而白父言日月淨明德佛今故現
在我先供養佛已得解一切衆生語言陀羅
尼復聞是法華經八百千万億那由他甄迦
羅頻婆羅阿閦婆等偈大王我今當還供養
此佛白已即坐七寶之臺上昇虛空高七多
羅樹往到佛所頭面礼足合十指爪以偈讚
佛
容顏甚奇妙　光明照十方　我適曾供養　今復還親近
尒時一切衆生憙見菩薩說是偈已而白佛
言世尊世尊猶故在世尒時日月淨明德佛
告一切衆生憙見菩薩善男子我涅槃時到
滅盡時至汝可安施牀坐我於今夜當般涅
槃又勑一切衆生憙見菩薩善男子我以佛
法囑累於汝及諸菩薩大弟子并阿耨多羅
三藐三菩提法亦以三千大千七寶世界諸
寶樹寶臺及給侍諸天悉付於汝我滅度後
所有舍利亦付囑汝當令流布廣設供養應
起若干千塔如是日月淨明德佛勑一切衆生
憙見菩薩已於夜後分入於涅槃尒時一切

BD01746號　妙法蓮華經卷六　（16–11）

三藐三菩提法亦以三千大千七寶世界諸
寶樹寶臺及給侍諸天悉付於汝我滅度後
所有舍利亦付囑汝當令流布廣設供養應
起若干千塔如是日月淨明德佛勑一切衆生
憙見菩薩已於夜後分入於涅槃尒時一切
衆生憙見菩薩見佛滅度悲感懊惱戀慕
於佛即以海此岸栴檀為𧂐供養佛身而以
燒之火滅已後收取舍利作八万四千寶瓶以
起八万四千塔高三世界表刹莊嚴垂諸
幡蓋懸衆寶鈴尒時一切衆生憙見菩薩復
自念言我雖作是供養心猶未足我今當更
供養舍利便語諸菩薩大弟子及天龍夜叉
等一切大衆汝等當一心念我今供養日月
淨明德佛舍利作是語已即於八万四千塔
前然百福莊嚴臂七万二千歲而以供養令
无數求聲聞衆无量阿僧祇人發阿耨多羅
三藐三菩提心皆使得住現一切色身三昧
尒時諸菩薩天人阿脩羅等見其无臂憂惱
悲哀而作是言此一切衆生憙見菩薩是我
等師教化我者而今燒臂身不具足于時一
切衆生憙見菩薩於大衆中立此誓言我捨
兩臂必當得佛金色之身若實不虛令我兩
臂還復如故作是誓已自然還復由斯菩薩
福德智慧淳厚所致當尒之時三千大千世
界六種震動天雨寶華一切人天得未曾有
佛告宿王華菩薩於汝意云何一切衆生憙
見菩薩豈異人乎今藥王菩薩是也其所捨身布
施如是无量百千万億那由他數宿王華若有發
心欲得阿耨多羅三藐三菩提者能然手指乃至足

BD01746號　妙法蓮華經卷六　（16–12）

佛告宿王華菩薩於汝意云何一切衆生憙
見菩薩豈異人乎今藥王菩薩是也其所捨身布
施如是无量百千万億那由他數宿王華若有發
心欲得阿耨多羅三藐三菩提者能然手指乃至足
一指供養佛塔勝以國城妻子及三千大千國土山
林河池諸珎寶物而供養者若復有人以七寶滿三
千大千世界供養於佛及大菩薩辟支佛阿羅漢
是人所得功德不如受持此法華經乃至一四句偈
其福最多宿王華譬如一切川流江河諸水之中海爲
第一此法華經亦復如是於諸如來所說經中最爲
深大又如土山黑山小鐵圍山大鐵圍山及十寶山衆
山之中須弥山爲第一此法華經亦復如是於諸
經中最爲其上又如衆星之中月天子最爲第一
此法華經亦復如是於千万億種經之中最
爲照明又如日天子能除諸闇此經亦復如
是能破一切不善之闇又如諸小王中轉輪聖
王最爲第一此經亦復如是於衆經中最爲
其尊又如帝釋於卅三天中王此經亦復如
是諸經中王又如大梵天王一切衆生之父
此經亦復如是一切賢聖學无學及發菩薩
心者之父又如一切凡夫人中須陁洹斯陁
含阿那含阿羅漢辟支佛爲第一此經亦復
如是一切如來所說若菩薩所說若聲聞所
說諸經法中最爲第一有能受持是經典者
亦復如是於一切衆生中亦爲第一一切聲
聞辟支佛中菩薩爲第一此經亦復如是於
一切諸經法中最爲第一如佛爲諸法王此
經亦復如是諸經中王宿王華此經能救一
切衆生者此經能令一切衆生離諸苦惱此

BD01746 號　妙法蓮華經卷六　（16–13）

一切諸經法中最爲第一如佛爲諸法王此
經亦復如是諸經中王宿王華此經能救一
切衆生者此經能令一切衆生離諸苦惱此
經能大饒益一切衆生充滿其願如清淨池
能滿一切諸渴乏者如寒者得火如裸者得
衣如商人得主如子得母如渡得船如病得
醫如闇得燈如貧得寶如民得王如賈客得
海如炬除闇此法華經亦復如是能令衆生
離一切苦一切病痛能解一切生死之縛若
人得聞此法華經若自書若使人書所得功
德以佛智慧籌量多少不得其邊若書是
經卷華香瓔珞燒香末香塗香幡蓋衣服種種
之燈蘇燈油燈諸香油燈瞻蔔油燈須曼油
燈波羅羅油燈波利師迦油燈那婆摩利油
燈供養所得功德亦復无量宿王華若有人
聞是藥王菩薩本事品者亦得无量无邊功
德若有女人聞是藥王菩薩本事品能受持
者盡是女身後不復受若如來滅後後五百
歲中若有女人聞是經典如說修行於此命
終即往安樂世界阿弥陁佛大菩薩衆圍遶
住處生蓮華中寶座之上不復爲貪欲所惱
亦復不爲瞋恚愚癡所惱亦復不爲憍慢嫉
妬諸垢所惱得菩薩神通无生法忍得是忍
已眼根清淨以是清淨眼根見七百万二千
億那由他恒河沙等諸佛如來是時諸佛遥
共讚言善哉善哉善男子汝能於釋迦牟尼
佛法中受持讀誦思惟是經爲他人說所得
福德无量无邊火不能焚水不能漂汝之功

BD01746 號　妙法蓮華經卷六　（16–14）

已眼根清淨以是清淨眼根見七百万二千
億那由他恒河沙等諸佛如來是時諸佛遥
共讚言善哉善哉善男子汝能於釋迦牟尼
佛法中受持讀誦思惟是經為他人說所得
福德无量无邊火不能焚水不能漂汝之功
德千佛共說不能令盡汝今已能破諸魔賊
壞生死軍諸餘怨敵皆悉摧滅善男子百千
諸佛以神通力共守護汝於一切世間天人
之中无如汝者唯除如來其諸聲聞辟支佛
乃至菩薩智慧禪定无有與汝等者宿王華
此菩薩成就如是功德智慧之力若有人聞
是藥王菩薩本事品能隨喜讚善者是人現
世口中常出青蓮華香身毛孔中常出牛頭
旃檀香所得功德如上所說是故宿王華以
此藥王菩薩本事品囑累於汝我滅度後後
五百歲中廣宣流布於閻浮提无令斷絕惡
魔魔民諸天龍夜叉鳩槃茶等得其便也宿
王華汝當以神通之力守護是經所以者何此
經則為閻浮提人病之良藥若人有病得聞
是經病即消滅不老不死宿王華汝若見有
受持是經者應以青蓮華盛滿末香供養
其上散已作是念言此人不久必當取草坐於
道場破諸魔軍當吹法螺擊大法鼓度脫
一切眾生老病死海是故求佛道者見有受
持是經典人應當如是生恭敬心說是藥王
菩薩本事品時八万四千菩薩得解一切眾
生語言陀羅尼多寶如來於寶塔中讚宿王
華菩薩言善哉善哉宿王華汝成就不可思
議功德乃能問釋迦牟尼佛如是之事利益
无量一切眾生

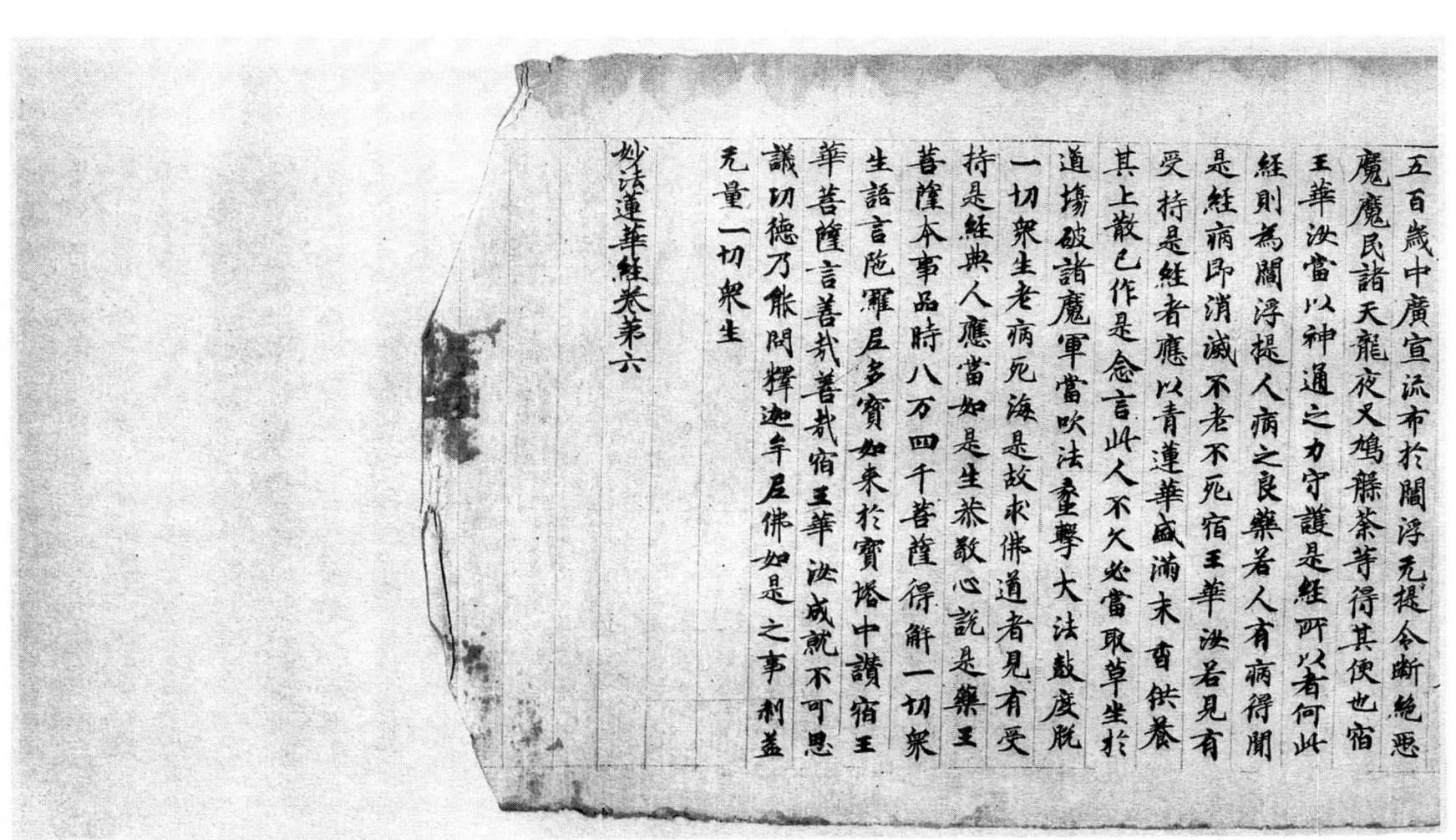

BD01746號　妙法蓮華經卷六　（16–15）

五百歲中廣宣流布於閻浮提无令斷絕惡
魔魔民諸天龍夜叉鳩槃茶等得其便也宿
王華汝當以神通之力守護是經所以者何此
經則為閻浮提人病之良藥若人有病得聞
是經病即消滅不老不死宿王華汝若見有
受持是經者應以青蓮華盛滿末香供養
其上散已作是念言此人不久必當取草坐於
道場破諸魔軍當吹法螺擊大法鼓度脫
一切眾生老病死海是故求佛道者見有受
持是經典人應當如是生恭敬心說是藥王
菩薩本事品時八万四千菩薩得解一切眾
生語言陀羅尼多寶如來於寶塔中讚宿王
華菩薩言善哉善哉宿王華汝成就不可思
議功德乃能問釋迦牟尼佛如是之事利益
无量一切眾生

妙法蓮華經卷第六

BD01746號　妙法蓮華經卷六　（16–16）

又告舍利佛 无漏不思議 甚深微妙法 我今已具得
唯我知是相 十方佛亦然 舍利弗當知 諸佛語无異
於佛所說法 當生大信力 世尊法久後 要當說真實
告諸聲聞衆 及求緣覺乘 我令脫苦縛 逮得涅槃者
佛以方便力 示以三乘教 衆生處處著 引之令得出
尒時大衆中有諸聲聞漏盡阿羅漢阿若憍
陳如等千二百人及發聲聞辟支佛心比丘比
丘尼優婆塞優婆夷各作是念今者世尊
何故慇懃稱歎方便而作是言佛所得法甚
深難解有所言說意趣難知一切聲聞辟支
佛所不能及佛說一解脫義我等亦得此法
到於涅槃而今不知是義所趣尒時舍利弗
知四衆心疑自亦未了而白佛言世尊何因
何緣慇懃稱歎諸佛第一方便甚深微妙難
解之法我自昔來未曾從佛聞如是說今者
四衆咸皆有疑唯願世尊敷演斯事世尊何
故慇懃稱歎甚深微妙難解之法尒時舍利
弗欲重宣此義而說偈言
慧日大聖尊 久乃說是法 自說得如是 力无畏三昧
禪定解脫等 不可思議法 道場所得法 无能發問者
我意難可測 亦无能問者 无問而自說 稱歎所行道
智慧甚深妙 諸佛之所得 无漏諸羅漢 及求涅槃者

BD01747號　妙法蓮華經卷一　（7–1）

故慇懃稱歎甚深微妙難解之法尒時舍利
弗欲重宣此義而說偈言
慧日大聖尊 久乃說是法 自說得如是 力无畏三昧
禪定解脫等 不可思議法 道場所得法 无能發問者
我意難可測 亦无能問者 无問而自說 稱歎所行道
智慧甚深妙 諸佛之所得 无漏諸羅漢 及求涅槃者
今皆墮疑網 佛何故說是 其求緣覺者 比丘比丘尼
諸天龍鬼神 及乾闥婆等 相視懷猶豫 瞻仰兩足尊
是事為云何 願佛為解說 於諸聲聞衆 佛說我第一
我今自於智 疑惑不能了 為是究竟法 為是所行道
佛口所生子 合掌瞻仰待 願出微妙音 時為如實說
諸天龍神等 其數如恒沙 求佛諸菩薩 大數有八万
又諸万億國 轉輪聖王至 合掌以敬心 欲聞具足道
尒時佛告舍利弗止止不須復說若說是事
一切世間諸天及人皆當驚疑舍利弗重白
佛言世尊唯願說之唯願說之所以者何是
會无數百千万億阿僧祇衆生曾見諸佛諸
根猛利智慧明了聞佛所說則能敬信尒時
舍利弗欲重宣此義而說偈言
法王无上尊 唯說願勿慮 是會无量衆 有能敬信者
佛復止舍利弗若說是事一切世間天人阿
脩羅皆當驚疑增上慢比丘將墜於大坑尒
時世尊重說偈言
止止不須說 我法妙難思 諸增上慢者 聞必不敬信
尒時舍利弗重白佛言世尊唯願說之唯願
說之今此會中如我等比百千万億世世已
曾從佛受化如此人等必能敬信長夜安隱多所
饒益尒時舍利弗欲重宣此義而說偈言

BD01747號　妙法蓮華經卷一　（7–2）

止止不須說　我法妙難思　諸增上慢者　聞必不敬信
尒時舍利弗重白佛言世尊唯願說之唯願
說之今此會中如我等比百千万億世世已
曾從佛受化如此人等必能敬信長夜安隱多所
饒益尒時舍利弗欲重宣此義而說偈言
无上兩足尊　願說第一法　我為佛長子　唯垂分別說
是會无量衆　能敬信此法　佛已曾世世　教化如是等
皆一心合掌　欲聽受佛語　我等千二百　及餘求佛者
願為此衆故　唯垂分別說　是等聞此法　則生大歡喜
尒時世尊告舍利弗汝已慇懃三請豈得不
說汝今諦聽善思念之吾當為汝分別解說
說此語時會中有比丘比丘尼優婆塞優婆夷
五千人等即從座起禮佛而退所以者何此輩
罪根深重及增上慢未得謂得未證謂證
有如此失是以不住世尊嘿然而不制止尒
時佛告舍利弗我今此衆无復枝葉純有貞
實舍利弗如是增上慢人退亦佳矣汝今善
聽當為汝說舍利弗言唯然世尊願樂欲聞
佛告舍利弗如是妙法諸佛如來時乃說之
如優曇鉢華時一現耳舍利弗汝等當信佛
之所說言不虛妄舍利弗諸佛隨宜說法意
趣難解所以者何我以无數方便種種因緣譬
喻言辭演說諸法是法非思量分別之所
能解唯有諸佛乃能知之所以者何諸佛世
尊唯以一大事因緣故出現於世舍利弗云
何名諸佛世尊唯以一大事因緣故出現於
世諸佛世尊欲令衆生開佛知見使得清淨

BD01747號　妙法蓮華經卷一　（7–3）

喻言辭演說諸法是法非思量分別之所
能解唯有諸佛乃能知之所以者何諸佛世
尊唯以一大事因緣故出現於世舍利弗云
何名諸佛世尊唯以一大事因緣故出現於
世諸佛世尊欲令衆生開佛知見使得清淨
故出現於世欲示衆生佛知見故出現於世
欲令衆生悟佛知見故出現於世欲令衆生
入佛知見道故出現於世舍利弗是為諸佛
以一大事因緣故出現於世
佛告舍利弗諸佛如來但教化菩薩諸有所
作常為一事唯以佛之知見示悟衆生舍利
弗如來但以一佛乘故為衆生說法无有餘
乘若二若三舍利弗一切十方諸佛法亦如
是舍利弗過去諸佛以无量无數方便種種
因緣譬喻言辭而為衆生演說諸法是法皆
為一佛乘故是諸衆生從諸佛聞法究竟皆
得一切種智舍利弗未來諸佛當出於世亦
以无量无數方便種種因緣譬喻言辭而為
衆生演說諸法是法皆為一佛乘故是諸衆
生從佛聞法究竟皆得一切種智舍利弗現
在十方无量百千万億佛土中諸佛世尊多
所饒益安樂衆生是諸佛亦以无量无數方
便種種因緣譬喻言辭而為衆生演說諸法
是法皆為一佛乘故是諸衆生從佛聞法究
竟皆得一切種智舍利弗是諸佛但教化菩
薩欲以佛之知見示衆生故欲以佛之知見
悟衆生故欲令衆生入佛知見故舍利弗我

BD01747號　妙法蓮華經卷一　（7–4）

是法皆為一佛乘故是諸衆生從佛聞法究
竟皆得一切種智舍利弗是諸佛但教化菩
薩欲以佛之知見示衆生故欲以佛之知見
悟衆生故欲令衆生入佛知見故舍利弗我
今亦復如是知諸衆生有種種欲深心所著
隨其本性以種種因緣譬喻言辭方便力故
而為說法舍利弗如此皆為得一佛乘一切
種智故舍利弗十方世界中尚无二乘何况
有三
舍利弗諸佛出於五濁惡世所謂劫濁煩惱
濁衆生濁見濁命濁如是舍利弗劫濁乱時
衆生垢重慳貪嫉妬成就諸不善根故諸佛
以方便力於一佛乘分別說三舍利弗若我
弟子自謂阿羅漢辟支佛者不聞不知諸佛
如來但教化菩薩事此非佛弟子非阿羅漢
非辟支佛又舍利弗是諸比丘比丘尼自謂
已得阿羅漢是最後身究竟涅槃便不復志
求阿耨多羅三藐三菩提當知此輩皆是增
上慢人所以者何若有比丘實得阿羅漢若
不信此法无有是處除佛滅度後現前无佛
所以者何佛滅度後如是等經受持讀誦解
義者是人難得若遇餘佛於此法中便得決
了舍利弗汝等當一心信解受持佛語諸佛
如來言无虛妄无有餘乘唯一佛乘尒時世
尊欲重宣此義而說偈言
比丘比丘尼　有懷增上慢　優婆塞我慢　優婆夷不信
如是四衆等　其數有五千　不自見其過　於戒有缺漏
護惜其瑕疵　是小智已出　衆中之糟糠　佛威德故去

了舍利弗汝等當一心信解受持佛語諸佛
如來言无虛妄无有餘乘唯一佛乘尒時世
尊欲重宣此義而說偈言
比丘比丘尼　有懷增上慢　優婆塞我慢　優婆夷不信
如是四衆等　其數有五千　不自見其過　於戒有缺漏
護惜其瑕疵　是小智已出　衆中之糟糠　佛威德故去
斯人尠福德　不堪受是法　此衆无枝葉　唯有諸貞實
舍利弗善聽　諸佛所得法　无量方便力　而為衆生說
衆生心所念　種種所行道　若干諸欲性　先世善惡業
佛悉知是已　以諸緣譬喻　言辭方便力　令一切歡喜
或說脩多羅　伽陀及本事　本生未曾有　亦說於因緣
譬喻并祇夜　優波提舍經　鈍根樂小法　貪著於生死
於諸无量佛　不行深妙道　衆苦所惱乱　為是說涅槃
我設是方便　令得入佛慧　未曾說汝等　當得成佛道
所以未曾說　說時未至故　今正是其時　決定說大乘
我此九部法　隨順衆生說　入大乘為本　以故說是經
有佛子心淨　柔軟亦利根　无量諸佛所　而行深妙道
為此諸佛子　說是大乘經
我記如是人　來世成佛道　以深心念佛　脩持淨戒故
此等聞得佛　大喜充遍身　佛知彼心行　故為說大乘
聲聞若菩薩　聞我所說法　乃至於一偈　皆成佛无疑
十方佛土中　唯有一乘法　无二亦无三　除佛方便說
但以假名字　引導於衆生　說佛智慧故　諸佛出於世
唯此一事實　餘二則非真　終不以小乘　濟度於衆生
佛自住大乘　如其所得法　定慧力莊嚴　以此度衆生
自證无上道　大乘平等法　若以小乘化　乃至於一人
我則墮慳貪　此事為不可　若人信歸信　如來不欺誑
亦无貪嫉意　斷諸法中惡　故佛於十方　而獨无所畏

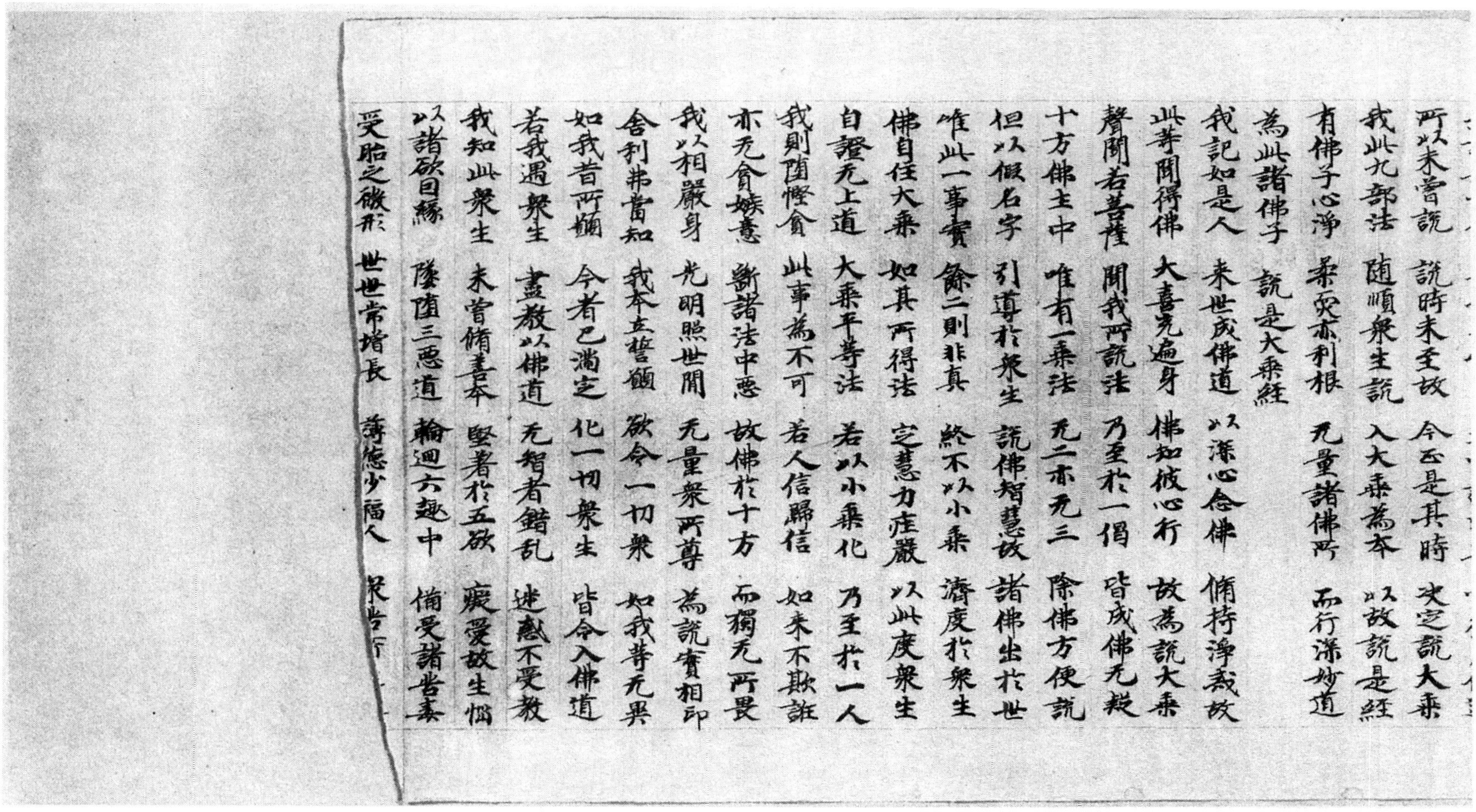
所以未曾說　說時未至故　今正是其時　決定說大乘
我此九部法　隨順衆生說　入大乘為本　以故說是經
有佛子心淨　柔軟亦利根　无量諸佛所　而行深妙道
為此諸佛子　說是大乘經
我記如是人　來世成佛道　以深心念佛　脩持淨戒故
此等聞得佛　大喜充遍身　佛知彼心行　故為說大乘
聲聞若菩薩　聞我所說法　乃至於一偈　皆成佛无疑
十方佛土中　唯有一乘法　无二亦无三　除佛方便說
但以假名字　引導於衆生　說佛智慧故　諸佛出於世
唯此一事實　餘二則非真　終不以小乘　濟度於衆生
佛自住大乘　如其所得法　定慧力莊嚴　以此度衆生
自證无上道　大乘平等法　若以小乘化　乃至於一人
我則墮慳貪　此事為不可　若人信歸信　如來不欺誑
亦无貪嫉意　斷諸法中惡　故佛於十方　而獨无所畏
我以相嚴身　光明照世間　无量衆所尊　為說實相印
舍利弗當知　我本立誓願　欲令一切衆　如我等无異
如我昔所願　今者已滿足　化一切衆生　皆令入佛道
若我遇衆生　盡教以佛道　无智者錯乱　迷惑不受教
我知此衆生　未曾脩善本　堅著於五欲　癡愛故生惱
以諸欲因緣　墜墮三惡道　輪迴六趣中　備受諸苦毒
受胎之微形　世世常增長　薄德少福人　衆苦所

BD01747 號　妙法蓮華經卷一　（7–7）

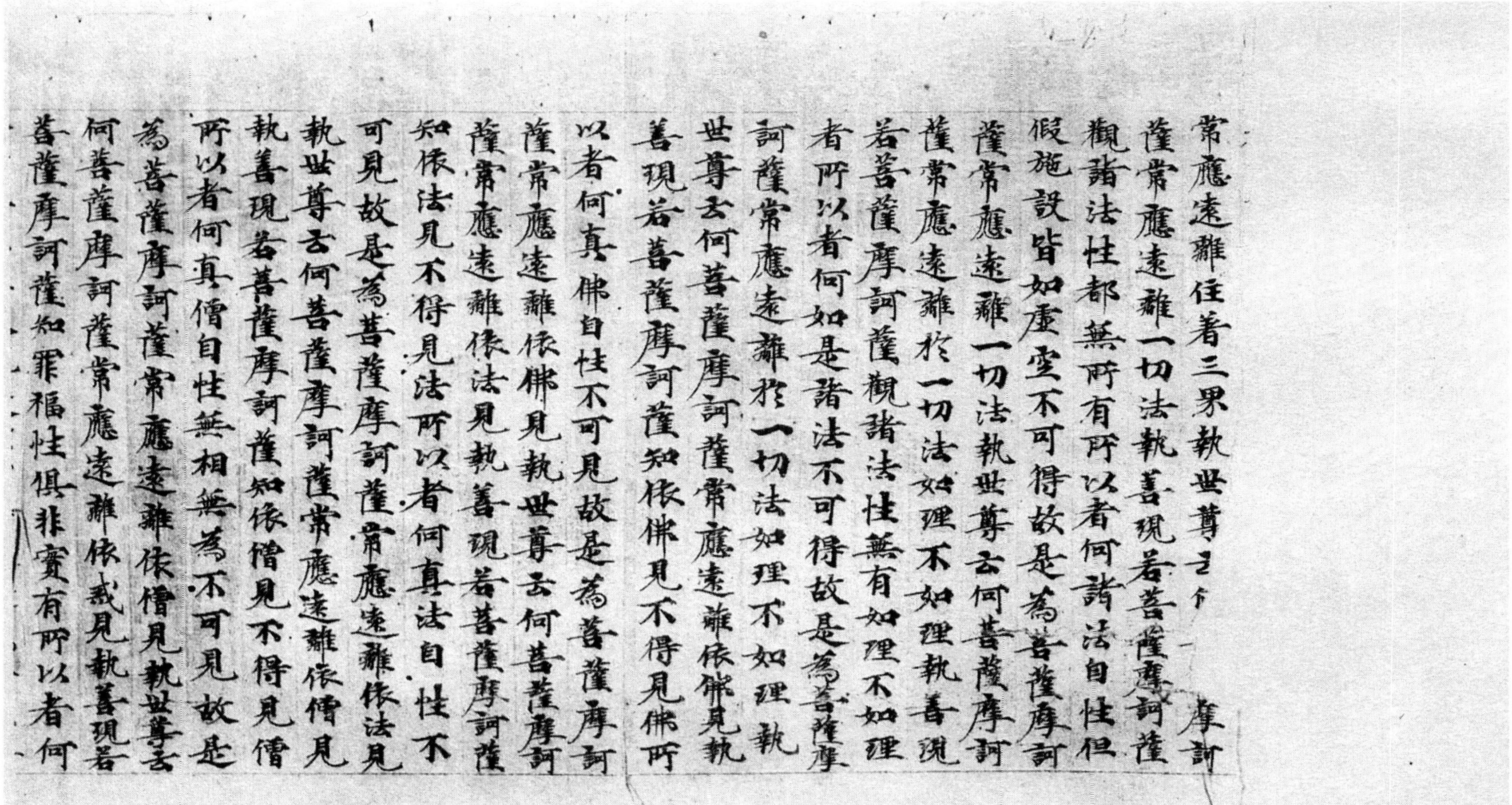
常應遠離住著三界執世尊云[illegible]摩訶
薩常應遠離一切法執善現若菩薩摩訶薩
觀諸法性都無所有所以者何諸法自性但
假施設皆如虛空不可得故是為菩薩摩訶
薩常應遠離一切法執世尊云何菩薩摩訶
薩常應遠離於一切法如理不如理執善現
若菩薩摩訶薩觀諸法性無有如理不如理
者所以者何如是諸法不可得故是為菩薩摩
訶薩常應遠離於一切法如理不如理執
世尊云何菩薩摩訶薩常應遠離依佛見執
善現若菩薩摩訶薩知依佛見不得見佛所
以者何真佛自性不可見故是為菩薩摩訶
薩常應遠離依佛見執世尊云何菩薩摩訶
薩常應遠離依法見執善現若菩薩摩訶薩
知依法見不得見法所以者何真法自性不
可見故是為菩薩摩訶薩常應遠離依法見
執世尊云何菩薩摩訶薩常應遠離依僧見
執善現若菩薩摩訶薩知依僧見不得見僧
所以者何真僧自性無相無為不可見故是
為菩薩摩訶薩常應遠離依僧見執世尊云
何菩薩摩訶薩常應遠離依戒見執善現若
菩薩摩訶薩知罪福性俱非實有所以者何

BD01748 號　大般若波羅蜜多經卷四九一　（2–1）

執世尊云何菩薩摩訶薩常應遠離依僧見
執善現若菩薩摩訶薩知依僧見不得見僧
所以者何真僧自性無相無為不可見故是
為菩薩摩訶薩常應遠離依僧見執世尊云
何菩薩摩訶薩常應遠離依戒見執善現若
菩薩摩訶薩知罪福性俱非實有所以者何
若罪若福但假施設不可得故是為菩薩摩
訶薩常應遠離依戒見執世尊云何菩薩摩
訶薩常應遠離依空見執善現若菩薩摩訶
薩觀諸空法都無所有不可觀見所以者何
空之自性非有非無不可見故是為菩薩摩
訶薩常應遠離依空見執世尊云何菩薩摩
訶薩常應遠離猒怖空性善現若菩薩摩訶
薩觀一切法自性皆空非空與空有所違害
故猒怖事俱不可得所以者何諸有性法或
可猒怖空非有性法不應猒怖故是為菩薩
摩訶薩常應遠離猒怖空性世尊云何菩薩
摩訶薩常應圓滿通達空善現若菩薩摩訶
薩知一切法自相皆空是為菩薩摩訶薩常
應圓滿通達空世尊云何菩薩摩訶薩常應
圓滿證無相善現若菩薩摩訶薩不思惟一
切相是為菩薩摩訶薩常應圓滿證無相世
尊云何菩薩摩訶薩常應圓滿知無願善現若

BD01748 號　大般若波羅蜜多經卷四九一　（2–2）

四百九十一

BD01748 號背　勘記　（1–1）

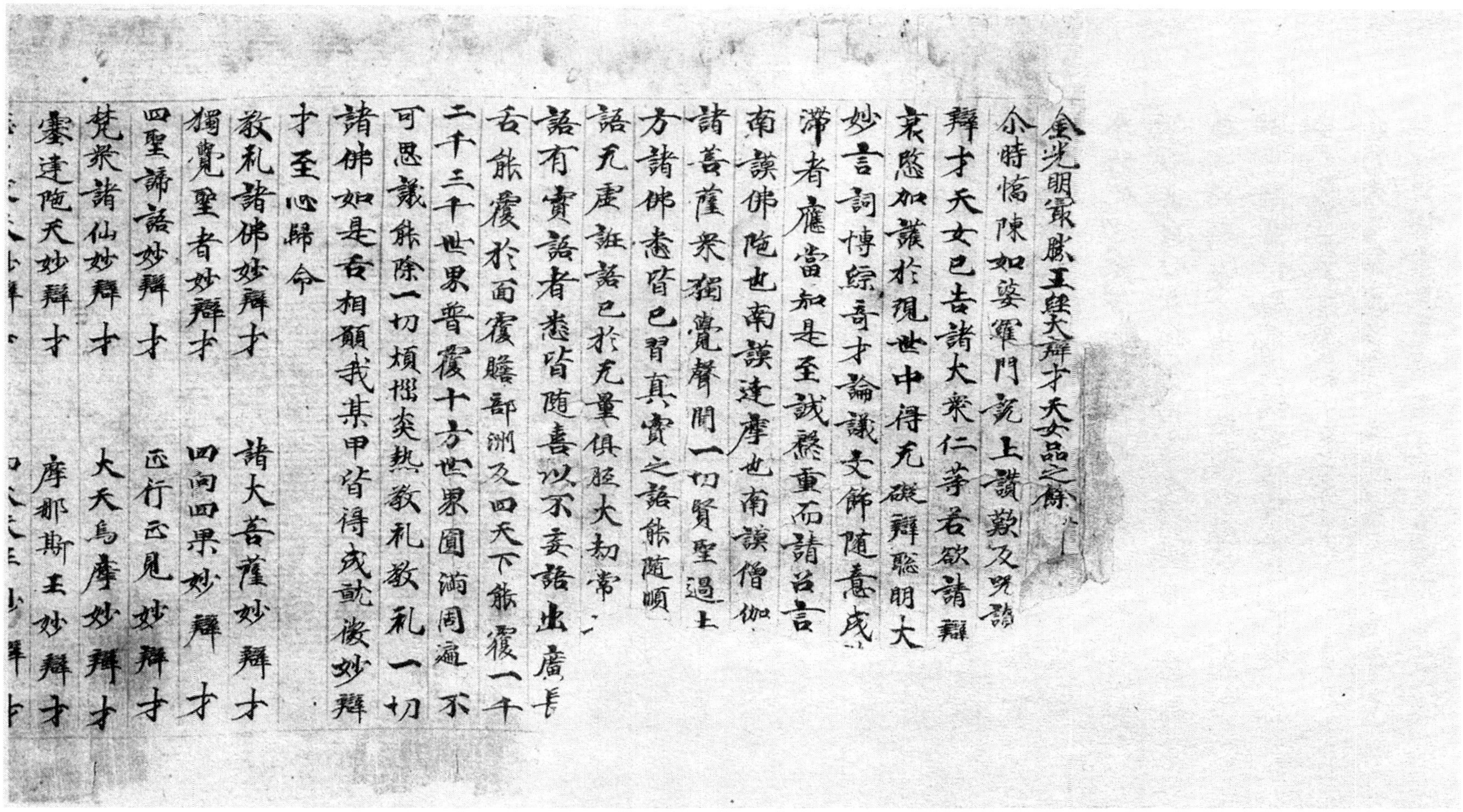

金光明最勝王經大辯才天女品之餘
尒時憍陳如婆羅門說上讚歎及咒請
辯才天女已吉諸大衆仁等若欲請辯
哀愍加護於現世中得无礙辯聰明大
妙言詞博綜奇才論議文飾隨意成就
滯者應當如是至誠懇重而請咨言
南謨佛陁也南謨達摩也南謨僧伽
諸菩薩衆獨覺聲聞一切賢聖過去
方諸佛悉皆已習真實之語能隨順
語无虛誑語已於无量俱胝大劫常
語有實語者悉皆隨喜以不妄語出廣長
舌能覆於面覆瞻部洲及四天下能覆一千
二千三千世界普覆十方世界圓滿周遍不
可思議能除一切煩惱炎熱敬礼敬礼一切
諸佛如是舌相願我某甲皆得成就微妙辯
才至心歸命
敬礼諸佛妙辯才　諸大菩薩妙辯才
獨覺聖者妙辯才　四向四果妙辯才
四聖諦語妙辯才　正行正見妙辯才
梵衆諸仙妙辯才　大天烏摩妙辯才
塞建陁天妙辯才　摩那斯王妙辯才

BD01749 號　金光明最勝王經卷八　(10–1)

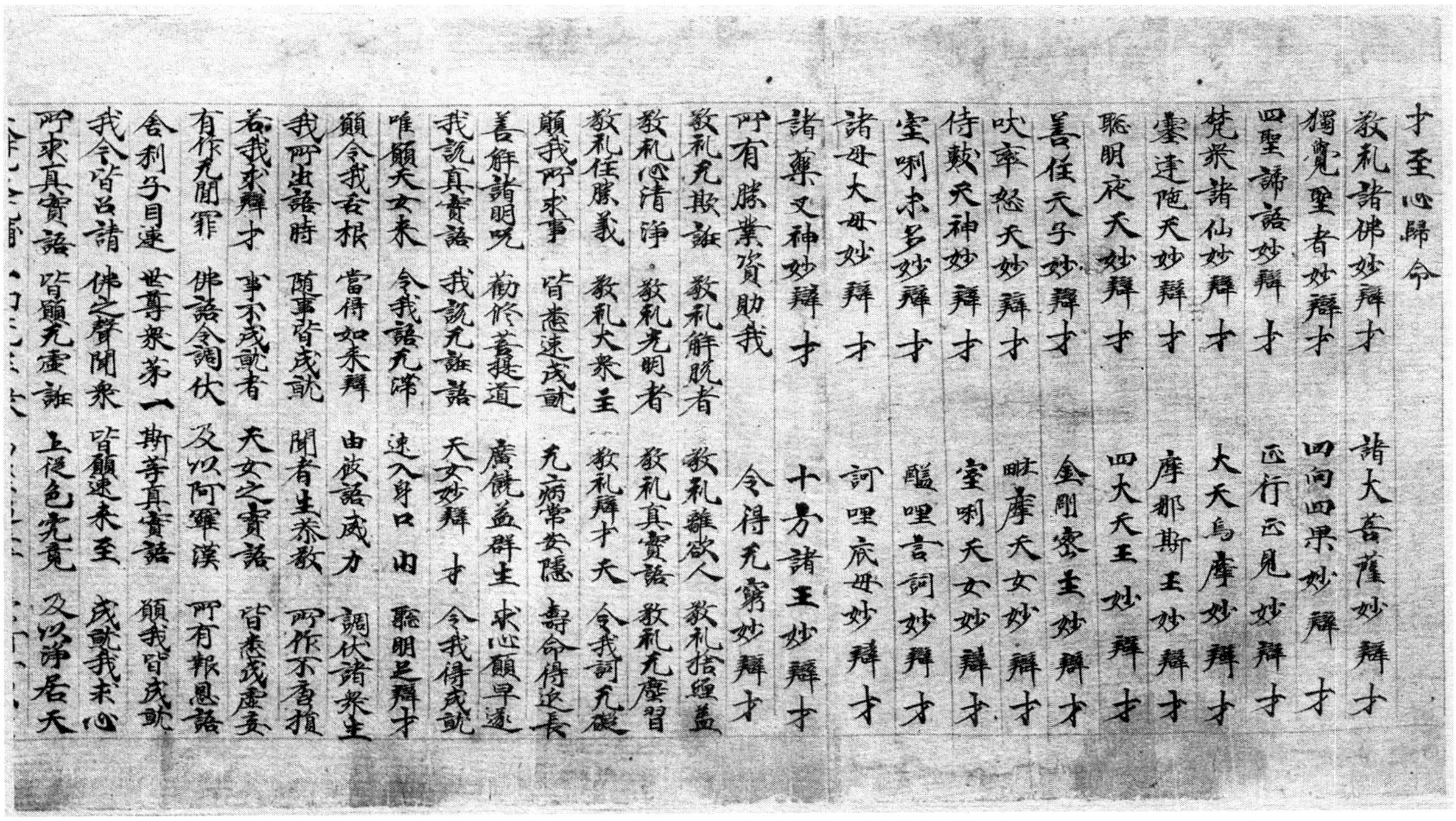

才至心歸命
敬礼諸佛妙辯才　諸大菩薩妙辯才
獨覺聖者妙辯才　四向四果妙辯才
四聖諦語妙辯才　正行正見妙辯才
梵衆諸仙妙辯才　大天烏摩妙辯才
塞建陁天妙辯才　摩那斯王妙辯才
聰明夜天妙辯才　四大天王妙辯才
善住天子妙辯才　金剛密主妙辯才
吠率怒天妙辯才　毗摩天女妙辯才
侍數天神妙辯才　室唎天女妙辯才
室唎末多妙辯才　醯哩言詞妙辯才
諸母大母妙辯才　訶哩底母妙辯才
諸藥叉神妙辯才　十方諸王妙辯才
所有勝業資助我　令得无窮妙辯才
敬礼无欺誑　敬礼解脫者　敬礼離欲人　敬礼捨纏蓋
敬礼心清淨　敬礼光明者　敬礼真實語　敬礼无塵習
敬礼住勝義　敬礼大衆主　敬礼辯才天　令我詞无礙
願我所求事　皆悉速成就　无病常安隱　壽命得延長
善解諸明咒　勤修菩提道　廣饒益群生　求心願早遂
我說真實語　我說无誑語　天女妙辯才　令我得成就
唯願天女來　令我語无滯　速入身口內　聰明足辯才
願令我舌根　當得如來辯　由彼語威力　調伏諸衆生
我所出語時　隨事皆成就　聞者生恭敬　所作不唐捐
若我求辯才　事不成就者　天女之實語　皆悉成虛妄
有作无間罪　佛語令調伏　及以阿羅漢　所有報恩語
舍利子目連　世尊衆第一　斯等真實語　願我皆成就
我今皆召請　佛之聲聞衆　皆願速來至　成就我求心
所求真實語　皆願无虛誑　上從色究竟　及以淨居天

BD01749 號　金光明最勝王經卷八　(10–2)

有作无間罪　佛語令調伏　及以阿羅漢　所有報恩語
舍利子目連　世尊衆苐一　斯等真實語　願我皆成就
我今皆召請　佛之聲聞衆　皆願速來至　成就我求心
所求真實語　皆願无虛誑　上從色究竟　及以淨居天
大梵及梵輔　一切梵王衆　乃至遍三千　索訶世界主
并及諸眷屬　我今皆請召　唯願降慈悲　哀憐同攝受
他化自在天　及以樂變化　覩史多天衆　慈氏當成佛
夜摩諸天衆　及三十三天　四大王衆天　一切諸天衆
地水火風神　依妙高山住　七海山神衆　所有諸眷屬
滿財及五頂　日月諸星辰　如是諸天衆　令世間安隱
斯等諸天神　不樂作罪業　敬佛鬼子母　及最小愛兒
天龍藥叉衆　乾闥阿蘇羅　及以緊那羅　莫呼洛伽等
我以世尊力　悉皆申請召　願降慈悲心　與我无礙辯
一切人天衆　能了他心者　皆願加神力　與我妙辯才
乃至盡虛空　周遍於法界　所有含生類　與我妙辯才
尒時辯才天女聞是請已告婆羅門言善哉
大士若有男子女人能依如是呪及呪讚如前
所說受持法式歸敬三寶虔心正念於所求
事皆不虛捐兼復受持讀誦此金光明微
妙經典所願求者无不果遂速得成就除不
至心時婆羅門深心歡喜合掌頂受
尒時佛告辯才天女善哉善哉善女天汝能
流布是妙經王擁護所有受持經者及能利
益一切衆生令得安樂說如是法施與辯才
不可思議得福无量諸發心者速趣菩提
金光明最勝王經大吉祥天女品苐十六
尒時大吉祥天女即從座起前禮佛足合掌
恭敬白佛言世尊我若見有苾芻苾芻尼鄔

BD01749號　金光明最勝王經卷八　（10–3）

不可思議得福无量諸發心者速趣菩提
金光明最勝王經大吉祥天女品苐十六
尒時大吉祥天女即從座起前禮佛足合掌
恭敬白佛言世尊我若見有苾芻苾芻尼鄔
波索迦鄔波斯迦受持讀誦為人解說是金
光明最勝王經者我當專心恭敬供養此等
法師所謂飲食衣服臥具醫藥及餘一切所
須資具皆令圓滿无有乏少若晝若夜於此
經王所有句義觀察思量安樂而住令此經
典於贍部洲廣行流布為彼有情已於无量
百千佛所種善根者常使得聞不速隱沒復
於无量百千億劫當受人天種種勝樂常得
豐稔永除飢饉一切有情恒受安樂亦得值
遇諸佛世尊於未來世速證无上大菩提果
永絕三塗輪迴苦難世尊我念過去有琉璃
金山寶花光照吉祥功德海如來應正等覺
十號具足我於彼所種諸善根由彼如來慈
悲愍念威神力故令我今日隨所念處隨所
視方隨所至國能令无量百千萬億衆生受
諸快樂乃至所須衣服飲食資生之具金銀
琉璃車璖碼碯珊瑚虎珀真珠等寶悉令充
足若復有人至心讀誦是金光明最勝王經
亦當日日燒衆名香及諸妙花為我供養彼
琉璃金山寶花光照吉祥功德海如來應正
等覺復當每日於三時中稱念我名別以香
花及諸美食供養於我亦常聽受此妙經王
得如是福而說頌曰
由能如是持經故　自身眷屬離諸衰

BD01749號　金光明最勝王經卷八　（10–4）

等覺復當每日於三時中稱念我名別以香
花及諸美食供養於我亦常聽受此妙經王
得如是福而說頌曰
由能如是持經故　　自身眷屬離諸衰
所須衣食无乏時　　威光壽命難窮盡
能使地味常增長　　諸天降雨隨時節
令彼天衆咸歡悅　　及以園林穀果神
叢林果樹並滋榮　　所有苗稼咸成就
欲求珎財皆滿願　　隨所念者遂其心
佛告大吉祥天女善哉善哉汝能如是憶念
昔因報恩供養利益安樂无邊衆生流布是
經功德无盡
金光明最勝王經大吉祥天女增長財物品第十七
尒時大吉祥天女復白佛言世尊北方薜室羅
末拏天王城名有財去城不遠有園名曰
妙花福光中有勝殿七寶所成世尊我常住
彼若復有人欲求五穀日日增多倉庫盈溢
者應當發起敬信之心淨治一室瞿摩塗地
應畫我像種種瓔珞周帀莊嚴當洗浴身著
淨衣服塗以名香入淨室內發心為我每日
三時稱彼佛名及此經名号而申禮敬南謨
瑠璃金山寶花光照吉祥功德海如來持諸
香花及以種種甘美飲食至心奉獻亦以香
花及諸飲食供養我像復持飲食散擲餘方
施諸神等實言邀請大吉祥天發所求願若
如所言是不虛者於我所請勿令空尒于時
吉祥天女知是事已便生愍念令其宅中財
穀增長即當誦呪請召於我先稱佛名及菩

BD01749號　金光明最勝王經卷八　（10–5）

施諸神等實言邀請大吉祥天發所求願若
如所言是不虛者於我所請勿令空尒于時
吉祥天女知是事已便生愍念令其宅中財
穀增長即當誦呪請召於我先稱佛名及菩
薩名字一心敬禮
南謨一切十方三世諸佛　　南謨寶髻佛
南謨无垢光明寶幢佛　　南謨金幢光佛
南謨百金光藏佛　　南謨金蓋寶積佛
南謨金花光幢佛　　南謨大燈光佛
南謨大寶幢佛　　南謨東方不動佛
南謨南方寶幢佛　　南謨西方无量壽佛
南謨北方天鼓音佛　　南謨妙幢菩薩
南謨金光菩薩　　南謨金藏菩薩
南謨常啼菩薩　　南謨法上菩薩
南謨善安菩薩
敬禮如是佛菩薩已次當誦呪請召我大吉
祥天女由此呪力所求之事皆得成就即說
呪曰
南謨室唎莫訶天女　　怛姪他
鉢唎脯𡁠拏折囇　　三曼頞
達唎設泥（去下皆同）　　莫訶毗訶囉揭帝
三曼多毗曇末泥　　莫訶迦里也
鉢喇底瑟侘鉢泥　　薩婆頞他娑彈泥
蘇鉢喇底脯囇　　痾耶娜達摩多
莫訶毗俱比帝　　莫訶迷咄嚕
鄔波僧呬羝　　莫訶頡唎使
蘇僧近（入）里呬羝　　三曼多頞他
阿奴波唎　泥　　莎訶

BD01749號　金光明最勝王經卷八　（10–6）

蘊鉢喇底膩　囉　痾耶娜達摩多
莫訶毗俱吒帝　莫訶迷咄嚕
鄔波僧呬　羯　莫訶頡唎使
蘊僧近入里呬　羯　三曼多頞他
阿奴波剌　娑　莎訶
世尊若人誦持如是神呪請召我時我聞請
已即至其所令願得遂世尊是灌頂法句定
成就句真實之句无虛誑句是平等行於諸
衆生是正善根若有受持讀誦呪者應七日
七夜受八支戒於晨朝時先嚼齒木淨澡漱
已及於晡後香花供養一切諸佛自陳其罪
當為己身及諸含識迴向發願令所希求速
得成就淨治一室或在空閑阿蘭若處瞿摩
為壇燒旃檀香而為供養置一勝座幡蓋莊
嚴以諸名花布列壇內應當至心誦持前呪
希望我至我於尒時即便護念觀察是人來
入其室就座而坐受其供養從是以後當令
彼人於睡夢中得見於我隨所求事以實告
知若聚落空澤及僧住處隨所求者皆令圓
滿金銀財寶牛羊穀麦飲食衣服皆得隨心
受諸快樂既得如是勝妙果報當以上分供
養三寶及施於我廣修法會設諸飲食布列
香花既供養已所有供食貨之取直復為供
養我當終身常住於此擁護是人令无闕乏
隨所希求悉皆稱意亦當時時給濟貧之不
應慳悋獨為己身常讀是經供養不絕當以
此福普施一切迴向菩提願出生死速得解
脫尒時世尊讚言善哉吉祥天女汝能如是

BD01749 號　金光明最勝王經卷八　（10–7）

隨所希求悉皆稱意亦當時時給濟貧之不
應慳悋獨為己身常讀是經供養不絕當以
此福普施一切迴向菩提願出生死速得解
脫尒時世尊讚言善哉吉祥天女汝能如是
流布此經不可思議自他俱益
金光明最勝王經堅牢地神品第十八
尒時堅牢地神即於衆中從座而起合掌恭
敬而白佛言世尊是金光明最勝王經若現
在世若未來世若在城邑聚落王宮樓觀及
阿蘭若山澤空林有此經王流布之處世尊
我當往詣其所供養恭敬擁護流通若有
方處為說法師敷置高座演說經者我以神力
不現本身在於座所頂戴其足我得聞法深
心歡喜得食法味增益威光慶悅无量自身
既得如是利益亦令大地深十六万八千踰
繕那至金剛輪際令其地味悉皆增益乃至
四海所有土地亦使肥濃田疇沃壤倍勝常
日亦復令此贍部洲中江河池沼所有諸樹
藥草叢林種種花果根莖枝葉及諸苗稼
形相可愛衆所樂觀色香具足皆堪受用若
諸有情受用如是勝飲食已長命色力諸根安
隱增益光輝无諸痛惱心慧勇健无不堪能
又此大地凡有所須百千事業悉皆周備世
尊以是因緣諸贍部洲安隱豐樂人民熾盛
无諸衰惱所有衆生皆受安樂既受如是身
心快樂於此經王深加愛敬所在之處皆願
受持供養恭敬尊重讚歎又復於彼說法大
師法座之處悉皆往彼為諸衆生勸請說是

BD01749 號　金光明最勝王經卷八　（10–8）

心使樂於此經王深加愛敬所在之處皆願
受持供養恭敬尊重讚歎又復於彼說法大
師法座之處悉皆往彼為諸眾生勸請說是
最勝經王何以故世尊由說此經我之自身
并諸眷屬咸蒙利益光輝氣力勇猛威勢顏
容端正倍勝於常世尊我堅牢地神蒙法味
已令贍部洲縱廣七千踰繕那地皆沃壤乃
至如前所有眾生皆受安樂是故世尊時彼
眾生為報我恩應作是念我當必定聽受是
經恭敬供養尊重讚歎作是念已即從住處
城邑聚落舍宅空地詣法會所頂禮法師聽
受是經既聽受已各還本處心生慶喜共作
是言我等今者得聞甚深无上妙法即是攝
受不可思議功德之聚由經力故我等當值
无量无邊百千俱胝那庾多佛承事供養永
離三塗極苦之處復於未來世百千生中常生
天上及在人間受諸勝樂時彼諸人各還本
處為諸人眾說是經王若一喻一品一昔因
緣一如來名一菩薩名一四句頌或復一句為
諸眾生說是經典乃至首題名字世尊隨
諸眾生所住之處其地悉皆沃壤肥濃過於
餘處凡是土地所生之物悉得增長滋茂廣
大令諸眾生受於快樂多饒珎財好行惠施
心常堅固深信三寶作是語已尒時世尊告
堅牢地神曰若有眾生聞是金光明最勝經
王乃至一句命終之後當得往生三十三天
及餘天處若有眾生為欲供養是經王故莊
嚴宅宇乃至張一傘蓋懸一繒幡由是因緣

BD01749 號　金光明最勝王經卷八　（10–9）

心常堅固深信三寶作是語已尒時世尊告
堅牢地神曰若有眾生聞是金光明最勝經
王乃至一句命終之後當得往生三十三天
及餘天處若有眾生為欲供養是經王故莊
嚴宅宇乃至張一傘蓋懸一繒幡由是因緣
六天之上如念受生七寶妙宮隨意受用各
自然有七千天女共相娛樂日夜常受不
可思議殊勝之樂作是語已尒時堅牢地神
白佛言世尊以是因緣若有四眾昇於法座
說是法時我當晝夜擁護是人自隱其身在
於座所頂戴其足世尊如是經典為彼眾生
已於百千佛所種善根者於贍部洲流布不
滅是諸眾生聽斯經者於未來世无量百千
俱胝那庾多劫天上人中常受勝樂得遇諸
佛速成阿耨多羅三藐三菩提不歷三塗生
死之苦尒時堅牢地神白佛言世尊我有心
呪能利人天安樂一切若有男子女人及諸
四眾欲得親見我真身者應當至心持此陁
羅尼隨其所願皆悉遂心所謂資財珎寶伏
藏及求神通長年妙藥并療眾病降伏怨敵
制諸異論當持淨室安置道場洗浴身已著
鮮潔衣踞草座上於有舍利尊像之前或有

BD01749 號　金光明最勝王經卷八　（10–10）

比丘如來亦復如是今爲汝等
諸生死煩惱惡道嶮難長遠應去應度若衆
生但聞一佛乘者則不欲見佛不欲親近便
作是念佛道長遠久受懃苦乃可得成佛知
是心怯弱下劣以方便力而於中道爲止息
故說二涅槃若衆生住於二地如來尒時即
便爲說汝等所作未辦汝所住地近於佛慧
當觀察籌量所得涅槃非真實也但是如來
方便之力於一佛乘分別說三如彼導師爲
止息故化作大城既知息已而告之言寶處
在近此城非實我化作耳尒時世尊欲重宣
此義而說偈言
大通智勝佛　十劫坐道場　佛法不現前　不得成佛道
諸天神龍王　阿脩羅衆等　常雨於天華　以供養彼佛
諸天擊天鼓　并作衆伎樂　香風吹萎華　更雨新好者
過十小劫已　乃得成佛道　諸天及世人　心皆懷踊躍
彼佛十六子　皆與其眷屬　千万億圍繞　倶行至佛所
頭面礼佛足　而請轉法輪　聖師子法雨　充我及一切
世尊甚難值　久遠時一現　爲覺悟群生　震動於一切
東方諸世界　五百万億國　梵宮殿光曜　昔所未曾有
諸梵見此相　尋來至佛所　散華以供養　并奉上宮殿
請佛轉法輪　以偈而讚歎　佛知時未至　受請嘿然坐
三方及四維　上下亦復尒　散華奉宮殿　請佛轉法輪
世尊甚難值　願以大慈悲　廣開甘露門　轉无上法輪

BD01750號　妙法蓮華經卷三　（3–1）

世尊甚難值　久遠時一現　爲覺悟群生　震動於一切
東方諸世界　五百万億國　梵宮殿光曜　昔所未曾有
諸梵見此相　尋來至佛所　散華以供養　并奉上宮殿
請佛轉法輪　以偈而讚歎　佛知時未至　受請嘿然坐
三方及四維　上下亦復尒　散華奉宮殿　請佛轉法輪
世尊甚難值　願以大慈悲　廣開甘露門　轉无上法輪
无量慧世尊　受彼衆人請　爲宣種種法　四諦十二緣
无明至老死　皆從生緣有　如是衆過患　汝等應當知
宣暢是法時　六百万億姟　得盡諸苦際　皆成阿羅漢
第二說法時　千万恒沙衆　於諸法不受　亦得阿羅漢
從是後得道　其數无有量　万億劫筭數　不能得其邊
時十六王子　出家作沙弥　皆共請彼佛　演說大乘法
我等及營從　皆當成佛道　願得如世尊　慧眼第一淨
佛知童子心　宿世之所行　以无量因緣　種種諸譬喻
說六波羅蜜　及諸神通事　分別真實法　菩薩所行道
說是法華經　如恒河沙偈　彼佛說經已　靜室入禪定
一心一處坐　八万四千劫
是諸沙弥等　知佛禪未出　爲无量億衆　說佛无上慧
各各坐法座　說是大乘經　於佛宴寂後　宣揚助法化
一一沙弥等　所度諸衆生　有六百万億　恒河沙等衆
彼佛滅度後　是諸聞法者　在在諸佛土　常與師倶生
是十六沙弥　具足行佛道　今現在十方　各得成正覺
尒時聞法者　各在諸佛所　其有住聲聞　漸教以佛道
我在十六數　曾亦爲汝說　是故以方便　引汝趣佛慧
以是本因緣　今說法華經　令汝入佛道　慎勿懷驚懼
譬如險惡道　迥絕多毒獸　又復无水草　人所畏怖處
无數千万衆　欲過此險道　其路甚曠遠　經五百由旬

BD01750號　妙法蓮華經卷三　（3–2）

我在十六數　曾亦為汝說　是故以方便　引汝趣佛慧
以是本因緣　今說法華經　令汝入佛道　慎勿懷驚懼
譬如險惡道　迴絕多毒獸　又復无水草　人所怖畏處
无數千万衆　欲過此險道　其路甚曠遠　逕五百由旬
時有一導師　強識有智慧　明了心決定　在險濟衆難
衆人皆疲惓　而白導師言　我等今頓乏　於此欲退還
導師作是念　此輩甚可愍　如何欲退還　而失大珎寶
尋時思方便　當設神通力　化作大城郭　莊嚴諸舍宅
周迊有園林　渠流及浴池　重門高樓閣　男女皆充滿
即作是化已　慰衆言勿懼　汝等入此城　各可隨所樂
諸人既入城　心皆大歡喜　皆生安隱想　自謂已得度
導師知息已　集衆而告言　汝等當前進　此是化城耳
我見汝疲極　中道欲退還　故以方便力　權化作此城
汝今懃精進　當共至寶所
我亦復如是　為一切導師　見諸求道者　中路而懈廢
不能度生死　煩惱諸險道　故以方便力　為息說涅槃
言汝等苦滅　所作皆已辦　既知到涅槃　皆得阿羅漢
尒乃集大衆　為說真實法　諸佛方便力　分別說三乘
唯有一佛乘　息處故說二
今為汝說實　汝所得非滅　為佛一切智　當為大精進
汝證一切智　十力等佛法　具三十二相　乃是真實滅
諸佛之導師　為息說涅槃　既知是息已　引入於佛慧

妙法蓮華經卷第三

BD01750 號　妙法蓮華經卷三　（3–3）

薩不當住於調伏不調伏心離此二法是菩薩
行在於生死不為汙行住於涅槃不永滅度
是菩薩行非凡夫行非賢聖行是菩薩行非
垢行非淨行是菩薩行雖過魔行而現降衆
魔是菩薩行求一切智无非時求是菩薩行
雖觀諸法不生而不入正位是菩薩行雖觀
十二緣起而入諸邪見是菩薩行雖攝一切衆
生而不愛着是菩薩行雖樂遠離而不依身
心盡是菩薩行雖行三界而不壞法性是菩
薩行雖行於空而殖衆德本是菩薩行雖行
无相而度衆生是菩薩行雖行无作而現受
身是菩薩行雖行无起而起一切善行是菩
薩行雖行六波羅蜜而遍知衆生心心數法
是菩薩行雖行六通而不盡漏是菩薩行
雖行四无量心而不貪着生於梵世是菩薩
行雖行禪定解脫三昧而不隨禪生是菩薩
行雖行四念處而不永離身受心法是菩
薩行雖行四正勤而不捨身心精進是菩
薩行雖行四如意足而得自在神通是菩

BD01751 號　維摩詰所說經卷中　（6–1）

雖行四无量心而不貪着生於梵世是菩薩
行雖行禪定解脫三昧而不隨禪生是菩薩
行雖行四念處而不永離身受心法是菩
薩行雖行四正勤而不捨身心精進是菩
薩行雖行四如意足而得自在神通是菩
薩行雖行五根而分別衆生諸根利鈍是菩
薩行雖行五力而樂求佛十力是菩薩行雖行
七覺分而分別佛之智慧是菩薩行雖行
八正道而樂行无量佛道是菩薩行雖行止
觀助道之法而不畢竟墮於寂滅是菩薩行
雖行諸法不生不滅而以相好莊嚴其身是
菩薩行雖現聲聞辟支佛威儀而不捨佛法
是菩薩行雖隨諸法究竟淨相而隨所應爲現
其身是菩薩行雖觀諸佛國土永寂如空而
現種種清淨佛土是菩薩行雖得佛道轉于
法輪入於涅槃而不捨於菩薩之道是菩薩
行說是語時文殊師利所將大衆其中八
千天子皆發阿耨多羅三藐三菩提心

不思議品第六

尒時舍利弗見此室中无有牀座作是念斯
諸菩薩大弟子衆當於何坐長者維摩詰知
其意語舍利弗言云何仁者爲法來耶求牀
座耶舍利弗言我爲法來非爲牀座維摩詰
言唯舍利弗夫求法者不貪軀命何况牀座
夫求法者非有色受想行識之求非有界入

BD01751號　維摩詰所說經卷中　（6–2）

諸菩薩大弟子衆當於何坐長者維摩詰知
其意語舍利弗言云何仁者爲法來耶求牀
座耶舍利弗言我爲法來非爲牀座維摩詰
言唯舍利弗夫求法者不貪軀命何况牀座
夫求法者非有色受想行識之求非有界入
之求非有欲色无色之求唯舍利弗夫求法
者不著佛求不著法求不著衆求夫求法
者无見苦求无斷集求无造盡證脩道之求所
以者何法无戲論若言我當見苦斷集證滅
脩道是則戲論非求法也唯舍利弗法名寂
滅若行生滅是求生滅非求法也法名无染
若染於法乃至涅槃是則染着非求法也法
无行處若行於法是則行處非求法也法无
取捨若取捨法是則取捨非求法也法无處
所若著處所是則著處非求法也法名无相
若隨相識是則求相非求法也法不可住若
住於法是則住法非求法也法不可見聞覺
知若行見聞覺知是則見聞覺知非求法也
法名无爲若行有爲是求有爲非求法也是
故舍利弗若求法者於一切法應无所求說
是語時五百天子於諸法中得法眼淨
尒時長者維摩詰問文殊師利仁者遊於无
量千万億阿僧祇國何等佛土有好上妙功
德成就師子之座文殊師利言居士東方度
卅六恒河沙國有世界名須弥相其佛号須

BD01751號　維摩詰所說經卷中　（6–3）

尒時長者維摩詰問文殊師利仁者遊於无
量千万億阿僧祇國何等佛土有好上妙功
德成就師子之座文殊師利言居士東方度
卅六恒河沙國有世界名須弥相其佛号須
弥燈王今現在彼佛身長八万四千由旬其
師子座高八万四千由旬嚴飾第一於是長
者維摩詰現神通力即時彼佛遣三万二
千師子座高廣嚴好來入維摩詰室諸菩薩
大弟子釋梵四天王等昔所未見其室廣博
悉苞容受三万二千師子座无所妨礙於毗耶
離城及閻浮提四天下亦不迫迮悉見如故尒
時維摩詰語文殊師利就師子座與諸菩薩
上人俱坐當自立身如彼坐像其得神通菩
薩即自變身爲四万二千由旬坐師子座諸
新發意菩薩及大弟子皆不能昇尒時維
摩詰語舍利弗就師子座舍利弗言居士此
座高廣吾不能昇維摩詰言唯舍利弗爲須
弥燈王如來作礼乃可得坐於是新發意菩
薩及大弟子即爲須弥燈王如來作礼便得坐
師子座舍利弗言居士未曾有也如是小室
乃容受此高廣之座於毗耶離城无所妨礙
又於閻浮提聚落城邑及四天下諸天龍王
鬼神宮殿亦不迫迮維摩詰言唯舍利弗諸
佛菩薩有解脫名不可思議若菩薩住是解
脫者以須弥之高廣內芥子中无所增減須
弥山王本相如故而四天王忉利諸天不覺

BD01751 號　維摩詰所說經卷中　(6–4)

又於閻浮提聚落城邑及四天下諸天龍王
鬼神宮殿亦不迫迮維摩詰言唯舍利弗諸
佛菩薩有解脫名不可思議若菩薩住是解
脫者以須弥之高廣內芥子中无所增減須
弥山王本相如故而四天王忉利諸天不覺
不知己之所入唯應度者乃見須弥入芥子
中是名不可思議解脫法門又以四大海水
入一毛孔不嬈魚鱉黿鼉水性之屬而彼大
海本相如故諸龍鬼神阿脩羅等不覺不知
己之所入於此衆生亦无所嬈又舍利弗住不
可思議解脫菩薩斷取三千大千世界如陶
家輪著右掌中擲過恒河沙世界之外其中
衆生不覺不知己之所往又復還置本處都
不使人有往來想而此世界本相如故又舍
利弗或有衆生樂久住世而可度者菩薩
即演七日以爲一劫令彼衆生謂之一劫或
有衆生不樂久住而可度者菩薩即促一劫
以爲七日令彼衆生謂之七日又舍利弗住
不可思議解脫菩薩以一切佛土嚴飾之事
集在一國示於衆生又菩薩以一佛土衆生
置之右掌飛到十方遍示一切而不動本處
又舍利弗十方衆生供養諸佛之具菩薩於
一毛孔皆令得見又十方國土所有日月星
宿於一毛孔普使見之又舍利弗十方世界
所有諸風菩薩悉能吸著口中而身无損外
諸樹木亦不摧折又十方世界劫盡燒時以

BD01751 號　維摩詰所說經卷中　(6–5)

置之右掌飛到十方遍示一切而不動本處
又舍利弗十方衆生供養諸佛之具菩薩於
一毛孔皆令得見又十方國土所有日月星
宿於一毛孔普使見之又舍利弗十方世界
所有諸風菩薩悉能吸著口中而身无損外
諸樹木亦不摧折又十方世界劫盡燒時以
一切火內於腹中火事如故而不為害又以
下方過恒河沙等諸佛世界取一佛土舉著
上方過恒河沙无數世界如持針鋒舉一棗
葉而无所嬈又舍利弗在不可思議解脫菩
薩能以神通現作佛身或現辟支佛身或現
聲聞身或現帝釋身或現梵王身或現世
主身或現轉輪王身又十方世界所有衆聲
上中下音皆能變之令作佛聲演出无常苦
空无我之音及十方諸佛所說種種之法皆
於其中普令得聞舍利弗我今略說菩薩不

BD01751號　維摩詰所說經卷中　（6–6）

佛
時具
髓唯願世
又諸快
此大地六
塔從地踊出衆
見是事已生希
時世尊即從座起礼拜此塔恭敬圍
本座尒時道場菩提樹神白佛言世
世雄出現於世常為一切之所恭敬
主最勝最尊何因緣故礼拜是塔佛言善女
天我本脩行菩薩道時我身舍利安止是塔
因由是身令我早成阿耨多羅三藐三菩提
尒時佛告尊者阿難汝可開塔取中舍利示
此大衆是舍利者乃是无量六波羅蜜功德
所薰尒時阿難聞佛教勑即往塔所礼拜供
養開其塔戶見其塔中有七寶函以手開函
見其舍利色妙紅白而白佛言世尊是中舍
利其色紅白佛告阿難汝可持來此是大士
真身舍利尒時阿難即舉寶函還至佛所持
以上佛

BD01752號　合部金光明經卷八　（16–1）

見其舍利色妙紅白而白佛言世尊是中舍
利其色紅白佛告阿難汝可持来此是大士
真身舍利尒時阿難即舉寶函還至佛所持
以上佛
尒時佛告一切大衆汝等今可礼是舍利此
舍利者是戒定慧之所薰脩甚難可得㝡上
福田尒時大衆聞是語已心懷歡喜即從座
起合掌恭敬頂礼菩薩大士舍利尒時世尊
欲為大衆斷疑網故說是舍利往昔因緣阿
難過去之世有王名曰摩訶羅陁脩行善法
善治國土无有怨敵時有三子端政微妙形
色殊特威德第一第一太子名摩訶波那羅
次子名曰摩訶提婆小子名曰摩訶薩埵是
三王子於諸園林遊戲觀看次第漸到一大
竹林憩駕止息第一王子作如是言我於今
日心甚怖懼於是林中將无衰損第二王子
復作是言我於今日不自惜身但離所愛心
憂愁耳第三王子復作是言我於今日獨无
怖懼亦无愁惱山中空寂神仙所讚是處閑
靜能令行人安隱受樂時諸王子說是語已
轉復前行見有一虎適產七日而有七子圍
遶周帀飢餓窮悴身體羸損命將欲絕第一
王子見是虎已作如是言怪哉此虎產来七
日七子圍遶不得求食若為飢逼必還噉子
第三王子言此虎逐常所食何物第一王子
言此虎唯食新熱肉血第三王子言君等誰
能與此虎食第二王子言此虎飢餓身體羸

BD01752 號　合部金光明經卷八　（16–2）

王子見是虎已作如是言怪哉此虎產来七
日七子圍遶不得求食若為飢逼必還噉子
第三王子言此虎逐常所食何物第一王子
言此虎唯食新熱肉血第三王子言君等誰
能與此虎食第二王子言此虎飢餓身體羸
瘦窮困頓之餘命无幾不容餘處為其求食
設餘求者命必不濟誰能為此不惜身命第
一王子言一切難捨不過己身第三王子言
我等今者以貪惜故於此身命不能放捨智
慧薄少故於是事而生驚怖若諸大士欲利
益他生大悲心為衆生者捨此身命不足為
難時諸王子心大愁憂久住視之目未曾捨
作是觀已尋便離去尒時第三王子作是念
言我今捨身時已到矣何以故我從昔来多
棄是身都无所為亦常愛護處之屋宅又復
供給衣服飲食卧具醫藥象馬車乘隨時將
養令无所乏而不知恩反生怨害然復不免
无常敗壞復次是身不堅无所利益可惡如
賊猶若行廁我於今日當使此身作无上業
於生死海中作大橋梁復次若捨此身則捨
无量癰疽癕疾百千怖畏是身唯有大小便
利是身不堅如水上沫是身不淨多諸虫戶
是身不淨筋纏血塗皮骨髓腦共相連持如
是觀察甚可患厭是故我今應當捨離以求
寂滅无上涅槃永離憂患无常變異生死休
息无諸塵累无量禪定智慧功德具足成就
微妙法身百福莊嚴諸佛所讚證成如是无
上法身與諸衆生无量法樂是時王子勇猛

BD01752 號　合部金光明經卷八　（16–3）

寂滅无上涅槃永離憂患无常變異生死休
息无諸塵累无量禪定智慧功德具足成就
微妙法身百福莊嚴諸佛所讚證成如是无
上法身與諸眾生无量法樂是時王子勇猛
堪任作是大願以上大悲勳脩其心慮其二
兄心懷怖懼或恐固遮為作留難即便語言
兄等今者可與眷屬還其所止尒時王子摩
訶薩埵還至虎所脫身衣裳置竹林上作是
誓言我今為利諸眾生故證於最勝无上道
故大悲不動捨難捨故為求菩提智所讚故
欲度三有諸眾生故滅生死怖畏惱熱故是
時王子作是誓已即自放身卧餓虎前是時
王子以大悲力故虎无能為王子復作如是
念言虎今羸瘦身无勢力不能得我身血肉
食即起求刀周遍求之了不能得即以干竹
刺頸出血於高山上投身虎前是時大地六
種震動日无精光如羅睺羅阿脩羅王捉持
部蔽又雨雜華種種妙香時虛空中有諸餘
天見是事已心生歡喜歎未曾有讚言善哉
善哉大士汝今真是行大悲者為眾生故能
捨難捨於諸學人第一勇健汝已為得諸佛
所讚常樂住處不久當證无惱无熱清淨涅
槃是虎尒時見血流出汙王子身即便舐血
噉食其肉唯留餘骨尒時第一王子見地大
動為第二王子而說偈言
震動大地　及以大海　日无精光　如有覆蔽
於上虛空　雨諸華香　必是我弟　捨所愛身

BD01752號　合部金光明經卷八　（16–4）

槃是虎尒時見血流出汙王子身即便舐血
噉食其肉唯留餘骨尒時第一王子見地大
動為第二王子而說偈言
震動大地　及以大海　日无精光　如有覆蔽
於上虛空　雨諸華香　必是我弟　捨所愛身
第二王子復說偈言
彼虎産來已經七日　七子圍遶窮无飲食
氣力羸損命不云遠　小弟大悲知其窮悴
懼不堪忍還食其子　恐定捨身以救彼命
時二王子心大愁怖涕泣悲歎容貌憔悴復
共相將還至虎所見弟所著被服衣裳皆悉
在一竹枝之上骸骨髮爪布散狼藉流血處
處遍汙其地見已悶絕不自勝持投身骨上
良久乃悟即起舉手呼天而哭我弟幼稚才
能過人特為父母之所愛念奄忽捨身以飼
餓虎我今還宮父母設問當云何荅我寧在
此并命一處不忍見是骸骨髮爪何心捨離
還見父母妻子眷屬朋友知識時二王子悲
號懊惱漸捨而去時小王子所將侍從各散
諸方互相謂言今者我天為何所在尒時王
妃於睡眠中夢乳被割牙齒墮落得三鴿鶵
一為鷹食尒時王妃大地動時即便驚悟心
大愁怖而說偈言
今日何故　大地大水　一切皆動　物不安所
日无精光　如有覆蔽　我心憂苦　目睫瞤動
如我今者　所見瑞相　必有災異　不祥苦惱
於是王妃說是偈已時有青衣在外已聞王

BD01752號　合部金光明經卷八　（16–5）

今日何故　大地大水　一切皆動　物不安所
日无精光　如有覆蔽　我心憂苦　目睫瞤動
如我今者　所見瑞相　必有災異　不祥苦惱
於是王妃　說是偈已　時有青衣　在外已聞王
子消息　心驚惶怖　尋即入內　啟白王妃　作如
是言　向者在外　聞諸侍從　推覓王子　不知所
在　王妃聞已　生大憂惱　涕泣滿目　至大王所
我於向者　傳聞外人　失我最小　所愛之子　大
王聞已　而復悶絕　悲哽苦惱　收淚而言　如何
今日　失我心中　所愛重者　尒時世尊　欲重宣
此義　而說偈言
我於往昔　无量劫中　捨所重身　以求菩提
若為國王　及作王子　常捨難捨　以求菩提
我念宿命　有大國王　其王名曰　摩訶羅陁
是王有子　能大布施　其子名曰　摩訶薩埵
復有二兄　長者名曰　大波那羅　次名大天
三人同遊　至一空山　見新產虎　飢窮无食
時勝大士　生大悲心　我今當捨　所重之身
此虎或為　飢餓所逼　儻能還食　自所生子
即上高山　自投虎前　為令虎子　得全性命
是時大地　及諸大山　皆悉震動　驚諸虫獸
虎狼師子　四散馳走　世間皆闇　无有光明
是時二兄　故在竹林　心懷憂惱　愁苦涕泣
漸漸推求　遂至虎所　見虎虎子　血汙其口
又見骸骨　髮毛爪齒　處處迸血　狼藉在地
是二王子　見是事已　心更悶絕　自躄於地
以灰塵土　自塗坌身　忘失正念　生狂癡心
所將侍從　覩見是事　亦生悲慟　失聲號哭

BD01752號　合部金光明經卷八　（16-6）

漸漸推求　遂至虎所　見虎虎子　血汙其口
又見骸骨　髮毛爪齒　處處迸血　狼藉在地
是二王子　見是事已　心更悶絕　自躄於地
以灰塵土　自塗坌身　忘失正念　生狂癡心
所將侍從　覩見是事　亦生悲慟　失聲號哭
尋以冷水　共相噴灑　然後蘇息　而復得起
是時王子　當捨身時　正值後宮　妃后婇女
眷屬五百　共相娛樂　王妃是時　兩乳汁出
一切支節　痛如針刺　心生愁惱　以喪愛子
於是王妃　疾至王所　其聲微細　悲泣而言
大王今當　諦聽諦聽　憂愁盛大　今來燒我
我今二乳　俱時汁出　身體苦切　如被針刺
我見如是　不祥瑞相　恐更不復　見所愛子
今以身命　奉上大王　願速遣人　求覓我子
夢三鴿鶵　在我懷抱　其最小者　可適我心
有鷹飛來　奪我而去　夢是事已　即生憂惱
我今愁怖　恐命不濟　願速遣人　推求我子
是時王妃　說是語已　即時悶絕　而復躄地
王聞是語　復生憂惱　以不得見　所愛子故
其王大臣　及諸眷屬　悉皆聚集　在王左右
哀哭悲號　聲動天地　尒時城內　所有人民
聞是聲已　驚愕而出　各相謂言　今是王子
為活來耶　為已死亡　如是大士　常出濡語
為眾所愛　今難可見　已有諸人　入林推求
不久自當　得定消息　諸人尒時　憧惶如是
而復悲號　哀動神祇
尒時大王　即從座起　以水灑妃　良久乃蘇
[illegible]

BD01752號　合部金光明經卷八　（16-7）

爲衆所愛　今難可見　已有諸人　入林推求
不久自當　得定消息　諸人尒時　慞惶如是
而復悲號　哀動神祇
尒時大王　即從座起　以水灑妃　良久乃穌
還得正念　微聲問王　我子今者　爲死活耶
尒時王妃　念其子故　倍復懊惱　心無暫捨
可惜我子　形色端政　如何一旦　捨我終亡
云何我身　不先斃沒　而見如是　諸苦惱事
善子妙色　猶淨蓮華　誰壞汝身　使令分離
將非是我　昔日怨讎　挾本業緣　而殺汝耶
我子面目　淨如滿月　不圖一旦　遇斯禍對
寧使我身　破碎如塵　不令我子　喪失身命
我所見夢　已爲得報　值我無情　能堪是苦
如我所夢　牙齒墮落　二乳一時　汁自流出
必定是我　失所愛子　夢三鴿鷄　鷹奪一去
三子之中　必定失一
尒時大王　即告其妃　我今當遣　大臣使者
周遍東西　推求覓子　汝今且可　莫大憂愁
大王如是　慰喻妃已　即便嚴駕　出其宮殿
心生愁惱　憂苦所切　雖在大衆　顏貌憔悴
即出其城　覓所愛子　尒時亦有　無量諸人
哀號動地　尋從王後
是時大王　既出城已　四向顧望　求覓其子
煩惋心亂　靡知所在　宜後遙見　有一信來
頭蒙塵土　血汙其衣　灰糞塗身　悲號而至
尒時大王　摩訶羅陁　見是使已　倍生懊惱
舉手號叫　仰天而哭　先所遣臣　尋復來至

BD01752號　合部金光明經卷八　（16–8）

煩惋心亂　靡知所在　宜後遙見　有一信來
頭蒙塵土　血汙其衣　灰糞塗身　悲號而至
尒時大王　摩訶羅陁　見是使已　倍生懊惱
舉手號叫　仰天而哭　先所遣臣　尋復來至
既至王所　作如是言　願王莫愁　諸子猶在
不久來至　令王得見　須臾之頃　復有臣來
見王愁苦　顏貌憔悴　身所著衣　垢膩塵汙
大王當知　一子已終　二子雖存　哀悴無賴
第三王子　見虎新產　飢窮七日　恐還食子
見是虎已　深生悲心　發大誓願　當度衆生
於未來世　證成菩提　即上高處　投身餓虎
虎飢所逼　便起噉食　一切血肉　已爲都盡
唯有骸骨　狼藉在地　是時大王　聞臣語已
轉復悶絕　失念躄地　憂愁盛火　熾燃其身
諸臣眷屬　亦復如是　以水灑王　良久乃穌
復起舉手　號天而哭　復有臣來　而白王言
向於林中　見二王子　愁憂苦毒　悲號涕哭
迷悶失志　自投於地　臣即求水　灑其身上
良久之頃　乃還穌息　望見四方　大火熾燃
扶持暫起　尋復躄地　舉手悲哀　號天而哭
王復讚歎　其弟功德　是時大王　以離愛子
其心迷沒　氣力惙然　憂惱涕泣　並復思惟
是最小子　我所愛重　無常大鬼　奄便吞食
其餘二子　今雖存在　而爲憂火　之所焚燒
或能爲是　喪失命根　我宜速往　至彼林中
迎載諸子　急還宮殿　其母在後　憂苦逼切
心肝分裂　或能失命　若見二子　慰喻其心
可使終保　餘年壽命　尒時大王　駕乘名象

BD01752號　合部金光明經卷八　（16–9）

或能爲是 喪失命根 我宜速往 至彼林中
迎載諸子 急還宮殿 其母在後 憂苦逼切
心肝分裂 或能失命 若見二子 慰喻其心
可使終保 餘年壽命 尒時大王 駕乘名象
與諸侍從 欲至彼林 即於中路 見其二子
歸天扣地 稱弟名字 時王即前 抱持二子
悲號涕泣 隨路還宮 速令二子 覲見其母
佛告樹神 汝今當知 尒時王子 摩訶薩埵
捨身飼虎 今我身是 尒時大王 摩訶羅陁
於今父王 輸頭檀是 尒時王妃 今摩耶是
第一王子 今彌勒是 第二王子 今調達是
尒時虎者 今瞿夷是 時虎七子 今五比丘
及舍利弗 目揵連是
尒時大王摩訶羅陁及其妃后悲號涕泣悲
皆脫身御服瓔珞與諸大眾往竹林中收其
舍利即於此處起七寶塔是時王子摩訶薩
埵臨捨命時作是誓願願我舍利於未來世
過筭數劫常爲眾生而作佛事說是經時无
量阿僧祇天及人發阿耨多羅三藐三菩提
心樹神是名礼塔往昔因緣尒時佛神力故
是七寶塔即沒不現
金光明經讚佛品第廿三
尒時无量百千万億諸菩薩眾從此世界至
金寶蓋山王如來國土到彼土已五體投地
爲佛作礼却一面立向佛合掌異口同音而
讚嘆曰
如來之身 金色微妙 其明照曜 如金山王

BD01752號 合部金光明經卷八 (16-10)

尒時无量百千万億諸菩薩眾從此世界至
金寶蓋山王如來國土到彼土已五體投地
爲佛作礼却一面立向佛合掌異口同音而
讚嘆曰
如來之身 金色微妙 其明照曜 如金山王
身淨柔濡 如金蓮華 无量妙相 以自莊嚴
隨形之好 光飾其體 淨潔无比 如紫金山
圓足无垢 如淨滿月 其音清徹 妙如梵聲
師子吼聲 大雷震聲 六種清淨 微妙音聲
迦陵頻伽 孔雀之聲 清淨无垢 威德具足
百福相好 莊嚴其身 光明遠照 无有齊限
智慧寂滅 无諸愛習 世尊成就 无量功德
譬如大海 須彌寶山 爲諸眾生 生憐愍心
於未來世 能與快樂 如來所說 第一深義
能令眾生 寂滅安隱 能與眾生 无量快樂
能演无上 甘露妙法 能開无上 甘露法門
能入一切 无患窟宅 能令眾生 悉得解脫
度於三有 无量苦海 安住正道 无諸憂苦
如來世尊 功德智慧 大慈悲力 精進方便
如是无量 不可稱計 我等今者 不能說喻
諸天世人 於无量劫 盡思度量 不能得知
如來所有 功德智慧 无量大海 一渧少分
我今略讚 如來功德 百千億分 不能宣一
若我功德 得聚集者 迴與眾生 證无上道
尒時信相菩薩即於此會從座而起偏袒右
肩右膝著地合掌向佛而說讚言
世尊百福 相好微妙 功德千數 莊嚴其身
色淨遠照 視之无猒 如日千光 彌滿虛空

BD01752號 合部金光明經卷八 (16-11)

尒時信相菩薩即於此會從座而起偏袒右
肩右膝著地合掌向佛而說讚言
世尊百福 相好微妙 功德千數 莊嚴其身
色淨遠照 視之无猒 如日千光 弥滿虛空
光明熾盛 无量无邊 猶如无數 珎寶大聚
其明五色 青紅赤白 瑠璃頗梨 如融真金
光明赫奕 通徹諸山 悉能遠照 无量佛土
能滅衆生 无量苦惱 又與衆生 上妙快樂
諸根清淨 微妙第一 衆生見者 无有猒足
髮紺柔濡 猶孔雀項 如諸蜂王 集在蓮華
清淨大悲 功德莊嚴 无量三昧 及以大慈
如是功德 悉以聚集 相好妙色 嚴飾其身
種種功德 助成菩提
如來悉能 調伏衆生 令心柔濡 受諸快樂
種種深妙 功德莊嚴 亦爲十方 諸佛所讚
其光遠照 遍於諸方 猶如日月 光滿虛空
功德成就 如須弥山 在在亦現 於諸世界
齒白齊密 猶如珂雪 其德如日 處空明顯
眉間豪相 右旋婉轉 光明流出 如瑠璃珠
其色微妙 如日處空
尒時道場 菩提樹神 復說讚曰
南无清淨 无上正覺 甚深妙法 隨順覺了
遠離一切 非法非道 獨拔而出 成佛正覺
知有非有 本性清淨
希有希有 如來功德 希有希有 如來大海
希有希有 如須弥山 希有希有 佛无邊行
希有希有 佛出於世 如優曇華 時一現耳

遠離一切 非法非道 獨拔而出 成佛正覺
知有非有 本性清淨
希有希有 如來功德 希有希有 如來大海
希有希有 如須弥山 希有希有 佛无邊行
希有希有 佛出於世 如優曇華 時一現耳
希有希有 无量大悲 釋迦牟尼 爲人中日
爲欲利益 諸衆生故 宣說如是 妙寶經典
善哉如來 諸根寂滅 而復遊入 善寂大城
无垢清淨 甚深三昧 入於諸佛 所行之處
一切聲聞 身皆空寂 兩足世尊 行處亦空
如是一切 无量諸法 推本性相 亦皆空寂
一切衆生 性相亦空 狂愚心故 不能覺知
我常念佛 樂見世尊 常作誓願 不離佛日
我常於地 長跪合掌 其心戀慕 欲見於佛
我常脩行 窮上大悲 哀泣雨淚 欲見於佛
我常渴仰 欲見於佛 爲是事故 憂火熾燃
唯願世尊 賜我慈悲 清冷法水 以滅是火
世尊慈愍 悲心无量 願使我身 常得見佛
世尊常護 一切人天 是故我今 渴仰欲見
聲聞之身 猶如虛空 焰幻響化 如水中月
衆生之性 如夢所見 如來行處 淨如瑠璃
入於无上 甘露法處 能與衆生 无量快樂
如來行處 微妙甚深 一切衆生 无能知者
五通神仙 及諸聲聞 一切緣覺 亦不能知
我今不疑 佛所行處 唯願慈悲 爲我現身
尒時世尊 從三昧起 以微妙音 而讚嘆言
善哉善哉 樹神善女 汝於今日 快說是言
金光明經付囑品第廿四

五通神仙　及諸聲聞　一切緣覺　亦不能知
我今不長　佛所行處　唯願慈悲　為我現身
爾時世尊從三昧起　以微妙音　而讚嘆言
善哉善哉　樹神善女　汝於今日　快說是言
金光明經付囑品第廿四
爾時世尊告彼大菩薩眾言汝等善丈夫輩
誰能守護此諸如來阿僧祇劫集成菩提於
我滅後以此法本當作廣現令正法久住故
爾時彼菩薩眾中有六十俱致菩薩及六十
俱致天女同以一咽喉聲說如是言世尊我
等堪能守護此諸如來阿僧祇劫集成菩提
於彼後時當作廣現爾時世尊說此伽他
諸佛是實語　安住於實法　彼等實住故　此經增住持
大悲為鎧甲　大慈為安住　彼等慈力故　此經增住持
福聚為鎧甲　智聚所出生　諸眾和合故　此經增住持
降伏諸摩羅　諸論亦破散　已斷於諸見　此經增住持
護世天帝等　諸梵及脩羅　天龍乾闥婆　住持此已作
地住及虛空　所有諸天女　諸佛住持故　已說此行法
梵行相應故　四實已莊嚴　盡四摩羅故　此經增住持
虛空若作色　或色作非色　諸佛所住持　无有能令動
爾時四大天王同以一咽喉聲說此伽他
我等於此經　守護當如是　及子諸眷屬　亦善作守護
若當持此者　菩提已作緣　我當近彼等　四方作守護
爾時天帝向佛說此伽他
我知諸佛恩　導師亦已證　於此勝經典　已說佛出生
我於彼諸佛　報恩當作護　當護如是經　及彼持經者
爾時娑訶世界主大梵天王向佛說此伽他
[illegible]

爾時天帝向佛說此伽他
我知諸佛恩　導師亦已證　於此勝經典　已說佛出生
我於彼諸佛　報恩當作護　當護如是經　及彼持經者
爾時娑訶世界主大梵天王向佛說此伽他
諸定及无量　諸乘及解脫　皆由此經出　已說佛出生
我捨梵處樂　此經所在處　至彼聽聞故　守護當如是
爾時刪兜率多天子向佛說此伽他
若住於菩提　彼當住兜率　此經佛已說　若當有持者
世尊我當能　捨於天福報　閻浮洲內住　當說此行法
爾時商主摩羅子向佛說此伽他
清淨摩羅業　彼不隨摩羅　若當能持此　脩多羅正義
我等於此經　守護當如是　我發精進欲　如是令廣現
爾時摩羅波甲摩向佛說此伽他
我於彼眾生　當不作鄣礙　若當持此者　煩惱皆折伏
摩羅不得便　故說於此經　以佛住持故　我當護彼等
爾時善德天子向佛說此伽他
若諸佛菩提　彼於此經說　若持此經典　彼即供諸佛
我當持此經　為俱致天說　教化向菩提　當聽及敬重
爾時慈氏菩薩向佛說此伽他
不請之朋友　若彼住菩提　守護諸法故　能捨於自體
故我至兜率　如是脩多羅　以佛住持故　我當作廣顯
爾時上座摩訶迦葉波向佛說此伽他
我等少智慧　聲聞乘已說　隨能隨勢力　教師法當持
若有持此經　我當攝受彼　及以堪能辯　與彼作善言
爾時命者阿難陀向佛說此伽他
諸經多千數　我聞教師口　如是等經典　我先未曾聞
我值遇此經　對面已受取　我當作廣顯　欲求於菩提
[illegible]

尒時慈氏菩薩向佛說此伽他
不請之朋友 若彼住菩提 守護諸法故 能捨於自體
故我至兜率 如是脩多羅 以常住持故 我當作廣顯
尒時上座摩訶迦葉波向佛說此伽他
我等少智慧 聲聞乘已說 隨能隨勢力 教師法當持
若有持此經 我當攝受彼 及以堪能辯 與彼作善言
尒時命者阿難陁向佛說此伽他
諸經多千數 我聞教師口 如是等經典 我先未曾聞
我值遇此經 對面已受取 我當作廣顯 欲求於菩提
佛說此時菩提高樹善家天女及彼大辯天
女等功德天女等諸天女及諸天衆釋梵辯
沙門等為首諸天王及彼諸大天衆乾闥婆
阿脩羅等世間於佛所說皆大歡喜
金光明經卷第八

BD01752號　合部金光明經卷八　（16–16）

何名菩薩
親近國王王
外道梵志尼揵子等及造
書及路伽耶陁逆路伽耶陁者亦不親近諸
有兇戲相扠相撲及那羅等種種變現之戲
又不親近旃陁羅及畜猪羊雞狗田獵魰捕
諸惡律儀如是人等或時來者則為說法无
所悕望又不親近求聲聞比丘比丘尼優婆
塞優婆夷亦不問訊若於房中若經行處若
在講堂中不共住止或時來者隨宜說法无
所悕求文殊師利又菩薩摩訶薩不應於女
人身取能生欲想相而為說法亦不樂見若
入他家不與小女處女寡女等共語亦復不
近五種不男之人以為親厚不獨入他家若
有因緣須獨入時但一心念佛若為女人說
法不露齒笑不現胸臆乃至為法猶不親厚
況復餘事不樂畜年少弟子沙彌小兒亦不
樂與同師常好坐禪在於閑處脩攝其心文
殊師利是名初親近處復次菩薩摩訶薩觀
一切法空如實相不顛倒不動不退不轉如虛
空无所有性一切語言道斷不生不出不

BD01753號　妙法蓮華經卷五　（29–1）

况復餘事不樂畜年少弟子沙弥小兒亦不
樂與同師常好坐禪在於閑處脩攝其心文
殊師利是名初親近處復次菩薩摩訶薩觀
一切法空如實相不顛倒不動不退不轉如虛
空无所有性一切語言道斷不生不出不
起无名无相實无所有无量无邊无㝵无障
但以因緣有從顛倒生故說常樂觀如是法
相是名菩薩摩訶薩第二親近處尒時世
尊欲重宣此義而說偈言
若有菩薩 於後惡世 无怖畏心 欲說是經
應入行處 及親近處 常離國王 及國王子
大臣官長 凶險戲者 及旃陀羅 外道梵志
亦不親近 增上慢人 貪著小乘 三藏學者
破戒比丘 名字羅漢 及比丘尼 好戲笑者
深著五欲 求現滅度 諸優婆夷 皆勿親近
若是人等 以好心來 到菩薩所 為聞佛道
菩薩則以 无所畏心 不懷悕望 而為說法
寡女處女 及諸不男 皆勿親近 以為親厚
亦莫親近 屠兒魁膾 田獵漁捕 為利煞害
販肉自活 衒賣女色 如是之人 皆勿親近
凶險相撲 種種嬉戲 諸婬女等 盡勿親近
莫獨屏處 為女說法 若說法時 无得戲笑
入里乞食 將一比丘 若无比丘 一心念佛
是則名為 行處近處 以此二處 能安樂說
又復不行 上中下法 有為无為 實不實法
亦不分別 是男是女 不得諸法 不知不見

BD01753 號　妙法蓮華經卷五　（29–2）

莫獨屏處 為女說法 若說法時 无得戲笑
入里乞食 將一比丘 若无比丘 一心念佛
是則名為 行處近處 以此二處 能安樂說
又復不行 上中下法 有為无為 實不實法
亦不分別 是男是女 不得諸法 不知不見
是則名為 菩薩行處 一切諸法 空无所有
无有常住 亦无起滅 是名智者 所親近處
顛倒分別 諸法有无 是實非實 是生非生
在於閑處 脩攝其心 安住不動 如須弥山
觀一切法 皆无所有 猶如虛空 无有堅固
不生不出 不動不退 常住一相 是名近處
若有比丘 於我滅後 入是行處 及親近處
說斯經時 无有怯弱 菩薩有時 入於靜室
以正憶念 隨義觀法 從禪定起 為諸國王
王子臣民 婆羅門等 開化演暢 說斯經典
其心安隱 无有怯弱 文殊師利 是名菩薩
安住初法 能於後世 說法華經
又文殊師利如來滅後於末法中欲說是經
應住安樂行若口宣說若讀經時不樂說人
及經典過亦不輕慢諸餘法師不說他人好
惡長短於聲聞人亦不稱名說其過惡亦不
稱名讚歎其美又亦不生怨嫌之心善脩如
是安樂心故諸有聽者不逆其意有所難問
不以小乘法荅但以大乘而為解說令得一
切種智尒時世尊欲重宣此義而說偈言

BD01753 號　妙法蓮華經卷五　（29–3）

惡長短於聲聞人亦不稱名說其過惡亦不
稱名讚歎其美又亦不生怨嫌之心善脩如
是安樂心故諸有聽者不逆其意有所難問
不以小乘法荅但以大乘而爲解說令得一
切種智尒時世尊欲重宣此義而說偈言
菩薩常樂　安隱說法　於清淨地　而施床座
以油塗身　澡浴塵穢　著新淨衣　內外俱淨
安處法座　隨問爲說　若有比丘　及比丘尼
諸優婆塞　及優婆夷　國王王子　羣臣士民
以微妙義　和顏爲說　若有難問　隨義而荅
因緣譬喻　敷演分別　以是方便　皆使發心
漸漸增益　入於佛道　除嬾惰意　及懈怠想
離諸憂惱　慈心說法　晝夜常說　无上道教
以諸因緣　无量譬喻　開示衆生　咸令歡喜
衣服卧具　飲食醫藥　而於其中　无所悕望
但一心念　說法因緣　願成佛道　令衆亦尒
是則大利　安樂供養　我滅度後　若有比丘
能演說斯　妙法華經　心无嫉恚　諸惱障礙
亦无憂愁　及罵詈者　又无怖畏　加刀杖等
亦无擯出　安住忍故　智者如是　善脩其心
能住安樂　如我上說　其人功德　千万億劫
筭數譬喻　說不能盡
又文殊師利菩薩摩訶薩於後末世法欲滅
時受持讀誦斯經典者无懷嫉妬諂誑之心
亦勿輕罵學佛道者求其長短若比丘比丘

BD01753號　妙法蓮華經卷五　（29–4）

筭數譬喻　說不能盡
又文殊師利菩薩摩訶薩於後末世法欲滅
時受持讀誦斯經典者无懷嫉妬諂誑之心
亦勿輕罵學佛道者求其長短若比丘比丘
尼優婆塞優婆夷求聲聞者求辟支佛者求
菩薩道者无得惱之令其疑悔語其人言汝
等去道甚遠終不能得一切種智所以者何
汝是放逸之人於道懈怠故又亦不應戲論
諸法有所諍競當於一切衆生起大悲想於
諸如來起慈父想於諸菩薩起大師想於十
方諸大菩薩常應深心恭敬礼拜於一切衆
生平等說法以順法故不多不少乃至深愛
法者亦不爲多說文殊師利是菩薩摩訶薩
於後末世法欲滅時有成就是第三安樂行
者說是法時无能惱亂得好同學共讀誦是
經亦得大衆而來聽受聽已能持持已能誦
誦已能說說已能書若使人書供養經卷恭
敬尊重讚歎尒時世尊欲重宣此義而說偈言
若欲說是經　當捨嫉恚慢　諂誑邪僞心　常脩質直行
不輕蔑於人　亦不戲論法　不令他疑悔　云汝不得佛
是佛子說法　常柔和能忍　慈悲於一切　不生懈怠心
十方大菩薩　愍衆故行道　應生恭敬心　是則我大師
於諸佛世尊　生无上父想　破於憍慢心　說法无障礙
第三法如是　智者應守護　一心安樂行　无量衆所敬
又文殊師利菩薩摩訶薩於後末世法欲滅
時有持是法華經者於在家出家人中生大慈

BD01753號　妙法蓮華經卷五　（29–5）

於諸佛世尊　生无上父想　破於憍慢心　說法无障礙
第三法如是　智者應守護　一心安樂行　无量衆所敬
又文殊師利菩薩摩訶薩於後末世法欲滅
時有持是法華經者於在家出家人中生大慈
心於非菩薩人中生大悲心應作是念如是
之人則為大失如來方便隨宜說法不聞不
知不覺不問不信不解其人雖不問不信不
解是經我得阿耨多羅三藐三菩提時隨在
何地以神通力智慧力引之令得住是法中
文殊師利是菩薩摩訶薩於如來滅後有成
就此第四法者說是法時无有過失常為比
丘比丘尼優婆塞優婆夷國王王子大臣人
民婆羅門居士等供養恭敬尊重讚歎虛空
諸天為聽法故亦常隨侍若在聚落城邑空
閑林中有人來欲難問者諸天晝夜常為法
故而衛護之能令聽者皆得歡喜所以者何
此經是一切過去未來現在諸佛神力所護
故文殊師利是法華經於无量國中乃至名
字不可得聞何況得見受持讀誦文殊師利
譬如強力轉輪聖王欲以威勢降伏諸國而
諸小王不順其命時轉輪王起種種兵而往
討伐王見兵衆戰有功者即大歡喜隨功賞
賜或與田宅聚落城邑或與衣服嚴身之具
或與種種珎寶金銀瑠璃車𤦲馬瑙珊瑚虎
珀象馬車乘奴婢人民唯髻中明珠不以與

BD01753號　妙法蓮華經卷五　　（29–6）

討伐王見兵衆戰有功者即大歡喜隨功賞
賜或與田宅聚落城邑或與衣服嚴身之具
或與種種珎寶金銀瑠璃車𤦲馬瑙珊瑚虎
珀象馬車乘奴婢人民唯髻中明珠不以與
之所以者何獨王頂上有此一珠若以與之
王諸眷屬必大驚恠文殊師利如來亦復如
是以禪定智慧力得法國土王於三界而諸
魔王不肯順伏如來賢聖諸將與之共戰其
有功者心亦歡喜於四衆中為說諸經令其
心悅賜以禪定解脫无漏根力諸法之財又
復賜與涅槃之城言得滅度引導其心令皆
歡喜而不為說是法華經文殊師利如轉輪
王見諸兵衆有大功者心甚歡喜以此難信
之珠久在髻中不妄與人而今與之如來亦
復如是於三界中為大法王以法教化一切
衆生見賢聖軍與五陰魔煩惱魔死魔共戰
有大功勲滅三毒出三界破魔網尒時如來
亦大歡喜此法華經能令衆生至一切智一
切世間多怨難信先所未說而今說之文殊
師利此法華經是諸如來第一之說於諸說
中最為甚深末後賜與如彼強力之王久護
明珠今乃與之文殊師利此法華經諸佛如
來祕密之藏於諸經中最在其上長夜守護
不妄宣說始於今日乃與汝等而敷演之尒
時世尊欲重宣此義而說偈言
……愍一切　乃能演說　佛所讚經

BD01753號　妙法蓮華經卷五　　（29–7）

來祕密之藏於諸經中最在其上長夜守護
不妄宣說始於今日乃與汝等而敷演之尒
時世尊欲重宣此義而說偈言
常行忍辱　哀愍一切　乃能演說　佛所讚經
後末世時　持此經者　於家出家　及非菩薩
應生慈悲　斯等不聞　不信是經　則為大失
我得佛道　以諸方便　為說此法　令住其中
譬如強力　轉輪之王　兵戰有功　賞賜諸物
象馬車乘　嚴身之具　及諸田宅　聚落城邑
或與衣服　種種珍寶　奴婢財物　歡喜賜與
如有勇健　能為難事　王解髻中　明珠與之
如來亦尒　為諸法王　忍辱大力　智慧寶藏
以大慈悲　如法化世　見一切人　受諸苦惱
欲求解脫　與諸魔戰　為是衆生　說種種法
以大方便　說此諸經　既知衆生　得其力已
末後乃為　說是法華　如王解髻　明珠與之
此經為尊　衆經中上　我常守護　不妄開示
今正是時　為汝等說　我滅度後　求佛道者
欲得安隱　演說斯經　應當親近　如是四法
讀是經者　常无憂惱　又无病痛　顏色鮮白
不生貧窮　卑賤醜陋　衆生樂見　如慕賢聖
天諸童子　以為給使　刀杖不加　毒不能害
若人惡罵　口則閉塞　遊行无畏　如師子王
智慧光明　如日之照　若於夢中　但見妙事
見諸如來　坐師子座　諸比丘衆　圍繞說法
又見龍神　阿脩羅等　數如恒沙　恭敬合掌

BD01753號　妙法蓮華經卷五　（29–8）

若人惡罵　口則閉塞　遊行无畏　如師子王
智慧光明　如日之照　若於夢中　但見妙事
見諸如來　坐師子座　諸比丘衆　圍繞說法
又見龍神　阿脩羅等　數如恒沙　恭敬合掌
自見其身　而為說法　又見諸佛　身相金色
放无量光　照於一切　以梵音聲　演說諸法
佛為四衆　說无上法　見身處中　合掌讚佛
聞法歡喜　而為供養　得陀羅尼　證不退智
佛知其心　深入佛道　即為授記　成最正覺
汝善男子　當於來世　得无量智　佛之大道
國土嚴淨　廣大无比　亦有四衆　合掌聽法
又見自身　在山林中　脩習善法　證諸實相
深入禪定　見十方佛
諸佛身金色　百福相莊嚴　聞法為人說　常有是好夢
又夢作國王　捨宮殿眷屬　及上妙五欲　行詣於道場
在菩提樹下　而處師子座　求道過七日　得諸佛之智
成无上道已　起而轉法輪　為四衆說法　經千万億劫
說无漏妙法　度无量衆生　後當入涅槃　如烟盡燈滅
若後惡世中　說是第一法　是人得大利　如上諸功德

妙法蓮華經從地踊出品第十五

尒時他方國土諸來菩薩摩訶薩過八恒河
沙數於大衆中起立合掌作礼而白佛言世尊
若聽我等於佛滅後在此娑婆世界勤加精
進護持讀誦書寫供養是經典者當於此土
而廣說之尒時佛告諸菩薩摩訶薩衆止善

BD01753號　妙法蓮華經卷五　（29–9）

沙數於大衆中起合掌作礼而白佛言世尊
若聽我等於佛滅後在此娑婆世界勤加精
進護持讀誦書寫供養是經典者當於此土
而廣說之尒時佛告諸菩薩摩訶薩衆止善
男子不須汝等護持此經所以者何我娑婆
世界自有六万恒河沙等菩薩摩訶薩一一
菩薩各有六万恒河沙眷屬是諸人等能於
我滅後護持讀誦廣說此經佛說是時娑婆
世界三千大千國土地皆震裂而於其中有
无量千万億菩薩摩訶薩同時踊出是諸菩
薩身皆金色三十二相无量光明先盡在此
娑婆世界之下此界虛空中住是諸菩薩聞
釋迦牟尼佛所說音聲從下發來一一菩薩
皆是大衆唱導之首各將六万恒河沙眷屬
况將五万四万三万二万一万恒河沙等眷
屬者况復乃至一恒河沙半恒河沙四分之
一乃至千万億那由他分之一况復千万億
那由他眷屬况復億万眷屬况復千万百万
乃至一万况復一千一百乃至一十况復將
五四三二一弟子者况復單己樂遠離行如
是等比无量无邊筭數譬喻所不能知是諸
菩薩從地出已各詣虛空七寶妙塔多寶如
來釋迦牟尼佛所到已向二世尊頭面礼足
及至諸寶樹下師子座上佛所亦皆作礼右
繞三帀合掌恭敬以諸菩薩種種讚法而以
讚歎住在一面欣樂瞻仰於二世尊是諸菩

BD01753號　妙法蓮華經卷五　（29-10）

來釋迦牟尼佛所到已向二世尊頭面礼足
及至諸寶樹下師子座上佛所亦皆作礼右
繞三帀合掌恭敬以諸菩薩種種讚法而以
讚歎住在一面欣樂瞻仰於二世尊是諸菩
薩摩訶薩從初踊出以諸菩薩種種讚法而
讚於佛如是時間經五十小劫是時釋迦牟
尼佛默然而坐及諸四衆亦皆默然五十小
劫佛神力故令諸大衆謂如半日尒時四衆
亦以佛神力故見諸菩薩遍滿无量百千万
億國土虛空是菩薩衆中有四導師一名上
行二名无邊行三名淨行四名安立行是四
菩薩於其衆中最為上首唱導之師在大衆
前各共合掌觀釋迦牟尼佛而問訊言世尊
少病少惱安樂行不所應度者受教易不不
令世尊生疲勞耶尒時四大菩薩而說偈言
世尊安樂　少病少惱　教化衆生　得无疲惓
又諸衆生　受化易不　不令世尊　生疲勞耶
尒時世尊於菩薩大衆中而作是言如是如
是諸善男子如來安樂少病少惱諸衆生等
易可化度无有疲勞所以者何是諸衆生世
世已來常受我化亦於過去諸佛供養尊重
種諸善根此諸衆生始見我身聞我所說即
皆信受入如來慧除先脩習學小乘者如是
之人我今亦令得聞是經入於佛慧尒時諸
大菩薩而說偈言

BD01753號　妙法蓮華經卷五　（29-11）

種諸善根此諸衆生始見我身聞我所說即
皆信受入如来慧除先脩習學小乘者如是
之人我今亦令得聞是經入於佛慧尒時諸
大菩薩而說偈言
善哉善哉　大雄世尊　諸衆生等　易可化度
能問諸佛　甚深智慧　聞已信行　我等隨喜
於時世尊讚歎上首諸大菩薩善哉善哉善
男子汝等能於如来發隨喜心尒時弥勒菩
薩及八千恒河沙諸菩薩衆皆作是念我等
從昔已来不見不聞如是大菩薩摩訶薩衆
從地踊出住世尊前合掌供養問訊如来時
弥勒菩薩摩訶薩知八万恒河沙諸菩薩等
心之所念并欲自決所疑合掌向佛以偈問曰
无量千万億　大衆諸菩薩　昔所未曾見　願兩足尊說
是從何所来　以何因緣集　巨身大神通　智慧叵思議
其志念堅固　有大忍辱力　衆生所樂見　為從何所来
一一諸菩薩　所將諸眷屬　其數无有量　如恒河沙等
或有大菩薩　將六万恒沙　如是諸大衆　一心求佛道
是諸大師等　六万恒河沙　倶来供養佛　及護持此經
將五万恒沙　其數過於是　四万及三万　二万至一万
一千一百等　乃至一恒沙　半及三四分　億万分之一
千万那由他　万億諸弟子　乃至於半億　其數復過上
百万至一万　一千及一百　五十與一十　乃至三二一
單已无眷屬　樂於獨處者　倶来至佛所　其數轉過上
如是諸大衆　若人行籌數　過於恒沙劫　猶不能盡知

千万那由他　万億諸弟子　乃至於半億　其數復過上
百万至一万　一千及一百　五十與一十　乃至三二一
單已无眷屬　樂於獨處者　倶来至佛所　其數轉過上
如是諸大衆　若人行籌數　過於恒沙劫　猶不能盡知
是諸大威德　精進菩薩衆　誰為其說法　教化而成就
從誰初發心　稱揚何佛法　受持行誰經　脩習何佛道
如是諸菩薩　神通大智力　四方地震裂　皆從中踊出
世尊我昔来　未曾見是事　願說其所從　國土之名号
我常遊諸國　未曾見是衆　我於此衆中　乃不識一人
忽然從地出　願說其因緣　今此之大會　无量百千億
是諸菩薩等　皆欲知此事　是諸菩薩衆　本末之因緣
无量德世尊　唯願決衆疑
尒時釋迦牟尼佛分身諸佛從无量千万億
他方國土来者在於八方諸寶樹下師子座
上結加趺坐其佛侍者各各見是菩薩大衆
於三千大千世界四方從地踊出住於虛空
各白其佛言世尊此諸无量无邊阿僧祇菩
薩大衆從何所来尒時諸佛各告侍者諸善
男子且待須臾有菩薩摩訶薩名弥勒釋迦
牟尼佛之所授記次後作佛已問斯事佛今
荅之汝等自當因是得聞尒時釋迦牟尼佛
告弥勒菩薩善哉善哉阿逸多乃能問佛如
是大事汝等當共一心被精進鎧發堅固意
如来今欲顯發宣示諸佛智慧諸佛自在神
通之力諸佛師子奮迅之力諸佛威猛大勢

告弥勒菩薩善哉善我阿逸多乃能問佛如
是大事汝等當共一心披精進鎧發堅固意
如来今欲顯發宣示諸佛智慧諸佛自在神
通之力諸佛師子奮迅之力諸佛威猛大勢
之力尒時世尊欲重宣此義而說偈言
當精進一心　我欲說此事　勿得有疑悔　佛智叵思議
汝今出信力　住於忍辱中　昔所未聞法　今皆當得聞
我今安慰汝　勿得懷疑懼　佛无不實語　智慧不可量
所得第一法　甚深叵分別　如是今當說　汝等一心聽
尒時世尊說此偈已告弥勒菩薩我今於此
大衆宣告汝等阿逸多是諸大菩薩摩訶薩
无量无數阿僧祇從地踊出汝等昔所未見
者我於是娑婆世界得阿耨多羅三藐三菩
提已教化示導是諸菩薩調伏其心令發道
意此諸菩薩皆於是娑婆世界之下此界虛
空中住於諸經典讀誦通利思惟分別正憶
念阿逸多是諸善男子等不樂在衆多有所
說常樂靜處勤行精進未曾休息亦不依止
人天而住常樂深智无有障礙亦常樂於諸
佛之法一心精進求无上慧尒時世尊欲重宣
此義而說偈言
阿逸汝當知　是諸大菩薩　從无數劫来　脩習佛智慧
悉是我所化　令發大道心　此等是我子　依止是世界
常行頭陁事　志樂於靜處　捨大衆憒閙　不樂多所說
如是諸子等　學習我道法　晝夜常精進　為求佛道故

BD01753號　妙法蓮華經卷五　（29–14）

阿逸汝當知　是諸大菩薩　從无數劫来　脩習佛智慧
悉是我所化　令發大道心　此等是我子　依止是世界
常行頭陁事　志樂於靜處　捨大衆憒閙　不樂多所說
如是諸子等　學習我道法　晝夜常精進　為求佛道故
在娑婆世界　下方空中住　志念力堅固　常勤求智慧
說種種妙法　其心无所畏　我於伽耶城　菩提樹下坐
得成最正覺　轉无上法輪　尒乃教化之　令初發道心
今皆住不退　悉當得成佛　我今說實語　汝等一心信
我從久遠来　教化是等衆
尒時弥勒菩薩摩訶薩及无數諸菩薩等心
生疑惑怪未曾有而作是念云何世尊於少
時間教化如是无量无邊阿僧祇諸大菩薩
令住阿耨多羅三藐三菩提即白佛言世尊
如来為太子時出於釋宮去伽耶城不遠坐
於道場得成阿耨多羅三藐三菩提從是已
来始過四十餘年世尊云何於此少時大作
佛事以佛勢力以佛功德教化如是无量大
菩薩衆當成阿耨多羅三藐三菩提世尊此
大菩薩衆假使有人於千万億劫數不能盡
不得其邊斯等久遠已来於无量无邊諸佛
所殖諸善根成就菩薩道常脩梵行世尊如
此之事世所難信譬如有人色美髮黑年二
十五指百歲人言是我子其百歲人亦指年
少言是我父生育我等是事難信佛亦如是
得道已来其實未久而此大衆諸菩薩等已

BD01753號　妙法蓮華經卷五　（29–15）

山之事世所難信譬如有人色美髮黑年二
十五指百歲人言是我子其百歲人亦指年
少言是我父生育我等是事難信佛亦如是
得道已来其實未久而此大衆諸菩薩等已
於无量千万億劫為佛道故勤行精進善入
出住无量百千万億三昧得大神通久脩梵
行善能次第習諸善法巧於問荅人中之寶
一切世間甚為希有今日世尊方云得佛道
時初令發心教化示導令向阿耨多羅三藐
三菩提世尊得佛未久乃能作此大功德事
我等雖復信佛隨宜所說佛所出言未曾虛
妄佛所知者皆悉通達然諸新發意菩薩於
佛滅後若聞是語或不信受而起破法罪業
因緣唯然世尊願為解說除我等疑及未来
世諸善男子聞此事已亦不生疑尒時弥勒
菩薩欲重宣此義而說偈言
佛昔從釋種　出家近伽耶　坐於菩提樹　尒来尚未久
此諸佛子等　其數不可量　久已行佛道　住神通智力
善學菩薩道　不染世間法　如蓮華在水　從地而踊出
皆起恭敬心　住於世尊前　是事難思議　云何而可信
佛得道甚近　所成就甚多　願為除衆疑　如實分別說
譬如少壯人　年如二十五　示人百歲子　髮白而面皺
是等我所生　子亦說是父　父少而子老　舉世所不信
世尊亦如是　得道来甚近　是諸菩薩等　志固无怯弱
從无量劫来　而行菩薩道　巧於難問荅　其心无所畏
忍辱心決定　端正有威德　十方佛所讚　善能分別說

是等我所生　子亦說是父　父少而子老　舉世所不信
世尊亦如是　得道来甚近　是諸菩薩等　志固无怯弱
從无量劫来　而行菩薩道　巧於難問荅　其心无所畏
忍辱心決定　端正有威德　十方佛所讚　善能分別說
不樂在人衆　常好在禪定　為求佛道故　於下空中住
我等從佛聞　於此事无疑　願佛為未来　演說令開解
若有於此經　生疑不信者　即當墮惡道　願今為解說
是无量菩薩　云何於少時　教化令發心　而住不退地
妙法蓮華經如来壽量品第十六
尒時佛告諸菩薩及一切大衆諸善男子汝等
當信解如来誠諦之語復告大衆汝等當
信解如来誠諦之語又復告諸大衆汝等當
信解如来誠諦之語是時菩薩大衆弥勒為
首合掌白佛言世尊唯願說之我等當信受
佛語如是三白已復言唯願說之我等當信
受佛語尒時世尊知諸菩薩三請不止而告
之言汝等諦聽如来祕密神通之力一切世
間天人及阿脩羅皆謂今釋迦牟尼佛出釋
氏宮去伽耶城不遠坐於道場得阿耨多羅
三藐三菩提然善男子我實成佛已来无量
无邊百千万億那由他劫譬如五百千万億
那由他阿僧祇三千大千世界假使有人末
為微塵過於東方五百千万億那由他阿僧
祇國乃下一塵如是東行盡是微塵諸善男
子於意云何是諸世界可得思惟校計知其
[illegible]

那由他阿僧祇三千大千世界假使有人末
為微塵過於東方五百千万億那由他阿僧
祇國乃下一塵如是東行盡是微塵諸善男
子於意云何是諸世界可得思惟校計知其
數不弥勒菩薩等俱白佛言世尊是諸世界
无量无邊非筭數所知亦非心力所及一切
聲聞辟支佛以无漏智不能思惟知其限數
我等住阿惟越致地於是事中亦所不達世
尊如是諸世界无量无邊尒時佛告大菩薩
衆諸善男子今當分明宣語汝等是諸世界
若着微塵及不著者盡以為塵一塵一劫我
成佛已來復過於此百千万億那由他阿僧
祇劫自從是來我常在此娑婆世界說法教
化亦於餘處百千万億那由他阿僧祇國導
利衆生諸善男子於是中間我說然燈佛等
又復言其入於涅槃如是皆以方便分別諸
善男子若有衆生來至我所我以佛眼觀其
信等諸根利鈍隨所應度處處自說名字不
同年紀大小亦復現言當入涅槃又以種種
方便說微妙法能令衆生發歡喜心諸善男
子如來見諸衆生樂於小法德薄垢重者為
是人說我少出家得阿耨多羅三藐三菩提
然我實成佛已來久遠若斯但以方便教化
衆生令入佛道作如是說諸善男子如來所
演經典皆為度脫衆生或說己身或說他身
[illegible]

BD01753號　妙法蓮華經卷五　（29–18）

然我實成佛已來久遠若斯但以方便教化
衆生令入佛道作如是說諸善男子如來所
演經典皆為度脫衆生或說己身或說他身
或示己身或示他身或示己事或示他事諸
所言說皆實不虛所以者何如來如實知見
三界之相无有生死若退若出亦无在世及
滅度者非實非虛非如非異不如三界見於
三界如斯之事如來明見无有錯謬以諸衆
生有種種性種種欲種種行種種憶想分別
故欲令生諸善根以若干因緣譬喻言辭種
種說法所作佛事未曾暫廢如是我成佛已
來甚大久遠壽命无量阿僧祇劫常住不滅
諸善男子我本行菩薩道所成壽命今猶未
盡復倍上數然今非實滅度而便唱言當取
滅度如來以是方便教化衆生所以者何若
佛久住於世薄德之人不種善根貧窮下賤
貪著五欲入於憶想妄見網中若見如來常
在不滅便起憍恣而懷厭怠不能生難遭之
想恭敬之心是故如來以方便說比丘當知
諸佛出世難可值遇所以者何諸薄德人過
无量百千万億劫或有見佛或不見者以此
事故我作是言諸比丘如來難可得見斯衆
生等聞如是語必當生於難遭之想心懷戀
慕渴仰於佛便種善根是故如來雖不實滅
而言滅度又善男子諸佛如來法皆如是為

BD01753號　妙法蓮華經卷五　（29–19）

事故我作是言諸比丘如来難可得見斯衆
生等聞如是語必當生於難遭之想心懷戀
慕渴仰於佛便種善根是故如来雖不實滅
而言滅度又善男子諸佛如来法皆如是為
度衆生皆實不虚譬如良醫智慧聰達明練
方藥善治衆病其人多諸子息若十二十乃
至百數以有事緣遠至餘國諸子於後飲他
毒藥藥發悶亂宛轉于地是時其父還来歸
家諸子飲毒或失本心或不失者遥見其父
皆大歡喜拜跪問訊善安隱歸我等愚癡誤
服毒藥願見救療更賜壽命父見子等苦惱
如是依諸經方求好藥草色香美味皆悉具
足擣篩和合與子令服而作是言此大良藥
色香美味皆悉具足汝等可服速除苦惱无
復衆患其諸子中不失心者見此良藥色香
俱好即便服之病盡除愈餘失心者見其父
来雖亦歡喜問訊求索治病然與其藥而不
肯服所以者何毒氣深入失本心故於此好色
香藥而謂不美父作是念此子可愍為毒
所中心皆顛倒雖見我喜求索救療如是好
藥而不肯服我今當設方便令服此藥即作
是言汝等當知我今衰老死時已至是好良
藥今留在此汝可取服勿憂不差作是教已
復至他國遣使還告汝父已死是時諸子聞
父背喪心大憂惱而作是念若父在者慈愍

是言汝等當知我今衰老死時已至是好良
藥今留在此汝可取服勿憂不差作是教已
復至他國遣使還告汝父已死是時諸子聞
父背喪心大憂惱而作是念若父在者慈愍
我等能見救護今者捨我遠喪他國自惟孤
露无復恃怙常懷悲感心遂醒悟乃知此藥
色味香美即取服之毒病皆愈其父聞子悉
已得差尋便来歸咸使見之諸善男子於意
云何頗有人能説此良醫虚妄罪不不也世
尊佛言我亦如是成佛已来无量无邊百千
万億那由他阿僧祇劫為衆生故以方便力
言當滅度亦无有能如法説我虚妄過者尒
時世尊欲重宣此義而説偈言

自我得佛来　所經諸劫數　无量百千万　億載阿僧祇
常説法教化　无數億衆生　令入於佛道　尒来无量劫
為度衆生故　方便現涅槃　而實不滅度　常住此説法
我常住於此　以諸神通力　令顛倒衆生　雖近而不見
衆見我滅度　廣供養舍利　咸皆懷戀慕　而生渴仰心
衆生既信伏　質直意柔軟　一心欲見佛　不自惜身命
時我及衆僧　俱出靈鷲山　我時語衆生　常在此不滅
以方便力故　現有滅不滅　餘國有衆生　恭敬信樂者
我復於彼中　為説无上法　汝等不聞此　但謂我滅度
我見諸衆生　没在於苦惱　故不為現身　令其生渴仰
因其心戀慕　乃出為説法　神通力如是　於阿僧祇劫
常在靈鷲山　及餘諸住處　衆生見劫盡　大火所燒時

我見諸衆生 没在於苦惱 故不為現身 令其生渴仰
因其心戀慕 乃出為說法 神通力如是 於阿僧祇劫
常在靈鷲山 及餘諸住處 衆生見劫盡 大火所燒時
我此土安隱 天人常充滿 園林諸堂閣 種種寶莊嚴
寶樹多華菓 衆生所遊樂 諸天擊天鼓 常作衆伎樂
雨曼陁羅華 散佛及大衆 我淨土不毀 而衆見燒盡
憂怖諸苦惱 如是悉充滿 是諸罪衆生 以惡業因緣
過阿僧祇劫 不聞三寶名 諸有脩功德 柔和質直者
則皆見我身 在此而說法 或時為此衆 說佛壽无量
久乃見佛者 為說佛難值 我智力如是 慧光照无量
壽命无數劫 久脩業所得 汝等有智者 勿於此生疑
當斷令永盡 佛語實不虛 如醫善方便 為治狂子故
實在而言死 无能說虛妄 我亦為世父 救諸苦患者
為凡夫顛倒 實在而言滅 以常見我故 而生憍恣心
放逸著五欲 墮於惡道中 我常知衆生 行道不行道
隨應所可度 為說種種法 每自作是意 以何令衆生
得入无上道 速成就佛身

妙法蓮華經分別功德品第十七

尒時大會聞佛說壽命劫數長遠如是无量
无邊阿僧祇衆生得大饒益於時世尊告彌
勒菩薩摩訶薩阿逸多我說是如來壽命長
遠時六百八十万億那由他恒河沙衆生得
无生法忍復千倍菩薩摩訶薩得聞持陁羅
尼門復有一世界微塵數菩薩摩訶薩得樂
說无礙辯才復有一世界微塵數菩薩摩訶

BD01753號　妙法蓮華經卷五

(29–22)

勒菩薩摩訶薩阿逸多我說是如來壽命長
遠時六百八十万億那由他恒河沙衆生得
无生法忍復千倍菩薩摩訶薩得聞持陁羅
尼門復有一世界微塵數菩薩摩訶薩得樂
說无礙辯才復有一世界微塵數菩薩摩訶
薩得百千万億无量旋陁羅尼復有三千大
千世界微塵數菩薩摩訶薩能轉不退法輪
復有二千中國土微塵數菩薩摩訶薩能轉
清淨法輪復有小千國土微塵數菩薩摩訶
薩八生當得阿耨多羅三藐三菩提復有四
四天下微塵數菩薩摩訶薩四生當得阿耨
多羅三藐三菩提復有三四天下微塵數菩
薩摩訶薩三生當得阿耨多羅三藐三菩提
復有二四天下微塵數菩薩摩訶薩二生當
得阿耨多羅三藐三菩提復有一四天下微
塵數菩薩摩訶薩一生當得阿耨多羅三藐
三菩提復有八世界微塵數衆生皆發阿耨
多羅三藐三菩提心佛說是諸菩薩摩訶薩
得大法利時於虛空中雨曼陁羅華摩訶曼
陁羅華以散无量百千万億寶樹下師子座
上諸佛并散七寶塔中師子座上釋迦牟尼
佛及久滅度多寶如來亦散一切諸大菩薩
及四部衆又雨細末栴檀沈水香等於虛空
中天鼓自鳴妙聲深遠又雨千種天衣垂諸
瓔珞真珠瓔珞摩尼珠瓔珞如意珠瓔珞遍
於九方衆寶香爐燒无價香自然周[illegible]

BD01753號　妙法蓮華經卷五

(29–23)

及四部衆又雨細末栴檀沉水香等於虛空
中天鼓自鳴妙聲深遠又雨千種天衣垂諸
瓔珞真珠瓔珞摩尼珠瓔珞如意珠瓔珞遍
於九方衆寶香爐燒无價香自然周至供養
大會一一佛上有諸菩薩執持幡蓋次第而
上至于梵天是諸菩薩以妙音聲歌无量頌
讚歎諸佛尒時彌勒菩薩從座而起偏袒右
肩合掌向佛而說偈言

佛說希有法　昔所未曾聞　世尊有大力　壽命不可量
无數諸佛子　聞世尊分別　說得法利者　歡喜充遍身
或住不退地　或得陁羅尼　或无礙樂說　万億旋總持
或有大千界　微塵數菩薩　各各皆能轉　不退之法輪
或有中千界　微塵數菩薩　各各皆能轉　清淨之法輪
復有小千界　微塵數菩薩　餘各八生在　當得成佛道
復有四三二　如是四天下　微塵諸菩薩　隨數生成佛
或一四天下　微塵數菩薩　餘有一生在　當成一切智
如是等衆生　聞佛壽長遠　得无量无漏　清淨之果報
復有八世界　微塵數衆生　聞佛說壽命　皆發无上心
世尊說无量　不可思議法　多有所饒益　如虛空无邊
雨天曼陁羅　摩訶曼陁羅　釋梵如恒沙　无數佛土來
雨栴檀沉水　繽紛而亂墜　如鳥飛空下　供散於諸佛
天鼓虛空中　自然出妙聲　天衣千万種　旋轉而來下
衆寶妙香爐　燒无價之香　自然悉周遍　供養諸世尊
其大菩薩衆　執七寶幡蓋　高妙万億種　次第至梵天
一一諸佛前　寶幢懸勝幡　亦以千万偈　歌詠諸如來

BD01753號　妙法蓮華經卷五　（29–24）

天鼓虛空中　自然出妙聲　天衣千万種　旋轉而來下
衆寶妙香爐　燒无價之香　自然悉周遍　供養諸世尊
其大菩薩衆　執七寶幡蓋　高妙万億種　次第至梵天
一一諸佛前　寶幢懸勝幡　亦以千万偈　歌詠諸如來
如是種種事　昔所未曾有　聞佛壽无量　一切皆歡喜
佛名聞十方　廣饒益衆生　一切具善根　以助无上心

尒時佛告彌勒菩薩摩訶薩阿逸多其有衆
生聞佛壽命長遠如是乃至能生一念信解
所得功德无有限量若有善男子善女人爲
阿耨多羅三藐三菩提於八十万億那由他
劫行五波羅蜜檀波羅蜜尸羅波羅蜜羼提
波羅蜜毗梨耶波羅蜜禪波羅蜜除般若波
羅蜜以是功德比前功德百分千分百千万
億分不及其一乃至筭數譬喻所不能知若
善男子有如是功德於阿耨多羅三藐三菩
提退者无有是處尒時世尊欲重宣此義而
說偈言

若人求佛慧　於八十万億　那由他劫數　行五波羅蜜
於是諸劫中　布施供養佛　及緣覺弟子　并諸菩薩衆
珍異之飲食　上服與卧具　栴檀立精舍　以園林莊嚴
如是等布施　種種皆微妙　盡此諸劫數　以迴向佛道
若復持禁戒　清淨无缺漏　求於无上道　諸佛之所歎
若復行忍辱　住於調柔地　設衆惡來加　其心不傾動
諸有得法者　懷於增上慢　爲此所輕惱　如是亦能忍
若復勤精進　志念常堅固　於无量億劫　一心不懈息

BD01753號　妙法蓮華經卷五　（29–25）

若復持禁戒　清淨无缺漏　求於无上道　諸佛之所歎
若復行忍辱　住於調柔地　設衆惡來加　其心不傾動
諸有得法者　懷於增上慢　為此所輕惱　如是亦能忍
若復勤精進　志念常堅固　於无量億劫　一心不懈息
又於无數劫　住於空閑處　若坐若經行　除睡常攝心
以是因緣故　能生諸禪定　八十億万劫　安住心不亂
持此一心福　願求无上道　我得一切智　盡諸禪定際
是人於百年　万億劫數中　行此諸功德　如上之所說
有善男女等　聞我說壽命　乃至一念信　其福過於彼
若人悉无有　一切諸疑悔　深心須臾信　其福為如此
其有諸菩薩　无量劫行道　聞我說壽命　是則能信受
如是諸人等　頂受此經典　願我於未來　長壽度衆生
如今日世尊　諸釋中之王　道場師子吼　說法无所畏
我等未來世　一切所尊敬　坐於道場時　說壽亦如是
若有深心者　清淨而質直　多聞能總持　隨義解佛語
如是諸人等　於此无有疑
又阿逸多若有聞佛壽命長遠解其言趣是
人所得功德无有限量能起如來无上之慧
何況廣聞是經若教人聞若自持若教人持
若自書若教人書若以華香瓔珞幢幡繒蓋
香油蘇燈供養經卷是人功德无量无邊能
生一切種智阿逸多若善男子善女人聞我
說壽命長遠深心信解則為見佛常在耆闍
崛山共大菩薩諸聲聞衆圍繞說法又見此
娑婆世界其地瑠璃坦然平正閻浮檀金以

BD01753號　妙法蓮華經卷五　（29–26）

生一切種智阿逸多若善男子善女人聞我
說壽命長遠深心信解則為見佛常在耆闍
崛山共大菩薩諸聲聞衆圍繞說法又見此
娑婆世界其地瑠璃坦然平正閻浮檀金以
界八道寶樹行列諸臺樓觀皆悉寶成其菩
薩衆咸處其中若有能如是觀者當知是為
深信解相又復如來滅後若聞是經而不毀
呰起隨喜心當知已為深信解相何況讀誦
受持之者斯人則為頂戴如來阿逸多是善
男子善女人不須為我復起塔寺及作僧坊
以四事供養衆僧所以者何是善男子善女
人受持讀誦是經典者為已起塔造立僧坊
供養衆僧則為以佛舍利起七寶塔高廣漸
小至于梵天懸諸幡蓋及衆寶鈴華香瓔珞
末香塗香燒香衆鼓伎樂簫笛箜篌種種舞
戲以妙音聲歌唄讚頌則為於无量千万億
劫作是供養已阿逸多若我滅後聞是經典
有能受持若自書若教人書則為起立僧坊
以赤栴檀作諸殿堂三十有二高八多羅樹
高廣嚴好百千比丘於其中止園林浴池經
行禪窟衣服飲食床褥湯藥一切樂具充滿
其中如是僧坊堂閣若干百千万億其數无
量以此現前供養於我及比丘僧是故我說
如來滅後若有受持讀誦為他人說若自書
若教人書供養經卷不須復起塔寺及造僧

BD01753號　妙法蓮華經卷五　（29–27）

[illegible]是故我說
如来滅後若有受持讀誦為他人說若自書
若教人書供養經卷不須復起塔寺及造僧
坊供養衆僧况復有人能持是經兼行布施
持戒忍辱精進一心智慧其德最勝无量无
邊譬如虚空東西南北四維上下无量无邊
是人功德亦復如是无量无邊疾至一切種
智若人讀誦受持是經為他人說若自書若
教人書復能起塔及造僧坊供養讚歎聲聞
衆僧亦以百千万億讚歎之法讚歎菩薩功
德又為他人種種因緣隨義解說此法華經
復能清淨持戒與柔和者而共同止忍辱无
瞋志念堅固常貴坐禪得諸深定精進勇猛
攝諸善法利根智慧善答問難阿逸多若我
滅後諸善男子善女人受持讀誦是經典者
復有如是諸善功德當知是人已趣道場近
阿耨多羅三藐三菩提坐道樹下阿逸多是
善男子若坐若立若經行處此中便應起塔一
切天人皆應供養如佛之塔尒時世尊欲重
宣此義而說偈言
若我滅度後　能奉持此經　斯人福无量　如上之所說
是則為具足　一切諸供養　以舍利起塔　七寶而莊嚴
表刹甚高廣　漸小至梵天　寶鈴千万億　風動出妙音
又於无量劫　而供養此塔　華香諸瓔珞　天衣衆伎樂
然香油蘇燈　周帀常照明　惡世法末時　能持是經者
則為已如上　具足諸供養　若能持此經　則如佛現在

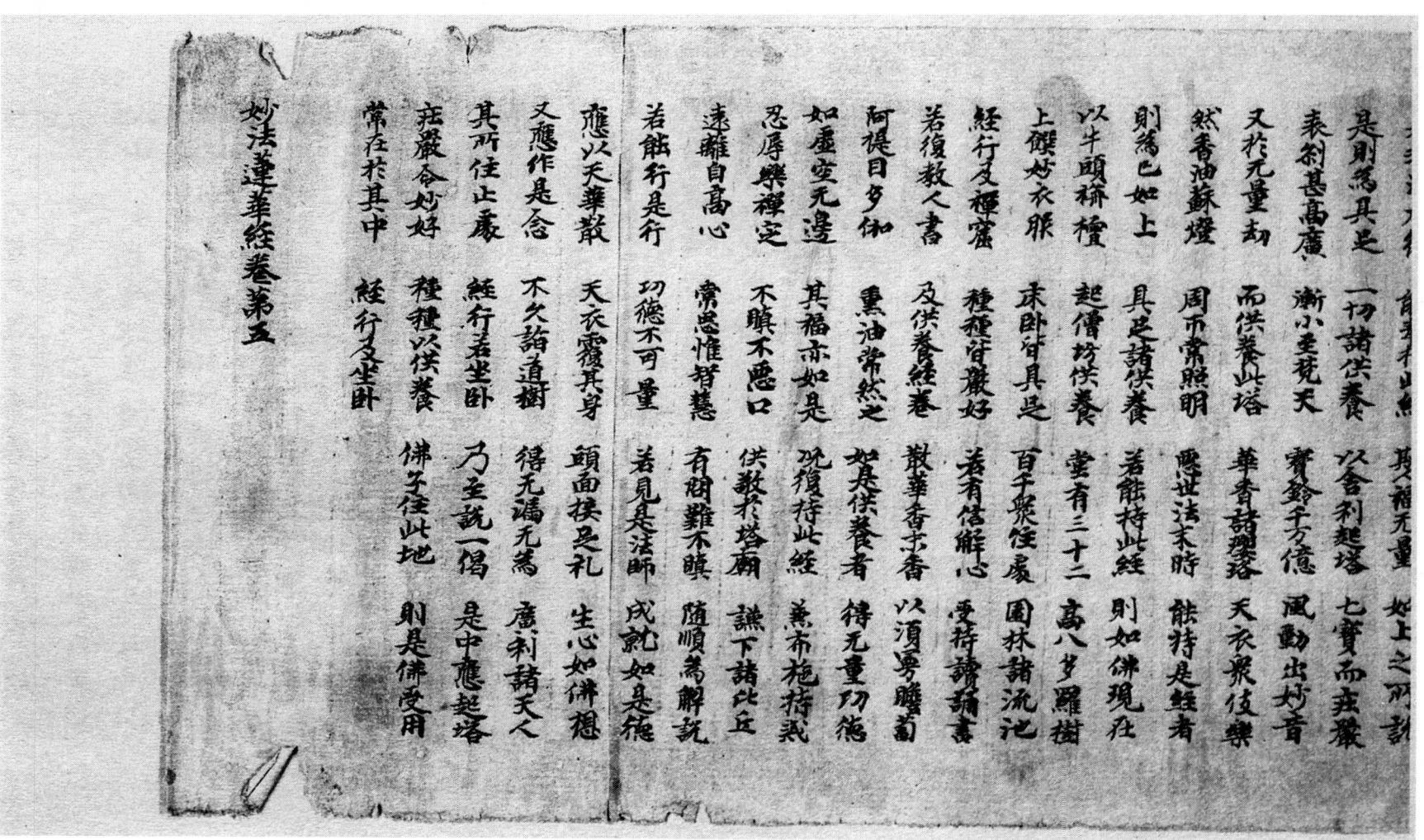

BD01753 號　妙法蓮華經卷五　（29–28）

[illegible]能奉持此經　斯人福无量　如上之所說
是則為具足　一切諸供養　以舍利起塔　七寶而莊嚴
表刹甚高廣　漸小至梵天　寶鈴千万億　風動出妙音
又於无量劫　而供養此塔　華香諸瓔珞　天衣衆伎樂
然香油蘇燈　周帀常照明　惡世法末時　能持是經者
則為已如上　具足諸供養　若能持此經　則如佛現在
以牛頭栴檀　起僧坊供養　堂有三十二　高八多羅樹
上饌妙衣服　床卧皆具足　百千衆住處　園林諸流池
經行及禪窟　種種皆嚴好　若有信解心　受持讀誦書
若復教人書　及供養經卷　散華香末香　以須曼瞻蔔
阿提目多伽　熏油常然之　如是供養者　得无量功德
如虚空无邊　其福亦如是　况復持此經　兼布施持戒
忍辱樂禪定　不瞋不惡口　恭敬於塔廟　謙下諸比丘
遠離自高心　常思惟智慧　有問難不瞋　隨順為解說
若能行是行　功德不可量　若見是法師　成就如是德
應以天華散　天衣覆其身　頭面接足礼　生心如佛想
又應作是念　不久詣道樹　得无漏无為　廣利諸天人
其所住止處　經行若坐卧　乃至說一偈　是中應起塔
莊嚴令妙好　種種以供養　佛子住此地　則是佛受用
常在於其中　經行及坐卧

妙法蓮華經卷第五

BD01753 號　妙法蓮華經卷五　（29–29）

号曰華光如来應供
遍知明行足　世間解无上士調御丈夫
天人師佛世尊國名離垢其土平政清淨嚴
飾安隱豐樂天人熾盛琉璃為地有八交道
黃金為繩以界其側其傍各有七寶行樹常
有華菓華光如来亦以三乘教化衆生舍利
弗彼佛出時雖非惡世以本願故說三乘法
其劫名大寶莊嚴何故名曰大寶莊嚴其國
中以菩薩為大寶故彼諸菩薩无量无邊不
可思議筭數譬喻所不能及非佛智力无
能知者若欲行時寶華承足此諸菩薩非初
發意皆久殖德本於无量百千万億佛所淨
脩梵行恒為諸佛之所稱歎常脩佛慧具大
神通善知一切諸法之門質直无偽志念堅
固如是菩薩充滿其國舍利弗華光佛壽十
二小劫除為王子未作佛時其國人民壽八小
劫華光如来過十二小劫授堅滿菩薩阿耨
多羅三藐三菩提記告諸比丘是堅滿菩薩
次當作佛号曰華足安行多陁阿伽度阿羅
訶三藐三佛陁其佛國土亦復如是舍利弗
是華光佛滅度之後正法住世三十二小劫
像法住世亦三十二小劫尒時世尊欲重宣
此義而說偈言

BD01754 號　妙法蓮華經卷二　（24–1）

次當作佛号曰華足安行多陁阿伽度阿羅
訶三藐三佛陁其佛國土亦復如是舍利弗
是華光佛滅度之後正法住世三十二小劫
像法住世亦三十二小劫尒時世尊欲重宣
此義而說偈言
舍利弗来世　成佛普智尊　号名曰華光　當度无量衆
供養无數佛　具足菩薩行　十力等功德　證於无上道
過无量劫已　劫名大寶嚴　世界名離垢　清淨无瑕穢
以琉璃為地　金繩界其道　七寶雜色樹　常有華菓實
彼國諸菩薩　志念常堅固　神通波羅蜜　皆已悉具足
於无數佛所　善學菩薩道　如是等大士　華光佛所化
佛為王子時　棄國捨世榮　於最末後身　出家成佛道
華光佛住世　壽十二小劫　其國人民衆　壽命八小劫
佛滅度之後　正法住於世　三十二小劫　廣度諸衆生
正法滅盡已　像法三十二　舍利廣流布　天人普供養
華光佛所為　其事皆如是　其兩足聖尊　最勝无倫匹
彼即是汝身　宜應自欣慶
尒時四部衆比丘比丘尼優婆塞優婆夷天
龍夜叉乾闥婆阿脩羅迦樓羅緊那羅摩睺
羅伽等大衆見舍利弗於佛前受阿耨多羅
三藐三菩提記心大歡喜踊躍无量各各脫
身所著上衣以供養佛釋提桓因梵天王等
與无數天子亦以天妙衣天曼陁羅摩訶曼
陁羅華等供養於佛所散天衣住虛空中而
自迴轉諸天伎樂百千万種於虛空中一時
俱作雨衆天華而作是言佛昔於波羅奈初
轉法輪今乃復轉无上最大法輪尒時諸天

BD01754 號　妙法蓮華經卷二　（24–2）

陁羅華等供養於佛所散天衣住虛空中而
自迴轉諸天伎樂百千万種於虛空中一時
俱作雨衆天華而作是言佛昔於波羅柰初
轉法輪今乃復轉无上最大法輪尒時諸天
子欲重宣此義而說偈言
昔於波羅柰　轉四諦法輪　分別說諸法　五衆之生滅
今復轉最妙　无上大法輪　是法甚深奥　少有能信者
我等從昔來　數聞世尊說　未曾聞如是　深妙之上法
世尊說是法　我等皆隨喜　大智舍利弗　今得受尊記
我等亦如是　必當得作佛　於一切世間　最尊无有上
佛道叵思議　方便隨宜說　我所有福業　今世若過世
及見佛功德　盡迴向佛道
尒時舍利弗白佛言世尊我今无復疑悔親
於佛前得受阿耨多羅三藐三菩提記是諸
千二百心自在者昔住學地佛常教化言我
法能離生老病死究竟涅槃是學无學人亦
各自以離我見及有无見等謂得涅槃而今
於世尊前聞所未聞皆墮疑惑善哉世尊願
為四衆說其因緣令離疑悔尒時佛告舍利
弗我先不言諸佛世尊以種種因緣譬喻言
辞方便說法皆為阿耨多羅三藐三菩提耶
是諸所說皆為化菩薩故然舍利弗今當復
以譬喻更明此義諸有智者以譬喻得解舍
利弗若國邑聚落有大長者其年衰邁財冨
无量多有田宅及諸僮僕其家廣大唯有一
門多諸人衆一百二百乃至五百人止住其
中堂閣朽故墻壁頹落柱根腐敗梁棟傾危
周帀俱時欻然火起焚燒舍宅長者諸子若

BD01754號　妙法蓮華經卷二　（24–3）

門多諸人衆一百二百乃至五百人止住其
中堂閣朽故墻壁頹落柱根腐敗梁棟傾危
周帀俱時欻然火起焚燒舍宅長者諸子若
十二十或至三十在此宅中長者見是大火
從四面起即大驚怖而作是念我雖能於此
所燒之門安隱得出而諸子等於火宅內樂
著嬉戲不覺不知不驚不怖火來逼身苦痛
切己心不猒患无求出意舍利弗是長者作
是思惟我身手有力當以衣裓若以几案從
舍出之復更思惟是舍唯有一門而復狹小
諸子幼稚未有所識戀著戲處或當墮落為
火所燒我當為說怖畏之事此舍已燒宜時
疾出无令為火之所燒害作是念已如所思
惟具告諸子汝等速出父雖憐愍善言誘喻
而諸子等樂著嬉戲不肯信受不驚不畏了
无出心亦復不知何者是火何者為舍云何
為失但東西走戲視父而已尒時長者即作
是念此舍已為大火所燒我及諸子若不時
出必為所焚我今當設方便令諸子等得免
斯害父知諸子先心各有所好種種珍玩奇
異之物情必樂著而告之言汝等所可玩好
希有難得汝若不取後必憂悔如此種種羊
車鹿車牛車今在門外可以遊戲汝等於此
火宅宜速出來隨汝所欲皆當與汝尒時諸
子聞父所說珍玩之物適其願故心各勇鋭
互相推排競共馳走爭出火宅是時長者見
諸子等安隱得出皆於四衢道中露地而坐

BD01754號　妙法蓮華經卷二　（24–4）

子聞父所說珍玩之物適其願故心各勇銳
互相推排競共馳走爭出火宅是時長者見
諸子等安隱得出皆於四衢道中露地而坐
无復障礙其心泰然歡喜踊躍時諸子等各
白父言父先所許玩好之具羊車鹿車牛車
願時賜與舍利弗尒時長者各賜諸子等一
大車其車高廣衆寶莊校周帀欄楯四面懸
鈴又於其上張設幰蓋亦以珍奇雜寶而嚴
飾之寶繩交絡垂諸華瓔重敷綩綖安置丹
枕駕以白牛膚色充潔形體姝好有大筋力
行步平正其疾如風又多僕從而侍衛之所
以者何是大長者財富无量種種諸藏悉皆
充溢而作是念我財物无極不應以下劣小
車與諸子等今此幼童皆是吾子愛无偏黨
我有如是七寶大車其數无量應當等心各
各與之不宜差別所以者何以我此物周給
一國猶尚不匱何況諸子是時諸子各乘大
車得未曾有非本所望舍利弗於汝意云何
是長者等與諸子珍寶大車寧有虛妄不舍
利弗言不也世尊是長者但令諸子得免火
難全其軀命非為虛妄何以故若全身命便
為已得玩好之具況復方便於彼火宅而拔
濟之世尊若是長者乃至不與最小一車猶
不虛妄何以故是長者先作是意我以方便
令子得出以是因緣无虛妄也何況長者自
知財富无量欲饒益諸子等與大車佛告舍

BD01754號　妙法蓮華經卷二　（24-5）

濟之世尊若是長者乃至不與最小一車猶
不虛妄何以故是長者先作是意我以方便
令子得出以是因緣无虛妄也何況長者自
知財富无量欲饒益諸子等與大車佛告舍
利弗善哉善哉如汝所言舍利弗如來亦復
如是則為一切世間之父於諸怖畏衰惱憂
患无明闇蔽永盡无餘而悉成就无量知見
力无所畏有大神力及智慧力具足方便智
慧波羅蜜大慈大悲常无懈惓恒求善事利
益一切而生三界朽故火宅為度衆生生老
病死憂悲苦惱愚癡闇蔽三毒之火教化令
得阿耨多羅三藐三菩提見諸衆生為生老
病死憂悲苦惱之所燒煑亦以五欲財利故
受種種苦又以貪著追求故現受衆苦後受
地獄畜生餓鬼之苦若生天上及在人間貧
窮困苦愛別離苦怨憎會苦如是等種種諸
苦衆生沒在其中歡喜遊戲不覺不知不驚
不怖亦不生猒不求解脫於此三界火宅東
西馳走雖遭大苦不以為患舍利弗佛見此
已便作是念我為衆生之父應拔其苦難與
无量无邊佛智慧樂令其遊戲舍利弗如來
復作是念若我但以神力及智慧力捨於方
便為諸衆生讚如來知見力无所畏者衆生
不能以是得度所以者何是諸衆生未免生
老病死憂悲苦惱而為三界火宅所燒何由
能解佛之智慧舍利弗如彼長者雖復身手
有力而不用之但以慇懃方便勉濟諸子火

BD01754號　妙法蓮華經卷二　（24-6）

不能以是得度所以者何是諸衆生未免生
老病死憂悲苦惱而為三界火宅所燒何由
能解佛之智慧舍利弗如彼長者雖復身手
有力而不用之但以慇懃方便勉濟諸子火
宅之難然後各與珍寶大車如來亦復如是
雖有力无所畏而不用之但以智慧方便於三
界火宅拔濟衆生為說三乘聲聞辟支佛
佛乘而作是言汝等莫得樂住三界火宅勿
貪麁弊色聲香味觸也若貪著生愛則為所
燒汝速出三界當得三乘聲聞辟支佛佛乘
我今為汝保任此事終不虛也汝等但當勤
脩精進如來以是方便誘進衆生復作是言
汝等當知此三乘法皆是聖所稱歎自在无
繫无所依求乘是三乘以无漏根力覺道禪
定解脫三昧等而自娛樂便得无量安隱快
樂舍利弗若有衆生內有智性從佛世尊聞
法信受慇懃精進欲速出三界自求涅槃是
名聲聞乘如彼諸子為求羊車出於火宅若
有衆生從佛世尊聞法信受慇懃精進求自
然慧樂獨善寂深知諸法因緣是名辟支佛
乘如彼諸子為求鹿車出於火宅若有衆生
從佛世尊聞法信受勤脩精進求一切智佛
智自然智无師智如來知見力无所畏愍念
安樂无量衆生利益天人度脫一切是名大
乘菩薩求此乘故名為摩訶薩如彼諸子為
求牛車出於火宅舍利弗如彼長者見諸子
等安隱得出火宅到无畏處自惟財富无量

BD01754號　妙法蓮華經卷二　（24–7）

智自然智无師智如來知見力无所畏愍念
安樂无量衆生利益天人度脫一切是名大
乘菩薩求此乘故名為摩訶薩如彼諸子為
求牛車出於火宅舍利弗如彼長者見諸子
等安隱得出火宅到无畏處自惟財富无量
等以大車而賜諸子如來亦復如是為一切
衆生之父若見无量億千衆生以佛教門出
三界苦怖畏險道得涅槃樂如來爾時便作
是念我有无量无邊智慧力无畏等諸佛法
藏是諸衆生皆是我子等與大乘不令有人
獨得滅度皆以如來滅度而滅度之是諸衆
生脫三界者悉與諸佛禪定解脫等娛樂之
具皆是一相一種聖所稱歎能生淨妙第一
之樂舍利弗如彼長者初以三車誘引諸子
然後但與大車寶物莊嚴安隱第一然彼長
者无虛妄之咎如來亦復如是无有虛妄初
說三乘引導衆生然後但以大乘而度脫之
何以故如來有无量智慧力无所畏諸法之
藏能與一切衆生大乘之法但不盡能受舍
利弗以是因緣當知諸佛方便力故於一佛
乘分別說三佛欲重宣此義而說偈言
譬如長者　有一大宅　其宅久故　而復頓弊
堂舍高危　柱根摧朽　梁棟傾斜　基陛頹毀
墻壁圮坼　泥塗褫落　覆苫亂墜　椽梠差脫
周障屈曲　雜穢充遍　有五百人　止住其中
鴟梟鵰鷲　烏鵲鳩鴿　蚖蛇蝮蠍　蜈蚣蚰蜒
守宮百足　狖狸鼷鼠　諸惡虫輩　交橫馳走

BD01754號　妙法蓮華經卷二　（24–8）

周障屈曲　雜穢充遍　有五百人　止住其中
鵄梟鵰鷲　烏鵲鳩鴿　蚖蛇蝮蝎　蜈蚣蚰蜒
守宮百足　狖狸鼷鼠　諸惡虫輩　交横馳走
屎尿臭處　不淨流溢　蜣蜋諸虫　而集其上
狐狼野干　咀嚼踐蹋　齚齧死屍　骨肉狼藉
由是羣狗　競來搏撮　飢羸慞惶　處處求食
鬪諍摣掣　啀喍嘷吠　其舍恐怖　變狀如是
處處皆有　魑魅魍魎　夜叉惡鬼　食噉人肉
毒虫之屬　諸惡禽獸　孚乳產生　各自藏護
夜叉競來　爭取食之　食之既飽　惡心轉熾
鬪諍之聲　甚可怖畏　鳩槃荼鬼　蹲踞土埵
或時離地　一尺二尺　往反遊行　縱逸嬉戲
捉狗兩足　撲令失聲　以腳加頸　怖狗自樂
復有諸鬼　其身長大　裸形黑瘦　常住其中
發大惡聲　叫呼求食　復有諸鬼　其咽如針
復有諸鬼　首如牛頭　或食人肉　或復噉狗
頭髮蓬亂　殘害凶險　飢渴所逼　叫喚馳走
夜叉餓鬼　諸惡鳥獸　飢急四向　窺看窓牖
如是諸難　恐畏无量　是朽故宅　屬于一人
其人近出　未久之間　於後舍宅　欻然火起
四面一時　其焰俱熾　棟梁椽柱　爆聲震裂
摧折墮落　墻壁崩倒　諸鬼神等　揚聲大叫
鵰鷲諸鳥　鳩槃荼等　周慞惶怖　不能自出
惡獸毒虫　藏竄孔穴　毗舍闍鬼　亦住其中
薄福德故　為火所逼　共相殘害　飲血噉肉
野干之屬　並已前死　諸大惡獸　競來食噉
臭烟熢㶿　四面充塞　蜈蚣蚰蜒　毒蛇之類

BD01754號　妙法蓮華經卷二　（24–9）

惡獸毒虫　藏竄孔穴　毗舍闍鬼　亦住其中
薄福德故　為火所逼　共相殘害　飲血噉肉
野干之屬　並已前死　諸大惡獸　競來食噉
臭烟熢㶿　四面充塞　蜈蚣蚰蜒　毒蛇之類
為火所燒　爭走出穴　鳩槃荼鬼　隨取而食
又諸餓鬼　頭上火然　飢渴熱惱　周慞悶走
其宅如是　甚可怖畏　毒害火災　眾難非一
是時宅主　在門外立　聞有人言　汝諸子等
先因遊戲　來入此宅　稚小无知　歡娛樂著
長者聞已　驚入火宅　方宜救濟　令无燒害
告喻諸子　說眾患難　惡鬼毒虫　災火蔓莚
眾苦次第　相續不絕　毒蛇蚖蝮　及諸夜叉
鳩槃荼鬼　野干狐狗　鵰鷲鵄梟　百足之屬
飢渴惱急　甚可怖畏　此苦難處　況復大火
諸子无知　雖聞父誨　猶故樂著　嬉戲不已
是時長者　而作是念　諸子如此　益我愁惱
今此舍宅　无一可樂　而諸子等　耽湎嬉戲
不受我教　將為火害　即便思惟　設諸方便
告諸子等　我有種種　珍玩之具　妙寶好車
羊車鹿車　大牛之車　今在門外　汝等出來
吾為汝等　造作此車　隨意所樂　可以遊戲
諸子聞說　如此諸車　即時奔競　馳走而出
到於空地　離諸苦難　長者見子　得出火宅
住於四衢　坐師子座　而自慶言　我今快樂
此諸子等　生育甚難　愚小无知　而入險宅
多諸毒虫　魑魅可畏　大火猛焰　四面俱起
而此諸子　貪樂嬉戲　我已救之　令得脫難

BD01754號　妙法蓮華經卷二　（24–10）

此諸子等　生育甚難　愚小无知　而入險宅
多諸毒虫　魑魅可畏　大火猛焰　四面俱起
而此諸子　貪樂嬉戲　我已救之　令得脫難
是故諸人　我今快樂　尒時諸子　知父安坐
皆詣父所　而白父言　願賜我等　三種寶車
如前所許　諸子出來　當以三車　隨汝所欲
今正是時　唯垂給與　長者大富　庫藏衆多
金銀琉璃　車𤦲馬瑙　以衆寶物　造諸大車
莊校嚴飾　周帀欄楯　四面懸鈴　金繩交絡
真珠羅網　張施其上　金華諸瓔　處處垂下
衆綵雜飾　周帀圍繞　柔軟繒纊　以為茵蓐
上妙細疊　價直千億　鮮白淨潔　以覆其上
有大白牛　肥壯多力　形體姝好　以駕寶車
多諸儐從　而侍衛之　以是妙車　等賜諸子
諸子是時　歡喜踊躍　乘是寶車　遊於四方
嬉戲快樂　自在无礙　告舍利弗　我亦如是
衆聖中尊　世間之父　一切衆生　皆是吾子
深著世樂　无有慧心　三界无安　猶如火宅
衆苦充滿　甚可怖畏　常有生老　病死憂患
如是等火　熾然不息　如來已離　三界火宅
寂然閑居　安處林野　今此三界　皆是我有
其中衆生　悉是吾子　而今此處　多諸患難
唯我一人　能為救護　雖復教詔　而不信受
於諸欲染　貪著深故　是以方便　為說三乘
令諸衆生　知三界苦　開示演說　出世間道
是諸子等　若心決定　具足三明　及六神通
有得緣覺　不退菩薩　汝舍利弗　我為衆生

BD01754號　妙法蓮華經卷二　（24–11）

於諸欲染　貪著深故　是以方便　為說三乘
令諸衆生　知三界苦　開示演說　出世間道
是諸子等　若心決定　具足三明　及六神通
有得緣覺　不退菩薩　汝舍利弗　我為衆生
以此譬喻　說一佛乘　汝等若能　信受是語
一切皆當　得成佛道　是乘微妙　清淨第一
於諸世間　為无有上　佛所悅可　一切衆生
所應稱讚　供養礼拜　无量億千　諸力解脫
禪定智慧　及佛餘法　得如是乘　令諸子等
日夜劫數　常得遊戲　與諸菩薩　及聲聞衆
乘此寶乘　直至道場　以是因緣　十方諦求
更无餘乘　除佛方便　告舍利弗　汝諸人等
皆是吾子　我則是父　汝等累劫　衆苦所燒
我皆濟拔　令出三界　我雖先說　汝等滅度
但盡生死　而實不滅　今所應作　唯佛智慧
若有菩薩　於是衆中　能一心聽　諸佛實法
諸佛世尊　雖以方便　所化衆生　皆是菩薩
若人小智　深著愛欲　為此等故　說於苦諦
衆生心喜　得未曾有　佛說苦諦　真實无異
若有衆生　不知苦本　深著苦因　不能暫捨
為是等故　方便說道　諸苦所因　貪欲為本
若滅貪欲　无所依止　滅盡諸苦　名第三諦
為滅諦故　脩行於道　離諸苦縛　名得解脫
是人於何　而得解脫　但離虛妄　名為解脫
其實未得　一切解脫　佛說是人　未實滅度
斯人未得　无上道故　我意不欲　令至滅度
我為法王　於法自在　安隱衆生　故現於世

BD01754號　妙法蓮華經卷二　（24–12）

是人於何　而得解脫　但離虛妄　名為解脫
其實未得　一切解脫　佛說是人　未實滅度
斯人未得　无上道故　我意不欲　令至滅度
我為法王　於法自在　安隱眾生　故現於世
汝舍利弗　我此法印　為欲利益　世間故說
在所遊方　勿妄宣傳　若有聞者　隨喜頂受
當知是人　阿鞞跋致　若有信受　此經法者
是人已曾　見過去佛　恭敬供養　亦聞是法
若人有能　信汝所說　則為見我　亦見於汝
及比丘僧　并諸菩薩　斯法華經　為深智說
淺識聞之　迷惑不解　一切聲聞　及辟支佛
於此經中　力所不及　汝舍利弗　尚於此經
以信得入　況餘聲聞　其餘聲聞　信佛語故
隨順此經　非己智分　又舍利弗　憍慢懈怠
計我見者　莫說此經　凡夫淺識　深著五欲
聞不能解　亦勿為說　若人不信　毀謗此經
則斷一切　世間佛種　或復顰蹙　而懷疑惑
汝當聽說　此人罪報　若佛在世　若滅度後
其有誹謗　如斯經典　見有讀誦　書持經者
輕賤憎嫉　而懷結恨　此人罪報　汝今復聽
其人命終　入阿鼻獄　具足一劫　劫盡更生
如是展轉　至无數劫　從地獄出　當墮畜生
若狗野干　其形頓瘦　黧黮疥癩　人所觸嬈
又復為人　之所惡賤　常困飢渴　骨肉枯竭
生受楚毒　死被瓦石　斷佛種故　受斯罪報
若作駱駝　或生驢中　身常負重　加諸杖捶
但念水草　餘无所知　謗斯經故　獲罪如是
有作野干　來入聚落　身體疥癩　又无一目

BD01754號　妙法蓮華經卷二　（24–13）

生受楚毒　死被瓦石　斷佛種故　受斯罪報
若作駱駝　或生驢中　身常負重　加諸杖捶
但念水草　餘无所知　謗斯經故　獲罪如是
有作野干　來入聚落　身體疥癩　又无一目
為諸童子　之所打擲　受諸苦痛　或時致死
於此死已　更受蟒身　其形長大　五百由旬
聾騃无足　蜿轉腹行　為諸小虫　之所唼食
晝夜受苦　无有休息　謗斯經故　獲罪如是
若得為人　諸根闇鈍　矬陋攣躄　盲聾背傴
有所言說　人不信受　口氣常臭　鬼魅所著
貧窮下賤　為人所使　多病痟瘦　无所依怙
雖親附人　人不在意　若有所得　尋復忘失
若修醫道　順方治病　更增他疾　或復致死
若自有病　无人救療　設服良藥　而復增劇
若他反逆　抄劫竊盜　如是等罪　橫羅其殃
如斯罪人　永不見佛　眾聖之王　說法教化
如斯罪人　常生難處　狂聾心亂　永不聞法
於无數劫　如恒河沙　生輒聾瘂　諸根不具
常處地獄　如遊園觀　在餘惡道　如己舍宅
駝驢猪狗　是其行處　謗斯經故　獲罪如是
若得為人　聾盲瘖瘂　貧窮諸衰　以自莊嚴
水腫乾痟　疥癩癰疽　如是等病　以為衣服
身常臭處　垢穢不淨　深著我見　增益瞋恚
婬欲熾盛　不擇禽獸　謗斯經故　獲罪如是
告舍利弗　謗斯經者　若說其罪　窮劫不盡
以是因緣　我故語汝　无智人中　莫說此經
若有利根　智慧明了　多聞強識　求佛道者
如是之人　乃可為說　若人曾見　億百千佛

BD01754號　妙法蓮華經卷二　（24–14）

告舍利弗　謗斯經者　若說其罪　窮劫不盡
以是因緣　我故語汝　无智人中　莫說此經
若有利根　智慧明了　多聞強識　求佛道者
如是之人　乃可為說　若人曾見　億百千佛
殖諸善本　深心堅固　如是之人　乃可為說
若人精進　常脩慈心　不惜身命　乃可為說
若人恭敬　无有異心　離諸凡愚　獨處山澤
如是之人　乃可為說　又舍利弗　若見有人
捨惡知識　親近善友　如是之人　乃可為說
若見佛子　持戒清潔　如淨明珠　求大乘經
如是之人　乃可為說　若人无瞋　質直柔軟
常愍一切　恭敬諸佛　如是之人　乃可為說
復有佛子　於大眾中　以清淨心　種種因緣
譬喻言辭　說法无礙　如是之人　乃可為說
若有比丘　為一切智　四方求法　合掌頂受
但樂受持　大乘經典　乃至不受　餘經一偈
如是之人　乃可為說　如人至心　求佛舍利
如是求經　得已頂受　其人不復　志求餘經
亦未曾念　外道典籍　如是之人　乃可為說
告舍利弗　我說是相　求佛道者　窮劫不盡
如是等人　則能信解　汝當為說　妙法華經

妙法蓮華經信解品第四

爾時慧命須菩提　摩訶迦旃延　摩訶迦葉
摩訶目揵連　從佛所聞未曾有法　世尊授舍
利弗阿耨多羅三藐三菩提記　發希有心　歡喜
踊躍　即從座起　整衣服　偏袒右肩　右膝著地
一心合掌　曲躬恭敬　瞻仰尊顏　而白佛言　我

摩訶目揵連　從佛所聞未曾有法　世尊授舍
利弗阿耨多羅三藐三菩提記　發希有心　歡喜
踊躍　即從座起　整衣服　偏袒右肩　右膝著地
一心合掌　曲躬恭敬　瞻仰尊顏　而白佛言　我
等居僧之首　年並朽邁　自謂已得涅槃　无所
堪任　不復進求阿耨多羅三藐三菩提　世尊
往昔說法既久　我時在座　身體疲懈　但念空
无相无作　於菩薩法　遊戲神通　淨佛國土　成
就眾生　心不喜樂　所以者何　世尊令我等出
於三界　得涅槃證　又今我等　年已朽邁　於佛
教化菩薩阿耨多羅三藐三菩提　不生一念
好樂之心　我等今於佛前　聞授聲聞阿耨多
羅三藐三菩提記　心甚歡喜　得未曾有　不謂
於今忽然得聞希有之法　深自慶幸　獲大善
利　无量珍寶　不求自得　世尊　我等今者　樂說
譬喻　以明斯義　譬若有人　年既幼稚　捨父逃
逝　久住他國　或十二十　至五十歲　年既長大
加復窮困　馳騁四方　以求衣食　漸漸遊行　遇
向本國　其父先來　求子不得　中止一城　其家
大富　財寶无量　金銀琉璃　珊瑚虎珀　頗梨珠
等　其諸倉庫　悉皆盈溢　多有僮僕　臣佐吏民
象馬車乘　牛羊无數　出入息利　乃遍他國　商
估賈客　亦甚眾多　時貧窮子　遊諸聚落　經歷
國邑　遂到其父所止之城　父每念子　與子離
別五十餘年　而未曾向人說如此事　但自思
惟　心懷悔恨　自念老朽　多有財物　金銀珍寶
倉庫盈溢　无有子息　一旦終沒　財物散失　无
所委付　是以慇懃　每憶其子　復作是念　我若

別五十餘年而未曾向人說如此事但自思
惟心懷悔恨自念老朽多有財物金銀珎寶
倉庫盈溢无有子息一旦終沒財物散失无
所委付是以慇懃每憶其子復作是念我若
得子委付財物坦然快樂无復憂慮世尊尒
時窮子傭賃展轉遇到父舍住立門側遙見
其父踞師子床寶几承足諸婆羅門剎利居
士皆恭敬圍遶以真珠瓔珞價直千万莊嚴
其身吏民僮僕手執白拂侍立左右覆以寶
帳垂諸華幡香水灑地散衆名華羅列寶物
出內取與有如是等種種嚴飾威德特尊窮
子見父有大力勢即懷恐怖悔來至此竊作
是念此或是王或是王等非我傭力得物之
處不如往至貧里肆力有地衣食易得若久
住此或見逼迫強使我作作是念已疾走而
去時富長者於師子座見子便識心大歡喜
即作是念我財物庫藏今有所付我常思念
此子无由見之而忽自來甚適我願我雖年
朽猶故貪惜即遣傍人急追將還尒時使者
疾走往捉窮子驚愕稱怨大喚我不相犯何
為見捉使者執之愈急強牽將還于時窮子
自念无罪而被囚執此必定死轉更惶怖悶
絕躃地父遙見之而語使言不須此人勿強
將來以冷水灑面令得醒悟莫復與語所以
者何父知其子志意下劣自知豪貴為子所
難審知是子而以方便不語他人云何我子
使者語之我今放汝隨意所趣窮子歡喜得
未曾有從地而起往至貧里以求衣食尒時

BD01754號　妙法蓮華經卷二　（24–17）

將來以冷水灑面令得醒悟莫復與語所以
者何父知其子志意下劣自知豪貴為子所
難審知是子而以方便不語他人云何我子
使者語之我今放汝隨意所趣窮子歡喜得
未曾有從地而起往至貧里以求衣食尒時
長者將欲誘引其子而設方便密遣二人形
色憔悴无威德者汝可詣彼徐語窮子此有
作處倍與汝直窮子若許將來使作若言欲
何所作便可語之雇汝除糞我等二人亦共
汝作時二使人即求窮子既已得之具陳上
事尒時窮子先取其價尋與除糞其父見子
愍而怪之又以他日於窓牖中遙見子身羸
瘦憔悴糞土塵坌汙穢不淨即脫瓔珞細軟
上服嚴飾之具更著麁弊垢膩之衣塵土坌
身右手執持除糞之器狀有所畏語諸作人
汝等勤作勿得懈息以方便故得近其子後
復告言咄男子汝常此作勿復餘去當加汝
價諸有所須瓫器米麵塩酢之屬莫自疑難
亦有老弊使人須者相給好自安意我如汝
父勿復憂慮所以者何我年老大而汝少壯
汝常作時无有欺怠瞋恨怨言都不見汝有
此諸惡如餘作人自今已後如所生子即時
長者更與作字名之為兒尒時窮子雖欣此
遇猶故自謂客作賤人由是之故於二十年
中常令除糞過是已後心相體信入出无難
然其所止猶在本處世尊尒時長者有疾自
知將死不久語窮子言我今多有金銀珎寶

BD01754號　妙法蓮華經卷二　（24–18）

遇猶故自謂客作賤人由是之故於二十年
中常令除糞過是已後心相體信入出无難
然其所止猶在本處世尊爾時長者有疾自
知將死不久語窮子言我今多有金銀珍寶
倉庫盈溢其中多少所應取與汝悉知之我
心如是當體此意所以者何今我與汝便為
不異宜加用心无令漏失爾時窮子即受教
勑領知眾物金銀珍寶及諸庫藏而无悕取
一飡之意然其所止故在本處下劣之心亦
未能捨復經少時父知子意漸已通泰成就
大志自鄙先心臨欲終時而命其子并會親族
國王大臣剎利居士皆悉已集即自宣言
諸君當知此是我子我之所生於某城中捨
吾逃走竛竮辛苦五十餘年其本字某我名
某甲昔在本城懷憂推覓忽於此間遇會得
之此實我子我實其父今我所有一切財物
皆是子有先所出內是子所知世尊是時窮
子聞父此言即大歡喜得未曾有而作是念
我本无心有所悕求今此寶藏自然而至世
尊大富長者則是如來我等皆似佛子如來
常說我等為子世尊我等以三苦故於生死
中受諸熱惱迷惑无知樂著小法今日世尊
令我等思惟蠲除諸法戲論之糞我等於中
勤加精進得至涅槃一日之價既得此已心
大歡喜自以為足便自謂於佛法中勤精進
故所得弘多然世尊先知我等心著弊欲樂
於小法便見縱捨不為分別汝等當有如來
知見寶藏之分世尊以方便力說如來智慧

BD01754號　妙法蓮華經卷二　（24–19）

大歡喜自以為足便自謂於佛法中勤精進
故所得弘多然世尊先知我等心著弊欲樂
於小法便見縱捨不為分別汝等當有如來
知見寶藏之分世尊以方便力說如來智慧
我等從佛得涅槃一日之價以為大得於此
大乘无有志求我等又因如來智慧為諸菩
薩開示演說而自於此无有志願所以者何
佛知我等心樂小法以方便力隨我等說而
我等不知真是佛子今我等方知世尊於佛
智慧无所悋惜所以者何我等昔來真是佛
子而但樂小法若我等有樂大之心佛則為
我說大乘法於此經中唯說一乘而昔於菩薩
前毀呰聲聞樂小法者然佛實以大乘教化
是故我等說本无心有所悕求今法王大寶
自然而至如佛子所應得者皆已得之爾時
摩訶迦葉欲重宣此義而說偈言
我等今日　聞佛音教　歡喜踊躍　得未曾有
佛說聲聞　當得作佛　无上寶聚　不求自得
譬如童子　幼稚无識　捨父逃逝　遠到他土
周流諸國　五十餘年　其父憂念　四方推求
求之既疲　頓止一城　造立舍宅　五欲自娛
其家巨富　多諸金銀　車𤦲馬瑙　真珠琉璃
象馬牛羊　輦輿車乘　田業僮僕　人民眾多
出入息利　乃遍他國　商估賈人　无處不有
千萬億眾　圍繞恭敬　常為王者　之所愛念
羣臣豪族　皆共宗重　以諸緣故　往來者眾
豪富如是　有大力勢　而年朽邁　益憂念子

BD01754號　妙法蓮華經卷二　（24–20）

出入息利 乃遍他國 商估賈人 无處不有
千万億衆 圍繞恭敬 常爲王者 之所愛念
羣臣豪族 皆共宗重 以諸緣故 往來者衆
豪富如是 有大力勢 而年朽邁 益憂念子
夙夜惟念 死時將至 癡子捨我 五十餘年
庫藏諸物 當如之何 尒時窮子 求索衣食
從邑至邑 從國至國 或有所得 或无所得
飢餓羸瘦 體生瘡癬 漸次經歷 到父住城
傭賃展轉 遂至父舍 尒時長者 於其門內
施大寶帳 處師子座 眷屬圍繞 諸人侍衛
或有計算 金銀寶物 出內財產 注記券疏
窮子見父 豪貴尊嚴 謂是國王 若是王等
驚怖自怪 何故至此 覆自念言 我若久住
或見逼迫 強驅使作 思惟是已 馳走而去
借問貧里 欲往傭作 長者是時 在師子座
遙見其子 默而識之 即勅使者 追捉將來
窮子驚喚 迷悶躄地 是人執我 必當見殺
何用衣食 使我至此 長者知子 愚癡狹劣
不信我言 不信是父 即以方便 更遣餘人
眇目矬陋 无威德者 汝可語之 云當相雇
除諸糞穢 倍與汝價 窮子聞之 歡喜隨來
爲除糞穢 淨諸房舍 長者於牖 常見其子
念子愚劣 樂爲鄙事 於是長者 著弊垢衣
執除糞器 往到子所 方便附近 語令勤作
既益汝價 并塗足油 飲食充足 薦席厚暖
如是苦言 汝當勤作 又以軟語 若如我子
長者有智 漸令入出 經二十年 執作家事
示其金銀 真珠頗梨 諸物出入 皆使令知

BD01754號　妙法蓮華經卷二　（24–21）

既益汝價 并塗足油 飲食充足 薦席厚暖
如是苦言 汝當勤作 又以軟語 若如我子
長者有智 漸令入出 經二十年 執作家事
示其金銀 真珠頗梨 諸物出入 皆使令知
猶處門外 止宿草菴 自念貧事 我无此物
父知子心 漸已曠大 欲與財物 即聚親族
國王大臣 剎利居士 於此大衆 說是我子
捨我他行 經五十歲 自見子來 已二十年
昔於某城 而失是子 周行求索 遂來至此
凡我所有 舍宅人民 悉以付之 恣其所用
子念昔貧 志意下劣 今於父所 大獲珍寶
并及舍宅 一切財物 甚大歡喜 得未曾有
佛亦如是 知我樂小 未曾說言 汝等作佛
而說我等 得諸无漏 成就小乘 聲聞弟子
佛勅我等 說最上道 修習此者 當得成佛
我承佛教 爲大菩薩 以諸因緣 種種譬喻
若干言辭 說无上道 諸佛子等 從我聞法
日夜思惟 精勤修習 是時諸佛 即授其記
汝於來世 當得作佛 一切諸佛 祕藏之法
但爲菩薩 演其實事 而不爲我 說斯真要
如彼窮子 得近其父 雖知諸物 心不希取
我等雖說 佛法寶藏 自无志願 亦復如是
我等內滅 自謂爲足 唯了此事 更无餘事
我等若聞 淨佛國土 教化衆生 都无欣樂
所以者何 一切諸法 皆悉空寂 无生无滅
无大无小 无漏无爲 如是思惟 不生喜樂
我等長夜 於佛智慧 无貪无著 无復志願
而自於法 謂是究竟 我等長夜 修習空法

BD01754號　妙法蓮華經卷二　（24–22）

所以者何　一切諸法　皆悉空寂　无生无滅
无大无小　无漏无為　如是思惟　不生喜樂
我等長夜　於佛智慧　无貪无著　无復志願
而自於法　謂是究竟　我等長夜　脩習空法
得脫三界　苦惱之患　住冣後身　有餘涅槃
佛所教化　得道不虛　則為已得　報佛之恩
我等雖為　諸佛子等　說菩薩法　以求佛道
而於是法　永无願樂　導師見捨　觀我心故
初不勸進　說有實利　如冨長者　知子志劣
以方便力　柔伏其心　然後乃付　一切財物
佛亦如是　現希有事　知樂小者　以方便力
調伏其心　乃教大智　我等今日　得未曾有
非先所望　而今自得　如彼窮子　得无量寶
世尊我今　得道得果　於无漏法　得清淨眼
我等長夜　持佛淨戒　始於今日　得其果報
法王法中　久脩梵行　今得无漏　无上大果
我等今者　真是聲聞　以佛道聲　令一切聞
我等今者　真阿羅漢　於諸世間　天人魔梵
普於其中　應受供養　世尊大恩　以希有事
憐愍教化　利益我等　无量億劫　誰能報者
手足供給　頭頂礼敬　一切供養　皆不能報
若以頂戴　兩肩荷負　於恒沙劫　盡心恭敬
又以美饍　无量寶衣　及諸卧具　種種湯藥
牛頭栴檀　及諸珎寶　以起塔廟　寶衣布地
如斯等事　以用供養　於恒沙劫　亦不能報
諸佛希有　无量无邊　不可思議　大神通力
无漏无為　諸法之王　能為下劣　忍于斯事

BD01754 號　妙法蓮華經卷二　（24–23）

手足供給　頭頂礼敬　一切供養　皆不能報
若以頂戴　兩肩荷負　於恒沙劫　盡心恭敬
又以美饍　无量寶衣　及諸卧具　種種湯藥
牛頭栴檀　及諸珎寶　以起塔廟　寶衣布地
如斯等事　以用供養　於恒沙劫　亦不能報
諸佛希有　无量无邊　不可思議　大神通力
无漏无為　諸法之王　能為下劣　忍于斯事
取相凡夫　隨宜為說　諸佛於法　得冣自在
知諸衆生　種種欲樂　及其志力　隨所堪任
以无量喻　而為說法　隨諸衆生　宿世善根
又知成熟　未成熟者　種種籌量　分別知已
於一乘道　隨宜說三

妙法蓮華經卷第二

BD01754 號　妙法蓮華經卷二　（24–24）

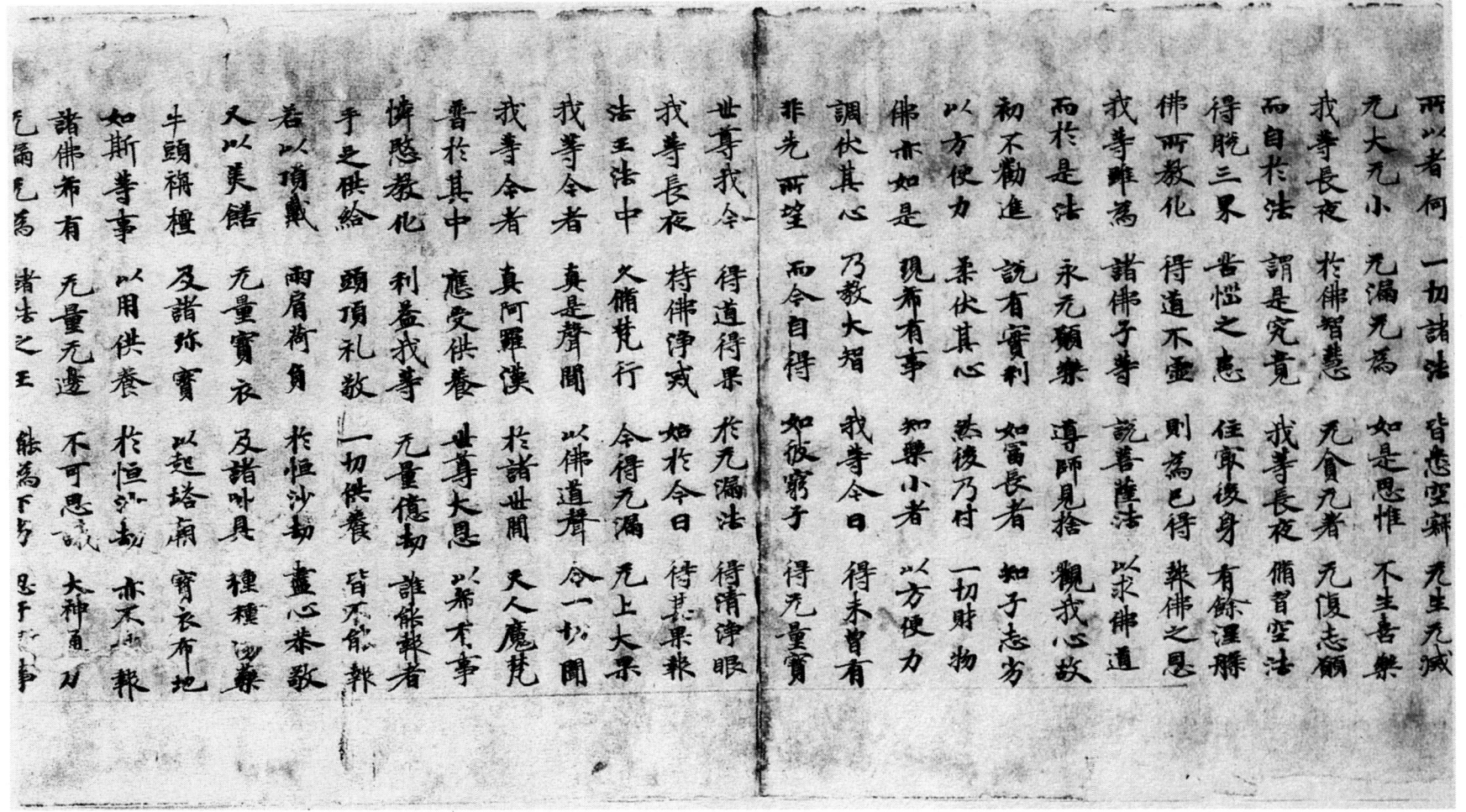

白觀世音菩薩言仁者愍我等故受此瓔珞
尒時佛告觀世音菩薩當愍此无盡意菩薩
及四衆天龍夜叉乾闥婆阿脩羅迦樓羅
緊那羅摩睺羅伽人非人等故受是瓔珞即時
觀世音菩薩愍諸四衆及於天龍人非人等
受其瓔珞分作二分一分奉釋迦牟尼佛一
分奉多寶佛塔无盡意觀世音菩薩有如
是自在神力遊於娑婆世界尒時无盡意菩
薩以偈問曰
世尊妙相具 我今重問彼 佛子何因緣 名為觀世音
具足妙相尊 偈荅无盡意 汝聽觀音行 善應諸方所
弘誓深如海 歷劫不思議 侍多千億佛 發大清淨願
我為汝略說 聞名及見身 心念不空過 能滅諸有苦
假使興害意 推落大火坑 念彼觀音力 火坑變成池
或漂流巨海 龍魚諸鬼難 念彼觀音力 波浪不能沒
或在須弥峯 為人所推墮 念彼觀音力 如日虛空住
或被惡人逐 墮落金剛山 念彼觀音力 不能損一毛
或值怨賊繞 各執刀加害 念彼觀音力 咸即起慈心
或遭王難苦 臨刑欲壽終 念彼觀音力 刀尋段段壞
或囚禁枷鎖 手足被杻械 念彼觀音力 釋然得解脫
呪咀諸毒藥 所欲害身者 念彼觀音力 還著於本人
或遇惡羅刹 毒龍諸鬼等 念彼觀音力 時悉不敢害
若惡獸圍遶 利牙爪可怖 念彼觀音力 疾走无邊方

BD01755 號　妙法蓮華經卷七　（6–1）

或值怨賊繞 各執刀加害 念彼觀音力 咸即起慈心
或遭王難苦 臨刑欲壽終 念彼觀音力 刀尋段段壞
或囚禁枷鎖 手足被杻械 念彼觀音力 釋然得解脫
呪咀諸毒藥 所欲害身者 念彼觀音力 還著於本人
或遇惡羅刹 毒龍諸鬼等 念彼觀音力 時悉不敢害
若惡獸圍遶 利牙爪可怖 念彼觀音力 疾走无邊方
蚖蛇及蝮蝎 氣毒煙火然 念彼觀音力 尋聲自迴去
雲雷鼓掣電 降雹澍大雨 念彼觀音力 應時得消散
衆生被困厄 无量苦逼身 觀音妙智力 能救世間苦
具足神通力 廣脩智方便 十方諸國土 无刹不現身
種種諸惡趣 地獄鬼畜生 生老病死苦 以漸悉令滅
真觀清淨觀 廣大智慧觀 悲觀及慈觀 常願常瞻仰
无垢清淨光 慧日破諸闇 能伏災風火 普明照世間
悲體戒雷震 慈意妙大雲 澍甘露法雨 滅除煩惱焰
諍訟經官處 怖畏軍陣中 念彼觀音力 衆怨悉退散
妙音觀世音 梵音海潮音 勝彼世間音 是故須常念
念念勿生疑 觀世音淨聖 於苦惱死厄 能為作依怙
具一切功德 慈眼視衆生 福聚海无量 是故應頂禮
尒時持地菩薩即從座起前白佛言世尊若
有衆生聞是觀世音菩薩品自在之業普門
示現神通力者當知是人功德不少佛說是
普門品時衆中八万四千衆生皆發无等等
阿耨多羅三藐三菩提心
妙法蓮華經陁羅尼品第廿六
尒時藥王菩薩即從座起偏袒右肩合掌向
佛而白佛言世尊若善男子善女人有能受
持法華經者若讀誦通利若有書寫經卷
得幾所福佛告藥王若有善男子善女人供

BD01755 號　妙法蓮華經卷七　（6–2）

妙法蓮華經陀羅尼品第廿六
尒時藥王菩薩即從坐起偏袒右肩合掌向
佛而白佛言世尊若善男子善女人有能受
持法華經者若讀誦通利若有書寫經卷
得幾所福佛告藥王若有善男子善女人供
養八百万億那由他恒河沙等諸佛於汝意云
何其所得福寧為多不甚多世尊佛言若善
男子善女人能於是經乃至受持一四句偈
讀誦解義如說脩行功德甚多尒時藥王菩
薩白佛言世尊我今當與說法者陀羅尼呪
以守護之即說呪曰
安尒一 曼尒二 摩祢三 摩摩祢四 旨隸五 遮梨弟六
賒咩音羊鳴七 賒履同雉反 多瑋八 羶輸干反帝九 目帝十
目多履十一 娑履十二 阿瑋娑履十三 桑履十四 娑履十五
叉裔十六 阿叉裔十七 阿耆膩十八 羶帝十九 賒履廿
陀羅尼廿一 阿盧伽婆娑蘇奈反 簸蔗毗叉膩廿二
祢毗剃廿三 阿便哆都餓反 邏祢履剃廿四 阿亶哆波
隸輸地廿五 漚究隸廿六 牟究隸廿七 阿羅隸廿八
波羅隸廿九 首迦差初几反卅 阿三磨三履卅一
佛馱毗吉利袠帝卅二 達磨波利差猜離反帝卅三
僧伽涅瞿沙祢卅四 婆舍婆舍輸地卅五 曼哆
邏卅六 曼哆邏叉夜多卅七 郵樓哆卅八 郵樓哆
憍舍略盧蔗反卅九 惡叉邏卌 惡叉冶多冶卌一 阿婆盧卌二
阿摩若音荏蔗反 那多夜卌三
世尊是陀羅尼神呪六十二億恒河沙等諸
佛所說若有侵毀此法師者則為侵毀是諸
佛已時釋迦牟尼佛讚藥王菩薩言善哉善

BD01755號　妙法蓮華經卷七　（6–3）

[illegible]
世尊是陀羅尼神呪六十二億恒河沙等諸
佛所說若有侵毀此法師者則為侵毀是諸
佛已時釋迦牟尼佛讚藥王菩薩言善哉善
哉藥王汝愍念擁護此法師故說是陀羅尼
於諸衆生多所饒益
尒時勇施菩薩白佛言世尊我亦為擁護讀
誦受持法華經者說陀羅尼若此法師得是
陀羅尼若夜叉若羅剎若富單那若吉蔗若
鳩槃荼若餓鬼等伺求其短无能得便即於
佛前而說呪曰
痤攢臺反隸一 摩訶痤隸二 郁枳三 目枳四 阿隸五
阿羅婆弟六 涅隸弟七 涅隸多婆弟八 伊緻猪履音反
抳九 韋緻抳十 旨緻抳十一 涅隸墀抳十二 涅隸墀
婆底十三
世尊是陀羅尼神呪恒河沙等諸佛所說亦
皆隨喜若有侵毀此法師者則為侵毀是諸
佛已
尒時毗沙門天王護世者白佛言世尊我亦
為愍念衆生擁護此法師故說是陀羅尼
即說呪曰
阿梨一 那梨二 㝹那梨三 阿那盧四 那履五 拘那
履六
世尊以是神呪擁護法師我亦自當擁護持
是經者令百由旬内无諸衰患
尒時持國天王在此會中與千万億那由他
乾闥婆衆恭敬圍繞前詣佛所合掌白佛
言世尊我亦以陀羅尼神呪擁護持是經者

BD01755號　妙法蓮華經卷七　（6–4）

是經者今百由旬內无諸衰患
尒時持國天王在此會中與千万億那由他
乾闥婆衆恭敬圍繞前詣佛所合掌白佛
言世尊我亦以陁羅尼神呪擁護持法華經
者即說呪曰
阿伽祢一伽祢二瞿利三乾陁利四旃陁利五摩蹬
耆六常求利七浮樓莎抳八頞底九
世尊是陁羅尼神呪卅二億諸佛所說若有
侵毀此法師者則爲侵毀是諸佛已
尒時有羅刹女等一名藍婆二名毗藍婆三
名曲齒四名華齒五名黑齒六名多髮七名
无猒足八名持瓔珞九名睪帝十名奪一切
衆生精氣是十羅刹女與鬼子母并其子及
眷屬俱詣佛所同聲白佛言世尊我亦欲擁
護讀誦受持法華經者除其衰患若有伺求
法師短者令不得便即於佛前而說呪曰
伊提履一伊提泯二伊提履三阿提履四伊提
履五泥履六泥履七泥履八泥履九泥履十
樓醯十一樓醯十二樓醯十三樓醯十四多醯十五多
醯十六多醯十七兜醯十八㝹醯十九
寧上我頭上莫惱於法師若夜叉若羅刹若
餓鬼若富單那若吉蔗若毗陁羅若揵馱
若烏摩勒伽若阿跋摩羅若夜叉吉蔗若
人吉蔗若熱病若一日若二日若三日若四日
若至七日若常熱病若男形若女形若童男
形若童女形乃至夢中亦復莫惱即於佛前
而說偈言

BD01755號　妙法蓮華經卷七　（6–5）

醯十六多醯十七兜醯十八㝹醯十九
寧上我頭上莫惱於法師若夜叉若羅刹若
餓鬼若富單那若吉蔗若毗陁羅若揵馱
若烏摩勒伽若阿跋摩羅若夜叉吉蔗若
人吉蔗若熱病若一日若二日若三日若四日
若至七日若常熱病若男形若女形若童男
形若童女形乃至夢中亦復莫惱即於佛前
而說偈言
若不順我呪　惱亂說法者　頭破作七分　如阿梨樹枝
如煞父母罪　亦如押油殃　斗秤欺誑人　調達破僧罪
犯此法師者　當獲如是殃
諸羅刹女說此偈已白佛言世尊我等亦當
身自擁護受持讀誦脩行是經者令得安隱
離諸衰患消衆毒藥佛告諸羅刹女善哉善哉
汝等但能擁護受持法華名者福不可量何
況擁護具足受持供養經卷華香瓔珞末
香塗香燒香幡蓋伎樂然種種燈蘇燈油
燈諸香油燈蘇摩那華油燈瞻蔔華油燈婆
師迦華油燈優波羅華油燈如是等百千種
供養者睪帝汝等及眷屬應當擁護如是
法師說此陁羅尼呪品時六万八千人得无生
法忍
妙法蓮華經妙巳
今作

BD01755號　妙法蓮華經卷七　（6–6）

婆羨求索者受持
是法華經於三七日中應一心精
已我當乘六牙白象與无量菩薩而自圍
繞以一切衆所憙見身現其人前而爲說
法示教利喜亦復與其陁羅尼呪得是陁羅
尼故无有非人能破壞者亦不爲女人之所
惑亂我身亦自常護是人唯願世尊聽我說
此陁羅尼呪即於佛前而說呪曰
阿檀地 途賣反 檀陁婆地 二 檀陁婆帝 三 檀陁
鳩舍隸 四 檀陁脩陁隸 五 脩陁隸 六 脩陁羅
婆底 七 佛馱波羶祢 八 薩婆陁羅尼阿婆多
尼 九 薩婆婆沙阿婆多尼 十 脩阿婆多尼 十一
僧伽婆履叉尼 十二 僧伽涅伽陁尼 十三 阿僧祇
十四 僧伽波伽地 十五 帝隸阿惰僧伽兜略 盧遮反 阿
羅帝波羅帝 十六 薩婆僧伽三摩地伽蘭地 十七
薩婆達磨脩波利刹帝 十八 薩婆薩埵樓馱
憍舍略阿㝹伽地 十九 辛阿毗吉利地帝 二十
世尊若有菩薩得聞是陁羅尼者當知普賢
神通之力若法華經行閻浮提有受持者應
作此念皆是普賢威神之力若有受持讀誦
正憶念解其義趣如說脩行當知是人行普
賢行於无量无邊諸佛所深種善根爲諸

BD01756號　妙法蓮華經卷七　（2-1）

薩婆達磨脩波利刹帝 十八 薩婆薩埵樓馱
憍舍略阿㝹伽地 十九 辛阿毗吉利地帝 二十
世尊若有菩薩得聞是陁羅尼者當知普賢
神通之力若法華經行閻浮提有受持者應
作此念皆是普賢威神之力若有受持讀誦
正憶念解其義趣如說脩行當知是人行普
賢行於无量无邊諸佛所深種善根爲諸
如來手摩其頭若但書寫是人命終當生忉
利天上是時八万四千天女作衆伎樂而來迎之
其人即著七寶冠於婇女中娛樂快樂何況
受持讀誦正憶念解其義趣如說脩行若
有人受持讀誦解其義趣是人命終爲千佛
授手令不恐怖不墮惡趣即往兜率天上彌
勒菩薩所彌勒菩薩有三十二相大菩薩衆所
共圍繞有百千万億天女眷屬而於中生有
如是等功德利益是故智者應當一心自書
若使人書受持讀誦正憶念如說脩行世尊
我今以神通力守護是經於如來滅後閻浮
提內廣令流布使不斷絕尒時釋迦牟尼
佛讚言善哉善哉普賢汝能護助是經令

BD01756號　妙法蓮華經卷七　（2-2）

妙莊嚴王本事品第廿七
尒時佛告諸大衆乃往古世過无量无邊不
可思議阿僧祇劫有佛名雲雷音宿王華
智多陁阿伽度阿羅呵三藐三佛陁國名光
明莊嚴劫名憙見彼佛法中有王名妙莊嚴
其王夫人名曰淨德有二子一名淨藏二名
淨眼是二子有大神力福德智慧久脩菩薩
所行之道所謂檀波羅蜜尸羅波羅蜜羼提
波羅蜜毗梨耶波羅蜜禪波羅蜜般若波羅
蜜方便波羅蜜慈悲喜捨乃至卅七品助道
法皆悉明了通達又得菩薩淨三昧日星宿三
昧淨光三昧淨色三昧淨照明三昧長莊嚴
三昧大威德藏三昧於此三昧亦悉通達尒時
彼佛欲引導妙莊嚴王及愍念衆生故說是
法華經時淨藏淨眼二子到其母所合十指
爪掌白言願母往詣雲雷音宿王華智佛所
我等亦當侍從親覲供養礼拜所以者何此
佛於一切天人衆中說法華經宜應聽受母
告子言汝父信受外道深著婆羅門法汝等
應往白父與共俱去淨藏淨眼合十指爪掌
白母我等是法王子而生此耶見家母告子

BD01757號　妙法蓮華經卷七　（5–1）

我等亦當侍從親覲供養礼拜所以者何此
佛於一切天人衆中說法華經宜應聽受母
告子言汝父信受外道深著婆羅門法汝等
應往白父與共俱去淨藏淨眼合十指爪掌
白母我等是法王子而生此耶見家母告子
言汝等當憂念汝父為現神變若得見者心
必清淨或聽我等往至佛所於是二子念其
父故踊在虛空高七多羅樹現種種神變於
虛空中行住坐卧身上出水身下出火身下
出水身上出火或現大身滿虛空中而復現
小小復現大於空中滅忽然在地入地如水
履水如地現如是等種種神變令其父王心
淨信解時父見子神力如是心大歡喜得未
曾有合掌向子言汝等師為是誰誰之弟子
二子白言大王彼雲雷音宿王華智佛今在
七寶菩提樹下法座上坐於一切世間天人
衆中廣說法華經是我等師我是弟子父語
子言我今亦欲見汝等師可共俱往於是二
子從空中下到其母所合掌白母父王今已
信解堪任發阿耨多羅三藐三菩提心我等
為父已作佛事願母見聽於彼佛所出家脩
道尒時二子欲重宣其意以偈白母
願母放我等　出家作沙門　諸佛甚難值　我等隨佛學
如優曇波羅　值佛復難是　脫諸難亦難　願聽我出家
母即告言聽汝出家所以者何佛難值故於
是二子白父母言善哉父母願時往詣雲雷
音宿王華智佛所親覲供養所以者何佛難

BD01757號　妙法蓮華經卷七　（5–2）

如優曇波羅　値佛復難是　脫諸難亦難　願聽我出家
母即告言聽汝出家所以者何佛難值故於
是二子白父母言善哉父母願時往詣雲雷
音宿王華智佛所親覲供養所以者何佛難
得值如優曇波羅華又如一眼之龜值浮木
孔而我等宿福深厚生值佛法是故父母當
聽我等令得出家所以者何諸佛難值時亦
難遇彼時妙莊嚴王後宮八万四千人皆悉
堪任受持是法華經淨眼菩薩於法華三昧
久已通達淨藏菩薩已於无量百千万億劫
通達離諸惡趣三昧欲令一切衆生離諸惡
趣故其王夫人得諸佛集三昧能知諸佛秘
密之藏二子如是以方便力善化其父令心
信解好樂佛法於是妙莊嚴王與群臣眷屬
俱淨德夫人與後宮婇女眷屬俱其王二子
與四万二千人俱一時共詣佛所到已頭面
礼足繞佛三帀却住一面尒時彼佛為王說
法示教利喜王大歡悅尒時妙莊嚴王及其
夫人解頸真珠瓔珞價直百千以散佛上於
虛空中化成四柱寶臺臺中有大寶牀敷
百万天衣其上有佛結加趺坐放大光明尒
時妙莊嚴王作是念佛身希有端嚴殊特成
就第一微妙之色時雲雷音宿王華智佛告
四衆言汝等見是妙莊嚴王於我前合掌立
不此王於我法中作比丘精勤脩習助佛道
法當得作佛号娑羅樹王國名大光劫名大
高王其娑羅樹王佛有无量菩薩衆及无量

BD01757號　妙法蓮華經卷七　（5–3）

百万天衣其上有佛結加趺坐放大光明尒
時妙莊嚴王作是念佛身希有端嚴殊特成
就第一微妙之色時雲雷音宿王華智佛告
四衆言汝等見是妙莊嚴王於我前合掌立
不此王於我法中作比丘精勤脩習助佛道
法當得作佛号娑羅樹王國名大光劫名大
高王其娑羅樹王佛有无量菩薩衆及无量
聲聞其國平正功德如是其王即時以國付
弟與夫人二子并諸眷屬於佛法中出家脩
道王出家已於八万四千歲常勤精進脩行
妙法華經過是以後得一切淨功德莊嚴三
昧即昇虛空高七多羅樹而白佛言世尊此
我二子已作佛事以神通變化轉我邪心令
得安住於佛法中得見世尊此二子者是我
善知識為欲發起宿世善根饒益我故來
生我家尒時雲雷音宿王華智佛告妙莊嚴
王言如是如是如汝所言若善男子善女人種
善根故世世得善知識其善知識能作佛事
示教利喜令入阿耨多羅三藐三菩提大王
當知善知識者是大因緣所謂化導令得見
佛發阿耨多羅三藐三菩提心大王汝見此
二子不此二子已曾供養六十五百千万億
那由他恒河沙諸佛親覲恭敬於諸佛所受
持法華經愍念邪見衆生令住正見妙莊嚴
王即從虛空中下而白佛言世尊如來甚希
有以功德智慧故頂上肉髻光明顯照其眼長
廣而紺青色眉間毫相白如珂月齒白齊密

BD01757號　妙法蓮華經卷七　（5–4）

[illegible]
二子不此二子已曾供養六十五百千万億
那由他恒河沙諸佛親覲恭敬於諸佛所受
持法華經愍念邪見衆生令住正見妙莊嚴
王即從虚空中下而白佛言世尊如来甚希
有以功德智慧故頂上肉髻光明顯照其眼長
廣而紺青色眉間毫相白如珂月齒白齊密
常有光明脣色赤好如頻婆果尒時妙莊嚴
王讃歎佛如是等无量百千万億功德已
於如来前一心合掌復白佛言世尊未曾有
也如来之法具足成就不可思議微妙功德教
戒所行安隱快善我從今日不復自隨心行
不生邪見憍慢瞋恚諸惡之心說是語已礼
佛而出佛告大衆於意云何妙莊嚴王豈異
人乎今華德菩薩是其淨德夫人今佛前光
照莊嚴相菩薩是哀愍妙莊嚴王及諸眷屬
故於彼中生其二子者今藥王菩薩藥上菩
薩是是藥王藥上菩薩成就如此諸大功德
已於无量百千万億諸佛所殖衆德本成就
不可思議諸善功德若有人識是二菩薩名
字者一切世間諸天人民亦應礼拜佛說是
妙莊嚴王本事品時八万四千人遠塵離垢
於諸法中得法眼淨

BD01757 號　妙法蓮華經卷七　（5–5）

惱害以此善根願与一切衆生共之願諸佛土
所有衆生悉共脩習大慈大悲得一子地
以是誓願因緣力故於未来世成佛之時世
界所有一切衆生悉共脩習大慈大悲得一子
地復次善男子菩薩摩訶薩脩大涅槃微妙
經典為阿耨多羅三藐三菩提度衆生故遠
離邪見以此善根願与一切衆生共之願諸
佛土所有衆生悉得摩訶般若波羅蜜以是
誓願因緣力故於未来世成佛之時世界衆
生悉得受持摩訶般若波羅蜜是名菩薩脩
淨佛土云何菩薩摩訶薩滅除有餘有餘有
三一者煩惱餘報二者餘業三者餘有善男
子云何名為煩惱餘報若有衆生習近貪欲
是報熟故墮於地獄從地獄出受畜生身所
謂鴿雀鴛鴦鸚鵡耆婆耆婆舍利伽鳥青雀
魚鼈獼猴獐鹿若得人身受黄門形女人二
根无根婬女若得出家犯初重戒是名餘報
復次善男子若有衆生以懸重心習近瞋恚

BD01758 號　大般涅槃經（北本）卷二四　（2–1）

是報報故墮於地獄從地獄出受畜生身所
謂鴿雀鴛鴦鸚鵡耆婆耆婆舍利伽鳥青雀
魚鼈獼猴獐鹿若得人身受黃門形女人二
根无根淫女若得出家犯初重戒是名餘報
復次善男子若有衆生以惡重心習近瞋恚
是報報故墮於地獄從地獄出受畜生身所
謂毒蛇具四種毒見毒觸毒齧毒嚙毒師子
虎狼熊羆猫狸鷹鷂之屬若得人身具足十
二諸惡律儀若得出家犯第二重戒是名餘
報復次善男子若有修習愚癡之人是報報
時墮於地獄從地獄出受畜生身所謂烏賊
牛羊水牛蚤虱蚊虻蟻子等形若得人身聾
盲瘖瘂癃殘背僂諸根不具不能受法若得
出家諸根闇鈍喜犯重戒乃至五錢是名餘
報復次善男子若有修習憍慢之人是報報
時墮於地獄從地獄出受畜生身所謂糞虫
駝驢犬馬若生人中受奴婢身貧窮乞匄或
得出家常為衆生之所輕賤破第四戒是名
餘報如是等名煩惱餘報如是餘報菩薩摩
訶薩以能修習大涅槃故悉得除滅云何餘

BD01758 號　大般涅槃經（北本）卷二四　　（2–2）

号釋迦牟尼以實无有法得阿耨多羅三藐三
提是故然燈佛與我受記作是言汝於來世
當得作佛号釋迦牟尼何以故如來者即
諸法如義若有人言如來得阿耨多羅三藐
三菩提須菩提實无有法佛得阿耨多羅
三藐三菩提須菩提如來所得阿耨多羅三藐
三菩提於是中无實无虛是故如來說一切法
皆是佛法須菩提所言一切法者即非一切
法是故名一切法
須菩提譬如人身長大須菩提言世尊如
來說人身長大則為非大身是名大身
須菩提菩薩亦如是若作是言我當滅度
无量衆生則不名菩薩何以故須菩提實无
有法名為菩薩是故佛說一切法无我无人
无衆生无壽者須菩提若菩薩作是言我當
莊嚴佛土是不名菩薩何以故如來說莊嚴
佛土者即非莊嚴是名莊嚴須菩提若菩薩
通達无我法者如來說名真是菩薩須
菩提於意云何如來有肉眼不如是世
尊如來有肉眼須菩提於意云何如來有
天眼不如是世尊如來有天眼須菩提於意
云何如來有慧眼不如是世尊如來有慧眼
須菩提於意云何如來有法眼不如是世尊

BD01759 號　金剛般若波羅蜜經　　（2–1）

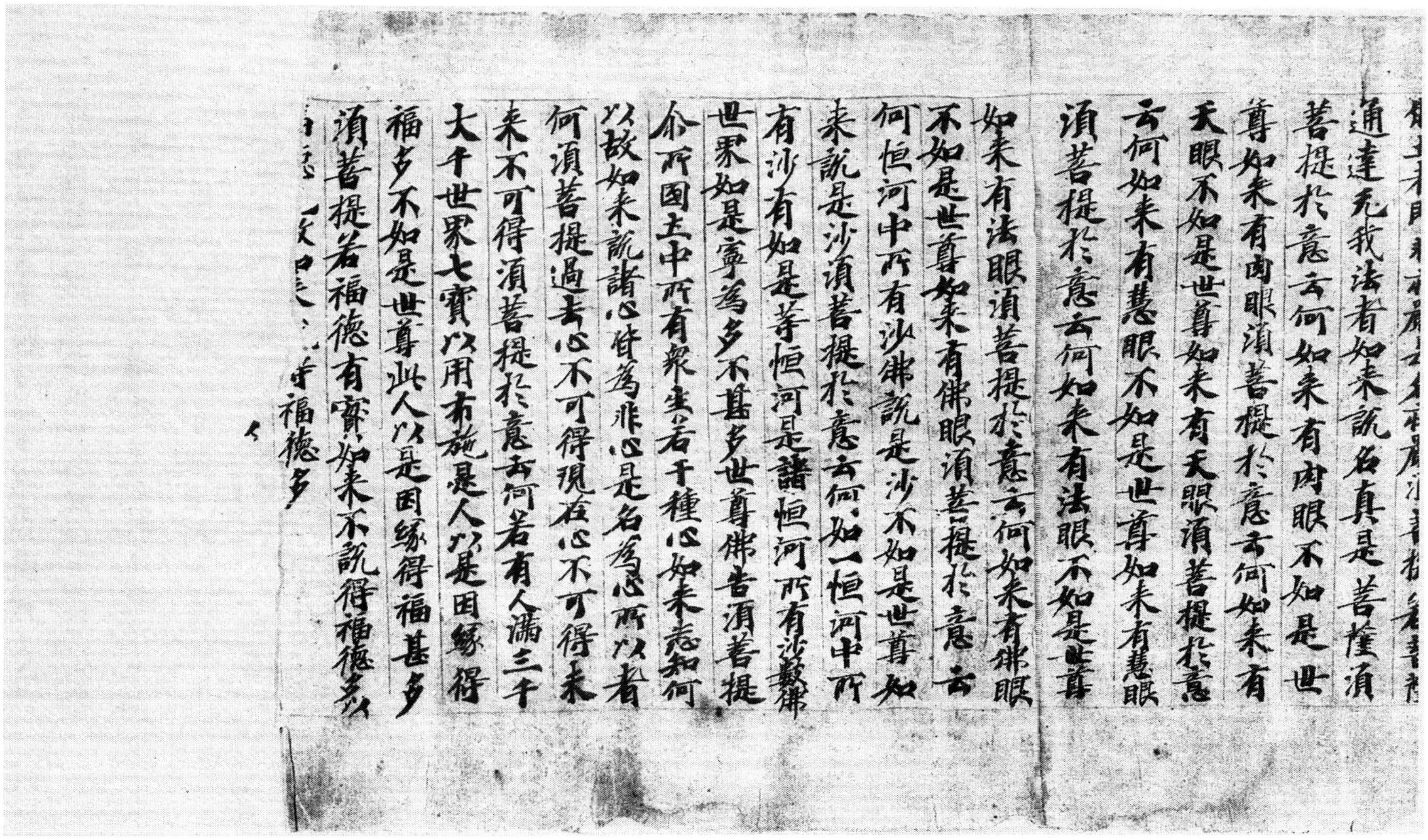

通達无我法者如来說名真是菩薩須
菩提於意云何如来有肉眼不如是世
尊如来有肉眼須菩提於意云何如来有
天眼不如是世尊如来有天眼須菩提於意
云何如来有慧眼不如是世尊如来有慧眼
須菩提於意云何如来有法眼不如是世尊
如来有法眼須菩提於意云何如来有佛眼
不如是世尊如来有佛眼須菩提於意云
何恒河中所有沙佛說是沙不如是世尊如
来說是沙須菩提於意云何如一恒河中所
有沙有如是等恒河是諸恒河所有沙數佛
世界如是寧為多不甚多世尊佛告須菩提
尒所国土中所有衆生若干種心如来悉知何
以故如来說諸心皆為非心是名為心所以者
何須菩提過去心不可得現在心不可得未
来不可得須菩提於意云何若有人滿三千
大千世界七寶以用布施是人以是因緣得
福多不如是世尊此人以是因緣得福甚多
須菩提若福德有實如来不說得福德多以
……福德多

BD01759號　金剛般若波羅蜜經　（2–2）

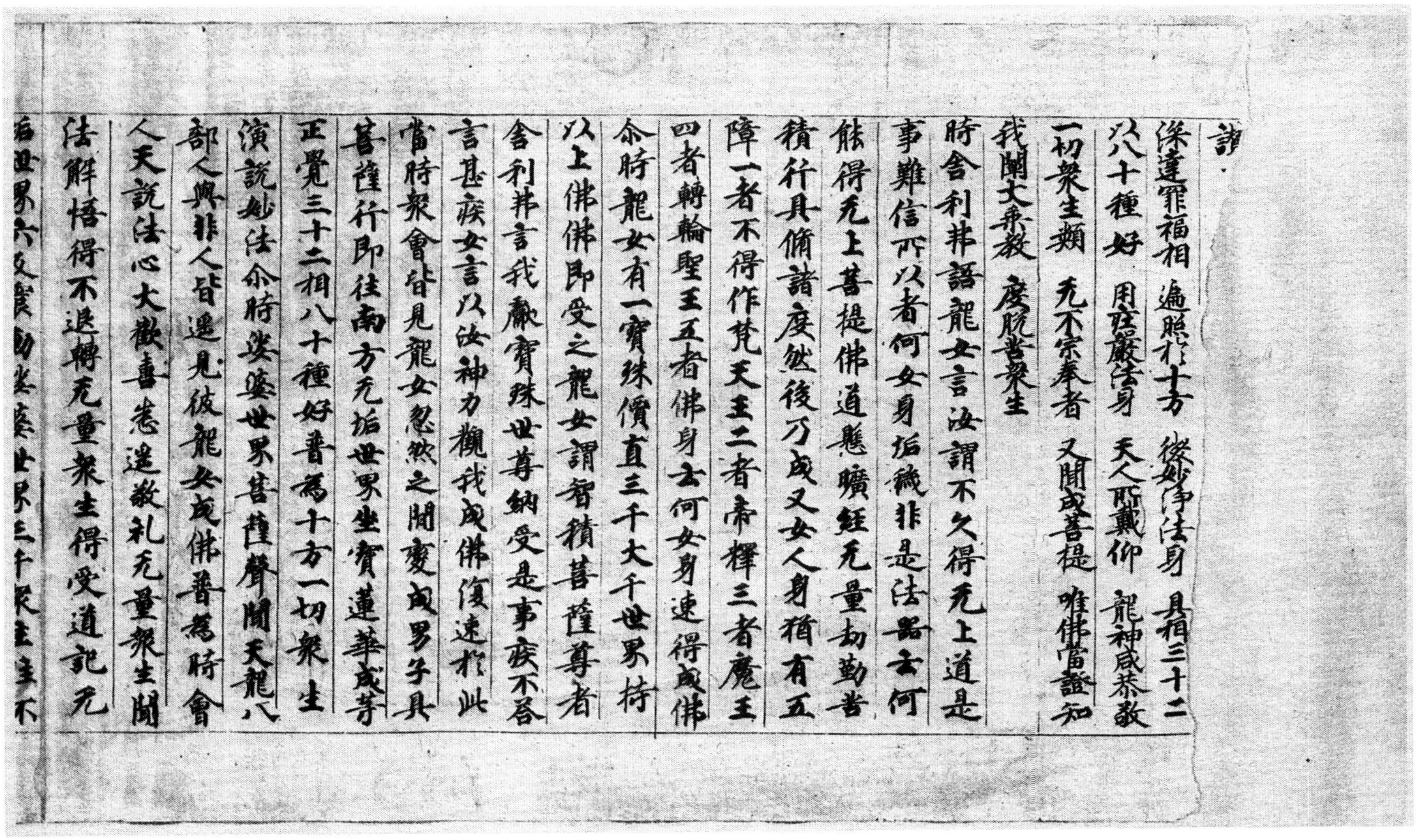

諸
深達罪福相　遍照於十方　微妙淨法身　具相三十二
以八十種好　用莊嚴法身　天人所戴仰　龍神咸恭敬
一切衆生類　无不宗奉者　又聞成菩提　唯佛當證知
我闡大乘教　度脫苦衆生
時舍利弗語龍女言汝謂不久得无上道是
事難信所以者何女身垢穢非是法器云何
能得无上菩提佛道懸曠經无量劫勤苦
積行具脩諸度然後乃成又女人身猶有五
障一者不得作梵天王二者帝釋三者魔王
四者轉輪聖王五者佛身云何女身速得成佛
尒時龍女有一寶珠價直三千大千世界持
以上佛佛即受之龍女謂智積菩薩尊者
舍利弗言我獻寶珠世尊納受是事疾不答
言甚疾女言以汝神力觀我成佛復速於此
當時衆會皆見龍女忽然之間變成男子具
菩薩行即往南方无垢世界坐寶蓮華成等
正覺三十二相八十種好普為十方一切衆生
演說妙法尒時娑婆世界菩薩聲聞天龍八
部人與非人皆遥見彼龍女成佛普為時會
人天說法心大歡喜悉遥敬礼无量衆生聞
法解悟得不退轉无量衆生得受道記无
垢世界六反震動娑婆世界三千衆生住不

BD01760號　妙法蓮華經卷四　（3–1）

演說妙法尒時娑婆世界菩薩聲聞天龍八
部人與非人皆遥見彼龍女成佛普為時會
人天說法心大歡喜悉遥敬礼无量衆生聞
法解悟得不退轉无量衆生得受道記无
垢世界六反震動娑婆世界三千衆生住不
退地三千衆生發菩提心而得受記智積菩
薩及舍利弗一切衆會嘿然信受
妙法蓮華經勸持品第十三
尒時藥王菩薩摩訶薩及大樂說菩薩摩
訶薩與二万菩薩眷屬俱皆於佛前作是
誓言唯願世尊不以為慮我等於佛滅後當
奉持讀誦說此經典後惡世衆生善根轉少
多增上慢貪利供養增不善根遠離解脫
雖難可教化我等當起大忍力讀誦此經持說
書寫種種供養不惜身命尒時衆中五百阿
羅漢得受記者白佛言世尊我等亦自誓願
於異國土廣說此經復有學无學八千人得
受記者從座而起合掌向佛作是誓言世尊
我等亦當於他國土廣說此經所以者何是
娑婆國中人多弊惡懷增上慢功德淺薄瞋
濁諂曲心不實故尒時佛姨母摩訶波闍波
提比丘尼與學无學比丘尼六千人俱從座
而起一心合掌瞻仰尊顏目不暫捨於時世
尊告憍曇彌何故憂色而視如來汝心將无謂
我不說汝名得授阿耨多羅三藐三菩提記耶

BD01760號　妙法蓮華經卷四　（3–2）

誓言唯願世尊不以為慮我等於佛滅後當
奉持讀誦說此經典後惡世衆生善根轉少
多增上慢貪利供養增不善根遠離解脫
雖難可教化我等當起大忍力讀誦此經持說
書寫種種供養不惜身命尒時衆中五百阿
羅漢得受記者白佛言世尊我等亦自誓願
於異國土廣說此經復有學无學八千人得
受記者從座而起合掌向佛作是誓言世尊
我等亦當於他國土廣說此經所以者何是
娑婆國中人多弊惡懷增上慢功德淺薄瞋
濁諂曲心不實故尒時佛姨母摩訶波闍波
提比丘尼與學无學比丘尼六千人俱從座
而起一心合掌瞻仰尊顏目不暫捨於時世
尊告憍曇彌何故憂色而視如來汝心將无謂
我不說汝名得授阿耨多羅三藐三菩提記耶
憍曇彌我先惣說一切聲聞皆已授記今汝欲

BD01760號　妙法蓮華經卷四　（3–3）

般若波羅
如實知能執所執諸煩惱汝
所執及諸煩惱不見所生不見
等脩一切種波羅蜜多速證
不見可離故名平等大
起聲聞獨覺作意於大
異相故名平等緣一切
行由大悲力不捨有情
若諸菩薩行深般若波
一切法心緣自在心緣無
無相及菩提異故名平等
界不見無願及三界異故名平等
心住清淨觀行無常心緣生死而不厭捨觀
有情若住涅槃樂觀法無我於有情類起大
悲心常為有情說不淨藥不見貪病常說大
慈不見瞋病常說緣起不見癡病為等病者
說無常藥不見等病及無常異如是菩薩行
深般若波羅蜜多方便善巧於一切法心緣
自在緣離貪法為化聲聞緣離瞋法為化獨
覺緣離癡法為化菩薩緣一切色願得如來
清淨妙色無所得故緣一切聲為得諸佛微
妙音聲無所得故緣一切香願諸諸佛清淨
緣一切味願得如來味中第

BD01761號　大般若波羅蜜多經卷五七〇　　（19-1）

深般若波羅蜜多方便善巧於一切法心緣
自在緣離貪法為化聲聞緣離瞋法為化獨
覺緣離癡法為化菩薩緣一切色願得如來
清淨妙色無所得故緣一切聲為得諸佛微
妙音聲無所得故緣一切香願諸諸佛清淨
戒香無所得故緣一切味願得如來味中第
一大士夫相無所得故緣一切觸願得如來
柔軟手掌無所得故緣一切法願得如來寂
靜之心無所得故緣諸布施為得成熟佛相
好身緣諸淨戒為得圓滿嚴淨佛土緣諸安
忍願得諸佛大梵音聲及得諸佛淨光明身
緣諸精進為度有情常無間斷緣諸靜慮為
欲成熟廣大神通緣諸般若為斷一切妄見
煩惱緣諸大慈平等無礙為諸有情皆得安
樂緣諸大悲為護正法救拔有情生死大苦
緣諸大喜為得說法無礙自在悅樂有情緣
諸大捨為不執見有情煩惱結縛隨眠天王
當知若諸菩薩行深般若波羅蜜多方便善
巧不見二事名平等行緣四攝法為化有情
緣慳嫉過為捨資財脩行布施緣破戒失為
住淨戒緣瞋忿失為得安忍緣懈怠失為成
如來大精進力緣散亂失為得如來寂靜勝
定緣惡慧失為成如來無礙智慧緣二乘法
為欲成就無上大乘緣諸惡趣為欲濟拔一
切有情緣諸善趣為欲令知諸人天果皆當
敗壞緣諸有情為令了達都無堅實唯有虛
妄緣佛隨念為得成就助道勝定緣法隨念

BD01761號　大般若波羅蜜多經卷五七〇　　（19-2）

為欲成就無上大乘緣諸惡趣為欲濟拔一
切有情緣諸善趣為欲令知諸人天果皆當
敗壞緣諸有情為令了達都無堅實唯有虛
妄緣佛隨念為得成就助道勝定緣法隨念
為得通達諸法秘藏緣僧隨念為知和合衆心
無退轉緣捨隨念為無愛者緣戒隨念為得
淨戒緣天隨念為成菩提諸天讚歎緣自身
相為得佛身緣自語相為得佛語緣自意相
為得諸佛平等之心緣有為法為成佛智緣
無為法為得寂靜天主當知若諸菩薩行深
般若波羅蜜多方便善巧無有一心一行空
過而不迴向一切智者如是菩薩行深般若
波羅蜜多方便善巧雖遍緣法而能不著是
故名為方便善巧觀一切法無不趣向大菩
提者譬如三千大千世界所出諸物無不皆
為有情受用如是菩薩行深般若波羅蜜多
方便善巧所緣境界無不饒益趣向菩提譬
如衆色無有不因四大種者如是菩薩所緣境
界無有一法不趣菩提何以故菩薩修行
皆因外緣而得成立謂諸菩薩因慳嫉者成
就布施波羅蜜多因背恩者成就淨戒波羅
蜜多因惡性者成就安忍波羅蜜多因懈怠
者成就精進波羅蜜多因散亂者成就靜慮
波羅蜜多因愚癡者成就般若波羅蜜多者
諸有情損惱菩薩菩薩因彼伏斷瞋恚菩薩
若見修行善法向菩提者生己子心如是菩
[illegible]

BD01761號　大般若波羅蜜多經卷五七〇　（19–3）

者成就精進波羅蜜多因散亂者成就靜慮
波羅蜜多因愚癡者成就般若波羅蜜多者
諸有情損惱菩薩菩薩因彼伏斷瞋恚菩薩
若見修行善法向菩提者生己子心如是菩
薩讚不生喜毀不生瞋見無樂者起大慈心
見有苦者起大悲心見有樂者起大喜心見
無苦者起大捨心因難化者發奢摩他因易
化者發毗鉢舍那因信行者起知恩知若見
有情外惡緣勝外善緣劣則勤守護若見
因力有強勝者種種方便令受教法若見智
慧開悟有情則為宣說甚深法要若見有情
廣說乃悟則為次第宣說諸法若諸有情執
著文字為說句義令得開曉若已覺上為說
妙觀若已學觀為說寂止若執持戒為說地
獄持戒無執則不說之若執聞慧為說思修
若執善持為說般若若有愛樂阿練若者
即為彼說心遠離法若有樂聞佛功德者即為
彼說無上聖智為貪欲者說不淨法為瞋恚
者說慈悲法為愚癡者說緣起法為等分者
說種種法或說不淨或說慈悲或說緣起已
調伏者為說淨戒勝定妙慧應入佛乘而受
化者為次第說波羅蜜多應以神柱而受化
者先析其詞後為說法應種種言而受化者
即為彼說因緣譬喻令得開解應以深法而
受化者為說般若波羅蜜多方便善巧無我
無法著諸見者為說法空多尋伺者為說
[illegible]

BD01761號　大般若波羅蜜多經卷五七〇　（19–4）

化者為次第說波羅蜜多應以析柱而變化
者先析其詞後為說法應種種言而變化者
即為彼說因緣譬喻令得開解應以深法而
變化者為說般若波羅蜜多方便善巧無我
無法着諸見者為說法空多尋伺者為說
無相着有為者為說願着諸蘊者為說如幻
着諸界者為說無性着諸處者為說如夢着
欲界者為說識然着色界者為說行苦着無
色界者為說行無常難化有情為讃聖種
化有情為說靜慮及無量心若聞生天而變
化者為說快樂因聲聞法而變化者為說聖
諦因獨覺法而變化者為說緣起因菩薩法
而變化者為說淨心大慈悲法脩行菩薩為
說福慧不退菩薩為說淨土一生所繫菩薩
為說嚴菩提座應以佛說而變化者為其相
續次第而說天王當知如是菩薩脩行清淨
甚深般若波羅蜜多方便善巧得諸自在說
法利益無有空過說是菩薩自在法時三万
天人俱發無上正等覺心五千菩薩得無生
忍尒時世尊即便微笑諸佛法尒現微笑時
種種色光從面門出青黃赤白紫頗胝迦普照
十方無邊世界現希有事還至佛所右遶三
帀入佛頂中時舍利子覩斯瑞相心懷猶豫
即從座起偏覆左肩右膝著地合掌恭敬而
白佛言世尊何緣現此瑞相尒時佛告舍利
子言此最勝天已曾過去无量无數无邊大
劫於諸佛所脩行一切波羅蜜多為說菩薩

BD01761號　大般若波羅蜜多經卷五七〇　（19–5）

即從座起偏覆左肩右膝著地合掌恭敬而
白佛言世尊何緣現此瑞相尒時佛告舍利
子言此最勝天已曾過去无量无數无邊大
劫於諸佛所脩行一切波羅蜜多為說菩薩
守護般若波羅蜜多由此因緣今得值我諳
受般若波羅蜜多於未來世復經无量无數
大劫脩習无上菩提資粮然後證得所求无
上正等菩提十号具足佛名功德莊嚴主名
最極嚴淨劫名清淨其土豐樂人衆熾盛純
菩薩僧无聲聞衆彼土大地七寶合成衆寶
莊嚴平坦如掌香花耎草而嚴飾之无諸山
陵堆阜荊棘幢幡花蓋種種莊嚴有大都城
名為難伏七寶羅網弥覆其上金繩交絡角
懸金鈴晝夜六時空天奏樂及散種種天妙
香花其土人衆歡娛受樂勝妙超彼他化天
宮人天往來不相隔礙无三惡趣及二乘名
彼土有情唯求佛智其佛恒為諸大菩薩宣
說種種清淨法要无量无邊菩薩眷屬无邪
見執破戒邪命亦无盲聾瘖瘂背僂及根缺
等諸醜惡事二十八相莊嚴其身彼土如來
壽八小劫諸人天衆有中夭者佛有如是无
量功德若欲說法先放光明諸菩薩衆遇斯
光已即知世尊將欲說法我等今者宜應往
聽時天為佛敷師子座其量高廣百踰繕那
種種莊嚴无量供養世尊昇座為衆說法彼
諸菩薩聰明利根一聞領悟離我我所資具

BD01761號　大般若波羅蜜多經卷五七〇　（19–6）

光已即知世尊將欲說法我等今者宜應往
聽時天為佛敷師子座其量高廣百踰繕那
種種莊嚴无量供養世尊昇座為衆說法彼
諸菩薩聰明利根一聞領悟離我我所資具
飲食應念即至佛說最勝受記法時五万天
人深心歡喜俱發无上正等覺心皆願未來
生彼佛土尒時最勝聞佛所說歡喜踴躍得
未曾有上昇虛空七多羅樹時三千界六種
變動諸天伎樂不鼓自鳴散衆天花以供養
佛及大菩薩最勝天王時彼天王從空而下
礼佛雙足退坐一面
第六分現相品第八
時舍利子問最勝言菩薩脩行甚深般若波
羅蜜多方便善巧通達法性今時即應坐菩
提座證得无上正等菩提轉妙法輪度有情
衆何緣先現苦行六年降伏天魔後成正覺
最勝荅曰大德當知菩薩脩行甚深般若波
羅蜜多方便善巧通達法性實无苦行為伏外
道故亦現之而彼天魔是欲界主稟性調善
實不應壞為化有情故亦降伏謂諸外道自
稱能脩苦行第一是故菩薩亦現能脩過彼
苦行謂諸有情或見菩薩屈一膝立或見菩
薩舉兩手立或見菩薩視日而立或見菩薩
五熱炙身或見菩薩倒懸其身或見菩薩卧
於棘刺或卧牛糞或坐於石或復卧地或卧
其板或卧杵上或卧灰土或見菩薩唯著板

BD01761號　大般若波羅蜜多經卷五七〇　（19–7）

五熱炙身或見菩薩倒懸其身或見菩薩卧
於棘刺或卧牛糞或坐於石或復卧地或卧
其板或卧杵上或卧灰土或見菩薩唯著板
衣或著芷衣或著草衣或著樹皮或著芓衣
或復露形或面向日隨日而轉或見菩薩唯
食稗子或復食麦或食草根或食樹葉或花
或果或食署預或芋或藕或豆或穀或麻或
米或六日一食或飲水度日或於一日食一
滴蘇或一滴蜜或一滴乳或无所食或恒熟
眠現如是等種種苦行經於六年一无虧失
然實菩薩无斯苦行應度有情而自見有菩
薩如是現苦行時有六十那庾多諸天人衆
因見此事安住三乘復有天人宿善根力深
樂大乘則見菩薩坐七寶臺身心不動舒顏
含笑入勝等持時經六年方從定起有天人
衆深樂大乘欲聽聞者則見菩薩端坐說法
經於六年大德當知如是菩薩方便善巧行
深般若波羅蜜多能降天魔伏諸外道大悲
化度一切有情既經六年從定而起隨順世
法詣无垢河洗浴出已於河邊立有牧牛女
搆百乳牛以飲一牛搆此牛乳用乳糜奉
獻菩薩復有六億天龍藥叉健達縛等各持
種種香美飲食而來奉獻咸作是言大士正
士唯願受我飲食供養菩薩愍之皆悉為受
時牧牛女天龍藥叉健達縛等手不相見各
見菩薩獨受其供時有无量諸天人等曰見

BD01761號　大般若波羅蜜多經卷五七〇　（19–8）

獻菩薩復有六億天龍藥叉健達縛等各持
種種香美飲食而來奉獻咸作是言大士亦
士唯顧受我飲食供養菩薩愍之皆悉為受
時牧牛女天龍藥叉健達縛等手不相見各
見菩薩獨受其供時有无量諸天人等曰見
受供咸得悟道是故菩薩為亦現之菩薩尒
時賁不洗浴亦不受𢿝人天等供大德當知
如是菩薩行深般若波羅蜜多方便善巧示
現行詣菩提座時有地居天名曰妙地與天
神衆周遍掃飾灑以香水散以妙花時此三
千大千世界四大天王領自天衆雨天妙花
供養菩薩天主帝釋時分天王領自天衆住
虛空中奏天樂音讚歎菩薩喜足天王領自
天衆持七寶網弥覆世界其網四角懸紫金
鈴皆雨衆寶供養菩薩善化天王領自天衆
持紫金網弥覆世界住諸天樂雨種種花供
養菩薩自在天王領自天衆諸龍藥叉健達
縛等各持種種上妙供具供養菩薩堪忍界
主大梵天王既見菩薩詣菩提座即告一切
梵天衆言汝等當知今此菩薩堅固甲冑而
自莊嚴不遠本誓心无散亂諸菩薩行皆已
滿足通達无量化有情法諸菩薩地皆得自
在於諸有情甚心清淨善知一切根性差別
通達如來甚深秘藏超覺一切魔之事業集
諸善本不待外緣一切如來共所護念善為
合識開解脫門大將導師摧魔軍敵於大千

BD01761 號　大般若波羅蜜多經卷五七〇　（19–9）

滿足通達无量化有情法諸菩薩地皆得自
在於諸有情甚心清淨善知一切根性差別
通達如來甚深秘藏超覺一切魔之事業集
諸善本不待外緣一切如來共所護念善為
合識開解脫門大將導師摧魔軍敵於大千
界獨稱勇猛善施法藥為大醫王解脫灌頂
受法王位放智慧光普照一切八法不染譬
如蓮花諸總持門无不通達深廣難測猶若
大海安固不動如妙高山智慧清淨无諸垢
濁內外皎徹如末尼珠於諸法相皆得自在
梵行清白已到究竟如是菩薩行深般若波
羅蜜多方便善巧為度有情詣菩提座結跏
趺坐降伏魔怨為成十力四无所畏四无礙解
及十八佛不共法等无量无邊諸佛功德轉
大法輪作師子吼以法善施一切有情各隨
所宜皆令滿足為諸有情法眼清淨以无上
法降伏外道欲示諸佛本願成就於一切法
而得自在汝等可往供養菩薩大德當知
如是菩薩行深般若波羅蜜多方便善巧示
現行詣菩提座時於雙足之下千輻輪相各放
无量微妙光明普照地獄傍生鬼界其中有
情遇斯光者即皆離苦身心安樂時龍宮內
有大龍王名迦履迦遇斯光已生大歡喜告
諸龍言此妙光明來照我等令我等輩身心
安樂我於往昔曾見此光時有如來出興于
世今既有此微妙光明定知世間有佛出現
宜共嚴辦種種香花衆妙珍財幢幡花蓋住

BD01761 號　大般若波羅蜜多經卷五七〇　（19–10）

有大龍王名迦履迦遏斯光巳生大歡喜告
諸龍言此妙光明來照我等令我等身心
安樂我於往昔曾見此光時有如來出興于
世今既有此微妙光明定知世間有佛出現
宜共嚴辦種種香花衆妙珎財幢幡花蓋往
諸彼樂往詣供養於是龍王將諸眷屬賫持
供具普興大雲降灑香雨往詣菩薩作諸伎
樂施設供養右遶菩薩而讚歎言微妙光明
普令歡樂決定最勝佛出无疑種種奇珎莊
嚴大地所生草木悉變成寶江河皆靜无風
浪聲唯此定知佛出於世釋梵日月光明不
現惡趣清淨佛出无疑譬如有人少失父母
年既長大忽然還得歡喜踊躍不能自勝一
切世間覩佛出現各共歡慶亦復如是我等
過去曾供諸佛今值法王人中師子是則我
等生不空過大德當知如是菩薩行深般若
波羅蜜多方便善巧菩提樹下受草敷座右
遶七帀正念端坐下劣有情見如是相諸大
菩薩見有八万四千天子各別敷一大師子
座諸師子座衆寶合成七寶羅網珎覆其上
各於四角懸妙金鈴幢幡繒蓋處處羅列菩
薩遍此八万四千師子座上俱各安坐而諸
天子牙不相見各謂菩薩獨坐我座證得无
上正等菩提以是因緣深生歡喜於无上覺
皆得不退大德當知如是菩薩行深般若波
羅蜜多方便善巧眉間毫相放大光明普照
三千大千世界諸魔宮殿皆失威光時諸魔

BD01761 號　大般若波羅蜜多經卷五七〇　（19–11）

薩遍此八万四千師子座上俱各安坐而諸
天子牙不相見各謂菩薩獨坐我座證得无
上正等菩提以是因緣深生歡喜於无上覺
皆得不退大德當知如是菩薩行深般若波
羅蜜多方便善巧眉間毫相放大光明普照
三千大千世界諸魔宮殿皆失威光時諸魔
王咸作是念以何緣故有此光明映蔽我等
威光宮殿誰非菩薩坐菩提座將證无上正
等菩提念已共觀方見菩薩菩提下坐金
剛座見已驚怖召集魔軍无量百千種種形
貌持種種伎種種幢幡出種種聲能令聞者
竅穴毛孔並皆流血菩薩尒時以大悲力令
魔軍衆不能出聲是名菩薩行深般若波羅
蜜多方便善巧大德當知如是菩薩行深般
若波羅蜜多方便善巧憶念過去无量億劫
精進脩行布施淨戒安忍精進靜慮般若慈
悲喜捨念住正斷神足根力覺支道支并上
妙觀三明八解皆悉圓滿念已即申金色右
手自摩其頂乃至遍身作如是言我欲濟拔
有情衆苦而起大悲時諸魔王及彼眷屬聞
菩薩語即皆顛仆菩薩尒時以大悲力令諸
魔衆聞空中聲汝可歸依能施无畏救護一
切淨戒大仙魔及眷屬聞此聲已猶故在地
作如是言唯願大仙救濟我命是時菩薩依
深般若波羅蜜多方便善巧放大光明其有
遇者皆離怖畏魔及眷屬都神變恐怖歡
喜二事交集大德當知如是菩薩行深般若

BD01761 號　大般若波羅蜜多經卷五七〇　（19–12）

住如是言唯願大仙救濟我命是時菩薩依
深般若波羅蜜多方便善巧放大光明其有
遇者皆離怖畏魔及眷屬都神變恐怖歡
喜二事交懷大德當知如是菩薩行深般若
波羅蜜多方便善巧令諸有情所見各別謂
或有見如是降魔或有情不見斯事或　見
菩薩但居草座或見菩薩處師子臺臺或見菩
薩在地而坐或見空中坐師子座見菩提樹
其相亦別謂或見是樟鉢羅樹或有見是天
圓彩樹或見此樹衆寶合成或見此樹高七
多羅或見此樹八萬四千踰繕那量有師子
座四萬二千踰繕那量在此樹下菩薩坐之
或見菩薩遊戲空中或見坐於菩提樹下如
是菩薩行深般若波羅蜜多方便善巧亦現
種種神通變化度諸有情大德當知如是菩
薩行深般若波羅蜜多方便善巧坐菩提座
十方各如殑伽沙界无量无數无邊菩薩皆
悉來集住虛空中發種種聲安慰菩薩令身安
樂心生歡喜善哉大士勇猛精進速疾成辦
廣大吉祥心如金剛勿生怖懼神通遊戲利樂
有情能一刹那證一切智如是菩薩處菩提
座魔來擾亂都不生瞋一刹那心方便善巧能
與般若波羅蜜多理趣相應已至究竟通達
一切所知見覺大德當知如是菩薩行深般
若波羅蜜多方便善巧坐菩提座十方各如
殑伽沙界所有諸佛異口同音讚言善哉善

一切所知見覺大德當知如是菩薩行深般
若波羅蜜多方便善巧坐菩提座十方各如
殑伽沙界所有諸佛異口同音讚言善哉善
哉大士乃能通達自然智无礙智平等智无
師智大悲莊嚴大德當知如是菩薩行深般
若波羅蜜多方便善巧能住如是種種亦現
諸有情類或見菩薩今得菩提或見菩薩久
已成佛或有但見一世界中四大天王各奉
獻鉢或復有見十方各如殑伽沙界四大天
王各奉獻鉢尒時菩薩為有情故總受衆鉢
疊掌中以手按之令合成一諸四天王各不
相見皆謂世尊獨受我鉢尒時便有六万天
子乘宿願力先來獻供彼於過去住是願言
若此菩薩當成佛時願受我等最初供養說
是法時三萬菩薩得无生忍復有三萬六千
菩薩皆於无上正等菩提得不退轉八萬人
天遠塵離垢生淨法眼无量无邊諸有情類俱
發无上正等覺心
大德當知尒時菩薩依深般若波羅蜜多方
便善巧將欲示現轉大法輪堪忍界主持髻
梵王應時便與六十八萬諸梵天衆來至佛
所頂礼雙足合掌恭敬右遶七帀而三請言
唯願大悲哀愍我等轉大法輪唯願大悲哀
愍我等轉大法輪唯願大悲哀愍我等轉大
法輪既三請已即便化作大師子座其座高
廣四万二千踰繕那量種種莊嚴堅固安隱
時十方界各有无量天主帝釋皆為如來敷

法輪既三請已即便化作大師子座其座高
廣四万二千踰繕那量種種莊嚴堅固安隱
時十方界各有无量天主帝釋皆爲如來敷
師子座量及莊嚴亦復如是菩薩尒時現神
通力令彼諸天各見菩薩坐其座上而轉法
輪菩薩既坐此師子座入无邊境三摩地門
放大光明照十方面各如殑伽沙等世界復
令彼界六種變動其中有情衆苦暫息身心
安樂亦暫遠離貪瞋癡等惡不善法慈心相
向猶如母子時此三千大千世界靡有間隙如
一毛孔天龍藥叉健達縛阿素洛揭路荼
緊捺洛莫呼洛伽人非人等充滿其中若諸
有情應聞若法而受化者聞佛說若應聞无
我寂靜遠離无常空法而受化者亦復如是
應聞如幻而受化者聞說如幻應聞如夢響
像光影陽焰變化尋香城法而受化者亦復
如是應聞空无相无願解脫門而受化者聞
佛說空无相无願時有情類或聞如來說一
切法從因緣生或聞說蘊或聞說界或聞說
處或聞說苦或聞說集或聞說滅或聞說道
或有聞說念住正斷神足根力覺支道支或
有聞說寂止妙觀或有聞說諸聲聞法或有
聞說諸獨覺法或有聞說諸菩薩法如是菩
薩行深般若波羅蜜多方便善巧示現種種
轉法輪相隨諸有情根性差別各得利樂深
心歡喜時舍利子謂最勝言天王菩薩行深
[illegible]

BD01761 號　大般若波羅蜜多經卷五七〇　　（19–15）

聞說諸獨覺法或有聞說諸菩薩法如是菩
薩行深般若波羅蜜多方便善巧示現種種
轉法輪相隨諸有情根性差別各得利樂深
心歡喜時舍利子謂最勝言天王菩薩行深
般若波羅蜜多方便善巧所有境界極爲甚
深難思難議難知難入最勝報言大德菩薩
行深般若波羅蜜多方便善巧功德勝事无
量无邊我今所說百分千分乃至鄔波尼煞
曇分不得其一唯有如來乃能盡說我今所
說彼少分者皆承如來威神之力何以故諸
佛境界不可思議一生所繫諸菩薩衆說其
功德尚不能盡況餘菩薩大德當知諸佛境
界寂靜離說无分別智及後所得之所能了
大德當知若菩薩摩訶薩欲得證入諸佛境
界應學般若波羅蜜多方便善巧究竟通達
健行三摩地如幻三摩地金剛喻三摩地金
剛輪三摩地无動慧三摩地遍通達三摩地
不緣境界三摩地師子自在三摩地三摩地
王三摩地功德莊嚴三摩地寂靜慧三摩地
普超越三摩地无染著三摩地慧莊嚴王三
摩地无等等三摩地菩覺三摩地正覺三摩
地悅意三摩地歡喜三摩地清淨三摩地火
焰三摩地光明三摩地難勝三摩地常現前
三摩地不合和三摩地无生三摩地通達三
摩地最勝三摩地超過魔境三摩地一切智
慧三摩地幢相三摩地大悲三摩地安樂三
摩地愛念三摩地及不見法三摩地等大德

BD01761 號　大般若波羅蜜多經卷五七〇　　（19–16）

焰三摩地光明三摩地離勝三摩地常現前
三摩地不合和三摩地无生三摩地通達三
摩地最勝三摩地超過魔境三摩地一切智
慧三摩地幢相三摩地大悲三摩地安樂三
摩地愛念三摩地及不見法三摩地等大德
當知若菩薩摩訶薩能學般若波羅蜜多方
便善巧便能究竟通達此等无量无邊殑伽
沙數三摩地門乃能證入諸佛境界其心安
隱无所怖畏如師子王不畏禽獸何以故若
菩薩摩訶薩脩如是等諸三摩地凡有所行
皆无怖畏不見其前有一怨敵何以故舍利
子是菩薩摩訶薩行深般若波羅蜜多方便
善巧心无所緣亦无所住譬如有人生无色
界八万大劫唯有一識无有住處亦无所緣
如是菩薩行深般若波羅蜜多方便善巧心
无所緣亦无所住何以故是諸菩薩心不行
无行處心不想无想處心不緣无緣處心不
著无著處心不亂无亂處心无高下心无違
順无憂无喜无分別離分別離奢摩他毗鉢
舍那心不隨智心不自住亦不住他不依眼
住不依耳鼻舌身意住不依色住不依聲香
味觸法住心不在內亦不在外不在兩間心
不緣法亦不緣智不住三世不住離世大德
當知是諸菩薩行深般若波羅蜜多方便善
巧不取一法而於諸法智見无礙心行淨故
見一切法皆悉无垢不取見相見无分別離
諸戲論大德當知是諸菩薩行深般若波羅

BD01761號　大般若波羅蜜多經卷五七〇　（19–17）

不緣法亦不緣智不住三世不住離世大德
當知是諸菩薩行深般若波羅蜜多方便善
巧不取一法而於諸法智見无礙心行淨故
見一切法皆悉无垢不取見相見无分別離
諸戲論大德當知是諸菩薩行深般若波羅
蜜多方便善巧不與一切內眼天眼慧眼法
眼佛眼相應非不相應亦復不與一切天耳
他心宿住神境漏盡諸智相應非不相應大
德當知甚深般若波羅蜜多方便善巧與一
切法皆非相應非不相應諸菩薩摩訶薩行
深般若波羅蜜多方便善巧於一切法得平
等智能觀一切有情心行一切染淨皆如實
知於佛十力四无所畏四无礙解及十八佛
不共法等无量无邊諸佛功德皆不失念是
諸菩薩行深般若波羅蜜多方便善巧无巧
用心達一切法无心意識常在寂定不起寂
定教化有情施作佛事常不休息於諸佛法
得无礙智心无染著譬如化佛化作如來所
化如來无心意識无身无身業无語无語業
无意无意業而能施作一切佛事饒益有情
何以故佛力故如是菩薩行深般若波羅
蜜多方便善巧之所化作无身无身業无語
无語業无意无意業无功用心常作佛事饒
益有情何以故舍利子諸菩薩摩訶薩行深
般若波羅蜜多方便善巧通達諸法皆如幻
等心无分別而諸有情恒聞說法大德當知
是諸菩薩所有智慧不住有為不住无為不

BD01761號　大般若波羅蜜多經卷五七〇　（19–18）

无語業无意无意業无功用心常住佛事饒
益有情何以故舍利子諸菩薩摩訶薩行深
般若波羅蜜多方便善巧通達諸法皆如幻
等心无分別而諸有情恒聞説法大德當知
是諸菩薩所有智慧不住有為不住无為不
住諸蘊及諸界處不住内外及兩中間不住
善惡及世出世不住染淨有漏无漏有為无
為不住三世及離三世不住虛空擇非擇滅
是諸菩薩行深般若波羅蜜多方便善巧雖常
如是心无所住而能通達諸法性相以无礙智
无功用心為諸有情宣説諸法常在寂靜而
教化事无有休息是諸菩薩宿願力強无功
用心為他説法是諸菩薩由深般若波羅蜜
多方便善巧常无怖畏何以故執金剛神若
行若立若坐若卧恒常隨逐而守衛故大德
當知若菩薩摩訶薩聞説如是甚深般若波
羅蜜多心不驚怖无惑无疑當知已得受菩
提説何以故信受般若波羅蜜多方便善巧
近佛境界以此一心即能通達一切佛法達
佛法故利樂有情下[illegible]有情與佛法異何以

BD01761 號　大般若波羅蜜多經卷五七〇

（19–19）

惱也是為二未曾有難得
之法此室常有釋梵四天王他方菩薩來會
不絶是為三未曾有難得之法此室常説六
波羅蜜不退轉法是為四未曾有難得之法
此室常作天人第一之樂絃出无量法化之
聲是為五未曾有難得之法此室有四大藏
衆寶積滿周窮濟乏求得无盡是為六未曾
有難得之法此室釋迦牟尼佛阿弥陁佛阿
閦佛寶德寶焔寶月寶嚴難勝師子響一切
利成如是等十方无量諸佛是上人念時即
皆為來廣説諸佛秘要法藏説已還去是為
七未曾有難得之法此室一切諸天嚴飾宮
殿諸佛淨土皆於中現是為八未曾有難得
之法舍利弗此室常現八未曾有難得之法
誰有見斯不思議事而復樂於聲聞法乎
舍利弗言汝何以不轉女身天曰我從十二
年來求女人相了不可得當何所轉譬如幻
師化作幻女若有人問何以不轉女身是人
為正問不舍利弗言不也幻无定相當何所
轉天曰一切諸法亦復如是无有定相云何
乃問不轉女身即時天女以神通力變舍利
弗令如天女天自化身如舍利弗而問言何
以不轉女身舍利弗以天女像而荅言我今

BD01762 號　維摩詰所説經卷中

（5–1）

為正問不舍利弗言不也幻无定相當何所
轉天曰一切諸法亦復如是无有定相云何
乃問不轉女身即時天女以神通力變舍利
弗令如天女天自化身如舍利弗而問言何
以不轉女身舍利弗以天女像而荅言我今
不知何轉而變為女身天曰舍利弗若能轉
此女身則一切女人亦當能轉如舍利弗非
女而現女身一切女人亦復如是雖現女身
而非女也是故佛說一切諸法非男非女即
時天女還攝神力舍利弗身還復如故天問
舍利弗女身色相今何所在舍利弗言女身
色相无在无不在天曰一切諸法亦復如是
无在无不在夫无在无不在者佛所說也舍
利弗問天汝於此沒當生何所天曰佛化所
生吾如彼生曰佛化所生非沒生也天曰衆
生猶然无沒生也舍利弗問天汝久如當得
阿耨多羅三藐三菩提天曰如舍利弗還為
凡夫我乃當成阿耨多羅三藐三菩提舍利
弗言我作凡夫无有是處天曰我得阿耨多
羅三藐三菩提亦无是處所以者何菩提无
住處是故无有得者舍利弗言今諸佛得阿
耨多羅三藐三菩提已得當得如恒河沙皆
何謂乎天曰皆以世俗文字數故說有三世
非謂菩提有去来今天曰舍利弗汝得阿羅
漢道耶曰无所得故而得天曰諸佛菩薩亦
復如是无所得故而得尒時維摩詰語舍利
弗是天女曾已供養九十二億佛已能遊戲

BD01762 號　維摩詰所說經卷中　（5–2）

何謂乎天曰皆以世俗文字數故說有三世
非謂菩提有去来今天曰舍利弗汝得阿羅
漢道耶曰无所得故而得天曰諸佛菩薩亦
復如是无所得故而得尒時維摩詰語舍利
弗是天女曾已供養九十二億佛已能遊戲
菩薩神通所願具足得无生忍住不退轉以
本願故隨意能現教化衆生

佛道品第八

尒時文殊師利問維摩詰言菩薩云何通達
佛道維摩詰言若菩薩行於非道是為通達
佛道又問云何菩薩行於非道荅曰若菩薩
行五无間而无惱恚至于地獄无諸罪垢至
于畜生无有无明憍慢等過至于餓鬼而具
足功德行色无色界不以為勝示行貪欲離
諸染著示行瞋恚於諸衆生无有恚閡示行
愚癡而以智慧調伏其心示行慳貪而捨內
外所有不惜身命示行毀禁而安住淨戒乃
至小罪猶懷大懼示行瞋恚而常慈忍示行
懈怠而勤脩功德示行亂意而常念定示行
愚癡而通達世間出世間慧示行諂偽而善
方便隨諸經義示行憍慢而於衆生猶如橋
梁示行諸煩惱而心常清淨示入於魔而順
佛智慧不隨他教示入聲聞而為衆生說未
聞法示入辟支佛而成就大悲教化衆生示
入貧窮而有寶手功德无盡示入形殘而具
諸相好以自莊嚴示入下賤而生佛種性中
具諸功德示入羸劣醜陋而得那羅延身一

BD01762 號　維摩詰所說經卷中　（5–3）

[illegible]示入諸煩惱而心常清淨示入於魔而順
佛智慧不隨他教示入聲聞而為衆生說未
聞法示入辟支佛而成就大悲教化衆生示
入貧窮而有寶手功德无盡示入形殘而具
諸相好以自莊嚴示入下賤而生佛種性中
具諸功德示入羸劣醜陋而得那羅延身一
切衆生之所樂見示入老病而永斷病根超
越死畏示有資生而恒觀无常實无所貪示
有妻妾婇女而常遠離五欲淤泥現於訥鈍
而成就辯才揔持无失示入邪濟而以正濟
度諸衆生現遍入諸道而斷其因緣現於涅
槃而不斷生死文殊師利菩薩能如是行於
非道是為通達佛道
於是維摩詰問文殊師利何等為如來種文
殊師利言有身為種无明有愛為種貪恚癡
為種四顛倒為種五蓋為種六入為種七識
處為種八邪法為種九惱處為種十不善道
為種以要言之六十二見及一切煩惱皆是
佛種曰何謂也答曰若見无為入正位者不
能復發阿耨多羅三藐三菩提心譬如高原
陸地不生蓮華卑濕淤泥乃生此華如是見
无為法入正位者終不復能生於佛法煩惱
泥中乃有衆生起佛法耳又如殖種於空終
不得生糞壤之地乃能滋茂如是入无為正
位者不生佛法起於我見如須彌山猶能發
于阿耨多羅三藐三菩提心生佛法矣是故
當知一切煩惱為如來種譬如不下巨海不

BD01762 號　維摩詰所說經卷中

(5–4)

度諸衆生現遍入諸道而斷其因緣現於涅
槃而不斷生死文殊師利菩薩能如是行於
非道是為通達佛道
於是維摩詰問文殊師利何等為如來種文
殊師利言有身為種无明有愛為種貪恚癡
為種四顛倒為種五蓋為種六入為種七識
處為種八邪法為種九惱處為種十不善道
為種以要言之六十二見及一切煩惱皆是
佛種曰何謂也答曰若見无為入正位者不
能復發阿耨多羅三藐三菩提心譬如高原
陸地不生蓮華卑濕淤泥乃生此華如是見
无為法入正位者終不復能生於佛法煩惱
泥中乃有衆生起佛法耳又如殖種於空終
不得生糞壤之地乃能滋茂如是入无為正
位者不生佛法起於我見如須彌山猶能發
于阿耨多羅三藐三菩提心生佛法矣是故
當知一切煩惱為如來種譬如不下巨海不
能得无價寶珠如是不入煩惱大海則不能

BD01762 號　維摩詰所說經卷中

(5–5)

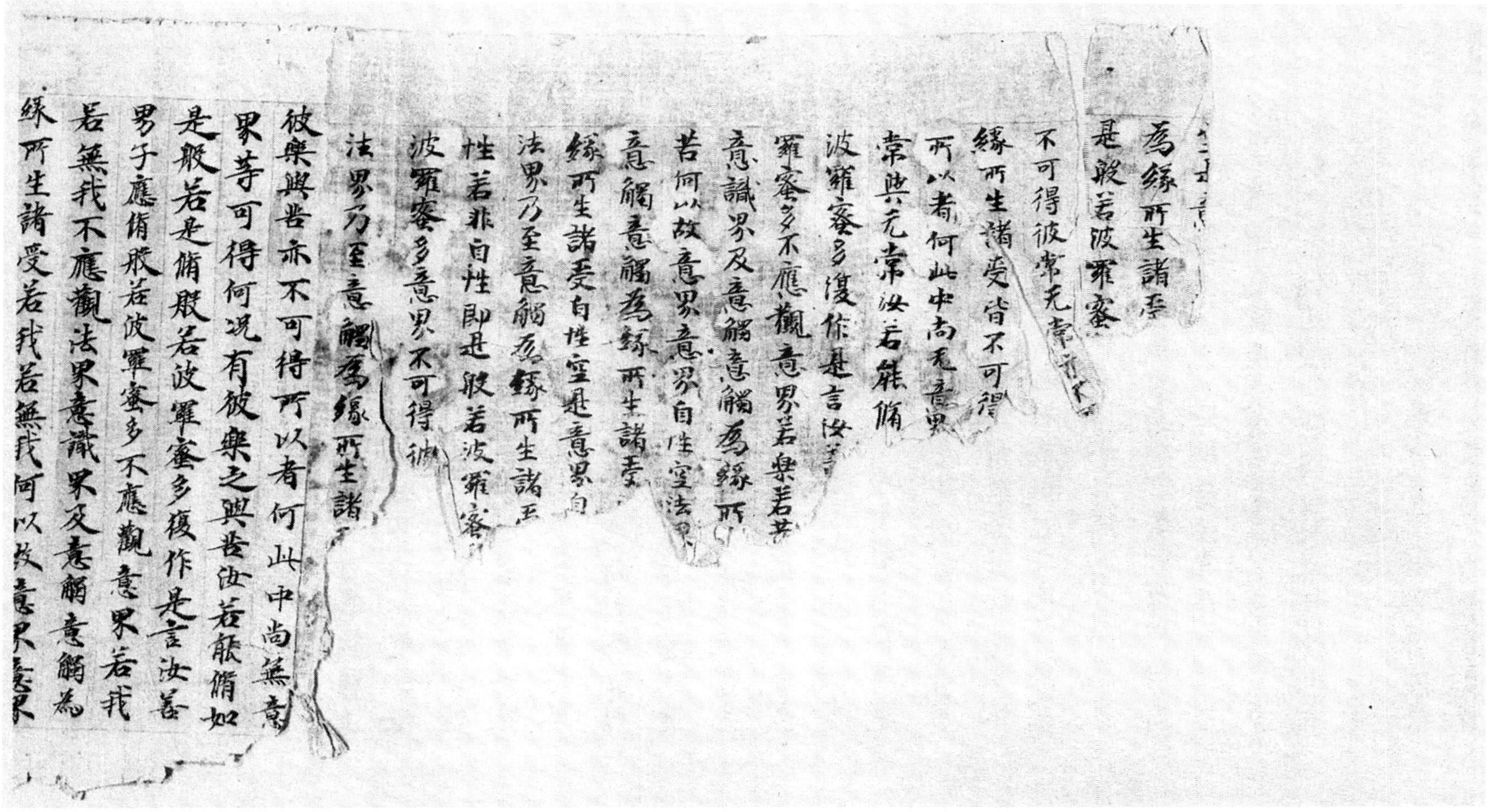
為緣所生諸受
是般若波羅蜜
不可得彼常无常亦不
緣所生諸受皆不可得
所以者何此中尚无意界
常與无常汝若能脩
波羅蜜多復作是言汝善
羅蜜多不應觀意界若樂若苦
意識界及意觸意觸為緣所
若何以故意界意界自性空法界
意觸意觸為緣所生諸受
緣所生諸受自性空是意界自
法界乃至意觸為緣所生諸受
性若非自性即是般若波羅蜜
波羅蜜多意界不可得彼
法界乃至意觸為緣所生諸
彼樂與苦亦不可得所以者何此中尚無意
界等可得何況有彼樂之與苦汝若能脩如
是般若是脩般若波羅蜜多復作是言汝善
男子應脩般若波羅蜜多不應觀意界若我
若無我不應觀法界意識界及意觸意觸為
緣所生諸受若我若無我何以故意界意界

BD01763 號　大般若波羅蜜多經卷一四七　（4–1）

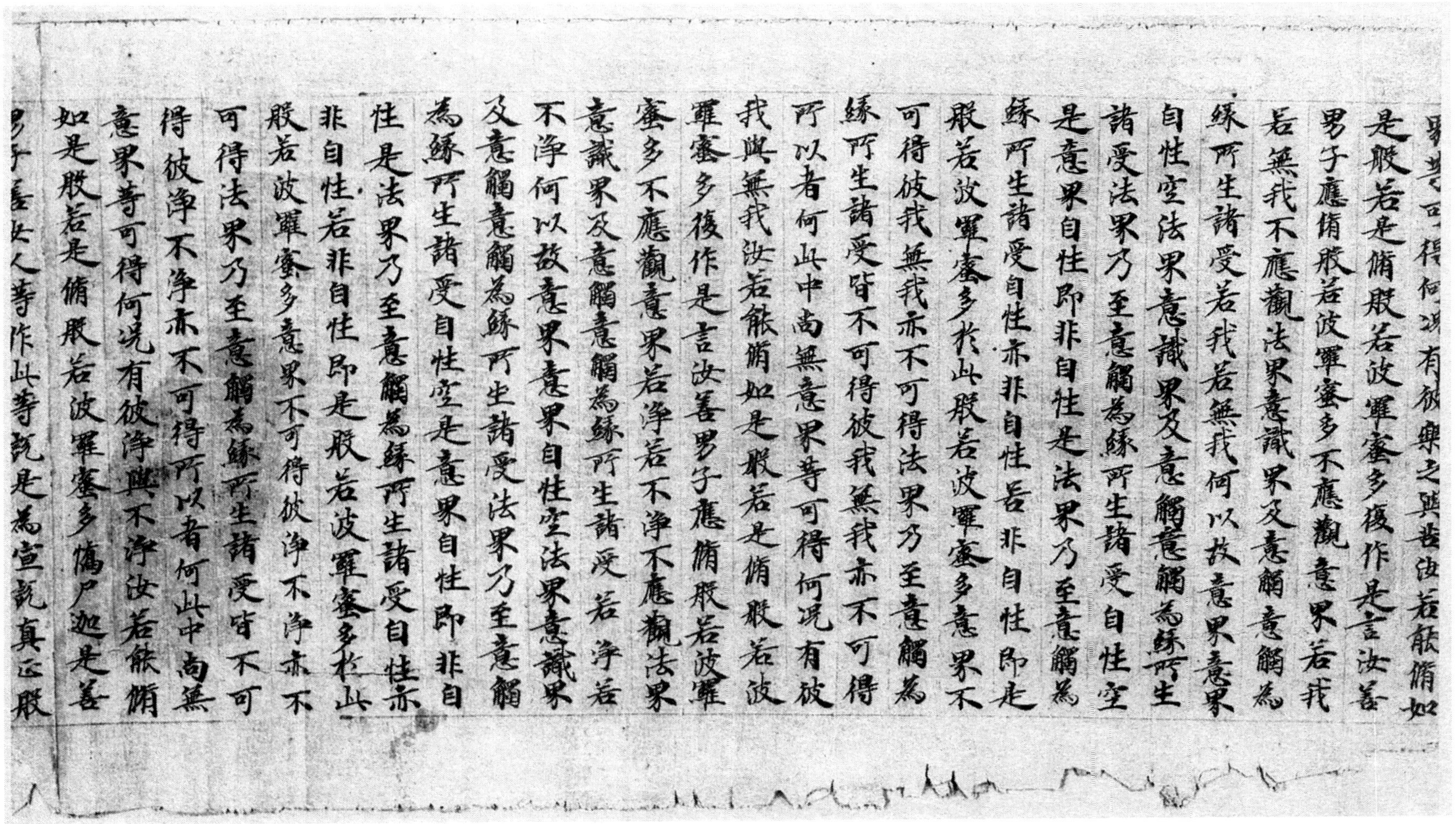
界等可得何況有彼樂之與苦汝若能脩如
是般若是脩般若波羅蜜多復作是言汝善
男子應脩般若波羅蜜多不應觀意界若我
若無我不應觀法界意識界及意觸意觸為
緣所生諸受若我若無我何以故意界意界
自性空法界意識界及意觸意觸為緣所生
諸受法界乃至意觸為緣所生諸受自性空
是意界自性即非自性是法界乃至意觸為
緣所生諸受自性亦非自性若非自性即是
般若波羅蜜多於此般若波羅蜜多意界不
可得彼我無我亦不可得法界乃至意觸為
緣所生諸受皆不可得彼我無我亦不可得
所以者何此中尚無意界等可得何況有彼
我與無我汝若能脩如是般若是脩般若波
羅蜜多復作是言汝善男子應脩般若波羅
蜜多不應觀意界若淨若不淨不應觀法界
意識界及意觸意觸為緣所生諸受若淨若
不淨何以故意界意界自性空法界意識界
及意觸意觸為緣所生諸受法界乃至意觸
為緣所生諸受自性空是意界自性即非自
性是法界乃至意觸為緣所生諸受自性亦
非自性若非自性即是般若波羅蜜多於此
般若波羅蜜多意界不可得彼淨不淨亦不
可得法界乃至意觸為緣所生諸受皆不可
得彼淨不淨亦不可得所以者何此中尚無
意界等可得何況有彼淨與不淨汝若能脩
如是般若是脩般若波羅蜜多憍尸迦是善
男子善女人等作此等說是為宣說真正般

BD01763 號　大般若波羅蜜多經卷一四七　（4–2）

可得淨界乃至意觸為緣所生諸受皆不可
得彼淨不淨亦不可得所以者何此中尚無
意界等可得何況有彼淨與不淨汝若能脩
如是般若是脩般若波羅蜜多憍尸迦是善
男子善女人等作此等說是爲宣說真正般
若波羅蜜多
復次憍尸迦若善男子善女人等爲發無上
菩提心者宣說般若波羅蜜多作如是言汝
善男子應脩般若波羅蜜多不應觀地界若
常若無常不應觀水火風空識界若常若無
常何以故地界地界自性空水火風空識界
水火風空識界自性空是地界自性即非自
性是水火風空識界自性亦非自性若非自
性即是般若波羅蜜多於此般若波羅蜜多
地界不可得彼常無常亦不可得水火風空
識界皆不可得彼常無常亦不可得所以者
何此中尚無地界等可得何況有彼常與無
常汝若能脩如是般若是脩般若波羅蜜多
復作是言汝善男子應脩般若波羅蜜多不
應觀地界若樂若苦不應觀水火風空識界若
樂若苦何以故地界地界自性空水火風空
識界水火風空識界自性空是地界自性即
非自性是水火風空識界自性亦非自性若
非自性即是般若波羅蜜多於此般若波羅
蜜多地界不可得彼樂與苦亦不可得水火
風空識界皆不可得彼樂與苦亦不可得所
以者何此中尚無地界等可得何況有彼樂
之與苦汝若能脩如是般若是脩般若波羅

BD01763號　大般若波羅蜜多經卷一四七　（4–3）

性即是般若波羅蜜多於此般若波羅蜜多
地界不可得彼常無常亦不可得水火風空
識界皆不可得彼常無常亦不可得所以者
何此中尚無地界等可得何況有彼常與無
常汝若能脩如是般若是脩般若波羅蜜多
復作是言汝善男子應脩般若波羅蜜多不
應觀地界若樂若苦不應觀水火風空識界若
樂若苦何以故地界地界自性空水火風空
識界水火風空識界自性空是地界自性即
非自性是水火風空識界自性亦非自性若
非自性即是般若波羅蜜多於此般若波羅
蜜多地界不可得彼樂與苦亦不可得水火
風空識界皆不可得彼樂與苦亦不可得所
以者何此中尚無地界等可得何況有彼樂
之與苦汝若能脩如是般若是脩般若波羅
蜜多復作是言汝善男子應脩般若波羅蜜
多不應觀地界若我若無我不應觀水火風
空識界若我若無我何以故地界地界自性
空水火風空識界水火風空識界自性空是

BD01763號　大般若波羅蜜多經卷一四七　（4–4）

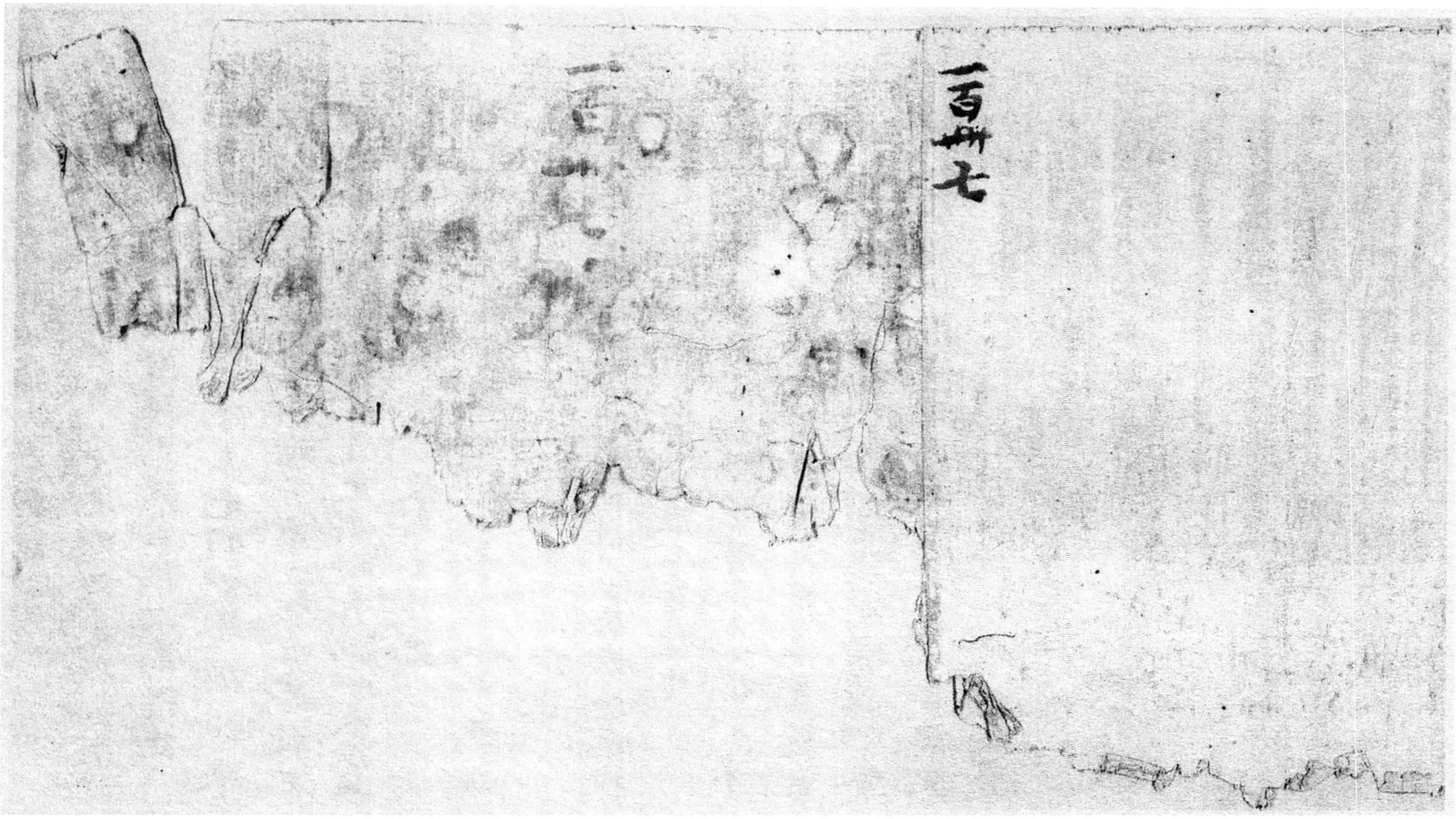

BD01763 號背　勘記　（1–1）

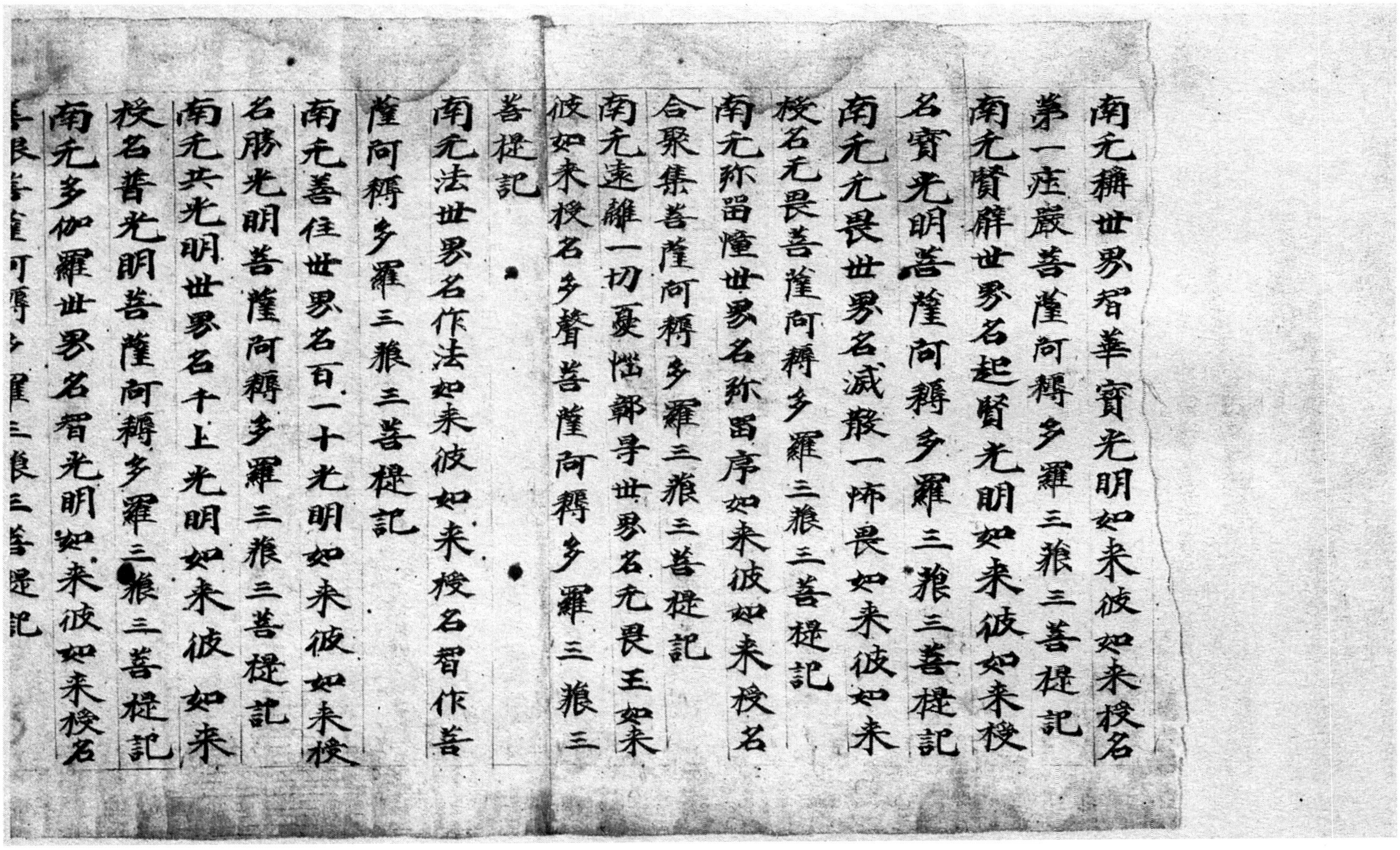
南无稱世界智華寶光明如来彼如来授名
第一莊嚴菩薩阿耨多羅三藐三菩提記
南无賢辟世界名起賢光明如来彼如来授
名寶光明菩薩阿耨多羅三藐三菩提記
南无无畏世界名滅散一怖畏如来彼如来
授名无畏菩薩阿耨多羅三藐三菩提記
南无弥留幢世界名弥留序如来彼如来授名
合聚集菩薩阿耨多羅三藐三菩提記
南无遠離一切憂惱部寻世界名无畏王如来
彼如来授名多聲菩薩阿耨多羅三藐三
菩提記
南无法世界名作法如来彼如来授名智作菩
薩阿耨多羅三藐三菩提記
南无善住世界名百一十光明如来彼如来授
名勝光明菩薩阿耨多羅三藐三菩提記
南无共光明世界名千上光明如来彼 如来
授名普光明菩薩阿耨多羅三藐三菩提記
南无多伽羅世界名智光明如来彼如来授名
善眼菩薩阿耨多羅三藐三菩提記

BD01764 號　佛名經（十二卷本）卷二　（3–1）

薩阿耨多羅三藐三菩提記
南无善住世界名百一十光明如来彼如来授
名勝光明菩薩阿耨多羅三藐三菩提記
南无共光明世界名十上光明如来彼如来
授名菩光明菩薩阿耨多羅三藐三菩提記
南无多伽羅世界名智光明如来彼如来授名
善眼菩薩阿耨多羅三藐三菩提記
南无香世界名寶勝光明如来彼如来授名
无量光明菩薩阿耨多羅三藐三菩提記
南无光明首世界名无量光明如来彼如来授
名藥王菩薩阿耨多羅三藐三菩提記
南无上首賢世界名无鄣尋聲如来彼如来
授名淨聲菩薩阿耨多羅三藐三菩提記
南无憂鉢羅世界名无量勝如来彼如来
授名曇无竭菩薩阿耨多羅三藐三菩提記
南无法世界名羅網光如来彼如来授名勝
菩薩阿耨多羅三藐三菩提記
南无賢入世界名寶智慧如来彼如来授
名智香菩薩阿耨多羅三藐三菩提記
南无清淨世界名无量莊嚴如来彼如来授
名寶莊嚴菩薩阿耨多羅三藐三菩提記
南无覺住世界名憂鉢羅勝如来彼如来授
名波頭摩勝菩薩阿耨多羅三藐三菩提記

BD01764 號　佛名經（十二卷本）卷二　（3–2）

授名曇无竭菩薩阿耨多羅三藐三菩提記
南无法世界名羅網光如来彼如来授名勝
菩薩阿耨多羅三藐三菩提記
南无賢入世界名寶智慧如来彼如来授
名智香菩薩阿耨多羅三藐三菩提記
南无清淨世界名无量莊嚴如来彼如来授
名寶莊嚴菩薩阿耨多羅三藐三菩提記
南无覺住世界名憂鉢羅勝如来彼如来授
名波頭摩勝菩薩阿耨多羅三藐三菩提記
南无波頭摩住世界名智住如来彼如来授名
寶滿足菩薩阿耨多羅三藐三菩提記
南无智力世界名釋迦牟尼如来彼如来授
名寶牟尼菩薩阿耨多羅三藐三菩提記
南无十方稱世界名智稱如来彼如来授名
无邊精進菩薩阿耨多羅三藐三菩提記

BD01764 號　佛名經（十二卷本）卷二　（3–3）

業謂一切凡夫業一切聲聞業須陁洹人受七
有業斯陁含人受二有業阿那含人受色有業
是名餘業如是餘業菩薩摩訶薩以能脩習
大涅槃故悉得斷除云何餘有阿羅漢人得
阿羅漢果辟支佛得辟支佛果无業无結而轉
二果是名餘有如是三種有餘之法菩薩摩
訶薩脩習大乘大涅槃經故得滅除是名菩
薩摩訶薩滅除有餘云何菩薩脩清淨身菩
薩摩訶薩脩不殺戒有五種心謂下中上上
上中上乃至正見亦復如是是五十心名初
發心具足決定成五十心是名滿足如是百
心名百福德具足百福成於一相如是展轉
具足成就三十二相名清淨身所以復脩八
十種好世有衆生事八十神何等八十神十
二日十二大天五大星北斗馬天行道天婆
羅墮跋闍天功德天二十八宿地天風天水
天火天梵天㩻陁天因提天拘摩羅天八辟
天摩醯首羅天半闍天羅刹子母天四天

BD01765號　大般涅槃經（北本）卷二四　（2–1）

羅墮跋闍天功德天二十八宿地天風天水
天火天梵天㩻陁天因提天拘摩羅天八辟
天摩醯首羅天半闍天羅刹子母天四天
王天造書天婆藪天是名八十爲此衆生脩
八十好以自莊嚴是名菩薩清淨之身何以
故是八十天一切衆生之所信伏是故菩薩
脩八十好其身不動令彼衆生隨其所信各
各而見見已增敬各發阿耨多羅三藐三菩
提心以是義故菩薩摩訶薩脩於淨身善男
子譬如有人欲請大王要當莊嚴所有舍宅
掃令清淨備具種種百味餚饍然後王當就
其所請菩薩摩訶薩亦復如是欲請阿耨多
羅三藐三菩提法輪王故先當脩身掃令清
淨无上法王乃當處之以是義故菩薩摩訶
薩要當脩於清淨之身善男子譬如有人欲
服甘露先當淨身菩薩摩訶薩亦復如是欲
服无上甘露法味般若波羅蜜要當先以八
十種好清淨其身善男子譬如好金銀盃器
盛之淨水中表俱淨菩薩摩訶薩其身清
淨亦復如是盛阿耨多羅三藐三菩提水中表

BD01765號　大般涅槃經（北本）卷二四　（2–2）

常若無常不應觀耳鼻舌身意處若常若無
常何以故眼處眼處自性空耳鼻舌身意處耳
鼻舌身意處自性空是眼處自性即非自
性是耳鼻舌身意處自性亦非自性若非自
性即是般若波羅蜜多於此般若波羅蜜
眼處不可得彼常無常亦不可得耳鼻舌身
意處皆不可得彼常無常亦不可得所以者
何此中尚無眼處等可得何況有彼常與無
常汝若能脩如是般若是脩般若波羅蜜多
復作是言汝善男子應脩般若波羅蜜多不
應觀眼處若樂若苦不應觀耳鼻舌身意處
若樂若苦何以故眼處眼處自性空耳鼻舌
身意處耳鼻舌身意處自性空是眼處自性
即非自性是耳鼻舌身意處自性亦非自性
若非自性即是般若波羅蜜多於此般若波
羅蜜多眼處不可得彼樂與苦亦不可得耳
鼻舌身意處皆不可得彼樂與苦亦不可得
所以者何此中尚無眼處等可得何況有彼
樂之與苦汝若能脩如是般若是脩般若波
羅蜜多復作是言汝善男子應脩般若波羅
蜜多不應觀眼處若我若無我不應觀耳鼻
舌身意處若我若無我何以故眼處眼處自
性空耳鼻舌身意處耳鼻舌身意處自性空
是眼處自性即非自性是耳鼻舌身意處自

BD01766 號　大般若波羅蜜多經卷一四六　（4–1）

羅蜜多復作是言汝善男子應脩般若波羅
蜜多不應觀眼處若我若無我不應觀耳鼻
舌身意處若我若無我何以故眼處眼處自
性空耳鼻舌身意處耳鼻舌身意處自性空
是眼處自性即非自性是耳鼻舌身意處自
性亦非自性若非自性即是般若波羅蜜多
於此般若波羅蜜多眼處不可得彼我無我
亦不可得耳鼻舌身意處皆不可得彼我無
我亦不可得所以者何此中尚無眼處等可
得何況有彼我與無我汝若能脩如是般若
是脩般若波羅蜜多復作是言汝善男子應
脩般若波羅蜜多不應觀眼處若淨若不淨
不應觀耳鼻舌身意處若淨若不淨何以故
眼處眼處自性空耳鼻舌身意處耳鼻舌身
意處自性空是眼處自性即非自性是耳鼻
舌身意處自性亦非自性若非自性即是般
若波羅蜜多於此般若波羅蜜多眼處不可
得彼淨不淨亦不可得耳鼻舌身意處皆不
可得彼淨不淨亦不可得所以者何此中尚
無眼處等可得何況有彼淨與不淨汝若能
脩如是般若是脩般若波羅蜜多憍尸迦是
善男子善女人等作此等說是為宣說真正
般若波羅蜜多
復次憍尸迦若善男子善女人等為發無上
菩提心者宣說般若波羅蜜多作如是言汝
善男子應脩般若波羅蜜多不應觀色處若
常若無常不應觀聲香味觸法處若常若無

BD01766 號　大般若波羅蜜多經卷一四六　（4–2）

般若波羅蜜多
復次憍尸迦若善男子善女人等為發無上
菩提心者宣說般若波羅蜜多作如是言汝
善男子應脩般若波羅蜜多不應觀色處若
常若無常不應觀聲香味觸法處若常若無
常何以故色處色處自性空聲香味觸法處
聲香味觸法處自性空是色處自性即非自
性是聲香味觸法處自性亦非自性若非自
性即是般若波羅蜜多於此般若波羅蜜多
色處不得彼常無常亦不可得聲香味觸
法處皆不可得彼常無常亦不可得所以者
何此中尚無色處等可得何況有彼常與無
常汝若能脩如是般若是脩般若波羅蜜多
復作是言汝善男子應脩般若波羅蜜多不
應觀色處若樂若苦不應觀聲香味觸法處
若樂若苦何以故色處色處自性空聲香味
觸法處聲香味觸法處自性空是色處自性
即非自性是聲香味觸法處自性亦非自性
若非自性即是般若波羅蜜多於此般若波
羅蜜多色處不可得彼樂與苦亦不可得聲
香味觸法處皆不可得彼樂與苦亦不可得
所以者何此中尚無色處等可得何況有彼
樂之與苦汝若能脩如是般若是脩般若波
羅蜜多復作是言汝善男子應脩般若波羅蜜
多不應觀色處若我若無我不應觀聲香味
觸法處若我若無我何以故色處色處自性
空聲香味觸法處聲香味觸法處自性空是

BD01766號　大般若波羅蜜多經卷一四六　（4–3）

所以者何此中尚無色處等可得何況有彼
樂之與苦汝若能脩如是般若是脩般若波
羅蜜多復作是言汝善男子應脩般若波羅蜜
多不應觀色處若我若無我不應觀聲香味
觸法處若我若無我何以故色處色處自性
空聲香味觸法處聲香味觸法處自性空是
色處自性即非自性是聲香味觸法處自性
亦非自性若非自性即是般若波羅蜜多於此
般若波羅蜜多色處不可得彼我無我亦
不可得聲香味觸法處皆不可得彼我無我
亦不可得所以者何此中尚無色處等可得
何況有彼我與無我汝若能脩如是般若是
脩般若波羅蜜多復作是言汝善男子應脩
般若波羅蜜多不應觀色處若淨若不淨不
應觀聲香味觸法處若淨若不淨何以故色
處色處自性空聲香味觸法處聲香味觸法
處自性空是色處自性即非自性是聲香味
觸法處自性亦非自性若非自性即是般若
波羅蜜多於此般若波羅蜜多色處不可得
彼淨不淨亦不可得聲香味觸法處皆不可
得彼淨不淨亦不可得所以者何此中尚無
色處等可得何況有彼淨與不淨汝若能

BD01766號　大般若波羅蜜多經卷一四六　（4–4）

可得說集滅道聖諦遠離不遠離相可得以
有所得為方便說無明常無常相可得說
行識名色六處觸受愛取有生老死愁歎苦
憂惱常無常相可得以有所得為方便說無
明樂苦相可得說行識名色六處觸受愛取
有生老死愁歎苦憂惱樂苦相可得以有所
得為方便說無明我無我相可得說行識名
色六處觸受愛取有生老死愁歎苦憂惱
我無我相可得以有所得為方便說無明淨
不淨相可得說行識名色六處觸受愛取有
生老死愁歎苦憂惱淨不淨相可得以有所
得為方便說無明空不空相可得說行識名
色六處觸受愛取有生老死愁歎苦憂惱空
不空相可得以有所得為方便說無明无相有
相相可得說行識名色六處觸受愛取有生
老死愁歎苦憂惱無相有相相可得以有所
得為方便說無明無願有願相可得說行識
名色六處觸受愛取有生老死愁歎苦憂惱
無願有願相可得以有所得為方便說無明
寂靜不寂靜相可得說行識名色六處觸受
愛取有生老死愁歎苦憂惱寂靜不寂靜相
可得以有所得為方便說無明遠離不遠離
相可得說行識名色六處觸受愛取有生老

BD01767 號　大般若波羅蜜多經卷四五　（3–1）

寂靜不寂靜相可得說行識名色六處觸受
愛取有生老死愁歎苦憂惱寂靜不寂靜相
可得以有所得為方便說無明遠離不遠離
相可得說行識名色六處觸受愛取有生老
死愁歎苦憂惱遠離不遠離相可得
以有所得為方便說四靜慮常無常相可得
說四無量四無色定常無常相可得以有所得
為方便說四靜慮樂苦相可得說四無量四
無色定樂苦相可得以有所得為方便說四
靜慮我無我相可得說四無量四無色定我
無我相可得以有所得為方便說四靜慮淨
不淨相可得說四無量四無色定淨不淨相
可得以有所得為方便說四靜慮空不空相
可得說四無量四無色定空不空相可得以
有所得為方便說四靜慮無相有相相可得
說四無量四無色定無相有相相可得以有
所得為方便說四靜慮無願有願相可得
說四無量四無色定無願有願相可得以有
所得為方便說四靜慮寂靜不寂靜相可得
說四無量四無色定寂靜不寂靜相可得以
有所得為方便說四靜慮遠離不遠離相可
得說四無量四無色定遠離不遠離相可得
以有所得為方便說四念住常無常相可得
說四正斷四神足五根五力七等覺支八聖
道支常無常相可得以有所得為方便說四
念住樂苦相可得說四正斷四神足五根五

BD01767 號　大般若波羅蜜多經卷四五　（3–2）

以有所得為方便說四念住常無常相可得
說四正斷四神足五根五力七等覺支八聖
道支常無常相可得以有所得為方便說四
念住樂苦相可得說四正斷四神足五根五
力七等覺支八聖道支樂苦可得以有所
得為方便說四念住我無我相可得說四正
斷四神足五根五力七等覺支八聖道支我
無我相可得以有所得為方便說四念住淨
不淨相可得說四正斷四神足五根五力七等
覺支八聖道支淨不淨相可得以有所得
為方便說四念住空不空相可得說四正斷
四神足五根五力七等覺支八聖道支空不
空相可得以有所得為方便說四念住無相
有相相可得說四正斷四神足五根五力七
等覺支八聖道支無相有相相可得以有
所得為方便說四念住無願有願相可得說四
正斷四神足五根五力七等覺支八聖道支
無願有願相可得以有所得為方便說四念
住寂靜不寂靜相可得說四正斷四神足五
根五力七等覺支八聖道支寂靜不寂靜相
可得以有所得為方便說四念住遠離不遠
離相可得說四正斷四神足五根五力七等
覺支八聖道支遠離不遠離相可得
以有所得為方便說空解脫門常無常相可
得說無相……無常相可得以有

BD01767 號　大般若波羅蜜多經卷四五　（3–3）

……不由聲
……不離聲香味
不離……身香味觸法界真
當知上座善現不由眼
……生不由眼識界真如故隨如
……故隨如來生不離眼識界
……不由耳鼻舌身意識界故
耳鼻舌身意識界真如故隨
……耳鼻舌身意識界故隨如來生
……身意識界真如故隨如來生天
……眼觸故隨如來生不
隨如來生不離眼觸故隨如
觸真如故隨如來生不由耳鼻
……故隨如來生不由耳鼻舌身意觸
隨如來生不離耳鼻舌身意觸故隨
……生不離耳鼻舌身意觸真如故隨如來
生天子當知上座善現……眼觸為緣所生
諸受故隨如來上……為緣所生諸受
真如故隨如來生不離眼觸為緣所生諸受
故隨如來生不離眼觸為緣所生諸受真如
故隨如來生不由耳鼻舌身意觸為緣所生
諸受故隨如來生不由耳鼻舌身意觸為緣
所生諸受真如故隨如來生不離耳鼻舌身
意觸為緣所生諸受故隨如來生不離耳鼻
……觸為緣所生諸受……如故隨如來生

BD01768 號　大般若波羅蜜多經卷三二二　（3–1）

故隨如來生不由耳鼻舌身意觸為緣所生
諸受故隨如來生不由耳鼻舌身意觸為緣
所生諸受真如故隨如來生不離耳鼻舌身
意觸為緣所生諸受故隨如來生不離耳鼻
舌身意觸為緣所生諸受真如故隨如來生
天子當知上座善現不由地界故隨如來生
不由地界真如故隨如來生不離地界故隨
如來生不離地界真如故隨如來生不由水、
火風空識界故隨如來生不由水火風空識
界真如故隨如來生不由水火風空識界故
隨如來生不離水火風空識界真如故隨如
來生天子當知上座善現不由無明故隨如
來生不由無明真如故隨如來生不離無明
故隨如來生不離無明真如故隨如來生不
由行識名色六處觸受愛取有生老死故隨
如來生不由行乃至老死真如故隨如來生不
離行乃至老死故隨如來生不離行乃至老
死真如故隨如來生天子當知上座善現不
由我故隨如來生不由我真如故隨如來生
不離我故隨如來生不離我真如故隨如來
生不由有情命者生者養者士夫補特伽羅
意生儒童作者受者知者見者故隨如來生
不由有情乃至見者真如故隨如來生不離
有情乃至見者故隨如來生不離有情乃至
見者真如故隨如來生天子當知上座善現
不由布施波羅蜜多故隨如來生不由布施
波羅蜜多真如故隨如來生不離布施波羅
蜜多故隨如來上〻　波羅蜜多真如
故隨如來生不由淨戒安忍精進靜慮般若

BD01768號　大般若波羅蜜多經卷三二二　（3–2）

見者真如故隨如來生天子當知上座善現
不由布施波羅蜜多故隨如來生不由布施
波羅蜜多真如故隨如來生不離布施波羅
蜜多故隨如來上〻　波羅蜜多真如
故隨如來生不由淨戒安忍精進靜慮般若
波羅蜜多故隨如來生不由淨戒乃至般若
波羅蜜多真如故隨如來生不離淨戒乃至
般若波羅蜜多故隨如來生不離淨戒乃
至般若波羅蜜多真如故隨如來生天子當知
上座善現不由內空故隨如來生不由內空真
如故隨如來生不離內空故隨如來生不離
內空真如故隨如來生不由外空內外空空
空大空勝義空有為空無為空畢竟空無
際空散空無變異空本性空自相空共相空一
切法空不可得空無性空自性空無性自性
空故隨如來生不由外空乃至無性自性空
真如故隨如來生不離外空乃至無性自性
空故隨如來生不離外空乃至無性自性空
真如故隨如來生天子當知上座善現不由
真如故隨如來生不由真如真如故隨如來
生不離真如故隨如來生不離真如真如故、
隨如來生不由法界法性不虛妄性不變異
性平等性離生性法定法住實際虛空界不
思議界故隨如來生不由法界乃至不思議
界真如故隨如來生不離法界乃至不思議
界故隨如來生不離法界乃至不思議界真
如故隨如來生天子……

BD01768號　大般若波羅蜜多經卷三二二　（3–3）

如是行郭无量无邊
弟子今日成心歸依向十方佛尊法聖衆慚愧
懺悔願皆消滅願藉此懺悔郭於諸行一切
煩惱願弟子等在在處處自在受生不爲
法業之所迴轉以如意通於一念頃遍至十
方淨諸佛土攝化衆生於諸禪定甚深境界
及諸知見通達无导心能善同一切諸法樂說
无窮而不染着得心自在得法自在智慧自
在方便自在令此煩惱及知法習畢竟永斷
不復相續无漏聖道朗然如日
大乘蓮華寶達菩薩問荅報應沙門經第三
尒時寶達菩薩更入地獄名爲鐵衣地獄云
何名鐵衣地獄其地獄縱廣方圓十六由旬其
地獄中有鐵鏃鏘利如鋒釰遍布其地烟炎
洞然鐵衣火燒焱赫遊行獄中東門之中有
八百沙門仰頭呼天狴匈大叫唱如是言我今
何罪来入此中宛轉倒地不能復前馬頭羅刹
手捉三枯鐵叉望背而鐘匈前而出遍身火燃
馬頭羅[illegible]

BD01769號　佛名經（三十卷本）卷三　（3–1）

地獄中有鐵鏃鏘利如鋒釰遍布其地烟炎
洞然鐵衣火燒焱赫遊行獄中東門之中有
八百沙門仰頭呼天狴匈大叫唱如是言我今
何罪来入此中宛轉倒地不能復前馬頭羅刹
手捉三枯鐵叉望背而鐘匈前而出遍身火燃
馬頭羅刹手捉鐵鉤鉤骸而鎔鐵鈎若着火
炎俱起罪人宛轉而不肯前馬頭羅刹手捉
鐵棒望頭而鎚復有鐵狗来食其肉復有餓
鬼来飲其血其地獄鐵衣奔乱来着罪人或
有着頭或有着脚遍身火燃一日一夜受罪
无量寶達菩薩問馬頭羅刹曰此諸罪人沙
門云何受如是罪馬頭羅刹荅曰此諸沙門罪
人受佛淨戒不護威儀捨正法服便着俗衣
皆不如法違佛禁戒惡囙緣故墮此地獄寶
達聞之悲泣而言
云何沙門子　名出三界人　云何不自慎　墮此惡道中
云何不自慎　受此大苦痛　云何得安隱　名爲解脫人
寶達菩薩說偈已抆淚而去

佛名經卷第三

BD01769號　佛名經（三十卷本）卷三　（3–2）

云何沙門子　名出三界人　云何不自慎　墮此惡道中
云何不自慎　受此大苦痛　云何得安隱　名為解脫人
寶達菩薩說偈已捫淚而去

佛名經卷第三

BD01769 號　佛名經（三十卷本）卷三　　（3–3）

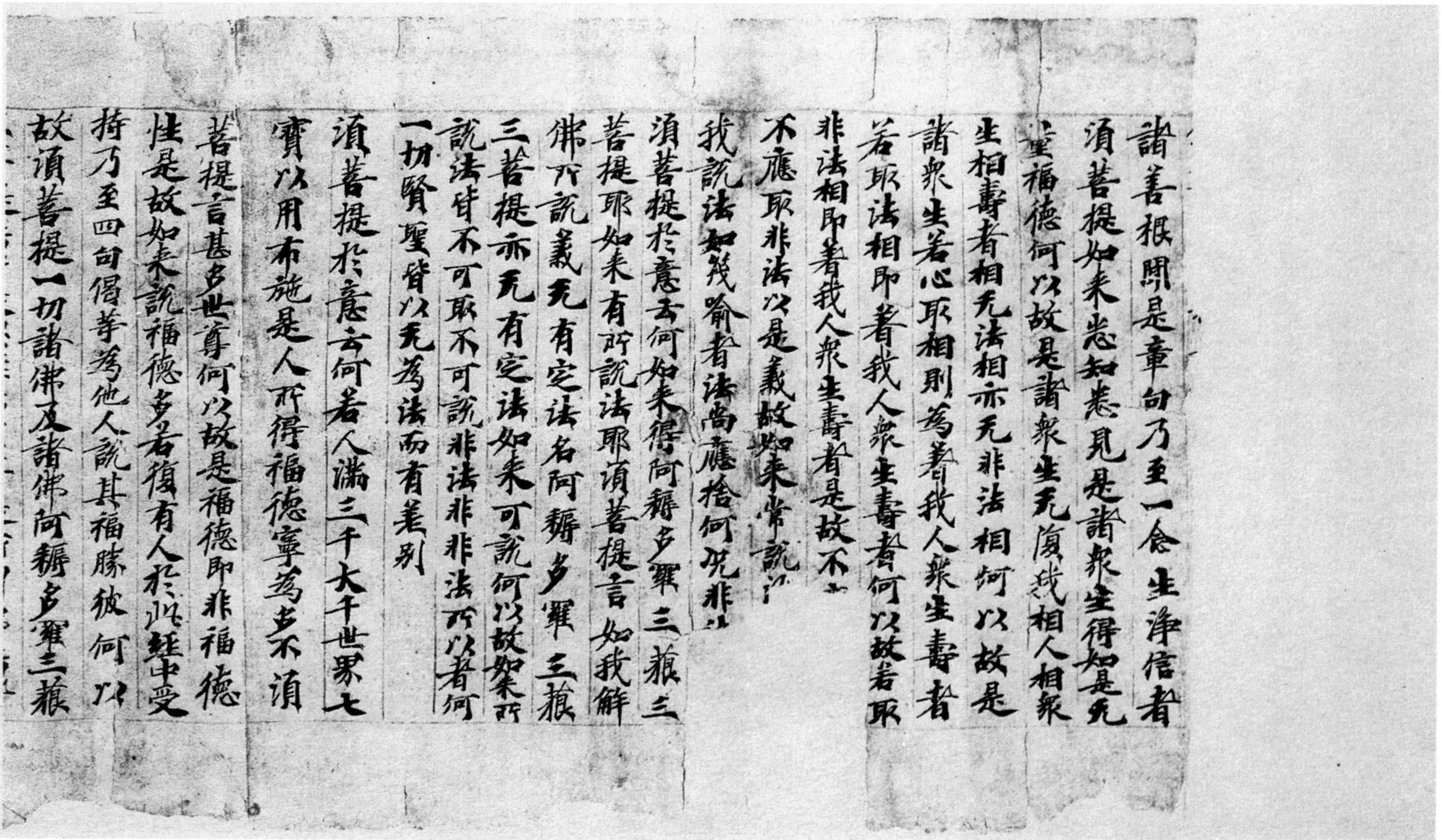

諸善根聞是章句乃至一念生淨信者
須菩提如來悉知悉見是諸眾生得如是无
量福德何以故是諸眾生无復我相人相眾
生相壽者相无法相亦无非法相何以故是
諸眾生若心取相則為著我人眾生壽者
若取法相即著我人眾生壽者何以故若取
非法相即著我人眾生壽者是故不應
不應取非法以是義故如來常說汝
我說法如筏喻者法尚應捨何況非法
須菩提於意云何如來得阿耨多羅三藐三
菩提耶如來有所說法耶須菩提言如我解
佛所說義无有定法名阿耨多羅三藐
三菩提亦无有定法如來可說何以故如來所
說法皆不可取不可說非法非非法所以者何
一切賢聖皆以无為法而有差別
須菩提於意云何若人滿三千大千世界七
寶以用布施是人所得福德寧為多不須
菩提言甚多世尊何以故是福德即非福德
性是故如來說福德多若復有人於此經中受
持乃至四句偈等為他人說其福勝彼何以
故須菩提一切諸佛及諸佛阿耨多羅三藐

BD01770 號　金剛般若波羅蜜經　　（7–1）

寶以用布施是人所得福德寧為多不須
菩提言甚多世尊何以故是福德即非福德
性是故如來說福德多若復有人於此經中受
持乃至四句偈等為他人說其福勝彼何以
故須菩提一切諸佛及諸佛阿耨多羅三藐
三菩提法皆從此經出須菩提所謂佛法者
即非佛法
須菩提於意云何須陁洹能作是念我得須
陁洹果不須菩提言不也世尊何以故須陁
洹名為入流而无所入不入色聲香味觸法是
名須陁洹須菩提於意云何斯陁含能作
是念我得斯陁含果不須菩提言不也世
尊何以故斯陁含名一往來而實无往來是名
斯陁含須菩提於意云何阿那含能作是
念我得阿那含果不須菩提言不也世尊何
以故阿那含名為不來而實无來是故名阿那
含須菩提於意云何阿羅漢能作是念我得
阿羅漢道不須菩提言不也世尊何以故實
无有法名阿羅漢世尊若阿羅漢作是念我
得阿羅漢道即為著我人衆生壽者世尊
佛說我得无諍三昧人中最為第一是第一離
欲阿羅漢我不作是念我是離欲阿羅漢
世尊我若作是念我得阿羅漢道世尊則不
說須菩提是樂阿蘭那行者以須菩提實无
所行而名須菩提是樂阿蘭那行
佛告須菩提於意云何如來昔在然燈佛所

BD01770號　金剛般若波羅蜜經　（7–2）

欲阿羅漢我不作是念我是離欲阿羅漢
世尊我若作是念我得阿羅漢道世尊則不
說須菩提是樂阿蘭那行者以須菩提實无
所行而名須菩提是樂阿蘭那行
佛告須菩提於意云何如來昔在然燈佛所
於法有所得不世尊如來在然燈佛所於法
實无所得
須菩提於意云何菩薩莊嚴佛土不不也世
尊何以故莊嚴佛土者則非莊嚴是名莊嚴
是故須菩提諸菩薩摩訶薩應如是生清
淨心不應住色生心不應住聲香味觸法生心
應无所住而生其心須菩提譬如有人身如
須弥山王於意云何是身為大不須菩提言
甚大世尊何以故佛說非身是名大身
須菩提如恒河中所有沙數如是沙等恒河
於意云何是諸恒河沙寧為多不須菩提言
甚多世尊但諸恒河尚多无數何況其沙
須菩提我今實言告汝若有善男子善女
人以七寶滿尒所恒河沙數三千大千世界以用
布施得福多不須菩提言甚多世尊佛告須
菩提若善男子善女人於此經中乃至受持
四句偈等為他人說而此福德勝前福德
復次須菩提隨說是經乃至四句偈等當知
此處一切世間天人阿脩羅皆應供養如佛
塔廟何況有人盡能受持讀誦須菩提當
知是人成就最上第一希有之法若是經典

BD01770號　金剛般若波羅蜜經　（7–3）

復次須菩提隨說是經乃至四句偈等當知
此處一切世間天人阿脩羅皆應供養如佛
塔廟何況有人盡能受持讀誦須菩提當
知是人成就最上第一希有之法若是經典
所在之處則為有佛若尊重弟子
尒時須菩提白佛言世尊當何名此經我
等云何奉持佛告須菩提是經名為金剛
般若波羅蜜以是名字汝當奉持所以者何
須菩提佛說般若波羅蜜則非般若波羅
蜜須菩提於意云何如來有所說法不須菩
提白佛言世尊如來无所說須菩提於意云
何三千大千世界所有微塵是為多不須菩
提言甚多世尊須菩提諸微塵如來說非微
塵是名微塵如來說世界非世界是名世界須
菩提於意云何可以三十二相見如來不不也世
尊不可以三十二相得見如來何以故如來說
三十二相即是非相是名三十二相
須菩提若有善男子善女人以恒河沙等身
命布施若復有人於此經中乃至受持四句
偈等為他人說其福甚多
尒時須菩提聞說是經深解義趣涕淚悲
泣而白佛言希有世尊佛說如是甚深經典
我從昔來所得慧眼未曾得聞如是之經世
尊若復有人得聞是經信心清淨則生實
相當知是人成就第一希有功德世尊是實相

BD01770 號　金剛般若波羅蜜經　（7-4）

泣而白佛言希有世尊佛說如是甚深經典
我從昔來所得慧眼未曾得聞如是之經世
尊若復有人得聞是經信心清淨則生實
相當知是人成就第一希有功德世尊是實相
者則是非相是故如來說名實相世尊我
今得聞如是經典信解受持不足為難若當
來世後五百歲其有眾生得聞是經信解
受持是人則為第一希有何以故此人无我相
人相眾生相壽者相所以者何我相即是非相
人相眾生相壽者相即是非相何以故離一切
諸相則名諸佛
佛告須菩提如是如是若復有人得聞是經
不驚不怖不畏當知是人甚為希有何以故
須菩提如來說第一波羅蜜非第一波羅
蜜是名第一波羅蜜
須菩提忍辱波羅蜜如來說非忍辱波羅
蜜何以故須菩提如我昔為歌利王割截身
體我於尒時无我相无人相无眾生相无壽者
相何以故我於往昔節節支解時若有我
相人相眾生相壽者相應生瞋恨須菩提又念
過去於五百世作忍辱仙人於尒所世无我
相无人相无眾生相无壽者相是故須菩提
菩薩應離一切相發阿耨多羅三藐三菩提
心不應住色生心不應住聲香味觸法生心應
生无所住心若心有住則為非住是故佛說
菩薩心不應住色布施須菩提菩薩為利

BD01770 號　金剛般若波羅蜜經　（7-5）

菩薩應離一切相發阿耨多羅三藐三菩提
心不應住色生心不應住聲香味觸法生心應
生无所住心若心有住則為非住是故佛說
菩薩心不應住色布施須菩提菩薩為利
益一切衆生應如是布施如來說一切諸相
即是非相又說一切衆生則非衆生
須菩提如來是真語者實語者如語者不
誑語者不異語者須菩提如來所得法此
法无實无虛
須菩提若菩薩心住於法而行布施如人入
闇則无所見若菩薩心不住法而行布施如
人有目日光明照見種種色
須菩提當來之世若有善男子善女人能於
此經受持讀誦則為如來以佛智慧悉知
是人悉見是人皆得成就无量无邊功德
須菩提若有善男子善女人初日分以恒河
沙等身布施中日分復以恒河沙等身布
施後日分亦以恒河沙等身布施如是无量
百千万億劫以身布施若復有人聞此經典信
心不逆其福勝彼何況書寫受持讀誦為
人解說
須菩提以要言之是經有不思議不可稱量
无邊功德如來為發大乘者說為發最上
乘者說若有人能受持讀誦廣為人說如來
悉知是人悉見是人皆得成就不可量不可
稱无有邊不可思議功德如是人等則為荷

BD01770號　金剛般若波羅蜜經　（7–6）

人有目日光明照見種種色
須菩提當來之世若有善男子善女人能於
此經受持讀誦則為如來以佛智慧悉知
是人悉見是人皆得成就无量无邊功德
須菩提若有善男子善女人初日分以恒河
沙等身布施中日分復以恒河沙等身布
施後日分亦以恒河沙等身布施如是无量
百千万億劫以身布施若復有人聞此經典信
心不逆其福勝彼何況書寫受持讀誦為
人解說
須菩提以要言之是經有不思議不可稱量
无邊功德如來為發大乘者說為發最上
乘者說若有人能受持讀誦廣為人說如來
悉知是人悉見是人皆得成就不可量不可
稱无有邊不可思議功德如是人等則為荷
擔如來阿耨多羅三藐三菩提何以故須菩

BD01770號　金剛般若波羅蜜經　（7–7）

妙法蓮華經妙音菩薩品第二十四　七
尒時釋迦牟尼佛放大人相肉髻光明及放
眉間白毫相光遍照東方百八万億那由他

BD01771 號　妙法蓮華經卷七　（3–1）

妙法蓮華經妙音菩薩品第二十四　七
尒時釋迦牟尼佛放大人相肉髻光明及放
眉間白毫相光遍照東方百八万億那由他
恒河沙等諸佛世界過是數已有世界名淨
光莊嚴其國有佛号淨華宿王智如來應
供正遍知明行足善逝世間解无上士調御
丈夫天人師佛世尊為无量无邊菩薩大眾
恭敬圍繞而為說法釋迦牟尼佛白毫光明
遍照其國尒時一切淨光莊嚴國中有一菩
薩名曰妙音久已植眾德本供養親近无量
百千万億諸佛而悉成就甚深智慧得妙幢
相三昧法華三昧淨德三昧宿王戲三昧无緣
三昧智印三昧解一切眾生語言三昧集一
切功德三昧清淨三昧神通遊戲三昧慧炬
三昧莊嚴王三昧淨光明三昧淨藏三昧不
共三昧日旋三昧得如是等百千万億恒河
沙等諸大三昧釋迦牟尼佛光照其身即白
淨華宿王智佛言世尊我當往詣娑婆世
界礼拜親近供養釋迦牟尼佛及見文殊利
法王子菩薩藥王菩薩勇施菩薩宿王華菩薩
上行意菩薩莊嚴王菩薩藥上菩薩尒時淨
華宿王智佛告妙音菩薩汝莫輕彼國生下
劣想善男子彼娑婆世界高下不平土石諸

BD01771 號　妙法蓮華經卷七　（3–2）

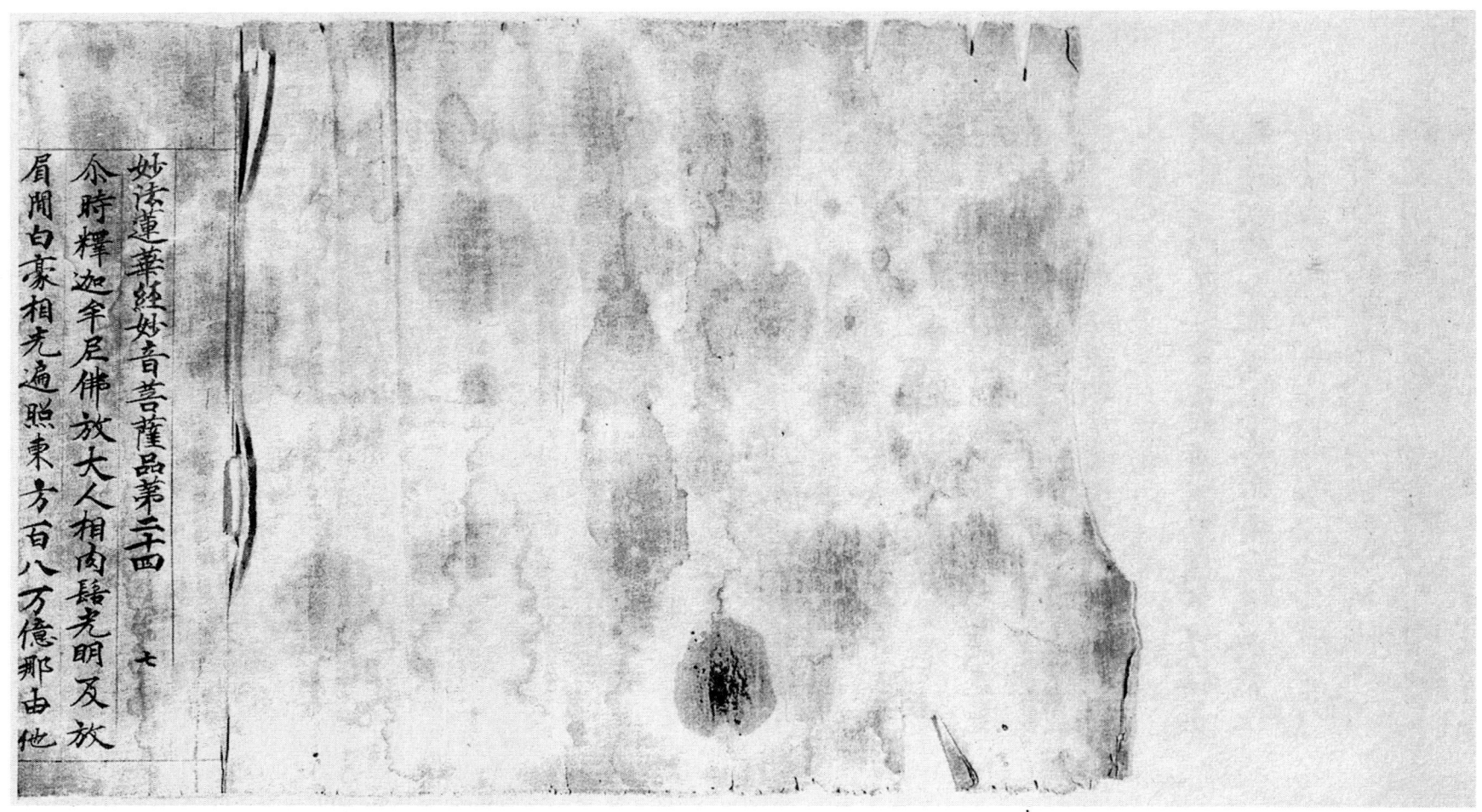

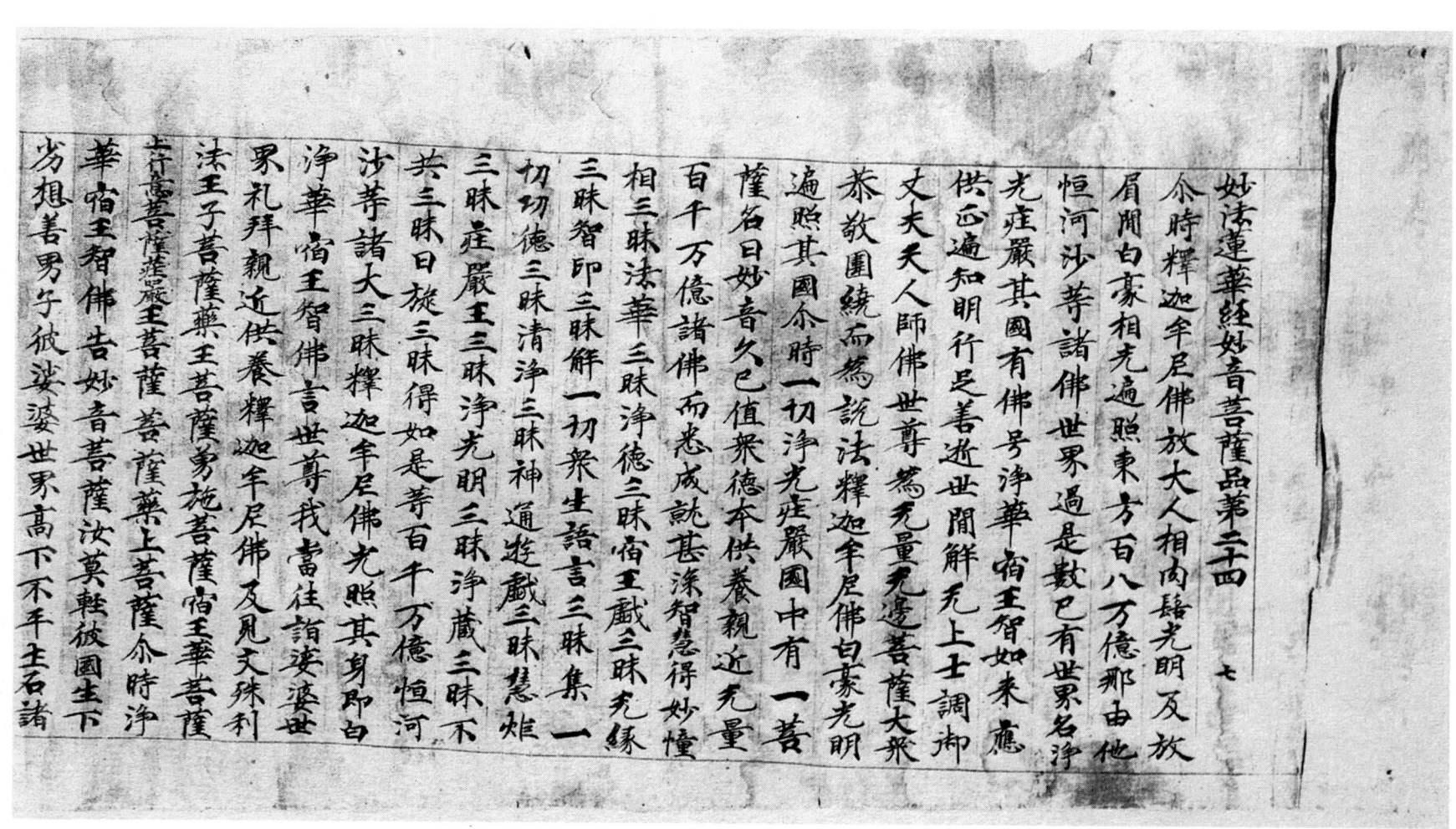

百千万億諸佛而悉成就甚深智慧得妙幢
相三昧法華三昧淨德三昧宿王戲三昧无緣
三昧智印三昧解一切衆生語言三昧集一
切功德三昧清淨三昧神通遊戲三昧慧炬
三昧莊嚴王三昧淨光明三昧淨藏三昧不
共三昧日旋三昧得如是等百千万億恒河
沙等諸大三昧釋迦牟尼佛光照其身即白
淨華宿王智佛言世尊我當往詣娑婆世
界礼拜親近供養釋迦牟尼佛及見文殊利
法王子菩薩藥王菩薩勇施菩薩宿王華菩薩
上行意菩薩莊嚴王菩薩菩薩藥上菩薩尒時淨
華宿王智佛告妙音菩薩汝莫輕彼國生下
劣想善男子彼娑婆世界高下不平土石諸
山穢惡充滿佛身卑小諸菩薩衆其形亦小
而汝身四万二千由旬我身六百八十万由
旬汝身第一端正百千万福光明殊妙是故汝

BD01771 號　妙法蓮華經卷七　（3–3）

塔廟何况有人盡能受持讀誦須菩提當知
是人成就最上第一希有之法若是經典所
在之處則為有佛若尊重弟子
尒時須菩提白佛言世尊當何名此經我等
云何奉持佛告須菩提是經名為金剛般若
波羅蜜以是名字汝當奉持所以者何須菩
提佛說般若波羅蜜則非般若波羅蜜須菩
提於意云何如来有所說法不須菩提白佛
言世尊如来无所說須菩提於意云何三千
大千世界所有微塵是為多不須菩提言甚
多世尊須菩提諸微塵如来說非微塵是名
微塵如来說世界非世界是名世界須菩提於
意云何可以三十二相見如来不不也世尊
不可以三十二相得見如来何以故如来說
三十二相即是非相是名三十二相
須菩提若有善男子善女人以恒河沙等身
命布施若復有人於此經中乃至受持四句偈
等為他人說其福甚多
尒時須菩提聞說是經深解義趣涕淚悲泣
而白佛言希有世尊佛說如是甚深經典我

BD01772 號　金剛般若波羅蜜經　（3–1）

三十二相即是非相是名三十二相
須菩提若有善男子善女人以恒河沙等身
命布施若復有人於此經中乃至受持四句偈
等為他人說其福甚多
尒時須菩提聞說是經深解義趣涕淚悲泣
而白佛言希有世尊佛說如是甚深經典我
從昔來所得慧眼未曾得聞如是之經世尊
若復有人得聞是經信心清淨則生實相當
知是人成就第一希有功德世尊是實相者
則是非相是故如來說名實相世尊我今得
聞如是經典信解受持不足為難若當來世
後五百歲其有衆生得聞是經信解受持是
人則為第一希有何以故此人无我相人相衆
生相壽者相所以者何我相即是非相人相
衆生相壽者相即是非相何以故離一切諸
相則名諸佛
佛告須菩提如是如是若復有人得聞是經
不驚不怖不畏當知是人甚為希有何以故
須菩提如來說第一波羅蜜非第一波羅蜜
是名第一波羅蜜
須菩提忍辱波羅蜜如來說非忍辱波羅蜜
何以故須菩提如我昔為歌利王割截身體
我於尒時无我相无人相无衆生相无壽者
相何以故我於往昔節節支解時若有我相
人相衆生相壽者相應生瞋恨須菩提又念過

BD01772 號　金剛般若波羅蜜經　（3–2）

後五百歲其有衆生得聞是經信解受持是
人則為第一希有何以故此人无我相人相衆
生相壽者相所以者何我相即是非相人相
衆生相壽者相即是非相何以故離一切諸
相則名諸佛
佛告須菩提如是如是若復有人得聞是經
不驚不怖不畏當知是人甚為希有何以故
須菩提如來說第一波羅蜜非第一波羅蜜
是名第一波羅蜜
須菩提忍辱波羅蜜如來說非忍辱波羅蜜
何以故須菩提如我昔為歌利王割截身體
我於尒時无我相无人相无衆生相无壽者
相何以故我於往昔節節支解時若有我相
人相衆生相壽者相應生瞋恨須菩提又念過
去於五百世作忍辱仙人於尒所世无我相
无人相无衆生相无壽者相是故須菩提菩

BD01772 號　金剛般若波羅蜜經　（3–3）

……心歸依十方諸佛
南无東方勝藏珠光佛　南无南方寶積示現佛
南无西方法勇智燈佛　南无北方最勝降伏佛
南无東南方龍自在王佛　南无西南方轉一切生死佛
南无西北方无邊智自在佛　南无東北方无邊功德月佛
南无下方海智神通佛　南无上方一切勝王佛
如是十方盡虛空界一切三寶
弟子等无始以來至於今日長養煩惱日深
日厚日茲日茂覆蓋慧眼令无所見斷除衆
善不得相續起鄣不得見佛不聞正法不值聖
僧煩惱起鄣不見過去未來一切善惡業行
是煩惱鄣受人天尊貴是煩惱鄣生色无
色界禪定福樂是煩惱鄣不得自在神通飛
騰隱顯遍至十方諸佛淨土聽法是煩惱鄣
學安那般那數息不淨觀諸煩惱鄣學慈悲
喜捨因緣是煩惱鄣學七方便三觀義是煩
惱鄣學四念處煖頂忍是煩惱鄣學聞
思脩第一法是煩惱鄣學空平等中道

BD01773號　佛名經（三十卷本）卷三　（2-1）

色界禪定福樂是煩惱鄣不得自在神通飛
騰隱顯遍至十方諸佛淨土聽法是煩惱鄣
學安那般那數息不淨觀諸煩惱鄣學慈悲
喜捨因緣是煩惱鄣學七方便三觀義是煩
惱鄣學四念處煖頂忍是煩惱鄣學聞
思脩第一法是煩惱鄣學空平等中道
解是煩惱鄣學七覺分不示相是煩惱鄣
學於道品因緣觀是煩惱鄣學八解脫
九空是煩惱鄣學十智三三昧是煩惱
鄣學三明六通四无㝵是煩惱鄣學六度四
等是煩惱鄣學四攝法廣化是煩惱鄣學
大乘心四弘誓願是煩惱鄣學十明十行是煩
惱鄣學十迴向十願是煩惱鄣初地二地三地
四地明解是煩惱鄣五地六地七地諸智是
重煩惱鄣學八地九地雙照是煩惱鄣如是
煩惱鄣學八地九地十地雙照是煩惱鄣如
是乃至鄣學佛果百万阿僧祇諸行上煩惱

BD01773號　佛名經（三十卷本）卷三　（2-2）

金有陀羅尼經
如是我聞一時薄伽梵住如離離尊
將金剛手俱
尒時天百旋往世尊所到已頂礼佛足遶
坐一面坐一面已天帝百旋白佛言世尊我
戰陣而鬪戰時時以阿修羅幻惑呪術藥
力隨於負處而知已不唯然願世尊慈愍
於我為令摧伏阿修羅衆幻惑呪術及藥
力故善說最勝大密之呪時薄伽梵告
天帝百旋曰憍尸如是如是與阿修羅而
鬪戰時實以明呪秘密藥力而有負處憍尸迦
為哀愍故今說明呪欲令幻惑明呪退散鬪
戰諍訟悉皆消滅一切秘呪及諸藥等而得
斷除說於明呪
尒時薄伽梵說大金有明呪之曰我今為說
三无數劫諸餘外道行者遍遊筌形而起惡
思作諸部暑我從彼來所有幻惑一切明呪
悉能降伏六變圓滿斷除諸餘外道行者
遍遊筌形諸惱乱曰明呪秘呪藥及一切諸魔
明黨大明之呪憍迦汝當攝受諸有情故
受持最勝大秘密呪天帝白言如是世尊
唯然受教尒明世尊即說金有大明呪曰
怛他伽䗰 希你希你 希離希離 命離命離

BD01774 號 金有陀羅尼經 (2–1)

尒時薄伽梵說大金有明呪之曰我今為說
三无數劫諸餘外道行者遍遊筌形而起惡
思作諸部暑我從彼來所有幻惑一切明呪
悉能降伏六變圓滿斷除諸餘外道行者
遍遊筌形諸惱乱曰明呪秘呪藥及一切諸魔
明黨大明之呪憍迦汝當攝受諸有情故
受持最勝大秘密呪天帝白言如是世尊
唯然受教尒明世尊即說金有大明呪曰
怛他伽䗰 希你希你 希離希離 命離命離
希明離 你希你希 你希囉你 乾佉那波
羝喃羝多蒲怛羅 阿地訖䅈羝 閉羝閉羝閉多
蒲怛羅 阿地迦囉羝 訶那訶那 訶婆訶婆覩
馱覩馱 頻那頻那 薄伽羝跋 佉曳秘佉嘇揩
婆你悉謎婆你 畔馱你 牟訶你阿牟伽爍羝 馱
羅你 訖䅈那 訖䅈那 迦嚕𣟧麼那婆 揩婆遮揩
婆夜 畔佉夜畔佉夜 悉䟦婆夜 悉䟦婆夜
畔馱夜畔馱夜 牟訶夜牟訶夜 所有一切若
天幻惑若龍幻惑若藥叉幻惑若羅刹幻惑若
緊那羅幻惑若乾闥婆幻惑若阿修羅幻
惑若莫呼洛迦幻惑若大腹行幻惑若持明
呪幻惑若持明呪成就王幻惑若仙幻惑若持
一切明呪幻惑若羣生幻惑若一切幻惑
羅羅囉羅 羅佉也囉詑也 姤魔覩魔 姤姤

BD01774 號 金有陀羅尼經 (2–2)

BD01774 號背　雜寫　　（1–1）

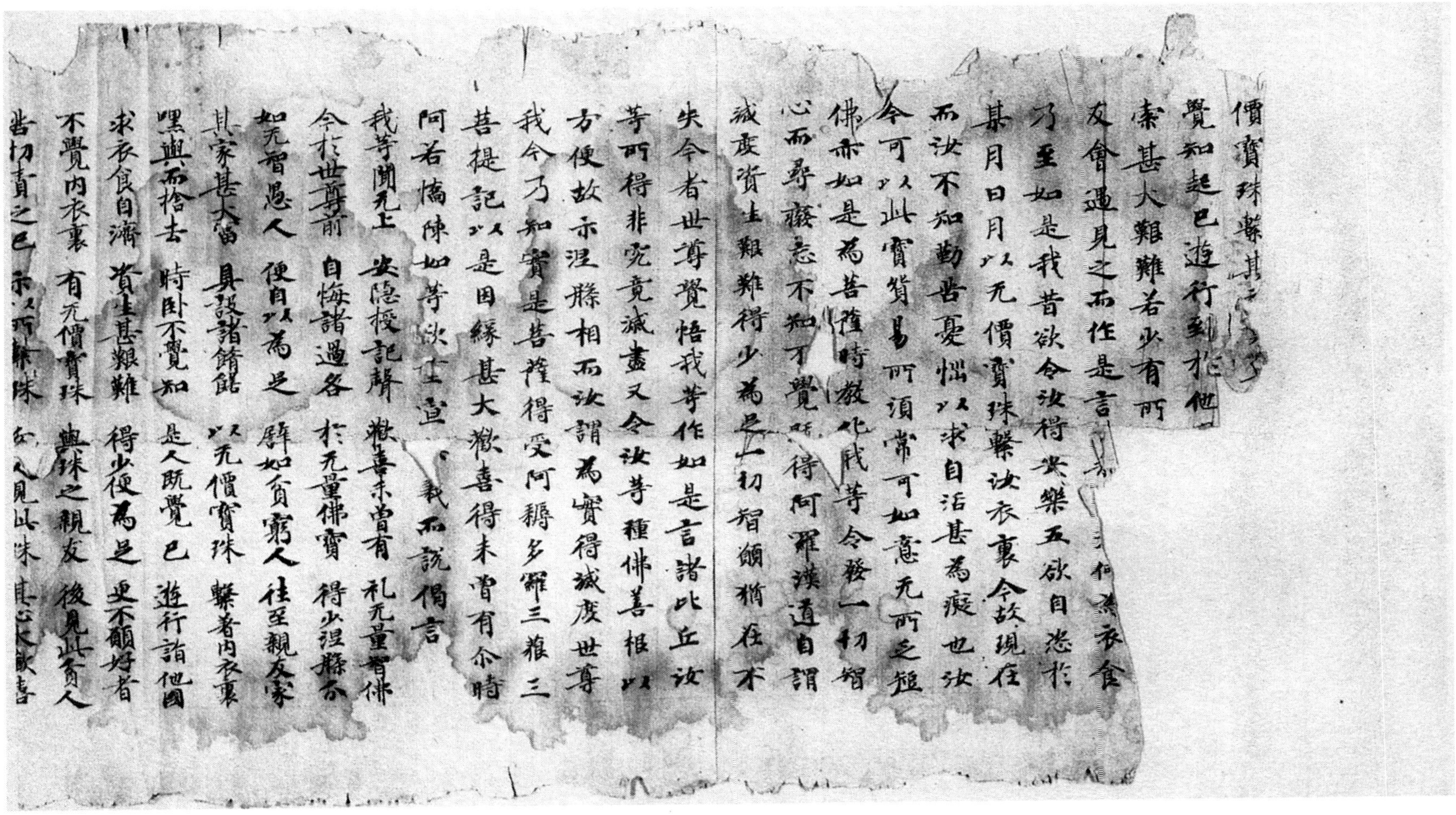

BD01775 號　妙法蓮華經卷四　　（2–1）

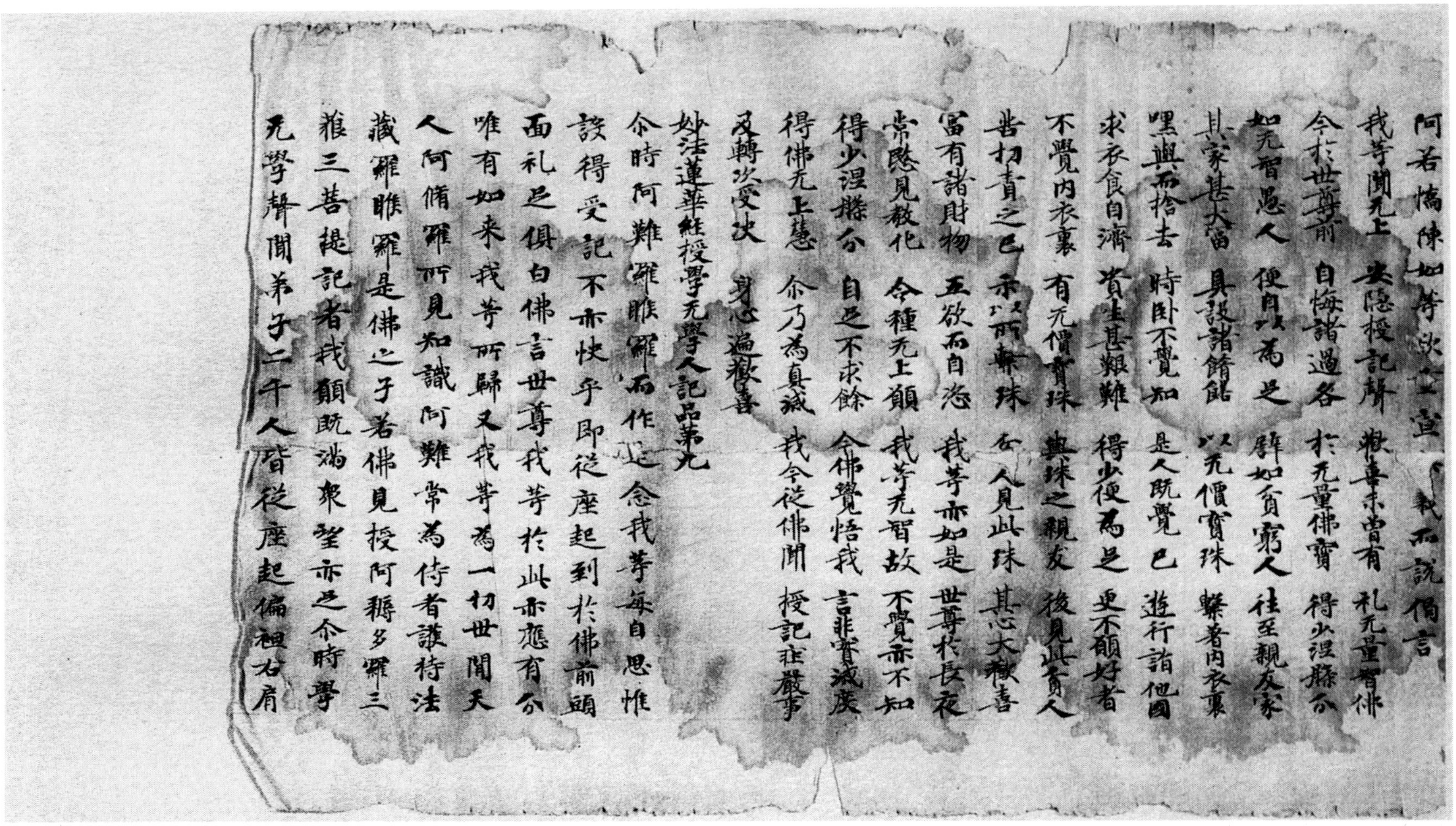
阿若憍陳如等欲重宣此義而說偈言
我等聞无上　安隱授記聲　歡喜未曾有　礼无量智佛
今於世尊前　自悔諸過咎　於无量佛寶　得少涅槃分
如无智愚人　便自以為足　譬如貧窮人　往至親友家
其家甚大富　具設諸餚饍　以无價寶珠　繫著內衣裏
嘿與而捨去　時卧不覺知　是人既覺已　遊行詣他國
求衣食自濟　資生甚艱難　得少便為足　更不願好者
不覺內衣裏　有无價寶珠　與珠之親友　後見此貧人
苦切責之已　示以所繫珠　貧人見此珠　其心大歡喜
富有諸財物　五欲而自恣　我等亦如是　世尊於長夜
常愍見教化　令種无上願　我等无智故　不覺亦不知
得少涅槃分　自足不求餘　今佛覺悟我　言非實滅度
得佛无上慧　尒乃為真滅　我今從佛聞　授記莊嚴事
及轉次受決　身心遍歡喜
妙法蓮華經授學无學人記品第九
尒時阿難羅睺羅而作是念我等每自思惟
設得受記不亦快乎即從座起到於佛前頭
面礼足俱白佛言世尊我等於此亦應有分
唯有如來我等所歸又我等為一切世間天
人阿脩羅所見知識阿難常為侍者護持法
藏羅睺羅是佛之子若佛見授阿耨多羅三
藐三菩提記者我願既滿眾望亦足尒時學
无學聲聞弟子二千人皆從座起偏袒右肩

BD01775號　妙法蓮華經卷四　（2–2）

BD01775號背　勘記　（1–1）

爲子不孝二親
爲臣欺悔君上亦曾墮地獄受苦无窮亦曾
作衆生更相噉食亦曾在世不值經教雖值
經法而不受持雖復受持而生懈墮又封執
小乘誹謗正法并憶歷劫父母兄弟姊妹夫
妻男女氏族名字前後次第如觀掌內既得
內念分明悲喜交切一時更起拜謝神尊弟
子等今並自知身及歷劫眷屬善惡因緣皆
由識神識滯來久致稟質受生恒感濁氣
雖屢沐玄風而業性難改是以輪迴生死无所
不更在處唯作罪因永无覺悟今蒙神尊垂
造衆聖哀怜自万劫以來盡皆醒憶竊思一
日之愆言不可盡況復一生所犯一生已不
可說況於十生百生千生万生乃至一劫万
劫也直一身之罪法界不容況及一切眷屬
之罪弟子今欲普遍懺悔而非語言之所能
及只可心內思惟口不能發惟用悲惶戰愧
而已老君曰理實如此夫事无大小心證其
實者口則不能言也所以須建大乘功德者

BD01776號　太玄真一本際經卷五　（5–1）

劫也直一身之罪法界不容況及一切眷屬
之罪弟子今欲普遍懺悔而非語言之所能
及只可心內思惟口不能發惟用悲惶戰愧
而已老君曰理實如此夫事无大小心證其
實者口則不能言也所以須建大乘功德者
爲此因緣故耳子等於一生之中以父母夫
妻兄弟姊妹子孫以爲眷屬至於百生千生
万生乃至千劫万劫生生世世皆有如此眷
屬謂以爲多者理未盡也一生之中父母夫
妻兄弟姊妹子孫以爲眷屬者此是俗中劣
見者耳非始終眷屬世學道之人諸眷屬者
一生之中上從憶曾万祖以下至于子孫內
外親屬君臣師保同學知友此乃一生之眷
屬矣皆是過去因緣曾經共事乘善惡二業
願念所感共爲眷屬耳故有父慈子孝兄謹
弟恭室家雖𤔡者有六親不和更相殘害者
皆是往昔善惡二緣所構耳自非學仙之人
發解智慧脩大功德資益拔度令得解脫
獲正智之心者罪福輪迴百千万劫終不斷絕
非直怨惡之者鄰人善心親愛之者亦爲大累
所以者何愛情深厚故也是以魔氣債主
盜賊淫私及同坐同行一言一笑乃至奴婢
六畜水虫飛鳥爲己所養者爲己使役者爲
己所治權者爲己所傷者爲己所噉食者
夌及惡獸毒螫下至昆虫但共己身相攖者
害皆是過去眷屬乘昔二緣之對常相會遇

BD01776號　太玄真一本際經卷五　（5–2）

猶正智之心者罪福輪迴百千万劫終不斷絕
非直怨惡之者鄣人善心親受之者最為大累
所以者何愛情深厚故也是以魔氣債主
盜賊強私及同坐同行一言一笑乃至奴婢
六畜水虫飛鳥為己所養者為己使役者為
己所治槯者為己所煞傷者為己所噉食者
爰及惡獸毒螫下至昆虫但共己身相觸著
害皆是過去眷屬乘昔二緣之對常相會遇
也若非功力濟度何由可息直論一生眷屬
其數已自難窮況復千生万生千劫万劫百
千万劫因緣眷屬而可計耶眷屬尚不可計
況復眷屬所為之罪安可計也然此猶為未
多乃從万方億劫以來善惡因緣亦不相捨
離世万万億劫猶未為遠便乃无始以來而
不捨離也子等今欲通為万劫以來眷屬懺
悔者百千万億塵沙之數未之一世凡此等
事並非子等力之所及所以學道之法論罪
必須先自剋身建功必須先被於物已重罪
未除何能解他之罪今但先自懺悔子等
己身宿新之罪然後別教子等立大功德普
拯之法也
諸仙曰唯唯即迴心遍礼三清十方无上无
下无極无窮天尊上聖諸君丈人現前三尊
一切衆真曰弟子益德然等稽首稽首一心
歸命上啓无上无下天尊上真无鞅大聖弟
子等今豪憶醒往昔曾因奉持十戒齋主天
上不能清淨至心脩道驕奢自恣躭遙之罪

BD01776號　太玄真一本際經卷五　（5-3）

諸仙曰唯唯即迴心遍礼三清十方无上无
下无極无窮天尊上聖諸君丈人現前三尊
一切衆真曰弟子益德然等稽首稽首一心
歸命上啓无上无下天尊上真无鞅大聖弟
子等今豪憶醒往昔曾因奉持十戒齋主天
上不能清淨至心脩道驕奢自恣躭遙之罪
一气原赦又曾身作國王殺伐為事信用邪
言誅戮賢明輕侮二儀不敬三寶寵厚奸
孽獵捕衆生等罪一气原赦又作人臣冈上欺
下自求寵祿讒謗中賢察獄不明違理決判
又將兵領衆平討四方破略村墟不問清濁
滅人社稷離隔種親奴婢賢良以為僕賤欺
奪人財逼人婦女如此等罪无限无邊一气
原赦又為人父母不慈為人子孫不仁
不孝為兄弟不和為夫妻不義為明友不信
作師資不穆及輕慢貧老呵罵鬼神酒醉猖
狂不畏罪福如此大罪生生世世无日不為
今伏懺悔乞蒙原赦弟子等前身万劫恒有
此罪及蒙深法不能精勤躭尚名聞自作吾
我强生分別誹破他法自用言是不知所執
之法是小乘之病如此之罪无極无窮今乞原
除永不更犯若受大經之後一事不依科法
求入地獄受諸大苦万劫无恨弟子益德然
等誠惶誠恐死罪死罪稽首稽首拜謝以
聞是時空中響應如万人之聲同稱曰善
太玄真一本際經卷第五

BD01776號　太玄真一本際經卷五　（5-4）

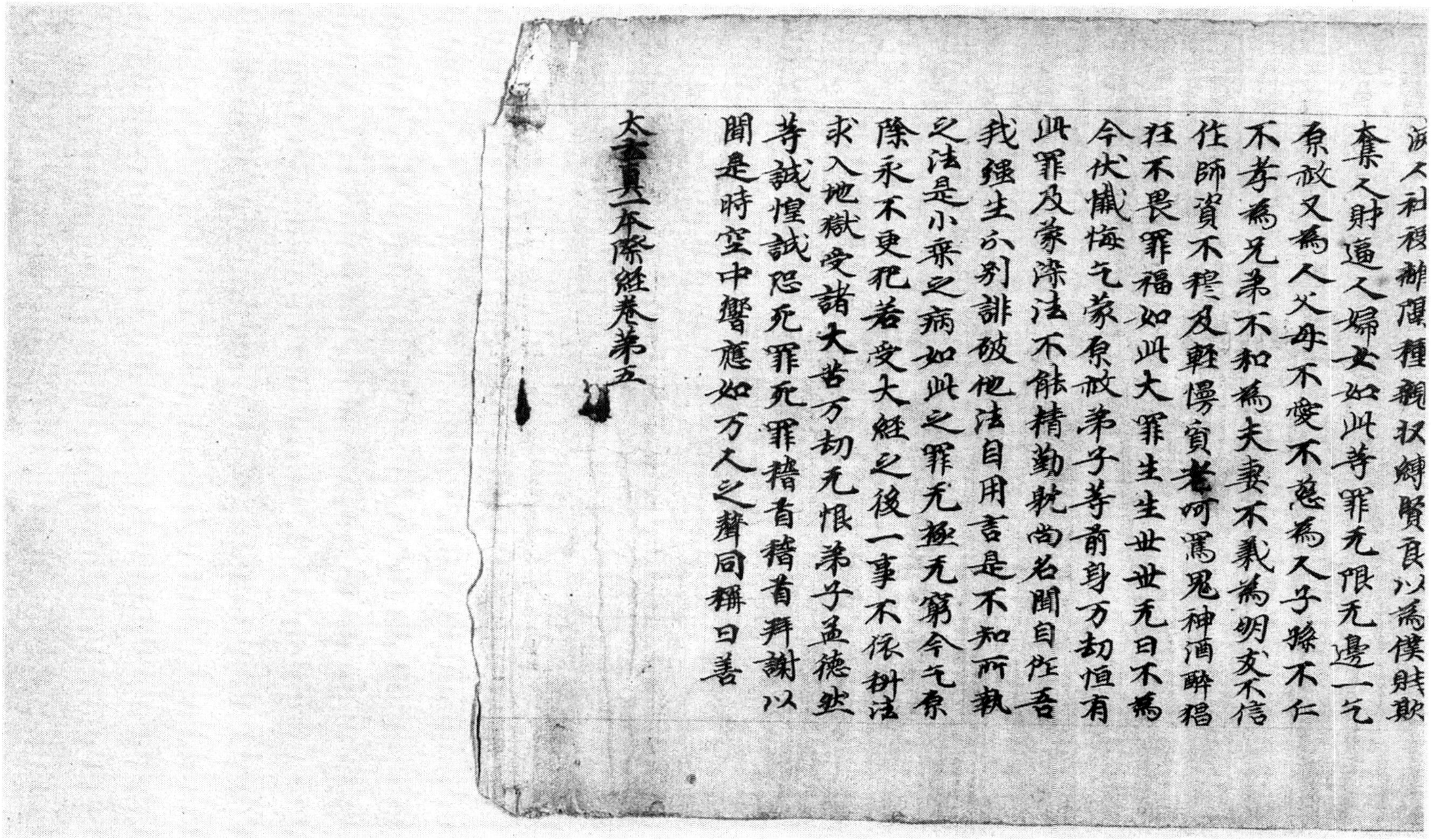

淚人社稷誹謗種親奴婢賢良以為僕賤欺
奪人財逼人婦女如此等罪无限无邊一乞
原赦又為人父母不愛不慈為人子孫不仁
不孝為兄弟不和為夫妻不義為明友不信
住師資不穆及輕傷貧老呵罵鬼神酒醉猖
狂不畏罪福如此大罪生生世世无日不為
今伏懺悔乞蒙原赦弟子等前身万劫恒有
此罪及蒙滲法不能精勤馳尚名聞自作吾
我強生分別誹破他法自用言是不知所執
之法是小乘之病如此之罪无極无窮今乞原
除永不更犯若受大經之後一事不依科法
求入地獄受諸大苦万劫无恨弟子孟德然
等誠惶誠恐死罪死罪稽首稽首拜謝以
聞是時空中響應如万人之聲同稱曰善

太玄真一本際經卷第五

BD01776 號　太玄真一本際經卷五　（5–5）

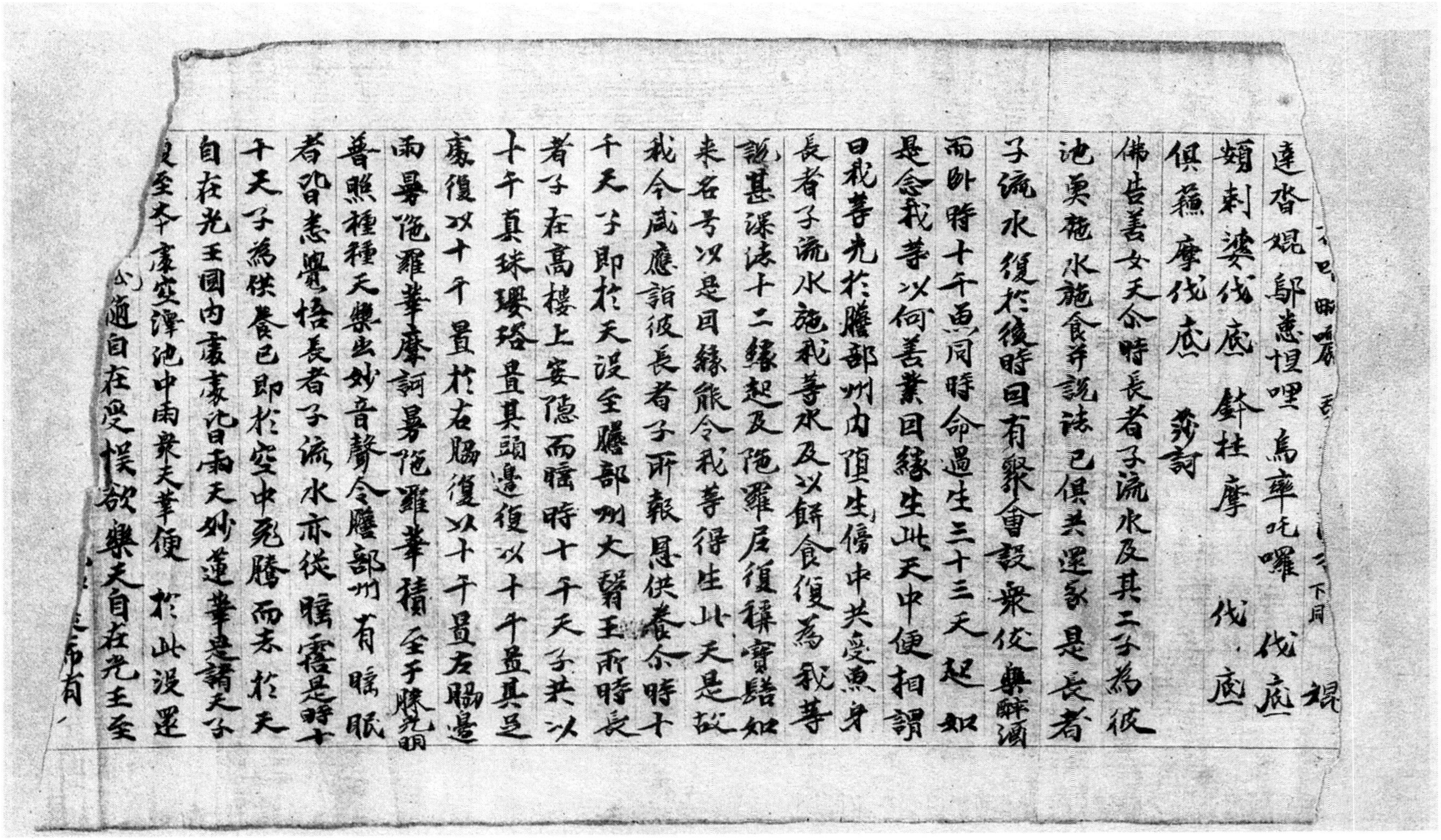

達沓娓鄔蕙怛哩　烏率叱囉　伐底
頞剌婆伐底　鉢柱摩　伐底
俱蘇摩伐底　莎訶
佛告善女天尒時長者子流水及其二子為彼
池魚施水施食并說法已俱共還家是長者
子流水復於後時因有衆會設衆伎樂醉酒
而卧時十千魚同時命過生三十三天起如
是念我等以何善業因緣生此天中便相謂
曰我等先於贍部洲內墮生傍中共受魚身
長者子流水施我等水及以餅食復為我等
說甚深法十二緣起及陁羅尼復稱寶髻如
来名号以是因緣能令我等得生此天是故
我今咸應詣彼長者子所報恩供養尒時十
千天子即於天沒至贍部洲大醫王所時長
者子在高樓上安隱而睡時十千天子共以
十千真珠瓔珞置其頭邊復以十千置其足
處復以十千置於右脇復以十千置左脇邊
雨曼陁羅華摩訶曼陁羅華積至于膝光明
普照種種天樂出妙音聲令贍部洲有睡眠
者皆悉覺悟長者子流水亦從睡寤是時十
千天子為供養已即於空中飛騰而去於天
自在光王國內處處皆雨天妙蓮華是諸天子
復至本處空澤池中雨衆天華便於此沒還
適自在受五欲樂天自在光王至

BD01777 號　金光明最勝王經卷九　（1–1）

尒時世尊因藥王菩薩告八万大士藥王汝
見是大衆中无量諸天龍王夜叉乾闥婆阿
脩羅迦樓羅緊那羅摩睺羅伽人與非人及
比丘比丘尼優婆塞優婆夷求聲聞者求辟
支佛者求佛道者如是等類咸於佛前聞妙
法華經一偈一句乃至一念隨喜者我皆與
授記當得阿耨多羅三藐三菩提佛告藥王
又如來滅度之後若有人聞妙法華經乃至
一偈一句一念隨喜者我亦與授阿耨多羅
三藐三菩提記若復有人受持讀誦解說書
寫妙法華經乃至一偈於此經卷敬視如佛
種種供養華香瓔珞末香塗香燒香繒蓋幢
幡衣服伎樂乃至合掌恭敬藥王當知是諸
人等已曾供養十万億佛於諸佛所成就大
願愍衆生故生此人間藥王若有人問何等
衆生於未來世當得作佛應示是諸人等於
未來世必得作佛何以故若善男子善女人
於法華經乃至一句受持讀誦解說書寫種
種供養經卷華香瓔珞末香塗香燒香繒蓋
幢幡衣服伎樂合掌恭敬是人一切世間所

BD01778號　妙法蓮華經卷四

（3–1）

願愍衆生故生此人間藥王若有人問何等
衆生於未來世當得作佛應示是諸人等於
未來世必得作佛何以故若善男子善女人
於法華經乃至一句受持讀誦解說書寫種
種供養經卷華香瓔珞末香塗香燒香繒蓋
幢幡衣服妓樂合掌恭敬是人一切世間所
應瞻奉應以如來供養而供養之當知此人
是大菩薩成就阿耨多羅三藐三菩提哀愍
衆生願生此間廣演分別妙法華經何況盡
能受持種種供養者藥王當知是人自捨清
淨業報於我滅度後愍衆生故生於惡世廣
演此經若是善男子善女人我滅度後能竊
為一人說法華經乃至一句當知是人則如
來使如來所遣行如來事何況於大衆中廣
為人說藥王若有惡人以不善心於一劫中
現於佛前常毀罵佛其罪尚輕若人以一惡
言毀呰在家出家讀誦法華經者其罪甚重
藥王其有讀誦法華經者當知是人以佛莊
嚴而自莊嚴則為如來肩所荷擔其所至方
應隨向礼一心合掌恭敬供養尊重讚歎華
香瓔珞末香塗香燒香繒蓋幢幡衣服餚饌
作諸妓樂人中上供而供養之應持天寶而
以散之天上寶聚應以奉獻所以者何是人
歡喜說法須臾聞之即得究竟阿耨多羅三
藐三菩提故尒時世尊欲重宣此義而說偈

BD01778號　妙法蓮華經卷四

（3–2）

香瓔珞末香塗香燒香繒蓋幢幡衣服餚饌
作諸妓樂人中上供而供養之應持天寶而
以散之天上寶聚應以奉獻所以者何是人
歡喜說法須臾聞之即得究竟阿耨多羅三
藐三菩提故尒時世尊欲重宣此義而說偈
言
若欲住佛道　成就自然智　常當勤供養　受持法華者
其有欲疾得　一切種智慧　當受持是經　并供養持者
若有能受持　妙法華經者　當知佛所使　愍念諸衆生
諸有能受持　妙法華經者　捨於清淨土　愍衆故生此
當知如是人　自在所欲生　能於此惡世　廣說无上法
應以天華香　及天寶衣服　天上妙寶聚　供養說法者
吾滅後惡世　能持是經者　當合掌禮敬　如供養世尊
上饌衆甘美　及種種衣服　供養是佛子　兾得須臾聞
若能於後世　受持是經者　我遣在人中　行於如來事
若於一劫中　常懷不善心　作色而罵佛　獲无量重罪
其有讀誦持　是法華經者　須臾加惡言　其罪復過彼
有人求佛道　而於一劫中　合掌在我前　以无數偈讚
由是讚佛故　得无量功德　歎美持經者　其福復過彼
於八十億劫　以最妙色聲　及與香味觸　供養持經者
如是供養已　若得須臾聞　則應自欣慶　我今獲大利

BD01778 號　妙法蓮華經卷四　　（3–3）

若人說此經　應入如來室　著於如來衣　而坐如來座
處衆无所畏　廣為分別說　大慈悲為室　柔和忍辱衣
諸法空為座　處此為說法　若說此經時　有人惡口罵
加刀杖瓦石　念佛故應忍　我千万億土　現淨堅固身
於无量億劫　為衆生說法　若我滅度後　能說此經者
我遣化四衆　比丘比丘尼　及清信士女　供養於法師
引導諸衆生　集之令聽法　若人欲加惡　刀杖及瓦石
則遣變化人　為之作衛護　若說法之人　獨在空閑處
寂寞无人聲　讀誦此經典　我尒時為現　清淨光明身
若忘失章句　為說令通利　若人具是德　或為四衆說
空處讀誦經　皆得見我身　若人在空閑　我遣天龍王
夜叉鬼神等　為作聽法衆　是人樂說法　分別无罣礙
諸佛護念故　能令大衆喜　若親近法師　速得菩薩道
隨順是師學　得見恒沙佛
妙法蓮華經見寶塔品第十一
尒時佛前有七寶塔高五百由旬縱廣二百
五十由旬從地踊出住在空中種種寶物而
莊校之五千欄楯龕室千万无數幢幡以為
嚴飾垂寶瓔珞寶鈴万億而懸其上四面皆
出多摩羅跋栴檀之香充遍世界其諸幡蓋
以金銀瑠璃車𤦲馬瑙真珠玫瑰七寶合成
高至四天王宮三十三天雨天曼陀羅華供

BD01779 號　妙法蓮華經卷四　　（3–1）

嚴飾垂寶瓔珞寶鈴万億而懸其上四面皆
出多摩羅䟦栴檀之香充遍世界其諸幡蓋
以金銀瑠璃車𤦲馬瑙真珠玫瑰七寶合成
高至四天王宮三十三天雨天曼陁羅華供
養寶塔餘諸天龍夜叉乾闥婆阿脩羅迦樓
羅緊那羅摩睺羅伽人非人等千万億衆以
一切華香瓔珞幡蓋妓樂供養寶塔恭敬尊
重讃歎尒時寶塔中出大音聲歎言善哉善哉
釋迦牟尼世尊能以平等大慧教菩薩法佛
所護念妙法華經為大衆說如是如是釋迦
牟尼世尊如所說者皆是真實尒時四衆見
大寶塔住在空中又聞塔中所出音聲皆得
法喜怪未曾有從座而起恭敬合掌却住一
面尒時有菩薩摩訶薩名大樂說知一切世
間天人阿脩羅等心之所疑而白佛言世尊
以何因緣有此寶塔從地踊出又於其中發
是音聲
尒時佛告大樂說菩薩此寶塔中有如來全
身乃往過去東方无量千万億阿僧祇世界
國名寶淨彼中有佛号曰多寶其佛本行菩
薩道時作大誓願若我成佛滅度之後於十方
國土有說法華經處我之塔廟為聽是經故
踊現其前為作證明讃言善哉彼佛成道已
臨滅度時於天人大衆中告諸比丘我滅度
後欲供養我全身者應起一大塔其佛以神通

BD01779號　妙法蓮華經卷四　（3–2）

面尒時有菩薩摩訶薩名大樂說知一切世
間天人阿脩羅等心之所疑而白佛言世尊
以何因緣有此寶塔從地踊出又於其中發
是音聲
尒時佛告大樂說菩薩此寶塔中有如來全
身乃往過去東方无量千万億阿僧祇世界
國名寶淨彼中有佛号曰多寶其佛本行菩
薩道時作大誓願若我成佛滅度之後於十方
國土有說法華經處我之塔廟為聽是經故
踊現其前為作證明讃言善哉彼佛成道已
臨滅度時於天人大衆中告諸比丘我滅度
後欲供養我全身者應起一大塔其佛以神通
願力十方世界在在處處若有說法華經者
彼之寶塔皆踊出其前全身在於塔中讃言
善哉善哉大樂說今多寶如來塔聞說法華
經故從地踊出讃言善哉善哉是時大樂說
菩薩以如來神力故白佛言世尊我等願欲
見此佛身佛告大樂說菩薩摩訶薩是多寶

BD01779號　妙法蓮華經卷四　（3–3）

……若不淨……
摩訶薩善現汝復觀何義言即地界若……
无不空增語非菩薩摩訶薩即水……空識
界若空若不空增語非菩薩摩訶薩耶世尊
若地界空不空若水火風空識界空不空尚
畢竟不可得性非有故況有地界空不空增
語及水火風空識界空不空增語此增語既
非有如何可言即地界若空若不空增語是
菩薩摩訶薩即水火風空識界若空若不空
增語是菩薩摩訶薩善現汝復觀何義言即
地界若有相若无相增語非菩薩摩訶薩即
水火風空識界若有相若无相增語非菩薩
摩訶薩耶世尊若地界有相无相若水火風
空識界有相无相尚畢竟不可得性非有故
況有地界有相无相增語及水火風空識界
有相无相增語此增語既非有如何可言即
地界若有相若无相增語是菩薩摩訶薩即
水火風空識界若有相若无相增語是菩薩
摩訶薩善現汝復觀何義言即地界若有願
若无願增語非菩薩摩訶薩即水火風空識
界若有願若无願增語非菩薩摩訶薩耶世
尊若地界有願无願若水火風空識界有願
无願尚畢竟不可得性非有故況有地界有
願无願增語及水火風空識界有願无願增

BD01780號　大般若波羅蜜多經卷二七　（6–1）

摩訶薩善現汝復觀何義言即地界若有願
若无願增語非菩薩摩訶薩即水火風空識
界若有願若无願增語非菩薩摩訶薩耶世
尊若地界有願无願若水火風空識界有願
无願尚畢竟不可得性非有故況有地界有
願无願增語及水火風空識界有願无願增
語此增語既非有如何可言即地界若有願
若无願增語是菩薩摩訶薩即水火風空識
界若有願若无願增語是菩薩摩訶薩善現
汝復觀何義言即地界若寂靜若不寂靜增
語非菩薩摩訶薩即水火風空識界若寂靜
若不寂靜增語非菩薩摩訶薩耶世尊若地
界寂靜不寂靜若水火風空識界寂靜不寂
靜尚畢竟不可得性非有故況有地界寂靜
不寂靜增語及水火風空識界寂靜不寂靜
增語此增語既非有如何可言即地界若寂
靜若不寂靜增語是菩薩摩訶薩即水火風
空識界若寂靜若不寂靜增語是菩薩摩訶
薩善現汝復觀何義言即地界若遠離若不
遠離增語非菩薩摩訶薩即水火風空識界
若遠離若不遠離增語非菩薩摩訶薩耶世
尊若地界遠離不遠離若水火風空識界遠
離不遠離尚畢竟不可得性非有故況有地
界遠離不遠離增語及水火風空識界遠離
不遠離增語此增語既非有如何可言即地
界若遠離若不遠離增語是菩薩摩訶薩即
水火風空識界若遠離若不遠離增語是菩
菩摩訶薩善現汝復觀何義言即地界若有

BD01780號　大般若波羅蜜多經卷二七　（6–2）

是遠離不遠離增語及水火風空識界遠離
不遠離增語此增語既非有如何可言即地
界若遠離若不遠離增語是菩薩摩訶薩即
水火風空識界若遠離若不遠離增語是菩
薩摩訶薩善現汝復觀何義言即地界若有
為若无為增語非菩薩摩訶薩即水火風空
識界若有為若无為增語非菩薩摩訶薩耶
世尊若地界有為无為若水火風空識界有
為无為尚畢竟不可得性非有故況有地界
有為无為增語及水火風空識界有為无為
增語此增語既非有如何可言即地界若有
為若无為增語是菩薩摩訶薩即水火風
空識界若有為若无為增語是菩薩摩訶薩善
現汝復觀何義言即地界若有漏若无漏增
語非菩薩摩訶薩即水火風空識界若有漏
若无漏增語非菩薩摩訶薩耶世尊若地界
有漏无漏若水火風空識界有漏无漏尚
畢竟不可得性非有故況有地界有漏无漏增
語及水火風空識界有漏无漏增語此增語
既非有如何可言即地界若有漏若无漏增
語是菩薩摩訶薩即水火風空識界若有漏
若无漏增語是菩薩摩訶薩善現汝復觀何
義言即地界若生若滅增語非菩薩摩訶薩
即水火風空識界若生若滅增語非菩薩摩
訶薩耶世尊若地界生滅若水火風空識界
生滅尚畢竟不可得性非有故況有地界生
滅增語及水火風空識界生滅增語此增語
既非有如何可言即地界若生若滅增語是
菩薩摩訶薩即水火風空識界若生若滅增

BD01780號　大般若波羅蜜多經卷二七　（6–3）

訶薩耶世尊若地界生滅若水火風空識界
生滅尚畢竟不可得性非有故況有地界生
滅增語及水火風空識界生滅增語此增語
既非有如何可言即地界若生若滅增語是
菩薩摩訶薩即水火風空識界若生若滅增
語是菩薩摩訶薩善現汝復觀何義言即地
界若善若非善增語非菩薩摩訶薩即水
火風空識界若善若非善增語非菩薩摩訶薩
耶世尊若地界善非善若水火風空識界善
非善尚畢竟不可得性非有故況有地界善
非善增語及水火風空識界善非善增語此
增語既非有如何可言即地界若善若非善
增語是菩薩摩訶薩即水火風空識界若善
若非善增語是菩薩摩訶薩善現汝復觀
何義言即地界若有罪若无罪增語非菩薩摩
訶薩即水火風空識界若有罪若无罪增語
非菩薩摩訶薩耶世尊若地界有罪无罪若
水火風空識界有罪无罪尚畢竟不可得性
非有故況有地界有罪无罪增語及水火風
空識界有罪无罪增語此增語既非有如何
可言即地界若有罪若无罪增語是菩薩摩
訶薩即水火風空識界若有罪若无罪增語
是菩薩摩訶薩善現汝復觀何義言即地界
若有煩惱若无煩惱增語非菩薩摩訶薩即
水火風空識界若有煩惱若无煩惱增語非
菩薩摩訶薩耶世尊若地界有煩惱无煩惱
若水火風空識界有煩惱无煩惱尚畢竟不
可得性非有故況有地界有煩惱无煩惱增語

BD01780號　大般若波羅蜜多經卷二七　（6–4）

水火風空識界若有煩惱若无煩惱增語非
菩薩摩訶薩耶世尊若地界有煩惱无煩惱
若水火風空識界有煩惱无煩惱尚畢竟不
可得性非有故況有地界有煩惱无煩惱增語
及水火風空識界有煩惱无煩惱增語此增
語既非有如何可言即地界若有煩惱若
无煩惱增語是菩薩摩訶薩即水火風空識
界若有煩惱若无煩惱增語是菩薩摩訶薩
善現汝復觀何義言即地界若世間若出世
間增語非菩薩摩訶薩即水火風空識界若
世間若出世間增語非菩薩摩訶薩耶世尊
若地界世間出世間若水火風空識界世間
出世間尚畢竟不可得性非有故況有地界
世間出世間增語及水火風空識界世間出
世間增語此增語既非有如何可言即地界
若世間若出世間增語是菩薩摩訶薩即水
火風空識界若世間若出世間增語是菩薩
摩訶薩善現汝復觀何義言即地界若雜染
若清淨增語非菩薩摩訶薩即水火風空
識界若雜染若清淨增語非菩薩摩訶薩耶世
尊若地界雜染清淨若水火風空識界雜染
清淨尚畢竟不可得性非有故況有地界雜
染清淨增語及水火風空識界雜染清淨增
語此增語既非有如何可言即地界若雜染
若清淨增語是菩薩摩訶薩即水火風空識
界若雜染若清淨增語是菩薩摩訶薩 善
現汝復觀何義言即地界若屬生死若屬涅
槃增語非菩薩摩訶薩即水火風空識界若

BD01780號　大般若波羅蜜多經卷二七　（6–5）

尊若地界雜染清淨若水火風空識界雜染
清淨尚畢竟不可得性非有故況有地界雜
染清淨增語及水火風空識界雜染清淨增
語此增語既非有如何可言即地界若雜染
若清淨增語是菩薩摩訶薩即水火風空識
界若雜染若清淨增語是菩薩摩訶薩 善
現汝復觀何義言即地界若屬生死若屬涅
槃增語非菩薩摩訶薩即水火風空識界若
屬生死若屬涅槃增語非菩薩摩訶薩耶世尊
若地界屬生死屬涅槃若水火風空識界屬
生死屬涅槃尚畢竟不可得性非有故況有
地界屬生死屬涅槃增語及水火風空識界
屬生死屬涅槃增語此增語既非有如何可
言即地界若屬生死若屬涅槃增語是菩薩
摩訶薩即水火風空識界若屬生死若屬涅
槃增語是菩薩摩訶薩善現汝復觀何義言
即地界若在內若在外若在兩間增語非菩
薩摩訶薩即水火風空識界若在內若在外
若在兩間增語非菩薩摩訶薩耶世尊若
地界在內在外在兩間若水火風空識界在

BD01780號　大般若波羅蜜多經卷二七　（6–6）

BD01780 號背　勘記　（1–1）

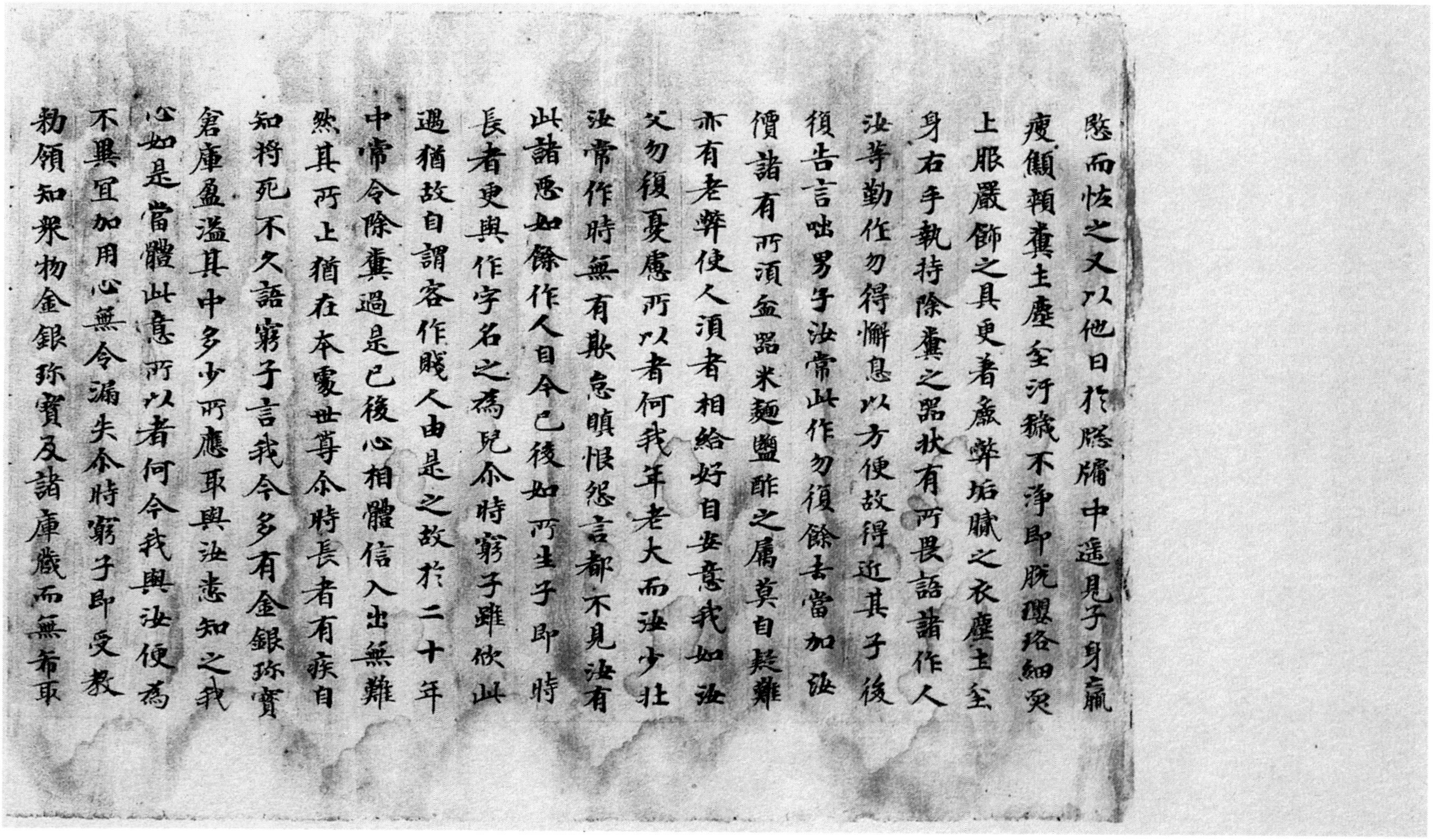
愍而恠之又以他日於窓牖中遥見子身羸
瘦顦顇糞土塵坌汙穢不淨即脫瓔珞細軟
上服嚴飾之具更著麤弊垢膩之衣塵土坌
身右手執持除糞之器狀有所畏語諸作人
汝等勤作勿得懈息以方便故得近其子後
復告言咄男子汝常此作勿復餘去當加汝
價諸有所須瓫器米麵鹽酢之屬莫自疑難
亦有老弊使人須者相給好自安意我如汝
父勿復憂慮所以者何我年老大而汝少壯
汝常作時無有欺怠瞋恨怨言都不見汝有
此諸惡如餘作人自今已後如所生子即時
長者更與作字名之為兒尒時窮子雖欣此
遇猶故自謂客作賤人由是之故於二十年
中常令除糞過是已後心相體信入出無難
然其所止猶在本處世尊尒時長者有疾自
知將死不久語窮子言我今多有金銀珎寶
倉庫盈溢其中多少所應取與汝悉知之我
心如是當體此意所以者何今我與汝便為
不異宜加用心無令漏失尒時窮子即受教
勅領知衆物金銀珎寶及諸庫藏而無悕取

BD01781 號　妙法蓮華經卷二　（8–1）

知將死不久語窮子言我今多有金銀珍寳
倉庫盈溢其中多少所應取與汝悉知之我
心如是當體此意所以者何今我與汝便為
不異宜加用心無令漏失尒時窮子即受教
勑領知衆物金銀珍寳及諸庫藏而無悕取
一湌之意然其所止故在本處下劣之心亦
未能捨復經少時父知子意漸以通泰成就
大志自鄙先心臨欲終時而命其子并會親
族國王大臣剎利居士皆悉已集即自宣言
諸君當知此是我子我之所生於某城中捨
吾逃走跉跰辛苦五十餘年其本字某我名
某甲昔在本城懷憂推覓忽於此間遇會得
之此實我子我實其父今我所有一切財物
皆是子有先所出內是子所知世尊是時窮
子聞父此言即大歡喜得未曾有而作是念
我本無心有所悕求今此寳藏自然而至世
尊大富長者則是如來我等皆似佛子如來
常說我等為子世尊我等以三苦故於生死
中受諸熱惱迷惑無知樂著小法今日世尊
令我等思惟蠲除諸法戲論之糞我等於中
勤加精進得至涅槃一日之價既得此已心
大歡喜自以為足便自謂言於佛法中勤精
進故所得弘多然世尊先知我等心著弊欲
樂於小法便見縱捨不為分別汝等當有如
來知見寳藏之分世尊以方便力說如來智

BD01781 號　妙法蓮華經卷二　（8–2）

大歡喜自以為足便自謂言於佛法中勤精
進故所得弘多然世尊先知我等心著弊欲
樂於小法便見縱捨不為分別汝等當有如
來知見寳藏之分世尊以方便力說如來智
慧我等從佛得涅槃一日之價以為大得於
此大乘無有志求我等又因如來智慧為諸
菩薩開示演說而自於此無有志願所以者
何佛知我等心樂小法以方便力隨我等說
而我等不知真是佛子今我等方知世尊於
佛智慧無所悋惜所以者何我等昔來真是
佛子而但樂小法若我等有樂大之心佛則
為我說大乘法於此經中唯說一乘而昔於
菩薩前毀呰聲聞樂小法者然佛實以大乘
教化是故我等說本無心有所希求今法王
大寳自然而至如佛子所應得者皆已得之
尒時摩訶迦葉欲重宣此義而說偈言
我等今日　聞佛音教　歡喜踊躍　得未曾有
佛說聲聞　當得作佛　無上寳聚　不求自得
譬如童子　幼稚無識　捨父逃逝　遠到他土
周流諸國　五十餘年　其父憂念　四方推求
求之既疲　頓止一城　造立舍宅　五欲自娛
其家巨富　多諸金銀　硨磲碼瑙　真珠瑠璃
象馬牛羊　輦輿車乘　田業僮僕　人民衆多
出入息利　乃遍他國　商估賈人　無處不有
千萬億衆　圍繞恭敬　常為王者　之所愛念
群臣豪族　皆共宗重　以諸緣故　往來者衆

BD01781 號　妙法蓮華經卷二　（8–3）

其家巨富 多諸金銀 硨磲碼瑙 真珠瑠璃
象馬牛羊 輦輿車乘 田業僮僕 人民衆多
出入息利 乃遍他國 商估賈人 無處不有
千萬億衆 圍繞恭敬 常為王者 之所愛念
羣臣豪族 皆共宗重 以諸緣故 往來者衆
豪富如是 有大力勢 而年朽邁 益憂念子
夙夜惟念 死時將至 癡子捨我 五十餘年
庫藏諸物 當如之何 尒時窮子 求索衣食
從邑至邑 從國至國 或有所得 或無所得
飢餓羸瘦 體生瘡癬 漸次經歷 到父住城
傭賃展轉 遂至父舍 尒時長者 於其門內
施大寶帳 處師子座 眷屬圍繞 諸人侍衛
或有計筭 金銀寶物 出內財產 注記券疏
窮子見父 豪貴尊嚴 謂是國王 若國王等
驚怖自恠 何故至此 覆自念言 我若久住
或見逼迫 強驅使作 思惟是已 馳走而去
借問貧里 欲往傭作 長者是時 在師子座
遙見其子 默而識之 即勅使者 追捉將來
窮子驚喚 迷悶躃地 是人執我 必當見殺
何用衣食 使我至此 長者知子 愚癡狹劣
不信我言 不信是父 即以方便 更遣餘人
眇目矬陋 無威德者 汝可語之 云當相雇
除諸糞穢 倍與汝價 窮子聞之 歡喜隨來
為除糞穢 淨諸房舍 長者於牖 常見其子
念子愚劣 樂為鄙事 於是長者 著弊垢衣
執除糞器 往到子所 方便附近 語令勤作

BD01781號 妙法蓮華經卷二 (8–4)

除諸糞穢 倍與汝價 窮子聞之 歡喜隨來
為除糞穢 淨諸房舍 長者於牖 常見其子
念子愚劣 樂為鄙事 於是長者 著弊垢衣
執除糞器 往到子所 方便附近 語令勤作
既益汝價 并塗足油 飲食充足 薦席厚煖
如是苦言 汝當勤作 又以耎語 若如我子
長者有智 漸令入出 經二十年 執作家事
示其金銀 真珠頗梨 諸物出入 皆使令知
猶處門外 止宿草庵 自念貧事 我無此物
父知子心 漸已曠大 欲與財物 即聚親族
國王大臣 剎利居士 於此大衆 說是我子
捨我他行 經五十歲 自見子來 已二十年
昔於某城 而失是子 周行求索 遂來至此
凡我所有 舍宅人民 悉以付之 恣其所用
子念昔貧 志意下劣 今於父所 大獲珎寶
并及舍宅 一切財物 甚大歡喜 得未曾有
佛亦如是 知我樂小 未曾說言 汝等作佛
而說我等 得諸無漏 成就小乘 聲聞弟子
佛勅我等 說最上道 修習此者 當得成佛
我承佛教 為大菩薩 以諸因緣 種種譬喻
若干言辭 說無上道 諸佛子等 從我聞法
日夜思惟 精勤修習 是時諸佛 即授其記
汝於來世 當得作佛 一切諸佛 秘藏之法
但為菩薩 演其實事 而不為我 說斯真要
如彼窮子 得近其父 雖知諸物 心不希取
我等雖說 佛法寶藏 自無志願 亦復如是

BD01781號 妙法蓮華經卷二 (8–5)

日夜思惟 精勤修習 是時諸佛 即授其記
汝於來世 當得作佛 一切諸佛 秘藏之法
但為菩薩 演其實事 而不為我 說斯真要
如彼窮子 得近其父 雖知諸物 心不希取
我等雖說 佛法寶藏 自無志願 亦復如是
我等內滅 自謂為足 唯了此事 更無餘事
我等若聞 淨佛國土 教化眾生 都無欣樂
所以者何 一切諸法 皆悉空寂 無生無滅
無大無小 無漏無為 如是思惟 不生喜樂
我等長夜 於佛智慧 無貪無著 無復志願
而自於法 謂是究竟 我等長夜 修習空法
得脫三界 苦惱之患 住最後身 有餘涅槃
佛所教化 得道不虛 則為已得 報佛之恩
我等雖為 諸佛子等 說菩薩法 以求佛道
而於是法 永無願樂 導師見捨 觀我心故
初不勸進 說有實利 如富長者 知子志劣
以方便力 柔伏其心 然後乃付 一切財物
佛亦如是 現希有事 知樂小者 以方便力
調伏其心 乃教大智 我等今日 得未曾有
非先所望 而今自得 如彼窮子 得無量寶
世尊我今 得道得果 於無漏法 得清淨眼
我等長夜 持佛淨戒 始於今日 得其果報
法王法中 久修梵行 今得無漏 無上大果
我等今者 真是聲聞 以佛道聲 令一切聞
我等今者 真阿羅漢 於諸世間 天人魔梵
普於其中 應受供養 世尊大恩 以希有事

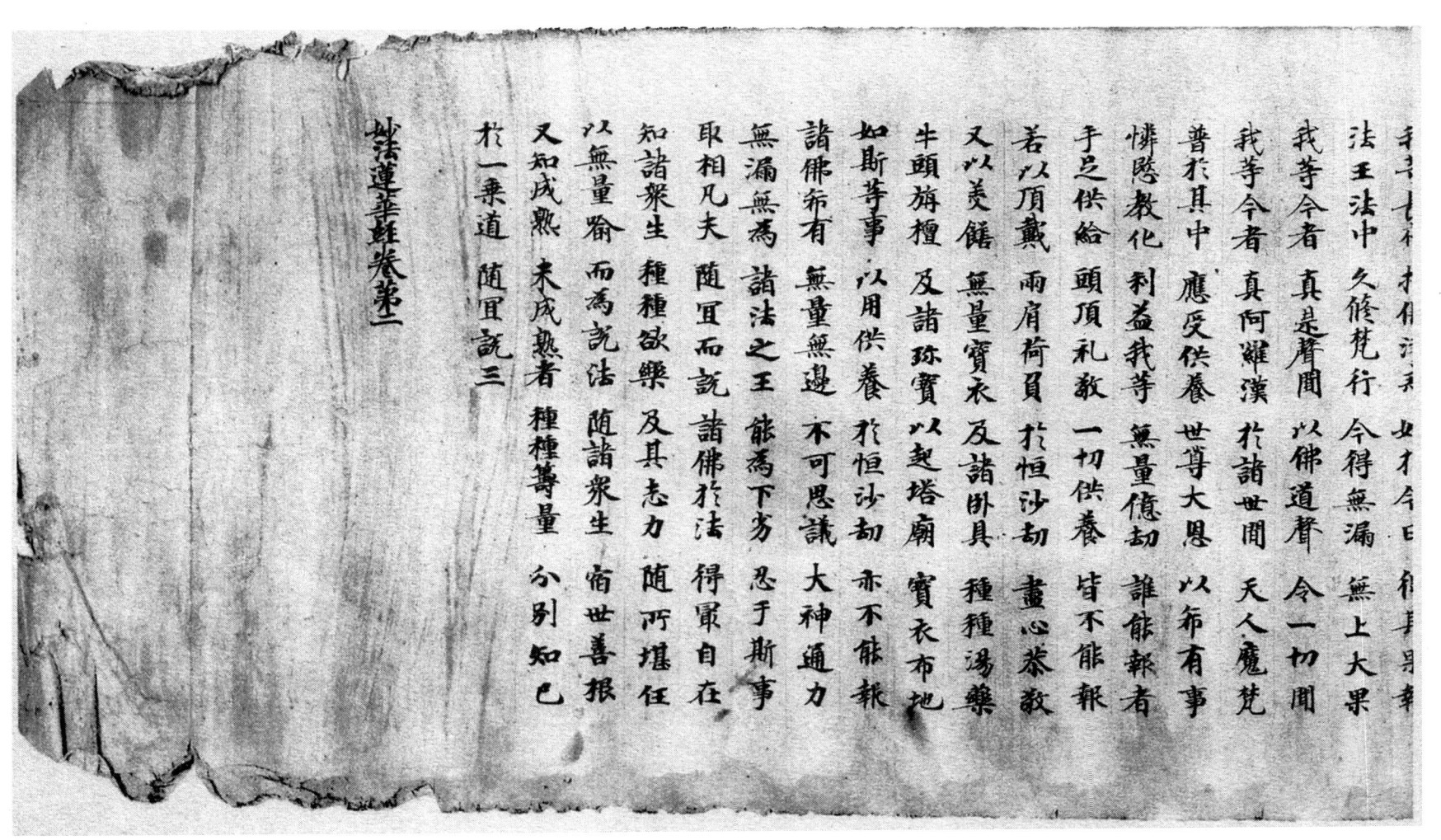

BD01781號 妙法蓮華經卷二 （8–6）

我等長夜 持佛淨戒 始於今日 得其果報
法王法中 久修梵行 今得無漏 無上大果
我等今者 真是聲聞 以佛道聲 令一切聞
我等今者 真阿羅漢 於諸世間 天人魔梵
普於其中 應受供養 世尊大恩 以希有事
憐愍教化 利益我等 無量億劫 誰能報者
手足供給 頭頂禮敬 一切供養 皆不能報
若以頂戴 兩肩荷負 於恒沙劫 盡心恭敬
又以美饍 無量寶衣 及諸臥具 種種湯藥
牛頭栴檀 及諸珍寶 以起塔廟 寶衣布地
如斯等事 以用供養 於恒沙劫 亦不能報
諸佛希有 無量無邊 不可思議 大神通力
無漏無為 諸法之王 能為下劣 忍于斯事
取相凡夫 隨宜而說 諸佛於法 得最自在
知諸眾生 種種欲樂 及其志力 隨所堪任
以無量喻 而為說法 隨諸眾生 宿世善根
又知成熟 未成熟者 種種籌量 分別知已
於一乘道 隨宜說三

妙法蓮華經卷第二

BD01781號 妙法蓮華經卷二 （8–7）

無漏無為　諸法之王　能為下劣　忍于斯事
取相凡夫　隨宜而說　諸佛於法　得最自在
知諸衆生　種種欲樂　及其志力　隨所堪任
以無量喻　而為說法　隨諸衆生　宿世善根
又知成熟　未成熟者　種種籌量　分別知已
於一乘道　隨宜說三
妙法蓮華經卷第二

BD01781 號　妙法蓮華經卷二

（8–8）

座而坐時長老
偏袒右肩右膝着
有世尊如來善護
世尊善男子善女
提心應云何住云何降　善　告
哉須菩提如汝所說如來善護念諸菩薩善
付囑諸菩薩汝今諦聽當為汝說善男子善
女人發阿耨多羅三藐三菩提心應如是住
如是降伏其心唯然世尊願樂欲聞
佛告須菩提諸菩薩摩訶薩應如是降伏其
心所有一切衆生之類若卵生若胎生若濕
生若化生若有色若无色若有想若无想若
非有想若非无想我皆令入无餘涅槃而滅
度之如是滅度无量无數无邊衆生實无衆
生得滅度者何以故須菩提若菩薩有我相
人相衆生相壽者相即非菩薩
復次須菩提菩薩於法應无所住行於布施
所謂不住色布施不住聲香味觸法布施須
菩提菩薩應如是布施不住於相何以故若
菩薩不住相布施其福德不可思量須菩提

BD01782 號　金剛般若波羅蜜經

（14–1）

生得滅度者何以故須菩提若菩薩有我相
人相衆生相壽者相即非菩薩
復次須菩提菩薩於法應无所住行於布施
所謂不住色布施不住聲香味觸法布施須
菩提菩薩應如是布施不住於相何以故若
菩薩不住相布施其福德不可思量須菩提
於意云何東方虛空可思量不不也世尊須
菩提南西北方四維上下虛空可思量不不
也世尊須菩提菩薩无住相布施福德亦復
如是不可思量須菩提菩薩但應如所教住
須菩提於意云何可以身相見如來不不也
世尊不可以身相得見如來何以故如來所
說身相即非身相佛告須菩提凡所有相皆
是虛妄若見諸相非相則見如來須菩提白
佛言世尊頗有衆生得聞如是言說章句生
實信不佛告須菩提莫作是說如來滅後後
五百歲有持戒脩福者於此章句能生信心
以此為實當知是人不於一佛二佛三四五
佛而種善根已於无量千万佛所種諸善根
聞是章句乃至一念生淨信者須菩提如來
悉知悉見是諸衆生得如是无量福德何以
故是諸衆生无復我相人相衆生相壽者相
无法相亦无非法相何以故是諸衆生若心
取相則為著我人衆生壽者若取法相即著
我人衆生壽者何以故若取非法相即著我
人衆生壽者是故不應取法不應取非法以
是義故如來常說汝等比丘知我說法如筏
喻者法尚應捨何况非法

BD01782號　金剛般若波羅蜜經　（14–2）

无法相亦无非法相何以故是諸衆生若心
取相則為著我人衆生壽者若取法相即著
我人衆生壽者何以故若取非法相即著我
人衆生壽者是故不應取法不應取非法以
是義故如來常說汝等比丘知我說法如筏
喻者法尚應捨何况非法
須菩提於意云何如來得阿耨多羅三藐三
菩提耶如來有所說法耶須菩提言如我解
佛所說義无有定法名阿耨多羅三藐三菩
提亦无有定法如來可說何以故如來所說
法皆不可取不可說非法非法　所以者何
一切賢聖皆以无為法而有差別
須菩提於意云何若人滿三千大千世界七
寶以用布施是人所得福德寧為多不須菩
提言甚多世尊何以故是福德即非福德性
是故如來說得福德多須菩提於意云何若
復有人於此經中受持乃至四句偈等為他
人說其福勝彼何以故須菩提一切諸佛及
諸佛阿耨多羅三藐三菩提法皆從此經出
須菩提所謂佛法者即非佛法
須菩提於意云何須陁洹能作是念我得須
陁洹果不須菩提言不也世尊何以故須陁
洹名為入流而无所入不入色聲香味觸法
是名須陁洹須菩提於意云何斯陁含能作
是念我得斯陁含果不須菩提言不也世尊
何以故斯陁含名一往來而實无往來是名
斯陁含須菩提於意云何阿那含能作是念
我得阿那含果不須菩提言不也世尊何以

BD01782號　金剛般若波羅蜜經　（14–3）

是念我得斯陁含果不須菩提言不也世尊
何以故斯陁含名一往来而實无往来是名
斯陁含須菩提於意云何阿那含能作是念
我得阿那含果不須菩提言不也世尊何以
故阿那含名為不来而實无来是故名阿那
含須菩提於意云何阿羅漢能作是念我得
阿羅漢道不須菩提言不也世尊何以故實
无有法名阿羅漢世尊若阿羅漢作是念我
得阿羅漢道即為著我人衆生壽者世尊佛
說我得无諍三昧人中最為第一是第一離
欲阿羅漢我不作是念我是離欲阿羅漢世
尊我若作是念我得阿羅漢道世尊則不說
須菩提是樂阿蘭那行者以須菩提實无所
行而名須菩提是樂阿蘭那行
佛告須菩提於意云何如来昔在然燈佛所
於法有所得不世尊如来在然燈佛所於法
實无所得須菩提於意云何菩薩莊嚴佛土
不不也世尊何以故莊嚴佛土者則非莊嚴
是名莊嚴是故須菩提諸菩薩摩訶薩應如
是生清淨心不應住色生心不應住聲香味
觸法生心應无所住而生其心須菩提譬如
有人身如須弥山王於意云何是身為大不
須菩提言甚大世尊何以故佛說非身是名
大身須菩提如恒河中所有沙數如是沙等
恒河於意云何是諸恒河沙寧為多不須菩
提言甚多世尊但諸恒河尚多无數何況其
沙須菩提我今實言告汝若有善男子善女

恒河於意云何是諸恒河沙寧為多不須菩
提言甚多世尊但諸恒河尚多无數何況其
沙須菩提我今實言告汝若有善男子善女
人以七寶滿尒所恒河沙數三千大千世界
以用布施得福多不須菩提言甚多世尊佛
告須菩提若善男子善女人於此經中乃至
受持四句偈等為他人說而此福德勝前福
德復次須菩提隨說是經乃至四句偈等當
知此處一切世間天人阿脩羅皆應供養如
佛塔廟何況有人盡能受持讀誦須菩提當
知是人成就最上第一希有之法若是經典
所在之處則為有佛若尊重弟子
尒時須菩提白佛言世尊當何名此經我等
云何奉持佛告須菩提是經名為金剛般若
波羅蜜以是名字汝當奉持所以者何須菩
提佛說般若波羅蜜則非般若波羅蜜須菩
提於意云何如来有所說法不須菩提白佛
言世尊如来无所說須菩提於意云何三千
大千世界所有微塵是為多不須菩提言甚
多世尊須菩提諸微塵如来說非微塵是名
微塵如来說世界非世界是名世界須菩提
於意云何可以三十二相見如来不不也世
尊何以故如来說三十二相即是非相是名
三十二相須菩提若有善男子善女人以恒
河沙等身命布施若復有人於此經中乃至
受持四句偈等為他人說其福甚多
尒時須菩提聞說是經深解義趣涕淚悲泣

三十二相須菩提若有善男子善女人以恒
河沙等身命布施若復有人於此經中乃至
受持四句偈等為他人說其福甚多
尒時須菩提聞說是經深解義趣涕淚悲泣
而白佛言希有世尊佛說如是甚深經典我
從昔來所得慧眼未曾得聞如是之經世尊
若復有人得聞是經信心清淨則生實相當
知是人成就第一希有功德世尊是實相者
則是非相是故如來說名實相世尊我今得
聞如是經典信解受持不足為難若當來世
後五百歲其有眾生得聞是經信解受持是
人則為第一希有何以故此人无我相人相
眾生相壽者相所以者何我相即是非相人
相眾生相壽者相即是非相何以故離一切
諸相則名諸佛佛告須菩提如是如是若復
有人得聞此經不驚不怖不畏當知是人甚
為希有何以故須菩提如來說第一波羅蜜
非第一波羅蜜是名第一波羅蜜
須菩提忍辱波羅蜜如來說非忍辱波羅蜜
何以故須菩提如我昔為歌利王割截身體
我於尒時无我相无人相无眾生相无壽者
相何以故我於往昔節節支解時若有我相
人相眾生相壽者相應生瞋恨須菩提又念
過去於五百世作忍辱仙人於尒所世无我
相无人相无眾生相无壽者相是故須菩提
菩薩應離一切相發阿耨多羅三藐三菩提
心不應住色生心不應住聲香味觸法生心

BD01782號　金剛般若波羅蜜經　　（14–6）

過去於五百世作忍辱仙人於尒所世无我
相无人相无眾生相无壽者相是故須菩提
菩薩應離一切相發阿耨多羅三藐三菩提
心不應住色生心不應住聲香味觸法生心
應生无所住心若心有住則為非住是故佛
說菩薩心不應住色布施須菩提菩薩為利
益一切眾生應如是布施如來說一切諸相
即是非相又說一切眾生則非眾生須菩提
如來是真語者實語者如語者不誑語者不
異語者須菩提如來所得法此法无實无虛
須菩提若菩薩心住於法而行布施如人入
闇則无所見若菩薩心不住法而行布施如
人有目日光明照見種種色須菩提當來之
世若有善男子善女人能於此經受持讀誦
則為如來以佛智慧悉知是人悉見是人皆
得成就无量无邊功德
須菩提若有善男子善女人初日分以恒河
沙等身布施中日分復以恒河沙等身布施
後日分亦以恒河沙等身布施如是无量百
千万億劫以身布施若復有人聞此經典信
心不逆其福勝彼何況書寫受持讀誦為人
解說須菩提以要言之是經有不可思議不
可稱量无邊功德如來為發大乘者說為發
最上乘者說若有人能受持讀誦廣為人說
如來悉知是人悉見是人皆成就不可量不
可稱无有邊不可思議功德如是人等則為
荷擔如來阿耨多羅三藐三菩提何以故須

BD01782號　金剛般若波羅蜜經　　（14–7）

畢上乘者說若有人能受持讀誦廣為人說
如來悉知是人悉見是人皆成就不可量不
可稱无有邊不可思議功德如是人等則為
荷擔如來阿耨多羅三藐三菩提何以故須
菩提若樂小法者著我見人見衆生見壽者
見則於此經不能聽受讀誦為人解說須菩
提在在處處若有此經一切世間天人阿脩
羅所應供養當知此處則為是塔皆應恭敬
作礼圍繞以諸華香而散其處復次須菩提
若善男子善女人受持讀誦此經若為人輕
賤是人先世罪業應墮惡道以今世人輕賤
故先世罪業則為消滅當得阿耨多羅三藐
三菩提須菩提我念過去无量阿僧祇劫於
然燈佛前得值八百四千万億那由他諸佛
悉皆供養承事无空過者若復有人於後末
世能受持讀誦此經所得功德於我所供養
諸佛功德百分不及一千万億分乃至筭數
譬喻所不能及須菩提若善男子善女人於
後末世有受持讀誦此經所得功德我若具
說者或有人聞心則狂亂狐疑不信須菩提
當知是經義不可思議果報亦不可思議
尒時須菩提白佛言世尊善男子善女人發
阿耨多羅三藐三菩提心云何應住云何降
伏其心佛告須菩提善男子善女人發阿耨
多羅三藐三菩提者當生如是心我應滅度
一切衆生滅度一切衆生已而无有一衆生
實滅度者何以故若菩薩有我相人相衆生

BD01782號　金剛般若波羅蜜經

(14-8)

多羅三藐三菩提者當生如是心我應滅度
一切衆生滅度一切衆生已而无有一衆生
實滅度者何以故若菩薩有我相人相衆生
相壽者相則非菩薩所以者何須菩提實无
有法發阿耨多羅三藐三菩提者須菩提於
意云何如來於然燈佛所有法得阿耨多羅
三藐三菩提不不也世尊如我解佛所說義
佛於然燈佛所无有法得阿耨多羅三藐三
菩提佛言如是如是須菩提實无有法如來
得阿耨多羅三藐三菩提須菩提若有法如
來得阿耨多羅三藐三菩提然燈佛則不應
與我受記汝於來世當得作佛号釋迦牟尼
以實无有法得阿耨多羅三藐三菩提是故
然燈佛與我受記作是言汝於來世當得作
佛号釋迦牟尼何以故如來者即諸法如義
若有人言如來得阿耨多羅三藐三菩提須
菩提實无有法佛得阿耨多羅三藐三菩提
須菩提如來所得阿耨多羅三藐三菩提於
是中无實无虛是故如來說一切法皆是佛
法須菩提所言一切法者即非一切法是故
名一切法須菩提譬如人身長大須菩提言
世尊如來說人身長大則為非大身是名大
身須菩提菩薩亦如是若作是言我當滅度
无量衆生則不名菩薩何以故須菩提實无
有法名為菩薩是故佛說一切法无我无人
无衆生无壽者須菩提若菩薩作是言我當
莊嚴佛土是不名菩薩何以故如來說莊嚴

BD01782號　金剛般若波羅蜜經

(14-9)

无量衆生則不名菩薩何以故須菩提實无
有法名爲菩薩是故佛說一切法无我无人
无衆生无壽者須菩提若菩薩作是言我當
莊嚴佛土是不名菩薩何以故如来說莊嚴
佛土者即非莊嚴是名莊嚴須菩提若菩薩
通達无我法者如来說名真是菩薩
須菩提於意云何如来有肉眼不如是世尊
如来有肉眼須菩提於意云何如来有天眼
不如是世尊如来有天眼須菩提於意云何
如来有慧眼不如是世尊如来有慧眼須菩
提於意云何如来有法眼不如是世尊如来
有法眼須菩提於意云何如来有佛眼不如
是世尊如来有佛眼須菩提於意云何恒河
中所有沙佛說是沙不如是世尊如来說是
沙須菩提於意云何如一恒河中所有沙有
如是等恒河是諸恒河所有沙數佛世界如
是寧爲多不甚多世尊佛告須菩提介所國
土中所有衆生若干種心如来悉知何以故
如来說諸心皆爲非心是名爲心所以者何
須菩提過去心不可得現在心不可得未来
心不可得須菩提於意云何若有人滿三千
大千世界七寶以用布施是人以是因緣得
福多不如是世尊此人以是因緣得福甚多
須菩提若福德有實如来不說得福德多以
福德无故如来說得福德多須菩提於意云
何佛可以具足色身見不不也世尊如来不
應以色身見何以故如来說具足色身即非
[illegible]

[illegible]
須菩提若福德有實如来不說得福德多以
福德无故如来說得福德多須菩提於意云
何佛可以具足色身見不不也世尊如来不
應以色身見何以故如来說具足色身即非
具足色身是名具足色身須菩提於意云何
如来可以具足諸相見不不也世尊如来不
應以具足諸相見何以故如来說諸相具足
即非具足是名諸相具足須菩提汝等勿謂
如来作是念我當有所說法莫作是念何以
故若人言如来有所說法即爲謗佛不能解
我所說故須菩提說法者无法可說是名說
法須菩提白佛言世尊佛得阿耨多羅三藐
三菩提爲无所得耶如是如是須菩提我於
阿耨多羅三藐三菩提乃至无有少法可得
是名阿耨多羅三藐三菩提復次須菩提是
法平等无有高下是名阿耨多羅三藐三菩
提以无我无人无衆生无壽者脩一切善法
則得阿耨多羅三藐三菩提須菩提所言善
法者如来說非善法是名善法須菩提若三
千大千世界中所有諸須弥山王如是等七
寶聚有人持用布施若人以此般若波羅蜜
經乃至四句偈等受持爲他人說於前福德
百分不及一百千万億分乃至筭數譬喻所
不能及
須菩提於意云何汝等勿謂如来作是念我
當度衆生須菩提莫作是念何以故實无有
[illegible]

百分不及一百千万億分乃至筭數譬喻所
不能及
須菩提於意云何汝等勿謂如来作是念我
當度衆生須菩提莫作是念何以故實无有
衆生如来度者若有衆生如来度者如来則
有我人衆生壽者須菩提如来說有我者則
非有我而凡夫之人以為有我須菩提凡夫
者如来說則非凡夫須菩提於意云何可以
三十二相觀如来不須菩提言如是如是以
三十二相觀如来佛言須菩提若以三十二
相觀如来者轉輪聖王則是如来須菩提白
佛言世尊如我解佛所說義不應以三十二
相觀如来尒時世尊而說偈言
若以色見我　以音聲求我　是人行邪道　不能見如来
須菩提汝若作是念如来不以具足相故得
阿耨多羅三藐三菩提須菩提莫作是念如
来不以具足相故得阿耨多羅三藐三菩提
須菩提汝若作是念發阿耨多羅三藐三菩
提者說諸法斷滅相莫作是念何以故發阿
耨多羅三藐三菩提者於法不說斷滅相
須菩提若菩薩以滿恒河沙等世界七寶布
施若復有人知一切法无我得成於忍而此
菩薩勝前菩薩所得功德須菩提以諸菩薩
不受福德故須菩提白佛言世尊云何菩薩
不受福德須菩提菩薩所作福德不應貪著
是故說不受福德須菩提若有人言如来若
来若去若坐若卧是人不解我所說義何以

BD01782 號　金剛般若波羅蜜經　（14–12）

不受福德須菩提菩薩所作福德不應貪著
是故說不受福德須菩提若有人言如来若
来若去若坐若卧是人不解我所說義何以
故如来者无所從来亦无所去故名如来
須菩提若善男子善女人以三千大千世界
碎為微塵於意云何是微塵衆寧為多不甚
多世尊何以故若是微塵衆實有者佛則不
說是微塵衆所以者何佛說微塵衆則非微
塵衆是名微塵衆世尊如来所說三千大千
世界則非世界是名世界何以故若世界實
有者則是一合相如来說一合相則非一合
相是名一合相須菩提一合相者則是不可
說但凡夫之人貪著其事
須菩提若人言佛說我見人見衆生見壽者
見須菩提於意云何是人解我所說義不世
尊是人不解如来所說義何以故世尊說我
見人見衆生見壽者見即非我見人見衆生
見壽者見是名我見人見衆生見壽者見須
菩提發阿耨多羅三藐三菩提心者於一切
法應如是知如是見如是信解不生法相須
菩提所言法相者如来說即非法相是名法
相須菩提若有人以滿无量阿僧祇世界七
寶持用布施若有善男子善女人發菩薩心
者持於此經乃至四句偈等受持讀誦為人
演說其福勝彼云何為人演說不取於相如
如不動何以故
一切有為法　如夢幻泡影　如露亦如電　應作如是觀

BD01782 號　金剛般若波羅蜜經　（14–13）

見須菩提於意云何是人解我所說義不世
尊是人不解如來所說義何以故世尊說我
見人見衆生見壽者見即非我見人見衆生
見壽者見是名我見人見衆生見壽者見須
菩提發阿耨多羅三藐三菩提心者於一切
法應如是知如是見如是信解不生法相須
菩提所言法相者如來說即非法相是名法
相須菩提若有人以滿无量阿僧祇世界七
寶持用布施若有善男子善女人發菩薩心
者持於此經乃至四句偈等受持讀誦爲人
演說其福勝彼云何爲人演說不取於相如
如不動何以故
一切有爲法　如夢幻泡影　如露亦如電　應作如是觀
佛說是經已長老須菩提及諸比丘比丘尼
優婆塞優婆夷一切世間天人阿脩羅聞佛
所說皆大歡喜信受奉行

金剛般若波羅蜜經

BD01782號　金剛般若波羅蜜經　　（14–14）

菩提如來悉知悉見是諸衆生得如是无量
福德何以故是諸衆生无復我相人相衆生
相壽者相无法相亦无非法相何以故是諸
衆生若心取相則爲著我人衆生壽者若取
法相即著我人衆生壽者何以故若取非法
相即著我人衆生壽者是故不應取法不應
取非法以是義故如來常說汝等比丘知我
說法如筏喻者法尚應捨何况非法
須菩提於意云何如來得阿耨多羅三藐三
菩提耶如來有所說法耶須菩提言如我解
佛所說義无有定法名阿耨多羅三藐三菩
提亦无有定法如來可說何以故如來所說
法皆不可取不可說非法非非法所以者何
一切賢聖皆以无爲法而有差別
須菩提於意云何若人滿三千大千世界七
寶以用布施是人所得福德寧爲多不須菩
提言甚多世尊何以故是福德即非福德性
是故如來說福德多若復有人於此經中受
持乃至四句偈等爲他人說其福勝彼何以
故須菩提一切諸佛及諸佛阿耨多羅三藐

BD01783號　金剛般若波羅蜜經　　（3–1）

寶以用布施是人所得福德寧為多不須菩
提言甚多世尊何以故是福德即非福德性
是故如來說福德多若復有人於此經中受
持乃至四句偈等為他人說其福勝彼何以
故須菩提一切諸佛及諸佛阿耨多羅三藐
三菩提法皆從此經出須菩提所謂佛法者
即非佛法
須菩提於意云何須陀洹能作是念我得須
陀洹果不須菩提言不也世尊何以故須陀
洹名為入流而无所入不入色聲香味觸法
是名須陀洹須菩提於意云何斯陀含能作
是念我得斯陀含果不須菩提言不也世尊
何以故斯陀含名一往來而實无往來是名
斯陀含須菩提於意云何阿那含能作是念
我得阿那含果不須菩提言不也世尊何以
故阿那含名為不來而實无來是故名阿那
含須菩提於意云何阿羅漢能作是念我得
阿羅漢道不須菩提言不也世尊何以故實
无有法名阿羅漢世尊若阿羅漢作是念我
得阿羅漢道即為著我人眾生壽者世尊佛
說我得无諍三昧人中最為第一是第一離
欲阿羅漢我不作是念我是離欲阿羅漢世
尊我若作是念我得阿羅漢道世尊則不說
須菩提是樂阿蘭那行者以須菩提實无所
行而名須菩提是樂阿蘭那行

BD01783號　金剛般若波羅蜜經　（3–2）

含須菩提於意云何阿羅漢能作是念我得
阿羅漢道不須菩提言不也世尊何以故實
无有法名阿羅漢世尊若阿羅漢作是念我
得阿羅漢道即為著我人眾生壽者世尊佛
說我得无諍三昧人中最為第一是第一離
欲阿羅漢我不作是念我是離欲阿羅漢世
尊我若作是念我得阿羅漢道世尊則不說
須菩提是樂阿蘭那行者以須菩提實无所
行而名須菩提是樂阿蘭那行
佛告須菩提於意云何如來昔在然燈佛所
於法有所得不不也世尊如來昔在然燈佛
所於法實无所得須菩提於意云何菩薩莊
嚴佛土不不也世尊何以故莊嚴佛土者則非
莊嚴是名莊嚴是故須菩提諸菩薩摩訶
薩應如是生清淨心不應住色生心不應住
聲香味觸法生心應无所住而生其心須菩
提譬如有人身如須弥山王於意云何是身
為大不須菩提言甚大世尊何以故佛說非

BD01783號　金剛般若波羅蜜經　（3–3）

不在外是為宴坐於諸見不動而脩行三十
七品是為宴坐不斷煩惱而入涅槃是為宴
坐若能如是坐者佛所印可時我世尊聞是
語已默然而止不能加報故我不任詣彼問
疾
佛告大目揵連汝行詣維摩詰問疾目連白
佛言世尊我不堪任詣彼問疾所以者何憶
念我昔入毗耶離大城於里巷中為諸居士
說法時維摩詰來謂我言唯大目連為白衣
居士說法不當如仁者所說夫說法者當如
法說法无衆生離衆生垢故法无有我離我
垢故法无壽命離生死故法无有人前後際
斷故法常寂然滅諸相故法離於相无所緣
故法无名字言語斷故法无有說離覺觀故
法无形相如虛空故法无戲論畢竟空故法
无我所離我所故法无分別離諸識故法无
有比无相待故法不屬因不在緣故法同法
性入諸法故法隨於如无所隨故法住實際
諸邊不動故法无動搖不依六塵故法无去
來常不住故法順空隨无相應无作法離好
醜法无增損法无生滅法无所歸法過眼耳
鼻舌身心法无高下法常住不動法離一切

BD01784 號　維摩詰所說經卷上　（5–1）

有比无相待故法不屬因不在緣故法同法
性入諸法故法隨於如无所隨故法住實際
諸邊不動故法无動搖不依六塵故法无去
來常不住故法順空隨无相應无作法離好
醜法无增損法无生滅法无所歸法過眼耳
鼻舌身心法无高下法常住不動法離一切
觀行唯大目連法相如是豈可說乎夫說法
者无說无示其聽法者无聞无得譬如幻士
為幻人說法當建是意而為說法當了衆生
根有利鈍善於知見无所罣礙以大悲心讚
于大乘念報佛恩不斷三寶然後說法維摩
詰說是法時八百居士發阿耨多羅三藐三
菩提心我无此辯是故不任詣彼問疾
佛告大迦葉汝行詣維摩詰問疾迦葉白佛
言世尊我不堪任詣彼問疾所以者何憶念
我昔於貧里而行乞食時維摩詰來謂我言
唯大迦葉有慈悲心而不能普捨豪富從貧
乞迦葉住平等法應次行乞食為不食故應
行乞食為壞和合相故應取揣食為不受故
應受彼食以空聚想入於聚落所見色與盲
等所聞聲與響等所嗅香與風等所食味不
分別受諸觸如智證知諸法如幻相无自性
无他性本自不然今則无滅迦葉若能不捨
八邪入八解脫以邪相入正法以一食施一
切供養諸佛及衆賢聖然後可食如是食者
非有煩惱非離煩惱非入定意非起定意非
住世間非住涅槃其有施者无大福无小福

BD01784 號　維摩詰所說經卷上　（5–2）

分別受諸觸如智證知諸法如幻相无自性
无他性本自不然今則无滅迦葉若能不捨
八邪入八解脫以邪相入正法以一食施一
切供養諸佛及衆賢聖然後可食如是食者
非有煩惱非離煩惱非入定意非起定意非
住世間非住涅槃其有施者无大福无小福
不為益不為損是為正入佛道不依聲聞迦
葉若如是食為不空食人之施也時我世尊
聞說是語得未曾有即於一切菩薩深起敬
心復作是念斯有家名辯才智慧乃能如是
其誰不發阿耨多羅三藐三菩提心我從是
來不復勸人以聲聞辟支佛行是故不任
詣彼問疾
佛告須菩提汝行詣維摩詰問疾須菩提白
佛言世尊我不堪任詣彼問疾所以者何憶
念我昔入其舍從乞食時維摩詰取我鉢盛
滿飯謂我言唯須菩提若能於食等者諸法
亦等諸法等者於食亦等如是行乞乃可取
食若須菩提不斷婬怒癡亦不與俱不壞於
身而隨一相不滅癡愛起於明脫以五逆相
而得解脫亦不解不縛不見四諦非不見諦
非得果非凡夫非離凡夫法非聖人非不聖人
雖成就一切法而離諸法相乃可取食若
須菩提不見佛不聞法彼外道六師富蘭
那迦葉末伽梨拘賒梨子刪闍夜毗羅胝子阿
耆多翅舍欽婆羅迦羅鳩馱迦旃延尼揵陀
若提子等是汝之師因其出家彼師所墮汝

BD01784號　維摩詰所說經卷上　（5–3）

須菩提不見佛不聞法彼外道六師富蘭
那迦葉末伽梨拘賒梨子刪闍夜毗羅胝子阿
耆多翅舍欽婆羅迦羅鳩馱迦旃延尼揵陀
若提子等是汝之師因其出家彼師所墮汝
亦隨墮乃可取食若須菩提入諸邪見不到
彼岸住於八難不得无難同於煩惱離清淨
法汝得无諍三昧一切衆生亦得是定其施
汝者不名福田供養汝者墮三惡道為與衆
魔共一手作諸勞侶汝與衆魔及諸塵勞等
无有異於一切衆生而有怨心謗諸佛毀於
法不入衆數終不得滅度汝若如是乃可取
食時我世尊聞此茫然不識是何言不知以
何荅便置鉢欲出其舍維摩詰言唯須菩
提取鉢勿懼於意云何如來所作化人若以是
事詰寧有懼不我言不也維摩詰言一切諸
法如幻化相汝今不應有所懼也所以者何
一切言說不離是相至於智者不著文字故
无所懼何以故文字性離无有文字是則解
脫解脫相者則諸法也維摩詰說是法時二
百天子得法眼淨故我不任詣彼問疾
佛告富樓那彌多羅尼子汝行詣維摩詰問
疾富樓那白佛言世尊我不堪任詣彼問疾
所以者何憶念我昔於大林中在一樹下為
諸新學比丘說法時維摩詰來謂我言唯富
樓那先當入定觀此人心然後說法无以穢
食置於寶器當知是比丘心之所念无以瑠璃
同彼水精汝不能知衆生根原无得發起以

BD01784號　維摩詰所說經卷上　（5–4）

食時我世尊聞此語然不識是何言不知以
何荅便置鉢欲出其舍維摩詰言唯須菩
提取鉢勿懼於意云何如來所作化人若以是
事詰寧有懼不我言不也維摩詰言一切諸
法如幻化相汝今不應有所懼也所以者何
一切言說不離是相至於智者不著文字故
无所懼何以故文字性離无有文字是則解
脫解脫相者則諸法也維摩詰說是法時二
百天子得法眼淨故我不任詣彼問疾
佛告富樓那彌多羅尼子汝行詣維摩詰問
疾富樓那白佛言世尊我不堪任詣彼問疾
所以者何憶念我昔於大林中在一樹下為
諸新學比丘說法時維摩詰來謂我言唯富
樓那先當入定觀此人心然後說法无以穢
食置於寶器當知是比丘心之所念无以瑠璃
同彼水精汝不能知衆生根原无得發起以
小乘法彼自无瘡勿傷之也欲行大道莫示
小徑无以大海內於牛跡无以日光等彼螢
火富樓那此比丘久發大乘心中忘此意

BD01784號　維摩詰所說經卷上　（5–5）

菩薩行无所有般若波羅蜜能具足菩薩道所
謂六波羅蜜乃至卅七品道法佛十力四无所畏
四无导智十八不共法卅二相八十隨形好是菩薩
住空淨佛道中所謂六波羅蜜卅七品道法報得神
通以是法饒益衆生宜以布施攝教令布施宜
以戒攝教令持戒宜以禪定智慧解脫知見攝者
教令脩禪定智慧解脫解脫知見宜以諸道法
教者教令得須陁洹果得斯陁含阿那含果阿
羅漢果辟支佛道宜以佛道化者教令得菩薩
道具足佛道以是等隨其應道地而教化之各
各令得所是菩薩現種種神通力時過无量恒
河沙國土度脫衆生隨其所須皆化給足各令
滿足從一國土至一國土見淨妙國土以自莊嚴已佛
國土辟如他化自在天中資生所須隨意皆至亦
如諸淨佛國離於求欲是人以是報得檀波羅蜜
尸羅波羅蜜羼提波羅蜜毗梨耶波羅蜜禪波
羅蜜般若波羅蜜報得五神通行菩薩道種
智成就一切功德當得阿耨多羅三藐三菩提是
菩薩尒時不受色行乃至識不受一切法若善若
不善若世間若出世若有漏若无漏若有為若
无為如是一切法皆不受是菩薩得阿耨多羅

BD01785號　諸經集鈔（擬）　（2–1）

[illegible]
羅漢果辟支佛道宜以佛道化者教令得菩薩
道具足佛道以是菩薩隨其應道地而教化之各
各令得所是菩薩現種種神通力時過无量恒
河沙國土度脫衆生隨其所須皆化給之各令
滿足從一國土至一國土見淨妙國土以自莊嚴已佛
國土譬如他化自在天中資生所須隨意自至念
如諸淨佛國離於求欲是人以是報得檀波羅蜜
尸羅波羅蜜羼提波羅蜜毗梨耶波羅蜜禪波
羅蜜般若波羅蜜報得五神通行菩薩道道種
智成就一切功德當得阿耨多羅三藐三菩提是
菩薩尒時不受色行乃至識不受一切法若善若
不善若世間若出世若有漏若无漏若有為若
无為如是一切法皆不受是菩薩得阿耨多羅
三藐三菩提時國土一切所有資生之物皆无有主
何以故是菩薩行一切法不受以不可得故如是得
菩提菩薩摩訶薩无相法中能具足般若波羅
蜜

大般涅槃經卷第二說

尒時世尊一切種智无上調御告純陁曰
善哉善哉我今為汝除斷貧窮无上
法雨雨汝身田令生法牙汝今於我

BD01785號　諸經集鈔(擬)　(2–2)

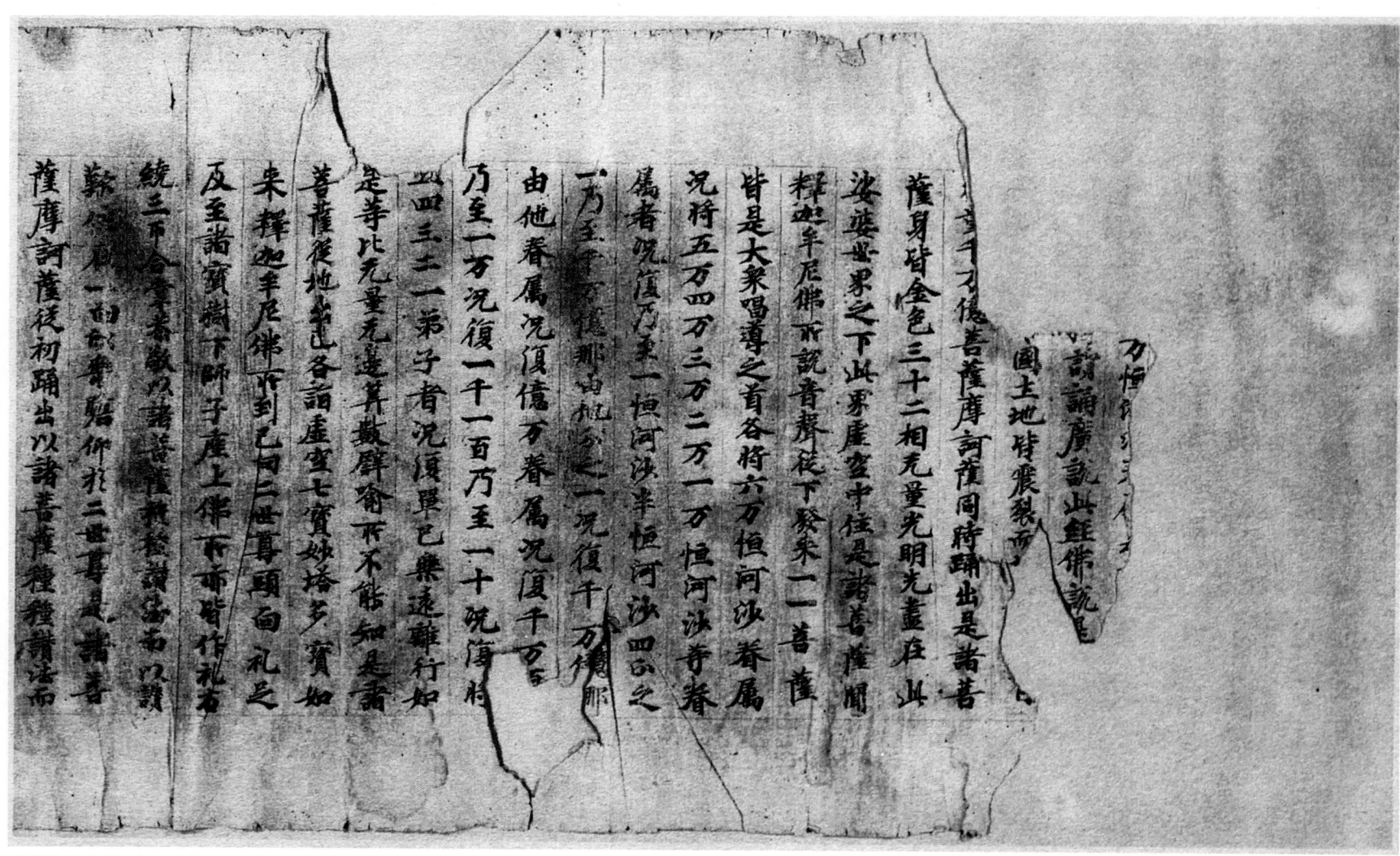

万恒[illegible]
持讀誦廣說此經佛說是
國土地皆震裂而
[illegible]千万億菩薩摩訶薩同時踊出是諸菩
薩身皆金色三十二相无量光明先盡在此
娑婆世界之下此界虛空中住是諸菩薩聞
釋迦牟尼佛所說音聲從下發來一一菩薩
皆是大衆唱導之首各將六万恒河沙眷屬
況將五万四万三万二万一万恒河沙等眷
屬者況復乃至一恒河沙半恒河沙四分之
一乃至千万億那由他分之一況復千万億那
由他眷屬況復億万眷屬況復千万百万
乃至一万況復一千一百乃至一十況復將
五四三二一弟子者況復單己樂遠離行如
是等比无量无邊筭數譬喻所不能知是諸
菩薩從地出已各詣虛空七寶妙塔多寶如
來釋迦牟尼佛所到已向二世尊頭面礼足
及至諸寶樹下師子座上佛所亦皆作礼右
繞三帀合掌恭敬以諸菩薩種種讚法而以讚
歎住在一面欣樂瞻仰於二世尊是諸菩
薩摩訶薩從初踊出以諸菩薩種種讚法而

BD01786號　妙法蓮華經卷五　(21–1)

菩薩從地出已各詣虛空七寶妙塔多寶如
来釋迦牟尼佛所到已向二世尊頭面礼足
及至諸寶樹下師子座上佛所亦皆作礼右
繞三帀合掌恭敬以諸菩薩種種讚法而以讚
歎住在一面欣樂瞻仰於二世尊是諸菩
薩摩訶薩從初踊出以諸菩薩種種讚法而
讚於佛如是時間經五十小劫是時釋迦牟
尼佛默然而坐及諸四衆亦皆默然五十小劫
佛神力故令諸大衆謂如半日尒時四衆
亦以佛神力故見諸菩薩遍滿无量百千万
億國土虛空是菩薩衆中有四導師一名上
行二名无邊行三名淨行四名安立行是四菩
薩於其衆中最為上首唱導之師在大衆
前各共合掌觀釋迦牟尼佛而問訊言世尊
少病少惱安樂行不所應度者受教易不不
令世尊生疲勞耶尒時四大菩薩而說偈言
世尊安樂　少病少惱　教化衆生　得无疲倦
又諸衆生　受化易不　不令世尊　生疲勞耶
尒時世尊於菩薩大衆中而作是言如是如是
諸善男子如来安樂少病少惱諸衆生等易
可化度无有疲勞所以者何是諸衆生世
世已来常受我化亦於過去諸佛供養尊重
種諸善根此諸衆生始見我身聞我所說即
皆信受入如来慧除先修習學小乘者如是
之人我今亦令得聞是經入於佛慧尒時諸

BD01786號　妙法蓮華經卷五　（21–2）

世已来常受我化亦於過去諸佛供養尊重
種諸善根此諸衆生始見我身聞我所說即
皆信受入如来慧除先修習學小乘者如是
之人我今亦令得聞是經入於佛慧尒時諸
大菩薩而說偈言
善哉善哉　大雄世尊　諸衆生等　易可化度
能問諸佛　甚深智慧　聞已信行　我等隨喜
於時世尊讚歎上首諸大菩薩善哉善哉善
男子汝等能於如来發隨喜心尒時弥勒菩
薩及八千恒沙諸菩薩衆皆作是念我等
從昔已来不見不聞如是大菩薩摩訶薩衆
從地踊出住世尊前合掌供養問訊如来時
弥勒菩薩摩訶薩知八千恒河沙諸菩薩等
心之所念并欲自決所疑合掌向佛以偈問曰
无量千万億　大衆諸菩薩　昔所未曾見　願兩足尊說
是從何所来　以何因緣集　巨身大神通　智慧叵思議
其志念堅固　有大忍辱力　衆生所樂見　為從何所来
一一諸菩薩　所將諸眷屬　其數无有量　如恒河沙等
或有大菩薩　將六万恒沙　如是諸大衆　一心求佛道
是諸大師等　六万恒河沙　俱来供養佛　及護持此經
將五万恒沙　其數過於是　四万及三万　二万至一万
一千一百等　乃至一恒沙　半及三四分　億万分之一
千万那由他　万億諸弟子　乃至於半億　其數復過上
百万至一万　一千及一百　五十與一十　乃至三二一
單己无眷屬　樂於獨處者　俱来至佛所　其數轉過上
如是諸大衆　若人行籌數　過於恒沙劫　猶不能盡知

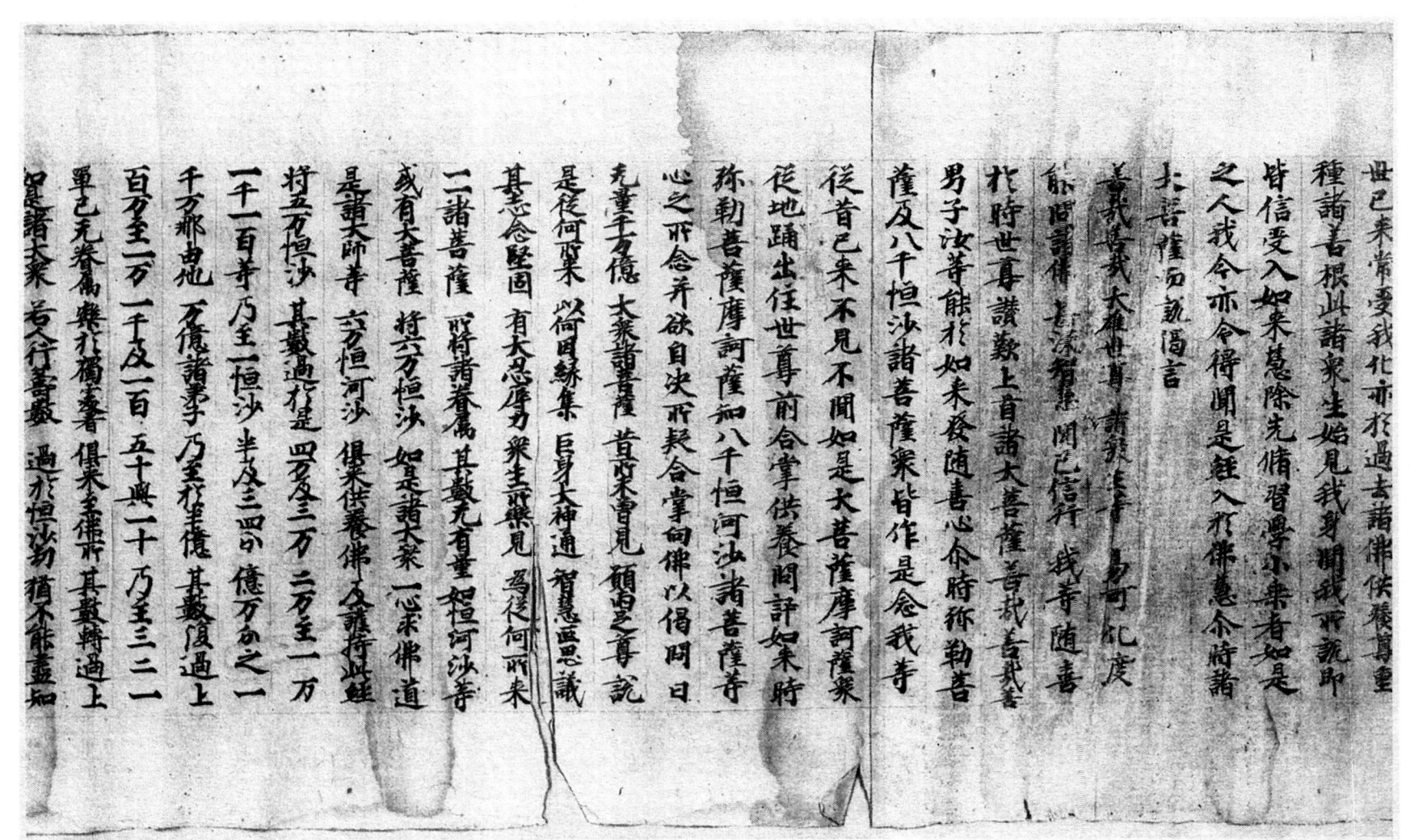

BD01786號　妙法蓮華經卷五　（21–3）

一千一百等　乃至一恒沙　半及三四分　億万分之一
千万那由他　万億諸弟子　乃至於半億　其數復過上
百万至一万　一千及一百　五十與一十　乃至三二一
單己无眷屬　樂於獨處者　俱來至佛所　其數轉過上
如是諸大衆　若人行籌數　過於恒沙劫　猶不能盡知
是諸大威德　精進菩薩衆　誰為其說法　教化而成就
從誰初發心　稱揚何佛法　受持行誰經　脩習何佛道
如是諸菩薩　神通大智力　四方地震裂　皆從中踊出
世尊我昔來　未曾見是事　願說其所從　國土之名号
我常遊諸國　未曾見是衆　我於此衆中　乃不識一人
忽然從地出　願說其因緣　今此之大會　无量百千億
是諸菩薩等　皆欲知此事　是諸菩薩衆　本末之因緣
无量德世尊　唯願決衆疑
尒時釋迦牟尼佛分身諸佛從无量千万億
他方國土來者在於八方諸寶樹下師子座
上結跏趺坐其佛侍者各各見是菩薩大衆
於三千大千世界四方從地踊出住於虛空各
白其佛言世尊此諸无量无邊阿僧祇菩
薩大衆從何所來尒時諸佛各告侍者諸善
男子且待須臾有菩薩摩訶薩名曰彌勒釋迦
牟尼佛之所授記次後作佛已問斯事佛今
荅之汝等自當因是得聞尒時釋迦牟尼佛
告彌勒菩薩善哉善哉阿逸多乃能問佛如
是大事汝等當共一心被精進鎧發堅固意
如來今欲顯發宣示諸佛智慧諸佛自在神
通之力諸佛師子奮迅之力諸佛威猛大勢

荅之汝等自當因是得聞尒時釋迦牟尼佛
告彌勒菩薩善哉善哉阿逸多乃能問佛如
是大事汝等當共一心被精進鎧發堅固意
如來今欲顯發宣示諸佛智慧諸佛自在神
通之力諸佛師子奮迅之力諸佛威猛大勢
之力尒時世尊欲重宣此義而說偈言
當精進一心　我欲說此事　勿得有疑悔　佛智叵思議
汝今出信力　住於忍善中　昔所未聞法　今皆當得聞
我今安慰汝　勿得懷疑懼　佛无不實語　智慧不可量
所得第一法　甚深叵分別　如是今當說　汝等一心聽
尒時世尊說此偈已告彌勒菩薩我今於此
大衆宣告汝等阿逸多是諸大菩薩摩訶薩
无量无數阿僧祇從地踊出汝等昔所未見
者我於是娑婆世界得阿耨多羅三藐三菩
提已教化示導是諸菩薩調伏其心令發道
意此諸菩薩皆於是娑婆世界之下此界虛
空中住於諸經典讀誦通利思惟分別正憶
念阿逸多是諸善男子等不樂在衆多有所
說常樂靜勤行精進未曾休息亦不依止
人天而住常樂深智无有障礙亦常樂於諸
佛之法一心精進求无上慧尒時世尊欲重
宣此義而說偈言
阿逸汝當知　是諸大菩薩　從无數劫來　脩習佛智慧
悉是我所化　令發大道心　此等是我子　依止是世界
常行頭陀事　志樂於靜處　捨大衆憒閙　不樂多所說

宣此義而說偈言
阿逸汝當知 是諸大菩薩 從无數劫來 脩習佛智慧
悉是我所化 令發大道心 此等是我子 依止是世界
常行頭陁事 志樂於靜處 捨大衆憒鬧 不樂多所說
如是諸子等 學習我道法 晝夜常精進 為求佛道故
在娑婆世界 下方空中住 志念力堅固 常懃求智慧
說種種妙法 其心无所畏 我於伽耶城 菩提樹下坐
得成最正覺 轉无上法輪 爾乃教化之 令初發道心
今皆住不退 悉當得成佛 我今說實語 汝等一心信
我從久遠來 教化是等衆
尒時彌勒菩薩摩訶薩及无數諸菩薩等心
生疑惑怪未曾有而作是念云何世尊於少
時間教化如是无量无邊阿僧祇諸大菩薩
令住阿耨多羅三藐三菩提即白佛言世尊
如來為太子時出於釋宮去伽耶城不遠坐
於道場得成阿耨多羅三藐三菩提從是已
來始過四十餘年世尊云何於此少時大作
佛事以佛勢力以佛功德教化如是无量大
菩薩衆當成阿耨多羅三藐三菩提世尊此
大菩薩衆假使有人於千万億劫數不能盡
不得其邊斯等久遠已來於无量无邊諸佛
所殖諸善根成就菩薩道常脩梵行世尊如
此之事世所難信譬如有人色美髮黑年二
十五指百歲人言是我子其百歲人亦指年
少言是我父生育我等是事難信佛亦如是

BD01786號　妙法蓮華經卷五　（21–6）

所殖諸善根成就菩薩道常脩梵行世尊如
此之事世所難信譬如有人色美髮黑年二
十五指百歲人言是我子其百歲人亦指年
少言是我父生育我等是事難信佛亦如是
得道已來其實未久而此大衆諸菩薩等已
於无量千万億劫為佛道故懃行精進善入
出住无量百千万億三昧得大神通久脩梵
行善能次第習諸善法巧於問荅人中之寶
一切世間甚為希有今日世尊方云得佛道
時初令發心教化示導令向阿耨多羅三藐三
菩提世尊得佛未久乃能作此大功德事
我等雖復信佛隨宜所說佛所出言未曾虛
妄佛所知者皆悉通達然諸新發意菩薩於
佛滅後若聞是語或不信受而起破法罪業
因緣唯然世尊願為解說除我等疑及未來
世諸善男子聞此事已亦不生疑尒時彌勒
菩薩欲重宣此義而說偈言
佛昔從釋種 出家近伽耶 坐於菩提樹 尒來尚未久
此諸佛子等 其數不可量 久已行佛道 住於神通力
善學菩薩道 不染世間法 如蓮華在水 從地而涌出
皆起恭敬心 住於世尊前 是事難思議 云何而可信
佛得道甚近 所成就甚多 願為除衆疑 如實分別說
譬如少壯人 年始二十五 示人百歲子 髮白而面皺
是等我所生 子亦說是父 父少而子老 舉世所不信
世尊亦如是 得道來甚近 是諸菩薩等 志固无怯弱

BD01786號　妙法蓮華經卷五　（21–7）

佛得道甚近 所成就甚多 願為除衆疑 如實分別說
譬如少壯人 年始二十五 示人百歲子 髮白而面皺
是等我所生 子亦說是父 父少而子老 舉世所不信
世尊亦如是 得道來甚近 是諸菩薩等 志固无怯弱
從无量劫來 而行菩薩道 巧於難問答 其心无所畏
忍辱心決定 端正有威德 十方佛所讚 善能分別說
不樂在人衆 常好在禪定 為求佛道故 於下空中住
我等從佛聞 於此事无疑 願佛為未來 演說令開解
若有於此經 生疑不信者 即當墮惡道 願今為解說
是无量菩薩 云何於少時 教化令發心 而住不退地

妙法蓮華經如來壽量品第十六

尒時佛告諸菩薩及一切大衆諸善男子汝
等當信解如來誠諦之語復告大衆汝等當
信解如來誠諦之語又復告諸大衆汝等當
信解如來誠諦之語是時菩薩大衆彌勒為
首合掌白佛言世尊唯願說之我等當信受
佛語如是三白已復言唯願說之我等當信
受佛語尒時世尊知諸菩薩三請不止而告
之言汝等諦聽如來秘密神通之力一切世
間天人及阿脩羅皆謂今釋迦牟尼佛出釋
氏宮去伽耶城不遠坐於道場得阿耨多羅
三藐三菩提然善男子我實成佛已來无量
无邊百千万億那由他劫譬如五百千万億
那由他阿僧祇三千大千世界假使有人末為
微塵過於東方五百千万億那由他阿僧

BD01786號 妙法蓮華經卷五 （21-8）

三藐三菩提然善男子我實成佛已來无量
无邊百千万億那由他劫譬如五百千万億
那由他阿僧祇三千大千世界假使有人末為
微塵過於東方五百千万億那由他阿僧
祇國乃下一塵如是東行盡是微塵諸善男
子於意云何是諸世界可得思惟校計知其
數不彌勒菩薩等俱白佛言世尊是諸世界
无量无邊非筭數所知亦非心力所及一切
聲聞辟支佛以无漏智不能思惟知其限數
我等住阿惟越致地於是事中亦所不達世
尊如是諸世界无量无邊尒時佛告大菩薩
衆諸善男子今當分明宣語汝等是諸世界
若著微塵及不著者盡以為塵一塵一劫我
成佛已來復過於此百千万億那由他阿僧
祇劫自從是來我常在此娑婆世界說法教
化亦於餘處百千万億那由他阿僧祇國導
利衆生諸善男子於是中間我說然燈佛等
又復言其入於涅槃如是皆以方便分別諸善
男子若有衆生來至我所我以佛眼觀其信
等諸根利鈍隨所應度處處自說名字不同
年紀大小亦復現言當入涅槃又以種種
方便說微妙法能令衆生發歡喜心諸善男
子如來見諸衆生樂於小法德薄垢重者為
是人說我少出家得阿耨多羅三藐三菩提
然我實成佛已來久遠若斯但以方便教化

BD01786號 妙法蓮華經卷五 （21-9）

方便說微妙法能令衆生發歡喜心諸善男
子如來見諸衆生樂於小法德薄垢重者為
是人說我少出家得阿耨多羅三藐三菩提
然我實成佛已來久遠若斯但以方便教化
衆生令入佛道作如是說諸善男子如來所
演經典皆為度脫衆生或說己身或說他身
或示己身或示他身或示己事或示他事諸
所言說皆實不虛所以者何如來如實知見
三界之相无有生死若退若出亦无在世及
滅度者非實非虛非如非異不如三界見於
三界如斯之事如來明見无有錯謬以諸衆
生有種種性種種欲種種行種種憶想分別
故欲令生諸善根以若干因緣譬喻言辭種
種說法所作佛事未曾暫廢如是我成佛已
來甚大久遠壽命无量阿僧祇劫常住不滅
諸善男子我本行菩薩道所成壽命今猶未
盡復倍上數然今非實滅度而便唱言當取
滅度如來以是方便教化衆生所以者何若
佛久住於世薄德之人不種善根貧窮下賤
貪著五欲入於憶想妄見網中若見如來常
在不滅便起憍恣而懷厭怠不能生難遭之
想恭敬之心是故如來以方便說比丘當知
諸佛出難可值遇所以者何諸薄德人過
无量百千万億劫或有見佛或不見者以此
事故我作是言諸比丘如來難可得見斯衆
生等聞如是語必當生於難遭之想心懷戀

BD01786號　妙法蓮華經卷五

（21–10）

想恭敬之心是故如來以方便說比丘當知
諸佛出難可值遇所以者何諸薄德人過
无量百千万億劫或有見佛或不見者以此
事故我作是言諸比丘如來難可得見斯衆
生等聞如是語必當生於難遭之想心懷戀
慕渴仰於佛便種善根是故如來雖不實滅
而言滅度又善男子諸佛如來法皆如是為
度衆生皆實不虛譬如良醫智慧聰達明練
方藥善治病其人多諸子息若十二十乃至
百數以有事緣遠至餘國諸子於後飲他
毒藥藥發悶亂宛轉于地是時其父還來歸
家諸子飲毒或失本心或不失者遙見其父
皆大歡喜拜跪問訊善安隱歸我等愚癡誤
服毒藥願見救療更賜壽命父見子等苦惱
如是依諸經方求好藥草色香美味皆悉具
足擣篩和合與子令服而作是言此大良藥
色香美味皆悉具足汝等可服速除苦惱无
復衆患其諸子中不失心者見此良藥色香
俱好即便服之病盡除愈餘失心者見其父
來雖亦歡喜問訊求索治病然與其藥而不
肯服所以者何毒氣深入失本心故於此好
色香藥而謂不美父作是念此子可愍為毒
所中心皆顛倒雖見我喜求索救療如是好
藥而不肯服我今當設方便令服此藥即作
是言汝等當知我今衰老死時已至是好良

BD01786號　妙法蓮華經卷五

（21–11）

所中心皆顛倒雖見我喜求索救療如是好
藥而不肯服我今當設方便令服此藥即作
是言汝等當知我今衰老死時已至是好良
藥今留在此汝可取服勿憂不差作是教已
復至他國遣使還告汝父已死是時諸子聞
父背喪心大憂惱而作是念若父在者慈愍
我等能見救護今者捨我遠喪他國自惟孤
露无復恃怙常懷悲感心遂醒悟乃知此藥
色味香美即取服之毒病皆愈其父聞子悉
已得差尋便來歸咸使見之諸善男子於意
云何頗有人能說此良醫虛妄罪不不也世
尊佛言我亦如是成佛已來无量无邊百千
万億那由他阿僧祇劫為衆生故以方便力
言當滅度亦无有能如法說我虛妄過者尒
時世尊欲重宣此義而說偈言
自我得佛來　所經諸劫數　无量百千万　億載阿僧祇
常說法教化　无數億衆生　令入於佛道　尒來无量劫
為度衆生故　方便現涅槃　而實不滅度　常住此說法
我常住於此　以諸神通力　令顛倒衆生　雖近而不見
衆見我滅度　廣供養舍利　咸皆懷戀慕　而生渴仰心
衆生既信伏　質直意柔軟　一心欲見佛　不自惜身命
時我及衆僧　俱出靈鷲山　我時語衆生　常在此不滅
以方便力故　現有滅不滅　餘國有衆生　恭敬信樂者
我復於彼中　為說无上法　汝等不聞此　但謂我滅度
我見諸衆生　沒在於苦惱　故不為現身　令其生渴仰

BD01786號　妙法蓮華經卷五　(21–12)

時我及衆僧　俱出靈鷲山　我時語衆生　常在此不滅
以方便力故　現有滅不滅　餘國有衆生　恭敬信樂者
我復於彼中　為說无上法　汝等不聞此　但謂我滅度
我見諸衆生　沒在於苦惱　故不為現身　令其生渴仰
因其心戀慕　乃出為說法　神通力如是　於阿僧祇劫
常在靈鷲山　及餘諸住處　衆生見劫盡　大火所燒時
我此土安隱　天人常充滿　園林諸堂閣　種種寶莊嚴
寶樹多華菓　衆生所遊樂　諸天擊天鼓　常作衆伎樂
雨曼陁羅華　散佛及大衆　我淨土不毀　而衆見燒盡
憂怖諸苦惱　如是悉充滿　是諸罪衆生　以惡業因緣
過阿僧祇劫　不聞三寶名　諸有脩功德　柔和質直者
則皆見我身　在此而說法　或時為此衆　說佛壽无量
久乃見佛者　為說佛難值　我智力如是　慧光照无量
壽命无數劫　久脩業所得　汝等有智者　勿於此生疑
當斷令永盡　佛語實不虛　如醫善方便　為治狂子故
實在而言死　无能說虛妄　我亦為世父　救諸苦患者
為凡夫顛倒　實在而言滅　以常見我故　而生憍恣心
放逸著五欲　墮於惡道中　我常知衆生　行道不行道
隨應所可度　為說種種法　每自作是意　以何令衆生
得入无上道　速成就佛身
妙法蓮華經分別功德品第十七
尒時大會聞佛說壽命劫數長遠如是无量
无邊阿僧祇衆生得大饒益於時世尊告彌
勒菩薩摩訶薩阿逸多我說是如來壽命長
遠時六百八十万億那由他恒河沙衆生得

BD01786號　妙法蓮華經卷五　(21–13)

命時大會聞佛說壽命劫數長遠如是无量
无邊阿僧祇衆生得大饒益於時世尊告彌
勒菩薩摩訶薩阿逸多我說是如來壽命長
遠時六百八十万億那由他恒河沙衆生得
无生法忍復千倍菩薩摩訶薩得聞持陁羅
尼門復有一世界微塵數菩薩摩訶薩得樂
說无㝵辯才復有一世界微塵數菩薩摩訶
薩得百万億无量旋陁羅尼復有三千大千
世界微塵數菩薩摩訶薩能轉不退法輪復
有二千中國土微塵數菩薩摩訶薩能轉清
淨法輪復有小千國土微塵數菩薩摩訶薩
八生當得阿耨多羅三藐三菩提復有四四
天下微塵數菩薩摩訶薩四生當得阿耨多
羅三藐三菩提復有三四天下微塵數菩薩
摩訶薩三生當得阿耨多羅三藐三菩提復
有二四天下微塵數菩薩摩訶薩二生當得
阿耨多羅三藐三菩提復有一四天下微塵
數菩薩摩訶薩一生當得阿耨多羅三藐三
菩提復有八世界微塵數衆生皆發阿耨多
羅三藐三菩提心佛說是諸菩薩摩訶薩得
大法利時於虛空中雨曼陁羅華摩訶曼陁
羅華以散无量百千万億寶樹下師子座上
諸佛并散七寶塔中師子座上釋迦牟尼佛
及久滅度多寶如來亦散一切諸大菩薩及
四部衆又雨細末栴檀沉水香等於虛空中

諸佛并散七寶塔中師子座上釋迦牟尼佛
及久滅度多寶如來亦散一切諸大菩薩及
四部衆又雨細末栴檀沉水香等於虛空中
天鼓自鳴妙聲深遠又雨千種天衣垂諸瓔
珞真珠瓔珞摩尼珠瓔珞如意珠瓔珞遍於九
方衆寶香爐燒无價香自然周至供養大
會一一佛上有諸菩薩執持幡蓋次第而上
至于梵天是諸菩薩以妙音聲歌无量頌讚
歎諸佛尒時彌勒菩薩從座而起偏袒右肩
合掌向佛而說偈言
佛說希有法　昔所未曾聞　世尊有大力　壽命不可量
无數諸佛子　聞世尊分別　說得法利者　歡喜充遍身
或住不退地　或得陁羅尼　或无㝵樂說　万億旋總持
或有大千界　微塵數菩薩　各各皆能轉　不退之法輪
或有中千界　微塵數菩薩　各各皆能轉　清淨之法輪
復有小千界　微塵數菩薩　餘各八生在　當得成佛道
復有四三二　如是四天下　微塵諸菩薩　隨數生成佛
或一四天下　微塵數菩薩　餘有一生在　當成一切智
如是等衆生　聞佛壽長遠　得无量无漏　清淨之果報
復有八世界　微塵數衆生　聞佛說壽命　皆發无上心
世尊說无量　不可思議法　多有所饒益　如虛空无邊
雨天曼陁羅　摩訶曼陁羅　釋梵如恒沙　无數佛土來
雨栴檀沉水　繽紛而亂墜　如鳥飛空下　供散於諸佛
天鼓虛空中　自然出妙聲　天衣千万種　旋轉而來下
衆寶妙香爐　燒无價之香　自然悉周遍　供養諸世尊

雨天曼陀羅　摩訶曼陀羅　釋梵如恒沙　无數佛土來
雨栴檀沉水　繽紛而亂墜　如鳥飛空下　供散於諸佛
天鼓虛空中　自然出妙聲　天衣千万種　旋轉而來下
衆寶妙香爐　燒无價之香　自然悉周遍　供養諸世尊
其大菩薩衆　執七寶幡蓋　高妙万億種　次第至梵天
一一諸佛前　寶幢懸勝幡　亦以千万偈　歌詠諸如來
如是種種事　昔所未曾有　聞佛壽无量　一切皆歡喜
佛名聞十方　廣饒益衆生　一切具善根　以助无上心
尒時佛告彌勒菩薩摩訶薩阿逸多其有衆
生聞佛壽命長遠如是乃至能生一念信解
所得功德无有限量若有善男子善女人爲
阿耨多羅三藐三菩提於八十万億那由他
劫行五波羅蜜檀波羅蜜尸羅波羅蜜羼
提波羅蜜毗梨耶波羅蜜禪波羅蜜除般若波
羅蜜以是功德比前功德百分千分百千万
億分不及其一乃至筭數譬喻所不能知若
善男子有如是功德於阿耨多羅三藐三菩
提退者无有是處尒時世尊欲重宣此義而
說偈言
若人求佛慧　於八十万億　那由他劫數　行五波羅蜜
於是諸劫中　布施供養佛　及緣覺弟子　并諸菩薩衆
珍異之飲食　上服與卧具　栴檀立精舍　以園林莊嚴
如是等布施　種種皆微妙　盡此諸劫數　以迴向佛道
若復持禁戒　清淨无缺漏　求於无上道　諸佛之所歎
若復行忍辱　住於調柔地　設衆惡來加　其心不傾動

BD01786號　妙法蓮華經卷五　（21–16）

如是等布施　種種皆微妙　盡此諸劫數　以迴向佛道
若復持禁戒　清淨无缺漏　求於无上道　諸佛之所歎
若復行忍辱　住於調柔地　設衆惡來加　其心不傾動
諸有得法者　懷於增上慢　爲此所輕惱　如是亦能忍
若復懃精進　志念常堅固　於无量億劫　一心不懈息
又於无數劫　住於空閑處　若坐若經行　除睡常攝心
以是因緣故　能生諸禪定　八十億万劫　安住心不亂
持此一心福　願求无上道　我得一切智　盡諸禪定際
是人於百千　万億劫數中　行此諸功德　如上之所說
有善男女等　聞我說壽命　乃至一念信　其福過於彼
若人悉无有　一切諸疑悔　深心須臾信　其福爲如此
其有諸菩薩　无量劫行道　聞我說壽命　是則能信受
如是諸人等　頂受此經典　願我於未來　長壽度衆生
如今日世尊　諸釋中之王　道場師子吼　說法无所畏
我等未來世　一切所尊敬　坐於道場時　說壽亦如是
若有深心者　清淨而質直　多聞能摠持　隨義解佛語
如是諸人等　於此无有疑
又阿逸多若有聞佛壽命長遠解其言趣是
人所得功德无有限量能起如來无上之慧
何況廣聞是經若教人聞若自持若教人持
若自書若教人書若以華香瓔珞幢幡繒蓋
香油蘇燈供養經卷是人功德无量无邊能
生一切種智阿逸多若善男子善女人聞我
說壽命長遠深心信解則爲見佛常在耆闍
崛山共大菩薩諸聲聞衆圍繞說法又見此

BD01786號　妙法蓮華經卷五　（21–17）

香油蘇燈供養經卷是人功德无量无邊能
生一切種智阿逸多若善男子善女人聞我
說壽命長遠深心信解則為見佛常在耆闍
崛山共大菩薩諸聲聞衆圍繞說法又見此
娑婆世界其地瑠璃坦然平正閻浮檀金以
界八道寶樹行列諸臺樓觀皆悉寶成其菩
薩衆咸處其中若有能如是觀者當知是為
深信解相又復如來滅後若聞是經而不毀
呰起隨喜心當知已為深信解相何況讀誦
受持之者斯人則為頂戴如來阿逸多是善
男子善女人不須為我復起塔寺及作僧坊
以四事供養衆僧所以者何是善男子善女
人受持讀誦是經典者為已起塔造立僧坊
供養衆僧則為以佛舍利起七寶塔高廣漸
小至于梵天懸諸幡蓋及衆寶鈴華香瓔珞
末香塗香燒香衆鼓伎樂簫笛箜篌種種舞
戲以妙音聲歌唄讚頌則為於无量千万億
劫作是供養已阿逸多若我滅後聞是經典
有能受持若自書若教人書則為起立僧坊
以赤栴檀作諸殿堂三十有二高八多羅樹
高廣嚴好百千比丘於其中止園林流池經
行禪窟衣服飲食床褥湯藥一切樂具充滿
其中如是僧坊堂閣若干百千万億其數无
量以此現前供養於我及比丘僧是故我說
如來滅後若有受持讀誦為他人說若自書

BD01786號　妙法蓮華經卷五　（21–18）

行禪窟衣服飲食床褥湯藥一切樂具充滿
其中如是僧坊堂閣若干百千万億其數无
量以此現前供養於我及比丘僧是故我說
如來滅後若有受持讀誦為他人說若自書
若教人書供養經卷不須復起塔寺及造僧
坊供養衆僧況復有人能持是經兼行布施
持戒忍辱精進一心智慧其德最勝无量无
邊譬如虛空東西南北四維上下无量无邊
是人功德亦復如是无量无邊疾至一切種
智若人讀誦受持是經為他人說若自書若教
人書復能起塔及造僧坊供養讚歎聲聞衆
僧亦以百千万億讚歎之法讚歎菩薩功德
又為他人種種因緣隨義解說此法華經復
能清淨持戒與柔和者而共同止忍辱无瞋
志念堅固常貴坐禪得諸深定精進勇猛攝
諸善法利根智慧善答問難阿逸多若我滅
後諸善男子善女人受持讀誦是經典者復
有如是諸善功德當知是人已趣道場近阿
耨多羅三藐三菩提坐道樹下阿逸多是善
男子善女人若坐若立若行處此中便應起
塔一切天人皆應供養如佛之塔尒時世尊
欲重宣此義而說偈言
若我滅度後　能奉持此經　斯人福无量　如上之所說
是則為具足　一切諸供養　以舍利起塔　七寶而莊嚴
表刹甚高廣　漸小至梵天　寶鈴千万億　風動出妙音

BD01786號　妙法蓮華經卷五　（21–19）

男子善女人若坐若立若行處此中便應起
塔一切天人皆應供養如佛之塔尒時世尊
欲重宣此義而說偈言
若我滅度後 能奉持此經 斯人福无量 如上之所說
是則為具足 一切諸供養 以舍利起塔 七寶而莊嚴
表剎甚高廣 漸小至梵天 寶鈴千万億 風動出妙音
又於无量劫 而供養此塔 華香諸瓔珞 天衣衆伎樂
然香油蘇燈 周帀常照明 惡世法末時 能持是經者
則為已如上 具足諸供養 若能持此經 則如佛現在
以牛頭栴檀 起僧坊供養 堂有三十二 高八多羅樹
上饌妙衣服 床臥皆具足 百千衆住處 園林諸流池
經行及禪窟 種種皆嚴好 若有信解心 受持讀誦書
若復教人書 及供養經卷 散華香末香 以須曼瞻蔔
阿提目多伽 薰油常然之 如是供養者 得无量功德
如虛空无邊 其福亦如是 況復持此經 兼布施持戒
忍辱樂禪定 不瞋不惡口 恭敬於塔廟 謙下諸比丘
遠離自高心 常思惟智慧 有問難不瞋 隨順為解說
若能行是行 功德不可量 若見此法師 成就如是德
應以天華散 天衣覆其身 頭面接足礼 生心如佛想
又應作是念 不久詣道樹 得无漏无為 廣利諸人天
其所住止處 經行若坐臥 乃至說一偈 是中應起塔
莊嚴令妙好 種種以供養 佛子住此地 則是佛受用
常在於其中 經行及坐臥

妙法蓮華經卷第五

BD01786號　妙法蓮華經卷五　(21–20)

忍辱樂禪定 不瞋不惡口 恭敬於塔廟 謙下諸比丘
遠離自高心 常思惟智慧 有問難不瞋 隨順為解說
若能行是行 功德不可量 若見此法師 成就如是德
應以天華散 天衣覆其身 頭面接足礼 生心如佛想
又應作是念 不久詣道樹 得无漏无為 廣利諸人天
其所住止處 經行若坐臥 乃至說一偈 是中應起塔
莊嚴令妙好 種種以供養 佛子住此地 則是佛受用
常在於其中 經行及坐臥

妙法蓮華經卷第五

BD01786號　妙法蓮華經卷五　(21–21)

佛有緣重願若我寶塔為聽法華經故出於
諸佛前時其有欲以我身示四衆者彼佛分
身諸佛在於十方世界說法盡還集一處然
後我身乃出現耳大樂說我分身諸佛在於
十方世界說法者今應當集大樂說白佛言
世尊我等亦願欲見世尊分身諸佛礼拜供
養尒時佛放白毫一光即見東方五百万億
那由他恒河沙等國土諸佛彼諸國土皆以頗
梨為地寶樹寶衣以為莊嚴无數千万億
菩薩充滿其中遍張寶幔寶網羅上彼國諸
佛以大妙音而說諸法及見无量千万億菩
薩遍滿諸國為衆說法南西北方四維上下
白毫相光所照之處亦復如是
尒時十方諸佛各告衆菩薩言善男子我今
應往娑婆世界釋迦牟尼佛所并供養多寶
如來寶塔時娑婆世界即變清淨瑠璃為地
寶樹莊嚴黄金為繩以界八道无諸聚落村
營城邑大海江河山川林藪燒大寶香曼陁
羅華遍布其地以寶網幔羅覆其上懸諸寶

BD01787號　妙法蓮華經卷四　（3–1）

白毫相光所照之處亦復如是
尒時十方諸佛各告衆菩薩言善男子我今
應往娑婆世界釋迦牟尼佛所并供養多寶
如來寶塔時娑婆世界即變清淨瑠璃為地
寶樹莊嚴黄金為繩以界八道无諸聚落村
營城邑大海江河山川林藪燒大寶香曼陁
羅華遍布其地以寶網幔羅覆其上懸諸寶
鈴唯留此會衆移諸天人置於他土是時諸
佛各將一大菩薩以為侍者至娑婆世界各
到寶樹下一一寶樹高五百由旬枝葉華菓
次第莊嚴諸寶樹下皆有師子之座高五由
旬亦以大寶而挍飾之尒時諸佛各於此座
結跏趺坐如是展轉遍滿三千大千世界而
於釋迦牟尼佛一方所分之身猶故未盡時
釋迦牟尼佛欲容受所分身諸佛故八方各
更變二百万億那由他國皆令清淨无有地
獄餓鬼畜生及阿脩羅又移諸天人置於他
土所化之國亦以瑠璃為地寶樹莊嚴樹高
五百由旬枝葉華菓次第嚴飾樹下皆有寶
師子座高五由旬種種諸寶以為莊挍亦无
大海江河及目真隣陁山摩訶目真隣陁山
鐵圍山大鐵圍山須弥山等諸山王通為一
佛國土寶地平正寶交露幔遍覆其上懸諸
幡蓋燒大寶香諸天寶華遍布其地釋迦牟
尼佛為諸佛當來坐故復於八方各變二百

BD01787號　妙法蓮華經卷四　（3–2）

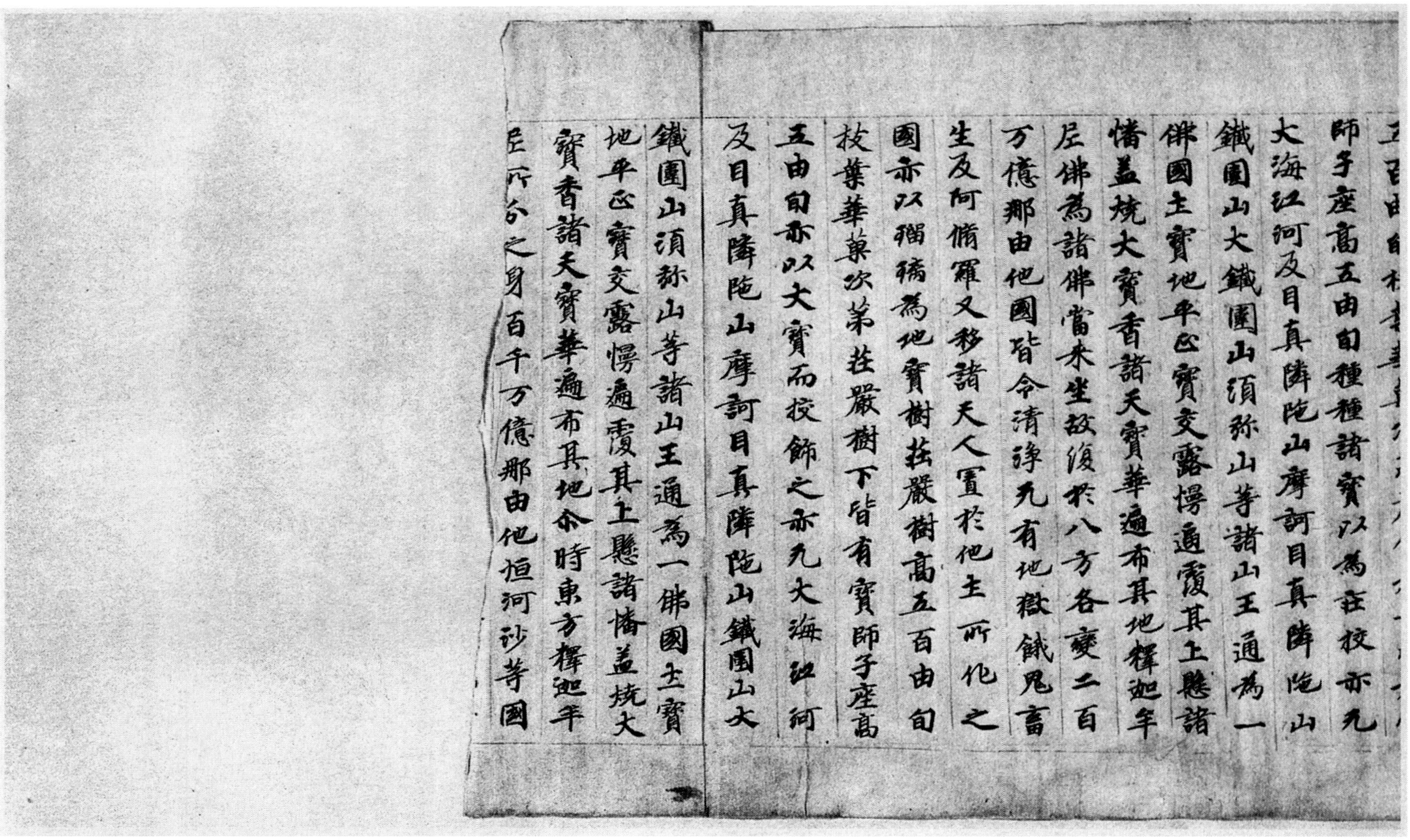
師子座高五由旬種種諸寶以為莊挍亦无
大海江河及目真隣陁山摩訶目真隣陁山
鐵圍山大鐵圍山須弥山等諸山王通為一
佛國土寶地平正寶交露幔遍覆其上懸諸
幡蓋燒大寶香諸天寶華遍布其地釋迦牟
尼佛為諸佛當來坐故復於八方各變二百
万億那由他國皆令清淨无有地獄餓鬼畜
生及阿脩羅又移諸天人置於他土所化之
國亦以瑠璃為地寶樹莊嚴樹高五百由旬
枝葉華菓次第莊嚴樹下皆有寶師子座高
五由旬亦以大寶而挍餝之亦无大海江河
及目真隣陁山摩訶目真隣陁山鐵圍山大
鐵圍山須弥山等諸山王通為一佛國土寶
地平正寶交露幔遍覆其上懸諸幡蓋燒大
寶香諸天寶華遍布其地尒時東方釋迦牟
尼所分之身百千万億那由他恒河沙等國

BD01787 號　妙法蓮華經卷四　（3–3）

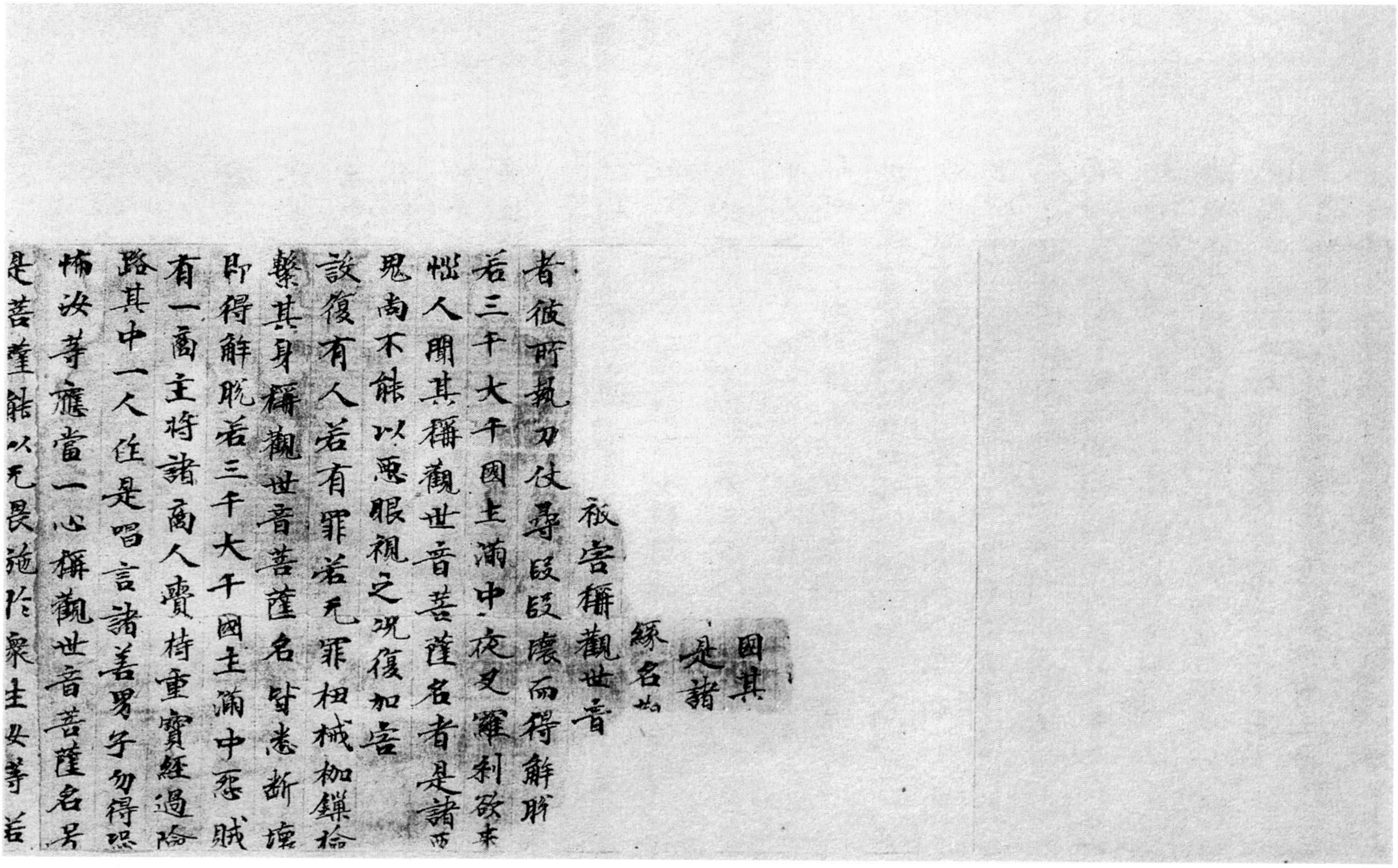
國其
是諸
緣名如
被害稱觀世音
者彼所執刀杖尋段段壞而得解脫
若三千大千國土滿中夜叉羅剎欲來
惱人聞其稱觀世音菩薩名者是諸惡
鬼尚不能以惡眼視之況復加害
設復有人若有罪若无罪杻械枷鎖檢
繫其身稱觀世音菩薩名皆悉斷壞
即得解脫若三千大千國土滿中怨賊
有一商主將諸商人齎持重寶經過險
路其中一人作是唱言諸善男子勿得恐
怖汝等應當一心稱觀世音菩薩名号
是菩薩能以无畏施於眾生汝等若

BD01788 號　妙法蓮華經卷七　（4–1）

有一商主將諸商人齎持重寶經過險
路其中一人作是唱言諸善男子勿得恐
怖汝等應當一心稱觀世音菩薩名号
是菩薩能以无畏施於衆生汝等若
稱名者於此怨賊當得解脫衆商
人聞俱發聲言南无觀世音菩薩稱其
名号即得解脫无盡意觀世音菩薩摩
訶薩威神之力巍巍如是
若有衆生多於婬欲常念恭敬觀世音
菩薩便得離欲若多瞋恚常念恭敬觀
世音菩薩便得離瞋若多愚癡常念恭
敬觀世音菩薩便得離癡无盡意觀世音
菩薩有如是等大威神力多所饒益是故
衆生常應心念若有女人設欲求男礼
拜供養觀世音菩薩便生福德智慧之
男設欲求女便生端正有相之女宿殖
德本衆人愛敬无盡意觀世音菩薩有
如是力
若有衆生恭敬礼拜觀世音菩薩福不
唐捐是故衆生皆應受持觀世音菩薩
名号无盡意若有人受持六十二億恒
河沙菩薩名字復盡形供養飲食衣服臥
具醫藥於汝意云何是善男子善女人功
德多不无盡意言甚多世尊佛言若復
有人受持觀世音菩薩名号乃至一時礼
拜供養是二人福正等无異於百千万億劫
不可窮盡无盡意受持觀世音菩薩名

BD01788號　妙法蓮華經卷七　（4–2）

具醫藥於汝意云何是善男子善女人功
德多不无盡意言甚多世尊佛言若復
有人受持觀世音菩薩名号乃至一時礼
供養是二人福正等无異於百千万億劫
不可窮盡无盡意受持觀世音菩薩名
号得如是无量无邊福德之利
无盡意菩薩白佛言世尊觀世音菩薩
云何遊此娑婆世界云何而為衆生說法
方便之力其事云何佛告无盡意菩
薩
善男子若有國土衆生應以佛身得
度者觀世音菩薩即現佛身而為說法
應以辟支佛身得度者即現辟支佛身
而為說法應以聲聞身得度者即現聲
聞身而為說法應以梵王身得度者即現梵
王身而為說法應以帝釋身得度者即現帝
釋身而為說法應以自在天身得度者即
現自在天身而為說法應以大自在天身得
度者即現大自在天身而為說法應以天大將
軍身得度者即現天大將軍身而為說
法應以毗沙門身得度者即現毗沙門身而
為說法應以小王身得度者即現小王身而
為說法應以長者身得度者即現長者[illegible]

BD01788號　妙法蓮華經卷七　（4–3）

方便之力其事云何佛告无盡意菩
薩
善男子若有國土衆生應以佛身得
度者觀世音菩薩即現佛身而為說法
應以辟支佛身得度者即現辟支佛身
而為說法應以聲聞身得度者即現聲
聞身而為說法應以梵王身得度者即現梵
王身而為說法應以帝釋身得度者即現帝
釋身而為說法應以自在天身得度者即
現自在天身而為說法應以大自在天身得
度者即現大自在天身而為說法應以天大將
軍身得度者即現天大將軍身而為說
法應以毗沙門身得度者即現毗沙門身而
為說法應以小王身得度者即現小王身而
為說法應以長者身得度者即現長者

BD01788 號　妙法蓮華經卷七　（4–4）

切相心本真如无作无行不異不動心得安
住四者為欲利益諸衆生事於俗諦中心
得安住五者於奢摩他毗鉢舍那同時運行心
得安住善男子是名菩薩摩訶薩成就願波
羅蜜善男子復依五法菩薩摩訶薩成就
力波羅蜜云何為五一者以正智力能了一切
衆生心行善惡二者能令一切衆生入於甚
深微妙之法三者一切衆生輪迴生死隨其
緣業如實了知四者於諸衆生三種根性以
正智力能分別知五者於諸衆生如理為說
令種善根成熟度脫皆是智力故善男子是
名菩薩摩訶薩成就力波羅蜜善男子復
依五法菩薩摩訶薩成就智波羅蜜云何為
五一者能於諸法分別善惡二者於黑白法

BD01789 號　金光明最勝王經卷四　（14–1）

名菩薩摩訶薩成就力波羅蜜善男子復
依五法菩薩摩訶薩成就智波羅蜜云何為
五一者能於諸法分別善惡二者於黑白法
遠離攝受三者能於生死涅槃不厭不喜四
者具福智行至究竟處五者受勝灌頂能得
諸佛不共法等及一切智智善男子是名菩
薩摩訶薩成就智波羅蜜善男子何者是波
羅蜜義所謂修習勝利是波羅蜜義滿足无
量大甚深智是波羅蜜義行非行法心不執
著是波羅蜜義生死過失涅槃功德正覺正
觀是波羅蜜義愚人智人皆悉攝受是波羅
蜜義能現種種珍妙法寶是波羅蜜義无礙
解脫智慧滿足是波羅蜜義法界衆生界正
分別知是波羅蜜義施等及智能令至不退轉
是波羅蜜義无生法忍能令滿足是波羅蜜
義一切衆生功德善根能令成熟是波羅蜜
義能於菩提成佛十力四无所畏不共法等
皆悉成就是波羅蜜義生死涅槃了无二相
是波羅蜜義濟度一切是波羅蜜義一切外
道來相詰難善能解釋令其降伏是波羅蜜
義能轉十二妙行法輪是波羅蜜義无所著
无所見无患累是波羅蜜多義
善男子初地菩薩是相先現三千大千世界
無量无邊種種寶藏无不盈滿菩薩悉見善
男子二地菩薩是相先現三千大千世界地
平如掌无量无邊種種妙色清淨珍寶莊嚴
之具菩薩悉見善男子三地菩薩是相先現

BD01789號　金光明最勝王經卷四　（14–2）

善男子初地菩薩是相先現三千大千世界
無量无邊種種寶藏无不盈滿菩薩悉見善
男子二地菩薩是相先現三千大千世界地
平如掌无量无邊種種妙色清淨珍寶莊嚴
之具菩薩悉見善男子三地菩薩是相先現
自身勇健甲仗莊嚴一切怨賊皆能摧伏菩
薩悉見善男子四地菩薩是相先現四方風
輪種種妙花悉皆散灑充布地上菩薩悉見
善男子五地菩薩是相先現有妙寶女衆寶
瓔珞周遍嚴身首冠名花以為其飾菩薩悉
見善男子六地菩薩是相先現七寶花池有
四階道金沙遍布清淨无穢八功德水皆悉
盈滿嗢鉢羅花拘物頭花分陁利花隨處莊
嚴於花池所遊戲快樂清涼無比菩薩悉見
善男子七地菩薩是相先現於菩薩前有諸
衆生應墮地獄以菩薩力便得不墮无有損
傷亦无恐怖菩薩悉見善男子八地菩薩是
相先現於身兩邊有師子王以為衛護一切
衆獸悉皆怖畏菩薩悉見善男子九地菩薩
是相先現轉輪聖王无量億衆圍繞供養頂上
白蓋无量衆寶之所莊嚴菩薩悉見善男子
十地菩薩是相先現如來之身金色晃耀无
量淨光悉皆圓滿有无量億梵王圍繞恭敬
供養轉於无上微妙法輪菩薩悉見
善男子云何初地名為歡喜謂初證得出世
之心昔所未得而今始得於大事用如其所願
悉皆成就生极喜樂是故最初名為歡喜

BD01789號　金光明最勝王經卷四　（14–3）

量淨光悉皆圓滿有无量億梵王圍繞恭敬
供養轉於无上微妙法輪菩薩悉見
善男子云何初地名為歡喜謂初證得出世
之心昔所未得而今始得於大事用如其所願
悉皆成就生極喜樂是故最初名為歡喜
諸微細垢犯戒過失皆得清淨是故二地名
為无垢无量智慧三昧光明不可傾動无能
摧伏聞持陁羅尼以為根本是故三地名為
明地以智慧火燒諸煩惱增長光明修行
覺品是故四地名為焰地修行方便勝智自在
極難得故見修煩惱難伏能伏是故五地名
為難勝行法相續了了顯現無相思惟皆悉
現前是故六地名曰為現前無漏无間无相思惟
解脫三昧遠修行故是地清淨无有障礙是
故七地名為遠行无相思惟修得自在諸煩
惱行不能令動是故八地名為不動說一
切法種種差別皆得自在无患无累增長智
慧自在无礙是故九地名為善慧法身如虛
空智慧如大雲皆能遍滿覆一切故是故第
十名為法雲
善男子執著有相我法无明怖畏生死惡趣无
明此二无明障於初地微細學處誤犯无明
發起種種業行无明此二无明障於二地 未
得令得愛着無明能障殊勝摠持无明此二
无明障於三地味着等至喜悅无明微妙淨
法愛樂无明此二无明障於四地欲背生死
无明希趣涅槃无明此二无明障於五地觀

BD01789號　金光明最勝王經卷四　（14–4）

發起種種業行无明此二无明障於二地 未
得令得愛着無明能障殊勝摠持无明此二
无明障於三地味着等至喜悅无明微妙淨
法愛樂无明此二无明障於四地欲背生死
无明希趣涅槃无明此二无明障於五地觀
行流轉无明麁相現前无明此二无明障於
六地微細諸相現行无明作意欣樂无相无
明此二无明障於七地於无相觀功用无明執
相自在无明此二无明障於八地於所說義
及名句文此二无量未善巧无明於 詞辯
才不隨意无明此二无明障於九地於大神
通未得自在變現无明微細秘密未能悟解
事業无明此二无明障於十地於一切境微
細所知障礙无明極細煩惱麁重无明此二
无明障於佛地
善男子菩薩摩訶薩於初地中行施波羅蜜
於第二地行戒波羅蜜於第三地行忍波羅
蜜於第四地行勤波羅蜜於第五地行定波
羅蜜於第六地行慧波羅蜜於第七地行方
便勝智波羅蜜於八地行願波羅蜜於第
九地行力波羅蜜於十地行智波羅蜜善
男子菩薩摩訶薩最初發心攝受能生妙寶
三摩地第二發心攝受能生可愛樂三摩地第
三發心攝受能生難動三摩地第四發心攝
受能生不退轉三摩地第五發心攝受能
生寶花三摩地第六發心攝受能生日圓光
焰三摩地第七發心攝受能生一切願如意

BD01789號　金光明最勝王經卷四　（14–5）

三摩地苐二發心攝受能生可愛樂三摩地苐
三發心攝受能生難動三摩地苐四發心攝
受能生不退轉三摩地苐五發心攝受能
生寶光三摩地苐六發心攝受能生日圓光
緣三摩地苐七發心攝受能生一切願如意
成就三摩地苐八發心攝受能生現前證住
三摩地苐九發心攝受能生智藏三摩地苐
十發心攝受能生勇進三摩地善男子是名
菩薩摩訶薩十種發心善男子菩薩摩訶薩
於此初地得陁羅尼名依功德力尒時世尊
即說呪曰
怛姪他 晡律儞曼奴喇剌
獨虎獨虎獨虎 耶跋蘇利瑜
阿婆婆薩底丁里反下皆同 耶跋旃達囉
調怛底 多跋達洛叉漫
憚荼鉢唎訶囉 矩嚕莎訶
善男子此陁羅尼是過一恒河沙數諸佛所
說為護初地菩薩故若有誦持此陁羅尼呪
者得脫一切怖畏所謂虎狼師子惡獸之類一
切惡鬼人非人等怨賊灾横及諸苦惱解脫
五障不忘念初地
善男子菩薩摩訶薩於苐二地得陁羅尼
名善安樂住
怛姪他 嗢篤入聲下同里
質里質里 嗢篤羅篤羅喃
繕覩繕覩嗢篤里 虎嚕虎嚕莎訶

名善安樂住
怛姪他 嗢篤入聲下同里
質里質里 嗢篤羅篤羅喃
繕覩繕覩嗢篤里 虎嚕虎嚕莎訶
善男子此陁羅尼是過二恒河沙數諸佛所
說為護二地菩薩故若有誦持此陁羅尼呪
者脫諸怖畏惡獸惡鬼人非人等怨賊灾横
及諸苦惱解脫五障不忘念二地
善男子菩薩摩訶薩於苐三地得陁羅尼
名難勝力
怛姪他 憚宅枳 般宅枳
羯喇徵高喇徵 雞由哩憚徵里莎訶
善男子此陁羅尼是過三恒河沙數諸佛所
說為護三地菩薩故若有誦持此陁羅尼呪
者脫諸怖畏惡獸惡鬼人非人等怨賊灾横
及諸苦惱解脫五障不忘念三地
善男子菩薩摩訶薩於苐四地得陁羅尼名
大利益
怛姪他 室唎室唎
陁弭你陁弭你 陁哩陁哩你
室唎室唎你 毗舍羅波世波始娜
畔陁弭帝莎訶
善男子此陁羅尼是過四恒河沙數諸佛所
說為護四地菩薩故若有誦持此陁羅尼呪
者脫諸怖畏惡獸惡鬼人非人等惡賊灾横
及諸苦惱解脫五障不忘念四地

善男子此陀羅尼是過四恒河沙數諸佛所
說為護四地菩薩故若有誦持此陀羅尼呪
者脫諸怖畏惡獸惡鬼人非人等惡賊災橫
及諸苦惱解脫五障不忘念四地
善男子菩薩摩訶薩於第五地得陀羅尼
名種種功德莊嚴
怛姪他　訶里訶引哩你
遮里遮引哩你　羯喇摩引你
僧羯喇摩引你　三婆山你瞻跋你
悉耽婆你謨漢你　碎闍步陛莎訶
善男子此陀羅尼是過五恒河沙數諸佛所
說為護五地菩薩摩訶薩故若有誦持此陀
羅尼呪者脫諸怖畏惡獸惡鬼人非人等怨
賊災橫及諸苦惱解脫五障不忘念五地
善男子菩薩摩訶薩於第六地得陀羅尼名
圓滿智
怛姪他　毗徒哩毗徒哩
摩哩你迦里迦里　毗度漢底
嚕嚕嚕　主嚕主嚕
杜嚕婆杜嚕婆　捨捨設者婆哩灑
莎入悉底薩婆薩埵喃　悉甸覩漫
曷怛羅鉢陀你莎訶
善男子此陀羅尼是過六恒河沙數諸佛所
說為護六地菩薩摩訶薩故若有誦持此陀
羅尼呪者脫諸怖畏惡獸惡鬼人非人等怨
賊災橫及諸苦惱解脫五障不忘念六地

說為護六地菩薩摩訶薩故若有誦持此陀
羅尼呪者脫諸怖畏惡獸惡鬼人非人等怨
賊災橫及諸苦惱解脫五障不忘念六地
善男子菩薩摩訶薩於第七地得陀羅尼名
法勝行
怛姪他　勺訶上勺訶引嚕
勺訶勺訶勺訶嚕　鞞陸枳鞞陸枳
阿蜜栗多嚧漢你　勃里山你
鞞嚕勃枳娑嚕伐底　鞞提呬枳
頻陀鞞哩你　阿蜜哩底枳
薄虎主愈　薄虎主愈莎訶
善男子此陀羅尼是過七恒河沙數諸佛所
說為護七地菩薩故若有誦持此陀羅尼呪
者脫諸怖畏惡獸惡鬼人非人等怨賊災橫
及諸苦惱解脫五障不忘念七地
善男子菩薩摩訶薩於第八地得陀羅尼
名无盡藏
怛姪他　室唎室唎室唎你
蜜底蜜底　羯哩羯哩醯嚕醯嚕
主嚕主嚕　畔陀弭莎訶
善男子此陀羅尼是過八恒河沙數諸佛所
說為護八地菩薩故若有誦持此陀羅尼呪
者脫諸怖畏惡獸惡鬼人非人等怨賊災橫及
諸苦惱解脫五障不忘念八地
善男子菩薩摩訶薩於第九地得陀羅尼
名无量門

者脫諸怖畏惡獸惡鬼人非人等怨賊灾横及
諸苦惱解脫五障不忘念八地
善男子菩薩摩訶薩於第九地得陁羅尼
名无量門
怛姪他　訶哩旃荼哩枳
俱藍婆剌體天里反　都剌死
柣吒柣吒死室唎室唎　迦室哩迦必室剌
莎蘇活反訶　薩婆薩埵喃莎訶
善男子此陁羅尼是過九恒河沙數諸佛所
說爲護九地菩薩故若有誦持此陁羅尼呪
者脫諸怖畏惡獸惡鬼人非人等怨賊灾横
及諸苦惱解脫五障不忘念九地
善男子菩薩摩訶薩於第十地得陁羅尼名
破金剛山
怛姪他　悉提去蘇悉提去
謨折你木察你　毗木底菴末麗
毗末麗涅末麗　忙揭麗
呬闌若揭鞞　曷喇怛娜揭鞞
三曼多跋姪麗　薩婆頞他娑憚你
摩捺斯莫訶摩捺斯　頞步底
頞窒步底　阿喇誓毗喇誓
頞主底菴蜜栗底　阿喇闍毗喇闍
跋覽麼　跋囉甜麼莎入麗
晡喇你晡喇娜　曼奴剌剃莎訶
善男子此陁羅尼灌頂吉祥句是過十恒河
沙數諸佛所說爲護十地菩薩故若有誦持

BD01789號　金光明最勝王經卷四　（14–10）

跋覽麼　跋囉甜麼莎入麗
晡喇你晡喇娜　曼奴剌剃莎訶
善男子此陁羅尼灌頂吉祥句是過十恒河
沙數諸佛所說爲護十地菩薩故若有誦持
此陁羅尼呪者脫諸怖畏惡獸惡鬼人非人
等怨賊灾横一切毒害皆悉除滅解脫五
障不忘念十地
尒時師子相无礙光焰菩薩聞佛說此不可
思議陁羅尼已即從座起偏袒右肩右膝著
地合掌恭敬頂礼佛足以頌讚佛
敬礼无譬喻　甚深无相法　衆生失正法　唯佛能濟度
如來明慧眼　不見一法相　復以正法眼　普照不思議
不生於一法　亦不滅一法　由斯平等見　得至无上處
不壞於生死　亦不住涅槃　不著於二邊　是故證圓寂
於淨不淨品　世尊知一味　由不分別故　獲得最清淨
世尊无邊身　不說於一字　令諸弟子衆　法雨皆充滿
佛觀衆生相　一切種皆無　然於苦惱者　常興於救護
苦樂常无常　有我无我等　不一亦不異　不生亦不滅
如是衆多義　隨說有差別　譬如空谷響　唯佛能了知
法界无分別　是故无異乘　爲度衆生故　分別說有三
尒時大自在梵天王亦從座起偏袒右肩右膝
著地合掌恭敬頂礼佛足而白佛言世尊此
金光明最勝王經希有難量初中後善文義
究竟皆能成就一切佛法若受持者是人則
爲報諸佛恩佛言善男子如是如是如汝所
說善男子若得聽聞是經典者皆不退於阿

BD01789號　金光明最勝王經卷四　（14–11）

金光明最勝王經希有難量初中後善文義
究竟皆能成就一切佛法若受持者是人則
為報諸佛恩佛言善男子如是如是如汝所
說善男子若得聽聞是經典者皆不退於阿
耨多羅三藐三菩提何以故善男子是能成
熟不退地菩薩殊勝善根是第一法印是眾
經王故應聽聞受持讀誦何以故善男子若
一切眾生未種善根未成熟善根未親近諸
佛者不能聽聞是微妙法若善男子善女人
能聽受者一切罪障皆悉除滅得最清淨常
得見佛不離諸佛及善知識勝行之人恒聞妙
法住不退地獲得如是勝陀羅尼門所謂无
盡无減海中出妙功德陀羅尼无盡无減通
達眾生意行言語陀羅尼无盡无減日圓
无垢相光陀羅尼无盡无減滿月相光陀羅
尼无盡无減能伏諸惑演功德流陀羅尼无
盡无減破金剛山陀羅尼无盡无減說不可
說義因緣藏陀羅尼无盡无減通達實語法
則音聲陀羅尼无盡无減虛空无垢心行印
陀羅尼无盡无減无邊佛身皆能顯現陀羅
尼无盡无減
善男子如是等无盡无減諸陀羅尼門得成
就故是菩薩摩訶薩能於十方一切佛土化
作佛身演說无上種種正法於法真如不動
不住不來不去善能成熟一切眾生善根亦
不見一切眾生可成熟者雖說種種諸法於
言詞中動不住不去不來能於生滅證无生

BD01789 號　金光明最勝王經卷四　（14–12）

[illegible]
善男子如是等无盡无減諸陀羅尼門得成
就故是菩薩摩訶薩能於十方一切佛土化
作佛身演說无上種種正法於法真如不動
不住不來不去善能成熟一切眾生善根亦
不見一切眾生可成熟者雖說種種諸法於
言詞中動不住不去不來能於生滅證无生
滅以何因緣說諸行法无有去來由一切法
體无異故說是法三万億菩薩摩訶薩得
无生法忍无量諸菩薩不退菩提心无量无
邊苾芻苾芻尼得法眼淨无量眾生發菩薩
心尒時世尊而說頌曰
勝法能逆生死流　甚深微妙難得見
有情盲冥貪欲覆　由不見故受眾苦
尒時大眾俱從座起頂礼佛足而白佛言世
尊若所在處講宣讀誦此金光明最勝王經
我等大眾皆悉往彼為作聽眾[illegible]法師令
得利益安樂无障身意泰然我等皆當盡
心供養亦令聽眾安隱快樂所住國土无諸怨
賊恐怖厄難飢饉之苦人民熾盛此說法處道
場之地一切諸天人非人等一切眾生不應履
踐及以汙穢何以故說法之處即是制底當
以香花繒綵幡蓋而為供養我等常為
守護令離衰損佛告大眾善男子汝等應
當精勤修習此妙經典是則正法久住於世
金光明經卷第四

BD01789 號　金光明最勝王經卷四　（14–13）

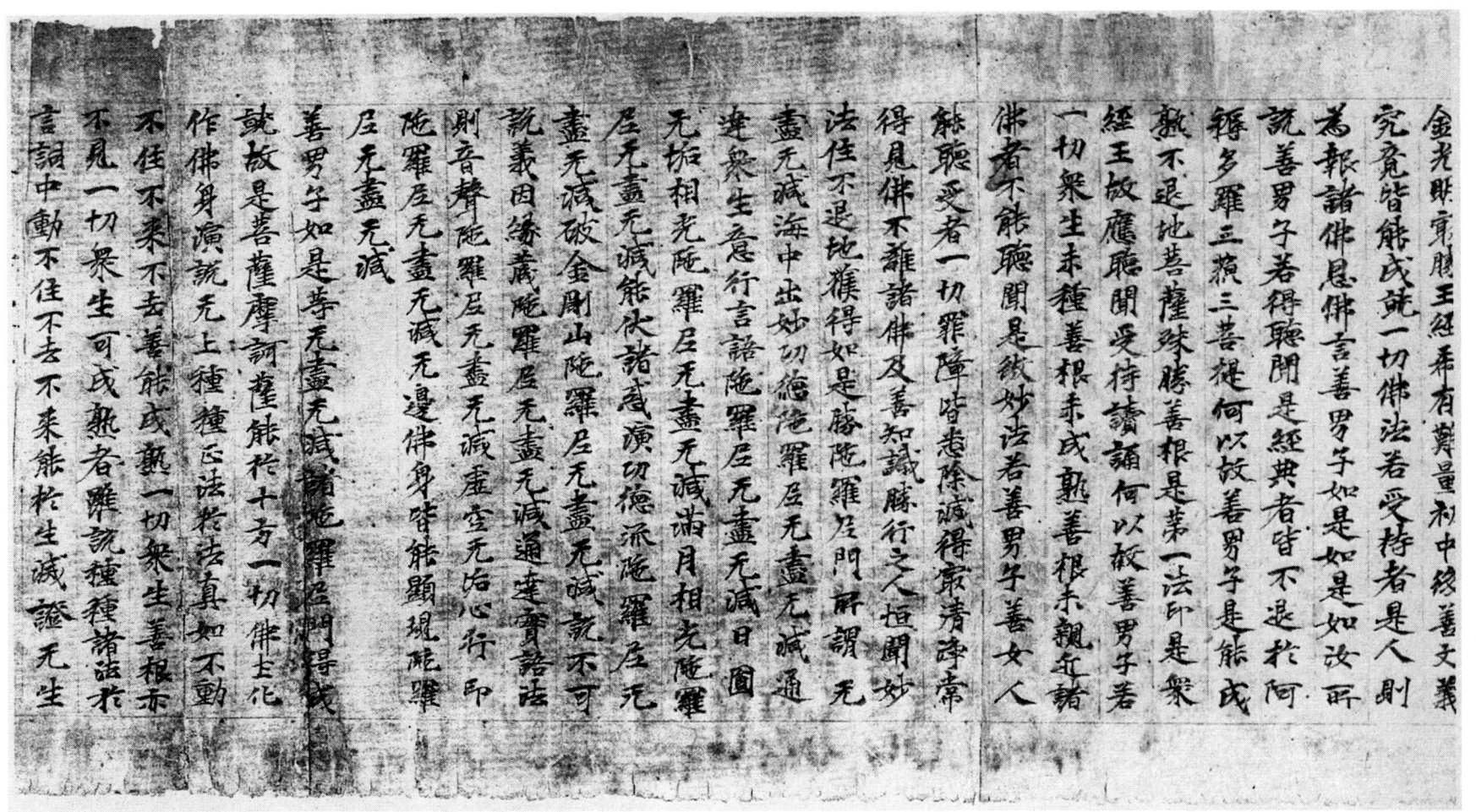

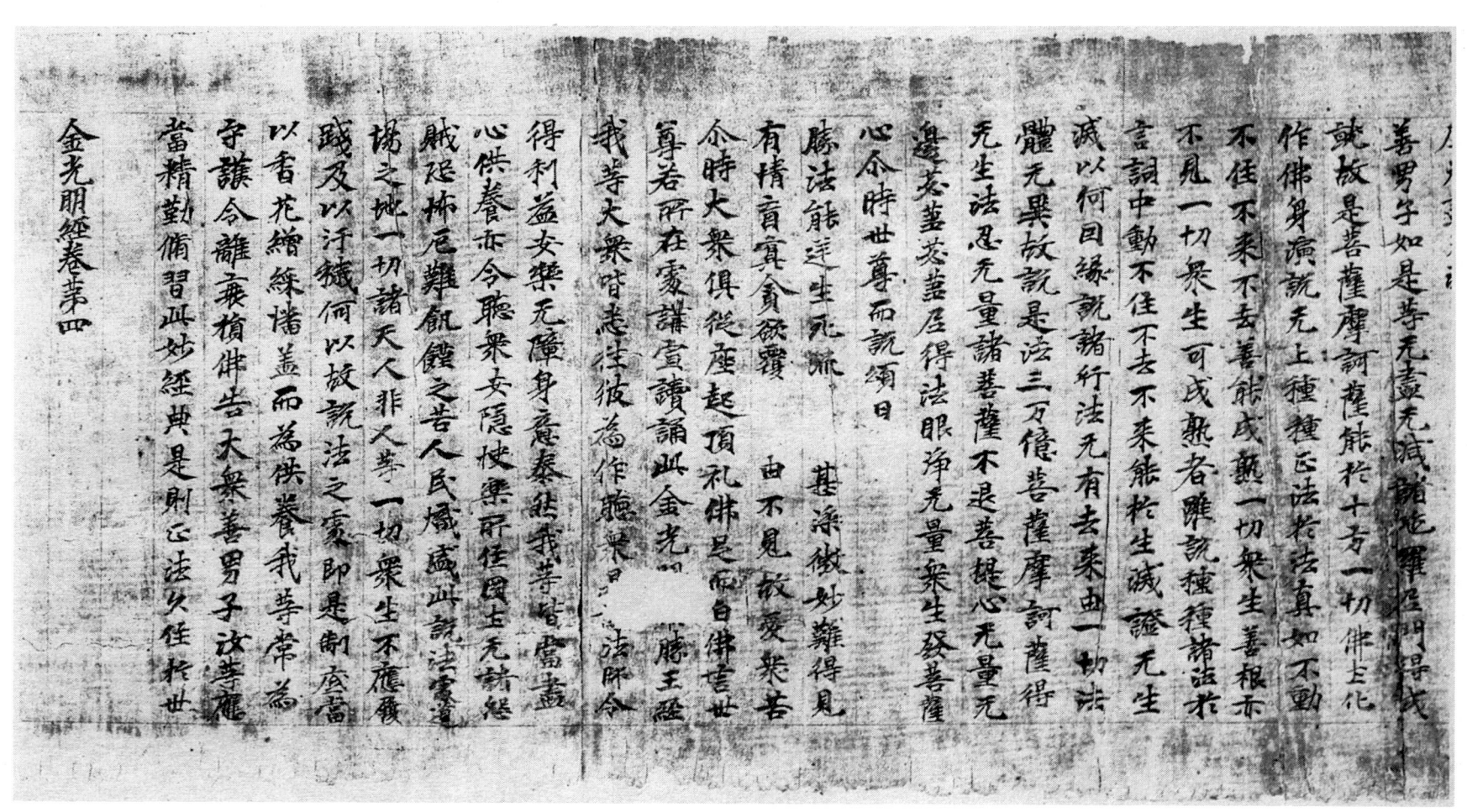

心供養亦令聽衆安隱快樂所住國土无諸怨
賊恐怖厄難飢饉之苦人民熾盛此說法處道
場之地一切諸天人非人等一切衆生不應履
踐及以汙穢何以故說法之處即是制底當
以香花繒綵幡蓋而爲供養我等常爲
守護令離衰損佛告大衆善男子汝等應
當精勤脩習此妙經典是則正法久住於世

金光明經卷第四

杜 姜里 從布

BD01789 號　金光明最勝王經卷四　　（14–14）

金光明

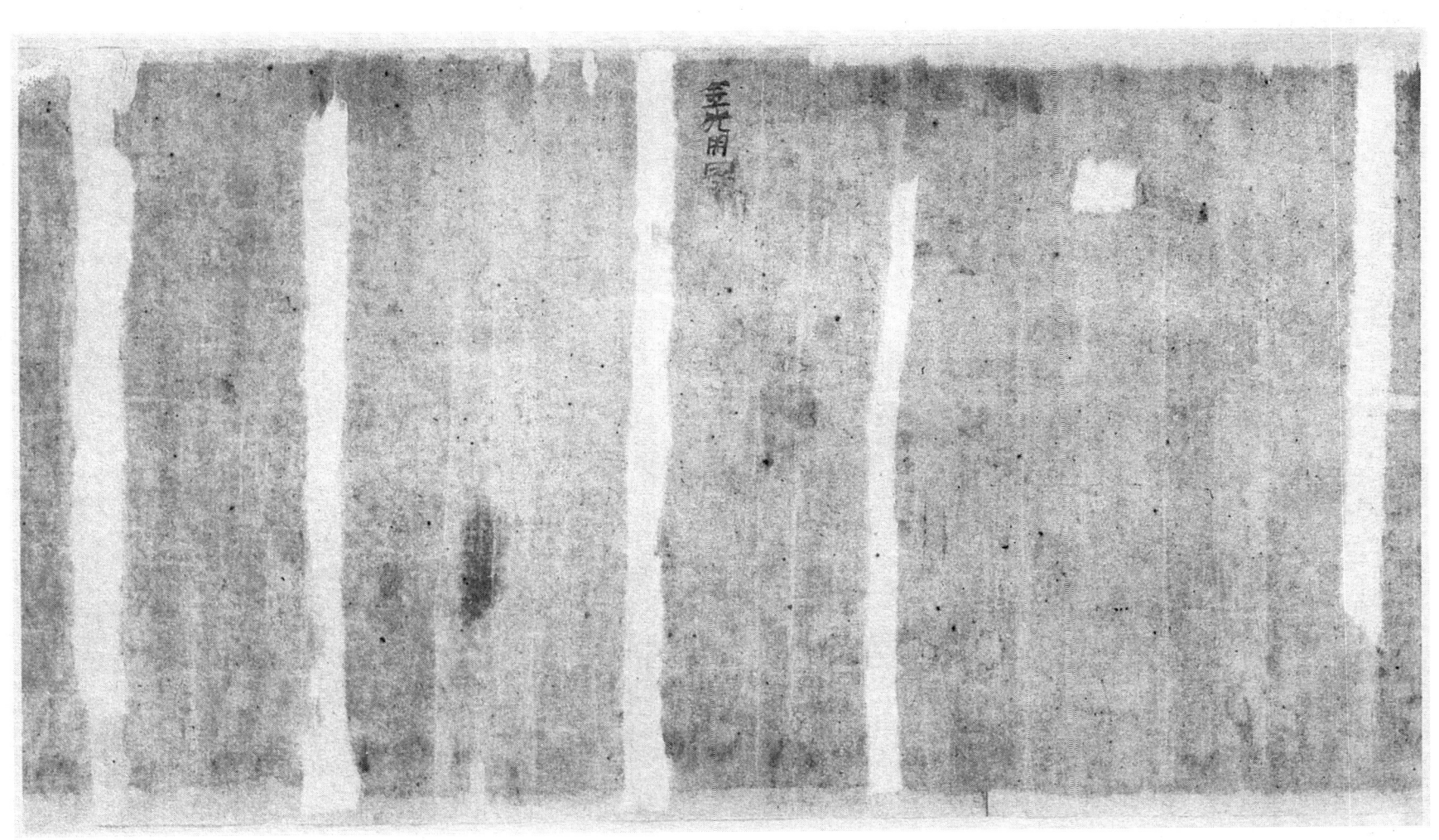

BD01789 號背　雜寫　　（1–1）

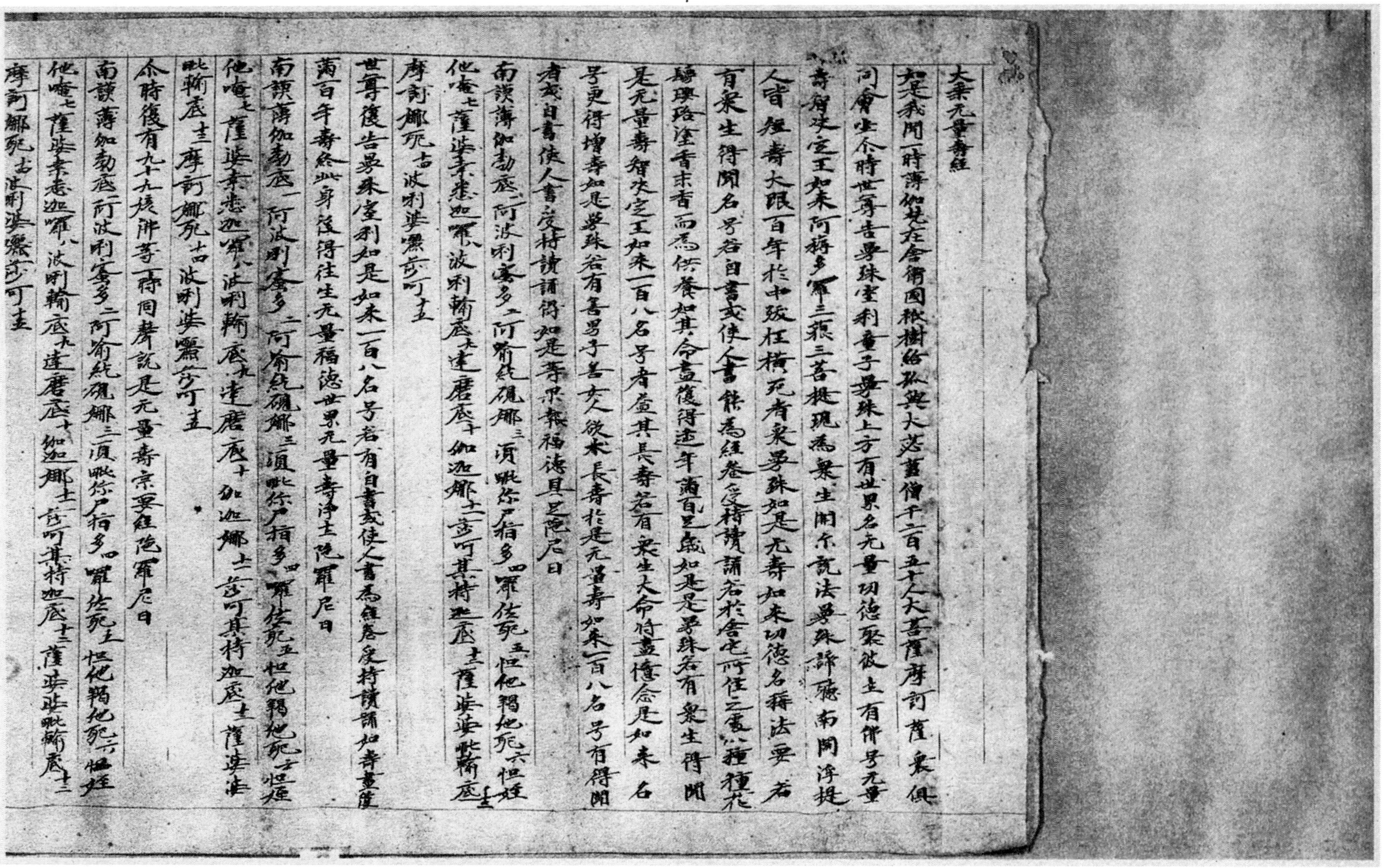

大乘無量壽經
如是我聞一時薄伽梵在舍衛國祇樹給孤獨園與大苾芻僧千二百五十人大菩薩摩訶薩衆俱
爾時世尊告曼殊室利童子曼殊上方有世界名無量功德聚彼土有佛號無量
壽智決定王如來阿羅訶三藐三菩提現爲衆生開示說法曼殊諦聽南閻浮提
人皆短壽大限百年於中夭枉橫死者衆曼殊如是無壽如來功德名稱法要若
有衆生得聞名號若自書或使人書能爲經卷受持讀誦若於舍宅所住之處以種種花
鬘瓔珞塗香末香而爲供養如其命盡復得延年滿百足歲如是曼殊若有衆生得聞
是無量壽智決定王如來一百八名號者益其長壽若有衆生大命將盡憶念是如來名
號更得增壽如是曼殊若有善男子善女人欲求長壽於是無量壽如來一百八名號有得聞
者或自書使人書受持讀誦得如是等果報福德具足陀尼曰
南謨薄伽勃底一阿波唎蜜多二阿喻紇硯娜三須毗你尸指多四囉佐耶五怛他羯他耶六怛姪
他唵七薩婆桑悉迦囉八波唎輸底九達磨底十伽迦娜十一莎訶其持娑底十二薩婆婆毗輸底十三
摩訶娜耶十四波唎婆嚟莎訶十五
世尊復告曼殊室利如是如來一百八名號若有自書或使人書爲經卷受持讀誦如壽盡復
滿百年壽終此身後得往生無量福德世界無量壽淨土陀羅尼曰
南謨薄伽勃底一阿波唎蜜多二阿喻紇硯娜三須毗你尸指多四囉佐耶五怛他羯他耶六怛姪
他唵七薩婆桑悉迦囉八波唎輸底九達磨底十伽迦娜十一莎訶其持娑底十二薩婆婆
毗輸底十三摩訶娜耶十四波唎婆嚟莎訶十五
爾時復有九十九俱胝佛等一時同聲說是無量壽宗要經陀羅尼曰
南謨薄伽勃底一阿波唎蜜多二阿喻紇硯娜三須毗你尸指多四囉佐耶五怛他羯他耶六怛姪
他唵七薩婆桑悉迦囉八波唎輸底九達磨底十伽迦娜十一莎訶其持娑底十二薩婆婆毗輸底十三
摩訶娜耶十四波唎婆嚟莎訶十五

BD01790 號　無量壽宗要經　（6–1）

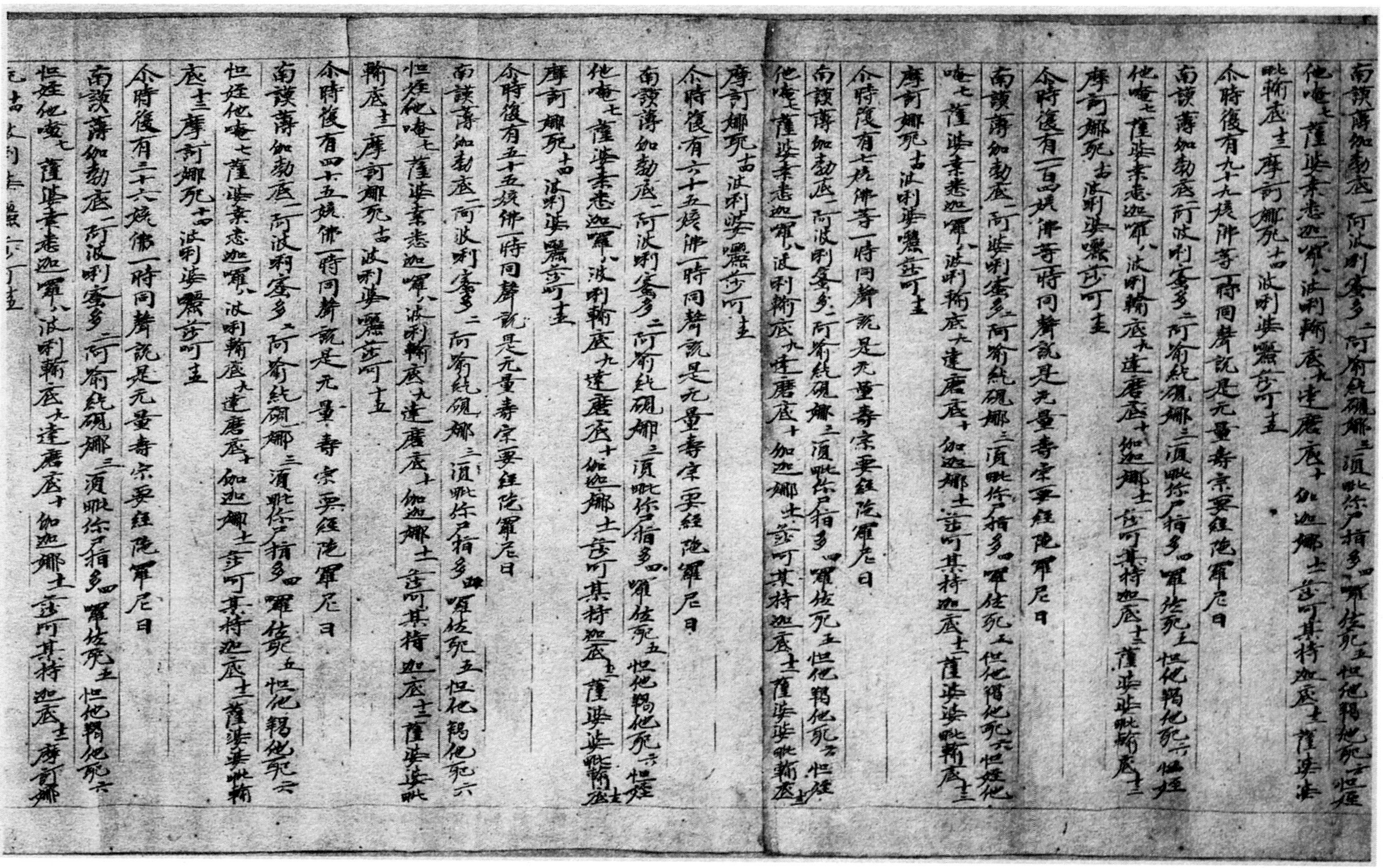

南謨薄伽勃底一阿波唎蜜多二阿喻紇硯娜三須毗你尸指多四囉佐耶五怛他羯他耶六怛姪
他唵七薩婆桑悉迦囉八波唎輸底九達磨底十伽迦娜十一莎訶其持娑底十二薩婆婆
毗輸底十三摩訶娜耶十四波唎婆嚟莎訶十五
爾時復有九十九俱胝佛等一時同聲說是無量壽宗要經陀羅尼曰
南謨薄伽勃底一阿波唎蜜多二阿喻紇硯娜三須毗你尸指多四囉佐耶五怛他羯他耶六怛姪
他唵七薩婆桑悉迦囉八波唎輸底九達磨底十伽迦娜十一莎訶其持娑底十二薩婆婆毗輸底十三
摩訶娜耶十四波唎婆嚟莎訶十五
爾時復有一百四俱胝佛等一時同聲說是無量壽宗要經陀羅尼曰
南謨薄伽勃底一阿波唎蜜多二阿喻紇硯娜三須毗你尸指多四囉佐耶五怛他羯他耶六怛姪他
唵七薩婆桑悉迦囉八波唎輸底九達磨底十伽迦娜十一莎訶其持娑底十二薩婆婆毗輸底十三
摩訶娜耶十四波唎婆嚟莎訶十五
爾時復有七俱胝佛等一時同聲說是無量壽宗要經陀羅尼曰
南謨薄伽勃底一阿波唎蜜多二阿喻紇硯娜三須毗你尸指多四囉佐耶五怛他羯他耶六怛姪
他唵七薩婆桑悉迦囉八波唎輸底九達磨底十伽迦娜十一莎訶其持娑底十二薩婆婆毗輸底十三
摩訶娜耶十四波唎婆嚟莎訶十五
爾時復有六十五俱胝佛一時同聲說是無量壽宗要經陀羅尼曰
南謨薄伽勃底一阿波唎蜜多二阿喻紇硯娜三須毗你尸指多四囉佐耶五怛他羯他耶六怛姪
他唵七薩婆桑悉迦囉八波唎輸底九達磨底十伽迦娜十一莎訶其持娑底十二薩婆婆毗輸底十三
摩訶娜耶十四波唎婆嚟莎訶十五
爾時復有五十五俱胝佛一時同聲說是無量壽宗要經陀羅尼曰
南謨薄伽勃底一阿波唎蜜多二阿喻紇硯娜三須毗你尸指多四囉佐耶五怛他羯他耶六
怛姪他唵七薩婆桑悉迦囉八波唎輸底九達磨底十伽迦娜十一莎訶其持娑底十二薩婆婆毗
輸底十三摩訶娜耶十四波唎婆嚟莎訶十五
爾時復有四十五俱胝佛一時同聲說是無量壽宗要經陀羅尼曰
南謨薄伽勃底一阿波唎蜜多二阿喻紇硯娜三須毗你尸指多四囉佐耶五怛他羯他耶六
怛姪他唵七薩婆桑悉迦囉八波唎輸底九達磨底十伽迦娜十一莎訶其持娑底十二薩婆婆毗輸
底十三摩訶娜耶十四波唎婆嚟莎訶十五
爾時復有三十六俱胝佛一時同聲說是無量壽宗要經陀羅尼曰
南謨薄伽勃底一阿波唎蜜多二阿喻紇硯娜三須毗你尸指多四囉佐耶五怛他羯他耶六
怛姪他唵七薩婆桑悉迦囉八波唎輸底九達磨底十伽迦娜十一莎訶其持娑底十二摩訶娜
耶十四波唎婆嚟莎訶十五

BD01790 號　無量壽宗要經　（6–2）

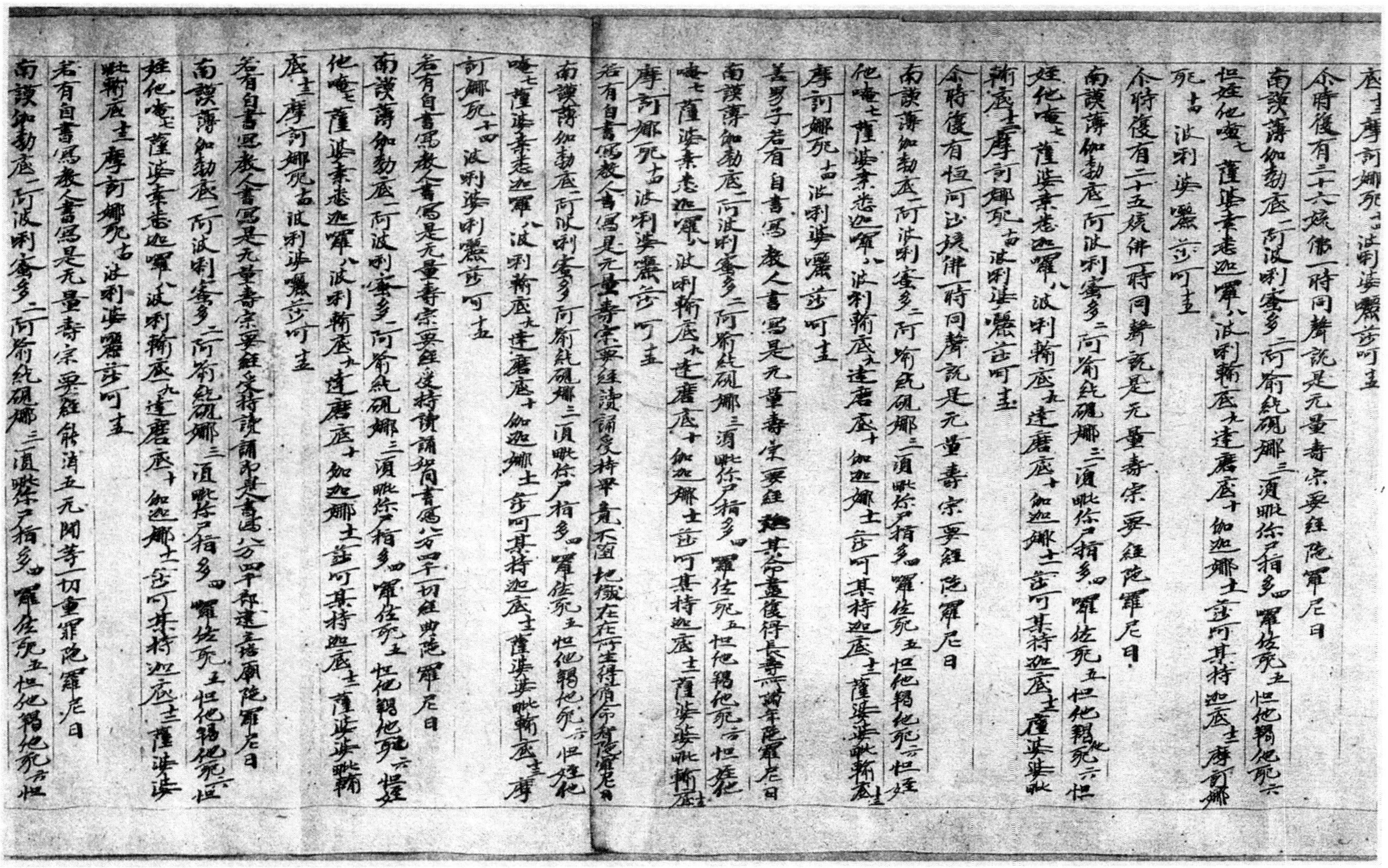

底十三 摩訶娜耶十四 波唎婆嚟莎呵十五
尒時復有二十六殑伽一時同聲說是无量壽宗要經陀羅尼曰
南謨薄伽勃底一 阿波唎蜜多二 阿喻紇硯娜三 須毗你尸指多四 囉佐耶五 怛他羯他耶六
怛姪他唵七 薩婆桑悉迦囉八 波唎輸底九 達磨底十 伽迦娜十一 莎呵其持迦底十二 摩訶娜
耶十四 波唎婆嚟莎呵十五
尒時復有二十五殑伽一時同聲說是无量壽宗要經陀羅尼曰
南謨薄伽勃底一 阿波唎蜜多二 阿喻紇硯娜三 須毗你尸指多四 囉佐耶五 怛他羯他耶六 怛
姪他唵七 薩婆桑悉迦囉八 波唎輸底九 達磨底十 伽迦娜十一 莎呵其持迦底十二 薩婆婆毗
輸底十三 摩訶娜耶十四 波唎婆嚟莎呵十五
尒時復有恒河沙殑伽一時同聲說是无量壽宗要經陀羅尼曰
南謨薄伽勃底一 阿波唎蜜多二 阿喻紇硯娜三 須毗你尸指多四 囉佐耶五 怛他羯他耶六 怛姪
他唵七 薩婆桑悉迦囉八 波唎輸底九 達磨底十 伽迦娜十一 莎呵其持迦底十二 薩婆婆毗輸底十三
摩訶娜耶十四 波唎婆嚟莎呵十五
善男子若有自書寫教人書寫是无量壽宗要經於其命盡復得長壽滿百年陀羅尼曰
南謨薄伽勃底一 阿波唎蜜多二 阿喻紇硯娜三 須毗你尸指多四 囉佐耶五 怛他羯他耶六 怛姪他
唵七 薩婆桑悉迦囉八 波唎輸底九 達磨底十 伽迦娜十一 莎呵其持迦底十二 薩婆婆毗輸底十三
摩訶娜耶十四 波唎婆嚟莎呵十五
若有自書寫教人書寫是无量壽宗要經讀誦受持畢竟不墮地獄在在所生得宿命智陀羅尼曰
南謨薄伽勃底一 阿波唎蜜多二 阿喻紇硯娜三 須毗你尸指多四 囉佐耶五 怛他羯他耶六 怛姪他
唵七 薩婆桑悉迦囉八 波唎輸底九 達磨底十 伽迦娜十一 莎呵其持迦底十二 薩婆婆毗輸底十三 摩
訶娜耶十四 波唎婆嚟莎呵十五
若有自書寫教人書寫是无量壽宗要經受持讀誦即同書寫八万四千一切經典陀羅尼曰
南謨薄伽勃底一 阿波唎蜜多二 阿喻紇硯娜三 須毗你尸指多四 囉佐耶五 怛他羯他耶六 怛姪
他唵七 薩婆桑悉迦囉八 波唎輸底九 達磨底十 伽迦娜十一 莎呵其持迦底十二 薩婆婆毗輸
底十三 摩訶娜耶十四 波唎婆嚟莎呵十五
若有自書寫教人書寫是无量壽宗要經受持讀誦即是書寫八万四千部建立塔廟陀羅尼曰
南謨薄伽勃底一 阿波唎蜜多二 阿喻紇硯娜三 須毗你尸指多四 囉佐耶五 怛他羯他耶六 怛
姪他唵七 薩婆桑悉迦囉八 波唎輸底九 達磨底十 伽迦娜十一 莎呵其持迦底十二 薩婆婆
毗輸底十三 摩訶娜耶十四 波唎婆嚟莎呵十五
若有自書寫教人書寫是无量壽宗要經能消五无間等一切重罪陀羅尼曰
南謨薄伽勃底一 阿波唎蜜多二 阿喻紇硯娜三 須毗你尸指多四 囉佐耶五 怛他羯他耶六 怛

BD01790號　無量壽宗要經　（6–3）

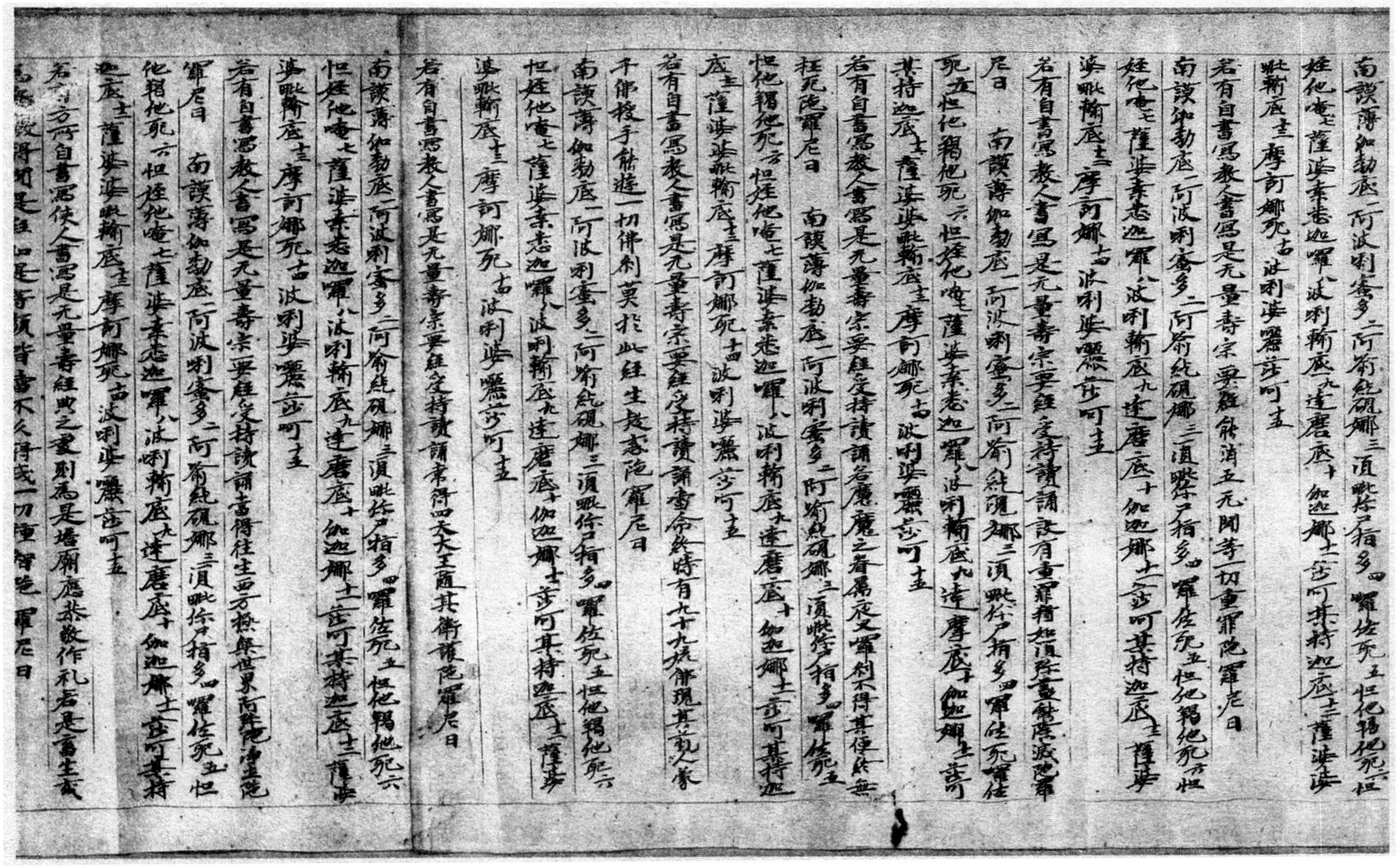

南謨薄伽勃底一 阿波唎蜜多二 阿喻紇硯娜三 須毗你尸指多四 囉佐耶五 怛他羯他耶六 怛
姪他唵七 薩婆桑悉迦囉八 波唎輸底九 達磨底十 伽迦娜十一 莎呵其持迦底十二 薩婆婆
毗輸底十三 摩訶娜耶十四 波唎婆嚟莎呵十五
若有自書寫教人書寫是无量壽宗要經能消五无間等一切重罪陀羅尼曰
南謨薄伽勃底一 阿波唎蜜多二 阿喻紇硯娜三 須毗你尸指多四 囉佐耶五 怛他羯他耶六 怛
姪他唵七 薩婆桑悉迦囉八 波唎輸底九 達磨底十 伽迦娜十一 莎呵其持迦底十二 薩婆
婆毗輸底十三 摩訶娜耶十四 波唎婆嚟莎呵十五
若有自書寫教人書寫是无量壽宗要經受持讀誦設有重罪猶如須彌盡能除滅陀羅
尼曰 南謨薄伽勃底一 阿波唎蜜多二 阿喻紇硯娜三 須毗你尸指多四 囉佐
耶五 怛他羯他耶六 怛姪他唵七 薩婆桑悉迦囉八 波唎輸底九 達磨底十 伽迦娜十一 莎呵
其持迦底十二 薩婆婆毗輸底十三 摩訶娜耶十四 波唎婆嚟莎呵十五
若有自書寫教人書寫是无量壽宗要經受持讀誦若魔魔之眷屬夜叉羅剎不得其便終無
枉死陀羅尼曰 南謨薄伽勃底一 阿波唎蜜多二 阿喻紇硯娜三 須毗你尸指多四 囉佐耶五
怛他羯他耶六 怛姪他唵七 薩婆桑悉迦囉八 波唎輸底九 達磨底十 伽迦娜十一 莎呵其持迦
底十二 薩婆婆毗輸底十三 摩訶娜耶十四 波唎婆嚟莎呵十五
若有自書寫教人書寫是无量壽宗要經受持讀誦當命終時有九十九殑伽佛現其前就人家
千佛授手能遊一切佛剎莫於此經生疑惑陀羅尼曰
南謨薄伽勃底一 阿波唎蜜多二 阿喻紇硯娜三 須毗你尸指多四 囉佐耶五 怛他羯他耶六
怛姪他唵七 薩婆桑悉迦囉八 波唎輸底九 達磨底十 伽迦娜十一 莎呵其持迦底十二 薩婆
婆毗輸底十三 摩訶娜耶十四 波唎婆嚟莎呵十五
若有自書寫教人書寫是无量壽宗要經受持讀誦常得四天大王隨其衛護陀羅尼曰
南謨薄伽勃底一 阿波唎蜜多二 阿喻紇硯娜三 須毗你尸指多四 囉佐耶五 怛他羯他耶六
怛姪他唵七 薩婆桑悉迦囉八 波唎輸底九 達磨底十 伽迦娜十一 莎呵其持迦底十二 薩婆
婆毗輸底十三 摩訶娜耶十四 波唎婆嚟莎呵十五
若有自書寫教人書寫是无量壽宗要經受持讀誦當得往生西方極樂世界阿彌陀淨土陀
羅尼曰 南謨薄伽勃底一 阿波唎蜜多二 阿喻紇硯娜三 須毗你尸指多四 囉佐耶五 怛
他羯他耶六 怛姪他唵七 薩婆桑悉迦囉八 波唎輸底九 達磨底十 伽迦娜十一 莎呵其持
迦底十二 薩婆婆毗輸底十三 摩訶娜耶十四 波唎婆嚟莎呵十五
若有方所自書寫使人書寫是无量壽經典之處則為是塔廟應恭敬作禮若是畜生禽
鳥獸得聞是經如是等類皆當不久得成一切種智陀羅尼曰

BD01790號　無量壽宗要經　（6–4）

羅尼曰　南謨薄伽勃底一阿波唎蜜多二阿喻紇硯那三須毗你尸指多四囉佐耶五怛
他羯他耶六怛姪他唵七薩婆桑悉迦囉八波唎輸底九達磨底十伽迦娜十一莎訶其持
迦底十二薩婆婆毗輸底十三摩訶娜耶十四波唎婆曬莎訶十五
若有方所自書寫使人書寫是无量壽經典之處則為是塔廟應恭敬作礼若是畜生或
為烏鵲得聞是經如是等類皆當不久得成一切種智陀羅尼曰
南謨薄伽勃底一阿波唎蜜多二阿喻紇硯那三須毗你尸指多四囉佐耶五怛他羯他耶六
怛姪他唵七薩婆桑悉迦囉八波唎輸底九達磨底十伽迦娜十一莎訶其持迦底十二薩婆婆
毗輸底十三摩訶娜耶十四波唎婆曬莎訶十五
若有於是无量壽經自書寫使人書畢竟不受女人之身陀羅尼曰
南謨薄伽勃底一阿波唎蜜多二阿喻紇硯那三須毗你尸指多四囉佐耶五怛他羯他耶六
怛姪他唵七薩婆桑悉迦囉八波唎輸底九達磨底十伽迦娜十一莎訶其持迦底十二薩
婆婆毗輸底十三摩訶娜耶十四波唎婆曬莎訶十五
若有能於是經少分能惠施者等於三千大千世界滿中七寶布施陀羅尼曰
南謨薄伽勃底一阿波唎蜜多二阿喻紇硯那三須毗你尸指多四囉佐耶五怛他羯他耶六
怛姪他唵七薩婆桑悉迦囉八波唎輸底九達磨底十伽迦娜十一莎訶其持迦底十二薩婆
婆毗輸底十三摩訶娜耶十四波唎婆曬莎訶十五
若有能供養是經者則是供養一切諸經等无有異陀羅尼曰
南謨薄伽勃底一阿波唎蜜多二阿喻紇硯那三須毗你尸指多四囉佐耶五怛他羯他耶六
怛姪他唵七薩婆桑悉迦囉八波唎輸底九達磨底十伽迦娜十一莎訶其持迦底十二薩婆婆
毗輸底十三摩訶娜耶十四波唎婆曬莎訶十五
如是毗婆尸佛　尸棄佛　毗舍浮佛　俱留孫佛　俱那含牟尼佛　迦葉佛　釋迦牟尼佛
若有人以七寶供養如是七佛其福有限書寫受持是无量壽經典所有功德不可數量陀羅
尼曰　南謨薄伽勃底一阿波唎蜜多二阿喻紇硯那三須毗你尸指多四囉佐耶五怛他
羯他耶六怛姪他唵七薩婆桑悉迦囉八波唎輸底九達磨底十伽迦娜十一莎訶其持迦底十二
薩婆婆毗輸底十三摩訶娜耶十四波唎婆曬莎訶十五
若有七寶等於須弥山用布施其福上能知其限量是无量壽經典其福不可知數陀羅尼曰
南謨薄伽勃底一阿波唎蜜多二阿喻紇硯那三須毗你尸指多四囉佐耶五怛他羯他耶六
怛姪他唵七薩婆桑悉迦囉八波唎輸底九達磨底十伽迦娜十一莎訶其持迦底十二薩婆
婆毗輸底十三摩訶娜耶十四波唎婆曬莎訶十五
如是四大海水可知滴數是无量壽經典所生果報不可數量陀羅尼曰

BD01790號　無量壽宗要經　（6–5）

若有七寶等於須弥山用布施其福上能知其限量是无量壽經典其福不可知數陀羅尼曰
南謨薄伽勃底一阿波唎蜜多二阿喻紇硯那三須毗你尸指多四囉佐耶五怛他羯他耶六
怛姪他唵七薩婆桑悉迦囉八波唎輸底九達磨底十伽迦娜十一莎訶其持迦底十二薩婆
婆毗輸底十三摩訶娜耶十四波唎婆曬莎訶十五
如是四大海水可知滴數是无量壽經典所生果報不可數量陀羅尼曰
南謨薄伽勃底一阿波唎蜜多二阿喻紇硯那三須毗你尸指多四囉佐耶五怛他羯他耶六
怛姪他唵七薩婆桑悉迦囉八波唎輸底九達磨底十伽迦娜十一莎訶其持迦底十二薩婆
婆毗輸底十三摩訶娜耶十四波唎婆曬莎訶十五
若有自書使書人寫是无量壽經典又能護持供養即如恭敬供養一切十方佛土如來无有別
異陀羅尼曰　南謨薄伽勃底一阿波唎蜜多二阿喻紇硯那三須毗你尸指多四囉佐耶五
怛他羯他耶六怛姪他唵七薩婆桑悉迦囉八波唎輸底九達磨底十伽迦娜十一薩訶其持
迦底十二薩婆婆毗輸底十三摩訶娜耶十四波唎婆曬莎訶十五
布施力能成正覺　悟布施力人師子　布施力能聲普聞　慈悲階漸最能入
持戒力能成正覺　悟持戒力人師子　持戒力能聲普聞　慈悲階漸最能入
忍辱力能成正覺　悟忍辱力人師子　忍辱力能聲普聞　慈悲階漸最能入
精進力能成正覺　悟精進力人師子　精進力能聲普聞　慈悲階漸最能入
禪定力能成正覺　悟禪定力人師子　禪定力能聲普聞　慈悲階漸最能入
智慧力能成正覺　悟智慧力人師子　智慧力能聲普聞　慈悲階漸最能入
尒時如來說是經已一切世間天人阿脩羅揵闥婆等聞佛所說皆大歡喜信受奉行
佛說无量壽宗要經

BD01790號　無量壽宗要經　（6–6）

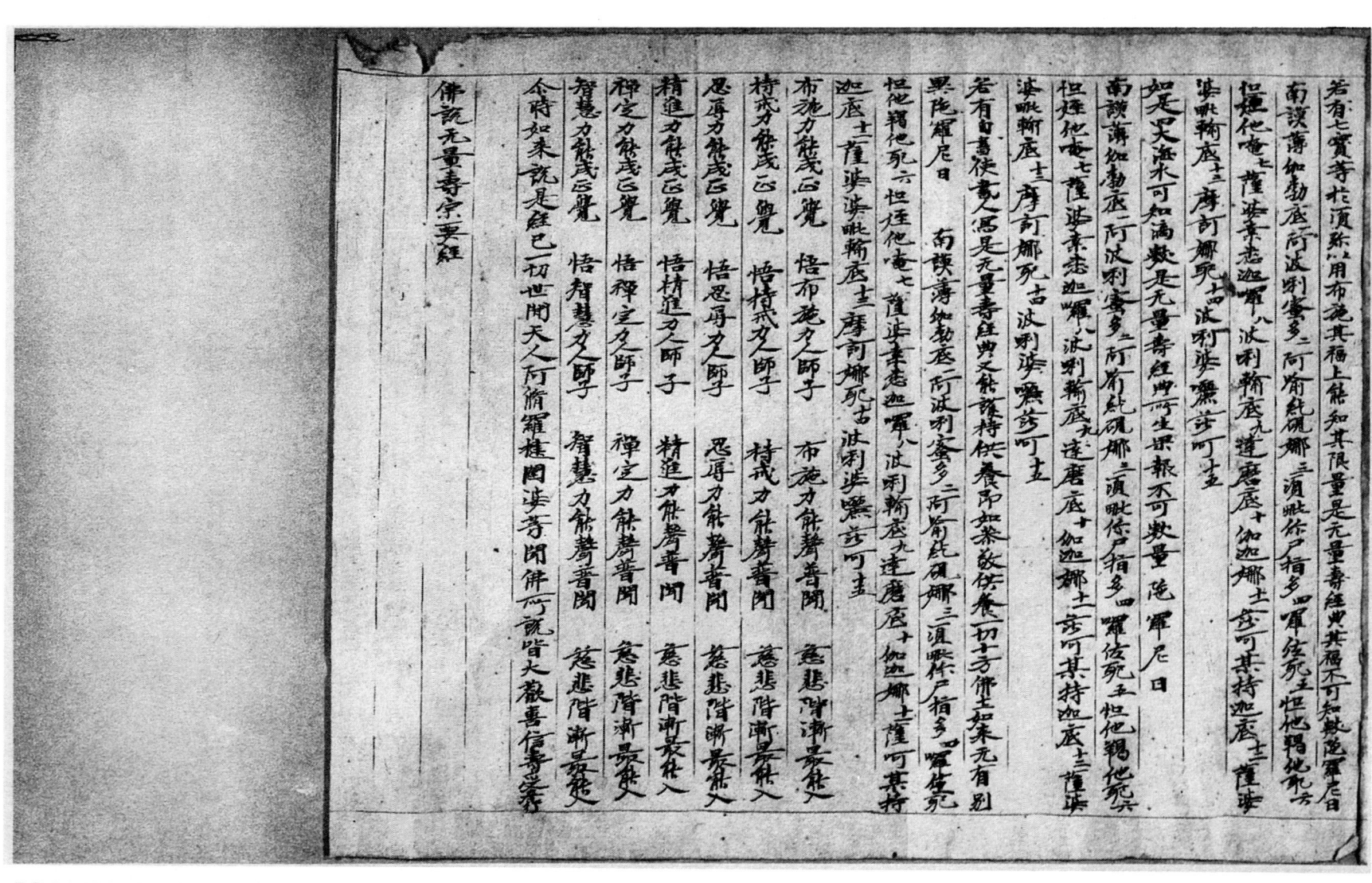

悉以清淨　此下二歎於行文中二一別自行化他前自行復二初歎
三此初總歎也　永離蓋纏　二別歎也肇曰蓋五蓋纏十纏[illegible]亦無量纏身口意
淨三業悉淨則蓋纏不能累也五蓋者一貪欲蓋二嗔恚蓋三睡眠蓋四掉悔蓋
五疑蓋初二障戒睡眠障慧掉悔障定疑障解脫及知見十纏者無慚無愧慳嫉
悔眠掉舉瞋覆及忿覆之　叡曰凡夫以結重誠還生二乘雖誠證處由在大士了
盡情塵俱寂滅處盡根生無所寄法身居然不論故云也　心常安住無礙解脫
三結歎也　什曰不思議解脫即其類也於物無礙故名也肇曰任所得之法解脫則於諸法
通達無閡故心常安住　念定總持辯才不斷　此下二歎智[行]三　此初總歎也肇曰
念正念定之正定之總持持善不失持惡不生無所漏念諸之總持辯也大論云
一種虔辯二利辯三無盡辯四不斷辯五隨應辯六義辯七世間最上辯此四是大
士之要用故常不斷　叡曰念不忘則惠通積定不捨則心常一持善不失則積慎識
而惡不生辯不絕則化無閡備此四門可以官府萬行故可也　什曰菩薩得此四法
入堅固徑身不失歷劫逾明故言不斷也　布施持戒忍辱精進禪定智惠及方便
力無不具足　二別歎智德肇曰具足謂無相行也七住已上心智寂滅以心無為故無德
不為是以施極於施而未嘗施戒極於戒而未嘗戒七德而殊功其相不異乃名具足
方便者智之別用耳智以通邃窮微決定法相無知而無不知謂之智也雖達法相而能
不證處有不失無在無不捨有實空在德故我而濟故曰方便　達無所得不起
法忍　三約位結也　肇曰無生忍也以能堪受實相故以忍為名得此忍則於法無取無
無得心相永滅故曰無所得不起法忍也　已能隨順轉不退輪　此下二明化他行文二
初明內具化行後明行利物　內行復三初明說法德次明無畏德後明名聞德　初說法
二此初舉堪能轉不退輪肇曰無生之道無有德而失者不退也流演圓通無繫
于一人名輪也諸佛既轉此輪諸大士亦能隨轉也　善解法相知
衆生根　二釋堪能隨轉肇曰殊相無不解群生異根無不知也謂由廣識藥
故能轉隨也　蓋諸大衆得無所畏　此下二明無畏德文二　此初標也
肇曰菩薩別有四無所畏一聞能持二知衆生根三不見能難己使不能答者四隨問
能答善決衆疑有此四德故能蓋大衆　功德智惠以修其心相好嚴身色
像第一捨諸世間所有飾好　此二釋也　什曰備此德所以無畏肇曰心以智德為

BD01791號　淨名經集解關中疏卷上　（7–1）

初明內具化行復明行利物內行復三初明說法德次明无畏德後明名聞德 初說法
二此初標堪能轉不退論肇曰无生之道无有德而失者不退也流演圓通无繫
于一人名輪也諸佛既轉此輪諸大士亦能隨轉也 善解法相知
衆生根 二釋堪能隨轉肇曰殊相无不解群生異根无不知也謂由廣識藥
故能轉隨也 蓋諸大衆得无所畏 此下二明蓋衆无畏 二此初標也
肇曰并別有四无所畏一聞總持二知衆生根三不見能難己使不能答者四隨問
能答善決衆疑有此四德故能映蓋大衆 功德智慧以修其心相好嚴身色
像第一捨諸世間所有飾好 此二釋也 什曰明備此德所无以畏肇曰心以智德為
嚴形以相好為飾嚴心所以進道飾形所靡俗亦為尊示者示嚴相耳豈俗飾之
在心也 名稱高遠踰於十方須弥 此下三明具名稱德是即凡以名援行聖以名
化物文二此初標也肇曰名自有高而不遠遠而不高前聞十方取其遠今踰須
弥取其高高之謂高勝也 深信堅固猶若金剛 二釋名高所以由信固也肇曰七
住已上无生信不壞也 法寶普照而雨甘露 此下二明正化益物文三一明生善益
二明破惡益三明穫果益生善又三此初標二喻況說法應根普生物善也肇曰法
寶光无不照廣實也澤无不潤之生死也喻海有神寶能放光除暝亦因
无能雨甘露潤枯槁也 於衆言音微妙第一 二法合也謂出世善言故稱第一
肇曰殊類異音既善其言而復超勝 深入緣起斷諸邪見有无二邊无不復
餘習 三釋也凡夫不了緣生故執无因邪因二乘不了緣滅故滞但殊皆非深也菩
悟生非生證滅非滅使習俱亡故名深入故經云无明亦无之[illegible]也肇曰深入為
智深解也解法從緣起則見无由生有无二見群邪多惑大士久盡故无餘習
經演法无畏猶師子吼其所講說乃如雷震 此下二明破惡益文二初舉二
喻三總結又前喻破見後喻破愛見生理愛以滞事固其見則衆惑无由亡繫
其愛則善才莫能發故什曰上明一切時无畏此明說法无畏上師子吼德音遠
振此明能說法實法衆咸敬順猶師子吼咸攝羣獸也肇曰法音遠震開
道萌芽猶春雷之動百草 无有量已過量 此二結歎破習依理教德与實種
智无邊德何可量肇曰既得法身入无為境心不可以智求形不可以像取故曰
无量六住已下名有量也 集衆法寶如海導師 此下三明穫果益文二初
標導師得寶喻也六師邪道不穫真果八正利物必至涅槃故借喻焉肇曰
導衆生入大乘海採衆法寶使不穫无難猶海師善導商人不穫夜光
了達諸深妙之義善知衆生往來所趣及心所行 此下二釋能導所以之具權
智故也智達深義能往菩提權悟衆生往來如幻所以悲利有情而物不能
累大士之德真在於焉故摂伽經云智不道有无而興大悲心 近无等等仏

无量六師已下名有量也　集衆法寶如海導師　此下三明攝果益文二初
標導師得寶喻也六師邪道不能真果八正利物必至涅槃故借喻焉肇曰
導衆生入大乘海採衆法寶使必獲无難猶海師善導商人必獲夜光
了達諸法深妙之義善知衆生往來所趣及心所行　此下二釋能道所以々具攝
智故也智達深義能往菩提擢悟衆生往來如幻所以悲利有情而物不能
累大士之德其在茲焉故楞伽經云智不道有无而興大悲心　近无等々佛
自在慧十力无畏十八不共　此三明近果數德也文三此初明自證也肇曰佛道
超絶无與等者唯佛自等故言无等等所以辨其等等者明一大道理无
不極乎若虛空豈升降之有也自在慧者十力无畏十八不共即其事也大士雖
未全具佛慧且以近矣　關閉一切諸惡趣門而生五道以現其身　此下二明化益
文二初明不生而生後明應生利物此初證无相故諸趣自閉不捨大悲而現生
五道々者三人天也肇曰法身无生而不无生故惡趣門閉无不生故現生五道
為大藥王善療衆病應病与藥令得服行　二明所以應生非己業繫但為
利他作醫王耳肇曰法藥善療喻醫也　無量功德皆成就　此三總結歎之
文四此初總正報滿也肇曰无德不備　无量佛土皆嚴淨　二依報滿也肇曰群
生无量所好不同故於无量淨土以應彼殊好也　其見聞者无不蒙益
三利物德滿肇曰法身无形不轉應物故形聲耳豈有見聞而无益哉
叡曰法身无形故感而後應感而後應而不會故使其見聞者无不蒙益
諸有所作亦不唐捐　四自行德滿肇曰功不虛設叡曰法身无為々不由己為
不由己則動必非背故能諸有所作亦不唐捐　賢是一切功德皆悉具足
此三總結也　其名曰等觀菩薩　此下四列名　叡曰此諸并或以功為名亦有
因相得稱非唯一途亦如今人字耳宜為可謙文請息无定義也什曰等觀四等
觀衆生也　不等觀菩薩　智慧分別諸法也　等不等觀菩薩　兼此二也
定自在王菩薩　什曰於諸定中自在　法自在王菩薩　什曰於中法自在
法相菩薩　什曰功德法相現於身也　光相菩薩　什曰光明之相現於身也
光嚴菩薩　什曰光明莊嚴身也　大嚴菩薩　什曰明其身相大莊嚴也
寶積菩薩　什曰積聚智慧寶也　辯積菩薩　什曰積聚四辯也　寶手
菩薩　什曰手中出无量寶也　寶印手菩薩　什曰印者相也手有出寶之
相亦云有寶印也　常舉手菩薩　什曰現以大悲之手撫慰衆生令不怖畏
是以常舉手向人唱言勿怖　常下手菩薩　什曰現常垂下其手現慈心屈
下傷无物之像　常慘菩薩　什曰悲念衆生也　喜根菩薩　什曰喜根喜善等
也而於寶相法中生喜及隨喜也　喜王菩薩　什曰喜有二種一不淨受也二

菩薩　什曰手中出无量寶也　寶印手菩薩　什曰印者相也手有出寶之
相亦云有寶印也　常舉手菩薩　什曰現以大悲之手撫慰衆生令不怖畏
是以常舉手向人唱言勿怖　常下手菩薩　什曰現常垂下其手現慈心屈
下傷无物之像　常慘菩薩　什曰悲念衆生也　喜根菩薩　什曰喜根喜等
也而於實相法中生喜及隨喜也　喜王菩薩　什曰喜有二種一不淨受也二
清淨法喜故言王也　辯音菩薩　什曰辯辯也　虛空藏菩薩　什曰寶相遠
藏於虛空也　執寶炬菩薩　什曰執慧寶炬除衆冥也　寶勇菩薩　什曰
勇於得寶亦得故稱勇　寶見菩薩　什曰以慧寶見諸法　帝網菩薩
什曰巧術經名帝網也此大士神變自在猶如幻化故借帝網以名之又曰大士莊花
如帝王法網也　明網菩薩　什曰明網自說手有網縵放光明也　无緣觀
菩薩　什曰觀時不取相故无緣亦深入觀莫見其所緣　慧積菩薩
什曰積衆惠也　寶勝菩薩　什曰功德寶超於世也　天王菩薩　什曰一假
名天人王名天也二生天諸天也三賢聖天大士皆現生也　壞魔菩薩　什曰行
壞魔道　電得菩薩　什曰因事為名　自在王菩薩　什曰於諸法自在如王
之非人　功德相嚴菩薩　什曰功德之莊嚴身也　師子吼菩薩　什曰以大
法音令衆生伏也　雷音菩薩　什曰所說法能令天人敬喜摩那振使猶
善雷音聲聞者喜躍也　山相擊音菩薩　什曰以大法音消伏外道音聲
振擊若兩山相搏　香象菩薩　什曰青香象也身出香風菩薩身香亦如此也
白象菩薩　什曰其香最勝大士身亦如是　常精進菩薩　什曰始終不退
不休息菩薩　什曰求善不止　妙生菩薩　什曰生有時妙瑞也　又曰從法化生
為妙　華嚴菩薩　什曰以三昧力現衆花遍虛空大莊嚴也　觀世音菩薩
什曰世有危難稱名自歸菩薩觀其音聲即得解脫也亦名觀世念亦名觀
世自在　得大勢菩薩　什曰有大勢力也以大神力飛到十方所至之國六返
振動惡趣休息　梵網菩薩　什曰梵四梵行慈悲喜捨網言其多　寶杖
菩薩　什曰或物寶或法寶以為杖　无勝菩薩　功德超勝也　嚴土菩薩
什曰淨國土　金髻菩薩珠髻菩薩　什曰如意寶珠在其髻中悉見十方世
界及衆生行業果報因緣　彌勒菩薩　什曰姓也此曰慈氏阿逸多字也
此云无勝南天竺婆羅門子也　文殊師利法王子菩薩　什曰秦言妙德以法
身遊方莫知其所生又未補佛處故言法王子也　如是等三万二千人
此五結衆數舉日數德列名所存名以證經也
復有万梵天王尸棄等從餘四天下來詣佛所而聽法　此下三列雜衆

界及衆生行業果報因緣　彌勒菩薩　什曰姓也此曰慈氏阿逸多字也
此云无勝南天竺婆羅門子也　文殊師利法王子菩薩　什曰秦言妙德以法
身遊方莫知其所生又求補佛處故言法王子也　如是等三万二千人
此五結衆歎數肇曰歎德列名所存旨以證經也

復有万梵天王尸棄等從餘四天下來詣佛所而聽法　此下三列雜衆
此梵王衆肇曰尸棄梵王名秦言頂髻　復有万二千天帝亦從餘四天
下來在會坐　此帝釋衆忉利天主也肇曰一佛土百億四天下一四天下各有
梵釋故言餘亦或從他來佛土也　并餘大威力諸天　此諸天衆肇曰除
上梵釋餘大天也　龍　此下八部衆也肇曰龍有二種地龍虛空龍種
有四生也　神　肇曰神受善惡雜報其形勝人劣天身輕微難見也
夜叉　肇曰秦言輕捷有三種一在地二在虛空三天夜叉居下二天守天城門
閣　乾闥婆　此云香蔭肇曰天樂神也居地上寶山中天須樂時此神身
體上有異相現然後天上也　阿修羅　肇曰秦言不飲酒此神類男醜女端
正有大威力能與天鬪也　迦樓羅　肇曰金翅鳥神也　緊那羅　肇曰
秦言人非人其形似人而頭上有一角遂稱為人非人亦天樂神小不如乾闥婆
摩睺羅伽等悉來會坐　肇曰蟒神也此八神力能自變形在座聽法也
諸比丘比丘尼　此下四衆也肇曰比丘義同上尼女名也上八千比丘別稱得道
者　優婆塞　肇曰義名信士又曰五戒為近事男八戒為近住男
肇曰義名信士又曰五戒為近事男八戒為近事住男　優婆夷俱來會坐
夷者女也唯上可知　彼時佛與无量百千之衆恭敬圍繞而為說法　此二明
佛現神變騰物令信攝人夜光勳不移劍光手迹妙未信而傳化物易以稍
從難以理悟故神化无方便受行也　文有二別初明佛現勝身後明寶積
獻蓋前文三法喻合也此即初現勝身也昔說小乘法微而相劣今將
說大乘法勝而相勝法華云著弊垢衣執除糞器此表昔說小乘現劣
相也又云於其門內踞師子座寶羅列寶物此表說大乘現勝相也故下偈文
曰淨於廣大等歎勝也說法不有亦不无等歎勝法始在佛樹等歎劣相三
轉法輪等歎攝法也　譬如須彌山王顯于大海安處衆寶師子之座蔽
於一切諸來大衆　須彌山等喻也安處衆寶等合也　肇曰須彌秦
言妙高山處大海之中水上方二百六方里如來處四部之中威相超絕光蔽
大衆猶金山之顯滇海也　尒時毗耶離城有長者子名曰寶積與五
百長者子俱持七寶蓋來詣佛所頭面礼足各以其蓋共供養佛
此二明獻蓋顯表說淨土之相也文三初獻蓋此合蓋後歸信此初獻蓋表

轉讀一切等歎攝法也　譬如須彌山王顯于大海安處衆寶師子之座蔽
於一切諸來大衆　須彌山等喻也安處衆寶等合也　肇曰須彌秦
言妙高山處大海之中水上方二百六万里如来處四部之中威相超絶光蔽
大衆猶金山之顯須海也　尒時毗耶離城有長者子名曰寶積與五
百長者子俱持七寶蓋来詣佛所頭面礼足各以其蓋共供養佛
此二明獻蓋瑞表說淨土之相也文三初獻蓋此合蓋後歸信此初獻蓋表
大慈蔭物淨土化生即大慈之事也肇曰寶積亦法身大士也常與淨名
俱詣如来共弘道教而今獨與里人詣佛者將生問佛國之由啓茲典之
行也　佛之威神令諸寶蓋合成一蓋遍覆三千大千世界　此二合蓋文
二初合蓋表由慈悲無緣絶於彼我二外現淨土表應物差別淨穢不同
此初也彼我未亡寶積等蓋殊而慈忘執亡在一諸佛所以蓋合而慈
覆三千　什曰現此神變其旨有二一者現變無量顯智慧必深二者寶
積獻　所獻必獲可獎之果来世所成必若此之妙明因小而果大　而此世
界廣長之相悉於中現　又此三千大千世界諸須彌山雪山目真隣陀山
摩訶目真隣陀山香山寶山金山黑山鐵圍山大鐵圍山大海江河川流
泉源及日月星辰天宮龍宮諸尊神宮悉現於寶蓋中　二外現差
別前合蓋表法身平等慈覆不殊此差別亦表應身隨緣國土不一
文二初現此界二現十方此中文三初十山表陸地居衆生處從二大海表水
族居處三日月等表空居從處然此三類等以慈覆故俱現蓋中　肇曰
蓋亦不廣而彌八極土亦不狹而現蓋中　又十方諸佛諸佛說法亦現於寶
蓋中　二現十方異本云諸佛國土嚴淨及十方佛所在說法皆現寶蓋中
此即現明宗旨可見矣肇曰將顯佛土殊好不同故遍現十方也諸長者子
皆久發道心而未修淨土所以来欲之情啓淨土之志故因蓋而現焉
尒時一切大衆覩佛神力歎未曾有合掌礼佛瞻仰尊顔目不暫捨
此三觀瑞三業歸信也　什曰信樂發中現相於外也　長者子寶積即於
佛前以偈頌曰　此三下明聞經者稱揚佛德使物歸信為啓問之由肇曰飛歎
不足以寫心故復讚之詠之卅六行偈述歎文四初歎大乘德應二歎小乘旁
應三歎現瑞表發四歎佛三密功德前文又三初兩行總歎內德二兩行明
神通三五行歎說法此初也　目淨修廣如青蓮　此初四句歎形肇曰五積
百體目最為長瞻顏而作故先歎目也天竺有青蓮華其蓮葉修而廣
青白分明有大人目相故以為喻也　心淨已度諸禪定　此句歎心肇曰形長
者目長德大者心故目因為衆相之首心為萬德之本淨禪定之際二為衆首讚之

BD01791號　淨名經集解關中疏卷上

(7–6)

蓋中　二現十方界本二三諸佛國土嚴淨及十方佛所在說法皆現寶蓋中
此即現明宗旨可見矣肇曰將顯佛土殊好不同故通現十方也諸長者子
皆久發道心而未脩淨土欲成就來眾之情啓淨土之志故因蓋而現焉
尒時一切大眾覩佛神力歎未曾有合掌礼佛瞻仰尊顏目不暫捨
此三覩瑞三業歸信也　什曰信樂發中現相於外也　長者子寶積即於
佛前以偈頌曰　此三下明聞經者稱揚佛德使物歸信為啓問之由肇曰歌
不足以寫心故復讚之詠之　卅六行偈述歎文四初歎大乘德應二歎小乘旁
應三歎現瑞表發四歎佛三密功德前之文又三初兩行歎內德二兩行明
神通三三五行歎說法此初也　目淨脩廣如青蓮　此初四句歎形肇曰五積
百體目最為長瞻相而作故先歎目也天竺有青蓮華其葉脩而廣
青白分明有大人目相故以為喻也　心淨已度諸禪定　此句歎心肇曰形長
者目主德者心歎目則攝眾相歎心則攝万德故作者標二為道首禪定
之海深廣无際自非如來清淨真身心无能度者　久積淨業稱无量
此句歎口肇曰於无數劫積三淨業故名稱无量　導眾以寂故稽首
此句歎果言導眾同遊八正至寂滅涅槃故敬礼也肇曰寂滅謂无為寂滅之道
也

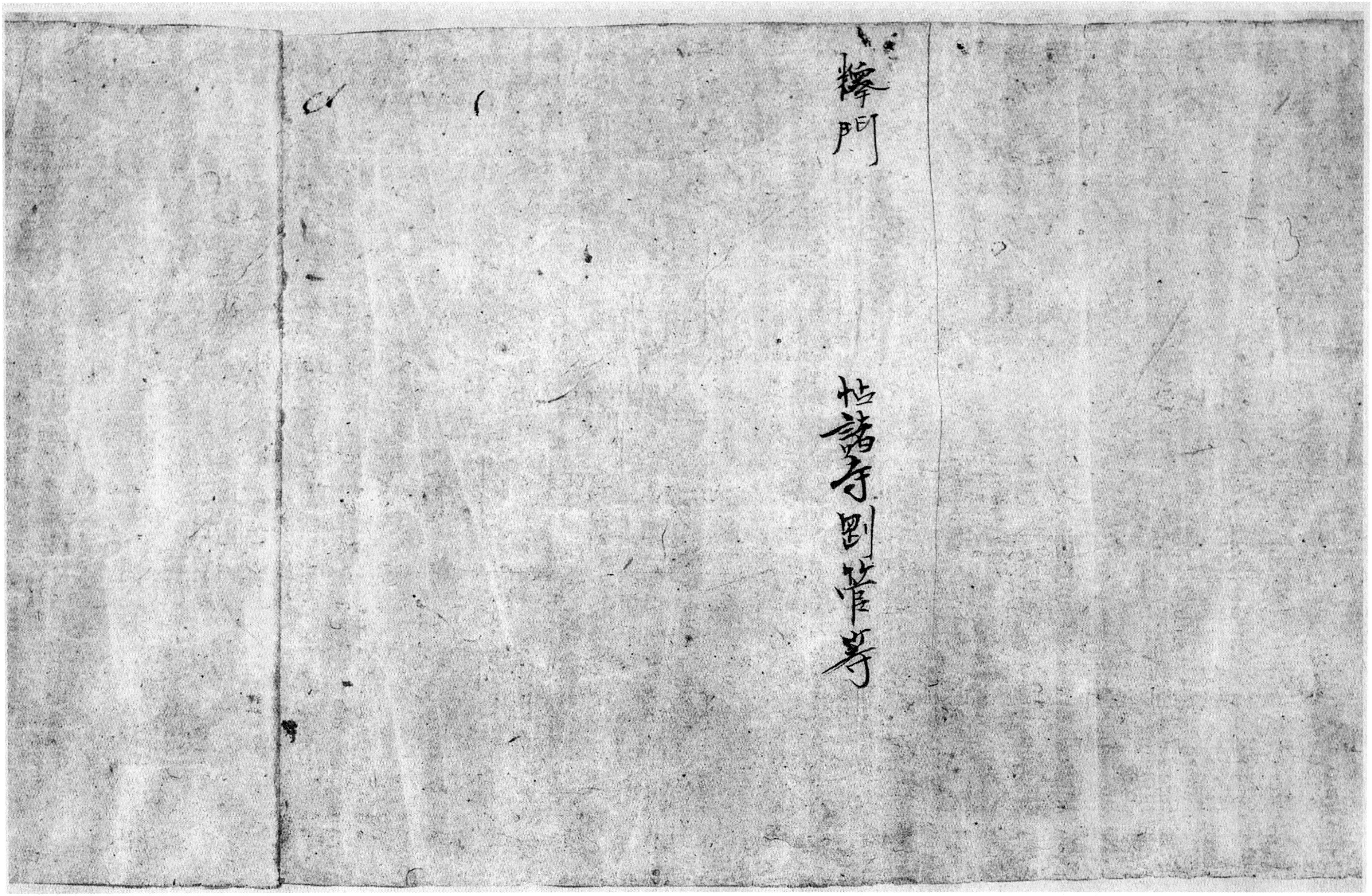

BD01791 號背　雜寫　（1-1）

多羅三藐三菩提心不應住色生心不應住
聲香味觸法生心應生无所住心若心有住
則為非住是故佛說菩薩心不應住色布施
須菩提菩薩為利益一切衆生應如是布施
如來說一切諸相即是非相又說一切衆生
則非衆生須菩提如來是真語者實語者如
語者不誑語者不異語者須菩提如來所得
法此法无實无虛須菩提若菩薩心住於法
而行布施如人入闇則无所見若菩薩心不
住法而行布施如人有目日光明照見種種
色須菩提當來之世若有善男子善女人能
於此經受持讀誦則為如來以佛智慧悉知
是人悉見是人皆得成就无量无邊功德
須菩提若有善男子善女人初日分以恒河
沙等身布施中日分復以恒河沙等身布施
後日分亦以恒河沙等身布施如是无量百
千万億劫以身布施若復有人聞此經典信
心不逆其福勝彼何況書寫受持讀誦為人
解說須菩提以要言之是經有不可思議不

BD01792 號　金剛般若波羅蜜經　（9–1）

沙等身布施中日分復以恒河沙等身布施
後日分亦以恒河沙等身布施如是无量百
千万億劫以身布施若復有人聞此經典信
心不逆其福勝彼何況書寫受持讀誦為人
解說須菩提以要言之是經有不可思議不
可稱量无邊功德如來為發大乘者說為發
最上乘者說若有人能受持讀誦廣為人說
如來悉知是人悉見是人皆得成就不可量
不可稱无有邊不可思議功德如是人等則
為荷擔如來阿耨多羅三藐三菩提何以故
須菩提若樂小法者著我見人見衆生見壽
者見則於此經不能聽受讀誦為人解說須
菩提在在處處若有此經一切世間天人阿
脩羅所應供養當知此處則為是塔皆應恭
敬作禮圍遶以諸華香而散其處
復次須菩提善男子善女人受持讀誦此經若
為人輕賤是人先世罪業應墮惡道以今
世人輕賤故先世罪業則為消滅當得阿耨
多羅三藐三菩提須菩提我念過去无量阿
僧祇劫於然燈佛前得值八百四千万億那
由他諸佛悉皆供養承事无空過者若復有
人於後末世能受持讀誦此經所得功德於
我所供養諸佛功德百分不及一千万億
乃至算數譬喻所不能及須菩提若善男子
善女人於後末世有受持讀誦此經所德功

BD01792 號　金剛般若波羅蜜經　（9–2）

由他諸佛悉皆供養承事无空過者若復有
人於後末世能受持讀誦此經所得功德於
我所供養諸佛功德百分不及一千万億
乃至算數譬喻所不能及須菩提若善男子
善女人於後末世有受持讀誦此經所得功
德我若具說者或有人聞心則狂亂狐疑不
信須菩提當知是經義不可思議果報亦不
可思議
尒時須菩提白佛言世尊善男子善女人發
阿耨多羅三藐三菩提心云何應住云何降
伏其心佛告須菩提善男子善女人發阿耨
多羅三藐三菩提者當生如是心我應滅度
一切衆生滅度一切衆生已而无有一衆生
實滅度者何以故若菩薩有我相人相衆生
相壽者相則非菩薩所以者何須菩提實无
有法發阿耨多羅三藐三菩提者須菩提於
意云何如來於然燈佛所有法得阿耨多羅
三藐三菩提不不也世尊如我解佛所說義佛
於然燈佛所无有法得阿耨多羅三藐三菩提
佛言如是如是須菩提實无有法如來得阿
耨多羅三藐三菩提須菩提若有法如來得
阿耨多羅三藐三菩提者然燈佛則不與我
受記汝於來世當得作佛號釋迦牟尼以實
无有法得阿耨多羅三藐三菩提是故然燈
佛與我受記作是言汝於來世當得作佛號

BD01792 號　金剛般若波羅蜜經　（9–3）

阿耨多羅三藐三菩提者然燈佛則不與我
受記汝於來世當得作佛號釋迦牟尼以實
无有法得阿耨多羅三藐三菩提是故然燈
佛與我受記作是言汝於來世當得作佛號
釋迦牟尼何以故如來者即諸法如義若有
人言如來得阿耨多羅三藐三菩提須菩提
實无有法佛得阿耨多羅三藐三菩提須菩
提如來所得阿耨多羅三藐三菩提於是中
无實无虛是故如來說一切法皆是佛法須
菩提所言一切法者即非一切法是故名一
切法須菩提譬如人身長大須菩提言世尊
如來說人身長大則為非大身是名大身須
菩提菩薩亦如是若作是言我當滅度无量
衆生則不名菩薩何以故須菩提无有法名
為菩薩是故佛說一切法无我无人无衆生
无壽者須菩提若菩薩作是言我當莊嚴佛
土是不名菩薩何以故如來說莊嚴佛土者
即非莊嚴是名莊嚴須菩提若菩薩通達无
我法者如來說名真是菩薩
須菩提於意云何如來有肉眼不如是世尊
如來有肉眼須菩提於意云何如來有天眼
不如是世尊如來有天眼須菩提於意云何
如來有慧眼不如是世尊如來有慧眼須菩
提於意云何如來有法眼不如是世尊如來
有法眼須菩提於意云何如來有佛眼不如

BD01792 號　金剛般若波羅蜜經　（9–4）

如来有肉眼須菩提於意云何如来有天眼
不如是世尊如来有天眼須菩提於意云何
如来有慧眼不如是世尊如来有慧眼須菩
提於意云何如来有法眼不如是世尊如来
有法眼須菩提於意云何如来有佛眼不如
是世尊如来有佛眼須菩提於意云何恒河
中所有沙佛說是沙不如是世尊如来說是
沙須菩提於意云何如一恒河中所有沙有
如是等恒河是諸恒河所有沙數佛世界如
是寧為多不甚多世尊佛告須菩提尒所國
土中所有衆生若干種心如来悉知何以故
如来說諸心皆為非心是名為心所以者何
須菩提過去心不可得現在心不可得未来
心不可得須菩提於意云何若有人滿三千
大千世界七寶以用布施是人以是因緣得
福多不如是世尊此人以是因緣得福甚多
須菩提若福徳有實如来不說得福徳多以
福徳无故如来說得福徳多
須菩提於意云何佛可以具足色身見不不也
世尊如来不應以具足色身見何以故如来說
具足色身即非具足色身是名具足色身須
菩提於意云何如来可以具足諸相見不不
也世尊如来不應以具足諸相見何以故如
来說諸相具足即非具足是名諸相具足須
菩提汝等勿謂如来作是念我當有所說法莫

BD01792號　金剛般若波羅蜜經　（9–5）

菩提於意云何如来可以具足諸相見不不
也世尊如来不應以具足諸相見何以故如
来說諸相具足即非具足是名諸相具足須
菩提汝等勿謂如来作是念我當有所說法莫
作是念何以故若人言如来有所說法即為
謗佛不能解我所說故須菩提說法者无法
可說是名說法須菩提白佛言世尊佛得阿
耨多羅三藐三菩提為无所得耶如是如是
須菩提我於阿耨多羅三藐三菩提乃至无
有少法可得是名阿耨多羅三藐三菩提復
次須菩提是法平等无有高下是名阿耨多
羅三藐三菩提以无我无人无衆生无壽者
脩一切善法則得阿耨多羅三藐三菩提須
菩提所言善法者如来說非善法是名善法
須菩提若三千大千世界中所有諸須弥山
王如是等七寶聚有人持用布施若人以此
般若波羅蜜經乃至四句偈等受持為他人
說於前福徳百分不及一百千万億分乃至
筭數譬喻所不能及須菩提於意云何汝等
勿謂如来作是念我當度衆生須菩提莫作
是念何以故實无有衆生如来度者若有衆
生如来度者如来則有我人衆生壽者須菩
提如来說有我者則非有我而凡夫之人以
為有我須菩提凡夫者如来說則非凡夫須
菩提於意云何可以三十二相觀如来不須

BD01792號　金剛般若波羅蜜經　（9–6）

提如來說有我者則非有我而凡夫之人以
為有我須菩提凡夫者如來說則非凡夫須
菩提於意云何可以三十二相觀如來不須
菩提言如是如是以三十二相觀如來佛言
須菩提若以三十二相觀如來者轉輪聖王
則是如來須菩提白佛言世尊如我解佛所
說義不應以三十二相觀如來尒時世尊而
說偈言
若以色見我　以音聲求我　是人行邪道　不能見如來
須菩提汝若作是念如來不以具足相故得
阿耨多羅三藐三菩提須菩提莫作是念如
來不以具足相故得阿耨多羅三藐三菩提
須菩提汝若作是念發阿耨多羅三藐三菩
提者說諸法斷滅莫作是念何以故發阿耨
多羅三藐三菩提者於法不說斷滅相須菩
提若菩薩以滿恒河沙等世界七寶布施若
復有人知一切法无我得成於忍此菩薩勝
前菩薩所得功德須菩提以諸菩薩不受福
德故須菩提白佛言世尊云何菩薩不受福
德須菩提菩薩所作福德不應貪著是故說
不受福德須菩提若有人言如來若來若去
若坐若卧是人不解我所說義何以故如來
者无所從來亦无所去故名如來須菩提若
善男子善女人以三千大千世界碎為微塵
於意云何是微塵衆寧為多不甚多世尊何

者无所從來亦无所去故名如來須菩提若
善男子善女人以三千大千世界碎為微塵
於意云何是微塵衆寧為多不甚多世尊何
以故若是微塵衆實有者佛則不說是微塵
衆所以者何佛說微塵衆則非微塵衆是名
微塵衆世尊如來所說三千大千世界則非
世界是名世界何以故若世界實有者則是
一合相如來說一合相則非一合相是名一合
相須菩提一合相者則是不可說但凡夫之
人貪著其事須菩提若人言佛說我見人見
衆生見壽者見須菩提於意云何是人解我
所說義不不也世尊是人不解如來所說義
何以故世尊說我見人見衆生見壽者見即非
我見人見衆生見壽者見是名我見人見衆生
見壽者見須菩提發阿耨多羅三藐三菩提
心者於一切法應如是知如是見如是信解
不生法相須菩提所言法相者如來說即非法
相是名法相須菩提若有人以滿无量阿僧
祇世界七寶持用布施若有善男子善女人
發菩薩心者持於此經乃至四句偈等受持
讀誦為人演說其福勝彼云何為人演說不
取於相如如不動何以故
一切有為法　如夢幻泡影　如露亦如電　應作如是觀
佛說是經已長老須菩提及諸比丘比丘尼
優婆塞優婆夷一切世間天人阿脩羅聞佛

尊重弟子
尒時須菩提白佛言世尊當何名此經我等云何
奉持佛告須菩提是經名為金剛般若波羅蜜
以是名字汝當奉持所以何者須菩提佛說般若
波羅蜜則非般若波羅蜜須菩提於意云何如來
有所說法不須菩提白佛言世尊如來无所說須菩
提於意云何三千大千世界所有微塵是為多不
須菩提言甚多世尊須菩提諸微塵如來
說非微塵是名微塵如來說世界非世界是名
世界須菩提於意云何可以三十二相見如來不不
也世尊不可以三十二相得見如來何以故如來說三
十二相即是非相是名三十二相
須菩提若有善男子善女人以恒河沙等身命布
施若復有人於此經中乃至受持四句偈等為
他人說其福甚多
尒時須菩提聞說是經深解義趣涕淚悲泣而白
佛言希有世尊佛說如是甚深經典我從昔來所得
慧眼未曾得聞如是之經世尊若復有人得聞經

BD01793 號　金剛般若波羅蜜經　（2–2）

如何以小乘法而教導之我觀小乘智慧微
淺猶如盲人不能分別一切衆生根之利鈍
時維摩詰即入三昧令此比丘自識宿命曾
於五百佛所殖衆得本迴向阿耨多羅三藐
三菩提即時豁然還得本心於是諸比丘稽
首礼維摩詰足時維摩詰因為說法於阿耨
多羅三藐三菩提不復退轉我念聲聞不
觀人根不應說法是故不任詣彼問疾
佛告摩訶迦旃延汝行詣維摩詰問疾迦旃
延白佛言世尊我不堪任詣彼問疾所以者
何憶念昔者佛為諸比丘略說法要我即於
後敷演其義謂无常義苦義空義无我義寂
滅義時維摩詰來謂我言唯迦旃延无以生
滅心行說實相法迦旃延諸法畢竟不生不
滅是无常義五受陰洞達空无所起是苦義
諸法究竟无所有是空義於我无我而不二
是无我義法本不然今則无滅是寂滅義說
是法時彼諸比丘心得解脫故我不任詣彼
問疾
佛告阿那律汝行詣維摩詰問疾阿那律白
佛言世尊我不堪任詣彼問疾所以者何憶

BD01794 號　維摩詰所說經卷上　（8–1）

諸法究竟无所有是空義於我无我而不二
是无我義法本不然今則无滅是寂滅義說
是法時彼諸比丘心得解脫故我不任詣彼
問疾
佛告阿那律汝行詣維摩詰問疾阿那律白
佛言世尊我不堪任詣彼問疾所以者何憶
念我昔於一處經行時有梵王名曰嚴淨與
萬梵俱放淨光明来詣我所稽首作礼問我
言幾何阿那律天眼所見我即荅言仁者吾
見此釋迦牟尼佛土三千大千世界如觀掌
中菴摩勒果時維摩詰来謂我言唯阿那律
天眼所見為作相耶无作相耶假使作相則
與外道五通等若无作相即是无為不應有
見世尊我時嘿然彼諸梵聞其言得未曾有
即為作礼而問曰世孰有真天眼者維摩詰
言有佛世尊得真天眼常在三昧悉見諸佛
國不以二相於是嚴淨梵王及其眷屬五百
梵天皆發阿耨多羅三藐三菩提心礼維摩
詰足已忽然不現故我不任詣彼問疾
佛告優波離汝行詣維摩詰問疾優波離白
佛言世尊我不堪任詣彼問疾所以者何憶
念昔者有二比丘犯律行以為恥不敢問佛
来問我言唯優波離我等犯律誠以為恥不
敢問佛願解疑悔得免斯咎我即為其如法
解說時維摩詰来謂我言唯優波離无重增
此二比丘罪當直除滅勿擾其心所以者何
彼罪生不在内不在外不在中間如佛所說

BD01794號　維摩詰所說經卷上　（8–2）

来問我言唯優波離我等犯律誠以為恥不
敢問佛願解疑悔得免斯咎我即為其如法
解說時維摩詰来謂我言唯優波離无重增
此二比丘罪當直除滅勿擾其心所以者何
彼罪性不在内不在外不在中間如佛所說
心垢故衆生垢心淨故衆生淨心亦不在内
不在外不在中間如其心然罪垢亦然諸法
亦然不出於如如優波離以心相得解脫時
寧有垢不我言不也維摩詰言一切衆生心
相无垢亦復如是唯優波離妄想是垢无妄
想是淨顛倒是垢无顛倒是淨取我是垢不
取我是淨優波離一切法生滅不住如幻如
電諸法不相待乃至一念不住諸法皆妄見
如夢如焰如水中月如鏡中像以妄想生其
知此者是名奉律其知此者是名善解於是
二比丘言上智哉是優波離所不及持律之
上而不能說我荅言自捨如来未有聲聞
及菩薩能制其樂說之辯其智慧明達為
若此也時二比丘疑悔即除發阿耨多羅三
藐三菩提心作是願言令一切衆生皆得
是辯故我不堪任詣彼問疾
佛告羅睺羅汝行詣維摩詰問疾羅睺羅白
佛言世尊我不堪任詣彼問疾所以者何憶
念昔時毗耶離諸長者子来詣我所稽首作
礼問我言唯羅睺羅汝佛之子捨轉輪王位
出家為道其出家者有何等利我即如法為
說出家功德之利時維摩詰来謂我言

BD01794號　維摩詰所說經卷上　（8–3）

佛言世尊我不堪任詣彼問疾所以者何憶
念昔時毗耶離諸長者子来詣我所稽首作
礼問我言唯羅睺羅汝佛之子捨轉輪王位
出家為道其出家者有何等利我即如法為
說出家功德之利時維摩詰来謂我言唯羅
睺羅不應說出家功德之利所以者何无利
无功德是為出家有為法者可說有利有功
德夫出家者為无為法无為法中无利无功
德羅睺羅夫出家者无彼无此亦无中間離
六十二見處於涅槃智者所受聖所行處降伏
衆魔度五道淨五眼得五力立五根不惱於彼
離衆雜惡摧諸外道超越假名出淤泥无繫
著无我所无所受无擾亂内懐喜護彼意
隨禪定離衆過若能如是是真出家於是維
摩詰語諸長者子汝等於正法中宜共出家
所以者何佛世難值諸長者子言居士我聞
佛言父母不聽不得出家維摩詰言然汝等
便發阿耨多羅三藐三菩提心是即出家是
即具足尒時三十二長者子皆發阿耨多羅
三藐三菩提心故我不任詣彼問疾
佛告阿難汝行詣維摩詰問疾阿難白佛言
世尊我不堪任詣彼問疾所以者何憶念昔
時世尊身小有疾當用牛乳我即持鉢詣大
婆羅門家門下立時維摩詰来謂我言唯阿
難何為晨朝持鉢住此我言居士世尊身小
有疾當用牛乳故来至此維摩詰言止止阿
難莫作是語如来身者金剛之體諸惡已斷

時世尊身小有疾當用牛乳我即持鉢詣大
婆羅門家門下立時維摩詰来謂我言唯阿
難何為晨朝持鉢住此我言居士世尊身小
有疾當用牛乳故来至此維摩詰言止止阿
難莫作是語如来身者金剛之體諸惡已斷
衆善普會當有何疾當有何惱黙往阿難勿
謗如来莫使異人聞此麁言无令大威德諸
天及他方淨土諸来菩薩得聞斯語阿難轉
輪聖王以少福故尚得无病豈況如来无量
福會普勝者哉行矣阿難勿使我等受斯恥
也外道梵志若聞此語當作是念何名為師
自疾不能救而能救諸疾人可密速去勿使
人聞當知阿難諸如来身即是法身非思欲
身佛為世尊過於三界佛身无漏諸漏已盡
佛身无為不墮諸數如此之身當有何病時
我世尊實懐慙愧得无近佛而謬聽耶即聞
空中聲曰阿難如居士言但為佛出五濁惡
世現行斯法度脫衆生行矣阿難取乳勿慙
世尊維摩詰智慧辯才為若此也是故不任
詣彼問疾如是五百大弟子各各向佛說其
本緣稱述維摩詰所言皆曰不任詣彼問疾
菩薩品第四
於是佛告弥勒菩薩汝行詣維摩詰問疾弥
勒白佛言世尊我不堪任詣彼問疾所以者
何憶念我昔為兜率天王及其眷屬說不退
轉地之行時維摩詰来謂我言弥勒世尊授
仁者已一生當得阿耨多羅三藐三菩提為

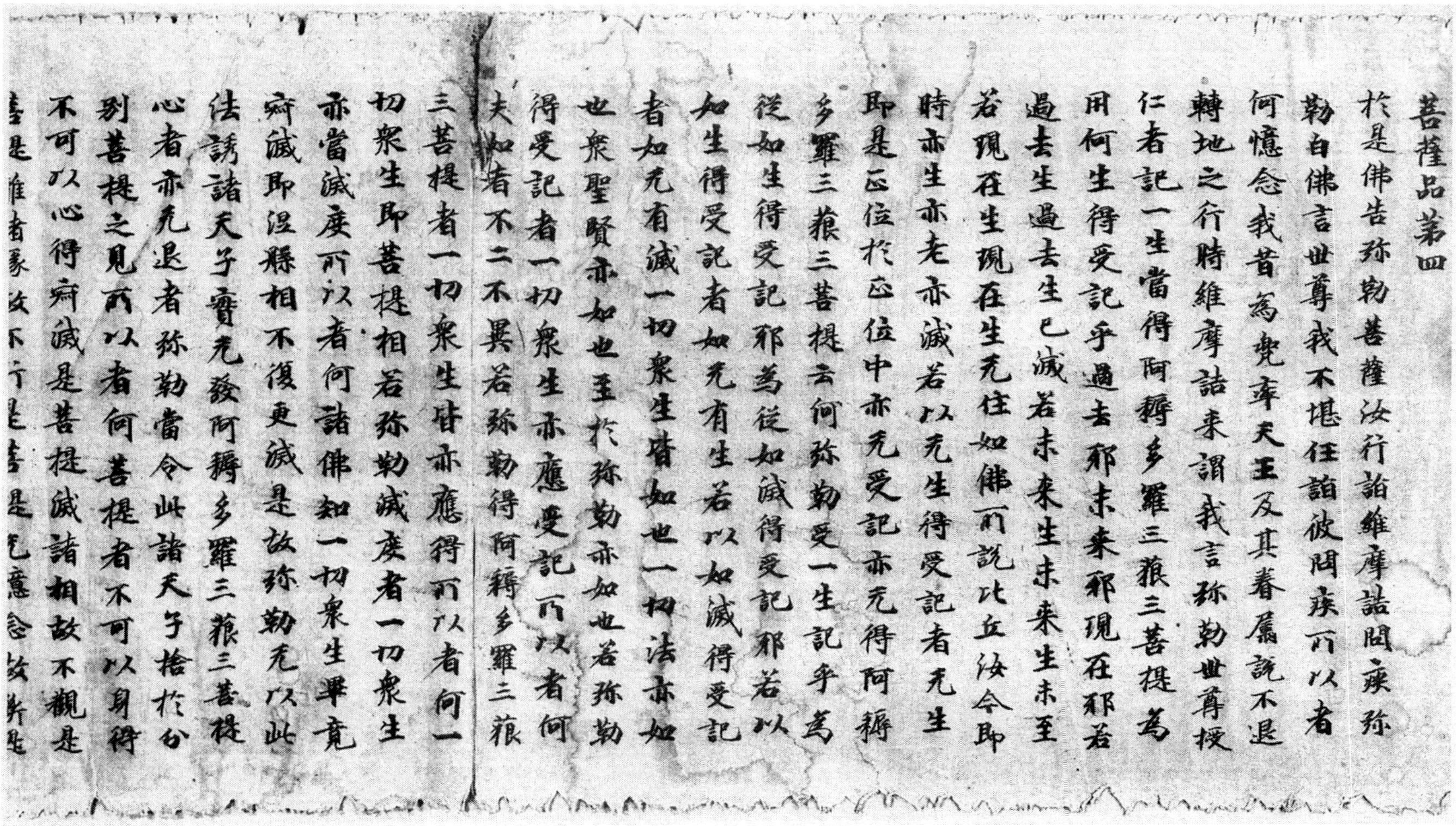
菩薩品第四
於是佛告弥勒菩薩汝行詣維摩詰問疾弥
勒白佛言世尊我不堪任詣彼問疾所以者
何憶念我昔爲兜率天王及其眷屬說不退
轉地之行時維摩詰來謂我言弥勒世尊授
仁者記一生當得阿耨多羅三藐三菩提爲
用何生得受記乎過去耶未來耶現在耶若
過去生過去生已滅若未來生未來生未至
若現在生現在生无住如佛所說比丘汝今即
時亦生亦老亦滅若以无生得受記者无生
即是正位於正位中亦无受記亦无得阿耨
多羅三藐三菩提云何弥勒受一生記乎爲
從如生得受記耶爲從如滅得受記耶若以
如生得受記者如无有生若以如滅得受記
者如无有滅一切衆生皆如也一切法亦如
也衆聖賢亦如也至於弥勒亦如也若弥勒
得受記者一切衆生亦應受記所以者何
夫如者不二不異若弥勒得阿耨多羅三藐
三菩提者一切衆生皆亦應得所以者何一
切衆生即菩提相若弥勒滅度者一切衆生
亦當滅度所以者何諸佛知一切衆生畢竟
寂滅即涅槃相不復更滅是故弥勒无以此
法誘諸天子實无發阿耨多羅三藐三菩提
心者亦无退者弥勒當令此諸天子捨於分
別菩提之見所以者何菩提者不可以身得
不可以心得寂滅是菩提滅諸相故不觀是
菩提離諸緣故不行是菩提无憶念故斷是

BD01794 號　維摩詰所說經卷上　（8–6）

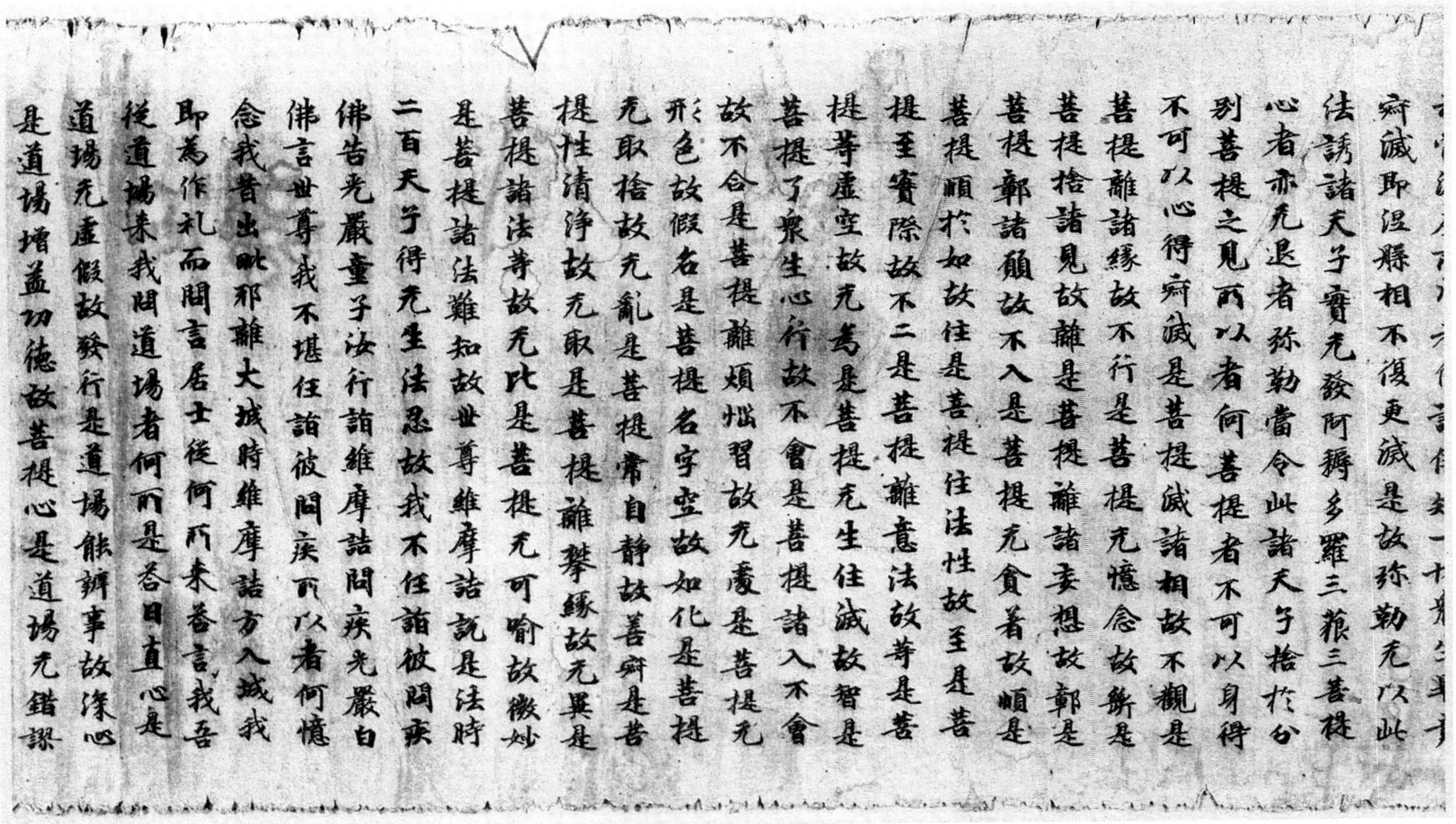
寂滅即涅槃相不復更滅是故弥勒无以此
法誘諸天子實无發阿耨多羅三藐三菩提
心者亦无退者弥勒當令此諸天子捨於分
別菩提之見所以者何菩提者不可以身得
不可以心得寂滅是菩提滅諸相故不觀是
菩提離諸緣故不行是菩提无憶念故斷是
菩提捨諸見故離是菩提離諸妄想故鄣是
菩提鄣諸願故不入是菩提无貪著故順是
菩提順於如故住是菩提住法性故至是菩
提至實際故不二是菩提離意法故等是菩
提等虛空故无爲是菩提无生住滅故知是
菩提了衆生心行故不會是菩提諸入不會
故不合是菩提離煩惱習故无處是菩提无
形色故假名是菩提名字空故如化是菩提
无取捨故无亂是菩提常自靜故善寂是菩
提性清淨故无取是菩提離攀緣故无異是
菩提諸法等故无比是菩提无可喻故微妙
是菩提諸法難知故世尊維摩詰說是法時
二百天子得无生法忍故我不任詣彼問疾
佛告光嚴童子汝行詣維摩詰問疾光嚴白
佛言世尊我不堪任詣彼問疾所以者何憶
念我昔出毗耶離大城時維摩詰方入城我
即爲作礼而問言居士從何所來荅言我吾
從道場來我問道場者何所是荅曰直心是
道場无虛假故發行是道場能辦事故深心
是道場增益功德故菩提心是道場无錯謬

BD01794 號　維摩詰所說經卷上　（8–7）

提等虛空故无為是菩提无生住滅故智是
菩提了衆生心行故不會是菩提諸入不會
故不合是菩提離煩惱習故无處是菩提无
形色故假名是菩提名字空故如化是菩提
无取捨故无亂是菩提常自靜故善寂是菩
提性清淨故无取是菩提離攀緣故无異是
菩提諸法等故无比是菩提无可喻故微妙
是菩提諸法難知故世尊維摩詰說是法時
二百天子得无生法忍故我不任詣彼問疾
佛告光嚴童子汝行詣維摩詰問疾光嚴白
佛言世尊我不堪任詣彼問疾所以者何憶
念我昔出毗耶離大城時維摩詰方入城我
即為作礼而問言居士從何所来荅言我吾
從道場来我問道場者何所是荅曰直心是
道場无虛假故發行是道場能辦事故深心
是道場增益功德故菩提心是道場无錯謬
故布施是道場不望報故持戒是道場得願

BD01794 號　維摩詰所說經卷上　（8–8）

為池……有山
生故彼生所謂无明緣行行緣識識緣名色
名色緣六處六處緣觸觸緣受受緣愛愛緣
取取緣有有緣生生緣老死憂悲苦惱此滅
故彼滅所謂无明滅則行滅行滅則識滅識
滅則名色滅名色滅則六處滅六處滅則觸
滅觸滅則受滅受滅則愛滅愛滅則取滅取
滅則有滅有滅則生滅生滅則老死滅老死
滅則憂悲苦惱滅如是純極苦蘊悉皆除滅
說是法已復為宣說十二緣起相應陁羅尼
曰
怛姪他　毗折你　毗折你　毗折你
僧塞枳你　僧塞枳你　僧塞枳你
毗柰你　毗柰你　毗柰你　莎訶
怛姪他　那狛你　那狛你　那狛你
殺雉你　殺雉你　殺雉你
颯鉢嘿設你　颯鉢嘿設你　颯鉢嘿設你　莎訶
怛姪他　薜達你　薜達你　薜達你
室里瑟你你　室里瑟你你　室里瑟你你
鄔波地你　鄔波地你　莎訶
怛姪他　婆毗你　婆毗你　婆毗你
闍底丁里反下同　闍底你　闍底你
闍摩你你　闍摩你你　闍摩你你　莎訶

BD01795 號　金光明最勝王經卷九　（2–1）

怛姪他 毗折你 毗折你 毗折你
僧塞抧你 僧塞抧你 僧塞抧你
毗佘你 毗佘你 毗佘你 莎訶
怛姪他 那須你 那須你 那須你
鞞雉你 鞞雉你 鞞雉你
颯鉢嘿設你 颯鉢嘿設你 颯鉢嘿設你 莎訶
怛姪他 薜達你 薜達你 薜達你
室里瑟你你 室里瑟你你 室里瑟你你
鄔波地你 鄔波地你 鄔波地你 莎訶
怛姪他 婆毗你 婆毗你 婆毗你
闍底丁里反下同 闍底你 闍底你
闍摩你你 闍摩你你 闍摩你你 莎訶
尒時世尊為諸大衆說長者子普緣之時諸
々天衆歎未曾有時四大天王名各於其處
異口同音作如是說
善哉釋迦尊 說妙法明呪 生福除衆惡 十二支相應
我等亦說呪 擁護如是法 若有生違逆 不善隨順者
頭破作七分 猶如蘭香梢 我等於佛前 共說其呪曰
怛姪他 呬里繼 揭䏶健 隨哩
旃荼里地囇 驕伐囇囇 石呬 伐囇囇
補囉布囇矩 矩末底 嶠囉末底 達地曰弃
寠嚕婆母嚕婆 俱荼母嚕 健提
杜嚕杜嚕九 泥悪泥香徒合

BD01795號 金光明最勝王經卷九 （2–2）

婬戒第一　制意一通二别　言通
頭[illegible]起相　於知輕重藏别律門　三攝[illegible]十利　正言制意[illegible]
不有[illegible]　言通者一是大[illegible]　二廣制戒後　三不[illegible]重病壞[illegible]
言别緣者具四緣　一是[illegible]境男女等　二有染心　三起方便　四與境合犯
[illegible]四緣一正境　二起心遍　三与境合　四受樂　此戒通三别
成犯　四緣闕一不成重犯　前三緣　有二蘭　此戒佛在毗舍離國迦[illegible]
[illegible]那子犯故名行不淨行　諸比丘已還白佛　佛因斯毗制　隨制因[illegible]子
[illegible]迦蘭陀家　廣制林中乞食比丘与獼猴相染　因斯廣制　此戒
有難提比丘　因目連比丘用増上慢　第三廣[illegible]失用夢中眠睡
無所惱　三時无樂者　盜戒第二　此戒佛在羅閱城[illegible]
菴而住　復被取薪之時去　復作全瓦屋　佛見此舍赤色
上　此是何舍　諸比丘言　此是檀尼迦瓦舍　佛勅二比丘去交
尤打破　此檀尼迦從詐宣王教　於守國之邊取彼要材　斫截[illegible]諸
若王聞　因此制戒　此戒具六緣成犯　一有主物　二有主想　三盜心　四
重物　五興方便　六離本處犯　殺戒第三　此戒佛在毗舍離國獼[illegible]

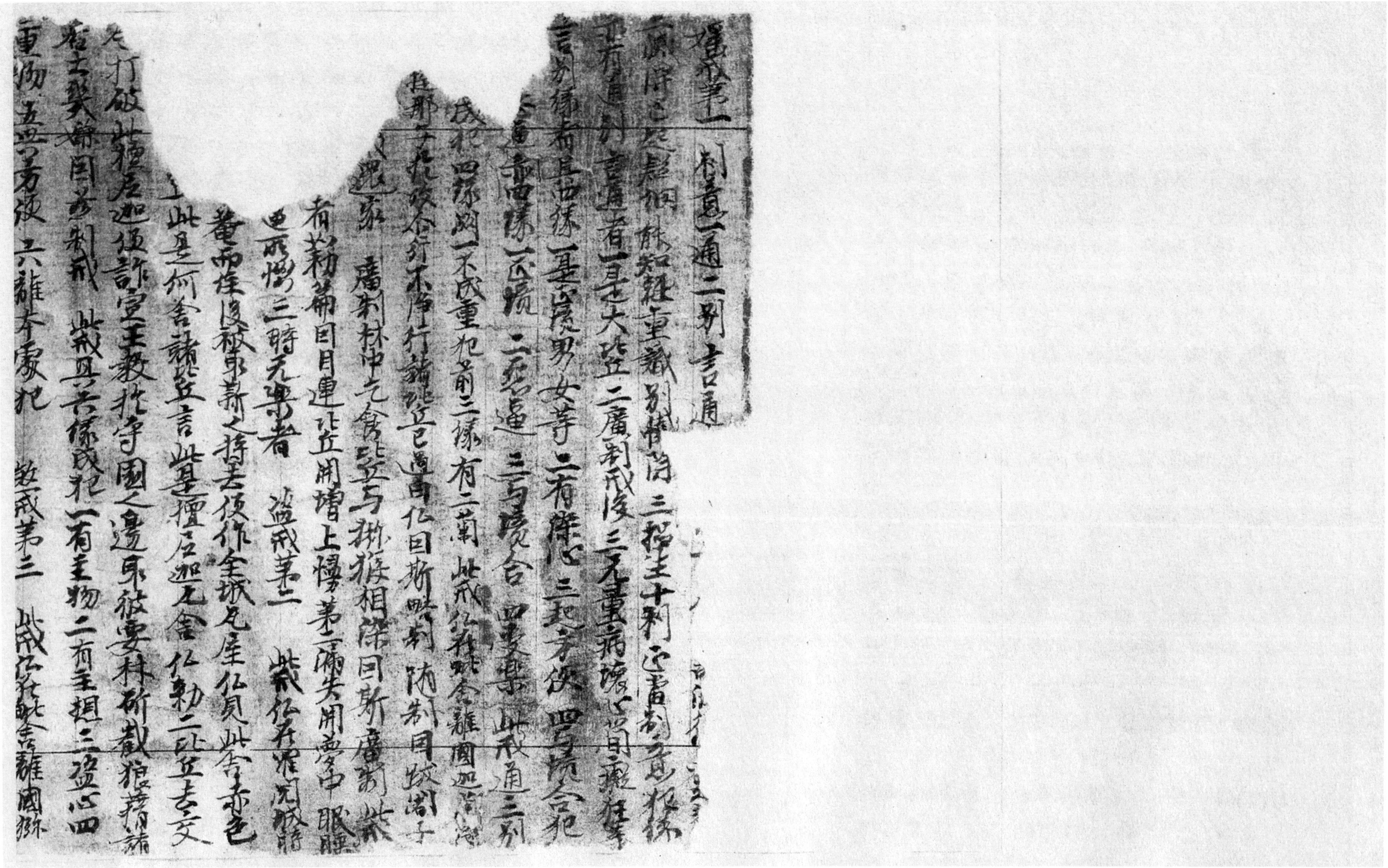

BD01796號　八波羅夷經　（3–1）

有犯勅弟目連比丘用增上慢第一滿足所證……　此戒佛在……
四所攝　三時无異者　盜戒第二　此戒佛在……
菴而住後被取薪之時去便作全坻瓦屋佛見此舍赤色
上此是何舍諸比丘言此是檀尼迦瓦舍　佛勅二比丘去交
令打破此檀尼迦便詐宣王教於守國之邊取彼要材斫截狼藉諸
居士譏嫌因茲制戒　此戒具六緣成犯　一有主物　二有主想　三盜心　四
重物　五興方便　六離本處犯　殺戒第三　此戒佛在毗舍離國獼
猴江邊為諸比丘説不淨觀諸比丘厭患身命於衆中問諸比丘誰能
斷我命者我衣鉢与汝其中有勿力迦難提比丘便受雇殺之諸居士
嫌佛因制戒　具五緣成　一人　二人相　三興殺心　四起方便　五斷根成犯
第四妄語戒　此戒佛在毗舍離國時世穀貴乞求難得諸比丘更相讚
讚高得上人法有誑他心佛因制戒　此戒有通別　通緣如上　別緣有八　一人
二人相　三事虚　四知是事虚　五有誑他心　六自言己得　七言得了
八前人知解便犯　第五摩觸戒　佛在舍衛國有大長者大
善膚与偷蘭難陀比丘尼　此戒具六義故制　一出家人號比丘尼
依此今制此戒与之作伴有所依故　二為息譏謙此是聖覺根
故　三為具譏嫌不但提而已結作大惡故　四為斷大惡之原禁
欲行者故　五為護正念若觸男子必失正念故　六比丘尼出家
理應超絶塵染攝心界外為世軌則若觸男子則失世人宗敬
心　具五緣　一是男子　簡非天与畜生男　女不簡死活　具身犯重
二所觸境　三内有染心　四相觸　五若觸一己身分者便犯
不犯者若有所取与相觸或戯笑若解時相觸不犯
六八事戒　具五緣成犯　一人男　二男想　三有染心　四犯前七事
不懺　五八事作犯　言八事者　一捉手　二捉衣　三屏處　四屏處
立　五語　六行等　七身相倚

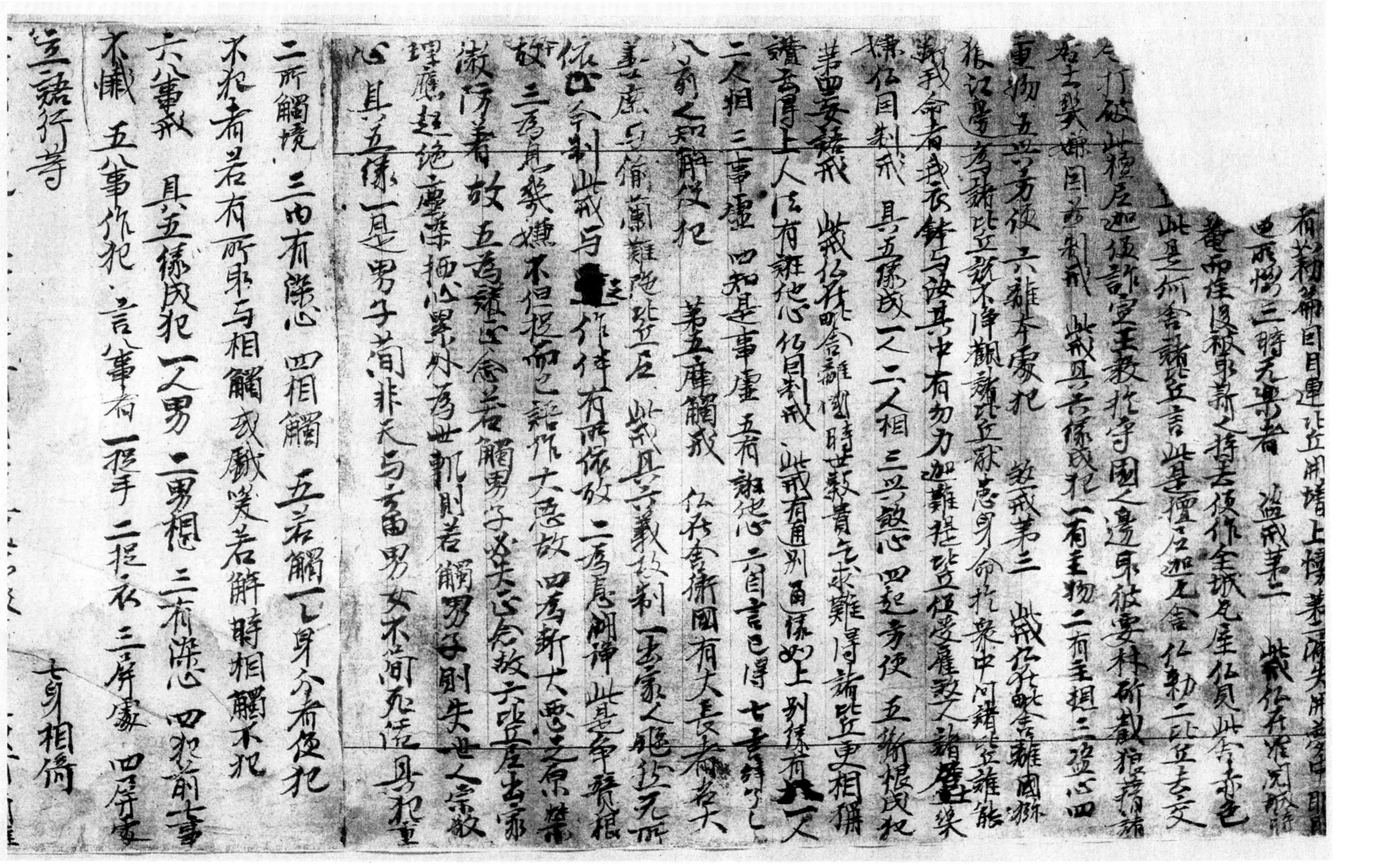

BD01796 號　八波羅夷經　（3–2）

不犯者若有所求与相觸或戲笑若解時相觸不犯
六八事戒　具五緣成犯　一人男　二男想　三有染心　四犯前七事
不懺　五八事作犯　言八事者　一捉手　二捉衣　三屏處　四屏立
立語行等　七身相倚
八共期　若犯前七事得偷蘭　若具八始成重　犯偷蘭遮
隨比丘尼共長者沙接摩樂故犯　不犯者若有所施与若
礼拜若悔過若受法若屏處求作要事由无染心不犯
七覆藏戒　犯緣有六　一是大尼　二犯八重已　三知他犯重　四作覆
藏心　五不發露　六明相未出便犯　此戒仏在舍衛國時偷蘭難
陀比丘尼妹曰坻舍難陀其犯重姉尼知覆藏因而制戒
不犯者若不知向人說若无人可向人說意欲向人說而未說明相
出命難等不犯　八僧為作羯磨不順從戒　尉次比丘尼作呵責
是闡陀比丘僧作羯磨不順從因而制戒　仏在拘睒彌瞿師羅
園中制　具六緣成犯　一自身隨順　二諫尼如法諫　三不受勅
道　四如法諫　五拒而不捨　六羯磨竟便犯　若五緣前隨順
得三偷蘭　若緣具六犯重　不犯者初諫時捨一切未作呵諫羯磨前
不犯

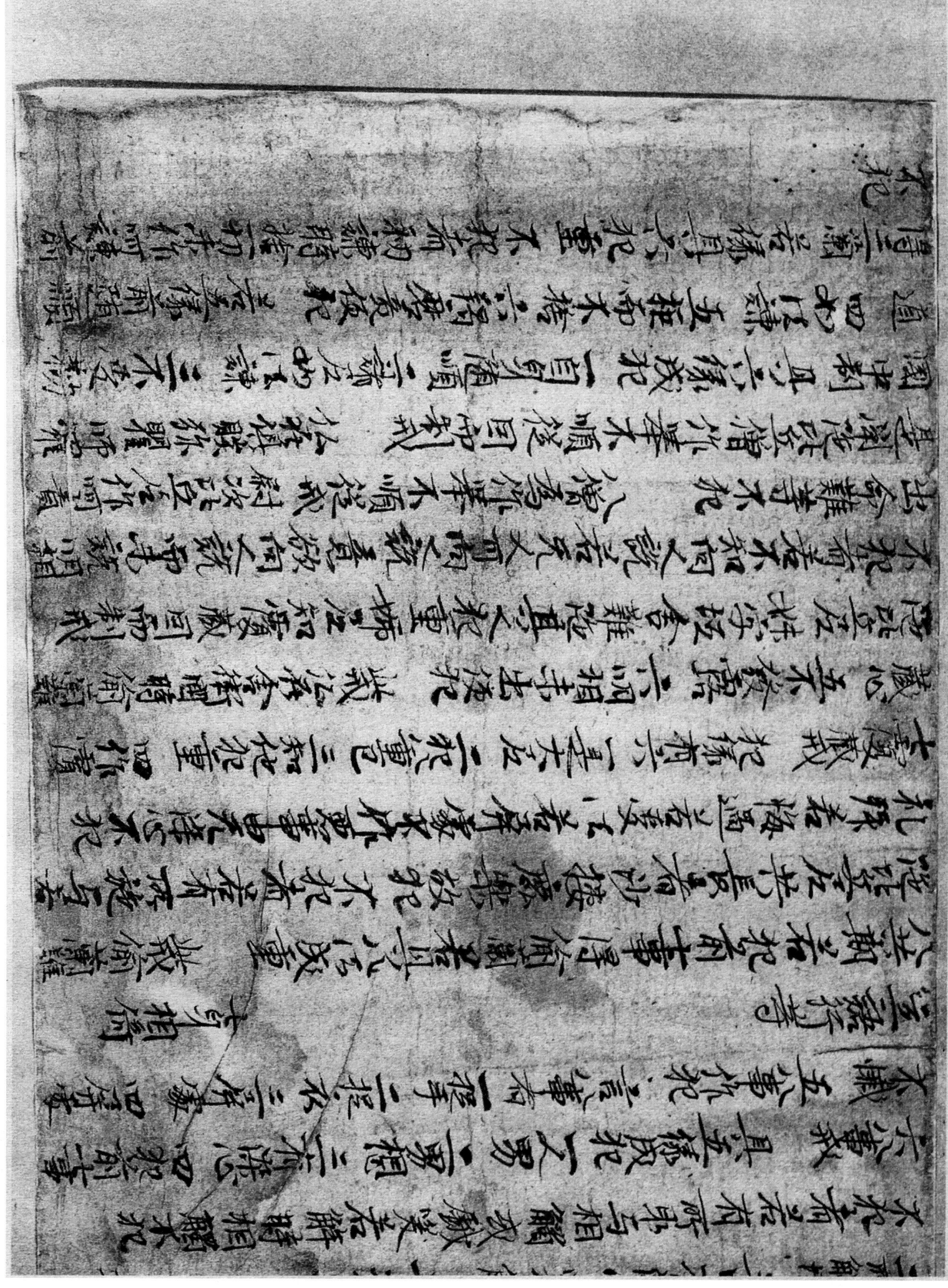

生見壽者見則於此經不能聽受讀誦爲人
解說須菩提在在處處若有此經一切世間
天人阿脩羅所應供養當知此處則爲是塔
皆應恭敬作礼圍遶以諸華香而散其處
復次須菩提善男子善女人受持讀誦此經
若爲人輕賤是人先世罪業應墮惡道以今
世人輕賤故先世罪業則爲消滅當得阿耨
多羅三藐三菩提須菩提我念過去无量阿
僧祇劫於然燈佛前得值八百四千万億那
由他諸佛悉皆供養承事无空過者若復有
人於後末世能受持讀誦此經所得功德於
我所供養諸佛功德百分不及一千万億分
乃至筭數譬喻所不能及須菩提若善男子
善女人於後末世有受持讀誦此經所得
功德我若具說者或有人聞心則狂亂狐疑
不信須菩提當知是經義不可思議果報亦
不可思議
尒時須菩提白佛言世尊善男子善女人發
阿耨多羅三藐三菩提心云何應住云何降

BD01797 號　金剛般若波羅蜜經　（4–1）

善女人於後末世有受持讀誦此經所得
功德我若具說者或有人聞心則狂亂狐疑
不信須菩提當知是經義不可思議果報亦
不可思議
尒時須菩提白佛言世尊善男子善女人發
阿耨多羅三藐三菩提心云何應住云何降
伏其心佛告須菩提善男子善女人發阿耨
多羅三藐三菩提者當生如是心我應滅度
一切衆生滅度一切衆生已而无有一衆生
實滅度者何以故若菩薩有我相人相衆生
相壽者相則非菩薩所以者何須菩提實无
有法發阿耨多羅三藐三菩提者須菩提於
意云何如來於然燈佛所有法得阿耨多羅
三藐三菩提不不也世尊如我解佛所說義
佛於然燈佛所无有法得阿耨多羅三藐三
菩提佛言如是如是須菩提實无有法如來
得阿耨多羅三藐三菩提須菩提若有法如
來得阿耨多羅三藐三菩提者然燈佛則不與
我受記汝於來世當得作佛号釋迦牟尼以
實无有法得阿耨多羅三藐三菩提是故然
燈佛與我受記作是言汝於來世當得作佛
号釋迦牟尼何以故如來者即諸法如義若
有人言如來得阿耨多羅三藐三菩提須菩
提實无有法佛得阿耨多羅三藐三菩提須
菩提如來所得阿耨多羅三藐三菩提於是
中无實无虛是故如來說一切法皆是佛法
須菩提所言一切法者即非一切法是故名

BD01797 號　金剛般若波羅蜜經　（4–2）

号釋迦牟尼何以故如來者即諸法如義若
有人言如來得阿耨多羅三藐三菩提須菩
提實无有法佛得阿耨多羅三藐三菩提須
菩提如來所得阿耨多羅三藐三菩提於是
中无實无虛是故如來說一切法皆是佛法
須菩提所言一切法者即非一切法是故名
一切法須菩提譬如人身長大須菩提言世
尊如來說人身長大則為非大身是名大身
須菩提菩薩亦如是若作是言我當滅度无
量衆生則不名菩薩何以故須菩提實无有
法名為菩薩是故佛說一切法无我无人无衆
生无壽者須菩提若菩薩作是言我當莊嚴
佛土是不名菩薩何以故如來說莊嚴佛土
者即非莊嚴是名莊嚴須菩提若菩薩通達
无我法者如來說名真是菩薩
須菩提於意云何如來有肉眼不如是世尊
如來有肉眼須菩提於意云何如來有天眼
不如是世尊如來有天眼須菩提於意云何
如來有慧眼不如是世尊如來有慧眼須菩
提於意云何如來有法眼不如是世尊如來
有法眼須菩提於意云何如來有佛眼不如
是世尊如來有佛眼須菩提於意云何如恒
河中所有沙佛說是沙不如是世尊如來說
是沙須菩提於意云何如一恒河中所有沙有
如是等恒河是諸恒河所有沙數佛世界如
是寧為多不甚多世尊佛告須菩提尒所國
土中所有衆生若干種心如來悉知何以故

BD01797 號　金剛般若波羅蜜經　（4–3）

提於意云何如來有法眼不如是世尊如來
有法眼須菩提於意云何如來有佛眼不如
是世尊如來有佛眼須菩提於意云何如恒
河中所有沙佛說是沙不如是世尊如來說
是沙須菩提於意云何如一恒河中所有沙有
如是等恒河是諸恒河所有沙數佛世界如
是寧為多不甚多世尊佛告須菩提尒所國
土中所有衆生若干種心如來悉知何以故
如來說諸心皆為非心是名為心所以者何
須菩提過去心不可得現在心不可得未來
心不可得須菩提於意云何若有人滿三千
大千世界七寶以用布施是人以是因緣得
福多不如是[illegible]此人以是因緣得福甚多
須菩提若福[illegible]實如來不說得福德多以
福德无故如[illegible]得福德多
須菩提於意云何佛可以具足色身見不不
也世尊如來不應以具足色身見何以故如來說
具足色身即非具足色身是名具足色身須
菩提於意云何如來可以具足諸相見不不

BD01797 號　金剛般若波羅蜜經　（4–4）

薩道若有得聞是經典者乃能善行菩薩之
道其有衆生求佛道者若見若聞是法華經
聞已信解受持者當知是人得近阿耨多羅
三藐三菩提藥王譬如有人渴乏須水於彼
高原穿鑿求之猶見乾土知水尚遠施功不
已轉見濕土遂漸至泥其心決定知水必近
菩薩亦復如是若未聞未解未能修習是法
華經當知是人去阿耨多羅三藐三菩提尚
遠若得聞解思惟修習必知得近阿耨多羅
三藐三菩提所以者何一切菩薩阿耨多羅
三藐三菩提皆屬此經此經開方便門示真
實相是法華經藏深固幽遠无人能到今佛
教化成就菩薩而為開示藥王若有菩薩聞
是法華經驚疑怖畏當知是為新發意菩薩
若聲聞人聞是經驚疑怖畏當知是為增上
慢者藥王若有善男子善女人如來滅後欲
為四衆說是法華經者云何應說是善男子
善女人入如來室著如來衣坐如來座尒乃
應為四衆廣說斯經如來室者一切衆生中
大慈悲心是如來衣者柔和忍辱心是如來
座者一切法空是安住是中然後以不懈怠
心為諸菩薩及四衆廣說是法華經藥王我

BD01798號　妙法蓮華經卷四　（6–1）

為四衆說是法華經者云何應說是善男子
善女人入如來室著如來衣坐如來座尒乃
應為四衆廣說斯經如來室者一切衆生中
大慈悲心是如來衣者柔和忍辱心是如來
座者一切法空是安住是中然後以不懈怠
心為諸菩薩及四衆廣說是法華經藥王我
於餘國遣化人為其集聽法衆亦遣化比丘
比丘尼優婆塞優婆夷聽其說法是諸化人
聞法信受隨順不逆若說法者在空閑處我
時廣遣天龍鬼神乾闥婆阿脩羅等聽其說
法我雖在異國時令說法者得見我身若
於此經忘失句逗我還為說令得具足尒時
世尊欲重宣此義而說偈言
欲捨諸懈怠　應當聽此經　是經難得聞　信受者亦難
如人渴須水　穿鑿於高原　猶見乾燥土　知去水尚遠
漸見濕土泥　決定知近水　藥王汝當知　如是諸人等
不聞法華經　去佛智甚遠　若聞是深經　決了聲聞法
是諸經之王　聞已諦思惟　當知此人等　近於佛智慧
若人說此經　應入如來室　著於如來衣　而坐如來座
處衆无所畏　廣為分別說　大慈悲為室　柔和忍辱衣
諸法空為座　處此為說法　若說此經時　有人惡口罵
加刀杖瓦石　念佛故應忍　我千万億土　現淨堅固身
於无量億劫　為衆生說法　若我滅度後　能說此經者
我遣化四衆　比丘比丘尼　及清信士女　供養於法師
引導諸衆生　集之令聽法　若人欲加惡　刀杖及瓦石
則遣變化人　為之作衛護　若說法之人　獨在空閑處
寂寞无人聲　讀誦此經典　我尒時為現　清淨光明身

BD01798號　妙法蓮華經卷四　（6–2）

我遣化四衆　比丘比丘尼　及清信士女　供養於法師
引導諸衆生　集之令聽法　若人欲加惡　刀杖及瓦石
則遣變化人　為之作衛護　若說法之人　獨在空閑處
寂漠无人聲　讀誦此經典　我爾時為現　清淨光明身
若忘失章句　為說令通利　若人具是德　或為四衆說
空處讀誦經　皆得見我身　若人在空閑　我遣天龍王
夜叉鬼神等　為作聽法衆　是人樂說法　分別无罣礙
諸佛護念故　能令大衆喜　若親近法師　速得菩薩道
隨順是師學　得見恒河佛
妙法蓮華經見寶塔品第十一
尒時佛前有七寶塔高五百由旬縱廣二百
五十由旬從地踊出住在空中種種寶物而
莊校之五千欄楯龕室千万无數幢幡以為
嚴飾垂寶瓔珞寶鈴万億而懸其上四面皆
出多摩羅跋旃檀之香充遍世界其諸幡盖
以金銀琉璃車𤦲馬瑙真珠玫瑰七寶合成
高至四天王宮三十三天雨天曼陁羅華供
養寶塔餘諸天龍夜叉乾闥婆阿脩羅迦樓
羅緊那羅摩睺羅伽人非人等千万億衆以
一切華香瓔珞幡盖伎樂供養寶塔恭敬尊
重讚歎尒時寶塔中出大音聲歎言善哉善
哉釋迦牟尼世尊能以平等大慧教菩薩法
佛所護念妙法華經為大衆說如是如是釋
迦牟尼世尊如所說者皆是真實尒時四衆
見大寶塔住在空中又聞塔中所出音聲皆
得法喜怪未曾有從座而起恭敬合掌却住

BD01798 號　妙法蓮華經卷四　（6–3）

佛所護念妙法華經為大衆說如是如是釋
迦牟尼世尊如所說者皆是真實尒時四衆
見大寶塔住在空中又聞塔中所出音聲皆
得法喜怪未曾有從座而起恭敬合掌却住
一面尒時有菩薩摩訶薩名大樂說知一切
世間天人阿脩羅等心之所疑而白佛言世
尊以何因緣有此寶塔從地踊出又於其中
發是音聲尒時佛告大樂說菩薩此寶塔中
有如來全身乃往過去東方无量千万億阿
僧祇世界國名寶淨彼中有佛号曰多寶其
佛行菩薩道時作大誓願若我成佛滅度之
後於十方國土有說法華經處我之塔廟為
聽是經故踊現其前為作證明讚言善哉彼
佛成道已臨滅度時於天人大衆中告諸比
丘我滅度後欲供養我全身者應起一大塔
其佛以神通願力十方世界在在處處若有
說法華經者彼之寶塔皆踊出其前全身在
於塔中讚言善哉善哉大樂說今多寶如來
塔聞說法華經故從地踊出讚言善哉善哉
是時大樂說菩薩以如來神力故白佛言世
尊我等願欲見此佛身佛告大樂說菩薩摩
訶薩是多寶佛有深重願若我寶塔為聽法
華經故出於諸佛前時其有欲以我身示四
衆者彼佛分身諸佛在於十方世界說法盡
還集一處然後我身乃出現耳大樂說我分
身諸佛在於十方世界說法者今應當集大
樂說白佛言世尊我等亦願欲見世尊分身

BD01798 號　妙法蓮華經卷四　（6–4）

衆者彼佛分身諸佛在於十方世界説法盡
還集一處然後我身乃至現耳大樂説我分
身諸佛在於十方世界説法者今應當集大
樂説白佛言世尊我等亦願欲見世尊分身
諸佛礼拜供養尒時佛放白豪一光即見東
方五百万億那由他恒河沙等國土諸佛彼
諸國土皆以頗梨為地寶樹衣以為莊嚴
无數千万億菩薩充滿其中遍張寶幔寶網
羅上彼國諸佛以大妙音而説諸法及見无
量千万億菩薩遍滿諸國為衆説法南西北
方四維上下白豪相光所照之處亦復如是
尒時十方諸佛各告衆菩薩言善男子我今
應往娑婆世界釋迦牟尼佛所并供養多寶
如來寶塔時娑婆世界即變清淨琉璃為地
寶樹莊嚴黄金為繩以界八道无諸聚落村
營城邑大海江河山川林藪燒大寶香曼陀
羅華遍布其地以寶網幔羅覆其上懸諸寶
鈴唯留此會衆移諸天人置於他土是時諸
佛各將一大菩薩以為侍者至娑婆世界各
到寶樹下一一寶樹高百由旬枝葉華菓
次第莊嚴諸寶樹下皆有師子之座高五由
旬亦以大寶而校餝之尒時諸佛各於此座
結跏趺坐如是展轉遍滿三千大千世界而
於釋迦牟尼佛一方所分之身猶故未盡時
釋迦牟尼佛欲容受所分身諸佛故八方各
更變二百万億那由他國皆令清淨无有地
獄餓鬼畜生及阿脩羅又移諸天人置於他

BD01798號　妙法蓮華經卷四　（6–5）

方四維上下白豪相光所照之處亦復如是
尒時十方諸佛各告衆菩薩言善男子我今
應往娑婆世界釋迦牟尼佛所并供養多寶
如來寶塔時娑婆世界即變清淨琉璃為地
寶樹莊嚴黄金為繩以界八道无諸聚落村
營城邑大海江河山川林藪燒大寶香曼陀
羅華遍布其地以寶網幔羅覆其上懸諸寶
鈴唯留此會衆移諸天人置於他土是時諸
佛各將一大菩薩以為侍者至娑婆世界各
到寶樹下一一寶樹高百由旬枝葉華菓
次第莊嚴諸寶樹下皆有師子之座高五由
旬亦以大寶而校餝之尒時諸佛各於此座
結跏趺坐如是展轉遍滿三千大千世界而
於釋迦牟尼佛一方所分之身猶故未盡時
釋迦牟尼佛欲容受所分身諸佛故八方各
更變二百万億那由他國皆令清淨无有地
獄餓鬼畜生及阿脩羅又移諸天人置於他
土所化之國亦以琉璃為地寶樹莊嚴樹高

BD01798號　妙法蓮華經卷四　（6–6）

以千万偈　讚諸法王　復見菩薩　智[深]……
能問諸佛　聞悉受持　又見佛子　定……
以无量喻　為眾講法　欣樂說法　化諸……
破魔兵眾　而擊法鼓　又見菩[薩]　……
天龍恭敬　不以為喜　又見菩[薩]　[處]林放光
濟地獄苦　令入佛道　又見佛子　未嘗睡眠
經行林中　勤求佛道　又見具戒　威儀无缺
淨如寶珠　以求佛道　又見佛子　住忍辱力
增上慢人　惡罵捶打　皆悉能忍　以求佛道
又見菩薩　離諸戲笑　及痴眷屬　親近智者
一心除亂　攝念山林　億千万歲　以求佛道
或見菩薩　餚饍飲食　百種湯藥　施佛及僧
名衣上服　價直千万　或无價衣　施佛及僧
千万億種　栴檀寶舍　眾妙臥具　施佛及僧
清淨園林　華菓茂盛　流泉浴池　施佛及僧
如是等施　種種微妙　歡喜无猒　求无上道
或有菩薩　說寂滅法　種種教照　无數眾生
或有菩薩　觀諸法性　无有二相　猶如虛空
又見佛子　心无所著　以此妙慧　求无上道
……　……　佛滅度後　供養舍利

BD01799號　妙法蓮華經鈔　（7–1）

如是等施　種種微妙　歡喜无猒　求无上道
或有菩薩　說寂滅法　種種教照　无數眾生
或有菩薩　觀諸法性　无有二相　猶如虛空
又見佛子　心无所著　以此妙慧　求无上道
文殊師利　又有菩薩　佛滅度後　供養舍利
又見佛子　造諸塔廟　无數恒沙　嚴飾國界
寶塔高妙　五千由旬　縱廣正等　二千由旬
一一塔廟　各千幢幡　珠交露幔　寶鈴和鳴
諸天龍神　人及非人　香華伎樂　常以供養
文殊師利　諸佛子等　為供舍利　嚴飾塔廟
國界自然　殊特妙好　如天樹王　其華開敷
佛放一光　我及眾會　見此國界　種種殊妙
諸佛神力　智慧希有　放一淨光　照无量國
我等見此　得未曾有　佛子文殊　願決眾疑
四眾欣仰　瞻仁及我　世尊何故　放斯光明
佛子時答　決疑令喜　何所饒益　演斯光明
佛坐道場　所得妙法　為欲說此　為當受記
示諸佛土　眾寶嚴淨　及見諸佛　此非小緣
文殊當知　四眾龍神　瞻察仁者　為說何等
尒時文殊師利語彌勒菩薩摩訶薩及諸大
士善男子等如我惟忖今佛世尊欲說大法
雨大法雨吹大法螺擊大法鼓演大法義諸善
男子我於過去諸佛曾見此瑞放斯光已即說
大法是故當知今佛現光亦復如是欲令一切眾
生咸得聞知一切世間難信之法故現斯瑞諸善
男子如過去无量无邊不可思議阿僧祇劫

BD01799號　妙法蓮華經鈔　（7–2）

男子我於過去諸佛曾見此瑞放斯光已即說
大法是故當知今佛現光亦復如是欲令一切衆
生咸得聞知一切世間難信之法故現斯瑞諸善
男子如過去无量无邊不可思議阿僧祇劫
尒時有佛号日月燈明如来應供正遍知明行
足善逝世間解无上士調御丈夫天人師佛世尊
演說正法初善中善後善其義深遠其語巧
妙純一无雜具足清白梵行之相為求聲聞
者說應四諦法度生老病死究竟涅槃為求
辟支佛者說應十二因緣法為諸菩薩說應六
波羅蜜令得阿耨多羅三藐三菩提成一切種
智次復有佛亦名日月燈明次復有佛亦名日
月燈明如是二万佛皆同一字号日月燈明又同
一姓姓頗羅墮弥勒當知初佛後佛皆同一字名
日月燈明十号具足所可說法初中後善其最
後佛未出家時有八王子一名有意二名善意三
名无量意四名寶意五名增意六名除疑意
七名響意八名法意是八王子威德自在各
領四天下是諸王子聞父出家得阿耨多羅
三藐三菩提悉捨王位亦隨出家發大乘意常
脩梵行皆為法師已於千万佛所植諸善本是
時日月佛說大乘經名无量義教菩薩法佛所護
念說是經已即於大衆中結跏趺坐入於无量義
處三昧身心不動是時天雨曼陀羅華摩訶
曼陀羅華曼殊沙華摩訶曼殊沙華而華
佛上及諸大衆普佛世界六種震動尒時會

BD01799 號　妙法蓮華經鈔　（7–3）

處三昧身心不動是時天雨曼陀羅華摩訶
曼陀羅華曼殊沙華摩訶曼殊沙華而華
佛上及諸大衆普佛世界六種震動尒時會
中比丘比丘尼優婆塞優婆夷天龍夜叉乾闥
婆阿脩羅迦樓羅緊那羅摩睺羅伽人非人
等及諸小王轉輪聖王等是諸大衆得未曾有
歡喜合掌一心觀佛尒時如来放眉間白毫相
光照東方万八千佛土靡不周遍如今所見是諸
佛土弥勒當知尒時會中有二十億菩薩欲樂
聽法是諸菩薩見此光明普照佛土得未曾有
欲知此光所為因緣時有菩薩名曰妙光有八
百弟子是時日月燈明佛從三昧起因妙光菩
薩說大乘經名妙法蓮華教菩薩法佛所護念
六十小劫不起于坐時會聽者亦坐一處六十小劫
身心不動聽佛所說謂如食頃是時衆中无有
一人若身若心而生懈惓日月燈明佛於六十小劫
說是經已即於梵魔沙門婆羅門及天人阿脩
羅衆中而宣此言如来於今日中夜當入无
餘涅槃時有菩薩名曰德藏日月燈明佛即
受其記告諸比丘是德藏菩薩次當作佛号曰
淨身多陀阿伽度阿羅訶三藐三佛陀佛受記
已便於中夜入无餘涅槃時有菩後妙光菩薩
持妙法蓮華經滿八十小劫為人演說日月燈
明佛八子皆師妙光妙光教化令其堅固阿耨
多羅三藐三菩提是諸王子供養无量百千万

BD01799 號　妙法蓮華經鈔　（7–4）

已便於中夜入无餘涅槃時有菩薩後妙光菩薩
持妙法蓮華經滿八十小劫為人演說日月燈
明佛八子皆師妙光妙光教化令其堅固阿耨
多羅三藐三菩提是諸王子供養无量百千万
億佛已皆成佛道其最後成佛者名曰燃燈八
百弟子中有一人号曰求名貪著利養雖復讀
誦眾經而不通利多所忘失故号求名是人
亦以種諸善根因緣故得值无量百千万億諸佛
供養恭敬尊重讚歎彌勒當知尒時妙光菩
薩豈異人乎我身是也求名菩薩汝身是也
今見此瑞與本无異是故惟忖今日如來當說
大乘經名妙法蓮華教菩薩法佛所護念尒時
文殊師利於大眾中欲重宣此義而說偈言
我念過去世 无量无數劫 有佛人中尊 号日月燈明
世尊演說法 度无量眾生 无數億菩薩 令入佛智慧
佛未出家時 所生八王子 見大聖出家 亦隨脩梵行
時佛說大乘 經名无量義 於諸大眾中 而為廣分別
佛說此經已 即於法坐上 跏趺坐三昧 名无量義處
天雨曼陁華 天鼓自然鳴 諸天龍鬼神 供養人中尊
一切諸佛土 即時大震動 佛放眉間光 現諸希有事
此光照東方 万八千佛土 示一切眾生 生死業報處
有見諸佛土 以眾寶莊嚴 瑠璃頗梨色 斯由佛光照
是法住法位 世間相常住 於道場知已 道師方便說
天人所供養 現在十方佛 其數如恒沙 出現於世間
安隱眾生故 亦說如是法 知第一寂滅 以方便力故
雖示種種道 其實為佛乘 知眾生諸行 深心之所念

BD01799 號　妙法蓮華經鈔　（7–5）

是法住法位 世間相常住 於道場知已 道師方便說
天人所供養 現在十方佛 其數如恒沙 出現於世間
安隱眾生故 亦說如是法 知第一寂滅 以方便力故
雖示種種道 其實為佛乘 知眾生諸行 深心之所念
過去所習業 欲性精進力 及諸根利鈍 以種種因緣
譬喻亦言辭 隨應方便說 今我亦如是 安隱眾生故
以種種法門 宣示於佛道 我以智慧力 知眾生性欲
方便說諸法 皆令得歡喜 舍利弗當知 我以佛眼觀
見六道眾生 貧窮无福慧 入生死險道 相續苦不斷
深著於五欲 如犛牛愛尾 以貪愛自蔽 盲瞑无所見
不求大勢佛 及與斷苦法 深入諸邪見 以苦欲捨苦
為是眾生故 而起大悲心 我始坐道場 觀樹亦經行
於三七日中 思惟如是事 我所得智慧 微妙最第一
眾生諸根鈍 著樂癡所盲 如斯之等類 云何而可度
尒時諸梵王 及諸天帝釋 護世四天王 及大自在天
并餘諸天眾 眷屬百千万 恭敬合掌礼 請我轉法輪
我即自思惟 若但讚佛乘 眾生沒在苦 不能信是法
破法不信故 墜於三惡道 我寧不說法 疾入於涅槃
尋念過去佛 所行方便力 我今所得道 亦應說三乘
作是思惟時 十方佛皆現 梵音慰喻我 善哉釋迦文
第一之道師 得是无上法 隨諸一切佛 而用方便力
我等亦皆得 最妙第一法 為諸眾生類 分別說三乘
少智樂小法 不自信作佛 是故以方便 分別說諸果
雖復說三乘 但為教菩薩 舍利弗當知 我聞聖師子
深淨微妙音 稱南无諸佛 復作如是念 我出濁惡世
如諸佛所說 我亦隨順行 思惟是事已 即趣波羅奈
諸法寂滅相 不可以言宣 以方便力故 為五比丘說

BD01799 號　妙法蓮華經鈔　（7–6）

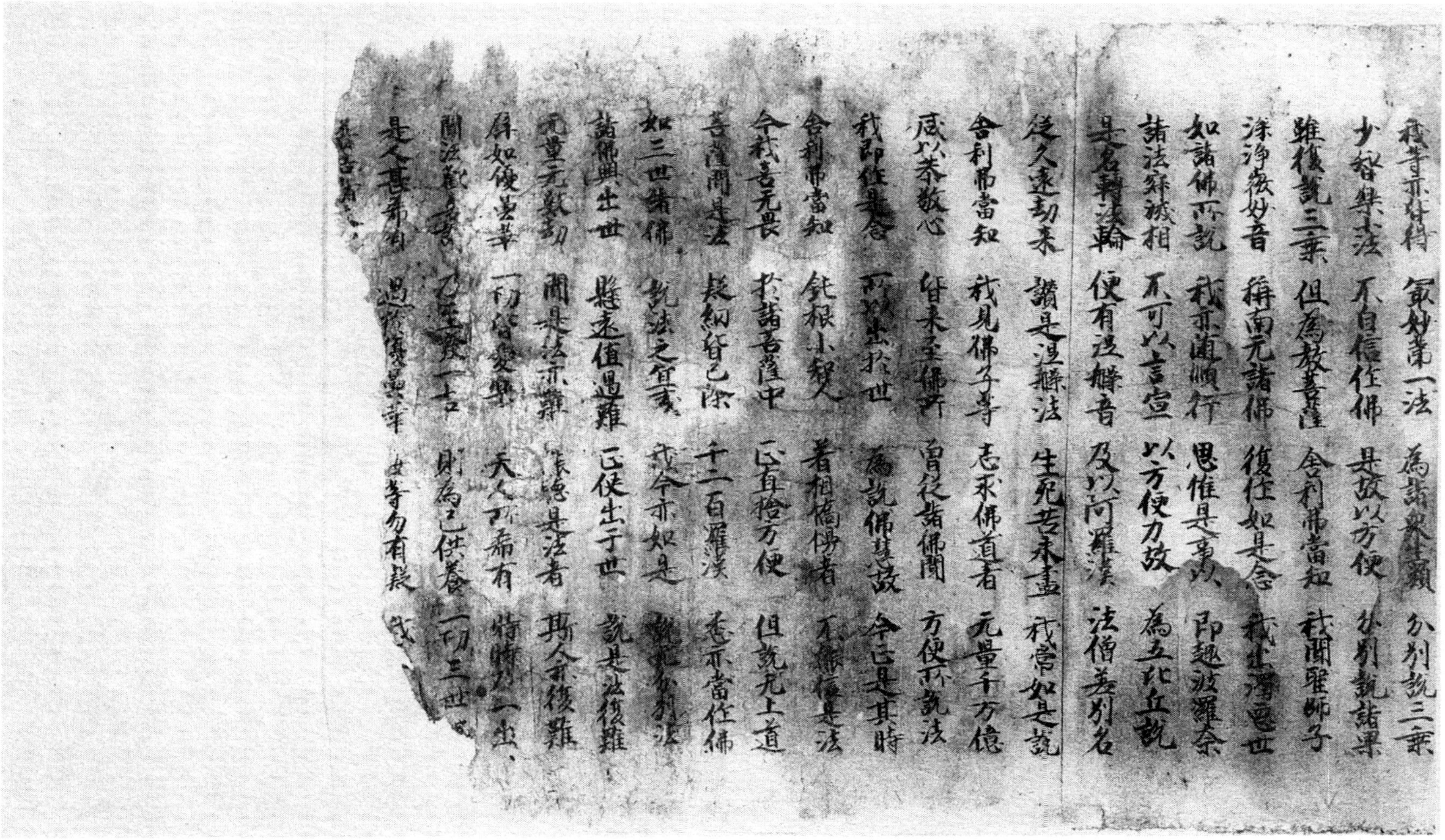
我等亦皆得 最妙第一法 為諸衆生類 分別說三乘
少智樂小法 不自信作佛 是故以方便 分別說諸果
雖復說三乘 但為教菩薩 舍利弗當知 我聞聖師子
深淨微妙音 稱南无諸佛 復作如是念 我出濁惡世
如諸佛所說 我亦隨順行 思惟是事已 即趣波羅奈
諸法寂滅相 不可以言宣 以方便力故 為五比丘說
是名轉法輪 便有涅槃音 及以阿羅漢 法僧差別名
從久遠劫來 讚示涅槃法 生死苦永盡 我常如是說
舍利弗當知 我見佛子等 志求佛道者 无量千万億
咸以恭敬心 皆來至佛所 曾從諸佛聞 方便所說法
我即作是念 如來所以出 為說佛慧故 今正是其時
舍利弗當知 鈍根小智人 著相憍慢者 不能信是法
今我喜无畏 於諸菩薩中 正直捨方便 但說无上道
菩薩聞是法 疑網皆已除 千二百羅漢 悉亦當作佛
如三世諸佛 說法之儀式 我今亦如是 說无分別法
諸佛興出世 懸遠值遇難 正使出于世 說是法復難
无量无數劫 聞是法亦難 能聽是法者 斯人亦復難
譬如優曇華 一切皆愛樂 天人所希有 時時乃一出
聞法歡喜讚 乃至發一言 則為已供養 一切三世佛
是人甚希有 過於優曇華 汝等勿有疑 我
為諸法王

BD01799 號　妙法蓮華經鈔　（7–7）

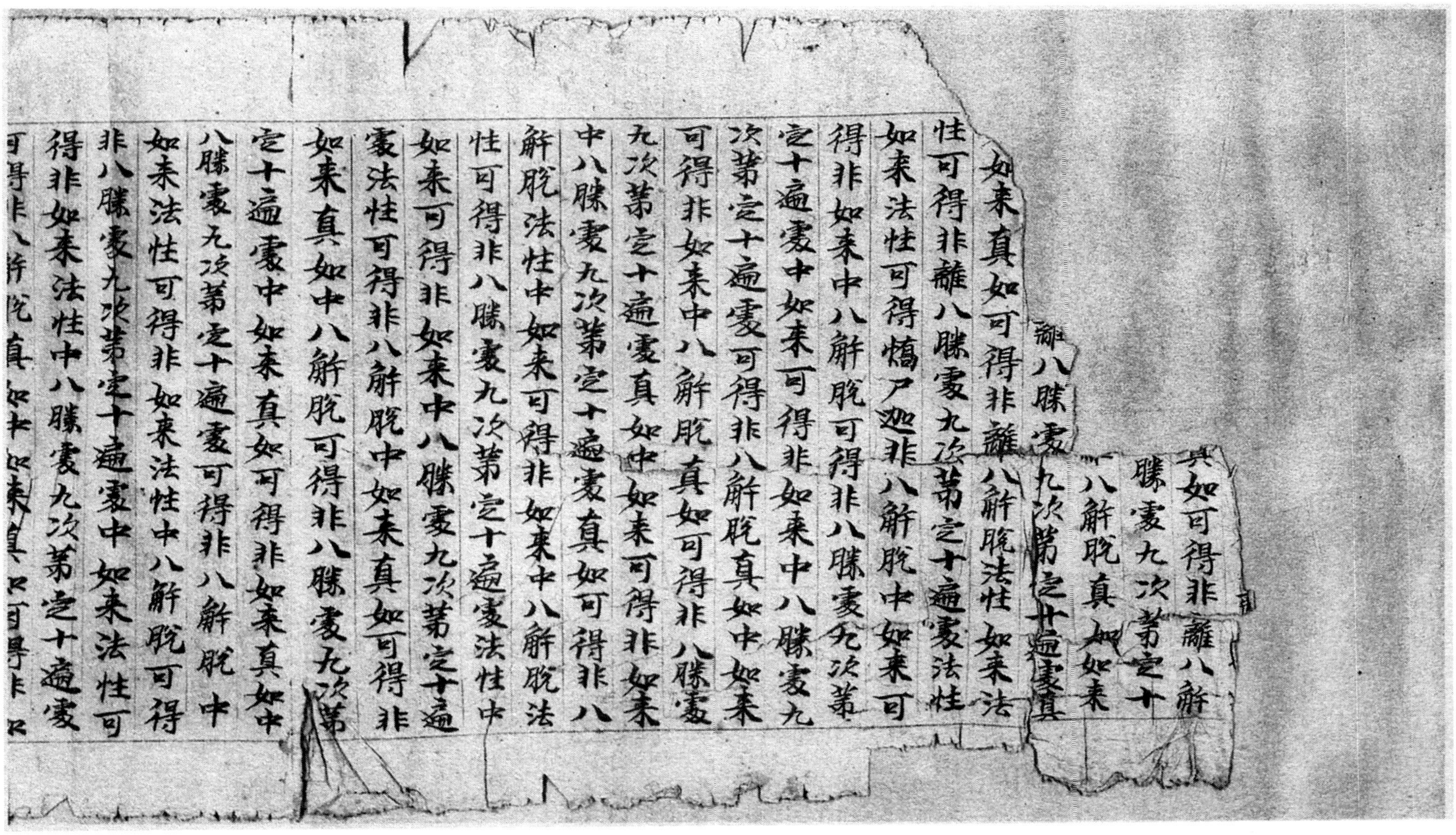
真如可得非離八解
勝處九次第定十
八解脫真如如來
離八勝處九次第定十遍處真
如來真如可得非離八解脫法性如來法
性可得非離八勝處九次第定十遍處法性
如來法性可得憍尸迦非八解脫中如來可
得非如來中八解脫可得非八勝處九次第
定十遍處中如來可得非如來中八勝處九
次第定十遍處可得非八解脫真如中如來
可得非如來中八解脫真如可得非八勝處
九次第定十遍處真如中如來可得非如來
中八勝處九次第定十遍處真如可得非八
解脫法性中如來可得非如來中八解脫法
性可得非八勝處九次第定十遍處法性中
如來可得非如來中八勝處九次第定十遍
處法性可得非八解脫中如來真如可得非
如來真如中八解脫可得非八勝處九次第
定十遍處中如來真如可得非如來真如中
八勝處九次第定十遍處可得非八解脫中
如來法性可得非如來法性中八解脫可得
非八勝處九次第定十遍處中如來法性可
得非如來法性中八勝處九次第定十遍處
可得非八解脫真如中如來真如可得非

BD01800 號　大般若波羅蜜多經卷九一　（22–1）

八勝處九次第定十遍處可得非八解脫中
如來法性可得非如來法性中八解脫可得
非八勝處九次第定十遍處中如來法性可
得非如來法性中八勝處九次第定十遍處
可得非八解脫真如中如來真如可得非如
來真如中八解脫真如可得非八勝處九次
第定十遍處真如中如來真如可得非如來
真如中八勝處九次第定十遍處真如可得
非八解脫法性中如來法性可得非如來法
性中八解脫法性可得非八勝處九次第定
十遍處法性中如來法性可得非如來法性
中八勝處九次第定十遍處法性可得
憍尸迦非離四念住如來可得非離四正斷
四神足五根五力七等覺支八聖道支如來
可得非離四念住真如如來可得非離四正
斷乃至八聖道支真如如來可得非離四念
住法性如來可得非離四正斷乃至八聖道
支法性如來可得非離四念住如來真如可
得非離四正斷乃至八聖道支如來真如可
得非離四念住如來法性可得非離四正斷
乃至八聖道支如來法性可得非離四念住
真如如來真如可得非離四正斷乃至八聖
道支真如如來真如可得非離四念住法性
如來法性可得非離四正斷乃至八聖道支
法性如來法性可得憍尸迦非四念住中如
來可得非如來中四念住可得非四正斷四
神足五根五力七等覺支八聖道支中如來

BD01800號　大般若波羅蜜多經卷九一　（22-2）

如來法性可得非離四正斷乃至八聖道支
法性如來法性可得憍尸迦非四念住中如
來可得非如來中四念住可得非四正斷四
神足五根五力七等覺支八聖道支中如來
可得非如來中四正斷乃至八聖道支可得
非四念住真如中如來可得非如來中四念
住真如可得非四正斷乃至八聖道支真如
中如來可得非如來中四正斷乃至八聖道
支真如可得非四念住法性中如來可得非
如來中四念住法性可得非四正斷乃至八
聖道支法性中如來可得非如來中四正斷
乃至八聖道支法性可得非四念住中如來
真如可得非如來真如中四念住可得非四
正斷乃至八聖道支中如來真如可得非如
來真如中四正斷乃至八聖道支可得非四
念住中如來法性可得非如來法性中四念
住可得非四正斷乃至八聖道支中如來法
性可得非如來法性中四正斷乃至八聖道
支可得非四念住真如中如來真如可得非
如來真如中四念住真如可得非四正斷乃
至八聖道支真如中如來真如可得非如來
真如中四正斷乃至八聖道支真如可得非
四念住法性中如來法性可得非如來法性
中四念住法性可得非四正斷乃至八聖道
支法性中如來法性可得非如來法性中四
正斷乃至八聖道支法性可得
憍尸迦非離空解脫門如來可得非離無相

BD01800號　大般若波羅蜜多經卷九一　（22-3）

支法性中如来法性可得非如来法性中四
正斷乃至八聖道支法性可得
憍尸迦非離空解脫門如来可得非離無相
無願解脫門如来可得非離空解脫門真如
如来可得非離無相無願解脫門真如如来
可得非離空解脫門法性如来可得非離無
相無願解脫門法性如来可得非離空解脫
門如来真如可得非離無相無願解脫門如
来真如可得非離空解脫門如来法性可得
非離無相無願解脫門如来法性可得非離
空解脫門真如如来真如可得非離無相無
願解脫門真如如来真如可得非離空解脫
門法性如来法性可得非離無相無願解脫
門法性如来法性可得憍尸迦非空解脫門
中如来可得非如来中空解脫門可得非無
相無願解脫門中如来可得非如来中無相
無願解脫門可得非空解脫門真如中如来
可得非如来中空解脫門真如可得非無相
無願解脫門真如中如来可得非如来中無
相無願解脫門真如可得非空解脫門法性
中如来可得非如来中空解脫門法性可得
非無相無願解脫門法性中如来可得非如
来中無相無願解脫門法性可得非空解脫
門中如来真如可得非如来真如中空解脫
門可得非無相無願解脫門中如来真如可
得非如来真如中無相無願解脫門可得非
空解脫門中如来法性可得非如来法性中

BD01800號　大般若波羅蜜多經卷九一　（22–4）

来中無相無願解脫門法性可得非空解脫
門中如来真如可得非如来真如中空解脫
門可得非無相無願解脫門中如来真如可
得非如来真如中無相無願解脫門可得非
空解脫門中如来法性可得非如来法性中
空解脫門可得非無相無願解脫門中如来
法性可得非如来法性中無相無願解脫門
可得非空解脫門真如中如来真如可得非
如来真如中空解脫門真如可得非無相無
願解脫門真如中如来真如可得非如来真
如中無相無願解脫門真如可得非空解脫
門法性中如来法性可得非如来法性中空
解脫門法性可得非無相無願解脫門法性
中如来法性可得非如来法性中無相無願
解脫門法性可得
憍尸迦非離五眼如来可得非離六神通如
来可得非離五眼真如如来可得非離六神
通真如如来可得非離五眼法性如来可得
非離六神通法性如来可得非離五眼如来
真如可得非離六神通如来真如可得非離
五眼如来法性可得非離六神通如来法性
可得非離五眼真如如来真如可得非離六
神通真如如来真如可得非離五眼法性如
来法性可得非離六神通法性如来法性可
得憍尸迦非五眼中如来可得非如来中五
眼可得非六神通中如来可得非如来中六
神通可得非五眼真如中如来可得非如来
中五眼真如可得非六神通真如中如来可

BD01800號　大般若波羅蜜多經卷九一　（22–5）

神通真如如來真如可得非離五眼法性如
來法性可得非離六神通法性如來法性可
得憍尸迦非五眼中如來可得非如來中五
眼可得非六神通中如來可得非如來中六
神通可得非五眼真如中如來可得非如來
中五眼真如可得非六神通真如中如來可
得非如來中六神通真如可得非五眼法性
中如來可得非如來中五眼法性可得非六
神通法性中如來可得非如來中六神通法
性可得非五眼中如來真如可得非如來真
如中五眼可得非六神通中如來真如可得
非如來真如中六神通可得非五眼中如來
法性可得非如來法性中五眼可得非六神
通中如來法性可得非如來法性中六神通
可得非五眼真如中如來真如可得非如來
真如中五眼真如可得非六神通真如中如
來真如可得非如來真如中六神通真如
可得非五眼法性中如來法性可得非如來法
性中五眼法性可得非六神通法性中如來
法性可得非如來法性中六神通法性可得
憍尸迦非離佛十力如來可得非離四無所
畏四無礙解大慈大悲大喜大捨十八佛不
共法如來可得非離佛十力真如如來可得
非離四無所畏乃至十八佛不共法真如如
來可得非離佛十力法性如來可得非離四
無所畏乃至十八佛不共法法性如來可得
非離佛十力如來真如可得非離四無所畏
乃至十八佛不共法如來真如可得非離佛

BD01800號　大般若波羅蜜多經卷九一　（22–6）

來可得非離佛十力法性如來可得非離四
無所畏乃至十八佛不共法法性如來可得
非離佛十力如來真如可得非離四無所畏
乃至十八佛不共法如來真如可得非離佛
十力如來法性可得非離四無所畏乃至十
八佛不共法如來法性可得非離佛十力真
如如來真如可得非離四無所畏乃至十八
佛不共法真如如來真如可得非離佛十力
法性如來法性可得非離四無所畏乃至十
八佛不共法法性如來法性可得憍尸迦非
佛十力中如來可得非如來中佛十力可得
非四無所畏四無礙解大慈大悲大喜大捨
十八佛不共法中如來可得非如來中四無
所畏乃至十八佛不共法可得非佛十力真
如中如來可得非如來中佛十力真如可得
非四無所畏乃至十八佛不共法真如中如
來可得非如來中四無所畏乃至十八佛不
共法真如可得非佛十力法性中如來可得
非如來中佛十力法性可得非四無所畏乃
至十八佛不共法法性中如來可得非如來
中四無所畏乃至十八佛不共法法性可得
非佛十力中如來真如可得非如來真如中
佛十力可得非四無所畏乃至十八佛不共
法中如來真如可得非如來真如中四無所
畏乃至十八佛不共法可得非佛十力中如
來法性可得非如來法性中佛十力可得非
四無所畏乃至十八佛不共法中如來法性
可得非如來法性中四無所畏乃至十八佛

BD01800號　大般若波羅蜜多經卷九一　（22–7）

法中如来真如可得非如来真如中四無所
畏乃至十八佛不共法可得非佛十力中如
来法性可得非如来法性中佛十力可得非
四無所畏乃至十八佛不共法中如来法性
可得非如来法性中四無所畏乃至十八佛
不共法可得非佛十力真如中如来真如可
得非如来真如中佛十力真如可得非四無
所畏乃至十八佛不共法真如中如来真如
可得非如来真如中四無所畏乃至十八佛
不共法真如可得非佛十力法性中如来法
性可得非如来法性中佛十力法性可得非
四無所畏乃至十八佛不共法法性中如来
法性可得非如来法性中四無所畏乃至十
八佛不共法法性可得
憍尸迦非離無忘失法如来可得非離恒住
捨性如来可得非離無忘失法真如如来可
得非離恒住捨性真如如来可得非離無忘
失法法性如来可得非離恒住捨性法性如
来可得非離無忘失法如来真如可得非離
恒住捨性如来真如可得非離無忘失法如
来法性可得非離恒住捨性如来法性可得
非離無忘失法真如如来真如可得非離恒
住捨性真如如来真如可得非離無忘失法
法性如来法性可得非離恒住捨性法性如
来法性可得憍尸迦非無忘失法中如来可
得非如来中無忘失法可得非恒住捨性中
如来可得非如来中恒住捨性可得非無忘
失法真如中如来可得非如来中無忘失法

BD01800號　大般若波羅蜜多經卷九一　（22–8）

来法性可得憍尸迦非無忘失法中如来可
得非如来中無忘失法可得非恒住捨性中
如来可得非如来中恒住捨性可得非無忘
失法真如中如来可得非如来中無忘失法
真如可得非恒住捨性真如中如来可得非
如来中恒住捨性真如可得非無忘失法法
性中如来可得非如来中無忘失法法性可
得非恒住捨性法性中如来可得非如来中
恒住捨性法性可得非無忘失法中如来真
如可得非如来真如中無忘失法可得非恒
住捨性中如来真如可得非如来真如中恒
住捨性可得非無忘失法中如来法性可得
非如来法性中無忘失法可得非恒住捨性
中如来法性可得非如来法性中恒住捨性
可得非無忘失法真如中如来真如可得非
如来真如中無忘失法真如可得非恒住捨
性真如中如来真如可得非如来真如中恒
住捨性真如可得非無忘失法法性中如来
法性可得非如来法性中無忘失法法性可
得非恒住捨性法性中如来法性可得非如
来法性中恒住捨性法性可得
憍尸迦非離一切智如来可得非離道相智
一切相智如来可得非離一切智真如如来
可得非離道相智一切相智真如如来可得
非離一切智法性如来可得非離道相智一
切相智法性如来可得非離一切智如来真
如可得非離道相智一切相智如来真如可

BD01800號　大般若波羅蜜多經卷九一　（22–9）

一切相智如來可得非離一切智真如如來
可得非離道相智一切相智真如如來可得
非離一切智法性如來可得非離道相智一
切相智法性如來可得非離一切智如來真
如可得非離道相智一切相智如來真如可
得非離一切智如來法性可得非離道相智
一切相智如來法性可得非離一切智真如
如來真如可得非離道相智一切相智真如
如來真如可得非離一切智法性如來法性
可得非離道相智一切相智法性如來法性
可得憍尸迦非一切智中如來可得非如來
中一切智可得非道相智一切相智中如來
可得非如來中道相智一切相智可得非一
切智真如中如來可得非如來中一切智真
如可得非道相智一切相智真如中如來可
得非如來中道相智一切相智真如可得非
一切智法性中如來可得非如來中一切智
法性可得非道相智一切相智法性中如來
可得非如來中道相智一切相智法性可得
非一切智中如來真如可得非如來真如中
一切智可得非道相智一切相智中如來真
如可得非如來真如中道相智一切相智
得非一切智中如來法性可得非如來法性
中一切智可得非道相智一切相智中如來
法性可得非如來法性中道相智一切相智
可得非一切智真如中如來真如可得非如
來真如中一切智真如可得非道相智一切
相智真如中如來真如可得非如來真

中一切智可得非道相智一切相智中如來
法性可得非如來法性中道相智一切相智
可得非一切智真如中如來真如可得非如
來真如中一切智真如可得非道相智一切
相智真如中如來真如可得非如來真如中
道相智一切相智真如可得非一切智法性
中如來法性可得非如來法性中一切智法
性可得非道相智一切相智法性中如來法
性可得非如來法性中道相智一切相智法
性可得
憍尸迦非離一切陁羅尼門如來可得非離
一切三摩地門如來可得非離一切陁羅尼
門真如如來可得非離一切三摩地門真如
如來可得非離一切陁羅尼門法性如來可
得非離一切三摩地門法性如來可得非離
一切陁羅尼門如來真如可得非離一切三
摩地門如來真如可得非離一切陁羅尼門
如來法性可得非離一切三摩地門如來法
性可得非離一切陁羅尼門真如如來真如
可得非離一切三摩地門真如如來真如可
得非離一切陁羅尼門法性如來法性可得
非離一切三摩地門法性如來法性可得憍
尸迦非一切陁羅尼門中如來可得非如來
中一切陁羅尼門可得非一切三摩地門中
如來可得非如來中一切三摩地門可得非
一切陁羅尼門真如中如來可得非如來中
一切陁羅尼門真如可得非一切三摩地門

中一切陁羅尼門可得非一切三摩地門中
如来可得非如来中一切三摩地門可得非
一切陁羅尼門真如中如来可得非如来中
一切陁羅尼門真如可得非一切三摩地門
真如中如来可得非如来中一切三摩地門
真如可得非一切陁羅尼門法性中如来可
得非如来中一切陁羅尼門法性可得非一
切三摩地門法性中如来可得非如来中一
切三摩地門法性可得非一切陁羅尼門中
如来真如可得非如来真如中一切陁羅尼
門可得非一切三摩地門中如来真如可得
非如来真如中一切三摩地門可得非一切
陁羅尼門真如中如来真如可得非如来真
如中一切陁羅尼門真如可得非一切三摩
地門真如中如来真如可得非如来真如中
一切三摩地門真如可得非一切陁羅尼門
法性中如来法性可得非如来法性中一切
陁羅尼門法性可得非一切三摩地門法性
中如来法性可得非如来法性中一切三摩
地門法性可得
憍尸迦非離預流如来可得非離一来不還
阿羅漢如来可得非離預流真如如来可得
非離一来不還阿羅漢真如如来可得非離
預流法性如来可得非離一来不還阿羅漢
法性如来可得非離預流如来真如可得非
離一来不還阿羅漢如来真如可得非離預
流如来法性可得非離一来不還阿羅漢如
来法性可得非離預流真如如来真如可得

預流法性如来可得非離一来不還阿羅漢
法性如来可得非離預流如来真如可得非
離一来不還阿羅漢如来真如可得非離預
流如来法性可得非離一来不還阿羅漢如
来法性可得非離預流真如如来真如可得
非離一来不還阿羅漢真如如来真如可得
非離預流法性如来法性可得非離一来不
還阿羅漢法性如来法性可得憍尸迦非預
流中如来可得非如来中預流可得非一来
不還阿羅漢中如来可得非如来中一来不
還阿羅漢可得非預流真如中如来可得非
如来中預流真如可得非一来不還阿羅漢
真如中如来可得非如来中一来不還阿羅
漢真如可得非預流法性中如来可得非如
来中預流法性可得非一来不還阿羅漢法
性中如来可得非如来中一来不還阿羅漢
法性可得非預流中如来真如可得非如来
真如中預流可得非一来不還阿羅漢中如
来真如可得非如来真如中一来不還阿羅
漢可得非預流中如来法性可得非如来法
性中預流可得非一来不還阿羅漢中如来
法性可得非如来法性中一来不還阿羅漢
可得非預流真如中如来真如可得非如来
真如中預流真如可得非一来不還阿羅漢
真如中如来真如可得非如来真如中一来不
還阿羅漢真如可得非預流法性中如来法
性可得非如来法性中預流法性可得非一
来不還阿羅漢法性中如来法性可得非如

真如中如来真如可得非如来真如中一来不
還阿羅漢真如可得非預流法性中如来法
性可得非如来法性中預流法性可得非一
来不還阿羅漢法性中如来法性可得非如
来法性中一来不還阿羅漢法性可得
憍尸迦非離預流向預流果如来可得非離
一来向一来果不還向不還果阿羅漢向阿
羅漢果如来可得非離預流向預流果真如
如来可得非離一来向一来果不還向不還
果阿羅漢向阿羅漢果真如如来可得非離
預流向預流果法性如来可得非離一来向
一来果不還向不還果阿羅漢向阿羅漢果
法性如来可得非離預流向預流果如来真
如可得非離一来向一来果不還向不還果
阿羅漢向阿羅漢果如来真如可得非離預
流向預流果如来法性可得非離一来向一来
果不還向不還果阿羅漢向阿羅漢果如来
法性可得非離預流向預流果真如如来真
如可得非離一来向一来果不還向不還果
阿羅漢向阿羅漢果真如如来真如可得非
離預流向預流果法性如来法性可得非離
一来向一来果不還向不還果阿羅漢向阿
羅漢果法性如来法性可得憍尸迦非預流
向預流果中如来可得非如来中預流向預
流果可得非一来向一来果不還向不還果
阿羅漢向阿羅漢果中如来可得非如来中
一来向一来果不還向不還果阿羅漢向阿

BD01800號　大般若波羅蜜多經卷九一　（22–14）

向預流果中如来可得非如来中預流向預
流果可得非一来向一来果不還向不還果
阿羅漢向阿羅漢果中如来可得非如来中
一来向一来果不還向不還果阿羅漢向阿
羅漢果可得非預流向預流果真如中如来
可得非如来中預流向預流果真如可得非
一来向一来果不還向不還果阿羅漢向阿
羅漢果真如中如来可得非如来中一来向
一来果不還向不還果阿羅漢向阿羅漢果
真如可得非預流向預流果法性中如来可
得非如来中預流向預流果法性可得非一
来向一来果不還向不還果阿羅漢向阿羅
漢果法性中如来可得非如来中一来向一
来果不還向不還果阿羅漢向阿羅漢果法
性可得非預流向預流果中如来真如可得
非如来真如中預流向預流果可得非一来
向一来果不還向不還果阿羅漢向阿羅漢
果中如来真如可得非如来真如中一来向
一来果不還向不還果阿羅漢向阿羅漢果
可得非預流向預流果中如来法性可得非
如来法性中預流向預流果可得非一来向
一来果不還向不還果阿羅漢向阿羅漢果
中如来法性可得非如来法性中一来向一
来果不還向不還果阿羅漢向阿羅漢果可
得非預流向預流果真如中如来真如可得
非如来真如中預流向預流果真如可得非
一来向一来果不還向不還果阿羅漢向阿

BD01800號　大般若波羅蜜多經卷九一　（22–15）

來等不還向不還等阿羅漢向阿羅漢果可得非預流向預流果真如中如來真如可得非如來真如中預流向預流果真如可得非一來向一來果不還向不還果阿羅漢向阿羅漢果真如中如來真如可得非如來真如中一來向一來果不還向不還果阿羅漢向阿羅漢果真如可得非預流向預流果法性中如來法性可得非如來法性中預流向預流果法性可得非一來向一來果不還向不還果阿羅漢向阿羅漢果法性中如來法性可得非如來法性中一來向一來果不還向不還果阿羅漢向阿羅漢果法性可得憍尸迦非離獨覺如來可得非離獨覺向獨覺果如來可得非離獨覺真如如來可得非離獨覺向獨覺果真如如來可得非離獨覺法性如來可得非離獨覺向獨覺果法性如來可得非離獨覺如來真如可得非離獨覺向獨覺果如來真如可得非離獨覺如來法性可得非離獨覺向獨覺果如來法性可得非離獨覺真如如來真如可得非離獨覺向獨覺果真如如來真如可得非離獨覺法性如來法性可得非離獨覺向獨覺果法性如來法性可得憍尸迦非獨覺中如來可得非如來中獨覺可得非獨覺向獨覺果中如來可得非如來中獨覺向獨覺果可得非獨覺真如中如來可得非如來中獨覺真如可得非獨覺向獨覺果真如中如來可得非如來中獨覺向獨覺果真如可得非獨覺法性中如來

BD01800號　大般若波羅蜜多經卷九一　（22–16）

中獨覺可得非獨覺向獨覺果中如來可得非如來中獨覺向獨覺果可得非獨覺真如中如來可得非如來中獨覺真如可得非獨覺向獨覺果真如中如來可得非如來中獨覺向獨覺果真如可得非獨覺法性中如來可得非如來中獨覺法性可得非獨覺向獨覺果法性中如來可得非如來中獨覺向獨覺果法性可得非獨覺中如來真如可得非如來真如中獨覺可得非獨覺向獨覺果中如來真如可得非如來真如中獨覺向獨覺果可得非獨覺中如來法性可得非如來法性中獨覺可得非獨覺向獨覺果中如來法性可得非如來法性中獨覺向獨覺果可得非獨覺真如中如來真如可得非如來真如中獨覺真如可得非獨覺向獨覺果真如中如來真如可得非如來真如中獨覺向獨覺果真如可得非獨覺法性中如來法性可得非如來法性中獨覺法性可得非獨覺向獨覺果法性中如來法性可得非如來法性中獨覺向獨覺果法性可得

憍尸迦非離菩薩摩訶薩如來可得非離三藐三佛陁如來可得非離菩薩摩訶薩真如如來可得非離三藐三佛陁真如如來可得非離菩薩摩訶薩法性如來可得非離三藐三佛陁法性如來可得非離菩薩摩訶薩如來真如可得非離三藐三佛陁如來真如可得非離菩薩摩訶薩如來法性可得非離三藐三佛陁如來法性可得非離菩薩摩訶薩

BD01800號　大般若波羅蜜多經卷九一　（22–17）

非離菩薩摩訶薩法性如來可得非離三藐
三佛陀法性如來可得非離菩薩摩訶薩如
來真如可得非離三藐三佛陀如來真如可
得非離菩薩摩訶薩如來法性可得非離三
藐三佛陀如來法性可得非離菩薩摩訶薩
真如如來真如可得非離三藐三佛陀真如
如來真如可得非離菩薩摩訶薩法性如來
法性可得非離三藐三佛陀法性如來法性
可得憍尸迦非菩薩摩訶薩中如來可得非
如來中菩薩摩訶薩可得非三藐三佛陀中
如來可得非如來中三藐三佛陀可得非菩
薩摩訶薩真如中如來可得非三藐三佛陀
真如中如來可得非菩薩摩訶薩法性中如
來可得非如來中菩薩摩訶薩法性可得非
三藐三佛陀法性中如來可得非如來中三
藐三佛陀法性可得非菩薩摩訶薩中如來
真如可得非如來真如中菩薩摩訶薩可得
非三藐三佛陀中如來真如可得非如來真
如中三藐三佛陀可得非菩薩摩訶薩中如
來法性可得非如來法性中菩薩摩訶薩可
得非三藐三佛陀中如來法性可得非如來
法性中三藐三佛陀可得非菩薩摩訶薩真
如中如來真如可得非如來真如中菩薩摩
訶薩真如可得非三藐三佛陀真如中如來
真如可得非如來真如中三藐三佛陀真如
可得非菩薩摩訶薩法性中如來法性可得
非如來法性中菩薩摩訶薩法性可得非三
藐三佛陀法性中如來法性可得非如來

BD01800號　大般若波羅蜜多經卷九一　（22–18）

如中如來真如可得非如來真如中菩薩摩
訶薩真如可得非三藐三佛陀真如中如來
真如可得非如來真如中三藐三佛陀真如
可得非菩薩摩訶薩法性中如來法性可得
非如來法性中菩薩摩訶薩法性可得非三
藐三佛陀法性中如來法性可得非如來法
性中三藐三佛陀法性可得
憍尸迦非離菩薩摩訶薩法如來可得非離
無上正等菩提如來可得非離菩薩摩訶薩
法真如如來可得非離無上正等菩提真如
如來可得非離菩薩摩訶薩法法性如來可
得非離無上正等菩提法性如來可得非離
菩薩摩訶薩法如來真如可得非離無上正
等菩提如來真如可得非離菩薩摩訶薩法
如來法性可得非離無上正等菩提如來法
性可得非離菩薩摩訶薩法真如如來真如
可得非離無上正等菩提真如如來真如可
得非離菩薩摩訶薩法法性如來法性可得
非離無上正等菩提法性如來法性可得憍
尸迦非菩薩摩訶薩法中如來可得非如來
中菩薩摩訶薩法可得非無上正等菩提中
如來可得非如來中無上正等菩提可得非
菩薩摩訶薩法真如中如來可得非如來中
菩薩摩訶薩法真如可得非無上正等菩提
真如中如來可得非如來中無上正等菩提
真如可得非菩薩摩訶薩法法性中如來可
得非如來中菩薩摩訶薩法法性可得非無
上正等菩提法性中如來可得非如來中無

BD01800號　大般若波羅蜜多經卷九一　（22–19）

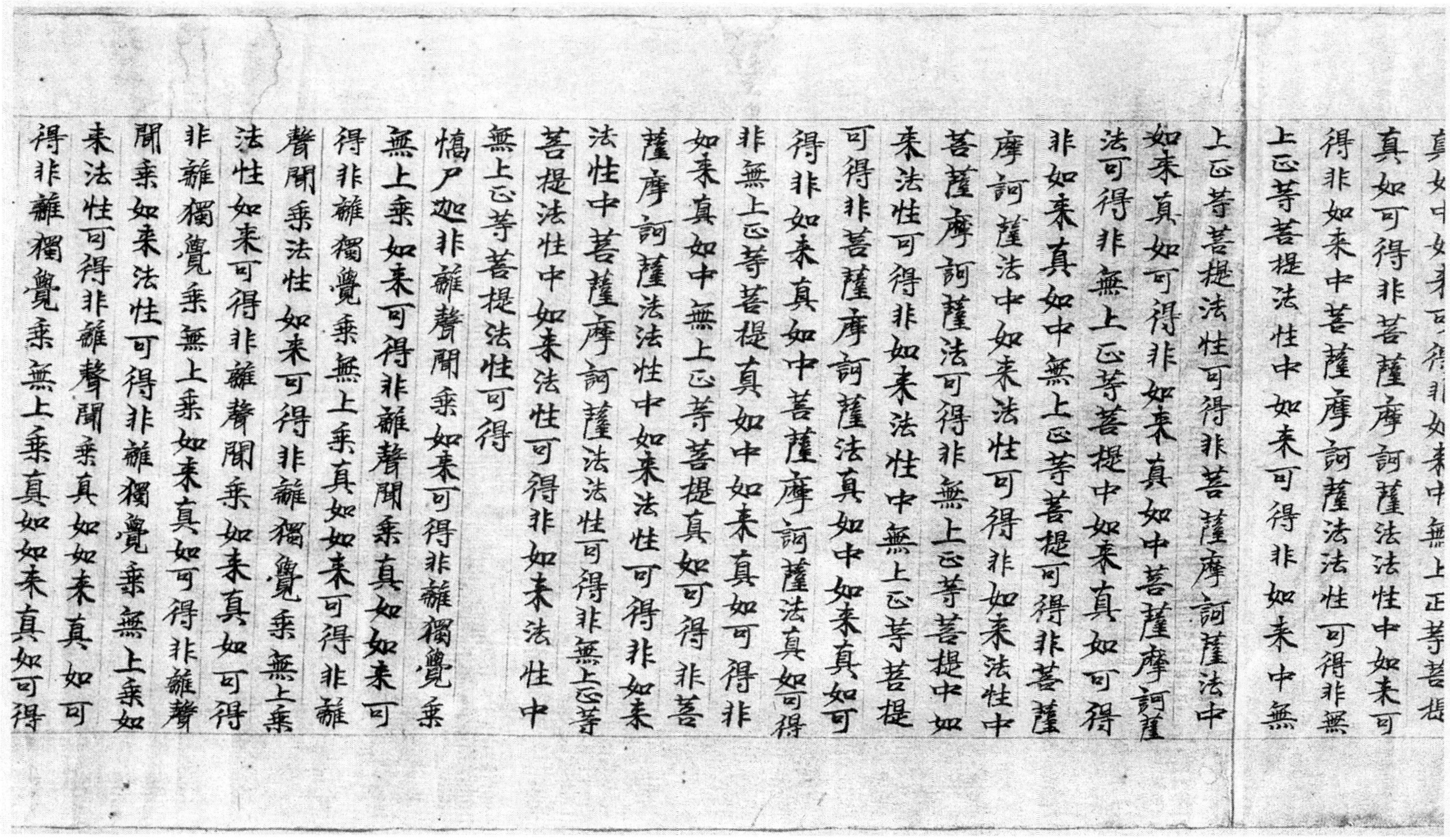

真如中如来可得非如来中無上正等菩提
真如可得非菩薩摩訶薩法法性中如来可
得非如来中菩薩摩訶薩法法性可得非無
上正等菩提法性中如来可得非如来中無
上正等菩提法性可得非菩薩摩訶薩法中
如来真如可得非如来真如中菩薩摩訶薩
法可得非無上正等菩提中如来真如可得
非如来真如中無上正等菩提可得非菩薩
摩訶薩法中如来法性可得非如来法性中
菩薩摩訶薩法可得非無上正等菩提中如
来法性可得非如来法性中無上正等菩提
可得非菩薩摩訶薩法真如中如来真如可
得非如来真如中菩薩摩訶薩法真如可得
非無上正等菩提真如中如来真如可得非
如来真如中無上正等菩提真如可得非菩
薩摩訶薩法法性中如来法性可得非如来
法性中菩薩摩訶薩法法性可得非無上正等
菩提法性中如来法性可得非如来法性中
無上正等菩提法性可得
憍尸迦非離聲聞乘如来可得非離獨覺乘
無上乘如来可得非離聲聞乘真如如来可
得非離獨覺乘無上乘真如如来可得非離
聲聞乘法性如来可得非離獨覺乘無上乘
法性如来可得非離聲聞乘如来真如可得
非離獨覺乘無上乘如来真如可得非離聲
聞乘如来法性可得非離獨覺乘無上乘如
来法性可得非離聲聞乘真如如来真如可
得非離獨覺乘無上乘真如如来真如可得

BD01800號　大般若波羅蜜多經卷九一　（22–20）

法性如来可得非離聲聞乘如来真如可得
非離獨覺乘無上乘如来真如可得非離聲
聞乘如来法性可得非離獨覺乘無上乘如
来法性可得非離聲聞乘真如如来真如可
得非離獨覺乘無上乘真如如来真如可得
非離聲聞乘法性如来法性可得非離獨覺
乘無上乘法性如来法性可得憍尸迦非聲
聞乘中如来可得非如来中聲聞乘可得非
獨覺乘無上乘中如来可得非如来中獨覺
乘無上乘可得非聲聞乘真如中如来可得
非如来中聲聞乘真如可得非獨覺乘無上
乘真如中如来可得非如来中獨覺乘無上
乘真如可得非聲聞乘法性中如来可得非
如来中聲聞乘法性可得非獨覺乘無上乘
法性中如来可得非如来中獨覺乘無上乘
法性可得非聲聞乘中如来真如可得非如
来真如中聲聞乘可得非獨覺乘無上乘中
如来真如可得非如来真如中獨覺乘無上
乘可得非聲聞乘中如来法性可得非如来
法性中聲聞乘可得非獨覺乘無上乘中如
来法性可得非如来法性中獨覺乘無上乘
可得非聲聞乘真如中如来真如可得非如
来真如中聲聞乘真如可得非獨覺乘無上
乘真如中如来真如可得非如来真如中獨
覺乘無上乘真如可得非聲聞乘法性中如
来法性可得非如来法性中聲聞乘法性可
得非獨覺乘無上乘法性中如来法性可得
非如来法性中獨覺乘無上乘法性可得

BD01800號　大般若波羅蜜多經卷九一　（22–21）

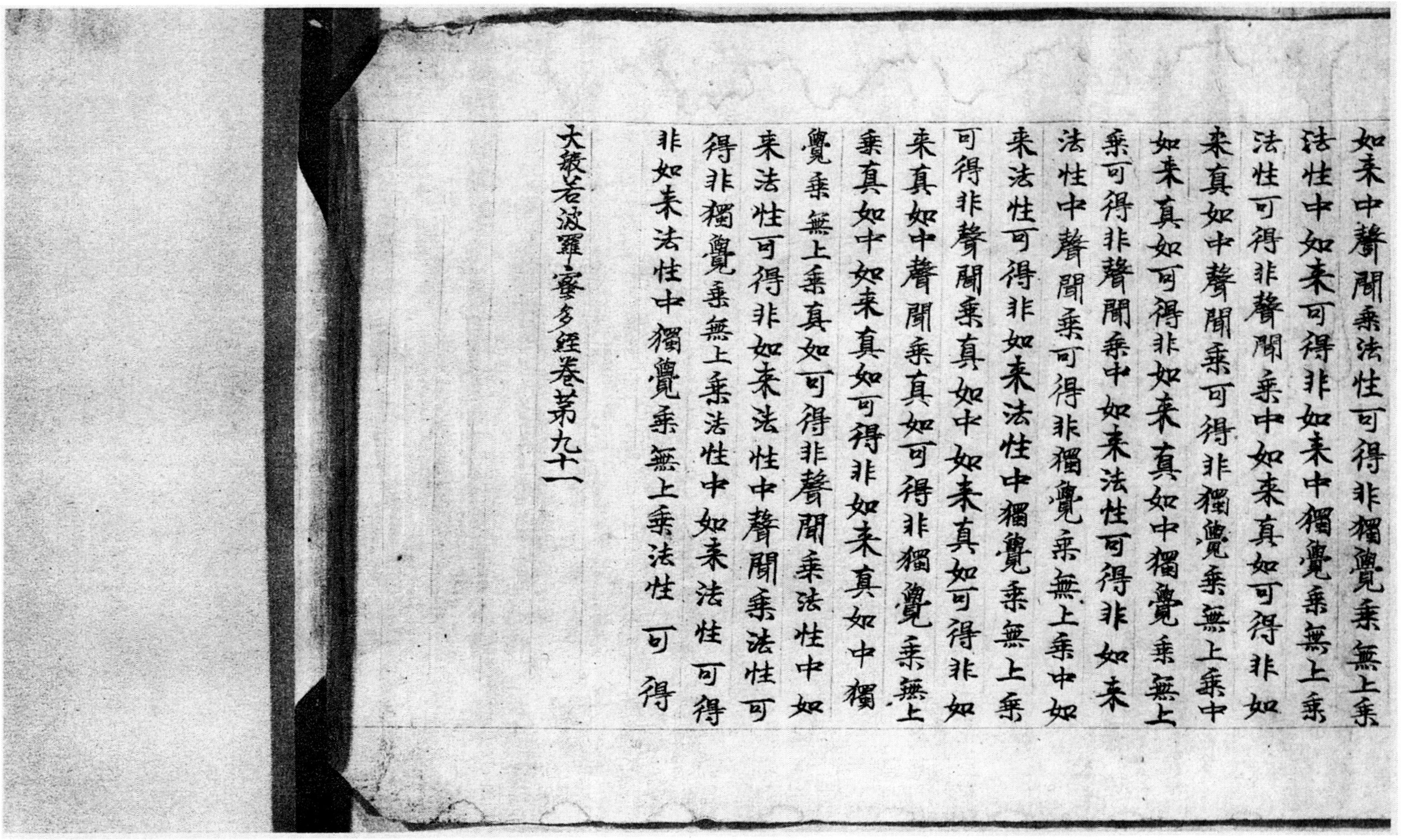

如來中聲聞乘法性可得非獨覺乘無上乘
法性中如來可得非如來中獨覺乘無上乘
法性可得非聲聞乘中如來真如可得非如
來真如中聲聞乘可得非獨覺乘無上乘中
如來真如可得非如來真如中獨覺乘無上
乘可得非聲聞乘中如來法性可得非如來
法性中聲聞乘可得非獨覺乘無上乘中如
來法性可得非如來法性中獨覺乘無上乘
可得非聲聞乘真如中如來真如可得非如
來真如中聲聞乘真如可得非獨覺乘無上
乘真如中如來真如可得非如來真如中獨
覺乘無上乘真如可得非聲聞乘法性中如
來法性可得非如來法性中聲聞乘法性可
得非獨覺乘無上乘法性中如來法性可得
非如來法性中獨覺乘無上乘法性 可得

大般若波羅蜜多經卷第九十一

BD01800 號　大般若波羅蜜多經卷九一　（22–22）

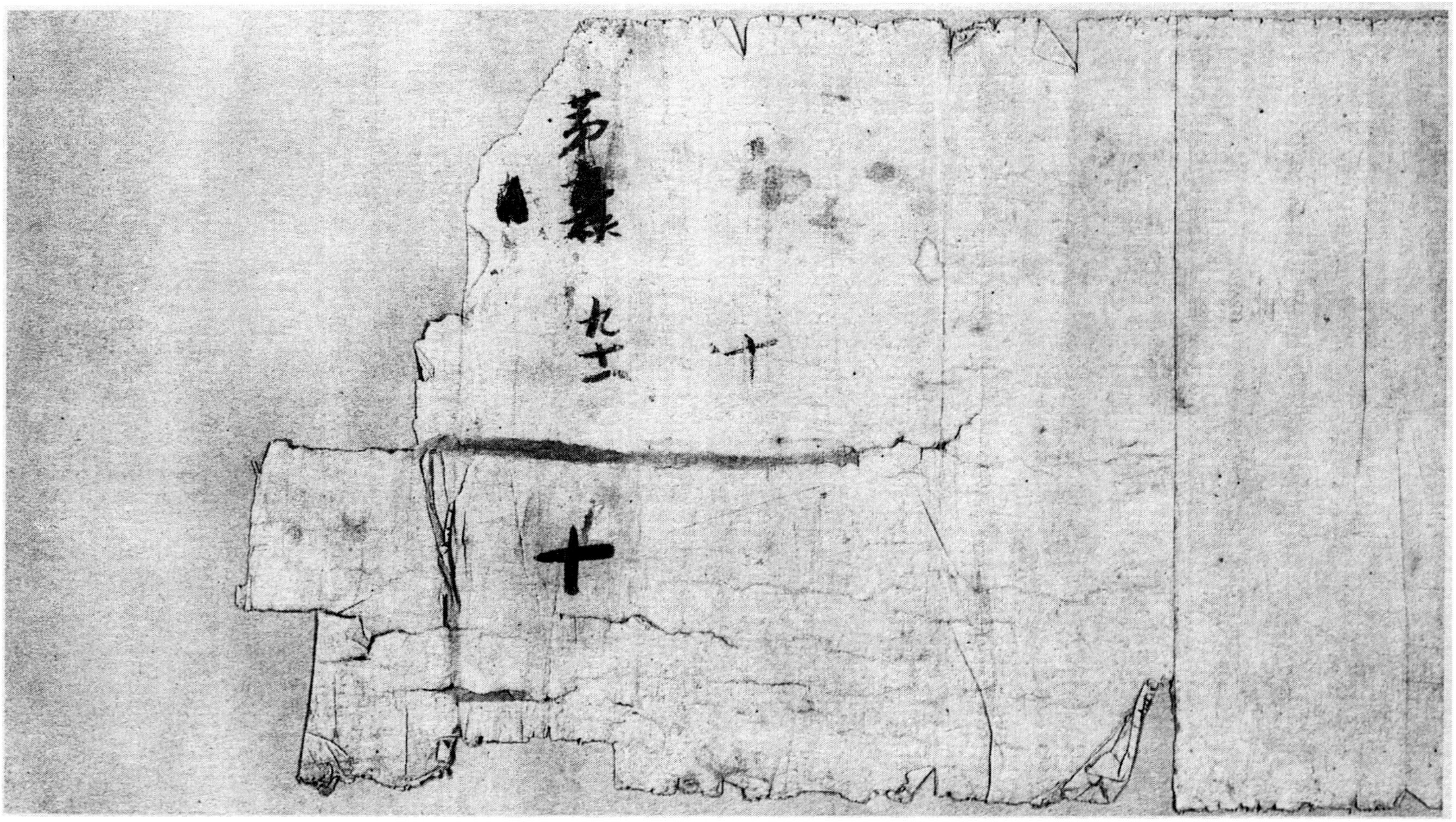

BD01800 號背　勘記　（1–1）

著 錄 凡 例

本目錄採用條目式著錄法。諸條目意義如下：

1.1 著錄編號。用漢語拼音首字“BD”表示，意為“北京圖書館藏敦煌遺書”，簡稱“北敦號”。文獻寫在背面者，標註為“背”。一件遺書上抄有多個文獻者，用數字1、2、3等標示小號。一號中包括幾件遺書，且遺書形態各自獨立者，用字母A、B、C等區別。

1.2 著錄分類號。本條記目錄暫不分類，該項空缺。

1.3 著錄文獻的名稱、卷本、卷次。

1.4 著錄千字文編號。

1.5 著錄縮微膠卷號。

2.1 著錄遺書的總體數據。包括長度、寬度、紙數、正面抄寫總行數與每行字數、背面抄寫總行數與每行字數。如該遺書首尾有殘破，則對殘破部分單獨度量，用加號加在總長度上。凡屬這種情況，長度用括弧標註。

2.2 著錄每紙數據。包括每紙長度及抄寫行數或界欄數。

2.3 著錄遺書的外觀。包括：（1）裝幀形式。（2）首尾存況。（3）護首、軸、軸頭、天竿、縹帶，經名是書寫還是貼簽，有無經名號，扉頁、扉畫。（4）卷面殘破情況及其位置。（5）尾部情況。（6）有無附加物（蟲繭、油污、線繩及其他）。（7）有無裱補及其年代。（8）界欄。（9）修整。（10）其他需要交待的問題。

2.4 著錄一件遺書抄寫多個文獻的情況。

3.1 著錄文獻首部文字與對照本核對的結果。

3.2 著錄文獻尾部文字與對照本核對的結果。

3.3 著錄錄文。

3.4 著錄對文獻的説明。

4.1 著錄文獻首題。

4.2 著錄文獻尾題。

5 著錄本文獻與對照本的不同之處。

6.1 著錄本遺書首部可與另一遺書綴接的編號。

6.2 著錄本遺書尾部可與另一遺書綴接的編號。

7.1 著錄題記、題名、勘記等。

7.2 著錄印章。

7.3 著錄雜寫。

7.4 著錄護首及扉頁的內容。

8 著錄年代。

9.1 著錄字體。如有武周新字、合體字、避諱字等，予以説明。

9.2 著錄卷面二次加工的情況。包括句讀、點標、科分、間隔號、行間加行、行間加字、硃筆、墨塗、倒乙、刪除、兑廢等。

10 著錄敦煌遺書發現後，近現代人所加內容，裝裱、題記、印章等。

11 備註。著錄揭裱互見、圖版本出處及其他需要説明的問題。

上述諸條，有則著錄，無則空缺。

為避文繁，上述著錄中出現的各種參考、對照文獻，暫且不列版本説明。全目結束時，將統一編制本條記目錄出現的各種參考書目。

本條記目錄為農曆年份標註其公曆紀年時，未經行歲頭年末之換算，請讀者使用時注意自行換算。

條記目錄

BD01699—BD01800

1.1 BD01699 號
1.3 佛名經（十二卷本）卷二
1.4 暑 099
1.5 062:0563
2.1 83.5×27 厘米；2 紙；42 行，行 17 字。
2.2 01：38.0，19；　02：45.5，23。
2.3 卷軸裝。首尾均殘。有烏絲欄。
3.1 首殘→大正 440，14/123B19。
3.2 尾殘→14/124A14。
6.2 尾→BD01707 號。
8 9～10 世紀。歸義軍時期寫本。
9.1 楷書。
11 圖版：《敦煌寶藏》，60/74B～75B。

1.1 BD01700 號
1.3 妙法蓮華經卷四
1.4 暑 100
1.5 105:5286
2.1 97.8×25 厘米；2 紙；55 行，行 17 字。
2.2 01：49.0，27；　02：48.8，28。
2.3 卷軸裝。首全尾脫。卷面多水漬。有烏絲欄。
3.1 首全→大正 262，9/27B12。
3.2 尾殘→9/28A22。
4.1 妙法蓮華經五百弟子受記品第八，四（首）。
8 8～9 世紀。吐蕃統治時期寫本。
9.1 楷書。
11 圖版：《敦煌寶藏》，90/476A～477B。

1.1 BD01701 號
1.3 妙法蓮華經卷一
1.4 往 001
1.5 105:4639
2.1 101×25.9 厘米；2 紙；56 行，行 17 字。
2.2 01：50.6，28；　02：50.4，28。
2.3 卷軸裝。首尾均脫。經黄紙。首紙有殘洞，尾紙有殘裂，卷面多黴斑。有烏絲欄。
3.1 首殘→大正 262，9/3B6。
3.2 尾殘→9/4A14。
8 7～8 世紀。唐寫本。
9.1 楷書。
11 圖版：《敦煌寶藏》，85/144A～145A。

1.1 BD01702 號
1.3 維摩詰所說經卷中
1.4 往 002
1.5 070:1176
2.1 （1.5+47+1.5）×26 厘米；2 紙；30 行，行 17 字。
2.2 01：1.5+45，28；　02：2+1.5，02。
2.3 卷軸裝。首尾均殘。有烏絲欄。
3.1 首行上殘→大正 475，14/548C7～8。
3.2 尾行中裂→14/549A10～11。
8 8～9 世紀。吐蕃統治時期寫本。
9.1 楷書。
11 圖版：《敦煌寶藏》，65/607B～608A。

1.1 BD01703 號
1.3 金剛般若波羅蜜經
1.4 往 003
1.5 094:3832
2.1 （2.3+253.5+3.8）×28.2 厘米；4 紙；156 行，行 17 字。
2.2 01：2.3+79，49；　02：88.0，53；
03：86.5+1.8，53；　04：02.0，01。
2.3 卷軸裝。首尾均殘。首紙有横裂，卷面有等距離水漬。有烏絲欄。
3.1 首 1 行上殘→大正 235，8/749B20～21。
3.2 尾 2 行中下殘→8/751B9～10。

8　8～9 世紀。吐蕃統治時期寫本。
9.1　楷書。
11　圖版：《敦煌寶藏》，80/501A～504B。

1.1　BD01704 號
1.3　金剛般若波羅蜜經
1.4　往 004
1.5　094:3952
2.1　（94.8＋2）×26.7 厘米；3 紙；53 行，行 17 字。
2.2　01：12.5，07；　02：43.8，24；　03：38.5＋2，22。
2.3　卷軸裝。首尾均殘。紙變色。有烏絲欄。
3.1　首殘→大正 235，8/749C25。
3.2　尾行上殘→8/750B22～23。
8　8 世紀。唐寫本。
9.1　楷書。
11　圖版：《敦煌寶藏》，81/307B～308B。

1.1　BD01705 號
1.3　大般涅槃經（北本）卷二四
1.4　往 005
1.5　115:6445
2.1　（1.5＋54）×27 厘米；2 紙；27 行，行 17 字。
2.2　01：1.5＋20.5，11；　02：33.5，16。
2.3　卷軸裝。首尾均殘。首紙上部略殘。有烏絲欄。
3.1　首 1 行上殘→大正 374，12/509C15。
3.2　尾殘→12/510A12。
6.1　首→BD01706 號。
6.2　尾→BD01720 號。
8　5～6 世紀。南北朝寫本。
9.1　楷書。
11　圖版：《敦煌寶藏》，99/211A～B。

1.1　BD01706 號
1.3　大般涅槃經（北本）卷二四
1.4　往 006
1.5　115:6444
2.1　（1.5＋74.5＋1.5）×27.2 厘米；3 紙；37 行，行 17 字。
2.2　01：1.5＋9，05；　02：43.5，21；　03：22＋1.5，11。
2.3　卷軸裝。首尾均殘。首紙上殘，尾紙下殘。有烏絲欄。
3.1　首 1 行上殘→大正 374，12/509B7。
3.2　尾 1 行下殘→12/509C15。
6.1　首→BD01565 號。
6.2　尾→BD01705 號。
8　5～6 世紀。南北朝寫本。
9.1　楷書。
11　圖版：《敦煌寶藏》，99/210A～B。

1.1　BD01707 號
1.3　佛名經（十二卷本）卷二
1.4　往 007
1.5　062:0564
2.1　74.5×27 厘米；3 紙；37 行，行 17 字。
2.2　01：05.5，02；　02：49.0，25；　03：20.0，10。
2.3　卷軸裝。首尾均殘。有烏絲欄。
3.1　首殘→大正 440，14/124A15。
3.2　尾殘→14/124C6。
6.1　首→BD01699 號
8　9～10 世紀。歸義軍時期寫本。
9.1　楷書。
11　圖版：《敦煌寶藏》，60/76A～76B。

1.1　BD01708 號
1.3　觀世音經
1.4　往 008
1.5　111:6257
2.1　116.5×20.7 厘米；3 紙；62 行，行 17 字。
2.2　01：24.0，14；　02：47.5，28；　03：45.0，20。
2.3　卷軸裝。首殘尾全。通卷上下邊被剪掉。有烏絲欄。
3.1　首殘→大正 262，9/57B7。
3.2　尾全→9/58B7。
4.2　觀世音經一卷（尾）。
8　9～10 世紀。歸義軍時期寫本。
9.1　楷書。
11　圖版：《敦煌寶藏》，97/483A～484B。

1.1　BD01709 號
1.3　妙法蓮華經卷七
1.4　往 009
1.5　105:5952
2.1　491×26 厘米；10 紙；276 行，行 17 字。
2.2　01：43.0，24；　02：49.3，28；　03：49.5，28；
04：49.5，28；　05：50.0，28；　06：50.0，28；
07：50.0，28；　08：50.0，28；　09：50.0，28；
10：49.7，28。
2.3　卷軸裝。首斷尾脱。卷前部上下邊有殘裂，接縫處有開裂。背有古代裱補。
3.1　首殘→大正 262，9/56C23。
3.2　尾殘→9/60C25。
8　9～10 世紀。歸義軍時期寫本。
9.1　楷書。
11　圖版：《敦煌寶藏》，96/180A～186B。

1.1　BD01710 號
1.3　維摩詰所説經卷中

1.4　往 010
1.5　070:1071
2.1　（8.5+952+3.5）×26 厘米；20 紙；544 行，行 16~18 字。
2.2　01：8.5+30，21；　02：49.5，28；　03：49.5，28；
04：49.5，28；　05：49.5，28；　06：49.5，28；
07：49.5，28；　08：49.5，28；　09：49.5，28；
10：49.5，28；　11：49.5，28；　12：49.5，28；
13：49.5，28；　14：49.5，28；　15：49.5，28；
16：47.5，26；　17：44.0，25；　18：46.0，26；
19：49.5，28；　20：42+3.5，26。
2.3　卷軸裝。首尾均殘。卷面有殘洞、殘裂，多黴斑，接縫處有開裂，卷後部有火燒等距離殘缺。
3.1　首 4 行中殘→大正 475，14/544B3~7。
3.2　尾 2 行上殘→14/551B19~21。
8　9~10 世紀。歸義軍時期寫本。
9.1　楷書。
9.2　有行間校加字。有硃筆加行。
11　圖版：《敦煌寶藏》，65/35B~47B。

1.1　BD01711 號
1.3　佛名經（十二卷本）卷二
1.4　往 011
1.5　062:0560
2.1　（67.5+1.5）×27 厘米；3 紙；35 行，行 17 字。
2.2　01：08.5，04；　02：49.0，25；　03：10+1.5，06。
2.3　卷軸裝。首尾均殘。卷面有殘洞。有烏絲欄。
3.1　首殘→大正 440，14/121C6。
3.2　尾 1 行中下殘→14/122B2。
5　本件“佛”均抄為“如來”，佛名略有顛倒及不同。
6.2　尾→BD01717 號。
8　9~10 世紀。歸義軍時期寫本。
9.1　楷書。
11　圖版：《敦煌寶藏》，60/70A~71A。

1.1　BD01712 號
1.3　金剛般若波羅蜜經
1.4　往 012
1.5　094:4382
2.1　（2.4+53.1+10）×25 厘米；2 紙；34 行，行 17 字。
2.2　01：2.4+19.5，11；　02：33.6+10，23。
2.3　卷軸裝。首尾均殘。卷下部殘損，接縫處有開裂。有烏絲欄。
3.1　首行中殘→大正 235，8/752A17~18。
3.2　尾 5 行下殘→8/752B21~25。
8　7~8 世紀。唐寫本。
9.1　楷書。
11　圖版：《敦煌寶藏》，83/86B~87A。

1.1　BD01713 號
1.3　大般涅槃經（南本　兑廢稿）卷一一
1.4　往 013
1.5　116:6545
2.1　47.5×27 厘米；1 紙；23 行，行 17 字。
2.3　卷軸裝。首尾均脱。尾有餘空。有烏絲欄。
3.1　首殘→大正 375，12/675A8。
3.2　尾殘→12/675B4。
8　8~9 世紀。吐蕃統治時期寫本。
9.1　楷書。上方有“兑”字，尾端有“重”字。
11　圖版：《敦煌寶藏》，100/272B~273A。

1.1　BD01714 號
1.3　金光明最勝王經卷九
1.4　往 014
1.5　083:1956
2.1　（4.5+47.7）×25.6 厘米；2 紙；32 行，行 17 字。
2.2　01：4.5+13，10；　02：44.7，22。
2.3　卷軸裝。首殘尾全。有烏絲欄。
3.1　首 2 行下殘→大正 665，16/450B12~14。
3.2　尾全→16/450C15。
4.2　金光明最勝王經卷第九（尾）。
5　尾附音義。
6.1　首→BD01777 號。
8　8~9 世紀。吐蕃統治時期寫本。
9.1　楷書。
11　圖版：《敦煌寶藏》，71/88。

1.1　BD01715 號
1.3　大般若波羅蜜多經卷一八四
1.4　往 015
1.5　084:2456
2.1　（20.5+270）×26.2 厘米；7 紙；168 行，行 17 字。
2.2　01：20.5+16.9，22；　02：47.5，28；　03：47.8，28；
04：48.0，28；　05：48.2，28；　06：48.2，28；
07：13.4，06。
2.3　卷軸裝。首殘尾全。卷首有殘裂，接縫處有開裂。有烏絲欄。已修整。
3.1　首 12 行中下殘→大正 220，5/991B28~C9。
3.2　尾全→5/993B23。
4.2　大般若波羅蜜多經卷第一百八十四（尾）。
8　8 世紀。唐寫本。
9.1　楷書。
11　圖版：《敦煌寶藏》，73/358B~362A。

1.1 BD01716 號
1.3 妙法蓮華經卷四
1.4 往 016
1.5 105:5423
2.1 (1.5 +85.6 +2) ×26.3 厘米；3 紙；53 行，行 17 字。
2.2 01：1.5 +36，22； 02：42.6，26； 03：7 +2，05。
2.3 卷軸裝。首尾均殘。有烏絲欄。
3.1 首殘→大正 262，9/34C29。
3.2 尾殘→9/35B27。
8 7 ~8 世紀。唐寫本。
9.1 楷書。
11 圖版：《敦煌寶藏》，91/444A ~445A。

1.1 BD01717 號
1.3 佛名經（十二卷本）卷二
1.4 往 017
1.5 062:0561
2.1 (2 +67) ×27 厘米；2 紙；35 行，行 17 字。
2.2 01：2 +37，20； 02：30.0，15。
2.3 卷軸裝。首尾均殘。接縫處有開裂。有烏絲欄。
3.1 首 1 行上殘→大正 440，14/122B3。
3.2 尾殘→14/122C15。
6.1 首→BD01711 號。
6.2 尾→BD01764 號
8 9 ~10 世紀。歸義軍時期寫本。
9.1 隸楷。
11 圖版：《敦煌寶藏》，60/71B ~72B。

1.1 BD01718 號
1.3 勝天王般若波羅蜜經卷四
1.4 往 018
1.5 091:3490
2.1 101.8 ×25.9 厘米；2 紙；56 行，行 17 字。
2.2 01：51.1，28； 02：50.7，28。
2.3 卷軸裝。首尾均脫。經黄打紙。尾紙下有殘裂。有烏絲欄。
3.1 首殘→大正 231，8/707B4。
3.2 尾殘→8/708A2。
6.2 尾→BD01569 號。
8 7 ~8 世紀。唐寫本。
9.1 楷書。
9.2 有刮改。
11 圖版：《敦煌寶藏》，78/263B ~264B。

1.1 BD01719 號
1.3 佛名經（十二卷本）卷二
1.4 往 019
1.5 062:0557
2.1 (3.5 +40) ×27 厘米；2 紙；22 行，行 13 字。
2.2 01：3.5 +20，12； 02：20.0，10。
2.3 卷軸裝。首尾均殘。有烏絲欄。
3.1 首 2 行上中殘→大正 440，14/120B28 ~29。
3.2 尾殘→14/120C16。
8 9 ~10 世紀。歸義軍時期寫本。
9.1 楷書。
11 圖版：《敦煌寶藏》，60/66B。

1.1 BD01720 號
1.3 大般涅槃經（北本）卷二四
1.4 往 020
1.5 115:6446
2.1 54 ×27.2 厘米；2 紙；23 行，行 17 字。
2.2 01：10.5，05； 02：43.5，18。
2.3 卷軸裝。首殘尾全。第 2 紙上方有殘裂。有烏絲欄。
3.1 首殘→大正 374，12/510A12。
3.2 尾全→12/510B6。
4.2 大般涅槃經卷第廿四（尾）。
6.1 首→BD01705 號。
8 5 ~6 世紀。南北朝寫本。
9.1 楷書。
11 圖版：《敦煌寶藏》，99/212A ~B。

1.1 BD01721 號
1.3 四分戒本疏卷二
1.4 往 021
1.5 169:7042
2.1 (29.5 +612) ×31.5 厘米；15 紙；442 行，行 30 字。
2.2 01：29.5 +13.5，29； 02：43.5，30； 03：43.5，30；
04：43.5，30； 05：43.5，30； 06：43.5，30；
07：43.5，30； 08：43.5，30； 09：43.5，30；
10：43.5，30； 11：43.5，30； 12：43.5，30；
13：43.5，30； 14：43.5，30； 15：33.0，23。
2.3 卷軸裝。首脫尾殘。卷首右下殘缺，脫落 2 塊殘片，可以綴接；通卷油污。有烏絲欄。已修整。
3.1 首 20 行下殘→大正 2787，85/571A14 ~B24。
3.2 尾殘→85/580C23。
4.1 四分戒本第二（首）。
8 8 ~9 世紀。吐蕃統治時期寫本。
9.1 楷書。
9.2 有倒乙。有行間校加字。
11 圖版：《敦煌寶藏》，103/631B ~639A。

1.1 BD01722 號
1.3 思益梵天所問經（異卷）卷三
1.4 往 022

1.5　043:0424
2.1　(7+908)×26 厘米；19 紙；518 行，行 17 字。
2.2　01：7+39.5，26；　02：48.5，28；　03：48.5，28；
04：48.8，28；　05：48.5，28；　06：48.7，28；
07：48.7，28；　08：48.5，28；　09：48.5，28；
10：48.5，28；　11：48.5，28；　12：48.5，28；
13：48.5，28；　14：48.5，28；　15：48.5，28；
16：48.8，28；　17：48.5，28；　18：48.5，28；
19：43.0，16。
2.3　卷軸裝。首脫尾全。卷首左上殘缺。有原軸，兩端塗硃漆。有烏絲欄。
3.1　首 3 行上殘→大正 586，15/47A22～28。
3.2　尾全→15/54B11。
4.1　□…□卷第三（首）。
4.2　思益經卷第三（尾）。
5　與《大正藏》本卷對照，該號分卷不同，相當於卷三首至《志大乘品》第十末止。日本《聖語藏》本分卷亦截止到此，但為卷二，亦與本號不同。
8　8～9 世紀。吐蕃統治時期寫本。
9.1　楷書。
9.2　有行間校加字。有刮改。有倒乙。
11　圖版：《敦煌寶藏》，59/48A～60B。

1.1　BD01723 號
1.3　大般若波羅蜜多經卷二六一
1.4　往 023
1.5　084:2695
2.1　48×25.6 厘米；1 紙；28 行，行 17 字。
2.3　卷軸裝。首尾均脫。有烏絲欄。
3.1　首殘→大正 220，6/322A27。
3.2　尾殘→6/322B27。
8　8～9 世紀。吐蕃統治時期寫本。
9.1　楷書。
9.2　有行間加行，加行延至下邊。
11　圖版：《敦煌寶藏》，74/439A。

1.1　BD01724 號
1.3　妙法蓮華經卷二
1.4　往 024
1.5　105:4970
2.1　126.8×25.2 厘米；3 紙；64 行，行 16 字（偈）。
2.2　01：50.3，28；　02：49.9，28；　03：26.6，08。
2.3　卷軸裝。首脫尾全。前 2 紙為經黃打紙。尾紙下方有豎裂。有燕尾。有烏絲欄。
3.1　首殘→大正 262，9/18A14。
3.2　尾全→9/19A12。
4.2　妙法蓮華經卷第二（尾）。
8　7～8 世紀。唐寫本。
9.1　楷書。
11　圖版：《敦煌寶藏》，87/349B～351A。

1.1　BD01725 號
1.3　四分律比丘含注戒本
1.4　往 025
1.5　165:7009
2.1　108.5×31 厘米；3 紙；64 行，行 29 字。
2.2　01：44.0，27；　02：44.0，27；　03：20.5，10。
2.3　卷軸裝。首尾均殘。卷面油污。有烏絲欄。
3.1　首殘→大正 1806，40/439A1。
3.2　尾殘→40/441B20。
5　與《大正藏》本對照，文字略有不同。
8　8～9 世紀。吐蕃統治時期寫本。
9.1　楷書。
11　圖版：《敦煌寶藏》，103/389A～390A。

1.1　BD01726 號
1.3　佛名經（十二卷本）卷二
1.4　往 026
1.5　062:0565
2.1　(2+69)×27 厘米；2 紙；36 行，行 17 字。
2.2　01：2+27，15；　02：42.0，21。
2.3　卷軸裝。首尾均殘。有烏絲欄。
3.1　首 1 行下殘→大正 440，14/124C7。
3.2　尾殘→14/125A22。
6.1　首→BD01707 號。
8　9～10 世紀。歸義軍時期寫本。
9.1　楷書。
11　圖版：《敦煌寶藏》，60/77A～78A。

1.1　BD01727 號
1.3　金剛般若波羅蜜經
1.4　往 027
1.5　094:4073
2.1　(14.5+24.5+27.5)×26.5 厘米；3 紙；37 行，行 17 字。
2.2　01：14.5，08；　02：24.5+16.5，23；　03：11.0，06。
2.3　卷軸裝。首斷尾殘。接縫處有開裂，第 2 紙下部殘缺一塊。有烏絲欄。已修整。
3.1　首殘→大正 235，8/750B10。
3.2　尾 15 行上下殘→8/750C4～20。
8　8 世紀。唐寫本。
9.1　楷書。
11　圖版：《敦煌寶藏》，82/33B～34A。

1.1　BD01728 號

1.3 大般若波羅蜜多經卷四九四
1.4 往 028
1.5 084:3233
2.1 47.2×25.4 厘米；1 紙；28 行，行 17 字。
2.3 卷軸裝。首尾均脱。有烏絲欄。
3.1 首殘→大正 220，7/511A22。
3.2 尾殘→7/511B21。
7.1 卷背有勘記"四百九十四"。
8 8～9 世紀。吐蕃統治時期寫本。
9.1 楷書。
11 圖版：《敦煌寶藏》，77/12A。

1.1 BD01729 號
1.3 維摩詰所說經卷中
1.4 往 029
1.5 070:1100
2.1 （3＋137.5）×25.5 厘米；3 紙；84 行，行 17 字。
2.2 01：3＋43.5，28； 02：47.0，28； 03：47.0，28。
2.3 卷軸裝。首殘尾脱。經黄紙。接縫處有開裂，卷上邊有殘裂，通卷有水漬。有烏絲欄。
3.1 首 2 行下殘→大正 475，14/545B26～28。
3.2 尾殘→14/546C1。
6.2 尾→BD01384 號。
8 7～8 世紀。唐寫本。
9.1 楷書。
11 圖版：《敦煌寶藏》，65/330B～332A。

1.1 BD01730 號
1.3 妙法蓮華經卷七
1.4 往 030
1.5 105:6081
2.1 （18＋463.5）×25.5 厘米；10 紙；275 行，行 17 字。
2.2 01：18＋22.5，24； 02：49.0，28； 03：49.0，28；
04：49.0，28； 05：49.0，28； 06：49.0，28；
07：49.0，28； 08：49.0，28； 09：49.0，28；
10：49.0，27。
2.3 卷軸裝。首殘尾全。前 3 紙有撕裂殘破，有殘洞，首紙較嚴重。有烏絲欄。已修整。
3.1 首 11 行中下殘→大正 262，9/58B22～C4。
3.2 尾全→9/62B1。
4.2 妙法蓮華經卷第七（尾）。
7.1 第 1 紙首背有勘記"法華"2 字。
8 9～10 世紀。歸義軍時期寫本。
9.1 楷書。
11 圖版：《敦煌寶藏》，96/576A～582B。

1.1 BD01731 號
1.3 妙法蓮華經卷三
1.4 往 031
1.5 105:5042
2.1 （12.3＋134＋4）×25.7 厘米；5 紙；87 行，行 17 字。
2.2 01：01.9，01； 02：10.4＋37.7，28； 03：48.2，28；
04：48.1，28； 05：04.0，02。
2.3 卷軸裝。首尾均殘。第 2 紙有殘裂、殘洞，以下各紙均有等距離圓洞，似火燒。有烏絲欄。已修整。
3.1 首 7 行上下殘→大正 262，9/19B15～22。
3.2 尾 2 行中下殘→9/20B26～27。
6.2 尾→BD01572 號。
8 7～8 世紀。唐寫本。
9.1 楷書。
11 圖版：《敦煌寶藏》，88/367B～369B。

1.1 BD01732 號
1.3 金剛般若波羅蜜經
1.4 往 032
1.5 094:4358
2.1 （2.7＋57.2＋1.6）×26.3 厘米；3 紙；35 行，行 17～20 字。
2.2 01：02.7，01； 02：50.6，29； 03：6.6＋1.6，05。
2.3 卷軸裝。首尾均殘。有烏絲欄。
3.1 首殘→大正 235，8/751C23。
3.2 尾殘→8/752B4。
8 8～9 世紀。吐蕃統治時期寫本。
9.1 楷書。
11 圖版：《敦煌寶藏》，83/53A～B。

1.1 BD01733 號
1.3 佛名經（十六卷本）卷一三
1.4 往 033
1.5 063:0756
2.1 （4＋1131）×25.7 厘米；24 紙；574 行，行 17 字。
2.2 01：4＋27.5，16； 02：48.5，25； 03：49.0，25；
04：49.0，25； 05：49.0，25； 06：49.0，25；
07：49.0，25； 08：49.0，25； 09：49.0，25；
10：49.0，25； 11：49.0，25； 12：49.0，25；
13：49.0，25； 14：49.0，25； 15：49.0，24；
16：49.0，24； 17：49.0，24； 18：49.0，24；
19：49.0，24； 20：49.0，24； 21：49.0，25；
22：48.5，26； 23：48.0，25； 24：27.5，13。
2.3 卷軸裝。首殘尾全。首紙上邊下邊殘破，卷上部有等距離水漬，接縫處有開裂，尾紙殘裂、油污。有烏絲欄。
3.1 首 2 行中下殘→《七寺古逸經典研究叢書》，3/643 頁第 73 行～74 行。
3.2 尾全→《七寺古逸經典研究叢書》，3/684 頁第 608 行。

4.2　佛名經卷第十三（尾）。
5　與《大正藏》本對照，佛名略有顛倒。
7.1　第 1 紙背上部有勘記"十三"；第 3 紙背上部有題記"庚辰書"。
7.3　卷背有 1 行 7 個字形，難以辨認。另有雜寫"高侖"、"反之"。
8　9～10 世紀。歸義軍時期寫本。
9.1　楷書。
9.2　有行間校加字。
11　圖版：《敦煌寶藏》，62/133A～148B。

1.1　BD01734 號
1.3　大般涅槃經（北本）卷二四
1.4　往 034
1.5　115:6441
2.1　（1+70）×27.1 厘米；3 紙；36 行，行 17 字。
2.2　01：1+16.5，09；　02：43.5，22；　03：10.0，05。
2.3　卷軸裝。首尾均殘。有烏絲欄。
3.1　首 1 行下殘→大正 374，12/508B21～22。
3.2　尾殘→12/509A1。
6.1　首→BD01765 號。
8　5～6 世紀。南北朝寫本。
9.1　楷書。
11　圖版：《敦煌寶藏》，99/205B～206A。

1.1　BD01735 號
1.3　大般若波羅蜜多經卷一四八
1.4　往 035
1.5　084:2390
2.1　（133+1.9）×25.2 厘米；3 紙；82 行，行 17 字。
2.2　01：43.0，26；　02：45.5，28；　03：44.5+1.9，28。
2.3　卷軸裝。首全尾脫。首紙有殘裂及殘缺，尾紙有殘洞、破裂。背有古代裱補。有烏絲欄。
3.1　首全→大正 220，5/798C2。
3.2　尾行上殘→5/799B29。
4.1　大般若波羅蜜多經卷第一百卌八，/初分校量功德品第卌之卌六，三藏法師玄奘奉詔譯/（首）。
7.1　第 1 紙背面寫有勘記"一百卌八"等字。
8　8～9 世紀。吐蕃統治時期寫本。
9.1　楷書。
11　圖版：《敦煌寶藏》，73/138A～139B。

1.1　BD01736 號
1.3　妙法蓮華經卷六
1.4　往 036
1.5　105:5729
2.1　（12+794.9+6.7）×26 厘米；19 紙；490 行，行 17 字。
2.2　01：12+11，14；　02：46.5，27；　03：46.7，28；
04：46.7，28；　05：46.2，29；　06：46.3，28；
07：46.5，28；　08：46.3，28；　09：46.4，28；
10：46.7，28；　11：46.5，28；　12：46.7，28；
13：46.7，28；　14：46.7，28；　15：46.5，28；
16：46.4，28；　17：46.5，28；　18：39.6+6.7，28。
2.3　卷軸裝。首尾均殘。首紙有殘裂，接縫處有開裂，尾紙有 4 處殘洞。背有古代裱補。有烏絲欄。
3.1　首 7 行上殘→大正 262，9/47C27～48A3。
3.2　尾 4 行上殘→9/54C20～24。
8　8 世紀。唐寫本。
9.1　楷書。
11　圖版：《敦煌寶藏》，94/450B～461B。

1.1　BD01737 號
1.3　大般涅槃經（北本　宮本）卷二六
1.4　往 037
1.5　115:6448
2.1　921.5×26 厘米；20 紙；523 行，行 7 字。
2.2　01：21.5，護首；　02：47.5，28；　03：49.5，30；
04：46.5，27；　05：49.0，29；　06：49.5，29；
07：49.5，29；　08：49.0，29；　09：49.0，29；
10：49.0，29；　11：49.5，30；　12：49.5，29；
13：49.5，29；　14：49.5，31；　15：49.5，29；
16：49.5，29；　17：49.5，30；　18：49.5，30；
19：48.5，27；　20：17.0，拖尾。
2.3　卷軸裝。首尾均全。有護首，首端殘破，有竹質天竿，護首有經名，上有經名號。有燕尾。有烏絲欄。
3.1　首全→大正 374，12/516A7。
3.2　尾全→12/522A27。
4.1　大般涅槃經卷第廾六（首）。
4.2　大般涅槃經卷第廾六（尾）。
5　與《大正藏》本對照，分卷不同。經文相當於《大正藏》卷第廾五光明遍照高貴德王菩薩品第十之五至卷第廾六光明遍照高貴德王菩薩品第十之六，但與日本宮內寮本及《思溪藏》、《普寧藏》、《嘉興藏》本分卷相同。
7.4　護首上有經名"大般涅槃經卷第廾六"。
8　5～6 世紀。南北朝寫本。
9.1　楷書。
11　圖版：《敦煌寶藏》，99/231A～242B。

1.1　BD01738 號
1.3　金剛般若波羅蜜經
1.4　往 038
1.5　094:4393
2.1　63.8×23.3 厘米；2 紙；30 行，行 15～20 字。
2.2　01：30.0，17；　02：33.8，13。

2.3　卷軸裝。首殘尾全。有折疊欄。已修整。
3.1　首殘→大正 235，8/752B3。
3.2　尾全→8/752C3。
4.2　金剛般若波羅蜜經一卷（尾）。
8　9~10 世紀。歸義軍時期寫本。
9.1　楷書。
11　圖版：《敦煌寶藏》，83/97B~98A。

1.1　BD01739 號
1.3　維摩詰所說經卷下
1.4　往 039
1.5　070：1271
2.1　（2+60）×26 厘米；2 紙；35 行，行 17 字。
2.2　01：2+28，17；　02：32.0，18。
2.3　卷軸裝。首尾均殘。卷面有等距離殘洞，尾紙下邊有撕裂，紙變色。有烏絲欄。
3.1　首行上殘→大正 475，14/554C21。
3.2　尾殘→14/555B1。
6.2　尾→BD01684 號。
8　8~9 世紀。吐蕃統治時期寫本。
9.1　楷書。
11　圖版：《敦煌寶藏》，66/383B~384A。

1.1　BD01740 號
1.3　維摩詰所說經卷上
1.4　往 040
1.5　070：1013
2.1　（2.5+62.5+2.5）×26 厘米；2 紙；40 行，行 17 字。
2.2　01：2.5+21.5，14；　02：41+2.5，26。
2.3　卷軸裝。首尾均殘。背有古代裱補，在裱補紙露出的縫隙間有字，因與經卷粘連一起，難以辨認。有烏絲欄。
3.1　首行上殘→大正 475，14/541B27。
3.2　尾行下殘→14/542A12。
6.2　尾→BD01674 號。
8　8~9 世紀。吐蕃統治時期寫本。
9.1　楷書。
9.2　有硃筆、墨筆行間校加字。
11　圖版：《敦煌寶藏》，64/386。

1.1　BD01741 號
1.3　妙法蓮華經卷一
1.4　往 041
1.5　105：4601
2.1　（357.1+11.5）×25.3 厘米；9 紙；240 行，行 17 字。
2.2　01：41.5，26；　02：41.7，27；　03：41.6，27；
04：41.7，27；　05：41.7，27；　06：41.7，27；
07：41.4，27；　08：40.5，27；　09：25.3+11.5，25。
2.3　卷軸裝。首全尾殘。首紙上部有殘損，有鳥糞，卷面下邊有殘損。卷尾殘損嚴重。有烏絲欄。
3.1　首全→大正 262，9/1C14。
3.2　尾 8 行上中殘→9/5B12~17。
4.1　妙法蓮華經序品第一，一（首）。
8　8 世紀。唐寫本。
9.1　楷書。
9.2　有校改。
11　圖版：《敦煌寶藏》，85/65A~70A。

1.1　BD01742 號
1.3　大般若波羅蜜多經卷二五八
1.4　往 042
1.5　084：2678
2.1　（2+133.8）×25.2 厘米；3 紙；80 行，行 17 字。
2.2　01：2+38.5，24；　02：47.8，28；　03：47.5，28。
2.3　卷軸裝。首殘尾脫。卷面有殘洞、破裂，通卷下邊殘破，接縫處有開裂。背有古代裱補。有烏絲欄。已修整。
3.1　首行中殘→大正 220，6/304C23~24。
3.2　尾殘→6/305C15。
8　8~9 世紀。吐蕃統治時期寫本。
9.1　楷書。
11　圖版：《敦煌寶藏》，74/411B~413A。

1.1　BD01743 號
1.3　妙法蓮華經卷七
1.4　往 043
1.5　105：6153
2.1　53.5×26 厘米；2 紙；35 行，行 17 字。
2.2　01：14.0，08；　02：49.5，27。
2.3　卷軸裝。首殘尾全。接縫處有開裂。
3.1　首殘→大正 262，9/61C17。
3.2　尾全→9/62B1。
4.2　妙法蓮華經卷第七（尾）。
6.1　首→BD01756 號。
8　9~10 世紀。歸義軍時期寫本。
9.1　楷書。
11　圖版：《敦煌寶藏》，97/138B~139A。

1.1　BD01744 號
1.3　妙法蓮華經卷七
1.4　往 044
1.5　105：6005
2.1　（1.5+72+2）×25 厘米；2 紙；44 行，行 17 字。
2.2　01：1.5+46.5，28；　02：25.5+2，16。
2.3　卷軸裝。首脫尾殘。首紙下邊多處殘損，中間有 2 個殘洞，卷上邊有等距離殘缺。有烏絲欄。已修整。

3.1　首行上殘→大正 262，9/56C28。
3.2　尾行上殘→9/57B13～14。
8　8 世紀。唐寫本。
9.1　楷書。
11　圖版:《敦煌寶藏》，96/307A～308A。

1.1　BD01745 號
1.3　妙法蓮華經卷一
1.4　往 045
1.5　105:4633
2.1　146.3×25 厘米；3 紙；84 行，行 17 字。
2.2　01：49.1，28；　02：48.8，28；　03：48.4，28。
2.3　卷軸裝。首尾均脱。首紙有殘洞，上下邊有殘損；接縫處有開裂；通卷有水漬。有烏絲欄。
3.1　首殘→大正 262，9/2C21。
3.2　尾殘→9/4A14。
7.3　卷首背面有雜寫“上大”2 字。
8　8 世紀。唐寫本。
9.1　楷書。
11　圖版:《敦煌寶藏》，85/138A～139B。

1.1　BD01746 號
1.3　妙法蓮華經卷六
1.4　往 046
1.5　105:5737
2.1　(9+562.8)×25.2 厘米；14 紙；366 行，行 17 字。
2.2　01：9+3，07；　02：42.2，28；　03：43.0，28；
04：43.1，28；　05：43.1，28；　06：43.2，28；
07：43.0，28；　08：43.0，28；　09：43.0，28；
10：43.0，28；　11：43.0，28；　12：43.0，28；
13：43.0，28；　14：44.2，23。
2.3　卷軸裝。首殘尾全。上邊有等距離污漬。有燕尾。有烏絲欄。
3.1　首 5 行上中殘→大正 262，9/50A27～B1。
3.2　尾全→9/55A9。
4.2　妙法蓮華經卷第六（尾）。
8　8 世紀。唐寫本。
9.1　楷書。
11　圖版:《敦煌寶藏》，94/528A～535B。

1.1　BD01747 號
1.3　妙法蓮華經卷一
1.4　往 047
1.5　105:4663
2.1　(229.1+1.8)×24.6 厘米；6 紙；141 行，行 17 字。
2.2　01：46.0，28；　02：45.8，28；　03：45.8，28；
04：45.7，28；　05：45.8，28；　06：01.8，01。
2.3　卷軸裝。首脱尾殘。經黄打紙。有烏絲欄。
3.1　首殘→大正 262，9/6A18。
3.2　尾行下殘→9/8B15。
8　7～8 世紀。唐寫本。
9.1　楷書。
11　圖版:《敦煌寶藏》，85/202B～205B。

1.1　BD01748 號
1.3　大般若波羅蜜多經卷四九一
1.4　往 048
1.5　084:3227
2.1　(2.4+62.5)×25.6 厘米；2 紙；39 行，行 17 字。
2.2　01：2.4+16.6，11；　02：45.9，28。
2.3　卷軸裝。首殘尾脱。首紙前方下有横裂，接縫處下開裂，尾紙有撕損。有烏絲欄。
3.1　首行中殘→大正 220，7/495A2～3。
3.2　尾殘→7/495B12。
7.1　卷背面有勘記“四百九十一”。
8　8～9 世紀。吐蕃統治時期寫本。
9.1　楷書。
11　圖版:《敦煌寶藏》，77/5A～B。

1.1　BD01749 號
1.3　金光明最勝王經卷八
1.4　往 049
1.5　083:1870
2.1　(15.5+345.7)×25.5 厘米；9 紙；229 行，行 17 字。
2.2　01：15.5+27.5，27；　02：44.3，28；　03：44.5，28；
04：44.1，28；　05：44.5，28；　06：44.3，28；
07：44.2，28；　08：44.3，28；　09：08.0，06。
2.3　卷軸裝。首全尾殘。有烏絲欄。已修整。
3.1　首 10 行下殘→大正 665，16/437C16～438A1。
3.2　尾殘→16/440C28。
4.1　金光明最勝王經大辯才天女品之餘，八（首）
8　8～9 世紀。吐蕃統治時期寫本。
9.1　楷書。
11　圖版:《敦煌寶藏》，70/449A～453B。

1.1　BD01750 號
1.3　妙法蓮華經卷三
1.4　往 050
1.5　105:5202
2.1　(1.7+111.2)×26.1 厘米；3 紙；64 行，行 17 字。
2.2　01：1.7+39.4，24；　02：48.2，28；　03：23.6，12。
2.3　卷軸裝。首殘尾全。經黄紙。有烏絲欄。
3.1　首行下殘→大正 262，9/26A13～14。
3.2　尾全→9/27B9。

4.2　妙法蓮華經卷第三（尾）。
6.1　首→BD01625 號。
8　7～8 世紀。唐寫本。
9.1　楷書。
11　圖版:《敦煌寶藏》，89/408B～410A。

1.1　BD01751 號
1.3　維摩詰所說經卷中
1.4　往 051
1.5　070:1101
2.1　(194+2)×25.5，4 紙；112 行，行 17 字。
2.2　01：49.0，28；　02：49.0，28；　03：49.0，28；
04：47+2，28。
2.3　卷軸裝。首脫尾殘。第 1、2 紙接縫處下部開裂，通卷多處殘裂。有烏絲欄。已修整。
3.1　首殘→大正 475，14/545B26。
3.2　尾行上殘→14/547A1～2。
8　9～10 世紀。歸義軍時期寫本。
9.1　楷書。
11　圖版:《敦煌寶藏》，65/332B～335A。

1.1　BD01752 號
1.3　合部金光明經卷八
1.4　往 052
1.5　082:1436
2.1　(15.5+564.7)×26.3 厘米；13 紙；347 行，行 17 字。
2.2　01：15.5+24.3，25；　02：46.0，28；　03：46.2，28；
04：46.0，28；　05：46.2，28；　06：46.1，28；
07：46.3，28；　08：46.0，28；　09：46.0，28；
10：46.1，28；　11：46.0，28；　12：46.0，28；
13：33.5，14。
2.3　卷軸裝。首殘尾全。經黃打紙。首紙撕裂嚴重，卷面有水漬、變色。有烏絲欄。已修整。
3.1　首 10 行上下殘→大正 664，16/396C27～397A8。
3.2　尾全→16/401C24。
4.2　金光明經卷第八（尾）。
5　與《大正藏》本經對照，分卷不同。本件相當於《大正藏》本之《流水長者子品第二十一》至《付囑品第二十四》。又《付囑品》缺末 27 行。
8　7～8 世紀。唐寫本。
9.1　楷書。
11　圖版:《敦煌寶藏》，67/540A～547A。

1.1　BD01753 號
1.3　妙法蓮華經卷五
1.4　往 053
1.5　105:5450
2.1　(7+1078.8)×26.5，23 紙；610 行，行 17 字。
2.2　01：7+23，16；　02：49.5，28；　03：49.3，28；
04：49.7，28；　05：49.7，28；　06：49.5，28；
07：49.7，28；　08：49.3，28；　09：49.5，28；
10：49.9，28；　11：49.8，28；　12：49.5，28；
13：49.5，28；　14：49.5，28；　15：49.7，28；
16：49.5，28；　17：49.8，28；　18：49.7，28；
19：49.7，28；　20：49.5，28；　21：49.6，28；
22：49.7，28；　23：14.2，06。
2.3　卷軸裝。首殘尾全。首紙上方有撕裂，第 1、2 紙有殘洞，卷面多水漬，紙變色。有古代裱補。有烏絲欄。
3.1　首 4 行上下殘→大正 262，9/37A20～23。
3.2　尾全→9/46B14。
4.2　妙法蓮華經卷第五（尾）。
8　9～10 世紀。歸義軍時期寫本。
9.1　楷書。
9.2　有校改。
11　圖版:《敦煌寶藏》，91/641B～656B。

1.1　BD01754 號
1.3　妙法蓮華經卷二
1.4　往 054
1.5　105:4734
2.1　(3.5+888.7)×25.4 厘米；22 紙；543 行，行 17 字。
2.2　01：3.5+29.6，20；　02：41.1，25；　03：41.3，26；
04：41.3，24；　05：41.2，25；　06：41.2，25；
07：41.0，24；　08：41.1，25；　09：41.0，25；
10：41.0，25；　11：41.0，25；　12：40.9，25；
13：41.0，26；　14：40.9，25；　15：41.0，25；
16：40.9，26；　17：41.3，26；　18：41.1，25；
19：40.7，25；　20：41.1，26；　21：41.3，25；
22：37.7，20。
2.3　卷軸裝。首殘尾全。打紙。卷尾有原軸。第 2 紙後部有撕裂殘損，尾紙有殘裂，接縫處有開裂。有燕尾。背有古代裱補。有烏絲欄。已修整。
3.1　首 2 行上殘→大正 262，9/11B19～20。
3.2　尾全→9/19A12。
4.2　妙法蓮華經卷第二（尾）。
8　7～8 世紀。唐寫本。
9.1　楷書。
11　圖版:《敦煌寶藏》，86/67A～79A。

1.1　BD01755 號
1.3　妙法蓮華經卷七
1.4　往 055
1.5　105:5962
2.1　(212+2.5)×26.5 厘米；5 紙；129 行，行 17 字。

2.2 01：46.5，28； 02：46.5，28； 03：46.5，28；
04：46.5，28； 05：26+1.5，17。
2.3 卷軸裝。首脱尾殘。經黄紙。卷背有古代裱補。有烏絲欄。
3.1 首殘→大正262，9/57B28。
3.2 尾行下殘→9/59B28。
6.2 尾→BD01757號。
8 7~8世紀。唐寫本。
9.1 楷書。
9.2 有刮改。
11 圖版：《敦煌寶藏》，96/219A~221B。

1.1 BD01756號
1.3 妙法蓮華經卷七
1.4 往056
1.5 105:6150
2.1 (3.5+59)×26厘米；2紙；35行，行17字。
2.2 01：3.5+23，15； 02：36.0，20。
2.3 卷軸裝。首殘尾斷。
3.1 首2行中下殘→大正262，9/61B10~12。
3.2 尾殘→9/61C17。
6.1 首→BD01560號。
6.2 尾→BD01743號。
8 8~9世紀。吐蕃統治時期寫本。
9.1 楷書。
11 圖版：《敦煌寶藏》，97/134A~B。

1.1 BD01757號
1.3 妙法蓮華經卷七
1.4 往057
1.5 105:6131
2.1 (4+168)×26厘米；5紙；102行，行17字。
2.2 01：4+17.5，12； 02：46.5，28； 03：46.5，28；
04：46.5，28； 05：11.0，06。
2.3 卷軸裝。首尾均殘。經黄紙。接縫處有開裂，第3、4紙接縫處斷爲2截。有烏絲欄。
3.1 首2行上殘→大正262，9/59B28~29。
3.2 尾殘→9/61A4。
6.1 首→BD01755號。
6.2 尾→BD01643號。
8 7~8世紀。唐寫本。
9.1 楷書。
11 圖版：《敦煌寶藏》，97/99A~101A。

1.1 BD01758號
1.3 大般涅槃經（北本）卷二四
1.4 往058
1.5 115:6439
2.1 64.5×27.1厘米；2紙；33行，行17字。
2.2 01：21.5，11； 02：43.0，22。
2.3 卷軸裝。首尾均殘。有烏絲欄，上邊為雙界欄。
3.1 首殘→大正374，12/507C8。
3.2 尾殘→12/508A14。
6.1 首→BD01811號。
6.2 尾→BD01765號。
8 5~6世紀。南北朝寫本。
9.1 楷書。
9.2 有行間校加字。
11 圖版：《敦煌寶藏》，99/203B~204A。

1.1 BD01759號
1.3 金剛般若波羅蜜經
1.4 往059
1.5 094:4258
2.1 (2+59.7+2.3)×26.5厘米；2紙；37行，行17字。
2.2 01：2+37.7，23； 02：22+2.3，14。
2.3 卷軸裝。首尾均殘。卷自接縫處脱斷爲兩截，尾紙後部有殘裂。有烏絲欄。已修整。
3.1 首殘→大正235，8/751A23。
3.2 尾行上下殘→8/751C4。
8 7~8世紀。唐寫本。
9.1 楷書。
9.2 有刮改。
11 從該件上揭下古代裱補紙2塊，今編爲BD16152號、BD16153號。
圖版：《敦煌寶藏》，82/531A~B。

1.1 BD01760號
1.3 妙法蓮華經卷四
1.4 往060
1.5 105:5415
2.1 (3.2+73.9+1.5)×26.3厘米；2紙；45行，行17字。
2.2 01：3.2+35.7，22； 02：38.2+1.5，23。
2.3 卷軸裝。首尾均殘。有烏絲欄。
3.1 首1行下殘→大正262，9/35B27。
3.2 尾行上殘→9/36A17~18。
8 7~8世紀。唐寫本。
9.1 楷書。
11 圖版：《敦煌寶藏》，91/431B~432B。

1.1 BD01761號
1.3 大般若波羅蜜多經卷五七〇
1.4 往061
1.5 084:3363
2.1 (20.7+674.3+1.8)×25.8厘米；15紙；414行，行17

字。

2.2　01：20.7＋16.8，22；　02：47.0，28；　03：47.1，28；
04：46.8，28；　05：47.3，28；　06：47.6，28；
07：46.9，28；　08：46.9，28；　09：47.1，28；
10：46.9，28；　11：47.1，28；　12：46.9，28；
13：47.2，28；　14：47.1，28；
15：45.6＋1.8，28。

2.3　卷軸裝。首尾均殘。首紙前部殘破，卷下邊有裂損，尾紙尾端有殘裂。背面有古代裱補。有烏絲欄。

3.1　首12行上下殘→大正220，7/942C8～19。

3.2　尾行中殘→7/947B15～16。

8　8～9世紀。吐蕃統治時期寫本。

9.1　楷書。

9.2　有刮改。有行間校加字。

11　圖版：《敦煌寶藏》，77/394B～403B。

1.1　BD01762號

1.3　維摩詰所說經卷中

1.4　往062

1.5　070:1177

2.1　（2＋148.5）×26厘米；4紙；89行，行17字。

2.2　01：2＋45.5，28；　02：47.0，28；　03：47.0，28；
04：09.0，05。

2.3　卷軸裝。首殘尾斷。經黄紙。第1、2紙接縫下部開裂，通卷有水漬。有烏絲欄。

3.1　首行上下殘→大正475，14/548B7。

3.2　尾殘→14/549B14。

6.1　首→BD01526號。

8　7～8世紀。唐寫本。

9.1　楷書。

9.2　有硃筆校改。

11　圖版：《敦煌寶藏》，65/608B～610B。

1.1　BD01763號

1.3　大般若波羅蜜多經卷一四七

1.4　往063

1.5　084:2387

2.1　（26.5＋92）×25.2厘米；3紙；72行，行17字。

2.2　01：26.5，16；　02：46.0，28；　03：46.0，28。

2.3　卷軸裝。首殘尾脫。首紙殘破嚴重，第2紙下邊有殘損。有烏絲欄。

3.1　首16行下殘→大正220，5/793C6～22。

3.2　尾殘→5/794B21。

7.1　第1紙背面寫有勘記“一百卌七”。

8　8～9世紀。吐蕃統治時期寫本。

9.1　楷書。

11　圖版：《敦煌寶藏》，73/113A～134B。

1.1　BD01764號

1.3　佛名經（十二卷本）卷二

1.4　往064

1.5　062:0562

2.1　81.5×27厘米；3紙；41行，行17字。

2.2　01：20.0，10；　02：49.5，25；　03：12.0，06。

2.3　卷軸裝。首尾均殘。有烏絲欄。

3.1　首殘→大正440，14/122C16。

3.2　尾殘→14/123B18。

5　與《大正藏》本對照，次序略有顛倒。

6.1　首→BD01717號。

6.2　尾→BD01699號。

8　9～10世紀。歸義軍時期寫本。

9.1　楷書。

11　圖版：《敦煌寶藏》，60/73A～74A。

1.1　BD01765號

1.3　大般涅槃經（北本）卷二四

1.4　往065

1.5　115:6440

2.1　（69.5＋1.2）×27.1厘米；2紙；36行，行17字。

2.2　01：44.0，22；　02：25.5＋1.2，14。

2.3　卷軸裝。首尾均殘。卷尾上殘。有烏絲欄。

3.1　首殘→大正374，12/508A15。

3.2　尾1行上殘→12/508B21。

6.1　首→BD01758號。

6.2　尾→BD01734號。

8　5～6世紀。南北朝寫本。

9.1　楷書。

9.2　有倒乙。

11　圖版：《敦煌寶藏》，99/204B～205A。

1.1　BD01766號

1.3　大般若波羅蜜多經卷一四六

1.4　往066

1.5　084:2386

2.1　138.7×25.5厘米；3紙；84行，行17字。

2.2　01：46.0，28；　02：46.5，28；　03：46.2，28。

2.3　卷軸裝。首尾均脫。首紙下邊殘缺，卷面有殘洞、破裂，接縫處有開裂。背面有古代裱補，有烏絲欄。

3.1　首殘→大正220，5/789B14。

3.2　尾殘→5/790B9。

8　8～9世紀。吐蕃統治時期寫本。

9.1　楷書。

11　圖版：《敦煌寶藏》，73/131A～132B。

1.1　BD01767號

1.3　大般若波羅蜜多經卷四五
1.4　往067
1.5　084:2118
2.1　（107.8+1.5）×26.3厘米；3紙；66行，行17字。
2.2　01：46.5，28；　02：46.3，28；　03：15+1.5，10。
2.3　卷軸裝。首脱尾殘。有烏絲欄。
3.1　首殘→大正220，5/253C16。
3.2　尾行中殘→5/254B24。
6.1　首→BD01522號。
6.2　尾→BD01647號。
8　8~9世紀。吐蕃統治時期寫本。
9.1　楷書。
11　圖版：《敦煌寶藏》，72/28B~29B。

1.1　BD01768號
1.3　大般若波羅蜜多經卷三二二
1.4　往068
1.5　084:2875
2.1　（29.1+81.1+1.3）×25.5厘米；3紙；71行，行17字。
2.2　01：27.5，17；　02：1.6+42.5，28；
03：38.6+1.3，26。
2.3　卷軸裝。首尾均殘。通卷破損。有烏絲欄。已修整。
3.1　首18行中上殘→6/643A21~B8。
3.2　尾行下殘→6/644A3。
6.2　尾→BD02264號。
8　8~9世紀。吐蕃統治時期寫本。
9.1　楷書。
11　圖版：《敦煌寶藏》，75/316B~317B。

1.1　BD01769號
1.3　佛名經（三十卷本）卷三
1.4　往069
1.5　062:0569
2.1　96×28厘米；2紙；32行，行17字。
2.2　01：46.0，23；　02：50.0，09。
2.3　卷軸裝。首殘尾全。有烏絲欄。
3.1　首殘→大正441，14/198C11。
3.2　尾全→14/199A16。
4.2　佛名經卷第三（尾）。
6.1　首→BD01773號。
8　9~10世紀。歸義軍時期寫本。
9.1　隸楷。
11　圖版：《敦煌寶藏》，60/82B~83B。

1.1　BD01770號
1.3　金剛般若波羅蜜經
1.4　往070
1.5　094:3745
2.1　223×26.5厘米；5紙；129行，行17字。
2.2　01：29.5，17；　02：48.5，28；　03：48.5，28；
04：48.0，28；　05：48.5，28。
2.3　卷軸裝。首殘尾脱。第1、2紙破損嚴重。背有古代裱補。有烏絲欄。已修整。
3.1　首殘→大正235，8/749B2。
3.2　尾殘→8/750C18。
8　9~10世紀。歸義軍時期寫本。
9.1　楷書。
11　從該件上揭下古代裱補紙8塊，現編爲BD16134號（7塊）、BD16135號（1塊）。
圖版：《敦煌寶藏》，80/139B~142B。卷端下方有殘片脱落，《寶藏》或未綴接，或綴接位置有誤。

1.1　BD01771號
1.3　妙法蓮華經卷七
1.4　往071
1.5　105:5894
2.1　（2+62+2.5）×25厘米；2紙；26行，行17字。
2.2　01：2+16.5，護首；　02：45.5+2.5，26。
2.3　卷軸裝。首尾均殘。有護首。接縫處有開裂。有烏絲欄。
3.1　首全→大正262，9/55A12。
3.2　尾行中殘→9/55B13。
4.1　妙法蓮華經妙音菩薩品第二十四，七（首）。
8　8世紀。唐寫本。
9.1　楷書。
11　圖版：《敦煌寶藏》，95/651A~B。

1.1　BD01772號
1.3　金剛般若波羅蜜經
1.4　往072
1.5　094:3979
2.1　73×26.5厘米；3紙；41行，行17字。
2.2　01：21.0，12；　02：50.0，28；　03：02.0，01。
2.3　卷軸裝。首尾均殘。有烏絲欄。
3.1　首殘→大正235，8/750A8~9。
3.2　尾殘→8/750B20。
8　8~9世紀。吐蕃統治時期寫本。
9.1　楷書。
11　圖版：《敦煌寶藏》，81/385B~386A。

1.1　BD01773號
1.3　佛名經（三十卷本）卷三
1.4　往073
1.5　062:0568
2.1　（1.5+58）×28厘米；3紙；29行，行17字。

2.2 01：1.5+3，02； 02：50.0，25； 03：05.0，02。
2.3 卷軸裝。首殘尾斷。有烏絲欄。
3.1 首殘→大正441，14/198B13。
3.2 尾殘→14/198C11。
5 首行與《大正藏》本有異。
6.2 尾→BD01769號。
8 7～8世紀。唐寫本。
9.1 隸楷。
9.2 有一行文字重複抄寫，上下用墨筆標示，並註“重”字。
11 圖版：《敦煌寶藏》，60/81B～82A。

1.1 BD01774號
1.3 金有陀羅尼經
1.4 往074
1.5 254:7593
2.1 （7+56+1）×26.5厘米；2紙；38行，行16～18字。
2.2 01：7+38.5，26； 02：17.5+1，12。
2.3 卷軸裝。首全尾殘。卷首右下殘破，卷面有殘洞。有烏絲欄。
3.1 首2行下殘→大正2910，85/1455C16。
3.2 尾行下殘→85/1456A25。
4.1 金有陀羅尼經（首）。
7.3 背有雜寫“大夫”字迹。
8 8～9世紀。吐蕃統治時期寫本。
9.1 楷書。
11 圖版：《敦煌寶藏》，107/65B～66A。

1.1 BD01775號
1.3 妙法蓮華經卷四
1.4 往075
1.5 105:5279
2.1 （6+57）×25厘米；2紙；39行，行17字。
2.2 01：6+11.5，11； 02：45.5，28。
2.3 卷軸裝。首尾均殘。卷面有殘洞。有烏絲欄。
3.1 首4行中下殘→大正262，9/29A7～11。
3.2 尾殘→9/29C2。
7.1 首紙背端有勘記：“妙法蓮花經，無頭。”
8 7～8世紀。唐寫本。
9.1 楷書。
11 圖版：《敦煌寶藏》，90/465A～466A。

1.1 BD01776號
1.3 太玄真一本際經卷五
1.4 往076
1.5 369:8450
2.1 （4.6+135）×26厘米；4紙；79行，行17字。
2.2 01：4.6+8.3，06； 02：46.4，28； 03：46.5，28；
04：33.8，17。
2.3 卷軸裝。首殘尾全。經黄紙。卷首有横向撕裂，卷尾有蟲繭。有烏絲欄。
3.1 首行下殘→伯2438號第161行。
3.2 尾全→伯2438號卷末。
4.2 太玄真一本際經卷第五（尾）。
8 7～8世紀。唐寫本。
9.1 楷書。
9.2 有刮改。
11 圖版：《敦煌寶藏》，110/349A～350B。

1.1 BD01777號
1.3 金光明最勝王經卷九
1.4 往077
1.5 083:1954
2.1 （1.2+35.2+3）×25.5厘米；2紙；26行，行17字。
2.2 01：1.2+8.2，06； 02：27+3，20。
2.3 卷軸裝。首尾均殘。有烏絲欄。
3.1 首行上中殘→大正665，16/450A17。
3.2 尾3行上殘→16/450B11～14。
6.1 首→BD01795號。
6.2 尾→BD01714號。
8 8～9世紀。吐蕃統治時期寫本。
9.1 楷書。
11 圖版：《敦煌寶藏》，71/86B。

1.1 BD01778號
1.3 妙法蓮華經卷四
1.4 往078
1.5 105:5346
2.1 （2+93.6+2）×26.4厘米；3紙；55行，行17字。
2.2 01：2+18.3，11； 02：47.5，27； 03：27.8+2，17。
2.3 卷軸裝。首尾均殘。有烏絲欄。
3.1 首行上殘→大正262，9/30B29。
3.2 尾行下殘→9/31B12～13。
6.1 首→BD01649號。
6.2 尾→BD01533號。
8 7～8世紀。唐寫本。
9.1 楷書。
11 圖版：《敦煌寶藏》，91/107A～108A。

1.1 BD01779號
1.3 妙法蓮華經卷四
1.4 往079
1.5 105:5345
2.1 （1.3+82.9+2）×26.2厘米；3紙；49行，行17字。
2.2 01：1.3+18.1，11； 02：47.5，27；

03：17.3+2，11。
2.3 卷軸裝。首尾均殘。有烏絲欄。
3.1 首1行上下殘→大正262，9/32A18~19。
3.2 尾行下殘→9/32C22。
6.1 首→BD01533號。
6.2 尾→BD01787號。
8 7~8世紀。唐寫本。
9.1 楷書。
11 圖版：《敦煌寶藏》，91/105B~106B。

1.1 BD01780號
1.3 大般若波羅蜜多經卷二七
1.4 往080
1.5 084:2073
2.1 （5+200.1）×26厘米；5紙；128行，行17字。
2.2 01：5+20.8，16； 02：44.5，28； 03：44.8，28；
04：45.0，28； 05：45.0，28。
2.3 卷軸裝。首殘尾斷。卷首有殘洞及撕裂。有烏絲欄。已修整。
3.1 首3行殘→大正220，5/148B13~15。
3.2 尾殘→5/149C25。
6.2 尾→BD01449號。
7.1 第1紙背面有勘記“三袟七，廿七”。“三袟”是本文獻所屬袟次，“七”是袟内卷次。
8 8~9世紀。吐蕃統治時期寫本。
9.1 楷書。
11 圖版：《敦煌寶藏》，71/570A~572B。

1.1 BD01781號
1.3 妙法蓮華經卷二
1.4 往081
1.5 105:4958
2.1 261.5×26.4厘米；6紙；140行，行17字。
2.2 01：42.6，24； 02：42.3，24； 03：42.2，24；
04：42.0，24； 05：42.6，24； 06：49.8，20。
2.3 卷軸裝。首脱尾全。卷面有水漬，紙變色；接縫處有開裂。有燕尾。有烏絲欄。
3.1 首殘→大正262，9/17A13。
3.2 尾全→9/19A12。
4.2 妙法蓮華經卷第二（尾）。
8 8世紀。唐寫本。
9.1 楷書。
11 圖版：《敦煌寶藏》，87/326A~329B。

1.1 BD01782號
1.3 金剛般若波羅蜜經
1.4 往082
1.5 094:3579
2.1 （8.5+488）×26.5厘米；11紙；299行，行17字。
2.2 01：8.5+27，21； 02：46.0，28； 03：46.2，28；
04：46.3，28； 05：46.0，28； 06：46.1，28；
07：46.1，28； 08：46.2，28； 09：46.0，28；
10：46.1，28； 11：46.0，26。
2.3 卷軸裝。首殘尾全。接縫處有開裂。有烏絲欄。已修整。
3.1 首5行下殘→大正235，8/748C24~29。
3.2 尾全→8/752C3。
4.2 金剛般若波羅蜜經（尾）。
7.3 第2紙上邊有雜寫“人”字。
8 7~8世紀。唐寫本。
9.1 楷書。
11 圖版：《敦煌寶藏》，78/634A~640B。

1.1 BD01783號
1.3 金剛般若波羅蜜經
1.4 往083
1.5 094:3747
2.1 89×26.5厘米；3紙；49行，行17字。
2.2 01：14.5，8； 02：43.5，24； 03：31.0，17。
2.3 卷軸裝。首尾均殘。紙變色。有烏絲欄。
3.1 首殘→大正235，8/749B3。
3.2 尾殘→8/749C25。
8 8~9世紀。吐蕃統治時期寫本。
9.1 楷書。
11 圖版：《敦煌寶藏》，80/150B~151B。

1.1 BD01784號
1.3 維摩詰所說經卷上
1.4 往084
1.5 070:1014
2.1 149×25厘米；3紙；90行，行17字。
2.2 01：50.0，30； 02：49.5，30； 03：49.5，30。
2.3 卷軸裝。首尾均脱。首紙上邊有撕裂，尾紙下邊有撕裂，卷面多水漬。有烏絲欄。
3.1 首殘→大正475，14/539C23。
3.2 尾殘→14/541A3。
6.1 首→BD01794號。
8 8~9世紀。吐蕃統治時期寫本。
9.1 楷書。
11 圖版：《敦煌寶藏》，64/387A~389A。

1.1 BD01785號
1.3 諸經集鈔（擬）
1.4 往085
1.5 117:6568

2.1　45×26 厘米；1 紙；28 行，行 19 字。
2.3　卷軸裝。首尾均脱。經黄紙。卷面多殘破。有烏絲欄。
3.4　説明：
本文獻首尾均殘，抄寫了兩段經文，為：
（一）第 1 行～第 25 行，《摩訶般若波羅蜜經》卷二三，大正 223，8/389B29～C28。
（二）第 25 行，大般涅槃經卷第二説
第 26 行～第 28 行，《大般涅槃經》（北本）卷二，大正 374，12/372A3～A5。
就形態看，有可能是利用廢棄的《摩訶般若波羅蜜經》卷二三寫經紙的空白處，又抄寫《大般涅槃經》（北本）卷二。
8　7～8 世紀。唐寫本。
9.1　楷書。
9.2　有硃筆斷句。
11　圖版：《敦煌寶藏》，100/371A～B。

1.1　BD01786 號
1.3　妙法蓮華經卷五
1.4　往 086
1.5　105:5562
2.1　(6.7+745.5)×26.6 厘米；16 紙；417 行，行 17 字。
2.2　01：6.7+24，17；　02：48.6，28；　03：49.4，28；
04：49.6，28；　05：49.7，28；　06：49.9，28；
07：49.9，28；　08：49.9，28；　09：49.9，28；
10：50.0，28；　11：50.0，28；　12：49.9，28；
13：50.2，28；　14：50.0，28；　15：50.0，28；
16：24.5，08。
2.3　卷軸裝。首殘尾全。尾有原軸，兩端塗黑漆。首紙上下有殘缺、多塵污，第 2 紙有殘洞，第 3 紙下方有撕裂。有烏絲欄。
3.1　首 3 行上下殘→大正 262，9/39C27～29。
3.2　尾全→9/46B14。
4.2　妙法蓮華經卷第五（尾）。
8　9～10 世紀。歸義軍時期寫本。
9.1　楷書。
9.2　有刮改。有行間校加字。
11　圖版：《敦煌寶藏》，93/45B～56B。

1.1　BD01787 號
1.3　妙法蓮華經卷四
1.4　往 087
1.5　105:5380
2.1　(93.2+2.4)×26.3 厘米；3 紙；47 行，行 17 字。
2.2　01：39.7，16；　02：48.2，27；　03：5.3+2.4，4。
2.3　卷軸裝。首尾均殘。打紙。有烏絲欄。
3.1　首殘→大正 262，9/32C22。
3.2　尾行上殘→9/33B13。
6.1　首→BD01779 號。
8　7～8 世紀。唐寫本。
9.1　楷書。
11　圖版：《敦煌寶藏》，91/251B～252B。

1.1　BD01788 號
1.3　妙法蓮華經卷七
1.4　往 088
1.5　105:5996
2.1　(7+85.5+1.5)×20.5 厘米；3 紙；56 行，行 15 字。
2.2　01：7+17，14；　02：46.5，28；　03：22+1.5，14。
2.3　卷軸裝。首尾殘。首紙中間殘裂，第 2 紙上邊有殘裂，上下邊被剪掉。有烏絲欄。
3.1　首 4 行上下殘→大正 262，9/56C13～16。
3.2　尾行下殘→9/57B6～7。
8　9～10 世紀。歸義軍時期寫本。
9.1　楷書。
11　圖版：《敦煌寶藏》，96/291A～292A。

1.1　BD01789 號
1.3　金光明最勝王經卷四
1.4　往 089
1.5　083:1685
2.1　482.4×2.5 厘米；11 紙；279 行，行 17 字。
2.2　01：29.0，17；　02：47.5，28；　03：47.4，28；
04：47.3，28；　05：47.5，28；　06：47.8，28；
07：47.7，28；　08：47.5，28；　09：47.2，28；
10：45.5，28；　11：28.0，10。
2.3　卷軸裝。首殘尾全。卷端脱落一塊殘片，文可綴接。卷尾碎裂嚴重，有蟲繭。背有古代裱補。有烏絲欄。已修整。
3.1　首殘→大正 665，16/419A1。
3.2　尾全→16/422B21。
4.2　金光明經卷第四（尾）。
5　尾附音義。
7.3　背有經名雜寫。
8　7～8 世紀。唐寫本。
9.1　楷書。
11　圖版：《敦煌寶藏》，69/270B～276B。縮微膠卷沒有拍攝殘片。

1.1　BD01790 號
1.3　無量壽宗要經
1.4　往 090
1.5　275:7728
2.1　211×32 厘米；5 紙；137 行，行 30 餘字。
2.2　01：45.0，29；　02：44.0，30；　03：44.0，29；
04：44.0，29；　05：34.0，20。
2.3　卷軸裝。首尾全。接縫處有開裂。有烏絲欄。

3.1　首全→大正 936，19/82A3。
3.2　尾全→19/84C29。
4.1　大乘無量壽經（首）。
4.2　佛說無量壽宗要經（尾）。
8　8～9 世紀。吐蕃統治時期寫本。
9.1　楷書。
11　圖版：《敦煌寶藏》，107/442A～444B。

1.1　BD01791 號
1.3　淨名經集解關中疏卷上
1.4　往 091
1.5　078:1334
2.1　（3.2+234.7）×28.9 厘米；5 紙；159 行，行 31 字。
2.2　01：3.2+44.6，34；　02：47.6，34；　03：47.7，34；
　　04：47.8，34；　05：47.0，23。
2.3　卷軸裝。首尾均脱。首紙上下邊殘缺，第 1、2 紙有等距殘洞，接縫處有開裂。有烏絲欄。卷末 11 行空白。
3.1　首 2 行中下殘→《藏外佛教文獻》，2/第 184 頁第 19 行～第 185 頁第 2 行。
3.2　尾缺→《藏外佛教文獻》，2/第 199 頁第 16 行。
7.3　背有雜寫"釋門　帖諸寺剛管等"。
8　8～9 世紀。吐蕃統治時期寫本。
9.1　楷書。
9.2　有行間校加字。有倒乙。
10　卷首上方及卷尾下方各有一 2.1 厘米×5 厘米的陽文硃印，印文爲"京師圖書館收藏之印"。
11　圖版：《敦煌寶藏》，67/34A～37B。

1.1　BD01792 號
1.3　金剛般若波羅蜜經
1.4　往 092
1.5　094:4102
2.1　307×25.5 厘米；7 紙；167 行，行 17 字。
2.2　01：50.0，28；　02：50.0，28；　03：50.0，28；
　　04：50.0，28；　05：50.0，28；　06：50.0，27；
　　07：07.0，拖尾。
2.3　卷軸裝。首脱尾全。經黄紙。上邊有等距離殘缺，接縫處均有開裂，卷尾有横裂。有烏絲欄。已修整。
3.1　首殘→大正 235，8/750B21。
3.2　尾全→8/752C3。
4.2　金剛般若波羅蜜經（尾）。
8　7～8 世紀。唐寫本。
9.1　楷書。
11　圖版：《敦煌寶藏》，82/123A～127A。

1.1　BD01793 號
1.3　金剛般若波羅蜜經
1.4　往 093
1.5　094:3966
2.1　（8.5+34.3+1.8）×29 厘米；1 紙；28 行，行 18～19 字。
2.3　卷軸裝。首尾殘。上下邊有撕裂破損。有烏絲欄。
3.1　首 5 行下殘→大正 235，8/749C27～750A3。
3.2　尾行中殘→8/750A29～B1。
8　7～8 世紀。唐寫本。
9.1　楷書。
11　圖版：《敦煌寶藏》，81/351A。

1.1　BD01794 號
1.3　維摩詰所說經卷上
1.4　往 094
1.5　070:0981
2.1　258×25.5 厘米；5 紙；150 行，行 17 字。
2.2　01：52.0，30；　02：52.0，30；　03：51.5，30；
　　04：51.5，30；　05：51.0，30。
2.3　卷軸裝。首殘尾脱。卷面有殘裂。有烏絲欄。
3.1　首殘→大正 475，14/541A3。
3.2　尾殘→14/542C18。
6.1　首→BD01784 號。
8　8～9 世紀。吐蕃統治時期寫本。
9.1　楷書。
11　圖版：《敦煌寶藏》，64/245A～248B。

1.1　BD01795 號
1.3　金光明最勝王經卷九
1.4　往 095
1.5　083:1953
2.1　（1.5+50.6+2）×25.7 厘米；2 紙；34 行，行 17 字。
2.2　01：1.5+15.8，11；　02：34.8+2，23。
2.3　卷軸裝。首尾均殘。有烏絲欄。
3.1　首行中殘→大正 665，16/449C10～11。
3.2　尾行殘→16/450A17。
6.1　首→BD01618 號。
6.2　尾→BD01777 號。
8　8～9 世紀。吐蕃統治時期寫本。
9.1　楷書。
9.2　有行間校加字。
11　圖版：《敦煌寶藏》，71/85B～86A。

1.1　BD01796 號
1.3　八波羅夷經
1.4　往 096
1.5　180:7122
2.1　（24.5+58）×27 厘米；2 紙；45 行，行 27 字。
2.2　01：24.5+21，28；　02：37.0，17。

2.3　卷軸裝。首殘尾缺。首紙殘缺嚴重，第 2 紙上下方撕裂，頂天立地抄寫。第 1 紙有烏絲欄，第 2 紙為折疊欄。已修整。
3.4　説明：
本文獻首 16 行上下殘，尾殘。八波羅夷是比丘尼必須遵從的八條重戒，違反者開除教團。本文獻逐條解釋八波羅夷的具體內容與結戒因緣。譯者不詳。敦煌遺書存有多號。本文獻未為歷代經錄所著錄，亦未為歷代大藏經所收。
8　9～10 世紀。歸義軍時期寫本。
9.1　楷書。
9.2　有校改。
11　圖版：《敦煌寶藏》，104/232A～233A。

1.1　BD01797 號
1.3　金剛般若波羅蜜經
1.4　往 097
1.5　094:4175
2.1　122.1×25.5 厘米；3 紙；72 行，行 17 字。
2.2　01：40.3，24；　02：40.3，24；　03：41.5，24。
2.3　卷軸裝。首尾均殘。接縫處有開裂，尾紙有殘洞，卷面變色。有烏絲欄。
3.1　首殘→大正 235，8/750C19。
3.2　尾殘→8/751C9。
8　7～8 世紀。唐寫本。
9.1　楷書。
11　圖版：《敦煌寶藏》，82/315A～316B。

1.1　BD01798 號
1.3　妙法蓮華經卷四
1.4　往 098
1.5　105:5339
2.1　189.2×26.1 厘米；4 紙；112 行，行 17 字。
2.2　01：47.5，28；　02：47.2，28；　03：47.2，28；
04：47.3，28。
2.3　卷軸裝。首尾均脱。有烏絲欄。
3.1　首殘→大正 262，9/31C5。
3.2　尾殘→9/33A25。
8　8～9 世紀。吐蕃統治時期寫本。
9.1　楷書。
11　圖版：《敦煌寶藏》，91/88B～91A。

1.1　BD01799 號
1.3　妙法蓮華經鈔（擬）
1.4　往 099
1.5　105:4555
2.1　（11＋231.6＋6.7）×26.5 厘米；8 紙；145 行，行 17～19 字。
2.2　01：11＋34.7，26；　02：48.2，28；　03：24.1，14；
04：18.8，10；　05：12.3，07；　06：30.7，18；
07：47.6，28；　08：15.2＋6.7，14。
2.3　卷軸裝。首脱尾殘。卷首下部脱落殘片 1 塊；第 1、2 紙接縫處大部開裂。有烏絲欄。已修整。
3.4　説明：
本文獻首 5 行下殘，尾 5 行殘。所抄為《妙法蓮華經》卷一的兩段經文，情況如下：
（一）第 1 行～第 103 行，《序品第一》，相當於大正 262，9/3A23～4C9；
（二）第 104 行～第 145 行，《方便品第二》，相當於大正 262，9/9B10～10B5。
從形態看，可能是原卷中間部分殘缺，將前後兩段粘接在一起，形成目前的情況。現按照鈔經形態，予以定名。
8　9～10 世紀。歸義軍時期寫本。
9.1　楷書。
9.2　有行間校加字。
11　圖版：《敦煌寶藏》，84/402B～406A。

1.1　BD01800 號
1.3　大般若波羅蜜多經卷九一
1.4　往 100
1.5　084:2254
2.1　（8.5＋793）×25.9 厘米；18 紙；486 行，行 17 字。
2.2　01：8.5＋21，18；　02：45.0，28；　03：45.7，28；
04：45.7，28；　05：45.5，28；　06：45.5，28；
07：45.7，28；　08：45.9，28；　09：45.7，28；
10：45.8，28；　11：45.8，28；　12：45.9，28；
13：45.6，28；　14：45.5，28；　15：45.5，28；
16：45.7，28；　17：45.5，28；　18：42.0，20。
2.3　卷軸裝。首殘尾全。尾有原軸，兩端塗黑漆。首紙有撕裂，下邊殘缺。有烏絲欄。
3.1　首 5 行上殘→大正 220，5/504C12～15。
3.2　尾全→5/510B1。
4.2　大般若波羅蜜多經卷第九十一（尾）。
7.1　第 1 紙背端有勘記“第十一袟”（“十一”被塗去），“九十一”、“十”、“十”。“十”為本文獻所屬袟次。
8　8～9 世紀。吐蕃統治時期寫本。
9.1　楷書。
9.2　有行間校加字。有刮改。
11　圖版：《敦煌寶藏》，72/434A～444A。

新舊編號對照表

一、千字文號與北敦號、縮微膠卷號對照表

千字文號	北敦號	縮微膠卷號
暑 099	BD01699 號	062：0563
暑 100	BD01700 號	105：5286
往 001	BD01701 號	105：4639
往 002	BD01702 號	070：1176
往 003	BD01703 號	094：3832
往 004	BD01704 號	094：3952
往 005	BD01705 號	115：6445
往 006	BD01706 號	115：6444
往 007	BD01707 號	062：0564
往 008	BD01708 號	111：6257
往 009	BD01709 號	105：5952
往 010	BD01710 號	070：1071
往 011	BD01711 號	062：0560
往 012	BD01712 號	094：4382
往 013	BD01713 號	116：6545
往 014	BD01714 號	083：1956
往 015	BD01715 號	084：2456
往 016	BD01716 號	105：5423
往 017	BD01717 號	062：0561
往 018	BD01718 號	091：3490
往 019	BD01719 號	062：0557
往 020	BD01720 號	115：6446
往 021	BD01721 號	169：7042
往 022	BD01722 號	043：0424
往 023	BD01723 號	084：2695
往 024	BD01724 號	105：4970
往 025	BD01725 號	165：7009
往 026	BD01726 號	062：0565
往 027	BD01727 號	094：4073
往 028	BD01728 號	084：3233
往 029	BD01729 號	070：1100
往 030	BD01730 號	105：6081
往 031	BD01731 號	105：5042
往 032	BD01732 號	094：4358

千字文號	北敦號	縮微膠卷號
往 033	BD01733 號	063：0756
往 034	BD01734 號	115：6441
往 035	BD01735 號	084：2390
往 036	BD01736 號	105：5729
往 037	BD01737 號	115：6448
往 038	BD01738 號	094：4393
往 039	BD01739 號	070：1271
往 040	BD01740 號	070：1013
往 041	BD01741 號	105：4601
往 042	BD01742 號	084：2678
往 043	BD01743 號	105：6153
往 044	BD01744 號	105：6005
往 045	BD01745 號	105：4633
往 046	BD01746 號	105：5737
往 047	BD01747 號	105：4663
往 048	BD01748 號	084：3227
往 049	BD01749 號	083：1870
往 050	BD01750 號	105：5202
往 051	BD01751 號	070：1101
往 052	BD01752 號	082：1436
往 053	BD01753 號	105：5450
往 054	BD01754 號	105：4734
往 055	BD01755 號	105：5962
往 056	BD01756 號	105：6150
往 057	BD01757 號	105：6131
往 058	BD01758 號	115：6439
往 059	BD01759 號	094：4258
往 060	BD01760 號	105：5415
往 061	BD01761 號	084：3363
往 062	BD01762 號	070：1177
往 063	BD01763 號	084：2387
往 064	BD01764 號	062：0562
往 065	BD01765 號	115：6440
往 066	BD01766 號	084：2386

往 067	BD01767 號	084：2118	往 084	BD01784 號	070：1014
往 068	BD01768 號	084：2875	往 085	BD01785 號	117：6568
往 069	BD01769 號	062：0569	往 086	BD01786 號	105：5562
往 070	BD01770 號	094：3745	往 087	BD01787 號	105：5380
往 071	BD01771 號	105：5894	往 088	BD01788 號	105：5996
往 072	BD01772 號	094：3979	往 089	BD01789 號	083：1685
往 073	BD01773 號	062：0568	往 090	BD01790 號	275：7728
往 074	BD01774 號	254：7593	往 091	BD01791 號	078：1334
往 075	BD01775 號	105：5279	往 092	BD01792 號	094：4102
往 076	BD01776 號	369：8450	往 093	BD01793 號	094：3966
往 077	BD01777 號	083：1954	往 094	BD01794 號	070：0981
往 078	BD01778 號	105：5346	往 095	BD01795 號	083：1953
往 079	BD01779 號	105：5345	往 096	BD01796 號	180：7122
往 080	BD01780 號	084：2073	往 097	BD01797 號	094：4175
往 081	BD01781 號	105：4958	往 098	BD01798 號	105：5339
往 082	BD01782 號	094：3579	往 099	BD01799 號	105：4555
往 083	BD01783 號	094：3747	往 100	BD01800 號	084：2254

二、縮微膠卷號與北敦號、千字文號對照表

縮微膠卷號	北敦號	千字文號	縮微膠卷號	北敦號	千字文號
043：0424	BD01722 號	往 022	083：1953	BD01795 號	往 095
062：0557	BD01719 號	往 019	083：1954	BD01777 號	往 077
062：0560	BD01711 號	往 011	083：1956	BD01714 號	往 014
062：0561	BD01717 號	往 017	084：2073	BD01780 號	往 080
062：0562	BD01764 號	往 064	084：2118	BD01767 號	往 067
062：0563	BD01699 號	暑 099	084：2254	BD01800 號	往 100
062：0564	BD01707 號	往 007	084：2386	BD01766 號	往 066
062：0565	BD01726 號	往 026	084：2387	BD01763 號	往 063
062：0568	BD01773 號	往 073	084：2390	BD01735 號	往 035
062：0569	BD01769 號	往 069	084：2456	BD01715 號	往 015
063：0756	BD01733 號	往 033	084：2678	BD01742 號	往 042
070：0981	BD01794 號	往 094	084：2695	BD01723 號	往 023
070：1013	BD01740 號	往 040	084：2875	BD01768 號	往 068
070：1014	BD01784 號	往 084	084：3227	BD01748 號	往 048
070：1071	BD01710 號	往 010	084：3233	BD01728 號	往 028
070：1100	BD01729 號	往 029	084：3363	BD01761 號	往 061
070：1101	BD01751 號	往 051	091：3490	BD01718 號	往 018
070：1176	BD01702 號	往 002	094：3579	BD01782 號	往 082
070：1177	BD01762 號	往 062	094：3745	BD01770 號	往 070
070：1271	BD01739 號	往 039	094：3747	BD01783 號	往 083
078：1334	BD01791 號	往 091	094：3832	BD01703 號	往 003
082：1436	BD01752 號	往 052	094：3952	BD01704 號	往 004
083：1685	BD01789 號	往 089	094：3966	BD01793 號	往 093
083：1870	BD01749 號	往 049	094：3979	BD01772 號	往 072

094：4073	BD01727 號	往 027
094：4102	BD01792 號	往 092
094：4175	BD01797 號	往 097
094：4258	BD01759 號	往 059
094：4358	BD01732 號	往 032
094：4382	BD01712 號	往 012
094：4393	BD01738 號	往 038
105：4555	BD01799 號	往 099
105：4601	BD01741 號	往 041
105：4633	BD01745 號	往 045
105：4639	BD01701 號	往 001
105：4663	BD01747 號	往 047
105：4734	BD01754 號	往 054
105：4958	BD01781 號	往 081
105：4970	BD01724 號	往 024
105：5042	BD01731 號	往 031
105：5202	BD01750 號	往 050
105：5279	BD01775 號	往 075
105：5286	BD01700 號	暑 100
105：5339	BD01798 號	往 098
105：5345	BD01779 號	往 079
105：5346	BD01778 號	往 078
105：5380	BD01787 號	往 087
105：5415	BD01760 號	往 060
105：5423	BD01716 號	往 016
105：5450	BD01753 號	往 053
105：5562	BD01786 號	往 086
105：5729	BD01736 號	往 036
105：5737	BD01746 號	往 046
105：5894	BD01771 號	往 071
105：5952	BD01709 號	往 009
105：5962	BD01755 號	往 055
105：5996	BD01788 號	往 088
105：6005	BD01744 號	往 044
105：6081	BD01730 號	往 030
105：6131	BD01757 號	往 057
105：6150	BD01756 號	往 056
105：6153	BD01743 號	往 043
111：6257	BD01708 號	往 008
115：6439	BD01758 號	往 058
115：6440	BD01765 號	往 065
115：6441	BD01734 號	往 034
115：6444	BD01706 號	往 006
115：6445	BD01705 號	往 005
115：6446	BD01720 號	往 020
115：6448	BD01737 號	往 037
116：6545	BD01713 號	往 013
117：6568	BD01785 號	往 085
165：7009	BD01725 號	往 025
169：7042	BD01721 號	往 021
180：7122	BD01796 號	往 096
254：7593	BD01774 號	往 074
275：7728	BD01790 號	往 090
369：8450	BD01776 號	往 076